D1074576

LES MISÉRABLES

TOME QUATRIÈME

LIVRES DE VICTOR HUGO

DANS LA « COLLECTION NELSON »

Les Misérables (4 vol.)
Notre-Dame de Paris (2 vol.)
L'Homme qui rit (2 vol.)
Quatrevingt-treize
Les Travailleurs de la Mer (2 vol.)

Ruy Blas, Les Burgraves
Cromwell
Hernani, Marion Delorme

Les Contemplations
Les Feuilles d'Automne *et*
 Les Chants du Crépuscule
Les Châtiments
Odes et Ballades, Les Orientales
La Légende des Siècles (3 vol.)
L'Art d'être Grand-Père

LES MISÉRABLES

PAR

VICTOR HUGO

TOME QUATRIÈME

PARIS
NELSON ÉDITEURS
25 RUE HENRI BARBUSSE
LONDRES ÉDIMBOURG TORONTO ET NEW-YORK
1956

SOCIÉTÉ FRANÇAISE D'ÉDITIONS NELSON
25 rue Henri Barbusse Paris Ve

THOMAS NELSON AND SONS LTD
Parkside Works Edinburgh 9
36 Park Street London W1
312 Flinders Street Melbourne C1

302–304 Barclays Bank Building
Commissioner and Kruis Streets
Johannesburg

THOMAS NELSON AND SONS (CANADA) LTD
91–93 Wellington Street West Toronto 1

THOMAS NELSON AND SONS
19 East 47th Street New York 17

VICTOR-MARIE HUGO
né le 26 février 1802 à Besançon
mort le 22 mai 1885 à Paris

Première édition *Les Misérables* :
1862

TABLE

QUATRIÈME PARTIE
L'IDYLLE RUE PLUMET ET L'ÉPOPÉE RUE SAINT-DENIS
(*suite*)

LIVRE QUATORZIÈME
LES GRANDEURS DU DÉSESPOIR

Pages

LIVRE QUINZIÈME
LA RUE DE L'HOMME-ARMÉ

CINQUIÈME PARTIE

JEAN VALJEAN

LIVRE PREMIER

LA GUERRE ENTRE QUATRE MURS

LIVRE DEUXIÈME
L'INTESTIN DE LÉVIATHAN

LIVRE TROISIÈME
LA BOUE, MAIS L'ÂME

LIVRE QUATRIÈME
JAVERT DÉRAILLÉ

LIVRE CINQUIÈME
LE PETIT-FILS ET LE GRAND-PÈRE

LIVRE SIXIÈME
LA NUIT BLANCHE

LIVRE SEPTIÈME
LA DERNIÈRE GORGÉE DU CALICE

LIVRE HUITIÈME
LA DÉCROISSANCE CRÉPUSCULAIRE

LIVRE NEUVIÈME
SUPRÊME OMBRE, SUPRÊME AURORE

QUATRIÈME PARTIE

L'IDYLLE RUE PLUMET ET L'ÉPOPÉE RUE SAINT-DENIS

(*suite*)

LIVRE QUATORZIÈME

LES GRANDEURS DU DÉSESPOIR

I

LE DRAPEAU — PREMIER ACTE

RIEN ne venait encore. Dix heures avaient sonné à Saint-Merry, Enjolras et Combeferre étaient allés s'asseoir, la carabine à la main, près de la coupure de la grande barricade. Ils ne se parlaient pas ; ils écoutaient, cherchant à saisir même le bruit de marche le plus sourd et le plus lointain.

Subitement, au milieu de ce calme lugubre, une voix claire, jeune, gaie, qui semblait venir de la rue Saint-Denis, s'éleva et se mit à chanter distinctement sur le vieil air populaire *Au clair de la lune* cette poésie terminée par une sorte de cri pareil au chant du coq :

Mon nez est en larmes.
Mon ami Bugeaud,
Prêt'-moi tes gendarmes
Pour leur dire un mot.

En capote bleue,
La poule au shako,
Voici la banlieue !
Co-cocorico !

Ils se serrèrent la main.

— C'est Gavroche, dit Enjolras.

— Il nous avertit, dit Combeferre.

Une course précipitée troubla la rue déserte, on vit un être plus agile qu'un clown grimper pardessus l'omnibus, et Gavroche bondit dans la barricade tout essoufflé, en disant :

— Mon fusil ! Les voici.

Un frisson électrique parcourut toute la barricade, et l'on entendit le mouvement des mains cherchant les fusils.

— Veux-tu ma carabine ? dit Enjolras au gamin.

— Je veux le grand fusil, répondit Gavroche.

Et il prit le fusil de Javert.

Deux sentinelles s'étaient repliées et étaient rentrées presque en même temps que Gavroche. C'était la sentinelle du bout de la rue et la vedette de la Petite-Truanderie. La vedette de la ruelle des Prêcheurs était restée à son poste, ce qui indiquait que rien ne venait du côté des ponts et des halles. La rue de la Chanvrerie, dont quelques pavés à peine étaient visibles au reflet de la lumière qui se projetait sur le drapeau, offrait aux insurgés l'aspect d'un grand porche noir vaguement ouvert dans une fumée.

Chacun avait pris son poste de combat.

Quarante-trois insurgés, parmi lesquels Enjolras, Combeferre, Courfeyrac, Bossuet, Joly, Bahorel et Gavroche, étaient agenouillés dans la grande barricade, les têtes à fleur de la crête du barrage, les canons des fusils et des carabines braqués sur les pavés comme à des meurtrières, attentifs, muets, prêts à faire feu. Six, commandés par Feuilly, s'étaient installés, le fusil en joue, aux fenêtres des deux étages de Corinthe.

Quelques instants s'écoulèrent encore ; puis un bruit de pas, mesuré, pesant, nombreux, se fit entendre distinctement du côté de Saint-Leu. Ce bruit, d'abord faible, puis précis, puis lourd et sonore, s'approchait lentement, sans halte, sans interruption, avec une continuité tranquille et terrible. On n'entendait rien que cela. C'était tout ensemble le silence et le bruit de la statue du commandeur, mais ce pas de pierre avait on ne sait quoi d'énorme et de multiple qui éveillait l'idée d'une foule en même temps que l'idée d'un spectre. On croyait entendre marcher l'effrayante statue Légion. Ce pas approcha ; il approcha encore, et s'arrêta. Il sembla qu'on entendît au bout de la rue le souffle de beaucoup d'hommes. On ne voyait rien pourtant, seulement on distinguait tout au fond, dans cette épaisse obscurité, une multitude de fils métalliques, fins comme des aiguilles et presque imperceptibles, qui s'agitaient, pareils à ces indescriptibles réseaux phosphoriques qu'au moment de s'endormir on aperçoit, sous ses paupières fermées, dans les premiers brouillards du sommeil. C'étaient les bayonnettes et les canons de fusils confusément éclairés par la réverbération lointaine de la torche.

Il y eut encore une pause, comme si des deux côtés on attendait. Tout à coup, du fond de cette ombre, une voix, d'autant plus sinistre qu'on ne voyait personne, et qu'il semblait que c'était l'obscurité elle-même qui parlait, cria : « Qui vive ? »

En même temps on entendit le cliquetis des fusils qui s'abattent.

Enjolras répondit d'un accent vibrant et altier :

— Révolution française.

— Feu ! dit la voix.

Un éclair empourpra toutes les façades de la rue comme si la porte d'une fournaise s'ouvrait et se fermait brusquement.

Une effroyable détonation éclata sur la barricade. Le drapeau rouge tomba. La décharge avait été si violente et si dense qu'elle en avait coupé la hampe ; c'est-à-dire la pointe même du timon de l'omnibus. Des balles, qui avaient ricoché sur les corniches des maisons, pénétrèrent dans la barricade et blessèrent plusieurs hommes.

L'impression de cette première décharge fut glaçante. L'attaque était rude, et de nature à faire songer les plus hardis. Il était évident qu'on avait au moins affaire à un régiment tout entier.

— Camarades, cria Courfeyrac, ne perdons pas la poudre. Attendons pour riposter qu'ils soient engagés dans la rue.

— Et avant tout, dit Enjolras, relevons le drapeau !

Il ramassa le drapeau qui était précisément tombé à ses pieds.

On entendait au dehors le choc des baguettes dans les fusils ; la troupe rechargeait les armes.

Enjolras reprit :

— Qui est-ce qui a du cœur ici ? qui est-ce qui replante le drapeau sur la barricade ?

Pas un ne répondit. Monter sur la barricade au moment où sans doute elle était couchée en joue de nouveau, c'était simplement la mort. Le plus brave hésite à se condamner. Enjolras lui-même avait un frémissement.

Il répéta :

— Personne ne se présente ?

II

LE DRAPEAU — DEUXIÈME ACTE

Depuis qu'on était arrivé à Corinthe et qu'on avait commencé à construire la barricade, on n'avait plus guère fait attention au père Mabeuf. M. Mabeuf pourtant n'avait pas quitté l'attroupement. Il était entré dans le rez-de-chaussée du cabaret et s'était assis derrière le comptoir. Là, il s'était pour ainsi dire anéanti en lui-même. Il semblait ne plus regarder et ne plus penser. Courfeyrac et d'autres l'avaient deux ou trois fois accosté, l'avertissant du péril, l'engageant à se retirer, sans qu'il parût les entendre. Quand on ne lui parlait pas, sa bouche remuait comme s'il répondait à quelqu'un, et dès qu'on lui adressait la parole, ses lèvres devenaient immobiles et ses yeux n'avaient plus l'air vivants. Quelques heures avant que la barricade fût attaquée, il avait pris une posture qu'il n'avait plus quittée, les deux poings sur ses deux genoux et la tête penchée en avant comme s'il regardait dans un précipice. Rien n'avait pu le tirer de cette attitude ; il ne paraissait pas que son esprit fût dans la barricade. Quand chacun était allé prendre sa place de combat, il n'était plus resté dans la salle basse que Javert lié au poteau, un insurgé, le sabre nu, veillant sur Javert, et lui Mabeuf. Au moment de l'attaque, à la détonation, la secousse physique l'avait atteint et comme éveillé, il s'était levé brusquement, il avait traversé la salle, et à l'instant où Enjolras répéta son appel : « Personne ne se présente ? » on vit le vieillard apparaître sur le seuil du cabaret.

Sa présence fit une sorte de commotion dans

les groupes. Un cri s'éleva : C'est le votant! c'est le conventionnel! c'est le représentant du peuple!

Il est probable qu'il n'entendait pas.

Il marcha droit à Enjolras, les insurgés s'écartaient devant lui avec une crainte religieuse, il arracha le drapeau à Enjolras qui reculait pétrifié, et alors, sans que personne osât ni l'arrêter ni l'aider, ce vieillard de quatrevingts ans, la tête branlante, le pied ferme, se mit à gravir lentement l'escalier de pavés pratiqué dans la barricade. Cela était si sombre et si grand que tous autour de lui crièrent : Chapeau bas! A chaque marche qu'il montait, c'était effrayant ; ses cheveux blancs, sa face décrépite, son grand front chauve et ridé, ses yeux caves, sa bouche étonnée et ouverte, son vieux bras levant la bannière rouge, surgissaient de l'ombre et grandissaient dans la clarté sanglante de la torche ; et l'on croyait voir le spectre de 93 sortir de terre, le drapeau de la terreur à la main.

Quand il fut au haut de la dernière marche, quand ce fantôme tremblant et terrible, debout sur ce monceau de décombres en présence de douze cents fusils invisibles, se dressa, en face de la mort et comme s'il était plus fort qu'elle, toute la barricade eut dans les ténèbres une figure surnaturelle et colossale.

Il y eut un de ces silences qui ne se font qu'autour des prodiges.

Au milieu de ce silence le vieillard agita le drapeau rouge et cria :

— Vive la révolution! vive la république! fraternité! égalité! et la mort!

On entendit de la barricade un chuchotement bas et rapide pareil au murmure d'un prêtre pressé qui dépêche une prière. C'était probablement le commissaire de police qui faisait les sommations légales à l'autre bout de la rue.

Puis la même voix éclatante qui avait crié : qui vive ? cria :

— Retirez-vous !

M. Mabeuf, blême, hagard, les prunelles illuminées des lugubres flammes de l'égarement, leva le drapeau au-dessus de son front et répéta :

— Vive la république !

— Feu ! dit la voix.

Une seconde décharge, pareille à une mitraille, s'abattit sur la barricade.

Le vieillard fléchit sur ses genoux, puis se redressa, laissa échapper le drapeau et tomba en arrière à la renverse sur le pavé, comme une planche, tout de son long et les bras en croix.

Des ruisseaux de sang coulèrent de dessous lui. Sa vieille tête, pâle et triste, semblait regarder le ciel.

Une de ces émotions supérieures à l'homme qui font qu'on oublie même de se défendre, saisit les insurgés, et ils s'approchèrent du cadavre avec une épouvante respectueuse.

— Quels hommes que ces régicides ! dit Enjolras.

Courfeyrac se pencha à l'oreille d'Enjolras :

— Ceci n'est que pour toi, et je ne veux pas diminuer l'enthousiasme. Mais ce n'était rien moins qu'un régicide. Je l'ai connu. Il s'appelait le père Mabeuf. Je ne sais pas ce qu'il avait aujourd'hui. Mais c'était une brave ganache. Regarde-moi sa tête.

— Tête de ganache et cœur de Brutus, répondit Enjolras.

Puis il éleva la voix :

— Citoyens ! ceci est l'exemple que les vieux donnent aux jeunes. Nous hésitions, il est venu !

nous reculions, il a avancé ! Voilà ce que ceux qui tremblent de vieillesse enseignent à ceux qui tremblent de peur ! Cet aïeul est auguste devant la patrie. Il a eu une longue vie et une magnifique mort ! Maintenant abritons le cadavre, que chacun de nous défende ce vieillard mort comme il défendrait son père vivant, et que sa présence au milieu de nous fasse la barricade imprenable !

Un murmure d'adhésion morne et énergique suivit ces paroles.

Enjolras se courba, souleva la tête du vieillard, et, farouche, le baisa au front, puis, lui écartant les bras, et maniant ce mort avec une précaution tendre, comme s'il eût craint de lui faire du mal, il lui ôta son habit, en montra à tous les trous sanglants, et dit :

— Voilà maintenant notre drapeau.

III

GAVROCHE AURAIT MIEUX FAIT D'ACCEPTER LA CARABINE D'ENJOLRAS

On jeta sur le père Mabeuf un long châle noir de la veuve Hucheloup. Six hommes firent de leurs fusils une civière, on y posa le cadavre, et on le porta, têtes nues, avec une lenteur solennelle, sur la grande table de la salle basse.

Ces hommes, tout entiers à la chose grave et sacrée qu'ils faisaient, ne songeaient plus à la situation périlleuse où ils étaient.

Quand le cadavre passa près de Javert toujours impassible, Enjolras dit à l'espion :

— Toi ! tout à l'heure.

Pendant ce temps-là, le petit Gavroche, qui seul n'avait pas quitté son poste et était resté en observation, croyait voir des hommes s'approcher à pas de loup de la barricade. Tout à coup il cria :

— Méfiez-vous !

Courfeyrac, Enjolras, Jean Prouvaire, Combeferre, Joly, Bahorel, Bossuet, tous sortirent en tumulte du cabaret. Il n'était déjà presque plus temps. On apercevait une étincelante épaisseur de bayonnettes ondulant au-dessus de la barricade. Des gardes municipaux de haute taille pénétraient, les uns en enjambant l'omnibus, les autres par la coupure, poussant devant eux le gamin qui reculait, mais ne fuyait pas.

L'instant était critique. C'était cette première redoutable minute de l'inondation, quand le fleuve se soulève au niveau de la levée et que l'eau commence à s'infiltrer par les fissures de la digue. Une seconde encore, et la barricade était prise.

Bahorel s'élança sur le premier garde municipal qui entrait et le tua à bout portant d'un coup de carabine ; le second tua Bahorel d'un coup de bayonnette. Un autre avait déjà terrassé Courfeyrac qui criait : A moi ! Le plus grand de tous, une espèce de colosse, marchait sur Gavroche la bayonnette en avant. Le gamin prit dans ses petits bras l'énorme fusil de Javert, coucha résolument en joue le géant, et lâcha son coup. Rien ne partit. Javert n'avait pas chargé son fusil. Le garde municipal éclata de rire et leva la bayonnette sur l'enfant.

Avant que la bayonnette eût touché Gavroche, le fusil échappait des mains du soldat, une balle avait frappé le garde municipal au milieu du front et il tombait sur le dos. Une seconde balle frappait en pleine poitrine l'autre garde qui avait assailli Courfeyrac, et le jetait sur le pavé.

C'était Marius qui venait d'entrer dans la barricade.

IV

LE BARIL DE POUDRE

MARIUS, toujours caché dans le coude de la rue Mondétour, avait assisté à la première phase du combat, irrésolu et frissonnant. Cependant il n'avait pu résister longtemps à ce vertige mystérieux et souverain qu'on pourrait nommer l'appel de l'abîme. Devant l'imminence du péril, devant la mort de M. Mabeuf, cette funèbre énigme, devant Bahorel tué, Courfeyrac criant : à moi ! cet enfant menacé, ses amis à secourir ou à venger, toute hésitation s'était évanouie, et il s'était rué dans la mêlée ses deux pistolets à la main. Du premier coup il avait sauvé Gavroche et du second délivré Courfeyrac.

Aux coups de feu, aux cris des gardes frappés, les assaillants avaient gravi le retranchement, sur le sommet duquel on voyait maintenant se dresser plus d'à mi-corps, et en foule, des gardes municipaux, des soldats de la ligne, des gardes nationaux de la banlieue, le fusil au poing. Ils couvraient déjà plus des deux tiers du barrage, mais ils ne sautaient pas dans l'enceinte, comme s'ils balançaient, craignant quelque piège. Ils regardaient dans la barricade obscure comme on regarderait dans une tanière de lions. La lueur de la torche n'éclairait que les bayonnettes, les bonnets à poil et le haut des visages inquiets et irrités.

Marius n'avait plus d'armes, il avait jeté ses pistolets déchargés, mais il avait aperçu le baril de poudre dans la salle basse près de la porte.

Comme il se tournait à demi, regardant de ce côté, un soldat le coucha en joue. Au moment où le soldat ajustait Marius, une main se posa sur le bout du canon du fusil, et le boucha. C'était quelqu'un qui s'était élancé, le jeune ouvrier au pantalon de velours. Le coup partit, traversa la main, et peut-être aussi l'ouvrier, car il tomba, mais la balle n'atteignit pas Marius. Tout cela dans la fumée, plutôt entrevu que vu. Marius, qui entrait dans la salle basse, s'en aperçut à peine. Cependant il avait confusément vu ce canon de fusil dirigé sur lui et cette main qui l'avait bouché, et il avait entendu le coup. Mais dans des minutes comme celle-là, les choses qu'on voit vacillent et se précipitent, et l'on ne s'arrête à rien. On se sent obscurément poussé vers plus d'ombre encore, et tout est nuage.

Les insurgés, surpris, mais non effrayés, s'étaient ralliés. Enjolras avait crié : Attendez ! ne tirez pas au hasard ! Dans la première confusion en effet ils pouvaient se blesser les uns les autres. La plupart étaient montés à la fenêtre du premier étage et aux mansardes d'où ils dominaient les assaillants. Les plus déterminés, avec Enjolras, Courfeyrac, Jean Prouvaire et Combeferre, s'étaient fièrement adossés aux maisons du fond, à découvert et faisant face aux rangées de soldats et de gardes qui couronnaient la barricade.

Tout cela s'accomplit sans précipitation, avec cette gravité étrange et menaçante qui précède les mêlées. Des deux parts on se couchait en joue, à bout portant, on était si près qu'on pouvait se parler à portée de voix. Quand on fut à ce point où l'étincelle va jaillir, un officier en hausse-col et à grosses épaulettes étendit son épée et dit :

— Bas les armes !

— Feu ! dit Enjolras.

Les deux détonations partirent en même temps, et tout disparut dans la fumée.

Fumée âcre et étouffante où se traînaient, avec des gémissements faibles et sourds, des mourants et des blessés.

Quand la fumée se dissipa, on vit des deux côtés les combattants, éclaircis, mais toujours aux mêmes places, qui rechargeaient les armes en silence.

Tout à coup, on entendit une voix tonnante qui criait :

— Allez-vous-en, ou je fais sauter la barricade !

Tous se retournèrent du côté d'où venait la voix.

Marius était entré dans la salle basse, y avait pris le baril de poudre, puis il avait profité de la fumée et de l'espèce de brouillard obscur qui emplissait l'enceinte retranchée, pour se glisser le long de la barricade jusqu'à cette cage de pavés où était fixée la torche. En arracher la torche, y mettre le baril de poudre, pousser la pile de pavés sous le baril, qui s'était sur-le-champ défoncé, avec une sorte d'obéissance terrible, tout cela avait été pour Marius le temps de se baisser et de se relever, et maintenant tous, gardes nationaux, gardes municipaux, officiers, soldats, pelotonnés à l'autre extrémité de la barricade, le regardaient avec stupeur le pied sur les pavés, la torche à la main, son fier visage éclairé par une résolution fatale, penchant la flamme de la torche vers ce monceau redoutable où l'on distinguait le baril de poudre brisé, et poussant ce cri terrifiant :

— Allez-vous-en, ou je fais sauter la barricade !

Marius sur cette barricade après l'octogénaire, c'était la vision de la jeune révolution après l'apparition de la vieille.

— Sauter la barricade ! dit un sergent, et toi aussi !

Marius répondit :

— Et moi aussi.

Et il approcha la torche du baril de poudre.

Mais il n'y avait déjà plus personne sur le barrage. Les assaillants, laissant leurs morts et leurs blessés, refluaient pêle-mêle et en désordre vers l'extrémité de la rue et s'y perdaient de nouveau dans la nuit. Ce fut un sauve-qui-peut.

La barricade était dégagée.

V

FIN DES VERS DE JEAN PROUVAIRE

TOUS entourèrent Marius. Courfeyrac lui sauta au cou.

— Te voilà !

— Quel bonheur ! dit Combeferre.

— Tu es venu à propos ! fit Bossuet.

— Sans toi j'étais mort ! reprit Courfeyrac.

— Sans vous j'étais gobé ! ajouta Gavroche.

Marius demanda :

— Où est le chef ?

— C'est toi, dit Enjolras.

Marius avait eu toute la journée une fournaise dans le cerveau, maintenant c'était un tourbillon.

Ce tourbillon qui était en lui lui faisait l'effet d'être hors de lui et de l'emporter. Il lui semblait qu'il était déjà à une distance immense de la vie. Ses deux lumineux mois de joie et d'amour aboutissant brusquement à cet effroyable précipice, Cosette perdue pour lui, cette barricade, M. Mabeuf se faisant tuer pour la république, lui-même chef d'insurgés, toutes ces choses lui paraissaient un cauchemar monstrueux. Il était obligé de faire un effort d'esprit pour se rappeler que tout ce qui l'entourait était réel. Marius avait trop peu vécu encore pour savoir que rien n'est plus imminent que l'impossible, et que ce qu'il faut toujours prévoir, c'est l'imprévu. Il assistait à son propre drame comme à une pièce qu'on ne comprend pas.

Dans cette brume où était sa pensée, il ne reconnut pas Javert qui, lié à son poteau, n'avait pas fait un mouvement de tête pendant l'attaque de la barricade et qui regardait s'agiter autour de lui la révolte avec la résignation d'un martyr et la majesté d'un juge. Marius ne l'aperçut même pas.

Cependant les assaillants ne bougeaient plus, on les entendait marcher et fourmiller au bout de la rue, mais ils ne s'y aventuraient pas, soit qu'ils attendissent des ordres, soit qu'avant de se ruer de nouveau sur cette imprenable redoute, ils attendissent des renforts. Les insurgés avaient posé des sentinelles, et quelques-uns qui étaient étudiants en médecine s'étaient mis à panser les blessés.

On avait jeté les tables hors du cabaret à l'exception de deux tables réservées à la charpie et aux cartouches, et de la table où gisait le père Mabeuf ; on les avait ajoutées à la barricade, et on les avait remplacées dans la salle basse par les matelas des lits de la veuve Hucheloup et des servantes. Sur ces matelas on avait étendu les blessés. Quant aux trois pauvres créatures qui habitaient Corinthe, on ne savait ce qu'elles étaient devenues. On finit pourtant par les retrouver cachées dans la cave.

Une émotion poignante vint assombrir la joie de la barricade dégagée.

On fit l'appel. Un des insurgés manquait. Et qui ? Un des plus chers, un des plus vaillants. Jean Prouvaire. On le chercha parmi les blessés, il n'y était pas. On le chercha parmi les morts, il n'y était pas. Il était évidemment prisonnier.

Combeferre dit à Enjolras :

— Ils ont notre ami ; mais nous avons leur agent. Tiens-tu à la mort de ce mouchard ?

— Oui, répondit Enjolras ; mais moins qu'à la vie de Jean Prouvaire.

Ceci se passait dans la salle basse près du poteau de Javert.

— Eh bien, reprit Combeferre, je vais attacher mon mouchoir à ma canne, et aller en parlementaire leur offrir de leur donner leur homme pour le nôtre.

— Écoute, dit Enjolras en posant sa main sur le bras de Combeferre.

Il y avait au bout de la rue un cliquetis d'armes significatif.

On entendit une voix mâle crier :

— Vive la France ! vive l'avenir !

On reconnut la voix de Prouvaire.

Un éclair passa et une détonation éclata.

Le silence se refit.

— Ils l'ont tué, s'écria Combeferre.

Enjolras regarda Javert et lui dit :

— Tes amis viennent de te fusiller.

VI

L'AGONIE DE LA MORT APRÈS L'AGONIE DE LA VIE

UNE singularité de ce genre de guerre, c'est que l'attaque des barricades se fait presque toujours de front, et qu'en général les assaillants s'abstiennent de tourner les positions, soit qu'ils redoutent des embuscades, soit qu'ils craignent de s'engager dans des rues tortueuses. Toute l'attention des insurgés se portait donc du côté de la grande barricade qui était évidemment le point toujours menacé et où devait recommencer infailliblement la lutte. Marius pourtant songea à la petite barricade et y alla. Elle était déserte et n'était gardée que par le lampion qui tremblait entre les pavés. Du reste la ruelle Mondétour et les embranchements de la Petite-Truanderie et du Cygne étaient profondément calmes.

Comme Marius, l'inspection faite, se retirait, il entendit son nom prononcé faiblement dans l'obscurité :

— Monsieur Marius !

Il tressaillit, car il reconnut la voix qui l'avait appelé deux heures auparavant à travers la grille de la rue Plumet.

Seulement cette voix maintenant semblait n'être plus qu'un souffle.

Il regarda autour de lui et ne vit personne.

Marius crut s'être trompé, et que c'était une hallucination ajoutée par son esprit aux réalités extraordinaires qui se heurtaient autour de lui. Il fit un pas pour sortir de l'enfoncement reculé où était la barricade.

— Monsieur Marius ! répéta la voix.

Cette fois il ne pouvait douter, il avait distinctement entendu ; il regarda, et ne vit rien.

— A vos pieds, dit la voix.

Il se courba et vit dans l'ombre une forme qui se traînait vers lui. Cela rampait sur le pavé. C'était cela qui lui parlait.

Le lampion permettait de distinguer une blouse, un pantalon de gros velours déchiré, des pieds nus, et quelque chose qui ressemblait à une mare de sang. Marius entrevit une tête pâle qui se dressait vers lui et qui lui dit :

— Vous ne me reconnaissez pas ?

— Non.

— Éponine.

Marius se baissa vivement. C'était en effet cette malheureuse enfant. Elle était habillée en homme.

— Comment êtes-vous ici ? que faites-vous là ?

— Je meurs, lui dit-elle.

Il y a des mots et des incidents qui réveillent les êtres accablés. Marius s'écria comme en sursaut :

— Vous êtes blessée ! Attendez, je vais vous porter dans la salle. On va vous panser. Est-ce grave ? comment faut-il vous prendre pour ne pas vous faire mal ? où souffrez-vous ? Du secours ! mon Dieu ! Mais qu'êtes-vous venue faire ici ?

Et il essaya de passer son bras sous elle pour la soulever.

En la soulevant il rencontra sa main.

Elle poussa un cri faible.

— Vous ai-je fait mal ? demanda Marius.

— Un peu.

— Mais je n'ai touché que votre main.

Elle leva sa main vers le regard de Marius, et Marius au milieu de cette main vit un trou noir.

— Qu'avez-vous donc à la main ? dit-il.

— Elle est percée.

— Percée !

— Oui.

— De quoi ?

— D'une balle.

— Comment ?

— Avez-vous vu un fusil qui vous couchait en joue ?

— Oui, et une main qui l'a bouché.

— C'était la mienne.

Marius eut un frémissement.

— Quelle folie ! Pauvre enfant ! Mais tant mieux, si c'est cela, ce n'est rien. Laissez-moi vous porter sur un lit. On va vous panser, on ne meurt pas d'une main percée.

Elle murmura :

— La balle a traversé la main, mais elle est sortie par le dos. C'est inutile de m'ôter d'ici. Je vais vous dire comment vous pouvez me panser, mieux qu'un chirurgien. Asseyez-vous près de moi sur cette pierre.

Il obéit ; elle posa sa tête sur les genoux de Marius, et, sans le regarder, elle dit :

— Oh ! que c'est bon ! Comme on est bien ! Voilà ! Je ne souffre plus.

Elle demeura un moment en silence, puis elle tourna son visage avec effort et regarda Marius.

— Savez-vous, monsieur Marius ? Cela me taquinait que vous entriez dans ce jardin, c'était bête, puisque c'était moi qui vous avais montré la maison, et puis enfin je devais bien me dire qu'un jeune homme comme vous...

Elle s'interrompit, et, franchissant les sombres transitions qui étaient sans doute dans son esprit, elle reprit avec un déchirant sourire :

— Vous me trouviez laide, n'est-ce pas ?

Elle continua :

— Voyez-vous, vous êtes perdu ! Maintenant personne ne sortira de la barricade. C'est moi qui vous ai amené ici, tiens ! Vous allez mourir. J'y compte bien. Et pourtant, quand j'ai vu qu'on vous visait, j'ai mis la main sur la bouche du canon de fusil. Comme c'est drôle ! Mais c'est que je voulais mourir avant vous. Quand j'ai reçu cette balle, je me suis traînée ici, on ne m'a pas vue, on ne m'a pas ramassée. Je vous attendais, je disais : Il ne viendra donc pas ? Oh ! si vous saviez, je mordais ma blouse, je souffrais tant ! Maintenant je suis bien. Vous rappelez-vous le jour où je suis entrée dans votre chambre et où je me suis mirée dans votre miroir, et le jour où je vous ai rencontré sur le boulevard près des femmes en journée ? Comme les oiseaux chantaient ! Il n'y a pas bien longtemps. Vous m'avez donné cent sous, et je vous ai dit : Je ne veux pas de votre argent. Avez-vous ramassé votre pièce au moins ? Vous n'êtes pas riche. Je n'ai pas pensé à vous dire de la ramasser. Il faisait beau soleil, on n'avait pas froid. Vous souvenez-vous, monsieur Marius ? Oh ! je suis heureuse ! Tout le monde va mourir.

Elle avait un air insensé, grave et navrant. Sa blouse déchirée montrait sa gorge nue. Elle appuyait en parlant sa main percée sur sa poitrine où il y avait un autre trou, et d'où il sortait par instants un flot de sang comme le jet de vin d'une bonde ouverte.

Marius considérait cette créature infortunée avec une profonde compassion.

— Oh ! reprit-elle tout à coup, cela revient. J'étouffe !

Elle prit sa blouse et la mordit, et ses jambes se raidissaient sur le pavé.

En ce moment la voix de jeune coq du petit Gavroche retentit dans la barricade. L'enfant était monté sur une table pour charger son fusil et chantait gaîment la chanson alors si populaire :

En voyant Lafayette,
Le gendarme répète :
Sauvons-nous ! sauvons-nous ! sauvons-nous !

Éponine se souleva, et écouta, puis elle murmura :
— C'est lui.

Et se tournant vers Marius :

— Mon frère est là. Il ne faut pas qu'il me voie. Il me gronderait.

— Votre frère ? demanda Marius qui songeait dans le plus amer et le plus douloureux de son cœur aux devoirs que son père lui avait légués envers les Thénardier, qui est votre frère ?

— Le petit.

— Celui qui chante ?

— Oui.

Marius fit un mouvement.

— Oh ! ne vous en allez pas ! dit-elle, cela ne sera pas long à présent !

Elle était presque sur son séant, mais sa voix était très basse et coupée de hoquets. Par intervalles le râle l'interrompait. Elle approchait le plus qu'elle pouvait son visage du visage de Marius. Elle ajouta avec une expression étrange :

— Écoutez, je ne veux pas vous faire une farce. J'ai dans ma poche une lettre pour vous. Depuis hier. On m'avait dit de la mettre à la poste. Je l'ai gardée. Je ne voulais pas qu'elle vous parvînt. Mais vous m'en voudriez peut-être quand nous allons nous revoir tout à l'heure. On se revoit, n'est-ce pas ? Prenez votre lettre.

Elle saisit convulsivement la main de Marius

avec sa main trouée, mais elle semblait ne plus percevoir la souffrance. Elle mit la main de Marius dans la poche de sa blouse. Marius y sentit en effet un papier.

— Prenez, dit-elle.

Marius prit la lettre.

Elle fit un signe de satisfaction et de consentement.

— Maintenant pour ma peine, promettez-moi...

Et elle s'arrêta.

— Quoi ? demanda Marius.

— Promettez-moi !

— Je vous promets.

— Promettez-moi de me donner un baiser sur le front quand je serai morte. — Je le sentirai.

Elle laissa retomber sa tête sur les genoux de Marius et ses paupières se fermèrent. Il crut cette pauvre âme partie. Éponine restait immobile ; tout à coup, à l'instant où Marius la croyait à jamais endormie, elle ouvrit lentement ses yeux où apparaissait la sombre profondeur de la mort, et lui dit avec un accent dont la douceur semblait déjà venir d'un autre monde :

— Et puis, tenez, monsieur Marius, je crois que j'étais un peu amoureuse de vous.

Elle essaya encore de sourire et expira.

VII

GAVROCHE PROFOND CALCULATEUR DES DISTANCES

MARIUS tint sa promesse. Il déposa un baiser sur ce front livide où perlait une sueur glacée. Ce n'était pas une infidélité à Cosette ; c'était un adieu pensif et doux à une malheureuse âme.

Il n'avait pas pris sans un tressaillement la lettre qu'Éponine lui avait donnée. Il avait tout de suite senti là un événement. Il était impatient de la lire. Le cœur de l'homme est ainsi fait, l'infortunée enfant avait à peine fermé les yeux que Marius songeait à déplier ce papier. Il la reposa doucement sur la terre et s'en alla. Quelque chose lui disait qu'il ne pouvait lire cette lettre devant ce cadavre.

Il s'approcha d'une chandelle dans la salle basse. C'était un petit billet plié et cacheté avec ce soin élégant des femmes. L'adresse était d'une écriture de femme et portait :

— A monsieur, monsieur Marius Pontmercy, chez M. Courfeyrac, rue de la Verrerie, nº 16.

Il défit le cachet, et lut :

« Mon bien-aimé, hélas ! mon père veut que nous « partions tout de suite. Nous serons ce soir rue « de l'Homme-Armé, nº 7. Dans huit jours nous « serons à Londres. — COSETTE. 4 juin. »

Telle était l'innocence de ces amours que Marius ne connaissait même pas l'écriture de Cosette.

Ce qui s'était passé peut être dit en quelques mots. Éponine avait tout fait. Après la soirée du 3 juin, elle avait eu une double pensée, déjouer les projets de son père et des bandits sur la maison de la rue Plumet, et séparer Marius de Cosette. Elle avait changé de guenilles avec le premier jeune drôle venu qui avait trouvé amusant de s'habiller en femme pendant qu'Éponine se déguisait en homme. C'était elle qui au Champ de Mars avait donné à Jean Valjean l'avertissement expressif : *Déménagez*. Jean Valjean était rentré en effet et avait dit à Cosette : *Nous partons ce soir et nous allons rue de l'Homme-Armé avec Toussaint. La semaine prochaine nous serons à Londres.* Cosette, atterrée de ce coup inattendu, avait écrit en hâte deux lignes à Marius. Mais comment faire mettre la lettre à la poste ? Elle ne sortait pas seule, et Toussaint, surprise d'une telle commission, eût à coup sûr montré la lettre à M. Fauchelevent. Dans cette anxiété, Cosette avait aperçu à travers la grille Éponine en habits d'homme, qui rôdait maintenant sans cesse autour du jardin. Cosette avait appelé « ce jeune ouvrier » et lui avait remis cinq francs et la lettre, en lui disant : Portez cette lettre tout de suite à son adresse. Éponine avait mis la lettre dans sa poche. Le lendemain 5 juin, elle était allée chez Courfeyrac demander Marius, non pour lui remettre la lettre, mais, chose que tout âme jalouse et aimante comprendra, « pour voir ». Là elle avait attendu Marius, ou au moins Courfeyrac, — toujours pour voir. — Quand Courfeyrac lui avait dit : nous allons aux barricades, une idée lui avait traversé l'esprit. Se jeter dans cette mort-là comme elle se serait jetée dans toute autre, et y pousser Marius. Elle avait suivi Courfeyrac, s'était assurée de l'endroit où l'on construisait la barricade, et bien sûre, puisque Marius n'avait reçu aucun avis et qu'elle avait intercepté la lettre, qu'il serait à la nuit tombante au rendez-vous de tous les soirs, elle était allée rue Plumet, y avait attendu Marius, et lui avait envoyé, au nom de ses amis, cet appel qui devait, pensait-elle, l'amener à la barricade. Elle comptait sur le désespoir de Marius quand il ne trouverait pas Cosette ; elle ne se trompait pas. Elle était retournée de son côté rue de la Chanvrerie. On vient de voir ce qu'elle y avait fait. Elle était morte avec cette joie tragique des cœurs jaloux qui entraînent l'être aimé dans leur mort, et qui disent : personne ne l'aura !

Marius couvrit de baisers la lettre de Cosette. Elle l'aimait donc ! Il eut un instant l'idée qu'il ne devait plus mourir. Puis il se dit : Elle part. Son père l'emmène en Angleterre et mon grand-père se refuse au mariage. Rien n'est changé dans la fatalité. Les rêveurs comme Marius ont de ces accablements suprêmes, et il en sort des partis pris désespérés. La fatigue de vivre est insupportable ; la mort, c'est plus tôt fait.

Alors il songea qu'il lui restait deux devoirs à accomplir : informer Cosette de sa mort et lui envoyer un suprême adieu, et sauver de la catastrophe imminente qui se préparait ce pauvre enfant, frère d'Éponine et fils de Thénardier.

Il avait sur lui un portefeuille ; le même qui avait contenu le cahier où il avait écrit tant de pensées d'amour pour Cosette. Il en arracha une feuille et écrivit au crayon ces quelques lignes :

« Notre mariage était impossible. J'ai demandé « à mon grand-père, il a refusé ; je suis sans fortune, « et toi aussi. J'ai couru chez toi, je ne t'ai plus « trouvée, tu sais la parole que je t'avais donnée, « je la tiens. Je meurs. Je t'aime. Quand tu liras « ceci, mon âme sera près de toi, et te sourira. »

N'ayant rien pour cacheter cette lettre, il se borna à plier le papier en quatre et y mit cette adresse :

A Mademoiselle Cosette Fauchelevent, chez M. Fauchelevent, rue de l'Homme-Armé, n° 7.

La lettre pliée, il demeura un moment pensif, reprit son portefeuille, l'ouvrit, et écrivit avec le même crayon sur la première page ces quatre lignes :

« Je m'appelle Marius Pontmercy. Porter mon

« cadavre chez mon grand-père, M. Gillenormand,
« rue des Filles-du-Calvaire, nº 6, au Marais. »

Il remit le portefeuille dans la poche de son habit, puis il appela Gavroche. Le gamin, à la voix de Marius, accourut avec sa mine joyeuse et dévouée.

— Veux-tu faire quelque chose pour moi ?

— Tout, dit Gavroche. Dieu du bon Dieu ! sans vous, vrai, j'étais cuit.

— Tu vois bien cette lettre ?

— Oui.

— Prends-la. Sors de la barricade sur-le-champ (Gavroche, inquiet, commença à se gratter l'oreille), et demain matin tu la remettras à son adresse, à mademoiselle Cosette, chez M. Fauchelevent, rue de l'Homme-Armé, nº 7.

L'héroïque enfant répondit :

— Ah bien mais ! pendant ce temps-là, on prendra la barricade, et je n'y serai pas.

— La barricade ne sera plus attaquée qu'au point du jour selon toute apparence et ne sera pas prise avant demain midi.

Le nouveau répit que les assaillants laissaient à la barricade se prolongeait en effet. C'était une de ces intermittences, fréquentes dans les combats nocturnes, qui sont toujours suivies d'un redoublement d'acharnement.

— Eh bien, fit Gavroche, si j'allais porter votre lettre demain matin ?

— Il sera trop tard. La barricade sera probablement bloquée, toutes les rues seront gardées, et tu ne pourras sortir. Va tout de suite.

Gavroche ne trouva rien à répliquer, il restait là, indécis, et se grattant l'oreille tristement. Tout à coup, avec un de ces mouvements d'oiseau qu'il avait, il prit la lettre.

— C'est bon, dit-il.

Et il partit en courant par la ruelle Mondétour.

Gavroche avait eu une idée qui l'avait déterminé, mais qu'il n'avait pas dite, de peur que Marius n'y fît quelque objection.

Cette idée, la voici :

— Il est à peine minuit, la rue de l'Homme-Armé n'est pas loin, je vais porter la lettre tout de suite, et je serai revenu à temps.

LIVRE QUINZIÈME

LA RUE DE L'HOMME-ARMÉ

I

BUVARD, BAVARD

QU'EST-CE que les convulsions d'une ville auprès des émeutes de l'âme ? L'homme est une profondeur plus grande encore que le peuple. Jean Valjean, en ce moment-là même, était en proie à un soulèvement effrayant. Tous les gouffres s'étaient rouverts en lui. Lui aussi frissonnait, comme Paris, au seuil d'une révolution formidable et obscure. Quelques heures avaient suffi. Sa destinée et sa conscience s'étaient brusquement couvertes d'ombre. De lui aussi, comme de Paris, on pouvait dire : les deux principes sont en présence. L'ange blanc et l'ange noir vont se saisir corps à corps sur le pont de l'abîme. Lequel des deux précipitera l'autre ? Qui l'emportera ?

La veille de ce même jour 5 juin, Jean Valjean, accompagné de Cosette et de Toussaint, s'était installé rue de l'Homme-Armé. Une péripétie l'y attendait.

Cosette n'avait pas quitté la rue Plumet sans

un essai de résistance. Pour la première fois depuis qu'ils existaient côte à côte, la volonté de Cosette et la volonté de Jean Valjean s'étaient montrées distinctes, et s'étaient, sinon heurtées, du moins contredites. Il y avait eu objection d'un côté et inflexibilité de l'autre. Le brusque conseil : *déménagez*, jeté par un inconnu à Jean Valjean, l'avait alarmé au point de le rendre absolu. Il se croyait dépisté et poursuivi. Cosette avait dû céder.

Tous deux étaient arrivés rue de l'Homme-Armé sans desserrer les dents et sans se dire un mot, absorbés chacun dans leur préoccupation personnelle ; Jean Valjean si inquiet qu'il ne voyait pas la tristesse de Cosette, Cosette si triste qu'elle ne voyait pas l'inquiétude de Jean Valjean.

Jean Valjean avait emmené Toussaint, ce qu'il n'avait jamais fait dans ses précédentes absences. Il entrevoyait qu'il ne reviendrait peut-être pas rue Plumet, et il ne pouvait ni laisser Toussaint derrière lui, ni lui dire son secret. D'ailleurs il la sentait dévouée et sûre. De domestique à maître, la trahison commence par la curiosité. Or, Toussaint, comme si elle eût été prédestinée à être la servante de Jean Valjean, n'était pas curieuse. Elle disait à travers son bégayement, dans son parler de paysanne de Barneville : Je suis de même de même ; je chose mon fait ; le demeurant n'est pas mon travail. (Je suis ainsi ; je fais ma besogne ; le reste n'est pas mon affaire.)

Dans ce départ de la rue Plumet, qui avait été presque une fuite, Jean Valjean n'avait rien emporté que la petite valise embaumée baptisée par Cosette l'*inséparable*. Des malles pleines eussent exigé des commissionnaires, et des commissionnaires sont des témoins. On avait fait venir un fiacre à la porte de la rue de Babylone, et l'on s'en était allé.

C'est à grand'peine que Toussaint avait obtenu la permission d'empaqueter un peu de linge et de vêtements et quelques objets de toilette. Cosette, elle, n'avait emporté que sa papeterie et son buvard.

Jean Valjean, pour accroître la solitude et l'ombre de cette disparition, s'était arrangé de façon à ne quitter le pavillon de la rue Plumet qu'à la chute du jour, ce qui avait laissé à Cosette le temps d'écrire son billet à Marius. On était arrivé rue de l'Homme-Armé à la nuit close.

On s'était couché silencieusement.

Le logement de la rue de l'Homme-Armé était situé dans une arrière-cour, à un deuxième étage, et composé de deux chambres à coucher, d'une salle à manger et d'une cuisine attenante à la salle à manger, avec soupente où il y avait un lit de sangle qui échut à Toussaint. La salle à manger était en même temps l'antichambre et séparait les deux chambres à coucher. L'appartement était pourvu des ustensiles nécessaires.

On se rassure presque aussi follement qu'on s'inquiète ; la nature humaine est ainsi. A peine Jean Valjean fut-il rue de l'Homme-Armé que son anxiété s'éclaircit, et, par degrés, se dissipa. Il y a des lieux calmants qui agissent en quelque sorte mécaniquement sur l'esprit. Rue obscure, habitants paisibles, Jean Valjean sentit on ne sait quelle contagion de tranquillité dans cette ruelle de l'ancien Paris, si étroite qu'elle est barrée aux voitures par un madrier transversal posé sur deux poteaux, muette et sourde au milieu de la ville en rumeur, crépusculaire en plein jour, et, pour ainsi dire, incapable d'émotions entre ses deux rangées de hautes maisons centenaires qui se taisent comme des vieillards qu'elles sont. Il y a dans cette rue de l'oubli stagnant. Jean Valjean y respira. Le moyen qu'on pût le trouver là ?

Son premier soin fut de mettre l'*inséparable* à côté de lui.

Il dormit bien. La nuit conseille, on peut ajouter : la nuit apaise. Le lendemain matin, il s'éveilla presque gai. Il trouva charmante la salle à manger qui était hideuse, meublée d'une vieille table ronde, d'un buffet bas que surmontait un miroir penché, d'un fauteuil vermoulu et de quelques chaises encombrées des paquets de Toussaint. Dans un de ces paquets, on apercevait par un hiatus l'uniforme de garde national de Jean Valjean.

Quant à Cosette, elle s'était fait apporter par Toussaint un bouillon dans sa chambre, et ne parut que le soir.

Vers cinq heures, Toussaint, qui allait et venait, très occupée de ce petit emménagement, avait mis sur la table de la salle à manger une volaille froide que Cosette, par déférence pour son père, avait consenti à regarder.

Cela fait, Cosette, prétextant une migraine persistante, avait dit bonsoir à Jean Valjean et s'était enfermée dans sa chambre à coucher. Jean Valjean avait mangé une aile de poulet avec appétit, et, accoudé sur la table, rasséréné peu à peu, rentrait en possession de sa sécurité.

Pendant qu'il faisait ce sobre dîner, il avait perçu confusément, à deux ou trois reprises, le bégayement de Toussaint qui lui disait : — Monsieur, il y a du train, on se bat dans Paris. Mais, absorbé dans une foule de combinaisons intérieures, il n'y avait point pris garde. A vrai dire, il n'avait pas entendu.

Il se leva, et se mit à marcher de la fenêtre à la

porte et de la porte à la fenêtre, de plus en plus apaisé.

Avec le calme, Cosette, sa préoccupation unique, revenait dans sa pensée. Non qu'il s'émût de cette migraine, petite crise de nerfs, bouderie de jeune fille, nuage d'un moment, il n'y paraîtrait pas dans un jour ou deux ; mais il songeait à l'avenir, et, comme d'habitude, il y songeait avec douceur. Après tout, il ne voyait aucun obstacle à ce que la vie heureuse reprît son cours. A de certaines heures, tout semble impossible ; à d'autres heures, tout paraît aisé ; Jean Valjean était dans une de ces bonnes heures. Elles viennent d'ordinaire après les mauvaises, comme le jour après la nuit, par cette loi de succession et de contraste qui est le fond même de la nature et que les esprits superficiels appellent antithèse. Dans cette paisible rue où il se réfugiait, Jean Valjean se dégageait de tout ce qui l'avait troublé depuis quelque temps. Par cela même qu'il avait vu beaucoup de ténèbres, il commençait à apercevoir un peu d'azur. Avoir quitté la rue Plumet sans complication et sans incident, c'était déjà un bon pas de fait. Peut-être serait-il sage de se dépayser, ne fût-ce que pour quelques mois, et d'aller à Londres. Eh bien, on irait. Être en France, être en Angleterre, qu'est-ce que cela faisait, pourvu qu'il eût près de lui Cosette ? Cosette était sa nation. Cosette suffisait à son bonheur ; l'idée qu'il ne suffisait peut-être pas, lui, au bonheur de Cosette, cette idée, qui avait été autrefois sa fièvre et son insomnie, ne se présentait même pas à son esprit. Il était dans le collapsus de toutes ses douleurs passées, et en plein optimisme. Cosette, étant près de lui, lui semblait à lui ; effet d'optique que tout le monde a éprouvé. Il arrangeait en lui-même, et avec toutes sortes de facilités, le départ pour l'Angleterre avec Cosette, et il voyait sa félicité se reconstruire n'importe où dans les perspectives de sa rêverie.

Tout en marchant de long en large à pas lents, son regard rencontra tout à coup quelque chose d'étrange.

Il aperçut en face de lui, dans le miroir incliné qui surmontait le buffet, et il lut distinctement les quatre lignes que voici :

« Mon bien-aimé, hélas ! mon père veut que nous « partions tout de suite. Nous serons ce soir rue de « l'Homme-Armé, n° 7. Dans huit jours nous serons « à Londres. — COSETTE. 4 juin. »

Jean Valjean s'arrêta hagard.

Cosette en arrivant avait posé son buvard sur le buffet devant le miroir, et, toute à sa douloureuse angoisse, l'avait oublié là, sans même remarquer qu'elle le laissait tout ouvert, et ouvert précisément à la page sur laquelle elle avait appuyé, pour les sécher, les quatre lignes écrites par elle et dont elle avait chargé le jeune ouvrier passant rue Plumet. L'écriture s'était imprimée sur le buvard.

Le miroir reflétait l'écriture.

Il en résultait ce qu'on appelle en géométrie l'image symétrique ; de telle sorte que l'écriture renversée sur le buvard s'offrait redressée dans le miroir et présentait son sens naturel ; et Jean Valjean avait sous les yeux la lettre écrite la veille par Cosette à Marius.

C'était simple et foudroyant.

Jean Valjean alla au miroir. Il relut les quatre lignes, mais il n'y crut point. Elles lui faisaient l'effet d'apparaître dans de la lueur d'éclair. C'était une hallucination. Cela était impossible. Cela n'était pas.

Peu à peu sa perception devint plus précise ; il regarda le buvard de Cosette, et le sentiment du fait réel lui revint. Il prit le buvard et dit : Cela vient de là. Il examina fiévreusement les quatre lignes imprimées sur le buvard, le renversement des lettres en faisait un griffonnage bizarre, et il n'y vit aucun sens. Alors il se dit : Mais cela ne signifie rien, il n'y a rien d'écrit là. Et il respira à pleine poitrine avec un inexprimable soulagement. Qui n'a pas eu de ces joies bêtes dans les instants horribles ? L'âme ne se rend pas au désespoir sans avoir épuisé toutes les illusions.

Il tenait le buvard à la main et le contemplait, stupidement heureux, presque prêt à rire de l'hallucination dont il avait été dupe. Tout à coup ses yeux retombèrent sur le miroir, et il revit la vision. Les quatre lignes s'y dessinaient avec une netteté inexorable. Cette fois ce n'était pas un mirage. La récidive d'une vision est une réalité, c'était palpable, c'était l'écriture redressée dans le miroir. Il comprit.

Jean Valjean chancela, laissa échapper le buvard, et s'affaissa dans le vieux fauteuil à côté du buffet, la tête tombante, la prunelle vitreuse, égaré. Il se dit que c'était évident, et que la lumière du monde était à jamais éclipsée, et que Cosette avait écrit cela à quelqu'un. Alors il entendit son âme, redevenue terrible, pousser dans les ténèbres un sourd rugissement. Allez donc ôter au lion le chien qu'il a dans sa cage !

Chose bizarre et triste, en ce moment-là, Marius n'avait pas encore la lettre de Cosette ; le hasard l'avait portée en traître à Jean Valjean avant de la remettre à Marius.

Jean Valjean jusqu'à ce jour n'avait pas été vaincu par l'épreuve. Il avait été soumis à des essais affreux ; pas une voie de fait de la mauvaise fortune ne lui avait été épargnée ; la férocité du sort, armée de toutes les vindictes et de toutes les méprises sociales, l'avait pris pour sujet et s'était acharnée sur lui. Il n'avait reculé ni fléchi devant rien. Il avait accepté, quand il l'avait fallu, toutes les extrémités ; il avait sacrifié son inviolabilité d'homme reconquise, livré sa liberté, risqué sa tête, tout perdu, tout souffert, et il était resté désintéressé et stoïque, au point que par moments on aurait pu le croire absent de lui-même comme un martyr. Sa conscience, aguerrie à tous les assauts possibles de l'adversité, pouvait sembler à jamais imprenable. Eh bien, quelqu'un qui eût vu son for intérieur eût été forcé de constater qu'à cette heure elle faiblissait.

C'est que de toutes les tortures qu'il avait subies dans cette longue question que lui donnait la destinée, celle-ci était la plus redoutable. Jamais pareille tenaille ne l'avait saisi. Il sentit le remuement mystérieux de toutes les sensibilités latentes. Il sentit le pincement de la fibre inconnue. Hélas, l'épreuve suprême, disons mieux, l'épreuve unique, c'est la perte de l'être aimé.

Le pauvre vieux Jean Valjean n'aimait, certes, pas Cosette autrement que comme un père ; mais, nous l'avons fait remarquer plus haut, dans cette paternité la viduité même de sa vie avait introduit tous les amours ; il aimait Cosette comme sa fille, et il l'aimait comme sa mère, et il l'aimait comme sa sœur ; et, comme il n'avait jamais eu ni amante ni épouse, comme la nature est un créancier qui n'accepte aucun protêt, ce sentiment-là aussi, le plus imperdable de tous, était mêlé aux autres, vague, ignorant, pur de la pureté de l'aveuglement, inconscient, céleste, angélique, divin ; moins comme un sentiment que comme un instinct, moins comme un instinct que comme un attrait, imperceptible et invisible, mais réel ; et l'amour proprement dit était dans sa tendresse énorme pour Cosette comme le filon d'or est dans la montagne, ténébreux et vierge.

Qu'on se rappelle cette situation de cœur que nous avons indiquée déjà. Aucun mariage n'était possible entre eux ; pas même celui des âmes ; et cependant il est certain que leurs destinées s'étaient épousées. Excepté Cosette, c'est-à-dire excepté une enfance, Jean Valjean n'avait, dans toute sa longue vie, rien connu de ce qu'on peut aimer. Les passions et les amours qui se succèdent n'avaient point fait en lui de ces verts successifs, vert tendre sur vert sombre, qu'on remarque sur les feuillages qui passent l'hiver et sur les hommes qui passent la cinquantaine. En somme, et nous y avons plus d'une fois insisté, toute cette fusion intérieure, tout cet ensemble, dont la résultante était une haute vertu, aboutissait à faire de Jean Valjean un père pour Cosette. Père étrange forgé de l'aïeul, du fils, du frère et du mari qu'il y avait dans Jean Valjean ; père dans lequel il y avait même une mère ; père qui aimait Cosette et qui l'adorait, et qui avait cette enfant pour lumière, pour demeure, pour famille, pour patrie, pour paradis.

Aussi, quand il vit que c'était décidément fini, qu'elle lui échappait, qu'elle glissait de ses mains, qu'elle se dérobait, que c'était du nuage, que c'était de l'eau, quand il eut devant les yeux cette évidence écrasante : un autre est le but de son cœur, un autre est le souhait de sa vie ; il y a le bien-aimé, je ne suis que le père ; je n'existe plus ; quand il ne put plus douter, quand il se dit : Elle s'en va hors de moi ! la douleur qu'il éprouva dépassa le possible. Avoir fait tout ce qu'il avait fait pour en venir là ! et, quoi donc ! n'être rien ! Alors, comme nous venons de le dire, il eut de la tête aux pieds un frémissement de révolte. Il sentit jusque dans la racine de ses cheveux l'immense réveil de l'égoïsme, et le moi hurla dans l'abîme de cet homme.

Il y a des effondrements intérieurs. La pénétration d'une certitude désespérante dans l'homme ne se fait point sans écarter et rompre de certains éléments profonds qui sont quelquefois l'homme lui-même. La douleur, quand elle arrive à ce degré, est un sauve-qui-peut de toutes les forces de la conscience. Ce sont là des crises fatales. Peu d'entre nous en sortent semblables à eux-mêmes et fermes dans le devoir. Quand la limite de la souffrance est débordée, la vertu la plus imperturbable se déconcerte. Jean Valjean reprit le buvard, et se convainquit de nouveau ; il resta penché et comme pétrifié sur les quatre lignes irrécusables, l'œil fixe ; et il se fit en lui un tel nuage qu'on eût pu croire que tout le dedans de cette âme s'écroulait.

Il examina cette révélation, à travers les grossissements de la rêverie, avec un calme apparent, et effrayant, car c'est une chose redoutable quand le calme de l'homme arrive à la froideur de la statue.

Il mesura le pas épouvantable que sa destinée avait fait sans qu'il s'en doutât ; il se rappela ses craintes de l'autre été, si follement dissipées ; il reconnut le précipice ; c'était toujours le même ; seulement Jean Valjean n'était plus au seuil, il était au fond.

Chose inouïe et poignante, il y était tombé sans s'en apercevoir. Toute la lumière de sa vie s'en était allée, lui croyant voir toujours le soleil.

Son instinct n'hésita point. Il rapprocha certaines circonstances, certaines dates, certaines rougeurs et certaines pâleurs de Cosette, et il se dit : C'est lui. La divination du désespoir est une sorte d'arc mystérieux qui ne manque jamais son coup. Dès sa première conjecture, il atteignit Marius. Il ne savait pas le nom, mais il trouva tout de suite l'homme. Il aperçut distinctement, au fond de l'implacable évocation du souvenir, le rôdeur inconnu du Luxembourg, ce misérable chercheur d'amourettes, ce fainéant de romance, cet imbécile, ce lâche, car c'est une lâcheté de venir faire les yeux doux à des filles qui ont à côté d'elles leur père qui les aime.

Après qu'il eut bien constaté qu'au fond de cette situation il y avait ce jeune homme, et que tout venait de là, lui, Jean Valjean, l'homme régénéré, l'homme qui avait tant travaillé à son âme, l'homme qui avait fait tant d'efforts pour résoudre toute la vie, toute la misère et tout le malheur en amour, il regarda en lui-même et il y vit un spectre, la Haine.

Les grandes douleurs contiennent de l'accablement. Elles découragent d'être. L'homme chez lequel elles entrent sent quelque chose se retirer de lui. Dans la jeunesse leur visite est lugubre ; plus tard, elle est sinistre. Hélas, quand le sang est chaud, quand les cheveux sont noirs, quand la tête est droite sur le corps comme la flamme sur le flambeau, quand le rouleau de la destinée a encore presque toute son épaisseur, quand le cœur, plein d'un amour désirable, a encore des battements qu'on peut lui rendre, quand on a devant soi le temps de réparer, quand toutes les femmes sont là, et tous les sourires, et tout l'avenir, et tout l'horizon, quand la force de la vie est complète, si c'est une chose effroyable que le désespoir, qu'est-ce donc dans la vieillesse, quand les années se précipitent de plus en plus blêmissantes, à cette heure crépusculaire où l'on commence à voir les étoiles de la tombe !

Tandis qu'il songeait, Toussaint entra. Jean Valjean se leva, et lui demanda :

— De quel côté est-ce ? savez-vous ?

Toussaint, stupéfaite, ne put que lui répondre :

— Plaît-il ?

Jean Valjean reprit :

— Ne m'avez-vous pas dit tout à l'heure qu'on se bat ?

— Ah ! oui, monsieur, répondit Toussaint. C'est du côté de Saint-Merry.

Il y a tel mouvement machinal qui nous vient, à notre insu même, de notre pensée la plus profonde. Ce fut sans doute sous l'impulsion d'un mouvement de ce genre, et dont il avait à peine conscience, que Jean Valjean se trouva cinq minutes après dans la rue.

Il était nu-tête, assis sur la borne de la porte de sa maison. Il semblait écouter.

La nuit était venue.

II

LE GAMIN ENNEMI DES LUMIÈRES

Combien de temps passa-t-il ainsi ? Quels furent les flux et les reflux de cette méditation tragique ? se redressa-t-il ? resta-t-il ployé ? avait-il été courbé jusqu'à être brisé ? pouvait-il se redresser encore et reprendre pied dans sa conscience sur quelque chose de solide? Il n'aurait probablement pu le dire lui-même.

La rue était déserte. Quelques bourgeois inquiets qui rentraient rapidement chez eux l'aperçurent à peine. Chacun pour soi dans les temps de péril. L'allumeur de nuit vint comme à l'ordinaire allumer le réverbère qui était précisément placé en face de la porte du nº 7, et s'en alla. Jean Valjean, à qui l'eût examiné dans cette ombre, n'eût pas semblé un homme vivant. Il était là, assis sur la borne de sa porte, immobile comme une larve de glace. Il y a de la congélation dans le désespoir. On entendait le tocsin et de vagues rumeurs orageuses. Au milieu de toutes ces convulsions de la cloche mêlée à l'émeute, l'horloge de Saint-Paul sonna onze heures, gravement et sans se hâter; car le tocsin, c'est l'homme; l'heure, c'est Dieu. Le passage de l'heure ne fit rien à Jean Valjean; Jean Valjean ne remua pas. Cependant, à peu près vers ce moment-là, une brusque détonation éclata du côté des halles, une seconde la suivit, plus violente encore; c'était probablement cette attaque de la barricade de la rue de la Chanvrerie que nous venons de voir repoussée par Marius. A cette double décharge, dont la furie semblait accrue par la stupeur de la nuit, Jean Valjean tressaillit; il se dressa du côté d'où le bruit venait; puis il retomba sur la borne, il croisa les bras, et sa tête revint lentement se poser sur sa poitrine.

Il reprit son ténébreux dialogue avec lui-même.

Tout à coup il leva les yeux, on marchait dans la rue, il entendait des pas près de lui, il regarda, et, à la lueur du réverbère, du côté de la rue qui aboutit aux Archives, il aperçut une figure livide, jeune et radieuse.

Gavroche venait d'arriver rue de l'Homme-Armé.

Gavroche regardait en l'air, et paraissait chercher. Il voyait parfaitement Jean Valjean, mais il ne s'en apercevait pas.

Gavroche, après avoir regardé en l'air, regardait en bas ; il se haussait sur la pointe des pieds et tâtait les portes et les fenêtres des rez-de-chaussée ; elles étaient toutes fermées, verrouillées et cadenassées. Après avoir constaté cinq ou six devantures de maisons barricadées de la sorte, le gamin haussa les épaules, et entra en matière avec lui-même en ces termes :

— Pardi !

Puis il se remit à regarder en l'air.

Jean Valjean, qui, l'instant d'auparavant, dans la situation d'âme où il était, n'eût parlé ni même répondu à personne, se sentit irrésistiblement poussé à adresser la parole à cet enfant.

— Petit, dit-il, qu'est-ce que tu as ?

— J'ai que j'ai faim, répondit Gavroche nettement. Et il ajouta : Petit vous-même.

Jean Valjean fouilla dans son gousset et en tira une pièce de cinq francs.

Mais Gavroche, qui était de l'espèce du hochequeue et qui passait vite d'un geste à l'autre, venait de ramasser une pierre. Il avait aperçu le réverbère.

— Tiens, dit-il, vous avez encore vos lanternes ici. Vous n'êtes pas en règle, mes amis. C'est du désordre. Cassez-moi ça.

Et il jeta la pierre dans le réverbère dont la vitre tomba avec un tel fracas que des bourgeois, blottis sous leurs rideaux dans la maison d'en face, crièrent : Voilà Quatrevingt-treize !

Le réverbère oscilla violemment et s'éteignit. La rue devint brusquement noire.

— C'est ça, la vieille rue, fit Gavroche, mets ton bonnet de nuit.

Et se tournant vers Jean Valjean :

— Comment est-ce que vous appelez ce monument gigantesque que vous avez là au bout de la rue ? C'est les Archives, pas vrai ? Il faudrait me chiffonner un peu ces grosses bêtes de colonnes-là, et en faire gentiment une barricade.

Jean Valjean s'approcha de Gavroche.

— Pauvre être, dit-il à demi-voix et se parlant à lui-même, il a faim.

Et il lui mit la pièce de cent sous dans la main.

Gavroche leva le nez, étonné de la grandeur de ce gros sou ; il le regarda dans l'obscurité, et la blancheur du gros sou l'éblouit. Il connaissait les pièces de cinq francs par ouï-dire ; leur réputation lui était agréable ; il fut charmé d'en voir une de près. Il dit : contemplons le tigre.

Il le considéra quelques instants avec extase ; puis, se retournant vers Jean Valjean, il lui tendit la pièce et lui dit majestueusement :

— Bourgeois, j'aime mieux casser les lanternes. Reprenez votre bête féroce. On ne me corrompt point. Ça a cinq griffes ; mais ça ne m'égratigne pas.

— As-tu une mère ? demanda Jean Valjean.

Gavroche répondit :

— Peut-être plus que vous.

— Eh bien, reprit Jean Valjean, garde cet argent pour ta mère.

Gavroche se sentit remué. D'ailleurs il venait de remarquer que l'homme qui lui parlait n'avait pas de chapeau, et cela lui inspirait confiance.

— Vrai, dit-il, ce n'est pas pour m'empêcher de casser les réverbères ?

— Casse tout ce que tu voudras.

— Vous êtes un brave homme, dit Gavroche.

Et il mit la pièce de cinq francs dans une de ses poches.

Sa confiance croissant, il ajouta :

— Êtes-vous de la rue ?

— Oui, pourquoi ?

— Pourriez-vous m'indiquer le numéro 7 ?

— Pourquoi faire le numéro 7 ?

Ici l'enfant s'arrêta, il craignit d'en avoir trop dit, il plongea énergiquement ses ongles dans ses cheveux, et se borna à répondre :

— Ah ! voilà.

Une idée traversa l'esprit de Jean Valjean. L'angoisse a de ces lucidités-là.

Il dit à l'enfant :

— Est-ce que c'est toi qui m'apportes la lettre que j'attends ?

— Vous ? dit Gavroche. Vous n'êtes pas une femme.

— La lettre est pour mademoiselle Cosette, n'est-ce pas ?

— Cosette ? grommela Gavroche. Oui, je crois que c'est ce drôle de nom-là.

— Eh bien, reprit Jean Valjean, c'est moi qui dois lui remettre la lettre. Donne.

— En ce cas, vous devez savoir que je suis envoyé de la barricade ?

— Sans doute, dit Jean Valjean.

Gavroche engloutit son poing dans une autre de ses poches et en tira un papier plié en quatre.

Puis il fit le salut militaire.

— Respect à la dépêche, dit-il. Elle vient du gouvernement provisoire.

— Donne, dit Jean Valjean.

Gavroche tenait le papier élevé au-dessus de sa tête.

— Ne vous imaginez pas que c'est là un billet doux. C'est pour une femme, mais c'est pour le peuple. Nous autres, nous nous battons, et nous respectons le sexe. Nous ne sommes pas comme dans le grand monde où il y a des lions qui envoient des poulets à des chameaux.

— Donne.

— Au fait, continua Gavroche, vous m'avez l'air d'un brave homme.

— Donne vite.

— Tenez.

Et il remit le papier à Jean Valjean.

— Et dépêchez-vous, monsieur Chose, puisque mamselle Chosette attend.

Gavroche fut satisfait d'avoir produit ce mot.

Jean Valjean reprit :

— Est-ce à Saint-Marry qu'il faudra porter la réponse ?

— Vous feriez là, s'écria Gavroche, une de ces pâtisseries vulgairement nommées brioches. Cette lettre vient de la barricade de la rue de la Chanvrerie, et j'y retourne. Bonsoir, citoyen.

Cela dit, Gavroche s'en alla, ou, pour mieux dire, reprit vers le lieu d'où il venait son vol d'oiseau échappé. Il se replongea dans l'obscurité comme s'il y faisait un trou, avec la rapidité rigide d'un projectile ; la ruelle de l'Homme-Armé redevint silencieuse et solitaire ; en un clin d'œil, cet étrange enfant, qui avait de l'ombre et du rêve en lui, s'était enfoncé dans la brume de ces rangées de maisons noires, et s'y était perdu comme de la fumée dans des ténèbres ; et l'on eût pu le croire dissipé et évanoui, si, quelques minutes après sa disparition, une éclatante cassure de vitre et le patatras splendide d'un réverbère croulant sur le pavé n'eussent brusquement réveillé de nouveau les bourgeois indignés. C'était Gavroche qui passait rue du Chaume.

III

PENDANT QUE COSETTE ET TOUSSAINT DORMENT

JEAN VALJEAN rentra avec la lettre de Marius.

Il monta l'escalier à tâtons, satisfait des ténèbres comme le hibou qui tient sa proie, ouvrit et referma doucement sa porte, écouta s'il n'entendait aucun bruit, constata que, selon toute apparence, Cosette et Toussaint dormaient, plongea dans la bouteille du briquet Fumade trois ou quatre allumettes avant de pouvoir faire jaillir l'étincelle, tant sa main tremblait ; il y avait du vol dans ce qu'il venait de faire. Enfin, sa chandelle fut allumée, il s'accouda sur la table, déplia le papier, et lut.

Dans les émotions violentes, on ne lit pas, on terrasse pour ainsi dire le papier qu'on tient, on l'étreint comme une victime, on le froisse, on enfonce dedans les ongles de sa colère ou de son allégresse ; on court à la fin, on saute au commencement ; l'attention a la fièvre ; elle comprend en gros, à peu près, l'essentiel ; elle saisit un point, et tout le reste disparaît. Dans le billet de Marius à Cosette, Jean Valjean ne vit que ces mots :

« ... Je meurs. Quand tu liras ceci, mon âme sera près de toi. »

En présence de ces deux lignes, il eut un éblouissement horrible ; il resta un moment comme écrasé du changement d'émotion qui se faisait en lui, il regardait le billet de Marius avec une sorte d'étonnement ivre ; il avait devant les yeux cette splendeur, la mort de l'être haï.

Il poussa un affreux cri de joie intérieure. —

Ainsi, c'était fini. Le dénouement arrivait plus vite qu'on n'eût osé l'espérer. L'être qui encombrait sa destinée disparaissait. Il s'en allait de lui-même, librement, de bonne volonté. Sans que lui, Jean Valjean, eût rien fait pour cela, sans qu'il y eût de sa faute, « cet homme » allait mourir. Peut-être même était-il déjà mort. — Ici sa fièvre fit des calculs. — Non. Il n'est pas encore mort. La lettre a été visiblement écrite pour être lue par Cosette le lendemain matin ; depuis ces deux décharges qu'on a entendues entre onze heures et minuit, il n'y a rien eu ; la barricade ne sera sérieusement attaquée qu'au point du jour ; mais c'est égal, du moment où « cet homme » est mêlé à cette guerre, il est perdu ; il est pris dans l'engrenage. — Jean Valjean se sentait délivré. Il allait donc, lui, se retrouver seul avec Cosette. La concurrence cessait ; l'avenir recommençait. Il n'avait qu'à garder ce billet dans sa poche. Cosette ne saurait jamais ce que « cet homme » était devenu. « Il n'y a qu'à « laisser les choses s'accomplir. Cet homme ne peut « échapper. S'il n'est pas mort encore, il est sûr « qu'il va mourir. Quel bonheur ! »

Tout cela dit en lui-même, il devint sombre.

Puis il descendit et réveilla le portier.

Environ une heure après, Jean Valjean sortait en habit complet de garde national et en armes. Le portier lui avait aisément trouvé dans le voisinage de quoi compléter son équipement. Il avait un fusil chargé et une giberne pleine de cartouches. Il se dirigea du côté des halles.

IV

LES EXCÈS DE ZÈLE DE GAVROCHE

CEPENDANT il venait d'arriver une aventure à Gavroche.

Gavroche, après avoir consciencieusement lapidé le réverbère de la rue du Chaume, aborda la rue des Vieilles-Haudriettes, et n'y voyant pas « un chat », trouva l'occasion bonne pour entonner toute la chanson dont il était capable. Sa marche, loin de se ralentir par le chant, s'en accélérait. Il se mit à semer le long des maisons endormies ou terrifiées ces couplets incendiaires :

L'oiseau médit dans les charmilles
Et prétend qu'hier Atala
Avec un russe s'en alla.

Où vont les belles filles,
Lon la.

Mon ami pierrot, tu babilles,
Parce que l'autre jour Mila
Cogna sa vitre, et m'appela.

Où vont les belles filles,
Lon la.

Les drôlesses sont fort gentilles ;
Leur poison qui m'ensorcela
Griserait monsieur Orfila.

Où vont les belles filles,
Lon la.

J'aime l'amour et ses bisbilles,
J'aime Agnès, j'aime Paméla,
Lise en m'allumant se brûla.

Où vont les belles filles,
Lon la.

Jadis, quand je vis les mantilles
De Suzette et de Zéila,
Mon âme à leurs plis se mêla.

Où vont les belles filles,
Lon la.

Amour, quand, dans l'ombre où tu brilles,
Tu coiffes de roses Lola,
Je me damnerais pour cela.

Où vont les belles filles,
Lon la.

Jeanne, à ton miroir tu t'habilles !
Mon cœur un beau jour s'envola ;
Je crois que c'est Jeanne qui l'a.

Où vont les belles filles,
Lon la.

Le soir, en sortant des quadrilles,
Je montre aux étoiles Stella
Et je leur dis : regardez-la.

Où vont les belles filles,
Lon la.

Gavroche, tout en chantant, prodiguait la pantomime. Le geste est le point d'appui du refrain. Son visage, inépuisable répertoire de masques, faisait des grimaces plus convulsives et plus fantasques que les bouches d'un linge troué dans un grand vent. Malheureusement, comme il était seul et dans la nuit, cela n'était ni vu, ni visible. Il y a de ces richesses perdues.

Soudain il s'arrêta court.

— Interrompons la romance, dit-il.

Sa prunelle féline venait de distinguer dans le renfoncement d'une porte cochère ce qu'on appelle en peinture un ensemble ; c'est-à-dire un être et une chose ; la chose était une charrette à bras, l'être était un auvergnat qui dormait dedans.

Les bras de la charrette s'appuyaient sur le pavé

et la tête de l'auvergnat s'appuyait sur le tablier de la charrette. Son corps se pelotonnait sur ce plan incliné et ses pieds touchaient la terre.

Gavroche, avec son expérience des choses de ce monde, reconnut un ivrogne.

C'était quelque commissionnaire du coin qui avait trop bu et qui dormait trop.

— Voilà, pensa Gavroche, à quoi servent les nuits d'été. L'auvergnat s'endort dans sa charrette. On prend la charrette pour la république et on laisse l'auvergnat à la monarchie.

Son esprit venait d'être illuminé par la clarté que voici :

— Cette charrette ferait joliment bien sur notre barricade.

L'auvergnat ronflait.

Gavroche tira doucement la charrette par l'arrière et l'auvergnat par l'avant, c'est-à-dire par les pieds ; et, au bout d'une minute, l'auvergnat, imperturbable, reposait à plat sur le pavé.

La charrette était délivrée.

Gavroche, habitué à faire face de toutes parts à l'imprévu, avait toujours tout sur lui. Il fouilla dans une de ses poches, et en tira un chiffon de papier et un bout de crayon rouge chipé à quelque charpentier.

Il écrivit :

« *République française.*

« Reçu ta charrette. »

Et il signa : « GAVROCHE. »

Cela fait, il mit le papier dans la poche du gilet de velours de l'auvergnat toujours ronflant, saisit le brancard dans ses deux poings, et partit, dans la direction des halles, poussant devant lui la charrette au grand galop avec un glorieux tapage triomphal.

Ceci était périlleux. Il y avait un poste à l'Imprimerie royale. Gavroche n'y songeait pas. Ce poste était occupé par des gardes nationaux de la banlieue. Un certain éveil commençait à émouvoir l'escouade, et les têtes se soulevaient sur les lits de camp. Deux réverbères brisés coup sur coup, cette chanson chantée à tue-tête, cela était beaucoup pour des rues si poltronnes, qui ont envie de dormir au coucher du soleil, et qui mettent de si bonne heure leur éteignoir sur leur chandelle. Depuis une heure le gamin faisait dans cet arrondissement paisible le vacarme d'un moucheron dans une bouteille. Le sergent de la banlieue écoutait. Il attendait. C'était un homme prudent.

Le roulement forcené de la charrette combla la mesure de l'attente possible, et détermina le sergent à tenter une reconnaissance.

— Ils sont là toute une bande ! dit-il, allons doucement.

Il était clair que l'Hydre de l'Anarchie était sortie de sa boîte et qu'elle se démenait dans le quartier.

Et le sergent se hasarda hors du poste à pas sourds.

Tout à coup, Gavroche, poussant sa charrette, au moment où il allait déboucher de la rue des Vieilles-Haudriettes, se trouva face à face avec un uniforme, un shako, un plumet et un fusil.

Pour la seconde fois, il s'arrêta net.

— Tiens, dit-il, c'est lui. Bonjour, l'ordre public.

Les étonnements de Gavroche étaient courts et dégelaient vite.

— Où vas-tu, voyou ? cria le sergent.

— Citoyen, dit Gavroche, je ne vous ai pas encore appelé bourgeois. Pourquoi m'insultez-vous ?

— Où vas-tu, drôle ?

— Monsieur, reprit Gavroche, vous étiez peut-être hier un homme d'esprit, mais vous avez été destitué ce matin.

— Je te demande où tu vas, gredin ?

Gavroche répondit :

— Vous parlez gentiment. Vrai, on ne vous donnerait pas votre âge. Vous devriez vendre tous vos cheveux cent francs la pièce. Cela vous ferait cinq cents francs.

— Où vas-tu ? où vas-tu ? où vas-tu, bandit ?

Gavroche repartit :

— Voilà de vilains mots. La première fois qu'on vous donnera à téter, il faudra qu'on vous essuie mieux la bouche.

Le sergent croisa la bayonnette.

— Me diras-tu où tu vas, à la fin, misérable ?

— Mon général, dit Gavroche, je vas chercher le médecin pour mon épouse qui est en couches.

— Aux armes ! cria le sergent.

Se sauver par ce qui vous a perdu, c'est là le chef-d'œuvre des hommes forts ; Gavroche mesura d'un coup d'œil toute la situation. C'était la charrette qui l'avait compromis, c'était à la charrette de le protéger.

Au moment où le sergent allait fondre sur Gavroche, la charrette, devenue projectile et lancée à tour de bras, roulait sur lui avec furie, et le sergent, atteint en plein ventre, tombait à la renverse dans le ruisseau pendant que son fusil partait en l'air.

Au cri du sergent, les hommes du poste étaient sortis pêle-mêle ; le coup de fusil détermina une décharge générale au hasard, après laquelle on rechargea les armes et l'on recommença.

Cette mousquetade à colin-maillard dura un bon quart d'heure, et tua quelques carreaux de vitre.

Cependant Gavroche, qui avait éperdument rebroussé chemin, s'arrêtait à cinq ou six rues de là, et s'asseyait haletant sur la borne qui fait le coin des Enfants-Rouges.

Il prêtait l'oreille.

Après avoir soufflé quelques instants, il se tourna du côté où la fusillade faisait rage, éleva sa main gauche à la hauteur de son nez, et la lança trois fois en avant en se frappant de la main droite le derrière de la tête ; geste souverain dans lequel la gaminerie parisienne a condensé l'ironie française, et qui est évidemment efficace, puisqu'il a déjà duré un demi-siècle.

Cette gaîté fut troublée par une réflexion amère.

— Oui, dit-il, je pouffe, je me tords, j'abonde en joie, mais je perds ma route, il va falloir faire un détour. Pourvu que j'arrive à temps à la barricade !

Là-dessus, il reprit sa course.

Et tout en courant :

— Ah çà, où en étais-je donc ? dit-il.

Il se remit à chanter sa chanson en s'enfonçant rapidement dans les rues, et ceci décrut dans les ténèbres :

Mais il reste encor des bastilles,
Et je vais mettre le holà
Dans l'ordre public que voilà.

Où vont les belles filles,
Lon la.

Quelqu'un veut-il jouer aux quilles ?
Tout l'ancien monde s'écroula
Quand la grosse boule roula.

Où vont les belles filles,
Lon la.

Vieux bon peuple, à coups de béquilles,
Cassons ce Louvre où s'étala
La monarchie en falbala.

Où vont les belles filles,
Lon la.

Nous en avons forcé les grilles ;
Le roi Charles Dix ce jour-là
Tenait mal et se décolla.

Où vont les belles filles,
Lon la.

La prise d'armes du poste ne fut point sans résultat. La charrette fut conquise, l'ivrogne fut fait prisonnier. L'une fut mise en fourrière ; l'autre fut plus tard un peu poursuivi devant les conseils de guerre comme complice. Le ministère public d'alors fit preuve en cette circonstance de son zèle infatigable pour la défense de la société.

L'aventure de Gavroche, restée dans la tradition du quartier du Temple, est un des souvenirs les plus terribles des vieux bourgeois du Marais, et est intitulée dans leur mémoire : Attaque nocturne du poste de l'Imprimerie royale.

CINQUIÈME PARTIE
JEAN VALJEAN

LIVRE PREMIER

LA GUERRE ENTRE QUATRE MURS

I

LA CHARYBDE DU FAUBOURG SAINT-ANTOINE ET LA SCYLLA DU FAUBOURG DU TEMPLE

LES deux plus mémorables barricades que l'observateur des maladies sociales puisse mentionner n'appartiennent point à la période où est placée l'action de ce livre. Ces deux barricades, symboles toutes les deux, sous deux aspects différents, d'une situation redoutable, sortirent de terre lors de la fatale insurrection de juin 1848, la plus grande guerre des rues qu'ait vue l'histoire.

Il arrive quelquefois que, même contre les principes, même contre la liberté, l'égalité et la fraternité, même contre le vote universel, même contre le gouvernement de tous par tous, du fond de ses angoisses, de ses découragements, de ses dénûments, de ses fièvres, de ses détresses, de ses miasmes, de ses ignorances, de ses ténèbres, cette grande désespérée, la canaille, proteste, et que la populace livre bataille au peuple.

Les gueux attaquent le droit commun ; l'ochlocratie s'insurge contre le démos.

Ce sont des journées lugubres ; car il y a toujours une certaine quantité de droit même dans cette démence, il y a du suicide dans ce duel ; et ces mots, qui veulent être des injures, gueux, canaille, ochlocratie, populace, constatent, hélas ! plutôt la faute de ceux qui règnent que la faute de ceux qui souffrent ; plutôt la faute des privilégiés que la faute des déshérités.

Quant à nous, ces mots-là, nous ne les prononçons jamais sans douleur et sans respect, car, lorsque la philosophie sonde les faits auxquels ils correspondent, elle y trouve souvent bien des grandeurs à côté des misères. Athènes était une ochlocratie ; les gueux ont fait la Hollande ; la populace a plus d'une fois sauvé Rome ; et la canaille suivait Jésus-Christ.

Il n'est pas de penseur qui n'ait parfois contemplé les magnificences d'en bas.

C'est à cette canaille que songeait sans doute saint-Jérôme, et à tous ces pauvres gens, et à tous ces vagabonds, et à tous ces misérables d'où sont sortis les apôtres et les martyrs, quand il disait cette parole mystérieuse : *Fex urbis, lex orbis.*

Les exaspérations de cette foule qui souffre et qui saigne, ses violences à contre-sens sur les principes qui sont sa vie, ses voies de fait contre le droit, sont des coups d'état populaires, et doivent être réprimés. L'homme probe s'y dévoue, et, par amour même pour cette foule, il la combat. Mais comme il la sent excusable tout en lui tenant tête ! comme il la vénère tout en lui résistant ! C'est là un de ces moments rares où, en faisant ce qu'on doit faire, on sent quelque chose qui déconcerte et qui déconseillerait presque d'aller plus loin ; on persiste, il le faut ; mais la conscience satisfaite est triste, et l'accomplissement du devoir se complique d'un serrement de cœur.

Juin 1848 fut, hâtons-nous de le dire, un fait à part, et presque impossible à classer dans la philosophie de l'histoire. Tous les mots que nous venons de prononcer doivent être écartés quand il s'agit de cette émeute extraordinaire où l'on sentit la sainte anxiété du travail réclamant ses droits. Il fallut la combattre, et c'était le devoir, car elle attaquait la République. Mais, au fond, que fut juin 1848 ? Une révolte du peuple contre lui-même.

Là où le sujet n'est point perdu de vue, il n'y a point de digression ; qu'il nous soit donc permis d'arrêter un moment l'attention du lecteur sur les deux barricades absolument uniques dont nous venons de parler et qui ont caractérisé cette insurrection.

L'une encombrait l'entrée du faubourg Saint-Antoine ; l'autre défendait l'approche du faubourg du Temple ; ceux devant qui se sont dressés, sous l'éclatant ciel bleu de juin, ces deux effrayants chefs-d'œuvre de la guerre civile, ne les oublieront jamais.

La barricade Saint-Antoine était monstrueuse ; elle était haute de trois étages et large de sept cents pieds. Elle barrait d'un angle à l'autre la vaste embouchure du faubourg, c'est-à-dire trois rues ; ravinée, déchiquetée, dentelée, hachée, crénelée d'une immense déchirure, contre-butée de monceaux qui étaient eux-mêmes des bastions, poussant des caps çà et là, puissamment adossée aux deux grands promontoires de maisons du faubourg, elle surgissait comme une levée cyclopéenne au fond de la redoutable place qui a vu le 14 juillet. Dix-neuf barricades s'étageaient dans la profondeur des rues derrière cette barricade mère. Rien qu'à la voir, on sentait dans le faubourg l'immense souffrance agonisante arrivée à cette minute extrême où une détresse veut devenir une catastrophe. De quoi était faite cette barricade ? De l'écroulement de trois maisons à six étages, démolies exprès, disaient les uns. Du prodige de toutes les colères, disaient les autres. Elle avait l'aspect lamentable de toutes les constructions de la haine : la ruine. On pouvait dire : qui a bâti cela ? On pouvait dire aussi : qui a détruit cela ? C'était l'improvisation du bouillonnement. Tiens ! cette porte ! cette grille ! cet auvent ! ce chambranle ! ce réchaud brisé ! cette marmite fêlée ! Donnez tout ! jetez tout ! poussez, roulez, piochez, démantelez, bouleversez, écroulez tout ! C'était la collaboration du pavé, du moellon, de la poutre, de la barre de fer, du chiffon, du carreau défoncé, de la chaise dépaillée, du trognon de chou, de la loque, de la guenille, et de la malédiction. C'était grand et c'était petit. C'était l'abîme parodié sur place par le tohu-bohu. La masse près de l'atome ; le pan de mur arraché et l'écuelle cassée ; une fraternisation menaçante de tous les débris ; Sisyphe avait jeté là son rocher et Job son tesson. En somme, terrible. C'était l'acropole des va-nu-pieds. Des charrettes renversées accidentaient le talus ; un immense haquet y était étalé en travers, l'essieu vers le ciel, et semblait une balafre sur cette façade tumultueuse ; un omnibus, hissé gaîment à force de bras tout au sommet de l'entassement, comme si les architectes de cette sauvagerie eussent voulu ajouter la gaminerie à l'épouvante, offrait son timon dételé à on ne sait quels chevaux de l'air. Cet amas gigantesque, alluvion de l'émeute, figurait à l'esprit un Ossa sur Pélion de toutes les révolutions ; 93 sur 89, le 9 thermidor sur le 10 août, le 18 brumaire sur le 21 janvier, vendémiaire sur prairial, 1848 sur 1830. La place en valait la peine, et cette barricade était digne d'apparaître à l'endroit même où la Bastille avait disparu. Si l'océan faisait des digues, c'est ainsi qu'il les bâtirait. La furie du flot était empreinte sur cet encombrement difforme. Quel flot ? la foule. On croyait voir du vacarme pétrifié. On croyait entendre bourdonner, au-dessus de cette barricade, comme si elles eussent été là sur leur ruche, les énormes abeilles ténébreuses du progrès violent. Était-ce une broussaille ? était-ce une bacchanale ? était-ce une forteresse ? Le vertige semblait avoir construit cela à coups d'aile. Il y avait du cloaque dans cette redoute et quelque chose d'olympien dans ce fouillis. On y voyait, dans un pêle-mêle plein de désespoir, des chevrons de toits, des morceaux de mansardes avec leur papier peint, des châssis de fenêtres avec toutes leurs vitres plantés dans les décombres, attendant le canon, des cheminées descellées, des armoires, des tables, des bancs, un sens dessus dessous hurlant, et ces mille choses indigentes, rebuts même du mendiant, qui contiennent à la fois de la fureur et du néant. On eût dit que c'était le haillon d'un peuple, haillon de bois, de fer, de bronze, de pierre, et que le faubourg Saint-Antoine l'avait poussé là à sa porte d'un colossal coup de balai, faisant de sa misère sa barricade. Des blocs pareils à des billots, des chaînes disloquées, des charpentes à tasseaux ayant forme de potences, des roues horizontales sortant des décombres, amalgamaient à cet édifice de l'anarchie la sombre figure des vieux supplices soufferts par le peuple. La barricade Saint-Antoine faisait arme de tout ; tout ce que la guerre civile peut jeter à la tête de la société sortait de là ; ce n'était pas du combat, c'était du paroxysme ; les carabines qui défendaient cette redoute, parmi lesquelles il y avait quelques espingoles, envoyaient des miettes de faïence, des osselets, des boutons d'habit, jusqu'à des roulettes de tables de nuit, projectiles dangereux à cause du cuivre. Cette barricade était forcenée ; elle jetait dans les nuées une clameur inexprimable ; à de certains moments, provoquant l'armée, elle se couvrait de foule et de tempête ; une cohue de têtes flamboyantes la couronnait ; un fourmillement l'emplissait ; elle avait une crête épineuse de fusils, de sabres, de bâtons, de haches, de piques et de bayonnettes ; un vaste drapeau rouge y claquait dans le vent ; on y entendait les cris du commandement, les chansons d'attaque, des roulements de tambours, des sanglots de femmes, et l'éclat de rire ténébreux des meurt-de-faim. Elle était démesurée et vivante ; et, comme du dos d'une bête électrique, il en sortait un pétillement de foudres. L'esprit de révolution couvrait de son nuage ce sommet où grondait cette voix du peuple qui ressemble à la voix de Dieu ; une majesté étrange se dégageait de cette titanique hottée de gravats. C'était un tas d'ordures et c'était le Sinaï.

Comme nous l'avons dit plus haut, elle attaquait au nom de la Révolution, quoi ? la Révolution. Elle, cette barricade, le hasard, le désordre, l'effarement, le malentendu, l'inconnu, elle avait en face d'elle l'assemblée constituante, la souveraineté du peuple, le suffrage universel, la nation, la République ; et c'était la Carmagnole défiant la Marseillaise.

Défi insensé, mais héroïque, car ce vieux faubourg est un héros.

Le faubourg et sa redoute se prêtaient main-forte. Le faubourg s'épaulait à la redoute, la redoute s'acculait au faubourg. La vaste barricade s'étalait comme une falaise où venait se briser la stratégie des généraux d'Afrique. Ses cavernes, ses excroissances, ses verrues, ses gibbosités, grimaçaient, pour ainsi dire, et ricanaient sous la fumée. La mitraille s'y évanouissait dans l'informe ; les obus s'y enfonçaient, s'y engloutissaient, s'y engouffraient ; les boulets n'y réussissaient qu'à trouer des trous ; à quoi bon canonner le chaos ? Et les régiments, accoutumés aux plus farouches visions de la guerre, regardaient d'un œil inquiet cette espèce de redoute bête fauve, par le hérissement sanglier, et par l'énormité montagne.

A un quart de lieue de là, de l'angle de la rue du Temple qui débouche sur le boulevard près du Château-d'Eau, si l'on avançait hardiment la tête en dehors de la pointe formée par la devanture du magasin Dallemagne, on apercevait au loin, au delà du canal, dans la rue qui monte les rampes de Belleville, au point culminant de la montée, une muraille étrange atteignant au deuxième étage des façades, sorte de trait d'union des maisons de droite aux maisons de gauche, comme si la rue avait replié d'elle-même son plus haut mur pour se fermer brusquement. Ce mur était bâti avec des pavés. Il était droit, correct, froid, perpendiculaire, nivelé à l'équerre, tiré au cordeau, aligné au fil à plomb. Le ciment y manquait sans doute, mais comme à de certains murs romains, sans troubler sa rigide architecture. A sa hauteur on devinait sa profondeur. L'entablement était mathématiquement parallèle au soubassement. On distinguait d'espace en espace, sur sa surface grise, des meurtrières presque invisibles qui ressemblaient à des fils noirs. Ces meurtrières étaient séparées les unes des autres par des intervalles égaux. La rue était déserte à perte de vue. Toutes les fenêtres et toutes les portes fermées. Au fond se dressait ce barrage qui faisait de la rue un cul-de-sac ; mur immobile et tranquille ; on n'y voyait personne, on n'y entendait rien ; pas un cri, pas un bruit, pas un souffle. Un sépulcre.

L'éblouissant soleil de juin inondait de lumière cette chose terrible.

C'était la barricade du faubourg du Temple.

Dès qu'on arrivait sur le terrain et qu'on l'apercevait, il était impossible, même aux plus hardis, de ne pas devenir pensif devant cette apparition mystérieuse. C'était ajusté, emboîté, imbriqué, rectiligne, symétrique, et funèbre. Il y avait là de la science et des ténèbres. On sentait que le chef de cette barricade était un géomètre ou un spectre. On regardait cela et l'on parlait bas.

De temps en temps, si quelqu'un, soldat, officier ou représentant du peuple, se hasardait à traverser la chaussée solitaire, on entendait un sifflement aigu et faible, et le passant tombait blessé ou mort, ou, s'il échappait, on voyait s'enfoncer dans quelque volet fermé, dans un entre-deux de moellons, dans le plâtre d'un mur, une balle. Quelquefois un biscayen. Car les hommes de la barricade s'étaient fait de deux tronçons de tuyaux de fonte du gaz bouchés à un bout avec de l'étoupe et de la terre à poêle, deux petits canons. Pas de dépense de poudre inutile. Presque tout coup portait. Il y avait quelques cadavres çà et là, et des flaques de sang sur les pavés. Je me souviens d'un papillon blanc qui allait et venait dans la rue. L'été n'abdique pas.

Aux environs, le dessous des portes cochères était encombré de blessés.

On se sentait là visé par quelqu'un qu'on ne voyait point, et l'on comprenait que toute la longueur de la rue était couchée en joue.

Massés derrière l'espèce de dos d'âne que fait à l'entrée du faubourg du Temple le pont cintré du canal, les soldats de la colonne d'attaque observaient, graves et recueillis, cette redoute lugubre, cette immobilité, cette impassibilité, d'où la mort sortait. Quelques-uns rampaient à plat ventre jusqu'au haut de la courbe du pont en ayant soin que leurs shakos ne passassent point.

Le vaillant colonel Monteynard admirait cette barricade avec un frémissement. — *Comme c'est bâti !* disait-il à un représentant. *Pas un pavé ne déborde l'autre. C'est de la porcelaine.* — En ce moment une balle lui brisa sa croix sur sa poitrine, et il tomba.

— Les lâches ! disait-on. Mais qu'ils se montrent donc ! qu'on les voie ! ils n'osent pas ! ils se cachent ! — La barricade du faubourg du Temple, défendue par quatrevingts hommes, attaquée par dix mille, tint trois jours. Le quatrième, on fit comme à Zaatcha et à Constantine, on perça les maisons, on vint par les toits, la barricade fut prise. Pas un des quatrevingts lâches ne songea à fuir ; tous y furent tués, excepté le chef, Barthélemy, dont nous parlerons tout à l'heure.

La barricade Saint-Antoine était le tumulte des tonnerres ; la barricade du Temple était le silence. Il y avait entre ces deux redoutes la différence du formidable au sinistre. L'une semblait une gueule ; l'autre un masque.

En admettant que la gigantesque et ténébreuse insurrection de juin fût composée d'une colère et d'une énigme, on sentait dans la première barricade le dragon et derrière la seconde le sphinx.

Ces deux forteresses avaient été édifiées par deux hommes nommés, l'un Cournet, l'autre Barthélemy. Cournet avait fait la barricade Saint-Antoine ; Barthélemy, la barricade du Temple. Chacune d'elles était l'image de celui qui l'avait bâtie.

Cournet était un homme de haute stature ; il avait les épaules larges, la face rouge, le poing écrasant, le cœur hardi, l'âme loyale, l'œil sincère et terrible. Intrépide, énergique, irascible, orageux ; le plus cordial des hommes, le plus redoutable des combattants. La guerre, la lutte, la mêlée, étaient son air respirable et le mettaient de belle humeur. Il avait été officier de marine, et, à ses gestes et à sa voix, on devinait qu'il sortait de l'océan et qu'il venait de la tempête ; il continuait l'ouragan dans la bataille. Au génie près, il y avait en Cournet quelque chose de Danton, comme, à la divinité près, il y avait en Danton quelque chose d'Hercule.

Barthélemy, maigre, chétif, pâle, taciturne, était une espèce de gamin tragique qui, souffleté par un sergent de ville, le guetta, l'attendit, et le tua, et, à dix-sept ans, fut mis au bagne. Il en sortit, et fit cette barricade.

Plus tard, chose fatale, à Londres, proscrits tous deux, Barthélemy tua Cournet. Ce fut un duel funèbre. Quelque temps après, pris dans l'engrenage d'une de ces mystérieuses aventures où la passion est mêlée, catastrophes où la justice française voit des circonstances atténuantes et où la justice anglaise ne voit que la mort, Barthélemy fut pendu. La sombre construction sociale est ainsi faite que, grâce au dénûment matériel, grâce à l'obscurité morale, ce malheureux être qui contenait une intelligence, ferme à coup sûr, grande peut-être, commença par le bagne en France et finit par le gibet en Angleterre. Barthélemy, dans les occasions, n'arborait qu'un drapeau ; le drapeau noir.

II

QUE FAIRE DANS L'ABÎME A MOINS QUE L'ON NE CAUSE ?

SEIZE ans comptent dans la souterraine éducation de l'émeute, et juin 1848 en savait plus long que juin 1832. Aussi la barricade de la rue de la Chanvrerie n'était-elle qu'une ébauche et qu'un embryon, comparée aux deux barricades colosses que nous venons d'esquisser ; mais, pour l'époque, elle était redoutable.

Les insurgés, sous l'œil d'Enjolras, car Marius ne regardait plus rien, avaient mis la nuit à profit. La barricade avait été non seulement réparée, mais augmentée. On l'avait exhaussée de deux pieds. Des barres de fer plantées dans les pavés ressemblaient à des lances en arrêt. Toutes sortes de décombres ajoutés et apportés de toutes parts compliquaient l'enchevêtrement extérieur. La redoute avait été savamment refaite en muraille au dedans et en broussaille au dehors.

On avait rétabli l'escalier de pavés qui permettait d'y monter comme à un mur de citadelle.

On avait fait le ménage de la barricade, désencombré la salle basse, pris la cuisine pour ambulance, achevé le pansement des blessés, recueilli la poudre éparse à terre et sur les tables, fondu des balles, fabriqué des cartouches, épluché de la charpie, distribué les armes tombées, nettoyé l'intérieur de la redoute, ramassé les débris, emporté les cadavres.

On déposa les morts en tas dans la ruelle Mondétour dont on était toujours maître. Le pavé a été longtemps rouge à cet endroit. Il y avait parmi les morts quatre gardes nationaux de la banlieue. Enjolras fit mettre de côté leurs uniformes.

Enjolras avait conseillé deux heures de sommeil. Un conseil d'Enjolras était une consigne. Pourtant, trois ou quatre seulement en profitèrent. Feuilly employa ces deux heures à la gravure de cette inscription sur le mur qui faisait face au cabaret :

VIVENT LES PEUPLES !

Ces trois mots, creusés dans le moellon avec un clou, se lisaient encore sur cette muraille en 1848.

Les trois femmes avaient profité du répit de la nuit pour disparaître définitivement ; ce qui faisait respirer les insurgés plus à l'aise.

Elles avaient trouvé moyen de se réfugier dans quelque maison voisine.

La plupart des blessés pouvaient et voulaient encore combattre. Il y avait, sur une litière de matelas et de bottes de paille, dans la cuisine devenue l'ambulance, cinq hommes gravement atteints, dont deux gardes municipaux. Les gardes municipaux furent pansés les premiers.

Il ne resta plus dans la salle basse que Mabeuf sous son drap noir et Javert lié au poteau.

— C'est ici la salle des morts, dit Enjolras.

Dans l'intérieur de cette salle, à peine éclairée d'une chandelle, tout au fond, la table mortuaire étant derrière le poteau comme une barre horizontale, une sorte de grande croix vague résultait de Javert debout et de Mabeuf couché.

Le timon de l'omnibus, quoique tronqué par la fusillade, était encore assez debout pour qu'on pût y accrocher un drapeau.

Enjolras, qui avait cette qualité d'un chef, de toujours faire ce qu'il disait, attacha à cette hampe l'habit troué et sanglant du vieillard tué.

Aucun repas n'était plus possible. Il n'y avait ni pain ni viande. Les cinquante hommes de la barricade, depuis seize heures qu'ils étaient là, avaient eu vite épuisé les maigres provisions du cabaret. A un instant donné, toute barricade qui tient devient inévitablement le radeau de la Méduse. Il fallut se résigner à la faim. On était aux premières heures de cette journée spartiate du 6 juin où, dans la barricade Saint-Merry, Jeanne, entouré d'insurgés qui demandaient du pain, à tous ces combattants criant : A manger ! répondait : Pourquoi ? il est trois heures. A quatre heures nous serons morts.

Comme on ne pouvait plus manger, Enjolras défendit de boire. Il interdit le vin et rationna l'eau-de-vie.

On avait trouvé dans la cave une quinzaine de bouteilles pleines, hermétiquement cachetées. Enjolras et Combeferre les examinèrent. Combeferre en remontant dit : — C'est du vieux fonds du père Hucheloup qui a commencé par être épicier. — Cela doit être du vrai vin, observa Bossuet. Il est heureux que Grantaire dorme. S'il était debout, on aurait de la peine à sauver ces bouteilles-là. — Enjolras, malgré les murmures, mit son veto sur les quinze bouteilles, et afin que personne n'y touchât et qu'elles fussent comme sacrées, il les fit placer sous la table où gisait le père Mabeuf.

Vers deux heures du matin, on se compta. Ils étaient encore trente-sept.

Le jour commençait à paraître. On venait d'éteindre la torche qui avait été replacée dans son alvéole de pavés. L'intérieur de la barricade, cette espèce de petite cour prise sur la rue, était noyé de ténèbres et ressemblait, à travers la vague horreur crépusculaire, au pont d'un navire désemparé. Les combattants allant et venant s'y mouvaient comme des formes noires. Au-dessus de cet effrayant nid d'ombre, les étages des maisons muettes s'ébauchaient lividement ; tout en haut les cheminées blêmissaient. Le ciel avait cette charmante nuance indécise qui est peut-être le blanc et peut-être le bleu. Des oiseaux y volaient avec des cris de bonheur. La haute maison qui faisait le fond de la barricade, étant tournée vers le levant, avait sur son toit un reflet rose. A la lucarne du troisième étage, le vent du matin agitait les cheveux gris sur la tête de l'homme mort.

— Je suis charmé qu'on ait éteint la torche, disait Courfeyrac à Feuilly. Cette torche effarée au vent m'ennuyait. Elle avait l'air d'avoir peur. La lumière des torches ressemble à la sagesse des lâches ; elle éclaire mal, parce qu'elle tremble.

L'aube éveille les esprits comme les oiseaux ; tous causaient.

Joly, voyant un chat rôder sur une gouttière, en extrayait la philosophie.

— Qu'est-ce que le chat ? s'écriait-il. C'est un correctif. Le bon Dieu, ayant fait la souris, a dit : Tiens, j'ai fait une bêtise. Et il a fait le chat. Le chat, c'est l'erratum de la souris. La souris, plus le chat, c'est l'épreuve revue et corrigée de la création.

Combeferre, entouré d'étudiants et d'ouvriers,

parlait des morts, de Jean Prouvaire, de Bahorel, de Mabeuf, et même du Cabuc, et de la tristesse sévère d'Enjolras. Il disait :

— Harmodius et Aristogiton, Brutus, Chéréas, Stephanus, Cromwell, Charlotte Corday, Sand, tous ont eu, après le coup, leur moment d'angoisse. Notre cœur est si frémissant et la vie humaine est un tel mystère que, même dans un meurtre civique, même dans un meurtre libérateur, s'il y en a, le remords d'avoir frappé un homme dépasse la joie d'avoir servi le genre humain.

Et, ce sont là les méandres de la parole échangée, une minute après, par une transition venue des vers de Jean Prouvaire, Combeferre comparait entre eux les traducteurs des Géorgiques, Raux à Cournand, Cournand à Delille, indiquant les quelques passages traduits par Malfilâtre, particulièrement les prodiges de la mort de César ; et par ce mot, César, la causerie revenait à Brutus.

— César, disait Combeferre, est tombé justement. Cicéron a été sévère pour César, et il a eu raison. Cette sévérité-là n'est point la diatribe. Quand Zoïle insulte Homère, quand Mævius insulte Virgile, quand Visé insulte Molière, quand Pope insulte Shakespeare, quand Fréron insulte Voltaire, c'est une vieille loi d'envie et de haine qui s'exécute ; les génies attirent l'injure, les grands hommes sont toujours plus ou moins aboyés. Mais Zoïle et Cicéron, c'est deux. Cicéron est un justicier par la pensée de même que Brutus est un justicier par l'épée. Je blâme, quant à moi, cette dernière justice-là, le glaive ; mais l'antiquité l'admettait. César, violateur du Rubicon, conférant, comme venant de lui, les dignités qui venaient du peuple, ne se levant pas à l'entrée du sénat, faisait, comme dit Eutrope, des choses de roi et presque de tyran, *regia ac pœnè tyrannica.* C'était un grand homme ; tant pis, ou tant mieux ; la leçon est plus haute. Ses vingt-trois blessures me touchent moins que le crachat au front de Jésus-Christ. César est poignardé par les sénateurs ; Christ est souffleté par les valets. A plus d'outrage, on sent le dieu.

Bossuet, dominant les causeurs du haut d'un tas de pavés, s'écriait, la carabine à la main :

— O Cydathenæum, ô Myrrhinus, ô Probalinthe, ô grâces de l'Æantide ! Oh ! qui me donnera de prononcer les vers d'Homère comme un grec de Laurium ou d'Édaptéon !

III

ÉCLAIRCISSEMENT ET ASSOMBRISSEMENT

ENJOLRAS était allé faire une reconnaissance. Il était sorti par la ruelle Mondétour en serpentant le long des maisons.

Les insurgés, disons-le, étaient pleins d'espoir. La façon dont ils avaient repoussé l'attaque de la nuit leur faisait presque dédaigner d'avance l'attaque du point du jour. Ils l'attendaient et en souriaient. Ils ne doutaient pas plus de leur succès que de leur cause. D'ailleurs un secours allait évidemment leur venir. Ils y comptaient. Avec cette facilité de prophétie triomphante qui est une des forces du français combattant, ils divisaient en trois phases certaines la journée qui allait s'ouvrir : à six heures du matin, un régiment, « qu'on avait travaillé », tournerait ; à midi, l'insurrection de tout Paris ; au coucher du soleil, la révolution.

On entendait le tocsin de Saint-Merry qui ne s'était pas tu une minute depuis la veille ; preuve que l'autre barricade, la grande, celle de Jeanne, tenait toujours.

Toutes ces espérances s'échangeaient d'un groupe à l'autre dans une sorte de chuchotement gai et redoutable qui ressemblait au bourdonnement de guerre d'une ruche d'abeilles.

Enjolras reparut. Il revenait de sa sombre promenade d'aigle dans l'obscurité extérieure. Il écouta un instant toute cette joie les bras croisés, une main sur sa bouche. Puis, frais et rose dans la blancheur grandissante du matin, il dit :

— Toute l'armée de Paris donne. Un tiers de cette armée pèse sur la barricade où vous êtes. De plus la garde nationale. J'ai distingué les shakos du cinquième de ligne et les guidons de la sixième légion. Vous serez attaqués dans une heure. Quant au peuple, il a bouillonné hier, mais ce matin il ne bouge pas. Rien à attendre, rien à espérer. Pas plus un faubourg qu'un régiment. Vous êtes abandonnés.

Ces paroles tombèrent sur le bourdonnement des groupes, et y firent l'effet que fait sur un essaim la première goutte de l'orage. Tous restèrent muets. Il y eut un moment d'inexprimable silence où l'on eût entendu voler la mort.

Ce moment fut court.

Une voix, du fond le plus obscur des groupes, cria à Enjolras :

— Soit. Élevons la barricade à vingt pieds de haut, et restons-y tous. Citoyens, faisons la protestation des cadavres. Montrons que, si le peuple abandonne les républicains, les républicains n'abandonnent pas le peuple.

Cette parole dégageait du pénible nuage des

anxiétés individuelles la pensée de tous. Une acclamation enthousiaste l'accueillit.

On n'a jamais su le nom de l'homme qui avait parlé ainsi ; c'était quelque porte-blouse ignoré, un inconnu, un oublié, un passant héros, ce grand anonyme toujours mêlé aux crises humaines et aux genèses sociales qui, à un instant donné, dit d'une façon suprême le mot décisif, et qui s'évanouit dans les ténèbres après avoir représenté une minute, dans la lumière d'un éclair, le peuple et Dieu.

Cette résolution inexorable était tellement dans l'air du 6 juin 1832 que, presque à la même heure, dans la barricade de Saint-Merry, les insurgés poussaient cette clameur demeurée historique et consignée au procès : Qu'on vienne à notre secours ou qu'on n'y vienne pas, qu'importe ! Faisons-nous tuer ici jusqu'au dernier.

Comme on voit, les deux barricades, quoique matériellement isolées, communiquaient.

IV

CINQ DE MOINS, UN DE PLUS

Après que l'homme quelconque, qui décrétait « la protestation des cadavres », eut parlé et donné la formule de l'âme commune, de toutes les bouches sortit un cri étrangement satisfait et terrible, funèbre par le sens et triomphal par l'accent :

— Vive la mort ! Restons ici tous.

— Pourquoi tous ? dit Enjolras.

— Tous ! tous !

Enjolras reprit :

— La position est bonne, la barricade est belle. Trente hommes suffisent. Pourquoi en sacrifier quarante ?

Ils répliquèrent :

— Parce que pas un ne voudra s'en aller.

— Citoyens, cria Enjolras, et il y avait dans sa voix une vibration presque irritée, la république n'est pas assez riche en hommes pour faire des dépenses inutiles. La gloriole est un gaspillage. Si, pour quelques-uns, le devoir est de s'en aller, ce devoir-là doit être fait comme un autre.

Enjolras, l'homme principe, avait sur ses coreligionnaires cette sorte de toute-puissance qui se dégage de l'absolu. Cependant, quelle que fût cette omnipotence, on murmura.

Chef jusque dans le bout des ongles, Enjolras, voyant qu'on murmurait, insista. Il reprit avec hauteur :

— Que ceux qui craignent de n'être plus que trente le disent.

Les murmures redoublèrent.

— D'ailleurs, observa une voix dans un groupe, s'en aller, c'est facile à dire. La barricade est cernée.

— Pas du côté des halles, dit Enjolras. La rue Mondétour est libre, et par la rue des Prêcheurs on peut gagner le marché des Innocents.

— Et là, reprit une autre voix du groupe, on sera pris. On tombera dans quelque grand'garde de la ligne ou de la banlieue. Ils verront passer un homme en blouse et en casquette. D'où viens-tu, toi ? serais-tu pas de la barricade ? Et on vous regarde les mains. Tu sens la poudre. Fusillé.

Enjolras, sans répondre, toucha l'épaule de Combeferre, et tous deux entrèrent dans la salle basse.

Ils ressortirent un moment après. Enjolras tenait dans ses deux mains étendues les quatre uniformes qu'il avait fait réserver. Combeferre le suivait portant les buffleteries et les shakos.

— Avec cet uniforme, dit Enjolras, on se mêle aux rangs et l'on s'échappe. Voici toujours pour quatre.

Et il jeta sur le sol dépavé les quatre uniformes.

Aucun ébranlement ne se faisait dans le stoïque auditoire. Combeferre prit la parole.

— Allons, dit-il, il faut avoir un peu de pitié. Savez-vous de quoi il est question ici ? Il est question des femmes. Voyons. Y a-t-il des femmes, oui ou non ? y a-t-il des enfants, oui ou non ? y a-t-il, oui ou non, des mères, qui poussent des berceaux du pied et qui ont des tas de petits autour d'elles ? Que celui de vous qui n'a jamais vu le sein d'une nourrice lève la main. Ah ! vous voulez vous faire tuer, je le veux aussi, moi qui vous parle, mais je ne veux pas sentir des fantômes de femmes qui se tordent les bras autour de moi. Mourez, soit, mais ne faites pas mourir. Des suicides comme celui qui va s'accomplir ici sont sublimes, mais le suicide est étroit, et ne veut pas d'extension ; et dès qu'il touche à vos proches, le suicide s'appelle meurtre. Songez aux petites têtes blondes, et songez aux cheveux blancs. Écoutez, tout à l'heure, Enjolras, il vient de me le dire, a vu au coin de la rue du Cygne une croisée éclairée, une chandelle à une pauvre fenêtre, au cinquième, et sur la vitre l'ombre toute branlante d'une tête de vieille femme qui avait l'air d'avoir passé la nuit et d'attendre. C'est peut-être la mère de l'un de vous. Eh bien, qu'il s'en aille, celui-là, et qu'il se dépêche d'aller dire à sa mère : Mère, me voilà ! Qu'il soit tranquille, on fera la besogne ici tout de même. Quand on soutient ses proches de son travail, on n'a plus le droit de se sacrifier. C'est déserter la famille, cela.

Et ceux qui ont des filles, et ceux qui ont des sœurs ! Y pensez-vous ? Vous vous faites tuer, vous voilà morts, c'est bon, et demain ? Des jeunes filles qui n'ont pas de pain, cela est terrible. L'homme mendie, la femme vend. Ah ! ces charmants êtres si gracieux et si doux qui ont des bonnets de fleurs, qui chantent, qui jasent, qui emplissent la maison de chasteté, qui sont comme un parfum vivant, qui prouvent l'existence des anges dans le ciel par la pureté des vierges sur la terre, cette Jeanne, cette Lise, cette Mimi, ces adorables et honnêtes créatures qui sont votre bénédiction et votre orgueil, ah mon Dieu, elles vont avoir faim ! Que voulez-vous que je vous dise ? Il y a un marché de chair humaine, et ce n'est pas avec vos mains d'ombres, frémissantes autour d'elles, que vous les empêcherez d'y entrer ! Songez à la rue, songez au pavé couvert de passants, songez aux boutiques devant lesquelles des femmes vont et viennent décolletées et dans la boue. Ces femmes-là aussi ont été pures. Songez à vos sœurs, ceux qui en ont. La misère, la prostitution, les sergents de ville, Saint-Lazare, voilà où vont tomber ces délicates belles filles, ces fragiles merveilles de pudeur, de gentillesse et de beauté, plus fraîches que les lilas du mois de mai. Ah ! vous vous êtes fait tuer ! ah ! vous n'êtes plus là ! C'est bien ; vous avez voulu soustraire le peuple à la royauté, vous donnez vos filles à la police. Amis, prenez garde, ayez de la compassion. Les femmes, les malheureuses femmes, on n'a pas l'habitude d'y songer beaucoup. On se fie sur ce que les femmes n'ont pas reçu l'éducation des hommes, on les empêche de lire, on les empêche de penser, on les empêche de s'occuper de politique ; les empêcherez-vous d'aller ce soir à la morgue et de reconnaître vos cadavres ?

Voyons, il faut que ceux qui ont des familles soient bons enfants et nous donnent une poignée de main et s'en aillent, et nous laissent faire ici l'affaire tout seuls. Je sais bien qu'il faut du courage pour s'en aller, c'est difficile ; mais plus c'est difficile, plus c'est méritoire. On dit : J'ai un fusil, je suis à la barricade, tant pis, j'y reste. Tant pis, c'est bientôt dit. Mes amis, il y a un lendemain, vous n'y serez pas à ce lendemain, mais vos familles y seront. Et que de souffrances ! Tenez, un joli enfant bien portant qui a des joues comme une pomme, qui babille, qui jacasse, qui jabote, qui rit, qu'on sent frais sous le baiser, savez-vous ce que cela devient quand c'est abandonné ? J'en ai vu un, tout petit, haut comme cela. Son père était mort. De pauvres gens l'avaient recueilli par charité, mais ils n'avaient pas de pain pour eux-mêmes. L'enfant avait toujours faim. C'était l'hiver. Il ne pleurait pas. On le voyait aller près du poêle où il n'y avait jamais de feu et dont le tuyau, vous savez, était mastiqué avec de la terre jaune. L'enfant détachait avec ses petits doigts un peu de cette terre et la mangeait. Il avait la respiration rauque, la face livide, les jambes molles, le ventre gros. Il ne disait rien. On lui parlait, il ne répondait pas. Il est mort. On l'a apporté mourir à l'hospice Necker, où je l'ai vu. J'étais interne à cet hospice-là. Maintenant, s'il y a des pères parmi vous, des pères qui ont pour bonheur de se promener le dimanche en tenant dans leur bonne main robuste la petite main de leur enfant, que chacun de ces pères se figure que cet enfant-là est le sien. Ce pauvre môme, je me le rappelle, il me semble que je le vois, quand il a été nu sur la table d'anatomie, ses côtes faisaient saillie sous sa peau comme les fosses sous l'herbe d'un cimetière. On lui a trouvé une espèce de boue dans l'estomac. Il avait de la cendre dans les dents. Allons, tâtons-nous en conscience et prenons conseil de notre cœur. Les statistiques constatent que la mortalité des enfants abandonnés est de cinquante-cinq pour cent. Je le répète, il s'agit des femmes, il s'agit des mères, il s'agit des jeunes filles, il s'agit des mioches. Est-ce qu'on vous parle de vous ? On sait bien ce que vous êtes ; on sait bien que vous êtes tous des braves, parbleu ! on sait bien que vous avez tous dans l'âme la joie et la gloire de donner votre vie pour la grande cause ; on sait bien que vous vous sentez élus pour mourir utilement et magnifiquement, et que chacun de vous tient à sa part du triomphe. A la bonne heure. Mais vous n'êtes pas seuls en ce monde. Il y a d'autres êtres auxquels il faut penser. Il ne faut pas être égoïstes.

Tous baissèrent la tête d'un air sombre.

Étranges contradictions du cœur humain à ses moments les plus sublimes ! Combeferre, qui parlait ainsi, n'était pas orphelin. Il se souvenait des mères des autres, et il oubliait la sienne. Il allait se faire tuer. Il était « égoïste ».

Marius, à jeun, fiévreux, successivement sorti de toutes les espérances, échoué dans la douleur, le plus sombre des naufrages, saturé d'émotions violentes, et sentant la fin venir, s'était de plus en plus enfoncé dans cette stupeur visionnaire qui précède toujours l'heure fatale volontairement acceptée.

Un physiologiste eût pu étudier sur lui les symptômes croissants de cette absorption fébrile connue et classée par la science, et qui est à la souffrance ce que la volupté est au plaisir. Le désespoir aussi a son extase. Marius en était là. Il assistait à tout comme du dehors ; ainsi que nous l'avons dit, les choses qui se passaient devant lui lui semblaient lointaines ; il distinguait l'ensemble, mais n'apercevait point les détails. Il voyait les allants et venants à travers un flamboiement. Il entendait les voix parler comme au fond d'un abîme.

Cependant ceci l'émut. Il y avait dans cette scène une pointe qui perça jusqu'à lui, et qui le réveilla. Il n'avait plus qu'une idée, mourir, et il ne voulait pas s'en distraire ; mais il songea, dans son somnambulisme funèbre, qu'en se perdant, il n'est pas défendu de sauver quelqu'un.

Il éleva la voix :

— Enjolras et Combeferre ont raison, dit-il ; pas de sacrifice inutile. Je me joins à eux, et il faut se hâter. Combeferre vous a dit les choses décisives. Il y en a parmi vous qui ont des familles, des mères, des sœurs, des femmes, des enfants. Que ceux-là sortent des rangs.

Personne ne bougea.

— Les hommes mariés et les soutiens de famille hors des rangs ! répéta Marius.

Son autorité était grande. Enjolras était bien le chef de la barricade, mais Marius en était le sauveur.

— Je l'ordonne ! cria Enjolras.

— Je vous en prie, dit Marius.

Alors, remués par la parole de Combeferre, ébranlés par l'ordre d'Enjolras, émus par la prière de Marius, ces hommes héroïques commencèrent à se dénoncer les uns les autres. — C'est vrai, disait un jeune à un homme fait. Tu es père de famille. Va-t'en. — C'est plutôt toi, répondait l'homme, tu as tes deux sœurs que tu nourris. — Et une lutte inouïe éclatait. C'était à qui ne se laisserait pas mettre à la porte du tombeau.

— Dépêchons, dit Courfeyrac, dans un quart d'heure il ne serait plus temps.

— Citoyens, poursuivit Enjolras, c'est ici la république, et le suffrage universel règne. Désignez vous-mêmes ceux qui doivent s'en aller.

On obéit. Au bout de quelques minutes, cinq étaient unanimement désignés et sortaient des rangs.

— Ils sont cinq ! s'écria Marius.

Il n'y avait que quatre uniformes.

— Eh bien, reprirent les cinq, il faut qu'un reste.

Et ce fut à qui resterait, et à qui trouverait aux autres des raisons de ne pas rester. La généreuse querelle recommença.

— Toi, tu as une femme qui t'aime. — Toi, tu as ta vieille mère. — Toi, tu n'as plus ni père ni mère, qu'est-ce que tes trois petits frères vont devenir ? ? Toi, tu es père de cinq enfants. — Toi, tu as le droit de vivre, tu as dix-sept ans, c'est trop tôt.

Ces grandes barricades révolutionnaires étaient des rendez-vous d'héroïsmes. L'invraisemblable y était simple. Ces hommes ne s'étonnaient pas les uns les autres.

— Faites vite, répétait Courfeyrac.

On cria des groupes à Marius :

— Désignez, vous, celui qui doit rester.

— Oui, dirent les cinq, choisissez. Nous vous obéirons.

Marius ne croyait plus à une émotion possible. Cependant à cette idée, choisir un homme pour la mort, tout son sang reflua vers son cœur. Il eût pâli, s'il eût pu pâlir encore.

Il s'avança vers les cinq qui lui souriaient, et chacun, l'œil plein de cette grande flamme qu'on voit au fond de l'histoire sur les Thermopyles, lui criait :

— Moi ! moi ! moi !

Et Marius, stupidement, les compta ; ils étaient toujours cinq ! Puis son regard s'abaissa sur les quatre uniformes.

En cet instant, un cinquième uniforme tomba, comme du ciel, sur les quatre autres.

Le cinquième homme était sauvé.

Marius leva les yeux et reconnut M. Fauchelevent.

Jean Valjean venait d'entrer dans la barricade.

Soit renseignement pris, soit instinct, soit hasard, il arrivait par la ruelle Mondétour. Grâce à son habit de garde national, il avait passé aisément.

La vedette placée par les insurgés dans la rue Mondétour, n'avait point à donner le signal d'alarme pour un garde national seul. Elle l'avait laissé s'engager dans la rue en se disant : c'est un renfort probablement, ou au pis aller un prisonnier. Le moment était trop grave pour que la sentinelle pût se distraire de son devoir et de son poste d'observation.

Au moment où Jean Valjean était entré dans la redoute, personne ne l'avait remarqué, tous les yeux étant fixés sur les cinq choisis et sur les quatre uniformes. Jean Valjean, lui, avait vu et entendu, et, silencieusement, il s'était dépouillé de son habit et l'avait jeté sur le tas des autres.

L'émotion fut indescriptible.

— Quel est cet homme ? demanda Bossuet.

— C'est, répondit Combeferre, un homme qui sauve les autres.

Marius ajouta d'une voix grave :

— Je le connais.

Cette caution suffisait à tous.

Enjolras se tourna vers Jean Valjean.

— Citoyen, soyez le bienvenu.

Et il ajouta :

— Vous savez qu'on va mourir.

Jean Valjean, sans répondre, aida l'insurgé qu'il sauvait à revêtir son uniforme.

V

QUEL HORIZON ON VOIT DU HAUT DE LA BARRICADE

La situation de tous, dans cette heure fatale et dans ce lieu inexorable, avait comme résultante et comme sommet la mélancolie suprême d'Enjolras.

Enjolras avait en lui la plénitude de la révolution ; il était incomplet pourtant, autant que l'absolu peut l'être ; il tenait trop de Saint-Just, et pas assez d'Anacharsis Clootz ; cependant son esprit, dans la société des Amis de l'A B C, avait fini par subir une certaine aimantation des idées de Combeferre ; depuis quelque temps, il sortait peu à peu de la forme étroite du dogme et se laissait aller aux élargissements du progrès, et il en était venu à accepter, comme évolution définitive et magnifique, la transformation de la grande république française en immense république humaine. Quant aux moyens immédiats, une situation violente étant donnée, il les voulait violents ; en cela, il ne variait pas ; et il était resté de cette école épique et redoutable que résume ce mot : Quatrevingt-treize.

Enjolras était debout sur l'escalier de pavés, un de ses coudes sur le canon de sa carabine. Il songeait ; il tressaillait, comme à des passages de souffles ; les endroits où est la mort ont de ces effets de trépieds. Il sortait de ses prunelles, pleines du regard intérieur, des espèces de feux étouffés. Tout à coup, il dressa la tête, ses cheveux blonds se renversèrent en arrière comme ceux de l'ange sur le sombre quadrige fait d'étoiles, ce fut comme une crinière de lion effarée en flamboiement d'auréole, et Enjolras s'écria :

— Citoyens, vous représentez-vous l'avenir ? Les rues des villes inondées de lumières, des branches vertes sur les seuils, les nations sœurs, les hommes justes, les vieillards bénissant les enfants, le passé aimant le présent, les penseurs en pleine liberté, les croyants en pleine égalité, pour religion le ciel, Dieu prêtre direct, la conscience humaine devenue l'autel, plus de haines, la fraternité de l'atelier et de l'école, pour pénalité et pour récompense la notoriété, à tous le travail, pour tous le droit, sur tous la paix, plus de sang versé, plus de guerres, les mères heureuses ! Dompter la matière, c'est le premier pas ; réaliser l'idéal, c'est le second. Réfléchissez à ce qu'a déjà fait le progrès. Jadis les premières races humaines voyaient avec terreur passer devant leurs yeux l'hydre qui soufflait sur les eaux, le dragon qui vomissait du feu, le griffon qui était le monstre de l'air et qui volait avec les ailes d'un aigle et les griffes d'un tigre ; bêtes effrayantes qui étaient au-dessus de l'homme. L'homme cependant a tendu ses pièges, les pièges sacrés de l'intelligence, et il a fini par y prendre les monstres.

Nous avons dompté l'hydre, et elle s'appelle le steamer ; nous avons dompté le dragon, et il s'appelle la locomotive ; nous sommes sur le point de dompter le griffon, nous le tenons déjà, et il s'appelle le ballon. Le jour où cette œuvre prométhéenne sera terminée et où l'homme aura définitivement attelé à sa volonté la triple Chimère antique, l'hydre, le dragon et le griffon, il sera maître de l'eau, du feu et de l'air, et il sera pour le reste de la création animée ce que les anciens dieux étaient jadis pour lui. Courage, et en avant ! Citoyens, où allons-nous ? A la science faite gouvernement, à la force des choses devenue seule force publique, à la loi naturelle ayant sa sanction et sa pénalité en elle-même et se promulguant par l'évidence, à un lever de vérité correspondant au lever du jour. Nous allons à l'union des peuples ; nous allons à l'unité de l'homme. Plus de fictions ; plus de parasites. Le réel gouverné par le vrai, voilà le but. La civilisation tiendra ses assises au sommet de l'Europe, et plus tard au centre des continents, dans un grand parlement de l'intelligence. Quelque chose de pareil s'est vu déjà. Les amphictyons avaient deux séances par an, l'une à Delphes, lieu des dieux, l'autre aux Thermopyles, lieu des héros. L'Europe aura ses amphictyons ; le globe aura ses amphictyons. La France porte cet avenir sublime dans ses flancs. C'est là la gestation du dix-neuvième siècle. Ce qu'avait ébauché la Grèce est digne d'être achevé par la France. Écoute-moi, toi Feuilly, vaillant ouvrier, homme du peuple, homme des peuples. Je te vénère. Oui, tu vois nettement les temps futurs, oui, tu as raison. Tu n'avais ni père ni mère, Feuilly ; tu as adopté pour mère l'humanité et pour père le droit. Tu vas mourir ici, c'est-à-dire triompher. Citoyens, quoi qu'il arrive aujourd'hui, par notre défaite aussi bien que par notre victoire, c'est une révolution que nous allons faire. De même que les incendies éclairent toute la ville, les révolutions éclairent tout le genre humain. Et quelle révolution ferons-nous ? Je viens de le dire, la révolution du Vrai. Au point de vue politique, il n'y a qu'un seul principe : la souveraineté de l'homme sur lui-même. Cette souveraineté de moi sur moi s'appelle Liberté. Là où deux ou plusieurs de ces souverainetés s'associent commence l'état. Mais dans cette association il n'y a nulle abdication. Chaque souveraineté concède une certaine quantité d'elle-même pour former le droit commun. Cette quantité est la même pour tous. Cette identité de concession que chacun fait à tous s'appelle Égalité. Le droit commun n'est pas autre chose que la protection de tous rayonnant sur le droit de chacun. Cette protection de tous sur chacun s'appelle Fraternité. Le point d'intersection de toutes ces souverainetés qui s'agrègent s'appelle Société. Cette intersection étant une jonction, ce point est un nœud. De là ce qu'on appelle le lien social. Quelques-uns disent contrat social ; ce qui est la même chose, le mot contrat étant étymologiquement formé avec l'idée de lien. Entendons-nous sur l'égalité ; car, si la liberté est le sommet, l'égalité est la base. L'égalité, citoyens, ce n'est pas toute la végétation à niveau, une société de grands brins d'herbe et de petits chênes ; un voisinage de jalousies s'entre-châtrant ; c'est, civilement, toutes les aptitudes ayant la même ouverture ; politiquement, tous les votes ayant le même poids ; religieusement, toutes les consciences ayant le même droit. L'Égalité a un organe : l'instruction gratuite et obligatoire. Le droit à l'alphabet, c'est par là qu'il faut commencer. L'école primaire imposée à tous, l'école secondaire offerte à tous, c'est là la loi. De l'école identique sort la société égale. Oui, enseignement ! Lumière ! lumière ! tout vient de la lumière et tout y retourne. Citoyens, le dix-neuvième siècle est grand, mais le vingtième siècle sera heureux. Alors plus rien de semblable à la vieille histoire ; on n'aura plus à craindre, comme aujourd'hui, une conquête, une invasion, une usurpation, une rivalité de nations à main armée, une interruption de civilisation dépendant d'un mariage de rois, une naissance dans les tyrannies héréditaires, un partage de peuples par congrès, un démembrement par écroulement de dynastie, un combat de deux religions se rencontrant de front, comme deux boucs de l'ombre, sur le pont de l'infini ; on n'aura plus à craindre la famine, l'exploitation, la prostitution par détresse, la misère par chômage, et l'échafaud, et le glaive, et les batailles, et tous les brigandages du hasard dans la forêt des événements. On pourrait presque dire : il n'y aura plus d'événements. On sera heureux. Le genre humain accomplira sa loi comme le globe terrestre accomplit la sienne ; l'harmonie se rétablira entre l'âme et l'astre. L'âme gravitera autour de la vérité comme l'astre autour de la lumière. Amis, l'heure où nous sommes et où je vous parle est une heure sombre ; mais ce sont là les achats terribles de l'avenir. Une révolution est un péage. Oh ! le genre humain sera délivré, relevé et consolé ! Nous le lui affirmons sur cette barricade. D'où poussera-t-on le cri d'amour, si ce n'est du haut du sacrifice ? O mes frères, c'est ici le lieu de jonction de ceux qui pensent et de ceux qui souffrent ; cette barricade n'est faite ni de pavés, ni de poutres, ni de ferrailles ; elle est faite de deux monceaux, un monceau d'idées et un monceau de douleurs. La misère y rencontre l'idéal. Le jour y embrasse la nuit et lui dit : Je vais mourir avec toi et tu vas renaître avec moi. De l'étreinte de toutes les désolations jaillit la foi. Les souffrances apportent ici leur agonie, et les idées leur immortalité. Cette agonie et cette immortalité vont se mêler et composer notre mort. Frères, qui meurt ici meurt dans le rayonnement de l'avenir, et nous entrons dans une tombe toute pénétrée d'aurore.

Enjolras s'interrompit plutôt qu'il ne se tut ; ses lèvres remuaient silencieusement comme s'il continuait de se parler à lui-même, ce qui fit qu'attentifs, et pour tâcher de l'entendre encore, ils le regardèrent. Il n'y eut pas d'applaudissements ; mais on chuchota longtemps. La parole étant souffle, les frémissements d'intelligences ressemblent à des frémissements de feuilles.

VI

MARIUS HAGARD, JAVERT LACONIQUE

Disons ce qui se passait dans la pensée de Marius.

Qu'on se souvienne de sa situation d'âme. Nous venons de le rappeler, tout n'était plus pour lui que vision. Son appréciation était trouble. Marius, insistons-y, était sous l'ombre des grandes ailes ténébreuses ouvertes sur les agonisants. Il se sentait entré dans le tombeau, il lui semblait qu'il était déjà de l'autre côté de la muraille, et il ne voyait plus les faces des vivants qu'avec les yeux d'un mort.

Comment M. Fauchelevent était-il là ? Pourquoi y était-il ? Qu'y venait-il faire ? Marius ne s'adressa point toutes ces questions. D'ailleurs, notre désespoir ayant cela de particulier qu'il enveloppe autrui comme nous-même, il lui semblait logique que tout le monde vînt mourir.

Seulement il songea à Cosette avec un serrement de cœur.

Du reste M. Fauchelevent ne lui parla pas, ne le regarda pas, et n'eut pas même l'air d'entendre lorsque Marius éleva la voix pour dire : Je le connais.

Quant à Marius, cette attitude de M. Fauchelevent le soulageait, et si l'on pouvait employer un tel mot pour de telles impressions, nous dirions, lui plaisait. Il s'était toujours senti une impossibilité absolue d'adresser la parole à cet homme énigmatique qui était à la fois pour lui équivoque et imposant. Il y avait en outre très longtemps qu'il ne l'avait vu ; ce qui, pour la nature timide et réservée de Marius, augmentait encore l'impossibilité.

Les cinq hommes désignés sortirent de la barricade par la ruelle Mondétour ; ils ressemblaient parfaitement à des gardes nationaux. Un d'eux s'en alla en pleurant. Avant de partir, ils embrassèrent ceux qui restaient.

Quand les cinq hommes renvoyés à la vie furent partis, Enjolras pensa au condamné à mort. Il entra dans la salle basse. Javert, lié au pilier, songeait.

— Te faut-il quelque chose ? lui demanda Enjolras.

Javert répondit :

— Quand me tuerez-vous ?

— Attends. Nous avons besoin de toutes nos cartouches en ce moment.

— Alors, donnez-moi à boire, dit Javert.

Enjolras lui présenta lui-même un verre d'eau, et, comme Javert était garrotté, il l'aida à boire.

— Est-ce là tout ? reprit Enjolras.

— Je suis mal à ce poteau, répondit Javert. Vous n'êtes pas tendres de m'avoir laissé passer la nuit là. Liez-moi comme il vous plaira, mais vous pouvez bien me coucher sur une table, comme l'autre.

Et d'un mouvement de tête il désignait le cadavre de M. Mabeuf.

Il y avait, on s'en souvient, au fond de la salle une grande et longue table sur laquelle on avait fondu des balles et fait des cartouches. Toutes les cartouches étant faites et toute la poudre étant employée, cette table était libre.

Sur l'ordre d'Enjolras, quatre insurgés délièrent Javert du poteau. Tandis qu'on le déliait, un cinquième lui tenait une bayonnette appuyée sur la poitrine. On lui laissa les mains attachées derrière le dos, on lui mit aux pieds une corde à fouet mince et solide qui lui permettait de faire des pas de quinze pouces comme à ceux qui vont monter à l'échafaud, et on le fit marcher jusqu'à la table au fond de la salle où on l'étendit, étroitement lié par le milieu du corps.

Pour plus de sûreté, au moyen d'une corde fixée au cou, on ajouta au système de ligatures qui lui rendaient toute évasion impossible cette espèce de lien, appelé dans les prisons martingale, qui part de la nuque, se bifurque sur l'estomac, et vient rejoindre les mains après avoir passé entre les jambes.

Pendant qu'on garrottait Javert, un homme, sur le seuil de la porte, le considérait avec une attention singulière. L'ombre que faisait cet homme fit tourner la tête à Javert. Il leva les yeux et reconnut Jean Valjean. Il ne tressaillit même pas, abaissa fièrement la paupière, et se borna à dire : C'est tout simple.

VII

LA SITUATION S'AGGRAVE

Le jour croissait rapidement. Mais pas une fenêtre ne s'ouvrait, pas une porte ne s'entre-bâillait ; c'était l'aurore, non le réveil. L'extrémité de la rue de la Chanvrerie opposée à la barricade avait été évacuée par les troupes, comme nous l'avons dit ; elle semblait libre et s'ouvrait aux passants avec une tranquillité sinistre. La rue Saint-Denis était muette comme l'avenue des Sphinx à Thèbes. Pas un être vivant dans les carrefours que blanchissait un reflet de soleil. Rien n'est lugubre comme cette clarté des rues désertes.

On ne voyait rien, mais on entendait. Il se faisait à une certaine distance un mouvement mystérieux. Il était évident que l'instant critique arrivait. Comme la veille au soir les vedettes se replièrent ; mais cette fois toutes.

La barricade était plus forte que lors de la première attaque. Depuis le départ des cinq, on l'avait exhaussée encore.

Sur l'avis de la vedette qui avait observé la région des halles, Enjolras, de peur d'une surprise par derrière, prit une résolution grave. Il fit barricader le petit boyau de la ruelle Mondétour resté libre jusqu'alors. On dépava pour cela quelques longueurs de maisons de plus. De cette façon, la barricade, murée sur trois rues, en avant sur la rue de la Chanvrerie, à gauche sur la rue du Cygne et la Petite-Truanderie, à droite sur la rue Mondétour, était vraiment presque inexpugnable ; il est vrai qu'on y était fatalement enfermé. Elle avait trois fronts, mais n'avait plus d'issue. — Forteresse, mais souricière, dit Courfeyrac en riant.

Enjolras fit entasser près de la porte du cabaret une trentaine de pavés, « arrachés de trop », disait Bossuet.

Le silence était maintenant si profond du côté d'où l'attaque devait venir qu'Enjolras fit reprendre à chacun le poste de combat.

On distribua à tous une ration d'eau-de-vie.

Rien n'est plus curieux qu'une barricade qui se prépare à un assaut. Chacun choisit sa place comme au spectacle. On s'accote, on s'accoude, on s'épaule. Il y en a qui se font des stalles avec des pavés. Voilà un coin de mur qui gêne, on s'en éloigne ; voici un redan qui peut protéger, on s'y abrite. Les gauchers sont précieux ; ils prennent les places incommodes aux autres. Beaucoup s'arrangent pour combattre assis. On veut être à l'aise pour tuer et confortablement pour mourir. Dans la funeste guerre de juin 1848, un insurgé qui avait un tir redoutable et qui se battait du haut d'une terrasse sur un toit, s'y était fait apporter un fauteuil Voltaire ; un coup de mitraille vint l'y trouver.

Sitôt que le chef a commandé le branle-bas de combat, tous les mouvements désordonnés cessent ; plus de tiraillements de l'un à l'autre ; plus de coteries ; plus d'aparté ; plus de bande à part ; tout ce qui est dans les esprits converge et se change en attente de l'assaillant. Une barricade avant le danger, chaos ; dans le danger, discipline. Le péril fait l'ordre.

Dès qu'Enjolras eut pris sa carabine à deux coups et se fut placé à une espèce de créneau qu'il s'était réservé, tous se turent. Un pétillement de petits bruits secs retentit confusément le long de la muraille de pavés. C'était les fusils qu'on armait.

Du reste, les attitudes étaient plus fières et plus confiantes que jamais ; l'excès du sacrifice est un affermissement ; ils n'avaient plus l'espérance, mais ils avaient le désespoir. Le désespoir, dernière arme, qui donne la victoire quelquefois ; Virgile l'a dit. Les ressources suprêmes sortent des résolutions extrêmes. S'embarquer dans la mort, c'est parfois le moyen d'échapper au naufrage ; et le couvercle du cercueil devient une planche de salut.

Comme la veille au soir, toutes les attentions étaient tournées, et on pourrait presque dire appuyées, sur le bout de la rue, maintenant éclairé et visible.

L'attente ne fut pas longue. Le remuement recommença distinctement du côté de Saint-Leu, mais cela ne ressemblait pas au mouvement de la première attaque. Un clapotement de chaînes, le cahotement inquiétant d'une masse, un cliquetis d'airain sautant sur le pavé, une sorte de fracas solennel, annoncèrent qu'une ferraille sinistre s'approchait. Il y eut un tressaillement dans les entrailles de ces vieilles rues paisibles, percées et bâties pour la circulation féconde des intérêts et des idées, et qui ne sont pas faites pour le roulement monstrueux des roues de la guerre.

La fixité des prunelles de tous les combattants sur l'extrémité de la rue devint farouche.

Une pièce de canon apparut.

Les artilleurs poussaient la pièce ; elle était dans son encastrement de tir ; l'avant-train avait été détaché ; deux soutenaient l'affût, quatre étaient aux roues ; d'autres suivaient avec le caisson. On voyait fumer la mèche allumée.

— Feu ! cria Enjolras.

Toute la barricade fit feu, la détonation fut effroyable ; une avalanche de fumée couvrit et effaça la pièce et les hommes ; après quelques secondes le nuage se dissipa, et le canon et les hommes reparurent ; les servants de la pièce achevaient de la rouler en face de la barricade lentement, correctement, et sans se hâter. Pas un n'était atteint. Puis le chef de pièce, pesant sur la culasse pour élever le tir, se mit à pointer le canon avec la gravité d'un astronome qui braque une lunette.

— Bravo les canonniers ! cria Bossuet.

Et toute la barricade battit des mains.

Un moment après, carrément posée au beau milieu de la rue, à cheval sur le ruisseau, la pièce était en batterie. Une gueule formidable était ouverte sur la barricade.

— Allons, gai ! fit Courfeyrac. Voilà le brutal. Après la chiquenaude, le coup de poing. L'armée étend vers nous sa grosse patte. La barricade va être sérieusement secouée. La fusillade tâte, le canon prend.

— C'est une pièce de huit, nouveau modèle, en bronze, ajouta Combeferre. Ces pièces-là, pour peu qu'on dépasse la proportion de dix parties d'étain sur cent de cuivre, sont sujettes à éclater. L'excès d'étain les fait trop tendres. Il arrive alors qu'elles ont des caves et des chambres dans la lumière. Pour obvier à ce danger et pouvoir forcer la charge, il faudrait peut-être en revenir au procédé du quatorzième siècle, le cerclage, et émenaucher extérieurement la pièce d'une suite d'anneaux d'acier sans soudure, depuis la culasse jusqu'au tourillon. En attendant, on remédie comme on peut au défaut ; on parvient à reconnaître où sont les trous et les caves dans la lumière d'un canon au moyen du chat. Mais il y a un meilleur moyen, c'est l'étoile mobile de Gribeauval.

— Au seizième siècle, observa Bossuet, on rayait les canons.

— Oui, répondit Combeferre, cela augmente la puissance balistique, mais diminue la justesse de tir. En outre, dans le tir à courte distance, la trajectoire n'a pas toute la roideur désirable, la parabole s'exagère, le chemin du projectile n'est plus assez rectiligne pour qu'il puisse frapper tous les objets intermédiaires, nécessité de combat pourtant, dont l'importance croît avec la proximité de l'ennemi et la précipitation du tir. Ce défaut de tension de la courbe du projectile dans les canons rayés du seizième siècle tenait à la faiblesse de la charge ; les faibles charges, pour cette espèce d'engins, sont imposées par des nécessités balistiques, telles, par exemple, que la conservation des affûts. En somme, le canon, ce despote, ne peut pas tout ce qu'il veut ; la force est une grosse faiblesse. Un boulet de canon ne fait que six cents lieues par heure ; la lumière fait soixante-dix mille lieues par seconde. Telle est la supériorité de Jésus-Christ sur Napoléon.

— Rechargez les armes, dit Enjolras.

De quelle façon le revêtement de la barricade allait-il se comporter sous le boulet ? le coup ferait-il brèche ? Là était la question. Pendant que les insurgés rechargeaient les fusils, les artilleurs chargeaient le canon.

L'anxiété était profonde dans la redoute.

Le coup partit, la détonation éclata.

— Présent ! cria une voix joyeuse.

Et en même temps que le boulet sur la barricade, Gavroche s'abattit dedans.

Il arrivait du côté de la rue du Cygne et il avait lestement enjambé la barricade accessoire qui faisait front au dédale de la Petite-Truanderie.

Gavroche fit plus d'effet dans la barricade que le boulet.

Le boulet s'était perdu dans le fouillis des décombres. Il avait tout au plus brisé une roue de l'omnibus, et achevé la vieille charrette Anceau. Ce que voyant, la barricade se mit à rire.

— Continuez, cria Bossuet aux artilleurs.

VIII

LES ARTILLEURS SE FONT PRENDRE AU SÉRIEUX

On entoura Gavroche.

Mais il n'eut le temps de rien raconter. Marius, frissonnant, le prit à part.

— Qu'est-ce que tu viens faire ici ?

— Tiens ! dit l'enfant. Et vous ?

Et il regarda fixement Marius avec son effronterie épique. Ses deux yeux s'agrandissaient de la clarté fière qui était dedans.

Ce fut avec un accent sévère que Marius continua :

— Qui est-ce qui te disait de revenir ? As-tu au moins remis ma lettre à son adresse ?

Gavroche n'était point sans quelque remords à l'endroit de cette lettre. Dans sa hâte de revenir à la barricade, il s'en était défait plutôt qu'il ne l'avait remise. Il était forcé de s'avouer à lui-même qu'il l'avait confiée un peu légèrement à cet inconnu dont il n'avait même pu distinguer le visage. Il est vrai que cet homme était nu-tête, mais cela ne suffisait pas. En somme, il se faisait à ce sujet de petites remontrances intérieures et il craignait les reproches de Marius. Il prit, pour se tirer d'affaire, le procédé le plus simple ; il mentit abominablement.

— Citoyen, j'ai remis la lettre au portier. La dame dormait. Elle aura la lettre en se réveillant.

Marius, en envoyant cette lettre, avait deux buts, dire adieu à Cosette et sauver Gavroche. Il dut se contenter de la moitié de ce qu'il voulait.

L'envoi de sa lettre, et la présence de M. Fauchelevent dans la barricade, ce rapprochement s'offrit à son esprit. Il montra à Gavroche M. Fauchelevent :

— Connais-tu cet homme ?

— Non, dit Gavroche.

Gavroche, en effet, nous venons de le rappeler, n'avait vu Jean Valjean que la nuit.

Les conjectures troubles et maladives qui s'étaient ébauchées dans l'esprit de Marius se dissipèrent. Connaissait-il les opinions de M. Fauchelevent ? M. Fauchelevent était républicain peut-être. De là sa présence toute simple dans ce combat.

Cependant Gavroche était déjà à l'autre bout de la barricade criant : mon fusil !

Courfeyrac le lui fit rendre.

Gavroche prévint « les camarades », comme il les appelait, que la barricade était bloquée. Il avait eu grand'peine à arriver. Un bataillon de ligne, dont les faisceaux étaient dans la Petite-Truanderie, observait le côté de la rue du Cygne ; du côté opposé, la garde municipale occupait la rue des Prêcheurs. En face, on avait le gros de l'armée.

Ce renseignement donné, Gavroche ajouta :

— Je vous autorise à leur flanquer une pile indigne.

Cependant Enjolras à son créneau, l'oreille tendue, épiait.

Les assaillants, peu contents sans doute du coup à boulet, ne l'avaient pas répété.

Une compagnie d'infanterie de ligne était venue

occuper l'extrémité de la rue, en arrière de la pièce. Les soldats dépavaient la chaussée et y construisaient avec les pavés une petite muraille basse, une façon d'épaulement qui n'avait guère plus de dix-huit pouces de hauteur et qui faisait front à la barricade. A l'angle de gauche de cet épaulement, on voyait la tête de colonne d'un bataillon de la banlieue, massé rue Saint-Denis.

Enjolras, au guet, crut distinguer le bruit particulier qui se fait quand on retire des caissons les boîtes à mitraille, et il vit le chef de pièce changer le pointage et incliner légèrement la bouche du canon à gauche. Puis les canonniers se mirent à charger la pièce. Le chef de pièce saisit lui-même le boute-feu et l'approcha de la lumière.

— Baissez la tête, ralliez le mur ! cria Enjolras, et tous à genoux le long de la barricade !

Les insurgés, épars devant le cabaret et qui avaient quitté leur poste de combat à l'arrivée de Gavroche, se ruèrent pêle-mêle vers la barricade ; mais avant que l'ordre d'Enjolras fût exécuté, la décharge se fit avec le râle effrayant d'un coup de mitraille. C'en était un en effet.

La charge avait été dirigée sur la coupure de la redoute, y avait ricoché sur le mur, et ce ricochet épouvantable avait fait deux morts et trois blessés.

Si cela continuait, la barricade n'était plus tenable. La mitraille entrait.

Il y eut une rumeur de consternation.

— Empêchons toujours le second coup, dit Enjolras.

Et, abaissant sa carabine, il ajusta le chef de pièce qui, en ce moment, penché sur la culasse du canon, rectifiait et fixait définitivement le pointage.

Ce chef de pièce était un beau sergent de canonniers, tout jeune, blond, à la figure très douce, avec l'air intelligent propre à cette arme prédestinée et redoutable qui, à force de se perfectionner dans l'horreur, doit finir par tuer la guerre.

Combeferre, debout près d'Enjolras, considérait ce jeune homme.

— Quel dommage ! dit Combeferre. La hideuse chose que ces boucheries ! Allons, quand il n'y aura plus de rois, il n'y aura plus de guerre. Enjolras, tu vises ce sergent, tu ne le regardes pas. Figure-toi que c'est un charmant jeune homme, il est intrépide, on voit qu'il pense, c'est très instruit, ces jeunes gens de l'artillerie ; il a un père, une mère, une famille, il aime probablement, il a tout au plus vingt-cinq ans, il pourrait être ton frère.

— Il l'est, dit Enjolras.

— Oui, reprit Combeferre, et le mien aussi. Eh bien, ne le tuons pas.

— Laisse-moi. Il faut ce qu'il faut.

Et une larme coula lentement sur la joue de marbre d'Enjolras.

En même temps il pressa la détente de sa carabine. L'éclair jaillit. L'artilleur tourna deux fois sur lui-même, les bras étendus devant lui et la tête levée comme pour aspirer l'air, puis se renversa le flanc sur la pièce et y resta sans mouvement. On voyait son dos du centre duquel sortait tout droit un flot de sang. La balle lui avait traversé la poitrine de part en part. Il était mort.

Il fallut l'emporter et le remplacer. C'étaient en effet quelques minutes de gagnées.

IX

EMPLOI DE CE VIEUX TALENT DE BRACONNIER ET DE CE COUP DE FUSIL INFAILLIBLE QUI A INFLUÉ SUR LA CONDAMNATION DE 1796

Les avis se croisaient dans la barricade. Le tir de la pièce allait recommencer. On n'en avait pas pour un quart d'heure avec cette mitraille. Il était absolument nécessaire d'amortir les coups.

Enjolras jeta ce commandement :

— Il faut mettre là un matelas.

— On n'en a pas, dit Combeferre, les blessés sont dessus.

Jean Valjean, assis à l'écart sur une borne, à l'angle du cabaret, son fusil entre les jambes, n'avait jusqu'à cet instant pris part à rien de ce qui se passait. Il semblait ne pas entendre les combattants dire autour de lui : Voilà un fusil qui ne fait rien.

A l'ordre donné par Enjolras, il se leva.

On se souvient qu'à l'arrivée du rassemblement rue de la Chanvrerie, une vieille femme, prévoyant les balles, avait mis son matelas devant sa fenêtre. Cette fenêtre, fenêtre de grenier, était sur le toit d'une maison à six étages située un peu en dehors de la barricade. Le matelas, posé en travers, appuyé par le bas sur deux perches à sécher le linge, était soutenu en haut par deux cordes qui, de loin, semblaient deux ficelles et qui se rattachaient à des clous plantés dans les chambranles de la mansarde. On voyait ces deux cordes distinctement sur le ciel comme des cheveux.

— Quelqu'un peut-il me prêter une carabine à deux coups ? dit Jean Valjean.

Enjolras, qui venait de recharger la sienne, la lui tendit.

Jean Valjean ajusta la mansarde et tira.

Une des deux cordes du matelas était coupée.

Le matelas ne pendait plus que par un fil.

Jean Valjean lâcha le second coup. La deuxième corde fouetta la vitre de la mansarde. Le matelas glissa entre les deux perches et tomba dans la rue.

La barricade applaudit.

Toutes les voix crièrent :

— Voilà un matelas.

— Oui, dit Combeferre, mais qui l'ira chercher ?

Le matelas en effet était tombé en dehors de la barricade, entre les assiégés et les assiégeants. Or, la mort du sergent de canonniers ayant exaspéré la troupe, les soldats, depuis quelques instants, s'étaient couchés à plat ventre derrière la ligne de pavés qu'ils avaient élevée, et, pour suppléer au silence forcé de la pièce qui se taisait en attendant que son service fût réorganisé, ils avaient ouvert le feu contre la barricade. Les insurgés ne répondaient pas à cette mousqueterie, pour épargner les munitions. La fusillade se brisait à la barricade ; mais la rue, qu'elle remplissait de balles, était terrible.

Jean Valjean sortit de la coupure, entra dans la rue, traversa l'orage de balles, alla au matelas, le ramassa, le chargea sur son dos, et revint dans la barricade.

Lui-même mit le matelas dans la coupure. Il l'y fixa contre le mur de façon que les artilleurs ne le vissent pas.

Cela fait, on attendit le coup de mitraille.

Il ne tarda pas.

Le canon vomit avec un rugissement son paquet de chevrotines. Mais il n'y eut pas de ricochet.

La mitraille avorta sur le matelas. L'effet prévu était obtenu. La barricade était préservée.

— Citoyen, dit Enjolras à Jean Valjean, la république vous remercie.

Bossuet admirait et riait. Il s'écria :

— C'est immoral qu'un matelas ait tant de puissance. Triomphe de ce qui plie sur ce qui foudroie. Mais c'est égal, gloire au matelas qui annule un canon !

X

AURORE

En ce moment-là, Cosette se réveillait.

Sa chambre était étroite, propre, discrète, avec une longue croisée au levant sur l'arrière-cour de la maison.

Cosette ne savait rien de ce qui se passait dans Paris. Elle n'était point là la veille et elle était déjà rentrée dans sa chambre quand Toussaint avait dit : Il paraît qu'il y a du train.

Cosette avait dormi peu d'heures, mais bien. Elle avait eu de doux rêves, ce qui tenait peut-être un peu à ce que son petit lit était très blanc. Quelqu'un qui était Marius lui était apparu dans de la lumière. Elle se réveilla avec du soleil dans les yeux, ce qui d'abord lui fit l'effet de la continuation du songe.

Sa première pensée sortant de ce rêve fut riante. Cosette se sentit toute rassurée. Elle traversait, comme Jean Valjean quelques heures auparavant, cette réaction de l'âme qui ne veut absolument pas du malheur. Elle se mit à espérer de toutes ses forces sans savoir pourquoi. Puis un serrement de cœur lui vint. — Voilà trois jours qu'elle n'avait vu Marius. Mais elle se dit qu'il devait avoir reçu sa lettre, qu'il savait où elle était, et qu'il avait tant d'esprit, et qu'il trouverait moyen d'arriver jusqu'à elle. — Et cela certainement aujourd'hui, et peut-être ce matin même. — Il faisait grand jour, mais le rayon de lumière était très horizontal, elle pensa qu'il était de très bonne heure ; qu'il fallait se lever pourtant, pour recevoir Marius.

Elle sentait qu'elle ne pouvait vivre sans Marius, et que par conséquent cela suffisait, et que Marius viendrait. Aucune objection n'était recevable. Tout cela était certain. C'était déjà assez monstrueux d'avoir souffert trois jours. Marius absent trois jours, c'était horrible au bon Dieu. Maintenant, cette cruelle taquinerie d'en haut était une épreuve traversée, Marius allait arriver, et apporterait une bonne nouvelle. Ainsi est faite la jeunesse ; elle essuie vite ses yeux ; elle trouve la douleur inutile et ne l'accepte pas. La jeunesse est le sourire de l'avenir devant un inconnu qui est lui-même. Il lui est naturel d'être heureuse. Il semble que sa respiration soit faite d'espérance.

Du reste, Cosette ne pouvait parvenir à se rappeler ce que Marius lui avait dit au sujet de cette absence qui ne devait durer qu'un jour, et quelle explication il lui en avait donnée. Tout le monde a remarqué avec quelle adresse une monnaie qu'on laisse tomber à terre court se cacher, et quel art elle a de se rendre introuvable. Il y a des pensées qui nous jouent le même tour ; elles se blottissent dans un coin de notre cerveau ; c'est fini ; elles sont perdues ; impossible de remettre la mémoire dessus. Cosette se dépitait quelque peu du petit effort inutile que faisait son souvenir. Elle se disait que c'était bien mal à elle et bien coupable d'avoir oublié des paroles prononcées par Marius.

Elle sortit du lit et fit les deux ablutions de l'âme et du corps, sa prière et sa toilette.

On peut à la rigueur introduire le lecteur dans une chambre nuptiale, non dans une chambre virginale. Le vers l'oserait à peine, la prose ne le doit pas.

C'est l'intérieur d'une fleur encore close, c'est une blancheur dans l'ombre, c'est la cellule intime d'un lys fermé qui ne doit pas être regardé par l'homme tant qu'il n'a pas été regardé par le soleil. La femme en bouton est sacrée. Ce lit innocent qui se découvre, cette adorable demi-nudité qui a peur d'elle-même, ce pied blanc qui se réfugie dans une pantoufle, cette gorge qui se voile devant un miroir comme si ce miroir était une prunelle, cette chemise qui se hâte de remonter et de cacher l'épaule pour un meuble qui craque ou pour une voiture qui passe, ces cordons noués, ces agrafes accrochées, ces lacets tirés, ces tressaillements, ces petits frissons de froid et de pudeur, cet effarouchement exquis de tous les mouvements, cette inquiétude presque ailée là où rien n'est à craindre, les phases successives du vêtement aussi charmantes que les nuages de l'aurore, il ne sied point que tout cela soit raconté, et c'est déjà trop de l'indiquer.

L'œil de l'homme doit être plus religieux encore devant le lever d'une jeune fille que devant le lever d'une étoile. La possibilité d'atteindre doit tourner en augmentation de respect. Le duvet de la pêche, la cendre de la prune, le cristal radié de la neige, l'aile du papillon poudrée de plumes, sont des choses grossières auprès de cette chasteté qui ne sait pas même qu'elle est chaste. La jeune fille n'est qu'une lueur de rêve et n'est pas encore une statue. Son alcôve est cachée dans la partie sombre de l'idéal. L'indiscret toucher du regard brutalise cette vague pénombre. Ici, contempler, c'est profaner.

Nous ne montrerons donc rien de tout ce suave petit remue-ménage du réveil de Cosette.

Un conte d'orient dit que la rose avait été faite par Dieu blanche, mais qu'Adam l'ayant regardée au moment où elle s'entr'ouvrait, elle eut honte et devint rose. Nous sommes de ceux qui se sentent interdits devant les jeunes filles et les fleurs, les trouvant vénérables.

Cosette s'habilla bien vite, se peigna, se coiffa, ce qui était fort simple en ce temps-là où les femmes n'enflaient pas leurs boucles et leurs bandeaux avec des coussinets et des tonnelets et ne mettaient point de crinolines dans leurs cheveux. Puis elle ouvrit la fenêtre et promena ses yeux partout autour d'elle, espérant découvrir quelque peu de la rue, un angle de maison, un coin de pavés, et pouvoir guetter là Marius. Mais on ne voyait rien du dehors. L'arrière-cour était enveloppée de murs assez hauts, et n'avait pour échappée que quelques jardins. Cosette déclara ces jardins hideux ; pour la première fois de sa vie elle trouva des fleurs laides. Le moindre bout de ruisseau du carrefour eût été bien mieux son affaire. Elle prit le parti de regarder le ciel, comme si elle pensait que Marius pouvait venir aussi de là.

Subitement, elle fondit en larmes. Non que ce fût mobilité d'âme ; mais, des espérances coupées d'accablement, c'était sa situation. Elle sentit confusément on ne sait quoi d'horrible. Les choses passent dans l'air en effet. Elle se dit qu'elle n'était sûre de rien, que se perdre de vue, c'était se perdre ; et l'idée que Marius pourrait bien lui revenir du ciel, lui apparut, non plus charmante, mais lugubre.

Puis, tels sont ces nuages, le calme lui revint, et l'espoir, et une sorte de sourire inconscient, mais confiant en Dieu.

Tout le monde était encore couché dans la maison. Un silence provincial régnait. Aucun volet n'était poussé. La loge du portier était fermée. Toussaint n'était pas levée, et Cosette pensa tout naturellement que son père dormait. Il fallait qu'elle eût bien souffert, et qu'elle souffrît bien encore, car elle se disait que son père avait été méchant ; mais elle comptait sur Marius. L'éclipse d'une telle lumière était décidément impossible. Elle pria. Par instants elle entendait à une certaine distance des espèces de secousses sourdes, et elle disait : C'est singulier qu'on ouvre et qu'on ferme les portes cochères de si bonne heure. C'étaient les coups de canon qui battaient la barricade.

Il y avait, à quelques pieds au-dessous de la croisée de Cosette, dans la vieille corniche toute noire du mur, un nid de martinets ; l'encorbellement de ce nid faisait un peu saillie au delà de la corniche, si bien que d'en haut on pouvait voir le dedans de ce petit paradis. La mère y était, ouvrant ses ailes en éventail sur sa couvée ; le père voletait, s'en allait, puis revenait, rapportant dans son bec de la nourriture et des baisers. Le jour levant dorait cette chose heureuse, la grande loi Multipliez était là souriante et auguste, et ce doux mystère s'épanouissait dans la gloire du matin. Cosette, les cheveux dans le soleil, l'âme dans les chimères, éclairée par l'amour au dedans et par l'aurore au dehors, se pencha comme machinalement, et, sans presque oser s'avouer qu'elle pensait en même temps à Marius, se mit à regarder ces oiseaux, cette famille, ce mâle et cette femelle, cette mère et ces petits, avec le profond trouble qu'un nid donne à une vierge.

XI

LE COUP DE FUSIL QUI NE MANQUE RIEN ET QUI NE TUE PERSONNE

Le feu des assaillants continuait. La mousqueterie et la mitraille alternaient, sans grand ravage à la vérité. Le haut de la façade de Corinthe souffrait seul ; la croisée du premier étage et les mansardes du toit, criblées de chevrotines et de biscayens, se déformaient lentement. Les combattants qui s'y étaient postés avaient dû s'effacer. Du reste, ceci est une tactique de l'attaque des barricades ; tirailler longtemps, afin d'épuiser les munitions des insurgés, s'ils font la faute de répliquer. Quand on s'aperçoit, au ralentissement de leur feu, qu'ils n'ont plus ni balles ni poudre, on donne l'assaut. Enjolras n'était pas tombé dans ce piège ; la barricade ne ripostait point.

A chaque feu de peloton, Gavroche se gonflait la joue avec sa langue, signe de haut dédain.

— C'est bon, disait-il, déchirez de la toile. Nous avons besoin de charpie.

Courfeyrac interpellait la mitraille sur son peu d'effet et disait au canon :

— Tu deviens diffus, mon bonhomme.

Dans la bataille on s'intrigue comme au bal. Il est probable que ce silence de la redoute commençait à inquiéter les assiégeants et à leur faire craindre quelque incident inattendu, et qu'ils sentirent le besoin de voir clair à travers ce tas de pavés et de savoir ce qui se passait derrière cette muraille impassible qui recevait les coups sans y répondre. Les insurgés aperçurent subitement un casque qui brillait au soleil sur un toit voisin. Un pompier était adossé à une haute cheminée et semblait là en sentinelle. Son regard plongeait à pic dans la barricade.

— Voilà un surveillant gênant, dit Enjolras.

Jean Valjean avait rendu la carabine d'Enjolras, mais il avait son fusil.

Sans dire un mot, il ajusta le pompier, et, une seconde après, le casque, frappé d'une balle, tombait bruyamment dans la rue. Le soldat effaré se hâta de disparaître.

Un deuxième observateur prit sa place. Celui-ci était un officier. Jean Valjean, qui avait rechargé son fusil, ajusta le nouveau venu, et envoya le casque de l'officier rejoindre le casque du soldat. L'officier n'insista pas, et se retira très vite. Cette fois l'avis fut compris. Personne ne reparut sur le toit ; et l'on renonça à espionner la barricade.

— Pourquoi n'avez-vous pas tué l'homme ? demanda Bossuet à Jean Valjean.

Jean Valjean ne répondit pas.

XII

LE DÉSORDRE PARTISAN DE L'ORDRE

Bossuet murmura à l'oreille de Combeferre :

— Il n'a pas répondu à ma question.

— C'est un homme qui fait de la bonté à coups de fusil, dit Combeferre.

Ceux qui ont gardé quelque souvenir de cette époque déjà lointaine savent que la garde nationale de la banlieue était vaillante contre les insurrections. Elle fut particulièrement acharnée et intrépide aux journées de juin 1832. Tel bon cabaretier de Pantin, des Vertus ou de la Cunette, dont l'émeute faisait chômer « l'établissement », devenait léonin en voyant sa salle de danse déserte, et se faisait tuer pour sauver l'ordre représenté par la guinguette. Dans ce temps à la fois bourgeois et héroïque, en présence des idées qui avaient leurs chevaliers, les intérêts avaient leurs paladins. Le prosaïsme du mobile n'ôtait rien à la bravoure du mouvement. La décroissance d'une pile d'écus faisait chanter à des banquiers la Marseillaise. On versait lyriquement son sang pour le comptoir ; et l'on défendait avec un enthousiasme lacédémonien la boutique, cet immense diminutif de la patrie.

Au fond, disons-le, il n'y avait rien dans tout cela que de très sérieux. C'étaient les éléments sociaux qui entraient en lutte, en attendant le jour où ils entreront en équilibre.

Un autre signe de ce temps, c'était l'anarchie mêlée au gouvernementalisme (nom barbare du parti correct). On était pour l'ordre avec indiscipline. Le tambour battait inopinément, sur le commandement de tel colonel de la garde nationale, des rappels de caprice ; tel capitaine allait au feu par inspiration ; tel garde national se battait « d'idée », et pour son propre compte. Dans les minutes de crise, dans les « journées », on prenait conseil moins de ses chefs que de ses instincts. Il y avait dans l'armée de l'ordre de véritables guérilleros, les uns d'épée comme Fannicot, les autres de plume comme Henri Fonfrède.

La civilisation, malheureusement représentée à cette époque plutôt par une agrégation d'intérêts que par un groupe de principes, était ou se croyait en péril ; elle poussait le cri d'alarme ; chacun, se faisant centre, la défendait, la secourait et la protégeait, à sa tête ; et le premier venu prenait sur lui de sauver la société.

Le zèle parfois allait jusqu'à l'extermination. Tel peloton de gardes nationaux se constituait de son autorité privée conseil de guerre, et jugeait et exécutait en cinq minutes un insurgé prisonnier. C'est une improvisation de cette sorte qui avait tué Jean Prouvaire. Féroce loi de Lynch, qu'aucun parti n'a le droit de reprocher aux autres, car elle est appliquée par la république en Amérique comme par la monarchie en Europe. Cette loi de Lynch se compliquait de méprises. Un jour d'émeute, un jeune poëte, nommé Paul-Aimé Garnier, fut poursuivi place Royale, la bayonnette aux reins, et n'échappa qu'en se réfugiant sous la porte cochère du numéro 6. On criait : — *En voilà encore un de ces Saint-Simoniens !* et l'on voulait le tuer. Or, il avait sous le bras un volume des mémoires du duc de Saint-Simon. Un garde national avait lu sur ce livre le mot : *Saint-Simon,* et avait crié : A mort !

Le 6 juin 1832, une compagnie de gardes nationaux de la banlieue, commandée par le capitaine Fannicot, nommé plus haut, se fit, par fantaisie et bon plaisir, décimer rue de la Chanvrerie. Le fait, si singulier qu'il soit, a été constaté par l'instruction judiciaire ouverte à la suite de l'insurrection de 1832. Le capitaine Fannicot, bourgeois impatient et hardi, espèce de condottiere de l'ordre, de ceux que nous venons de caractériser, gouvernementaliste fanatique et insoumis, ne put résister à l'attrait de faire feu avant l'heure et à l'ambition de prendre la barricade à lui tout seul, c'est-à-dire avec sa compagnie. Exaspéré par l'apparition successive du drapeau rouge et du vieil habit qu'il prit pour le drapeau noir, il blâmait tout haut les généraux et les chefs de corps, lesquels tenaient conseil, ne jugeaient pas que le moment de l'assaut décisif fût venu, et laissaient, suivant une expression célèbre de l'un d'eux, « l'insurrection cuire dans son jus ». Quant à lui, il trouvait la barricade mûre, et, comme ce qui est mûr doit tomber, il essaya.

Il commandait à des hommes résolus comme lui, « à des enragés », a dit un témoin. Sa compagnie, celle-là même qui avait fusillé le poëte Jean Prouvaire, était la première du bataillon posté à l'angle de la rue. Au moment où l'on s'y attendait le moins, le capitaine lança ses hommes contre la barricade. Ce mouvement, exécuté avec plus de bonne volonté que de stratégie, coûta cher à la compagnie Fannicot. Avant qu'elle fût arrivée aux deux tiers de la rue, une décharge générale de la barricade l'accueillit. Quatre, les plus audacieux, qui couraient en tête, furent foudroyés à bout portant au pied même de la redoute, et cette courageuse cohue de gardes nationaux, gens très braves, mais qui n'avaient point la ténacité militaire, dut se replier, après quelque hésitation, en laissant quinze cadavres sur le pavé. L'instant d'hésitation donna aux insurgés le temps de recharger les armes, et une seconde décharge, très meurtrière, atteignit la compagnie avant qu'elle eût pu regagner l'angle de la rue, son abri. Un moment, elle fut prise entre deux mitrailles, et elle reçut la volée de la pièce en batterie qui, n'ayant pas d'ordre, n'avait pas discontinué son feu. L'intrépide et imprudent Fannicot fut un des morts de cette mitraille. Il fut tué par le canon, c'est-à-dire par l'ordre.

Cette attaque, plus furieuse que sérieuse, irrita Enjolras. — Les imbéciles ! dit-il. Ils font tuer leurs hommes, et ils nous usent nos munitions, pour rien.

Enjolras parlait comme un vrai général d'émeute qu'il était. L'insurrection et la répression ne luttent point à armes égales. L'insurrection, promptement épuisable, n'a qu'un nombre de coups à tirer, et qu'un nombre de combattants à dépenser. Une giberne vidée, un homme tué, ne se remplacent pas. La répression, ayant l'armée, ne compte pas les hommes, et, ayant Vincennes, ne compte pas les coups. La répression a autant de régiments que la barricade a d'hommes, et autant d'arsenaux que la barricade a de cartouchières. Aussi sont-ce là des luttes d'un contre cent, qui finissent toujours par l'écrasement des barricades ; à moins que la révolution, surgissant brusquement, ne vienne jeter dans la balance son flamboyant glaive d'archange. Cela arrive. Alors tout se lève, les pavés entrent en bouillonnement, les redoutes populaires pullulent, Paris tressaille souverainement, le *quid divinum* se dégage, un 10 août est dans l'air, un 29 juillet est dans l'air, une prodigieuse lumière apparaît, la gueule béante de la force recule, et l'armée, ce lion, voit devant elle, debout et tranquille, ce prophète, la France.

XIII

LUEURS QUI PASSENT

DANS le chaos de sentiments et de passions qui défendent une barricade, il y a de tout ; il y a de la bravoure, de la jeunesse, du point d'honneur, de l'enthousiasme, de l'idéal, de la conviction, de l'acharnement de joueur, et surtout, des intermittences d'espoir.

Une de ces intermittences, un de ces vagues frémissements d'espérance traversa subitement, à l'instant le plus inattendu, la barricade de la Chanvrerie.

— Écoutez, s'écria brusquement Enjolras toujours aux aguets, il me semble que Paris s'éveille.

Il est certain que, dans la matinée du 6 juin, l'insurrection eut, pendant une heure ou deux, une certaine recrudescence. L'obstination du tocsin de Saint-Merry ranima quelques velléités. Rue du Poirier, rue des Gravilliers, des barricades s'ébauchèrent. Devant la Porte Saint-Martin, un jeune homme, armé d'une carabine, attaqua seul un escadron de cavalerie. A découvert, en plein boulevard, il mit un genou en terre, épaula son arme, tira, tua le chef d'escadron, et se retourna en disant : *En voilà encore un qui ne nous fera plus de mal.* Il fut sabré. Rue Saint-Denis, une femme tirait sur la garde municipale de derrière une jalousie baissée. On voyait à chaque coup trembler les feuilles de la jalousie. Un enfant de quatorze ans fut arrêté rue de la Cossonnerie avec ses poches pleines de cartouches. Plusieurs postes furent attaqués. A l'entrée de la rue Bertin-Poirée, une fusillade très vive et tout à fait imprévue accueillit un régiment de cuirassiers, en tête duquel marchait le général Cavaignac de Baragne. Rue Planche-Mibray, on jeta du haut des toits sur la troupe de vieux tessons de vaisselle et des ustensiles de ménage ; mauvais signe ; et quand on rendit compte de ce fait au maréchal Soult, le vieux lieutenant de Napoléon devint rêveur, se rappelant le mot de Suchet à Saragosse : *Nous sommes perdus quand les vieilles femmes nous vident leur pot de chambre sur la tête.*

Ces symptômes généraux qui se manifestaient au moment où l'on croyait l'émeute localisée, cette fièvre de colère qui reprenait le dessus, ces flammèches qui volaient çà et là au-dessus de ces masses profondes de combustible qu'on nomme les faubourgs de Paris, tout cet ensemble inquiéta les chefs militaires. On se hâta d'éteindre ces commencements d'incendie. On retarda, jusqu'à ce que ces pétillements fussent étouffés, l'attaque des barricades Maubée, de la Chanvrerie et de Saint-Merry, afin de n'avoir plus affaire qu'à elles, et de pouvoir tout finir d'un coup. Des colonnes furent lancées dans les rues en fermentation, balayant les grandes, sondant les petites, à droite, à gauche, tantôt avec précaution et lentement, tantôt au pas de charge. La troupe enfonçait les portes des maisons d'où l'on avait tiré ; en même temps des manœuvres de cavalerie dispersaient les groupes des boulevards. Cette répression ne se fit pas sans rumeur et sans ce fracas tumultueux propre aux chocs d'armée et de peuple. C'était là ce qu'Enjolras, dans les intervalles de la canonnade et de la mousqueterie, saisissait. En outre, il avait vu au bout de la rue passer des blessés sur des civières, et il disait à Courfeyrac : — Ces blessés-là ne viennent pas de chez nous.

L'espoir dura peu ; la lueur s'éclipsa vite. En moins d'une demi-heure, ce qui était dans l'air s'évanouit, ce fut comme un éclair sans foudre, et les insurgés sentirent retomber sur eux cette espèce de chape de plomb que l'indifférence du peuple jette sur les obstinés abandonnés.

Le mouvement général qui semblait s'être vaguement dessiné avait avorté ; et l'attention du ministre de la guerre et la stratégie des généraux pouvaient se concentrer maintenant sur les trois ou quatre barricades restées debout.

Le soleil montait sur l'horizon.

Un insurgé interpella Enjolras :

— On a faim ici. Est-ce que vraiment nous allons mourir comme ça sans manger ?

Enjolras, toujours accoudé à son créneau, sans quitter des yeux l'extrémité de la rue, fit un signe de tête affirmatif.

XIV

OÙ ON LIRA LE NOM DE LA MAÎTRESSE D'ENJOLRAS

COURFEYRAC, assis sur un pavé à côté d'Enjolras, continuait d'insulter le canon, et chaque fois que passait, avec son bruit monstrueux, cette sombre nuée de projectiles qu'on appelle la mitraille, il l'accueillait par une bouffée d'ironie.

— Tu t'époumones, mon pauvre vieux brutal, tu me fais de la peine, tu perds ton vacarme. Ce n'est pas du tonnerre, ça. C'est de la toux.

Et l'on riait autour de lui.

Courfeyrac et Bossuet, dont la vaillante belle humeur croissait avec le péril, remplaçaient, comme madame Scarron, la nourriture par la plaisanterie, et, puisque le vin manquait, versaient à tous de la gaîté.

— J'admire Enjolras, disait Bossuet. Sa témérité impassible m'émerveille. Il vit seul, ce qui le rend peut-être un peu triste ; Enjolras se plaint de sa grandeur qui l'attache au veuvage. Nous autres, nous avons tous plus ou moins des maîtresses qui nous rendent fous, c'est-à-dire braves. Quand on est amoureux comme un tigre, c'est bien le moins qu'on se batte comme un lion. C'est une façon de nous venger des traits que nous font mesdames nos grisettes. Roland se fait tuer pour faire bisquer Angélique. Tous nos héroïsmes viennent de nos femmes. Un homme sans femme, c'est un pistolet sans chien ; c'est la femme qui fait partir l'homme. Eh bien, Enjolras n'a pas de femme. Il n'est pas amoureux, et il trouve le moyen d'être intrépide. C'est une chose inouïe qu'on puisse être froid comme la glace et hardi comme le feu.

Enjolras ne paraissait pas écouter, mais quelqu'un qui eût été près de lui l'eût entendu murmurer à demi-voix : *Patria*.

Bossuet riait encore quand Courfeyrac s'écria :

— Du nouveau !

Et, prenant une voix d'huissier qui annonce, il ajouta :

— Je m'appelle Pièce de Huit.

En effet, un nouveau personnage venait d'entrer en scène. C'était une deuxième bouche à feu.

Les artilleurs firent rapidement la manœuvre de force, et mirent cette seconde pièce en batterie près de la première.

Ceci ébauchait le dénouement.

Quelques instants après, les deux pièces, vivement servies, tiraient de front contre la redoute ; les feux de peloton de la ligne et de la banlieue soutenaient l'artillerie.

On entendait une autre canonnade à quelque distance. En même temps que deux pièces s'acharnaient sur la redoute de la rue de la Chanvrerie, deux autres bouches à feu, braquées, l'une rue Saint-Denis, l'autre rue Aubry-le-Boucher, criblaient la barricade Saint-Merry. Les quatre canons se faisaient lugubrement écho.

Les aboiements des sombres chiens de la guerre se répondaient.

Des deux pièces qui battaient maintenant la barricade de la rue de la Chanvrerie, l'une tirait à mitraille, l'autre à boulet.

La pièce qui tirait à boulet était pointée un peu haut et le tir était calculé de façon que le boulet frappait le bord extrême de l'arête supérieure de la barricade, l'écrêtait, et émiettait les pavés sur les insurgés en éclats de mitraille.

Ce procédé de tir avait pour but d'écarter les combattants du sommet de la redoute, et de les contraindre à se pelotonner dans l'intérieur ; c'est-à-dire que cela annonçait l'assaut.

Une fois les combattants chassés du haut de la barricade par le boulet et des fenêtres du cabaret par la mitraille, les colonnes d'attaque pourraient s'aventurer dans la rue sans être visées, peut-être même sans être aperçues, escalader brusquement la redoute, comme la veille au soir, et, qui sait ? la prendre par surprise.

— Il faut absolument diminuer l'incommodité de ces pièces, dit Enjolras, et il cria : Feu sur les artilleurs !

Tous étaient prêts. La barricade, qui se taisait depuis si longtemps, fit feu éperdument, sept ou huit décharges se succédèrent avec une sorte de rage et de joie, la rue s'emplit d'une fumée aveuglante, et, au bout de quelques minutes, à travers cette brume toute rayée de flamme, on put distinguer confusément les deux tiers des artilleurs couchés sous les roues des canons. Ceux qui étaient restés debout continuaient de servir les pièces avec une tranquillité sévère ; mais le feu était ralenti.

— Voilà qui va bien, dit Bossuet à Enjolras. Succès.

Enjolras hocha la tête et répondit :

— Encore un quart d'heure de ce succès, et il n'y aura plus dix cartouches dans la barricade.

Il paraît que Gavroche entendit ce mot.

XV

GAVROCHE DEHORS

Courfeyrac tout à coup aperçut quelqu'un au bas de la barricade, dehors, dans la rue, sous les balles.

Gavroche avait pris un panier à bouteilles dans le cabaret, était sorti par la coupure, et était paisiblement occupé à vider dans son panier les gibernes pleines de cartouches des gardes nationaux tués sur le talus de la redoute.

— Qu'est-ce que tu fais là ? dit Courfeyrac.

Gavroche leva le nez :

— Citoyen, j'emplis mon panier.

— Tu ne vois donc pas la mitraille ?

Gavroche répondit :

— Eh bien, il pleut. Après ?

Courfeyrac cria :

— Rentre !

— Tout à l'heure, fit Gavroche.

Et, d'un bond, il s'enfonça dans la rue.

On se souvient que la compagnie Fannicot, en se retirant, avait laissé derrière elle une traînée de cadavres.

Une vingtaine de morts gisaient çà et là dans

toute la longueur de la rue sur le pavé. Une vingtaine de gibernes pour Gavroche. Une provision de cartouches pour la barricade.

La fumée était dans la rue comme un brouillard. Quiconque a vu un nuage tombé dans une gorge de montagnes entre deux escarpements à pic, peut se figurer cette fumée resserrée et comme épaissie par deux sombres lignes de hautes maisons. Elle montait lentement et se renouvelait sans cesse ; de là un obscurcissement graduel qui blêmissait même le plein jour. C'est à peine si, d'un bout à l'autre de la rue, pourtant fort courte, les combattants s'apercevaient.

Cet obscurcissement, probablement voulu et calculé par les chefs qui devaient diriger l'assaut de la barricade, fut utile à Gavroche.

Sous les plis de ce voile de fumée, et grâce à sa petitesse, il put s'avancer assez loin dans la rue sans être vu. Il dévalisa les sept ou huit premières gibernes sans grand danger.

Il rampait à plat ventre, galopait à quatre pattes, prenait son panier aux dents, se tordait, glissait, ondulait, serpentait d'un mort à l'autre, et vidait la giberne ou la cartouchière comme un singe ouvre une noix.

De la barricade, dont il était encore assez près, on n'osait lui crier de revenir, de peur d'appeler l'attention sur lui.

Sur un cadavre, qui était un caporal, il trouva une poire à poudre.

— Pour la soif, dit-il, en la mettant dans sa poche.

A force d'aller en avant, il parvint au point où le brouillard de la fusillade devenait transparent.

Si bien que les tirailleurs de la ligne rangés et à l'affût derrière leur levée de pavés, et les tirailleurs de la banlieue massés à l'angle de la rue, se montrèrent soudainement quelque chose qui remuait dans la fumée.

Au moment où Gavroche débarrassait de ses cartouches un sergent gisant près d'une borne, une balle frappa le cadavre.

— Fichtre ! fit Gavroche. Voilà qu'on me tue mes morts.

Une deuxième balle fit étinceler le pavé à côté de lui. Une troisième renversa son panier.

Gavroche regarda, et vit que cela venait de la banlieue.

Il se dressa tout droit, debout, les cheveux au vent, les mains sur les hanches, l'œil fixé sur les gardes nationaux qui tiraient, et il chanta :

On est laid à Nanterre,
C'est la faute à Voltaire,
Et bête à Palaiseau,
C'est la faute à Rousseau.

Puis il ramassa son panier, y remit, sans en perdre une seule, les cartouches qui en étaient tombées, et, avançant vers la fusillade, alla dépouiller une autre giberne. Là une quatrième balle le manqua encore. Gavroche chanta :

Je ne suis pas notaire,
C'est la faute à Voltaire,
Je suis petit oiseau,
C'est la faute à Rousseau.

Une cinquième balle ne réussit qu'à tirer de lui un troisième couplet :

Joie est mon caractère,
C'est la faute à Voltaire,
Misère est mon trousseau,
C'est la faute à Rousseau.

Cela continua ainsi quelque temps.

Le spectacle était épouvantable et charmant. Gavroche, fusillé, taquinait la fusillade. Il avait l'air de s'amuser beaucoup. C'était le moineau becquetant les chasseurs. Il répondait à chaque décharge par un couplet. On le visait sans cesse, on le manquait toujours. Les gardes nationaux et les soldats riaient en l'ajustant. Il se couchait, puis se redressait, s'effaçait dans un coin de porte, puis bondissait, disparaissait, reparaissait, se sauvait, revenait, ripostait à la mitraille par des pieds de nez, et cependant pillait les cartouches, vidait les gibernes et remplissait son panier. Les insurgés, haletants d'anxiété, le suivaient des yeux. La barricade tremblait ; lui, il chantait. Ce n'était pas un enfant, ce n'était pas un homme ; c'était un étrange gamin fée. On eût dit le nain invulnérable de la mêlée. Les balles couraient après lui, il était plus leste qu'elles. Il jouait on ne sait quel effrayant jeu de cache-cache avec la mort ; chaque fois que la face camarde du spectre s'approchait, le gamin lui donnait une pichenette.

Une balle pourtant, mieux ajustée ou plus traître que les autres, finit par atteindre l'enfant feu follet. On vit Gavroche chanceler, puis il s'affaissa. Toute la barricade poussa un cri ; mais il y avait de l'Antée dans ce pygmée ; pour le gamin toucher le pavé, c'est comme pour le géant toucher la terre ; Gavroche n'était tombé que pour se redresser ; il resta assis sur son séant, un long filet de sang rayait son visage, il éleva ses deux bras en l'air, regarda du côté d'où était venu le coup, et se mit à chanter :

Je suis tombé par terre,
C'est la faute à Voltaire,
Le nez dans le ruisseau,
C'est la faute à...

Il n'acheva point. Une seconde balle du même tireur l'arrêta court. Cette fois il s'abattit la face contre le pavé, et ne remua plus. Cette petite grande âme venait de s'envoler.

XVI

COMMENT DE FRÈRE ON DEVIENT PÈRE

Il y avait en ce moment-là même dans le jardin du Luxembourg, — car le regard du drame doit être présent partout, — deux enfants qui se tenaient par la main. L'un pouvait avoir sept ans, l'autre cinq. La pluie les ayant mouillés, ils marchaient dans les allées du côté du soleil ; l'aîné conduisait le petit ; ils étaient en haillons et pâles ; ils avaient un air d'oiseaux fauves. Le plus petit disait : J'ai bien faim.

L'aîné, déjà un peu protecteur, conduisait son frère de la main gauche et avait une baguette dans sa main droite.

Ils étaient seuls dans le jardin. Le jardin était désert, les grilles étaient fermées par mesure de police à cause de l'insurrection. Les troupes qui y avaient bivouaqué en étaient sorties pour les besoins du combat.

Comment ces enfants étaient-ils là ? Peut-être s'étaient-ils évadés de quelque corps de garde entrebâillé ; peut-être aux environs, à la barrière d'Enfer, ou sur l'esplanade de l'Observatoire, ou dans le carrefour voisin dominé par le fronton où on lit : *invenerunt parvulum pannis involutum*, y avait-il quelque baraque de saltimbanques dont ils s'étaient enfuis ; peut-être avaient-ils, la veille au soir, trompé l'œil des inspecteurs du jardin à l'heure de la clôture, et avaient-ils passé la nuit dans quelqu'une de ces guérites où on lit les journaux ? Le fait est qu'ils étaient errants et qu'ils semblaient libres. Être errant et sembler libre, c'est être perdu. Ces pauvres petits étaient perdus en effet.

Ces deux enfants étaient ceux-là mêmes dont Gavroche avait été en peine, et que le lecteur se rappelle. Enfants des Thénardier, en location chez la Magnon, attribués à M. Gillenormand, et maintenant feuilles tombées de toutes ces branches sans racines, et roulées sur la terre par le vent.

Leurs vêtements, propres du temps de la Magnon et qui lui servaient de prospectus vis-à-vis de M. Gillenormand, étaient devenus guenilles.

Ces êtres appartenaient désormais à la statistique des « Enfants Abandonnés » que la police constate, ramasse, égare et retrouve sur le pavé de Paris.

Il fallait le trouble d'un tel jour pour que ces petits misérables fussent dans ce jardin. Si les surveillants les eussent aperçus, ils eussent chassé ces haillons. Les petits pauvres n'entrent pas dans les jardins publics ; pourtant on devrait songer que, comme enfants, ils ont droit aux fleurs.

Ceux-ci étaient là, grâce aux grilles fermées. Ils étaient en contravention. Ils s'étaient glissés dans le jardin, et ils y étaient restés. Les grilles fermées ne donnent pas congé aux inspecteurs, la surveillance est censée continuer, mais elle s'amollit et se repose ; et les inspecteurs, émus eux aussi par l'anxiété publique et plus occupés du dehors que du dedans, ne regardaient plus le jardin, et n'avaient pas vu les deux délinquants.

Il avait plu la veille, et même un peu le matin.

Mais en juin les ondées ne comptent pas. C'est à peine si l'on s'aperçoit, une heure après un orage, que cette belle journée blonde a pleuré. La terre en été est aussi vite sèche que la joue d'un enfant.

A cet instant du solstice, la lumière du plein midi est, pour ainsi dire, poignante. Elle prend tout. Elle s'applique et se superpose à la terre avec une sorte de succion. On dirait que le soleil a soif. Une averse est un verre d'eau ; une pluie est tout de suite bue. Le matin tout ruisselait, l'après-midi tout poudroie.

Rien n'est admirable comme une verdure débarbouillée par la pluie et essuyée par le rayon ; c'est de la fraîcheur chaude. Les jardins et les prairies, ayant de l'eau dans leurs racines et du soleil dans leurs fleurs, deviennent des cassolettes d'encens et fument de tous leurs parfums à la fois. Tout rit, chante et s'offre. On se sent doucement ivre. Le printemps est un paradis provisoire ; le soleil aide à faire patienter l'homme.

Il y a des êtres qui n'en demandent pas davantage ; vivants qui, ayant l'azur du ciel, disent : c'est assez ! songeurs absorbés dans le prodige, puisant dans l'idolâtrie de la nature l'indifférence du bien et du mal, contemplateurs du cosmos radieusement distraits de l'homme, qui ne comprennent pas qu'on s'occupe de la faim de ceux-ci, de la soif de ceux-là, de la nudité du pauvre en hiver, de la courbure lymphatique d'une petite épine dorsale, du grabat, du grenier, du cachot, et des haillons des jeunes filles grelottantes, quand on peut rêver sous les arbres ; esprits paisibles et terribles, impitoyablement satisfaits. Chose étrange, l'infini leur suffit. Ce grand besoin de l'homme, le fini, qui admet l'embrassement, ils l'ignorent. Le fini, qui admet le progrès, ce travail sublime, ils n'y songent pas. L'indéfini, qui naît de la combinaison humaine et divine de l'infini et du fini, leur échappe. Pourvu qu'ils soient face à face avec l'immensité, ils sourient. Jamais la joie, toujours l'extase. S'abîmer, voilà leur vie. L'histoire de l'humanité pour eux n'est qu'un plan parcellaire ; Tout n'y est pas ; le vrai Tout reste en dehors ; à quoi bon s'occuper de ce détail, l'homme ? L'homme souffre, c'est possible ; mais regardez donc Aldebaran qui se lève ! La mère n'a plus de lait, le nouveau-né se meurt, je n'en sais rien, mais considérez donc cette rosace merveilleuse que fait une rondelle de l'aubier du sapin examinée au microscope ! comparez-moi la plus belle malines à cela ! Ces penseurs oublient d'aimer. Le zodiaque réussit sur eux au point de les empêcher de voir l'enfant qui pleure. Dieu leur éclipse l'âme. C'est là une famille d'esprits, à la fois petits et grands. Horace en était, Gœthe en était, La Fontaine peut-être ; magnifiques égoïstes de l'infini, spectateurs tranquilles de la douleur, qui ne voient pas Néron s'il fait beau, auxquels le soleil cache le bûcher, qui regarderaient guillotiner en y cherchant un effet de lumière, qui n'entendent ni le cri, ni le sanglot, ni le râle, ni le tocsin, pour qui tout est bien puisqu'il y a le mois de mai, qui, tant qu'il y aura des nuages de pourpre et d'or au-dessus de leur tête, se déclarent contents, et qui sont déterminés à être heureux jusqu'à épuisement du rayonnement des astres et du chant des oiseaux.

Ce sont de radieux ténébreux. Ils ne se doutent pas qu'ils sont à plaindre. Certes, ils le sont. Qui ne pleure pas ne voit pas. Il faut les admirer et les plaindre, comme on plaindrait et comme on admirerait un être à la fois nuit et jour qui n'aurait pas d'yeux sous les sourcils et qui aurait un astre au milieu du front.

L'indifférence de ces penseurs, c'est là, selon quelques-uns, une philosophie supérieure. Soit ; mais dans cette supériorité il y a de l'infirmité. On peut être immortel et boiteux ; témoin Vulcain. On peut être plus qu'homme et moins qu'homme. L'incomplet immense est dans la nature. Qui sait si le soleil n'est pas un aveugle ?

Mais alors, quoi ! à qui se fier ? *Solem quis dicere falsum audeat ?* Ainsi de certains génies eux-mêmes, de certains Très-Hauts humains, des hommes astres, pourraient se tromper ? Ce qui est là-haut, au faîte, au sommet, au zénith, ce qui envoie sur la terre tant de clarté, verrait peu, verrait mal, ne verrait pas ? Cela n'est-il pas désespérant ? Non. Mais qu'y a-t-il donc au-dessus du soleil ? Le dieu.

Le 6 juin 1832, vers onze heures du matin, le Luxembourg, solitaire et dépeuplé, était charmant. Les quinconces et les parterres s'envoyaient dans la lumière des baumes et des éblouissements. Les branches, folles à la clarté de midi, semblaient chercher à s'embrasser. Il y avait dans les sycomores un tintamarre de fauvettes, les passereaux triomphaient, les pique-bois grimpaient le long des marronniers en donnant de petits coups de bec dans les trous de l'écorce. Les plates-bandes acceptaient la royauté légitime des lys ; le plus auguste des parfums, c'est celui qui sort de la blancheur. On respirait l'odeur poivrée des œillets. Les vieilles corneilles de Marie de Médicis étaient amoureuses dans les grands arbres. Le soleil dorait, empourprait et allumait les tulipes, qui ne sont autre chose que toutes les variétés de la flamme, faites fleurs. Tout autour des bancs de tulipes tourbillonnaient les abeilles, étincelles de ces fleurs flammes. Tout était grâce et gaîté, même la pluie prochaine ; cette récidive, dont les muguets et les chèvrefeuilles devaient profiter, n'avait rien d'inquiétant ; les hirondelles faisaient la charmante menace de voler bas. Qui était là aspirait du bonheur ; la vie sentait bon ; toute cette nature exhalait la candeur, le secours, l'assistance, la paternité, la caresse, l'aurore. Les pensées qui tombaient du ciel étaient douces comme une petite main d'enfant qu'on baise.

Les statues sous les arbres, nues et blanches, avaient des robes d'ombre trouées de lumière ; ces déesses étaient toutes déguenillées de soleil ; il leur pendait des rayons de tous les côtés. Autour du grand bassin, la terre était déjà séchée au point d'être presque brûlée. Il faisait assez de vent pour soulever çà et là de petites émeutes de poussière. Quelques feuilles jaunes, restées du dernier automne, se poursuivaient joyeusement, et semblaient gaminer.

L'abondance de la clarté avait on ne sait quoi de rassurant. Vie, sève, chaleur, effluves, débordaient ; on sentait sous la création l'énormité de la source ; dans tous ces souffles pénétrés d'amour, dans ce va-et-vient de réverbérations et de reflets, dans cette prodigieuse dépense de rayons, dans ce versement indéfini d'or fluide, on sentait la prodigalité de l'inépuisable ; et, derrière cette splendeur comme derrière un rideau de flamme, on entrevoyait Dieu, ce millionnaire d'étoiles.

Grâce au sable, il n'y avait pas une tache de boue ; grâce à la pluie, il n'y avait pas un grain de cendre. Les bouquets venaient de se laver ; tous les velours, tous les satins, tous les vernis, tous les ors, qui sortent de la terre sous forme de fleurs, étaient irréprochables. Cette magnificence était propre. Le grand silence de la nature heureuse emplissait le jardin. Silence céleste compatible avec mille musiques, roucoulements de nids, bourdonnements d'essaims, palpitations du vent. Toute l'harmonie de la saison s'accomplissait dans un gracieux ensemble ; les entrées et les sorties du printemps avaient lieu dans l'ordre voulu ; les lilas finissaient, les jasmins commençaient ; quelques fleurs étaient attardées, quelques insectes en avance ; l'avant-garde des papillons rouges de juin fraternisait avec l'arrière-garde des papillons blancs de mai. Les platanes faisaient peau neuve. La brise creusait des ondulations dans l'énormité magnifique des marronniers. C'était splendide. Un vétéran de la caserne voisine qui regardait à travers la grille disait : Voilà le printemps au port d'armes et en grande tenue.

Toute la nature déjeunait ; la création était à table ; c'était l'heure ; la grande nappe bleue était mise au ciel et la grande nappe verte sur la terre ; le soleil éclairait à giorno. Dieu servait le repas universel. Chaque être avait sa pâture ou sa pâtée. Le ramier trouvait du chènevis, le pinson trouvait du millet, le chardonneret trouvait du mouron, le rouge-gorge trouvait des vers, l'abeille trouvait des fleurs, la mouche trouvait des infusoires, le verdier trouvait des mouches. On se mangeait bien un peu les uns les autres, ce qui est le mystère du mal mêlé au bien ; mais pas une bête n'avait l'estomac vide.

Les deux petits abandonnés étaient parvenus près du grand bassin, et, un peu troublés par toute cette lumière, ils tâchaient de se cacher, instinct du pauvre et du faible devant la magnificence, même impersonnelle ; et ils se tenaient derrière la baraque des cygnes.

Çà et là, par intervalles, quand le vent donnait, on entendait confusément des cris, une rumeur, des espèces de râles tumultueux qui étaient des fusillades, et des frappements sourds qui étaient des coups de canon. Il y avait de la fumée au-dessus des toits du côté des halles. Une cloche, qui avait l'air d'appeler, sonnait au loin.

Ces enfants ne semblaient pas percevoir ces bruits. Le petit répétait de temps en temps à demi-voix : J'ai faim.

Presque au même instant que les deux enfants, un autre couple s'approchait du grand bassin. C'était un bonhomme de cinquante ans qui menait par la main un bonhomme de six ans. Sans doute le père avec son fils. Le bonhomme de six ans tenait une grosse brioche.

A cette époque, de certaines maisons riveraines, rue Madame et rue d'Enfer, avaient une clef du Luxembourg dont jouissaient les locataires quand les grilles étaient fermées, tolérance supprimée depuis. Ce père et ce fils sortaient sans doute d'une de ces maisons-là.

Les deux petits pauvres regardèreut venir « ce monsieur », et se cachèrent un peu plus.

Celui-ci était un bourgeois. Le même peut-être qu'un jour Marius, à travers sa fièvre d'amour, avait entendu, près de ce même grand bassin, conseillant à son fils « d'éviter les excès ». Il avait l'air affable et altier, et une bouche qui, ne se fermant pas, souriait toujours. Ce sourire mécanique, produit par trop de mâchoire et trop peu de peau, montre les dents plutôt que l'âme. L'enfant, avec sa brioche mordue qu'il n'achevait pas, semblait gavé. L'enfant était vêtu en garde national à cause de l'émeute, et le père était resté habillé en bourgeois à cause de la prudence.

Le père et le fils s'étaient arrêtés près du bassin où s'ébattaient les deux cygnes. Ce bourgeois paraissait avoir pour les cygnes une admiration spéciale. Il leur ressemblait en ce sens qu'il marchait comme eux.

Pour l'instant les cygnes nageaient, ce qui est leur talent principal, et ils étaient superbes.

Si les deux petits pauvres eussent écouté et eussent été d'âge à comprendre, ils eussent pu recueillir les paroles d'un homme grave. Le père disait au fils :

— Le sage vit content de peu. Regarde-moi, mon fils. Je n'aime pas le faste. Jamais on ne me voit avec des habits chamarrés d'or et de pierreries ; je laisse ce faux éclat aux âmes mal organisées.

Ici les cris profonds qui venaient du côté des halles éclatèrent avec un redoublement de cloche et de rumeur.

— Qu'est-ce que c'est que cela ? demanda l'enfant.

Le père répondit :

— Ce sont des saturnales.

Tout à coup, il aperçut les deux petits déguenillés, immobiles derrière la maisonnette verte des cygnes.

— Voilà le commencement, dit-il.

Et après un silence il ajouta :

— L'anarchie entre dans ce jardin.

Cependant le fils mordit la brioche, la recracha et brusquement se mit à pleurer.

— Pourquoi pleures-tu ? demanda le père.

— Je n'ai plus faim, dit l'enfant.

Le sourire du père s'accentua.

— On n'a pas besoin de faim pour manger un gâteau.

— Mon gâteau m'ennuie. Il est rassis.

— Tu n'en veux plus ?

— Non.

Le père lui montra les cygnes.

— Jette-le à ces palmipèdes.

L'enfant hésita. On ne veut plus de son gâteau ; ce n'est pas une raison pour le donner.

Le père poursuivit :

— Sois humain. Il faut avoir pitié des animaux.

Et, prenant à son fils le gâteau, il le jeta dans le bassin.

Le gâteau tomba assez près du bord.

Les cygnes étaient loin, au centre du bassin, et occupés à quelque proie. Ils n'avaient vu ni le bourgeois, ni la brioche.

Le bourgeois, sentant que le gâteau risquait de se perdre, et ému de ce naufrage inutile, se livra à une agitation télégraphique qui finit par attirer l'attention des cygnes.

Ils aperçurent quelque chose qui surnageait, virèrent de bord comme des navires qu'ils sont, et se dirigèrent vers la brioche lentement, avec la majesté béate qui convient à des bêtes blanches.

— Les cygnes comprennent les signes, dit le bourgeois, heureux d'avoir de l'esprit.

En ce moment le tumulte lointain de la ville eut encore un grossissement subit. Cette fois, ce fut sinistre. Il y a des bouffées de vent qui parlent plus distinctement que d'autres. Celle qui soufflait en cet instant-là apporta nettement des roulements de tambour, des clameurs, des feux de peloton, et les répliques lugubres du tocsin et du canon. Ceci coïncida avec un nuage noir qui cacha brusquement le soleil.

Les cygnes n'étaient pas encore arrivés à la brioche.

— Rentrons, dit le père, on attaque les Tuileries.

Il ressaisit la main de son fils. Puis il continua :

— Des Tuileries au Luxembourg, il n'y a que la distance qui sépare la royauté de la pairie ; ce n'est pas loin. Les coups de fusil vont pleuvoir.

Il regarda le nuage.

— Et peut-être aussi la pluie elle-même va pleuvoir ; le ciel s'en mêle ; la branche cadette est condamnée. Rentrons vite.

— Je voudrais voir les cygnes manger la brioche, dit l'enfant.

Le père répondit :

— Ce serait une imprudence.

Et il emmena son petit bourgeois.

Le fils, regrettant les cygnes, tourna la tête vers le bassin jusqu'à ce qu'un coude des quinconces le lui eût caché.

Cependant, en même temps que les cygnes, les deux petits errants s'étaient approchés de la brioche. Elle flottait sur l'eau. Le plus petit regardait le gâteau, le plus grand regardait le bourgeois qui s'en allait.

Le père et le fils entrèrent dans le labyrinthe d'allées qui mène au grand escalier du massif d'arbres du côté de la rue Madame.

Dès qu'ils ne furent plus en vue, l'aîné se coucha vivement à plat ventre sur le rebord arrondi du bassin, et, s'y cramponnant de la main gauche, penché sur l'eau, presque prêt à y tomber, étendit avec sa main droite sa baguette vers le gâteau. Les cygnes, voyant l'ennemi, se hâtèrent, et en se hâtant firent un effet de poitrail utile au petit pêcheur ; l'eau devant les cygnes reflua, et l'une de ces molles ondulations concentriques poussa doucement la brioche vers la baguette de l'enfant. Comme les cygnes arrivaient, la baguette toucha le gâteau. L'enfant donna un coup vif, ramena la brioche, effraya les cygnes, saisit le gâteau, et se redressa. Le gâteau était mouillé ; mais ils avaient faim et soif. L'aîné fit deux parts de la brioche, une grosse et une petite, prit la petite pour lui, donna la grosse à son petit frère, et lui dit :

— Colle-toi ça dans le fusil.

XVII

« MORTUUS PATER FILIUM MORITURUM EXPECTAT »

Marius s'était élancé hors de la barricade. Combeferre l'avait suivi. Mais il était trop tard. Gavroche était mort. Combeferre rapporta le panier de cartouches ; Marius rapporta l'enfant.

Hélas ! pensait-il, ce que le père avait fait pour son père, il le rendait au fils ; seulement Thénardier avait rapporté son père vivant ; lui, il rapportait l'enfant mort.

Quand Marius rentra dans la redoute avec Gavroche dans ses bras, il avait, comme l'enfant, le visage inondé de sang.

A l'instant où il s'était baissé pour ramasser Gavroche, une balle lui avait effleuré le crâne ; il ne s'en était pas aperçu.

Courfeyrac défit sa cravate et en banda le front de Marius.

On déposa Gavroche sur la même table que Mabeuf, et l'on étendit sur les deux corps le châle noir. Il y en eut assez pour le vieillard et pour l'enfant.

Combeferre distribua les cartouches du panier qu'il avait rapporté.

Cela donnait à chaque homme quinze coups à tirer.

Jean Valjean était toujours à la même place, immobile sur sa borne. Quand Combeferre lui présenta ses quinze cartouches, il secoua la tête.

— Voilà un rare excentrique, dit Combeferre bas à Enjolras. Il trouve moyen de ne pas se battre dans cette barricade.

— Ce qui ne l'empêche pas de la défendre, répondit Enjolras.

— L'héroïsme a ses originaux, reprit Combeferre.

Et Courfeyrac, qui avait entendu, ajouta :

— C'est un autre genre que le père Mabeuf.

Chose qu'il faut noter, le feu qui battait la barricade en troublait à peine l'intérieur. Ceux qui n'ont jamais traversé le tourbillon de ces sortes de guerre, ne peuvent se faire aucune idée des singuliers moments de tranquillité mêlés à ces convulsions. On va et vient, on cause, on plaisante, on flâne. Quelqu'un que nous connaissons a entendu un combattant lui dire au milieu de la mitraille : *Nous sommes ici comme à un déjeuner de garçons.* La redoute de la rue de la Chanvrerie, nous le répétons, semblait au dedans fort calme. Toutes les péripéties et toutes les phases avaient été ou allaient être épuisées. La position, de critique, était devenue menaçante, et, de menaçante, allait probablement devenir désespérée. A mesure que la situation s'assombrissait, la lueur héroïque empourprait de plus en plus la barricade. Enjolras, grave, la dominait, dans l'attitude d'un jeune spartiate dévouant son glaive nu au sombre génie Épidotas.

Combeferre, le tablier sur le ventre, pansait les blessés ; Bossuet et Feuilly faisaient des cartouches avec la poire à poudre cueillie par Gavroche sur le caporal mort, et Bossuet disait à Feuilly : *Nous allons bientôt prendre la diligence pour une autre planète ;* Courfeyrac, sur les quelques pavés qu'il s'était réservés près d'Enjolras, disposait et rangeait tout un arsenal, sa canne à épée, son fusil, deux pistolets d'arçon et un coup de poing, avec le soin d'une jeune fille qui met en ordre un petit dunkerque. Jean Valjean, muet, regardait le mur en face de lui. Un ouvrier s'assujettissait sur la tête avec une ficelle un large chapeau de paille de la mère Hucheloup, *de peur des coups de soleil,* disait-il. Les jeunes gens de la Cougourde d'Aix devisaient gaîment entre eux, comme s'ils avaient hâte de parler patois une dernière fois. Joly, qui avait décroché le miroir de la veuve Hucheloup, y examinait sa langue. Quelques combattants, ayant découvert des croûtes de pain, à peu près moisies, dans un tiroir, les mangeaient avidement. Marius était inquiet de ce que son père allait lui dire.

XVIII

LE VAUTOUR DEVENU PROIE

INSISTONS sur un fait psychologique propre aux barricades. Rien de ce qui caractérise cette surprenante guerre des rues ne doit être omis.

Quelle que soit cette étrange tranquillité intérieure dont nous venons de parler, la barricade, pour ceux qui sont dedans, n'en reste pas moins vision.

Il y a de l'apocalypse dans la guerre civile, toutes les brumes de l'inconnu se mêlent à ces flamboiements farouches, les révolutions sont sphinx, et quiconque a traversé une barricade croit avoir traversé un songe.

Ce qu'on ressent dans ces lieux-là, nous l'avons indiqué à propos de Marius, et nous en verrons les conséquences, c'est plus et c'est moins que de la vie. Sorti d'une barricade, on ne sait plus ce qu'on y a vu. On a été terrible, on l'ignore. On a été entouré d'idées combattantes qui avaient des faces humaines ; on a eu la tête dans de la lumière d'avenir. Il y avait des cadavres couchés et des fantômes debouts. Les heures étaient colossales et semblaient des heures d'éternité. On a vécu dans la mort. Des ombres ont passé. Qu'était-ce ? On a vu des mains où il y avait du sang ; c'était un assourdissement épouvantable, c'était aussi un affreux silence ; il y avait des bouches ouvertes qui criaient, et d'autres bouches ouvertes qui se taisaient ; on était dans de la fumée, dans de la nuit peut-être. On croit avoir touché au suintement sinistre des profondeurs inconnues ; on regarde quelque chose de rouge qu'on a dans les ongles. On ne se souvient plus.

Revenons à la rue de la Chanvrerie.

Tout à coup, entre deux décharges, on entendit le son lointain d'une heure qui sonnait.

— C'est midi, dit Combeferre.

Les douze coups n'étaient pas sonnés qu'Enjolras se dressait tout debout, et jetait du haut de la barricade cette clameur tonnante :

— Montez des pavés dans la maison. Garnissez-en le rebord de la fenêtre et des mansardes. La moitié des hommes aux fusils, l'autre moitié aux pavés. Pas une minute à perdre.

Un peloton de sapeurs-pompiers, la hache à l'épaule, venait d'apparaître en ordre de bataille à l'extrémité de la rue.

Ceci ne pouvait être qu'une tête de colonne ; et de quelle colonne ? de la colonne d'attaque évidemment ; les sapeurs-pompiers chargés de démolir la barricade devant toujours précéder les soldats chargés de l'escalader.

On touchait évidemment à l'instant que M. de Clermont-Tonnerre, en 1822, appelait « le coup de collier ».

L'ordre d'Enjolras fut exécuté avec la hâte correcte propre aux navires et aux barricades, les deux seuls lieux de combat d'où l'évasion soit impossible. En moins d'une minute, les deux tiers des pavés qu'Enjolras avait fait entasser à la porte de Corinthe furent montés au premier étage et au grenier, et, avant qu'une deuxième minute fût écoulée, ces pavés, artistement posés l'un sur l'autre, muraient jusqu'à moitié de la hauteur la fenêtre du premier et les lucarnes des mansardes. Quelques intervalles, ménagés soigneusement par Feuilly, principal constructeur, pouvaient laisser passer des canons de fusil. Cet armement des fenêtres put se faire d'autant plus facilement que la mitraille avait cessé. Les deux pièces tiraient maintenant à boulet sur le centre du barrage afin d'y faire une trouée, et, s'il était possible, une brèche, pour l'assaut.

Quand les pavés, destinés à la défense suprême, furent en place, Enjolras fit porter au premier étage les bouteilles qu'il avait placées sous la table où était Mabeuf.

— Qui donc boira cela ? lui demanda Bossuet.

— Eux, répondit Enjolras.

Puis on barricada la fenêtre d'en bas, et l'on tint toutes prêtes les traverses de fer qui servaient à barrer intérieurement la nuit la porte du cabaret.

La forteresse était complète. La barricade était le rempart, le cabaret était le donjon.

Des pavés qui restaient, on boucha la coupure.

Comme les défenseurs d'une barricade sont toujours obligés de ménager les munitions, et que les assiégeants le savent, les assiégeants combinent leurs arrangements avec une sorte de loisir irritant, s'exposent avant l'heure au feu, mais en apparence plus qu'en réalité, et prennent leurs aises. Les apprêts d'attaque se font toujours avec une certaine lenteur méthodique ; après quoi, la foudre.

Cette lenteur permit à Enjolras de tout revoir et de tout perfectionner. Il sentait que puisque de tels hommes allaient mourir, leur mort devait être un chef-d'œuvre.

Il dit à Marius : — Nous sommes les deux chefs. Je vais donner les derniers ordres au dedans. Toi, reste dehors et observe.

Marius se posta en observation sur la crête de la barricade.

Enjolras fit clouer la porte de la cuisine qui, on s'en souvient, était l'ambulance.

— Pas d'éclaboussures sur les blessés, dit-il.

Il donna ses dernières instructions dans la salle basse d'une voix brève, mais profondément tranquille ; Feuilly écoutait et répondait au nom de tous.

— Au premier étage, tenez des haches prêtes pour couper l'escalier. Les a-t-on ?

— Oui, dit Feuilly.

— Combien ?

— Deux haches et un merlin.

— C'est bien. Nous sommes vingt-six combattants debout. Combien y a-t-il de fusils ?

— Trente-quatre.

— Huit de trop. Tenez ces huit fusils chargés comme les autres, et sous la main. Aux ceintures les sabres et les pistolets. Vingt hommes à la barricade. Six embusqués aux mansardes et à la fenêtre du premier pour faire feu sur les assaillants à travers les meurtrières des pavés. Qu'il ne reste pas ici un seul travailleur inutile. Tout à l'heure, quand le tambour battra la charge, que les vingt d'en bas se précipitent à la barricade. Les premiers arrivés seront les mieux placés.

Ces dispositions faites, il se tourna vers Javert, et lui dit :

— Je ne t'oublie pas.

Et, posant sur la table un pistolet, il ajouta :

— Le dernier qui sortira d'ici cassera la tête à cet espion.

— Ici ? demanda une voix.

— Non, ne mêlons pas ce cadavre aux nôtres. On peut enjamber la petite barricade sur la ruelle Mondétour. Elle n'a que quatre pieds de haut. L'homme est bien garrotté. On l'y mènera, et on l'y exécutera.

Quelqu'un, en ce moment-là, était plus impassible qu'Enjolras ; c'était Javert.

Ici Jean Valjean apparut.

Il était confondu dans le groupe des insurgés. Il en sortit, et dit à Enjolras :

— Vous êtes le commandant ?

— Oui.

— Vous m'avez remercié tout à l'heure.

— Au nom de la République. La barricade a deux sauveurs : Marius Pontmercy et vous.

— Pensez-vous que je mérite une récompense ?

— Certes.

— Eh bien, j'en demande une.

— Laquelle ?

— Brûler moi-même la cervelle à cet homme-là.

Javert leva la tête, vit Jean Valjean, eut un mouvement imperceptible, et dit :

— C'est juste.

Quant à Enjolras, il s'était mis à recharger sa carabine ; il promena ses yeux autour de lui :

— Pas de réclamation ?

Et il se tourna vers Jean Valjean :

— Prenez le mouchard.

Jean Valjean, en effet, prit possession de Javert en s'asseyant sur l'extrémité de la table. Il saisit le pistolet, et un faible cliquetis annonça qu'il venait de l'armer.

Presque au même instant, on entendit une sonnerie de clairons.

— Alerte ! cria Marius du haut de la barricade.

Javert se mit à rire de ce rire sans bruit qui lui était propre, et, regardant fixement les insurgés, leur dit :

— Vous n'êtes guère mieux portants que moi.

— Tous dehors ! cria Enjolras.

Les insurgés s'élancèrent en tumulte, et, en sortant, reçurent dans le dos, qu'on nous passe l'expression, cette parole de Javert :

— A tout à l'heure !

XIX

JEAN VALJEAN SE VENGE

QUAND Jean Valjean fut seul avec Javert, il défit la corde qui assujettissait le prisonnier par le milieu du corps, et dont le nœud était sous la table. Après quoi, il lui fit signe de se lever.

Javert obéit, avec cet indéfinissable sourire où se condense la suprématie de l'autorité enchaînée.

Jean Valjean prit Javert par la martingale comme on prendrait une bête de somme par la bricole, et, l'entraînant après lui, sortit du cabaret, lentement, car Javert, entravé aux jambes, ne pouvait faire que de très petits pas.

Jean Valjean avait le pistolet au poing.

Ils franchirent ainsi le trapèze intérieur de la barricade. Les insurgés, tout à l'attaque imminente, tournaient le dos.

Marius, seul, placé de côté à l'extrémité gauche du barrage, les vit passer. Ce groupe du patient et du bourreau s'éclaira de la lueur sépulcrale qu'il avait dans l'âme.

Jean Valjean fit escalader, avec quelque peine, à Javert garrotté, mais sans le lâcher un seul instant, le petit retranchement de la ruelle Mondétour.

Quand ils eurent enjambé ce barrage, ils se trouvèrent seuls tous les deux dans la ruelle. Personne ne les voyait plus. Le coude des maisons les cachait aux insurgés. Les cadavres retirés de la barricade faisaient un monceau terrible à quelques pas.

On distinguait dans le tas des morts une face livide, une chevelure dénouée, une main percée, et un sein de femme demi-nu. C'était Éponine.

Javert considéra obliquement cette morte, et, profondément calme, dit à demi-voix :

— Il me semble que je connais cette fille-là.

Puis il se tourna vers Jean Valjean.

Jean Valjean mit le pistolet sous son bras, et fixa sur Javert un regard qui n'avait pas besoin de paroles pour dire : — Javert, c'est moi.

Javert répondit :

— Prends ta revanche.

Jean Valjean tira de son gousset un couteau, et l'ouvrit.

— Un surin ! s'écria Javert. Tu as raison. Cela te convient mieux.

Jean Valjean coupa la martingale que Javert avait au cou, puis il coupa les cordes qu'il avait aux poignets, puis, se baissant, il coupa la ficelle qu'il avait aux pieds ; et, se redressant, il lui dit :

— Vous êtes libre.

Javert n'était pas facile à étonner. Cependant, tout maître qu'il était de lui, il ne put se soustraire à une commotion. Il resta béant et immobile.

Jean Valjean poursuivit :

— Je ne crois pas que je sorte d'ici. Pourtant, si, par hasard, j'en sortais, je demeure, sous le nom de Fauchelevent, rue de l'Homme-Armé, numéro sept.

Javert eut un froncement de tigre qui lui entr'ouvrit un coin de la bouche, et il murmura entre ses dents :

— Prends garde.

— Allez, dit Jean Valjean.

Javert reprit :

— Tu as dit Fauchelevent, rue de l'Homme-Armé ?

— Numéro sept.

Javert répéta à demi-voix : — Numéro sept.

Il reboutonna sa redingote, remit de la roideur militaire entre ses deux épaules, fit demi-tour, croisa les bras en soutenant son menton dans une de ses mains, et se mit à marcher dans la direction des halles. Jean Valjean le suivait des yeux. Après quelques pas, Javert se retourna, et cria à Jean Valjean :

— Vous m'ennuyez. Tuez-moi plutôt.

Javert ne s'apercevait pas lui-même qu'il ne tutoyait plus Jean Valjean.

— Allez-vous-en, dit Jean Valjean.

Javert s'éloigna à pas lents. Un moment après, il tourna l'angle de la rue des Prêcheurs.

Quand Javert eut disparu, Jean Valjean déchargea le pistolet en l'air.

Puis il rentra dans la barricade et dit :

— C'est fait.

Cependant voici ce qui s'était passé :

Marius, plus occupé du dehors que du dedans, n'avait pas jusque-là regardé attentivement l'espion garrotté au rond obscur de la salle basse.

Quand il le vit au grand jour, enjambant la barricade pour aller mourir, il le reconnut. Un souvenir subit lui entra dans l'esprit. Il se rappela l'inspecteur de la rue de Pontoise, et les deux pistolets qu'il lui avait remis et dont il s'était servi, lui Marius, dans cette barricade même ; et non seulement il se rappela la figure, mais il se rappela le nom.

Ce souvenir pourtant était brumeux et trouble comme toutes ses idées. Ce ne fut pas une affirmation qu'il se fit, ce fut une question qu'il s'adressa :

— Est-ce que ce n'est pas là cet inspecteur de police qui m'a dit s'appeler Javert ?

Peut-être était-il encore temps d'intervenir pour cet homme ? Mais il fallait d'abord savoir si c'était bien ce Javert.

Marius interpella Enjolras qui venait de se placer à l'autre bout de la barricade.

— Enjolras !

— Quoi ?

— Comment s'appelle cet homme-là ?

— Qui ?

— L'agent de police. Sais-tu son nom ?

— Sans doute. Il nous l'a dit.

— Comment s'appelle-t-il ?

— Javert.

Marius se dressa.

En ce moment on entendit le coup de pistolet.

Jean Valjean reparut et cria : C'est fait.

Un froid sombre traversa le cœur de Marius.

XX

LES MORTS ONT RAISON ET LES VIVANTS N'ONT PAS TORT

L'AGONIE de la barricade allait commencer.

Tout concourait à la majesté tragique de cette minute suprême ; mille fracas mystérieux dans l'air, le souffle des masses armées mises en mouvement dans des rues qu'on ne voyait pas, le galop intermittent de la cavalerie, le lourd ébranlement des artilleries en marche, les feux de peloton et les canonnades se croisant dans le dédale de Paris, les fumées de la bataille montant toutes dorées au-dessus des toits, on ne sait quels cris lointains vaguement terribles, des éclairs de menace partout, le tocsin de Saint-Merry qui maintenant avait l'accent du sanglot, la douceur de la saison, la splendeur du ciel plein de soleil et de nuages, la beauté du jour et l'épouvantable silence des maisons.

Car, depuis la veille, les deux rangées de maisons de la rue de la Chanvrerie étaient devenues deux murailles ; murailles farouches. Portes fermées, fenêtres fermées, volets fermés.

Dans ces temps-là, si différents de ceux où nous

sommes, quand l'heure était venue où le peuple voulait en finir avec une situation qui avait trop duré, avec une charte octroyée ou avec un pays légal, quand la colère universelle était diffuse dans l'atmosphère, quand la ville consentait au soulèvement de ses pavés, quand l'insurrection faisait sourire la bourgeoisie en lui chuchotant son mot d'ordre à l'oreille, alors l'habitant, pénétré d'émeute, pour ainsi dire, était l'auxiliaire du combattant, et la maison fraternisait avec la forteresse improvisée qui s'appuyait sur elle. Quand la situation n'était pas mûre, quand l'insurrection n'était décidément pas consentie, quand la masse désavouait le mouvement, c'en était fait des combattants, la ville se changeait en désert autour de la révolte, les âmes se glaçaient, les asiles se muraient, et la rue se faisait défilé pour aider l'armée à prendre la barricade.

On ne fait pas marcher un peuple par surprise plus vite qu'il ne veut. Malheur à qui tente de lui forcer la main ! Un peuple ne se laisse pas faire. Alors il abandonne l'insurrection à elle-même. Les insurgés deviennent des pestiférés. Une maison est un escarpement, une porte est un refus, une façade est un mur. Ce mur voit, entend, et ne veut pas. Il pourrait s'entr'ouvrir et vous sauver. Non. Ce mur, c'est un juge. Il vous regarde et vous condamne. Quelle sombre chose que ces maisons fermées ! Elles semblent mortes, elles sont vivantes. La vie, qui y est comme suspendue, y persiste. Personne n'en est sorti depuis vingt-quatre heures, mais personne n'y manque. Dans l'intérieur de cette roche, on va, on vient, on se couche, on se lève ; on y est en famille ; on y boit et on y mange ; on y a peur, chose terrible ! La peur excuse cette inhospitalité redoutable ; elle y mêle l'effarement, circonstance atténuante. Quelquefois même, et cela s'est vu, la peur devient passion ; l'effroi peut se changer en furie, comme la prudence en rage ; de là ce mot si profond : *Les enragés de modérés.* Il y a des flamboiements d'épouvante suprême d'où sort, comme une fumée lugubre, la colère. — Que veulent ces gens-là ? ils ne sont jamais contents. Ils compromettent les hommes paisibles. Comme si l'on n'avait pas assez de révolutions comme cela ! Qu'est-ce qu'ils sont venus faire ici ? Qu'ils s'en tirent. Tant pis pour eux. C'est leur faute. Ils n'ont que ce qu'ils méritent. Cela ne nous regarde pas. Voilà notre pauvre rue criblée de balles. C'est un tas de vauriens. Surtout n'ouvrez pas la porte. — Et la maison prend une figure de tombe. L'insurgé devant cette porte agonise ; il voit arriver la mitraille et les sabres nus ; s'il crie, il sait qu'on l'écoute, mais qu'on ne viendra pas ; il y a là des murs qui pourraient le protéger, il y a là des hommes qui pourraient le sauver, et ces murs ont des oreilles de chair, et ces hommes ont des entrailles de pierre.

Qui accuser ?

Personne, et tout le monde.

Les temps incomplets où nous vivons.

C'est toujours à ses risques et périls que l'utopie se transforme en insurrection, et se fait de protestation philosophique protestation armée, et de Minerve Pallas. L'utopie qui s'impatiente et devient émeute sait ce qui l'attend ; presque toujours elle arrive trop tôt. Alors elle se résigne, et accepte stoïquement, au lieu du triomphe, la catastrophe. Elle sert, sans se plaindre, et en les disculpant même, ceux qui la renient, et sa magnanimité est de consentir à l'abandon. Elle est indomptable contre l'obstacle et douce envers l'ingratitude.

Est-ce l'ingratitude d'ailleurs ?

Oui, au point de vue du genre humain.

Non, au point de vue de l'individu.

Le progrès est le mode de l'homme. La vie générale du genre humain s'appelle le Progrès ; le pas collectif du genre humain s'appelle le Progrès. Le progrès marche ; il fait le grand voyage humain et terrestre vers le céleste et le divin ; il a ses haltes où il rallie le troupeau attardé ; il a ses stations où il médite, en présence de quelque Chanaan splendide dévoilant tout à coup son horizon ; il a ses nuits où il dort ; et c'est une des poignantes anxiétés du penseur de voir l'ombre sur l'âme humaine, et de tâter dans les ténèbres, sans pouvoir le réveiller, le progrès endormi.

— *Dieu est peut-être mort*, disait un jour à celui qui écrit ces lignes Gérard de Nerval, confondant le progrès avec Dieu, et prenant l'interruption du mouvement pour la mort de l'Être.

Qui désespère a tort. Le progrès se réveille infailliblement, et, en somme, on pourrait dire qu'il a marché, même endormi, car il a grandi. Quand on le revoit debout, on le retrouve plus haut. Être toujours paisible, cela ne dépend pas plus du progrès que du fleuve ; n'y élevez point de barrage, n'y jetez pas de rocher ; l'obstacle fait écumer l'eau et bouillonner l'humanité. De là des troubles ; mais après ces troubles, on reconnaît qu'il y a du chemin de fait. Jusqu'à ce que l'ordre, qui n'est autre chose que la paix universelle, soit établi, jusqu'à ce que l'harmonie et l'unité règnent, le progrès aura pour étapes les révolutions.

Qu'est-ce donc que le Progrès ? Nous venons de le dire. La vie permanente des peuples.

Or, il arrive quelquefois que la vie momentanée

des individus fait résistance à la vie éternelle du genre humain.

Avouons-le sans amertume, l'individu a son intérêt distinct, et peut sans forfaiture stipuler pour cet intérêt et le défendre ; le présent a sa quantité excusable d'égoïsme ; la vie momentanée a son droit, et n'est pas tenue de se sacrifier sans cesse à l'avenir. La génération qui a actuellement son tour de passage sur la terre n'est pas forcée de l'abréger pour les générations, ses égales après tout, qui auront leur tour plus tard. — J'existe, murmure ce quelqu'un qui se nomme Tous. Je suis jeune et je suis amoureux, je suis vieux et je veux me reposer, je suis père de famille, je travaille, je prospère, je fais de bonnes affaires, j'ai des maisons à louer, j'ai de l'argent sur l'état, je suis heureux, j'ai femme et enfants, j'aime tout cela, je désire vivre, laissez-moi tranquille. — De là, à de certaines heures, un froid profond sur les magnanimes avant-gardes du genre humain.

L'utopie d'ailleurs, convenons-en, sort de sa sphère radieuse en faisant la guerre. Elle, la vérité de demain, elle emprunte son procédé, la bataille, au mensonge d'hier. Elle, l'avenir, elle agit comme le passé. Elle, l'idée pure, elle devient voie de fait. Elle complique son héroïsme d'une violence dont il est juste qu'elle réponde ; violence d'occasion et d'expédient, contraire aux principes, et dont elle est fatalement punie. L'utopie insurrection combat, le vieux code militaire au poing ; elle fusille les espions, elle exécute les traîtres, elle supprime des êtres vivants et les jette dans les ténèbres inconnues. Elle se sert de la mort, chose grave. Il semble que l'utopie n'ait plus foi dans le rayonnement, sa force irrésistible et incorruptible. Elle frappe avec le glaive. Or aucun glaive n'est simple. Toute épée a deux tranchants ; qui blesse avec l'un se blesse à l'autre.

Cette réserve faite, et faite en toute sévérité, il nous est impossible de ne pas admirer, qu'ils réussissent ou non, les glorieux combattants de l'avenir, les confesseurs de l'utopie. Même quand ils avortent, ils sont vénérables, et c'est peut-être dans l'insuccès qu'ils ont plus de majesté. La victoire, quand elle est selon le progrès, mérite l'applaudissement des peuples ; mais une défaite héroïque mérite leur attendrissement. L'une est magnifique, l'autre est sublime. Pour nous, qui préférons le martyre au succès, John Brown est plus grand que Washington, et Pisacane est plus grand que Garibaldi.

Il faut bien que quelqu'un soit pour les vaincus.

On est injuste pour ces grands essayeurs de l'avenir quand ils avortent.

On accuse les révolutionnaires de semer l'effroi. Toute barricade semble attentat. On incrimine leurs théories, on suspecte leur but, on redoute leur arrière-pensée, on dénonce leur conscience. On leur reproche d'élever, d'échafauder et d'entasser contre le fait social régnant un monceau de misères, de douleurs, d'iniquités, de griefs, de désespoirs, et d'arracher des bas-fonds des blocs de ténèbres pour s'y créneler et y combattre. On leur crie : Vous dépavez l'enfer ! Ils pourraient répondre : C'est pour cela que notre barricade est faite de bonnes intentions.

Le mieux, certes, c'est la solution pacifique. En somme, convenons-en, lorsqu'on voit le pavé, on songe à l'ours, et c'est une bonne volonté dont la société s'inquiète. Mais il dépend de la société de se sauver elle-même ; c'est à sa propre bonne volonté que nous faisons appel. Aucun remède violent n'est nécessaire. Étudier le mal à l'amiable, le constater, puis le guérir. C'est à cela que nous la convions.

Quoi qu'il en soit, même tombés, surtout tombés, ils sont augustes, ces hommes qui, sur tous les points de l'univers, l'œil fixé sur la France, luttent pour la grande œuvre avec la logique inflexible de l'idéal ; ils donnent leur vie en pur don pour le progrès ; ils accomplissent la volonté de la providence ; ils font un acte religieux. A l'heure dite, avec autant de désintéressement qu'un acteur qui arrive à sa réplique, obéissant au scénario divin, ils entrent dans le tombeau. Et ce combat sans espérance, et cette disparition stoïque, ils l'acceptent pour amener à ses splendides et suprêmes conséquences universelles le magnifique mouvement humain irrésistiblement commencé le 14 juillet 1789. Ces soldats sont des prêtres. La révolution française est un geste de Dieu.

Du reste il y a, et il convient d'ajouter cette distinction aux distinctions déjà indiquées dans un autre chapitre, il y a les insurrections acceptées qui s'appellent révolutions, il y a les révolutions refusées qui s'appellent émeutes. Une insurrection qui éclate, c'est une idée qui passe son examen devant le peuple. Si le peuple laisse tomber sa boule noire, l'idée est fruit sec, l'insurrection est échauffourée.

L'entrée en guerre à toute sommation et chaque fois que l'utopie le désire n'est pas le fait des peuples. Les nations n'ont pas toujours et à toute heure le tempérament des héros et des martyrs.

Elles sont positives. A priori, l'insurrection leur répugne ; premièrement, parce qu'elle a souvent pour résultat une catastrophe, deuxièmement, parce qu'elle a toujours pour point de départ une abstraction.

Car, et ceci est beau, c'est toujours pour l'idéal, et pour l'idéal seul que se dévouent ceux qui se dévouent. Une insurrection est un enthousiasme. L'enthousiasme peut se mettre en colère ; de là les prises d'armes. Mais toute insurrection qui couche en joue un gouvernement ou un régime vise plus haut. Ainsi, par exemple, insistons-y, ce que combattaient les chefs de l'insurrection de 1832, et en particulier les jeunes enthousiastes de la rue de la Chanvrerie, ce n'était pas précisément Louis-Philippe. La plupart, causant à cœur ouvert, rendaient justice aux qualités de ce roi mitoyen à la monarchie et à la révolution ; aucun ne le haïssait. Mais ils attaquaient la branche cadette du droit divin dans Louis-Philippe comme ils en avaient attaqué la branche aînée dans Charles X ; et ce qu'ils voulaient renverser en renversant la royauté en France, nous l'avons expliqué, c'était l'usurpation de l'homme sur l'homme et du privilège sur le droit dans l'univers entier. Paris sans roi a pour contre-coup le monde sans despotes. Ils raisonnaient de la sorte. Leur but était lointain sans doute, vague peut-être, et reculant devant l'effort ; mais grand.

Cela est ainsi. Et l'on se sacrifie pour ces visions, qui, pour les sacrifiés, sont des illusions presque toujours, mais des illusions auxquelles, en somme, toute la certitude humaine est mêlée. L'insurgé poétise et dore l'insurrection. On se jette dans ces choses tragiques en se grisant de ce qu'on va faire. Qui sait ? on réussira peut-être. On est le petit nombre ; on a contre soi toute une armée ; mais on défend le droit, la loi naturelle, la souveraineté de chacun sur soi-même qui n'a pas d'abdication possible, la justice, la vérité, et au besoin on mourra comme les trois cents spartiates. On ne songe pas à Don Quichotte, mais à Léonidas. Et l'on va devant soi, et, une fois engagé, on ne recule plus, et l'on se précipite tête baissée, ayant pour espérance une victoire inouïe, la révolution complétée, le progrès remis en liberté, l'agrandissement du genre humain, la délivrance universelle ; et pour pis aller les Thermopyles.

Ces passes d'armes pour le progrès échouent souvent, et nous venons de dire pourquoi. La foule est rétive à l'entraînement des paladins. Ces lourdes masses, les multitudes, fragiles à cause de leur pesanteur même, craignent les aventures ; et il y a de l'aventure dans l'idéal.

D'ailleurs, qu'on ne l'oublie pas, les intérêts sont là, peu amis de l'idéal et du sentimental. Quelquefois l'estomac paralyse le cœur.

La grandeur et la beauté de la France, c'est qu'elle prend moins de ventre que les autres peuples ; elle se noue plus aisément la corde aux reins. Elle est la première éveillée, la dernière endormie. Elle va en avant. Elle est chercheuse.

Cela tient à ce qu'elle est artiste.

L'idéal n'est autre chose que le point culminant de la logique, de même que le beau n'est autre chose que la cime du vrai. Les peuples artistes sont aussi les peuples conséquents. Aimer la beauté, c'est vouloir la lumière. C'est ce qui fait que le flambeau de l'Europe, c'est-à-dire de la civilisation, a été porté d'abord par la Grèce, qui l'a passé à l'Italie, qui l'a passé à la France. Divins peuples éclaireurs ! *Vitaï lampada tradunt.*

Chose admirable, la poésie d'un peuple est l'élément de son progrès. La quantité de civilisation se mesure à la quantité d'imagination. Seulement un peuple civilisateur doit rester un peuple mâle. Corinthe, oui ; Sybaris, non. Qui s'effémine s'abâtardit. Il ne faut être ni dilettante, ni virtuose ; mais il faut être artiste. En matière de civilisation, il ne faut pas raffiner, mais il faut sublimer. A cette condition, on donne au genre humain le patron de l'idéal.

L'idéal moderne a son type dans l'art, et son moyen dans la science. C'est par la science qu'on réalisera cette vision auguste des poëtes : le beau social. On refera l'Éden par A + B. Au point où la civilisation est parvenue, l'exact est un élément nécessaire du splendide, et le sentiment artiste est non seulement servi, mais complété par l'organe scientifique ; le rêve doit calculer. L'art, qui est le conquérant, doit avoir pour point d'appui la science, qui est le marcheur. La solidité de la monture importe. L'esprit moderne, c'est le génie de la Grèce ayant pour véhicule le génie de l'Inde ; Alexandre sur l'éléphant.

Les races pétrifiées dans le dogme ou démoralisées par le lucre sont impropres à la conduite de la civilisation. La génuflexion devant l'idole ou devant l'écu atrophie le muscle qui marche et la volonté qui va. L'absorption hiératique ou marchande amoindrit le rayonnement d'un peuple, abaisse son horizon en abaissant son niveau, et lui retire cette intelligence à la fois humaine et divine du but universel, qui fait les nations missionnaires. Babylone n'a pas d'idéal ; Carthage n'a pas d'idéal. Athènes et Rome ont et gardent, même à travers toute l'épaisseur nocturne des siècles, des auréoles de civilisation.

La France est de la même qualité de peuple que la Grèce et l'Italie. Elle est athénienne par le beau et romaine par le grand. En outre, elle est bonne.

Elle se donne. Elle est plus souvent que les autres peuples en humeur de dévouement et de sacrifice. Seulement, cette humeur la prend et la quitte. Et c'est là le grand péril pour ceux qui courent quand elle ne veut que marcher, ou qui marchent quand elle veut s'arrêter. La France a ses rechutes de matérialisme, et, à de certains instants, les idées qui obstruent ce cerveau sublime n'ont plus rien qui rappelle la grandeur française et sont de la dimension d'un Missouri ou d'une Caroline du Sud. Qu'y faire ? La géante joue la naine ; l'immense France a ses fantaisies de petitesse. Voilà tout.

A cela rien à dire. Les peuples comme les astres ont le droit d'éclipse. Et tout est bien, pourvu que la lumière revienne et que l'éclipse ne dégénère pas en nuit. Aube et résurrection sont synonymes. La réapparition de la lumière est identique à la persistance du moi.

Constatons ces faits avec calme. La mort sur la barricade, ou la tombe dans l'exil, c'est pour le dévouement un en-cas acceptable. Le vrai nom du dévouement, c'est désintéressement. Que les abandonnés se laissent abandonner, que les exilés se laissent exiler, et bornons-nous à supplier les grands peuples de ne pas reculer trop loin quand ils reculent. Il ne faut pas, sous prétexte de retour à la raison, aller trop avant dans la descente.

La matière existe, la minute existe, les intérêts existent, le ventre existe ; mais il ne faut pas que le ventre soit la seule sagesse. La vie momentanée a son droit, nous l'admettons, mais la vie permanente a le sien. Hélas ! être monté, cela n'empêche pas de tomber. On voit ceci dans l'histoire plus souvent qu'on ne voudrait. Une nation est illustre ; elle goûte à l'idéal, puis elle mord dans la fange, et elle trouve cela bon ; et si on lui demande d'où vient qu'elle abandonne Socrate pour Falstaff, elle répond : C'est que j'aime les hommes d'état.

Un mot encore avant de rentrer dans la mêlée.

Une bataille comme celle que nous racontons en ce moment n'est autre chose qu'une convulsion vers l'idéal. Le progrès entravé est maladif, et il a de ces tragiques épilepsies. Cette maladie du progrès, la guerre civile, nous avons dû la rencontrer sur notre passage. C'est là une des phases fatales, à la fois acte et entr'acte, de ce drame dont le pivot est un damné social, et dont le titre véritable est : *le Progrès*.

Le Progrès !

Ce cri que nous jetons souvent est toute notre pensée ; et, au point de ce drame où nous sommes, l'idée qu'il contient ayant encore plus d'une épreuve à subir, il nous est permis peut-être, sinon d'en soulever le voile, du moins d'en laisser transparaître nettement la lueur.

Le livre que le lecteur a sous les yeux en ce moment, c'est, d'un bout à l'autre, dans son ensemble et dans ses détails, quelles que soient les intermittences, les exceptions ou les défaillances, la marche du mal au bien, de l'injuste au juste, du faux au vrai, de la nuit au jour, de l'appétit à la conscience, de la pourriture à la vie, de la bestialité au devoir, de l'enfer au ciel, du néant à Dieu. Point de départ : la matière ; point d'arrivée : l'âme. L'hydre au commencement, l'ange à la fin.

XXI

LES HÉROS

Tout à coup le tambour battit la charge.

L'attaque fut l'ouragan. La veille, dans l'obscurité, la barricade avait été approchée silencieusement comme par un boa. A présent, en plein jour, dans cette rue évasée, la surprise était décidément impossible, la vive force d'ailleurs s'était démasquée, le canon avait commencé le rugissement, l'armée se rua sur la barricade. La furie était maintenant l'habileté. Une puissante colonne d'infanterie de ligne, coupée à intervalles égaux de garde nationale et de garde municipale à pied, et appuyée sur des masses profondes qu'on entendait sans les voir, déboucha dans la rue au pas de course, tambour battant, clairon sonnant, bayonnettes croisées, sapeurs en tête, et, imperturbable sous les projectiles, arriva droit sur la barricade avec le poids d'une poutre d'airain sur un mur.

Le mur tint bon.

Les insurgés firent feu impétueusement. La barricade escaladée eut une crinière d'éclairs. L'assaut fut si forcené qu'elle fut un moment inondée d'assaillants ; mais elle secoua les soldats ainsi que le lion les chiens ; et elle ne se couvrit d'assiégeants que comme la falaise d'écume, pour reparaître l'instant d'après, escarpée, noire et formidable.

La colonne, forcée de se replier, resta massée dans la rue, à découvert, mais terrible, et riposta à la redoute par une mousqueterie effrayante. Quiconque a vu un feu d'artifice se rappelle cette gerbe faite d'un croisement de foudres qu'on appelle le bouquet. Qu'on se représente ce bouquet, non plus vertical, mais horizontal, portant une balle, une chevrotine ou un biscayen à la pointe de chacun de ses jets de feu, et égrenant la mort dans ses grappes de tonnerres. La barricade était là-dessous.

Des deux parts résolution égale. La bravoure était là presque barbare et se compliquait d'une sorte de férocité héroïque qui commençait par le sacrifice de soi-même. C'était l'époque où un garde national se battait comme un zouave. La troupe voulait en finir ; l'insurrection voulait lutter. L'acceptation de l'agonie en pleine jeunesse et en pleine santé fait de l'intrépidité une frénésie. Chacun dans cette mêlée avait le grandissement de l'heure suprême. La rue se joncha de cadavres.

La barricade avait à l'une de ses extrémités Enjolras et à l'autre Marius. Enjolras, qui portait toute la barricade dans sa tête, se réservait et s'abritait ; trois soldats tombèrent l'un après l'autre sous son créneau sans l'avoir même aperçu ; Marius combattait à découvert. Il se faisait point de mire. Il sortait du sommet de la redoute plus qu'à mi-corps. Il n'y a pas de plus violent prodigue qu'un avare qui prend le mors aux dents ; il n'y a pas d'homme plus effrayant dans l'action qu'un songeur. Marius était formidable et pensif. Il était dans la bataille comme dans un rêve. On eût dit un fantôme qui fait le coup de fusil.

Les cartouches des assiégés s'épuisaient ; leurs sarcasmes non. Dans ce tourbillon du sépulcre où ils étaient, ils riaient.

Courfeyrac était nu-tête.

— Qu'est-ce que tu as donc fait de ton chapeau ? lui demanda Bossuet.

Courfeyrac répondit :

— Ils ont fini par me l'emporter à coups de canon.

Ou bien ils disaient des choses hautaines.

— Comprend-on, s'écriait amèrement Feuilly, ces hommes — (et il citait les noms, des noms connus, célèbres même, quelques-uns de l'ancienne armée) — qui avaient promis de nous rejoindre et fait serment de nous aider, et qui s'y étaient engagés d'honneur, et qui sont nos généraux, et qui nous abandonnent !

Et Combeferre se bornait à répondre avec un grave sourire :

— Il y a des gens qui observent les règles de l'honneur comme on observe les étoiles, de très loin.

L'intérieur de la barricade était tellement semé de cartouches déchirées qu'on eût dit qu'il y avait neigé.

Les assaillants avaient le nombre ; les insurgés avaient la position. Ils étaient au haut d'une muraille, et ils foudroyaient à bout portant les soldats trébuchant dans les morts et les blessés et empêtrés dans l'escarpement. Cette barricade, construite comme elle l'était et admirablement contrebutée, était vraiment une de ces situations où une poignée d'hommes tient en échec une légion. Cependant, toujours recrutée et grossissant sous la pluie de balles, la colonne d'attaque se rapprochait inexorablement, et maintenant, peu à peu, pas à pas, mais avec certitude, l'armée serrait la barricade comme la vis le pressoir.

Les assauts se succédèrent. L'horreur alla grandissant.

Alors éclata, sur ce tas de pavés, dans cette rue de la Chanvrerie, une lutte digne d'une muraille de Troie. Ces hommes hâves, déguenillés, épuisés, qui n'avaient pas mangé depuis vingt-quatre heures, qui n'avaient pas dormi, qui n'avaient plus que quelques coups à tirer, qui tâtaient leurs poches vides de cartouches, presque tous blessés, la tête ou le bras bandé d'un linge rouillé et noirâtre, ayant dans leurs habits des trous d'où le sang coulait, à peine armés de mauvais fusils et de vieux sabres ébréchés, devinrent des Titans. La barricade fut dix fois abordée, assaillie, escaladée, et jamais prise.

Pour se faire une idée de cette lutte, il faudrait se figurer le feu mis à un tas de courages terribles, et qu'on regarde l'incendie. Ce n'était pas un combat, c'était le dedans d'une fournaise ; les bouches y respiraient de la flamme ; les visages y étaient extraordinaires, la forme humaine y semblait impossible, les combattants y flamboyaient, et c'était formidable de voir aller et venir dans cette fumée rouge ces salamandres de la mêlée. Les scènes successives et simultanées de cette tuerie grandiose, nous renonçons à les peindre. L'épopée seule a le droit de remplir douze mille vers avec une bataille.

On eût dit cet enfer du brahmanisme, le plus redoutable des dix-sept abîmes, que le Véda appelle la Forêt des Épées.

On se battait corps à corps, pied à pied, à coups de pistolet, à coups de sabre, à coups de poing, de loin, de près, d'en haut, d'en bas, de partout, des toits de la maison, des fenêtres du cabaret, des soupiraux des caves où quelques-uns s'étaient glissés. Ils étaient un contre soixante. La façade de Corinthe, à demi démolie, était hideuse. La fenêtre, tatouée de mitraille, avait perdu vitres et châssis, et n'était plus qu'un trou informe, tumultueusement bouché avec des pavés. Bossuet fut tué ; Feuilly fut tué ; Courfeyrac fut tué ; Joly fut tué ; Combeferre, traversé de trois coups de bayonnette dans la poitrine au moment où il relevait un soldat blessé, n'eut que le temps de regarder le ciel, et expira.

Marius, toujours combattant, était si criblé de blessures, particulièrement à la tête, que son visage disparaissait dans le sang et qu'on eût dit qu'il avait la face couverte d'un mouchoir rouge.

Enjolras seul n'était pas atteint. Quand il n'avait plus d'arme, il tendait la main à droite ou à gauche et un insurgé lui mettait une lame quelconque au poing. Il n'avait plus qu'un tronçon de quatre épées ; une de plus que François Ier à Marignan.

Homère dit : « Diomède égorge Axyle, fils de « Teuthranis, qui habitait l'heureuse Arisba ; « Euryale, fils de Mécistée, extermine Drésos, et « Opheltios, Ésèpe, et ce Pédasus que la naïade « Abarbarée conçut de l'irréprochable Boucolion ; « Ulysse renverse Pidyte de Percose ; Antiloque, « Ablère ; Polypætès, Astyale ; Polydamas, Otos « de Cyllène, et Teucer, Arétaon. Méganthios meurt « sous les coups de pique d'Euripyle. Agamemnon, « roi des héros, terrasse Élatos né dans la ville « escarpée que baigne le sonore fleuve Satnoïs. » Dans nos vieux poëmes de Gestes, Esplandian attaque avec une bisaiguë de feu le marquis géant Swantibore, lequel se défend en lapidant le chevalier avec des tours qu'il déracine. Nos anciennes fresques murales nous montrent les deux ducs de Bretagne et de Bourbon, armés, armoriés et timbrés en guerre, à cheval, et s'abordant, la hache d'armes à la main, masqués de fer, bottés de fer, gantés de fer, l'un caparaçonné d'hermine, l'autre drapé d'azur ; Bretagne avec son lion entre les deux cornes de sa couronne, Bourbon casqué d'une monstrueuse fleur de lys à visière. Mais pour être superbe, il n'est pas nécessaire de porter, comme

Yvon, le morion ducal, d'avoir au poing, comme Esplandian, une flamme vivante, ou, comme Phylès, père de Polydamas, d'avoir rapporté d'Éphyre une bonne armure présent du roi des hommes Euphète ; il suffit de donner sa vie pour une conviction ou pour une loyauté. Ce petit soldat naïf, hier paysan de la Beauce ou du Limousin, qui rôde, le coupe-chou au côté, autour des bonnes d'enfants dans le Luxembourg, ce jeune étudiant pâle penché sur une pièce d'anatomie ou sur un livre, blond adolescent qui fait sa barbe avec des ciseaux, prenez-les tous les deux, soufflez-leur un souffle de devoir, mettez-les en face l'un de l'autre dans le carrefour Boucherat ou dans le cul-de-sac Planche-Mibray, et que l'un combatte pour son drapeau, et que l'autre combatte pour son idéal, et qu'ils s'imaginent tous les deux combattre pour la patrie ; la lutte sera colossale ; et l'ombre que feront, dans le grand champ épique où se débat l'humanité, ce pioupiou et ce carabin aux prises, égalera l'ombre que jette Mégaryon, roi de la Lycie pleine de tigres, étreignant corps à corps l'immense Ajax, égal aux dieux.

XXII

PIED A PIED

QUAND il n'y eut plus de chefs vivants qu'Enjolras et Marius aux deux extrémités de la barricade, le centre, qu'avaient si longtemps soutenu Courfeyrac, Joly, Bossuet, Feuilly et Combeferre, plia. Le canon, sans faire de brèche praticable, avait assez largement échancré le milieu de la redoute ; là, le sommet de la muraille avait disparu sous le boulet, et s'était écroulé et les débris, qui étaient tombés, tantôt à l'intérieur, tantôt à l'extérieur, avaient fini, en s'amoncelant, par faire, des deux côtés du barrage, deux espèces de talus, l'un au dedans, l'autre au dehors. Le talus extérieur offrait à l'abordage un plan incliné.

Un suprême assaut y fut tenté et cet assaut réussit. La masse hérissée de bayonnettes et lancée au pas gymnastique arriva irrésistible, et l'épais front de bataille de la colonne d'attaque apparut dans la fumée au haut de l'escarpement. Cette fois c'était fini. Le groupe d'insurgés qui défendait le centre recula pêle-mêle.

Alors le sombre amour de la vie se réveilla chez quelques-uns. Couchés en joue par cette forêt de fusils, plusieurs ne voulurent plus mourir. C'est là une minute où l'instinct de la conservation pousse des hurlements et où la bête reparaît dans l'homme. Ils étaient acculés à la haute maison à six étages qui faisait le fond de la redoute. Cette maison pouvait être le salut. Cette maison était barricadée et comme murée du haut en bas. Avant que la troupe de ligne fût dans l'intérieur de la redoute, une porte avait le temps de s'ouvrir et de se fermer, la durée d'un éclair suffisait pour cela, et la porte de cette maison, entre-bâillée brusquement et refermée tout de suite, pour ces désespérés c'était la vie. En arrière de cette maison, il y avait les rues, la fuite possible, l'espace. Ils se mirent à frapper contre cette porte à coups de crosse et à coups de pied, appelant, criant, suppliant, joignant les mains. Personne n'ouvrit. De la lucarne du troisième étage, la tête morte les regardait.

Mais Enjolras et Marius, et sept ou huit ralliés autour d'eux, s'étaient élancés et les protégeaient,

Enjolras avait crié aux soldats : N'avancez pas ! et un officier n'ayant pas obéi, Enjolras avait tué l'officier. Il était maintenant dans la petite cour intérieure de la redoute, adossé à la maison de Corinthe, l'épée d'une main, la carabine de l'autre, tenant ouverte la porte du cabaret qu'il barrait aux assaillants. Il cria aux désespérés : — Il n'y a qu'une porte ouverte. Celle-ci. — Et, les couvrant de son corps, faisant à lui seul face à un bataillon, il les fit passer derrière lui. Tous s'y précipitèrent. Enjolras, exécutant avec sa carabine, dont il se servait maintenant comme d'une canne, ce que les bâtonnistes appellent la rose couverte, rabattit les bayonnettes autour de lui et devant lui, et entra le dernier ; et il y eut un instant horrible, les soldats voulant pénétrer, les insurgés voulant fermer. La porte fut close avec une telle violence qu'en se remboîtant dans son cadre, elle laissa voir coupés et collés à son chambranle les cinq doigts d'un soldat qui s'y était cramponné.

Marius était resté dehors. Un coup de feu venait de lui casser la clavicule ; il sentit qu'il s'évanouissait et qu'il tombait. En ce moment, les yeux déjà fermés, il eut la commotion d'une main vigoureuse qui le saisissait, et son évanouissement, dans lequel il se perdit, lui laissa à peine le temps de cette pensée mêlée au suprême souvenir de Cosette : — Je suis fait prisonnier. Je serai fusillé.

Enjolras, ne voyant pas Marius parmi les réfugiés du cabaret, eut la même idée. Mais ils étaient à cet instant où chacun n'a que le temps de songer à sa propre mort. Enjolras assujettit la barre de la porte, et la verrouilla, et en ferma à double tour la serrure et le cadenas, pendant qu'on la battait furieusement au dehors, les soldats à coups de crosse, les sapeurs à coups de hache. Les assaillants s'étaient groupés sur cette porte. C'était maintenant le siège du cabaret qui commençait.

Les soldats, disons-le, étaient pleins de colère.

La mort du sergent d'artillerie les avait irrités, et puis, chose plus funeste, pendant les quelques heures qui avaient précédé l'attaque, il s'était dit parmi eux que les insurgés mutilaient les prisonniers, et qu'il y avait dans le cabaret le cadavre d'un soldat sans tête. Ce genre de rumeurs fatales est l'accompagnement ordinaire des guerres civiles, et ce fut un faux bruit de cette espèce qui causa plus tard la catastrophe de la rue Transnonain.

Quand la porte fut barricadée, Enjolras dit aux autres : — Vendons-nous cher.

Puis il s'approcha de la table où étaient étendus Mabeuf et Gavroche. On voyait sous le drap noir deux formes droites et rigides, l'une grande, l'autre petite, et les deux visages se dessinaient vaguement sous les plis froids du suaire. Une main sortait de dessous le linceul et pendait vers la terre. C'était celle du vieillard.

Enjolras se pencha et baisa cette main vénérable, de même que la veille il avait baisé le front.

C'étaient les deux seuls baisers qu'il eût donnés dans sa vie.

Abrégeons. La barricade avait lutté comme une porte de Thèbes, le cabaret lutta comme une maison de Saragosse. Ces résistances-là sont bourrues. Pas de quartier. Pas de parlementaire possible. On veut mourir pourvu qu'on tue. Quand Suchet dit : — Capitulez, — Palafox répond : « Après la guerre au canon, la guerre au couteau. » Rien ne manqua à la prise d'assaut du cabaret Hucheloup : ni les pavés pleuvant de la fenêtre et du toit sur les assiégeants et exaspérant les soldats par d'horribles écrasements, ni les coups de feu des caves et des mansardes, ni la fureur de l'attaque, ni la rage de la défense, ni enfin, quand la porte céda, les démences frénétiques de l'extermination. Les assaillants, en se ruant dans le cabaret, les pieds embarrassés dans les panneaux de la porte enfoncée et jetée à terre, n'y trouvèrent pas un combattant. L'escalier en spirale, coupé à coups de hache, gisait au milieu de la salle basse, quelques blessés achevaient d'expirer, tout ce qui n'était pas tué était au premier étage, et là, par le trou du plafond, qui avait été l'entrée de l'escalier, un feu terrifiant éclata. C'étaient les dernières cartouches. Quand elles furent brûlées, quand ces agonisants redoutables n'eurent plus ni poudre ni balles, chacun prit à la main deux de ces bouteilles réservées par Enjolras et dont nous avons parlé, et ils tinrent tête à l'escalade avec ces massues effroyablement fragiles. C'étaient des bouteilles d'eau-forte. Nous disons telles qu'elles sont ces choses sombres du carnage. L'assiégé, hélas, fait arme de tout. Le feu grégeois n'a pas déshonoré Archimède ; la poix bouillante n'a pas déshonoré Bayard. Toute la guerre est de l'épouvante, et il n'y a rien à y choisir. La mousqueterie des assiégeants, quoique gênée et de bas en haut, était meurtrière. Le rebord du trou du plafond fut bientôt entouré de têtes mortes d'où ruisselaient de longs fils rouges et fumants. Le fracas était inexprimable ; une fumée enfermée et brûlante faisait presque la nuit sur ce combat. Les mots manquent pour dire l'horreur arrivée à ce degré. Il n'y avait plus d'hommes dans cette lutte maintenant infernale. Ce n'étaient plus des géants contre des colosses. Cela ressemblait plus à Milton et à Dante qu'à Homère. Des démons attaquaient, des spectres résistaient.

C'était l'héroïsme monstre.

XXIII

ORESTE A JEUN ET PYLADE IVRE

Enfin, se faisant la courte échelle, s'aidant du squelette de l'escalier, grimpant aux murs, s'accrochant au plafond, écharpant, au bord de la trappe même, les derniers qui résistaient, une vingtaine d'assiégeants, soldats, gardes nationaux, gardes municipaux, pêle-mêle, la plupart défigurés par des blessures au visage dans cette ascension redoutable, aveuglés par le sang, furieux, devenus sauvages, firent irruption dans la salle du premier étage. Il n'y avait plus là qu'un seul homme qui fût debout, Enjolras. Sans cartouches, sans épée, il n'avait plus à la main que le canon de sa carabine dont il avait brisé la crosse sur la tête de ceux qui entraient. Il avait mis le billard entre les assaillants et lui ; il avait reculé à l'angle de la salle, et là, l'œil fier, la tête haute, ce tronçon d'arme au poing, il était encore assez inquiétant pour que le vide se fût fait autour de lui. Un cri s'éleva :

— C'est le chef. C'est lui qui a tué l'artilleur. Puisqu'il s'est mis là, il y est bien. Qu'il y reste. Fusillons-le sur place.

— Fusillez-moi, dit Enjolras.

Et, jetant le tronçon de sa carabine, et croisant les bras, il présenta sa poitrine.

L'audace de bien mourir émeut toujours les hommes. Dès qu'Enjolras eut croisé les bras, acceptant la fin, l'assourdissement de la lutte cessa dans la salle, et ce chaos s'apaisa subitement dans une sorte de solennité sépulcrale. Il semblait que la majesté menaçante d'Enjolras désarmé et immobile pesât sur ce tumulte, et que, rien que par l'autorité de son regard tranquille, ce jeune homme, qui seul n'avait pas une blessure, superbe, sanglant, charmant, indifférent comme un invulnérable, contraignît cette cohue sinistre à le tuer avec respect. Sa beauté, en ce moment-là augmentée de sa fierté, était un resplendissement, et, comme s'il ne pouvait pas plus être fatigué que blessé, après les effrayantes vingt-quatre heures qui venaient de s'écouler, il était vermeil et rose. C'était de lui peut-être que parlait le témoin qui disait plus tard devant le conseil de guerre : « Il y avait un insurgé que j'ai entendu nommer Apollon. » Un garde national qui visait Enjolras abaissa son arme en disant : « Il me semble que je vais fusiller une fleur. »

Douze hommes se formèrent en peloton à l'angle opposé à Enjolras, et apprêtèrent leurs fusils en silence.

Puis un sergent cria : — Joue.

Un officier intervint.

— Attendez.

Et s'adressant à Enjolras :

— Voulez-vous qu'on vous bande les yeux ?

— Non.

— Est-ce bien vous qui avez tué le sergent d'artillerie ?

— Oui.

Depuis quelques instants Grantaire s'était réveillé.

Grantaire, on s'en souvient, dormait depuis la veille dans la salle haute du cabaret, assis sur une chaise, affaissé sur une table.

Il réalisait, dans toute son énergie, la vieille métaphore : ivre-mort. Le hideux philtre absinthe-stout-alcool l'avait jeté en léthargie. Sa table étant petite et ne pouvant servir à la barricade, on la lui avait laissée. Il était toujours dans la même posture, la poitrine pliée sur la table, la tête appuyée à plat sur les bras, entouré de verres, de chopes et de bouteilles. Il dormait de cet écrasant sommeil de l'ours engourdi et de la sangsue repue. Rien n'y avait fait, ni la fusillade, ni les boulets, ni la mitraille qui pénétrait par la croisée dans la salle où il était, ni le prodigieux vacarme de l'assaut. Seulement, il répondit quelquefois au canon par un ronflement. Il semblait attendre là qu'une balle vînt lui épargner la peine de se réveiller. Plusieurs cadavres gisaient autour de lui ; et, au premier coup d'œil, rien ne le distinguait de ces dormeurs profonds de la mort.

Le bruit n'éveille pas un ivrogne, le silence le réveille. Cette singularité a été plus d'une fois observée. La chute de tout, autour de lui, augmentait l'anéantissement de Grantaire ; l'écroulement le berçait. L'espèce de halte que fit le tumulte devant Enjolras fut une secousse pour ce pesant sommeil. C'est l'effet d'une voiture au galop qui s'arrête court. Les assoupis s'y réveillent. Grantaire se dressa en sursaut, étendit les bras, se frotta les yeux, regarda, bâilla, et comprit.

L'ivresse qui finit ressemble à un rideau qui se déchire. On voit, en bloc et d'un seul coup d'œil, tout ce qu'elle cachait. Tout s'offre subitement à la mémoire ; et l'ivrogne qui ne sait rien de ce qui s'est passé depuis vingt-quatre heures, n'a pas achevé d'ouvrir les paupières qu'il est au fait. Les idées lui reviennent avec une lucidité brusque ; l'effacement de l'ivresse, sorte de buée qui aveuglait le cerveau, se dissipe, et fait place à la claire et nette obsession des réalités.

Relégué qu'il était dans un coin et comme abrité derrière le billard, les soldats, l'œil fixé sur Enjolras, n'avaient pas même aperçu Grantaire, et le sergent se préparait à répéter l'ordre : En joue ! quand tout à coup ils entendirent une voix forte crier à côté d'eux :

— Vive la république ! J'en suis.

Grantaire s'était levé.

L'immense lueur de tout le combat qu'il avait manqué, et dont il n'avait pas été, apparut dans le regard éclatant de l'ivrogne transfiguré.

Il répéta : Vive la république ! traversa la salle d'un pas ferme, et alla se placer devant les fusils debout près d'Enjolras.

— Faites-en deux d'un coup, dit-il.

Et, se tournant vers Enjolras avec douceur, il lui dit :

— Permets-tu ?

Enjolras lui serra la main en souriant.

Ce sourire n'était pas achevé que la détonation éclata.

Enjolras, traversé de huit coups de feu, resta adossé au mur comme si les balles l'y eussent cloué. Seulement il pencha la tête.

Grantaire, foudroyé, s'abattit à ses pieds.

Quelques instants après, les soldats délogeaient les derniers insurgés réfugiés au haut de la maison. Ils tiraillaient à travers un treillis de bois dans le grenier. On se battait dans les combles. On jetait des corps par les fenêtres, quelques-uns vivants. Deux voltigeurs, qui essayaient de relever l'omnibus fracassé, étaient tués de deux coups de carabine tirés des mansardes. Un homme en blouse en était précipité, un coup de bayonnette dans le ventre, et râlait à terre. Un soldat et un insurgé glissaient ensemble sur le talus de tuiles du toit, et ne voulaient pas se lâcher, et tombaient, se tenant embrassés d'un embrassement féroce.

Lutte pareille dans la cave. Cris, coups de feu, piétinement farouche. Puis le silence. La barricade était prise.

Les soldats commencèrent la fouille des maisons d'alentour et la poursuite des fuyards.

XXIV

PRISONNIER

MARIUS était prisonnier en effet. Prisonnier de Jean Valjean.

La main qui l'avait étreint par derrière au moment où il tombait, et dont, en perdant connaissance, il avait senti le saisissement, était celle de Jean Valjean.

Jean Valjean n'avait pris au combat d'autre part que de s'y exposer. Sans lui, à cette phase suprême de l'agonie, personne n'eût songé aux blessés. Grâce à lui, partout présent dans le carnage comme une providence, ceux qui tombaient étaient relevés, transportés dans la salle basse, et pansés. Dans les intervalles, il réparait la barricade. Mais rien qui pût ressembler à un coup, à une attaque, ou même à une défense personnelle, ne sortit de ses mains. Il se taisait et secourait. Du reste, il avait à peine quelques égratignures. Les balles n'avaient pas voulu de lui. Si le suicide faisait partie de ce qu'il avait rêvé en venant dans ce sépulcre, de ce côté-là il n'avait point réussi. Mais nous doutons qu'il eût songé au suicide, acte irréligieux.

Jean Valjean, dans la nuée épaisse du combat,

n'avait pas l'air de voir Marius ; le fait est qu'il ne le quittait pas des yeux. Quand un coup de feu renversa Marius, Jean Valjean bondit avec une agilité de tigre, s'abattit sur lui comme sur une proie, et l'emporta.

Le tourbillon de l'attaque était en cet instant-là si violemment concentré sur Enjolras et sur la porte du cabaret que personne ne vit Jean Valjean, soutenant dans ses bras Marius évanoui, traverser le champ dépavé de la barricade et disparaître derrière l'angle de la maison de Corinthe.

On se rappelle cet angle qui faisait une sorte de cap dans la rue ; il garantissait des balles et de la mitraille, et des regards aussi, quelques pieds carrés de terrain. Il y a ainsi parfois dans les incendies une chambre qui ne brûle point, et dans les mers les plus furieuses, en deçà d'un promontoire ou au fond d'un cul-de-sac d'écueils, un petit coin tranquille. C'était dans cette espèce de repli du trapèze intérieur de la barricade qu'Éponine avait agonisé.

Là Jean Valjean s'arrêta, il laissa glisser à terre Marius, s'adossa au mur et jeta les yeux autour de lui.

La situation était épouvantable.

Pour l'instant, pour deux ou trois minutes peut-être, ce pan de muraille était un abri ; mais comment sortir de ce massacre ? Il se rappelait l'angoisse où il s'était trouvé rue Polonceau, huit ans auparavant, et de quelle façon il était parvenu à s'échapper ; c'était difficile alors, aujourd'hui c'était impossible. Il avait devant lui cette implacable et sourde maison à six étages qui ne semblait habitée que par l'homme mort penché à sa fenêtre ; il avait à sa droite la barricade assez basse qui fermait la Petite-Truanderie ; enjamber cet obstacle paraissait facile, mais on voyait au-dessus de la crête du barrage une rangée de pointes de bayonnettes. C'était la troupe de ligne, postée au delà de cette barricade, et aux aguets. Il était évident que franchir la barricade c'était aller chercher un feu de peloton, et que toute tête qui se risquerait à dépasser le haut de la muraille de pavés servirait de cible à soixante coups de fusil. Il avait à sa gauche le champ du combat. La mort était derrière l'angle du mur.

Que faire ?

Un oiseau seul eût pu se tirer de là.

Et il fallait se décider sur-le-champ, trouver un expédient, prendre un parti. On se battait à quelques pas de lui ; par bonheur tous s'acharnaient sur un point unique, sur la porte du cabaret ; mais qu'un soldat, un seul, eût l'idée de tourner la maison, ou de l'attaquer en flanc, tout était fini.

Jean Valjean regarda la maison en face de lui, il regarda la barricade à côté de lui, puis il regarda la terre, avec la violence de l'extrémité suprême, éperdu, et comme s'il eût voulu y faire un trou avec ses yeux.

A force de regarder, on ne sait quoi de vaguement saisissable dans une telle agonie se dessina et prit forme à ses pieds, comme si c'était une puissance du regard de faire éclore la chose demandée. Il aperçut à quelques pas de lui, au bas du petit barrage si impitoyablement gardé et guetté au dehors, sous un écroulement de pavés qui la cachait en partie, une grille de fer posée à plat et de niveau avec le sol. Cette grille, faite de forts barreaux transversaux, avait environ deux pieds carrés. L'encadrement de pavés qui la maintenait avait été arraché, et elle était comme descellée. A travers les barreaux on entrevoyait une ouverture obscure, quelque chose de pareil au conduit d'une cheminée ou au cylindre d'une citerne. Jean Valjean s'élança. Sa vieille science des évasions lui monta au cerveau comme une clarté. Écarter les pavés, soulever la grille, charger sur ses épaules Marius inerte comme un corps mort, descendre, avec ce fardeau sur les reins, en s'aidant des coudes et des genoux, dans cette espèce de puits heureusement peu profond, laisser retomber au-dessus de sa tête la lourde trappe de fer sur laquelle les pavés ébranlés croulèrent de nouveau, prendre pied sur une surface dallée à trois mètres au-dessous du sol, cela fut exécuté comme ce qu'on fait dans le délire, avec une force de géant et une rapidité d'aigle ; cela dura quelques minutes à peine.

Jean Valjean se trouva, avec Marius toujours évanoui, dans une sorte de long corridor souterrain.

Là, paix profonde, silence absolu, nuit.

L'impression qu'il avait autrefois éprouvée en tombant de la rue dans le couvent, lui revint. Seulement, ce qu'il emportait aujourd'hui, ce n'était plus Cosette, c'était Marius.

C'est à peine maintenant s'il entendait au-dessus de lui, comme un vague murmure, le formidable tumulte du cabaret pris d'assaut.

LIVRE DEUXIÈME

L'INTESTIN DE LÉVIATHAN

I

LA TERRE APPAUVRIE PAR LA MER

PARIS jette par an vingt-cinq millions à l'eau. Et ceci sans métaphore. Comment, et de quelle façon ? jour et nuit. Dans quel but ? sans aucun but. Avec quelle pensée ? sans y penser. Pourquoi faire ? pour rien. Au moyen de quel organe ? au moyen de son intestin. Quel est son intestin ? c'est son égout.

Vingt-cinq millions, c'est le plus modéré des chiffres approximatifs que donnent les évaluations de la science spéciale.

La science, après avoir longtemps tâtonné, sait aujourd'hui que le plus fécondant et le plus efficace des engrais, c'est l'engrais humain. Les chinois, disons-le à notre honte, le savaient avant nous. Pas un paysan chinois, c'est Eckeberg qui le dit, ne va à la ville sans rapporter, aux deux extrémités de son bambou, deux seaux pleins de ce que nous nommons immondices. Grâce à l'engrais humain, la terre en Chine est encore aussi jeune qu'au temps d'Abraham. Le froment chinois rend jusqu'à cent vingt fois la semence. Il n'est aucun guano comparable en fertilité au détritus d'une capitale. Une grande ville est le plus puissant des stercoraires. Employer la ville à fumer la plaine, ce serait une réussite certaine. Si notre or est fumier, en revanche, notre fumier est or.

Que fait-on de cet or fumier ? On le balaye à l'abîme.

On expédie à grands frais des convois de navires afin de récolter au pôle austral la fiente des pétrels et des pingouins, et l'incalculable élément d'opulence qu'on a sous la main, on l'envoie à la mer. Tout l'engrais humain et animal que le monde perd, rendu à la terre au lieu d'être jeté à l'eau, suffirait à nourrir le monde.

Ces tas d'ordures du coin des bornes, ces tombereaux de boue cahotés la nuit dans les rues, ces affreux tonneaux de la voirie, ces fétides écoulements de fange souterraine que le pavé vous cache, savez-vous ce que c'est ? C'est de la prairie en fleur, c'est de l'herbe verte, c'est du serpolet et du thym et de la sauge, c'est du gibier, c'est du bétail, c'est le mugissement satisfait des grands bœufs le soir, c'est du foin parfumé, c'est du blé doré, c'est du pain sur votre table, c'est du sang chaud dans vos veines, c'est de la santé, c'est de la joie, c'est de la vie. Ainsi le veut cette création mystérieuse qui est la transformation sur la terre et la transfiguration dans le ciel.

Rendez cela au grand creuset ; votre abondance en sortira. La nutrition des plaines fait la nourriture des hommes.

Vous êtes maîtres de perdre cette richesse, et de me trouver ridicule par-dessus le marché. Ce sera là le chef-d'œuvre de votre ignorance.

La statistique a calculé que la France à elle seule fait tous les ans à l'Atlantique par la bouche de ses rivières un versement d'un demi-milliard. Notez ceci : avec ces cinq cents millions on payerait le quart des dépenses du budget. L'habileté de l'homme est telle qu'il aime mieux se débarrasser de ces cinq cents millions dans le ruisseau. C'est la substance même du peuple qu'emportent, ici goutte à goutte, là à flots, le misérable vomissement de nos égouts dans les fleuves et le gigantesque vomissement de nos fleuves dans l'océan. Chaque hoquet de nos cloaques nous coûte mille francs. A cela deux résultats : la terre appauvrie et l'eau empestée. La faim sortant du sillon et la maladie sortant du fleuve.

Il est notoire, par exemple, qu'à cette heure, la Tamise empoisonne Londres.

Pour ce qui est de Paris, on a dû, dans ces derniers temps, transporter la plupart des embouchures d'égouts en aval au-dessous du dernier pont.

Un double appareil tubulaire, pourvu de soupapes et d'écluses de chasse, aspirant et refoulant, un système de drainage élémentaire, simple comme le poumon de l'homme, et qui est déjà en pleine fonction dans plusieurs communes d'Angleterre, suffirait pour amener dans nos villes l'eau pure des champs et pour renvoyer dans nos champs l'eau riche des villes, et ce facile va-et-vient, le plus simple du monde, retiendrait chez nous les cinq cents millions jetés dehors. On pense à autre chose.

Le procédé actuel fait le mal en voulant faire le bien. L'intention est bonne, le résultat est triste. On croit expurger la ville, on étiole la population. Un égout est un malentendu. Quand partout le drainage, avec sa fonction double, restituant ce qu'il prend, aura remplacé l'égout, simple lavage appauvrissant, alors, ceci étant combiné avec les données d'une économie sociale nouvelle, le produit de la terre sera décuplé, et le problème de la misère sera singulièrement atténué. Ajoutez la suppression des parasitismes, il sera résolu.

En attendant, la richesse publique s'en va à la rivière, et le coulage a lieu. Coulage est le mot. L'Europe se ruine de la sorte par épuisement.

Quant à la France, nous venons de dire son chiffre. Or, Paris contenant le vingt-cinquième de la population française totale, et le guano parisien étant le plus riche de tous, on reste au-dessous de la vérité en évaluant à vingt-cinq millions la part de perte de Paris dans le demi-milliard que la France refuse annuellement. Ces vingt-cinq millions, employés en assistance et en jouissance, doubleraient la splendeur de Paris. La ville les dépense en cloaques. De sorte qu'on peut dire que la grande prodigalité de Paris, sa fête merveilleuse, sa folie Beaujon, son orgie, son ruissellement d'or à pleines mains, son faste, son luxe, sa magnificence, c'est son égout.

C'est de cette façon que, dans la cécité d'une mauvaise économie politique, on noie et on laisse aller à vau-l'eau et se perdre dans les gouffres le bien-être de tous. Il devrait y avoir des filets de Saint-Cloud pour la fortune publique.

Économiquement, le fait peut se résumer ainsi : Paris panier percé.

Paris, cette cité modèle, ce patron des capitales bien faites dont chaque peuple tâche d'avoir une copie, cette métropole de l'idéal, cette patrie auguste de l'initiative, de l'impulsion et de l'essai, ce centre et ce lieu des esprits, cette ville nation, cette ruche de l'avenir, ce composé merveilleux de Babylone et de Corinthe, ferait, au point de vue que nous venons de signaler, hausser les épaules à un paysan du Fo-Kian.

Imitez Paris, vous vous ruinerez.

Au reste, particulièrement en ce gaspillage immémorial et insensé, Paris lui-même imite.

Ces surprenantes inepties ne sont pas nouvelles ; ce n'est point là de la sottise jeune. Les anciens agissaient comme les modernes. « Les cloaques de « Rome, dit Liebig, ont absorbé tous le bien-être « du paysan romain. » Quand la campagne de Rome fut ruinée par l'égout romain, Rome épuisa l'Italie, et quand elle eut mis l'Italie dans son cloaque, elle y versa la Sicile, puis la Sardaigne, puis l'Afrique. L'égout de Rome a engouffré le monde. Ce cloaque offrait son engloutissement à la cité et à l'univers. *Urbi et orbi.* Ville éternelle, égout insondable.

Pour ces choses-là comme pour d'autres, Rome donne l'exemple.

Cet exemple, Paris le suit, avec toute la bêtise propre aux villes d'esprit.

Pour les besoins de l'opération sur laquelle nous venons de nous expliquer, Paris a sous lui un autre Paris ; un Paris d'égouts ; lequel a ses rues, ses carrefours, ses places, ses impasses, ses artères, et sa circulation, qui est de la fange, avec la forme humaine de moins.

Car il ne faut rien flatter, pas même un grand peuple ; là où il y a tout, il y a l'ignominie à côté de la sublimité ; et, si Paris contient Athènes, la ville de lumière, Tyr, la ville de puissance, Sparte, la ville de vertu, Ninive, la ville de prodige, il contient aussi Lutèce, la ville de boue.

D'ailleurs le cachet de sa puissance est là aussi, et la titanique sentine de Paris réalise, parmi les monuments, cet idéal étrange réalisé dans l'humanité par quelques hommes tels que Machiavel, Bacon et Mirabeau : le grandiose abject.

Le sous-sol de Paris, si l'œil pouvait en pénétrer la surface, présenterait l'aspect d'un madrépore colossal. Une éponge n'a guère plus de pertuis et de couloirs que la motte de terre de six lieues de tour sur laquelle repose l'antique grande ville. Sans parler des catacombes, qui sont une cave à part, sans parler de l'inextricable treillis des conduits du gaz, sans compter le vaste système tubulaire de la distribution d'eau vive qui aboutit aux bornes-fontaines, les égouts à eux seuls font sous les deux rives un prodigieux réseau ténébreux ; labyrinthe qui a pour fil sa pente.

Là apparaît, dans la brume humide, le rat, qui semble le produit de l'accouchement de Paris.

II

L'HISTOIRE ANCIENNE DE L'ÉGOUT

Qu'on s'imagine Paris ôté comme un couvercle, le réseau souterrain des égouts, vu à vol d'oiseau, dessinera sur les deux rives une espèce de grosse branche greffée au fleuve. Sur la rive droite l'égout de ceinture sera le tronc de cette branche, les conduits secondaires seront les rameaux et les impasses seront les ramuscules.

Cette figure n'est que sommaire et à demi exacte, l'angle droit, qui est l'angle habituel de ce genre de ramifications souterraines, étant très rare dans la végétation.

On se fera une image plus ressemblante de cet étrange plan géométral en supposant qu'on voie à plat sur un fond de ténèbres quelque bizarre alphabet d'orient brouillé comme un fouillis, et dont les lettres difformes seraient soudées les unes aux autres, dans un pêle-mêle apparent et comme au hasard, tantôt par leurs angles, tantôt par leurs extrémités.

Les sentines et les égouts jouaient un grand rôle au moyen-âge, au Bas-Empire et dans ce vieil orient. La peste y naissait, les despotes y mouraient. Les multitudes regardaient presque avec une crainte religieuse ces lits de pourriture, monstrueux berceaux de la Mort. La fosse aux vermines de Bénarès n'est pas moins vertigineuse que la fosse aux lions de Babylone. Téglath-Phalasar, au dire des livres rabbiniques, jurait par la sentine de Ninive. C'est de l'égout de Munster que Jean de Leyde faisait sortir sa fausse lune, et c'est du puits-cloaque de Kekhscheb que son ménechme oriental, Mokannâ, le prophète voilé du Khorassan, faisait sortir son faux soleil.

L'histoire des hommes se reflète dans l'histoire des cloaques. Les gémonies racontaient Rome. L'égout de Paris a été une vieille chose formidable. Il a été sépulcre, il a été asile. Le crime, l'intelligence, la protestation sociale, la liberté de conscience, la pensée, le vol, tout ce que les lois humaines poursuivent ou ont poursuivi, s'est caché dans ce trou ; les maillotins au quatorzième siècle, les tire-laine au quinzième, les huguenots au seizième, les illuminés de Morin au dix-septième, les chauffeurs au dix-huitième. Il y a cent ans, le coup de poignard nocturne en sortait, le filou en danger y glissait ; le bois avait la caverne, Paris avait l'égout. La truanderie, cette *picareria* gauloise, acceptait l'égout comme succursale de la Cour des Miracles, et le soir, narquoise et féroce, rentrait sous le vomitoire Maubuée comme dans une alcôve.

Il était tout simple que ceux qui avaient pour lieu de travail quotidien le cul-de-sac Vide-Gousset ou la rue Coupe-Gorge eussent pour domicile nocturne le ponceau du Chemin-Vert ou le cagnard Hurepoix. De là un fourmillement de souvenirs. Toutes sortes de fantômes hantent ces longs corridors solitaires ; partout la putridité et le miasme ; çà et là un soupirail où Villon dedans cause avec Rabelais dehors.

L'égout, dans l'ancien Paris, est le rendez-vous de tous les épuisements et de tous les essais. L'économie politique y voit un détritus, la philosophie sociale y voit un résidu.

L'égout, c'est la conscience de la ville. Tout y converge, et s'y confronte. Dans ce lieu livide, il y a des ténèbres, mais il n'y a plus de secrets. Chaque chose a sa forme vraie, ou du moins sa forme définitive. Le tas d'ordures a cela pour lui qu'il n'est pas menteur. La naïveté s'est réfugiée là. Le masque de Basile s'y trouve, mais on en voit le carton, et les ficelles, et le dedans comme le dehors, et il est accentué d'une boue honnête. Le faux nez de Scapin l'avoisine. Toutes les malpropretés de la civilisation, une fois hors de service, tombent dans cette fosse de vérité où aboutit l'immense glissement social, elles s'y engloutissent, mais elles s'y étalent. Ce pêle-mêle est une confession. Là, plus de fausse apparence, aucun plâtrage possible, l'ordure ôte sa chemise, dénudation absolue, déroute des illusions et des mirages, plus rien que ce qui est, faisant la sinistre figure de ce qui finit. Réalité et disparition. Là, un cul de bouteille avoue l'ivrognerie, une anse de panier raconte la domesticité ; là, le trognon de pomme qui a eu des opinions littéraires redevient le trognon de pomme ; l'effigie du gros sou se vert-de-grise franchement, le crachat de Caïphe rencontre le vomissement de Falstaff, le louis d'or qui sort du tripot heurte le clou où pend le bout de corde du suicide, un fœtus livide roule enveloppé dans des paillettes qui ont dansé le mardi gras dernier à l'Opéra, une toque qui a jugé les hommes se vautre près d'une pourriture qui a été la jupe de Margoton ; c'est plus que de la fraternité, c'est du tutoiement. Tout ce qui se fardait se barbouille. Le dernier voile est arraché. Un égout est un cynique. Il dit tout.

Cette sincérité de l'immondice nous plaît, et repose l'âme. Quand on a passé son temps à subir sur la terre le spectacle des grands airs que prennent la raison d'état, le serment, la sagesse politique, la justice humaine, les probités professionnelles, les austérités de situation, les robes incorruptibles, cela soulage d'entrer dans un égout et de voir de la fange qui en convient.

Cela enseigne en même temps. Nous l'avons dit tout à l'heure, l'histoire passe par l'égout. Les Saint-Barthélemy y filtrent goutte à goutte entre les pavés. Les grands assassinats publics, les boucheries politiques et religieuses, traversent ce souterrain de la civilisation et y poussent leurs cadavres. Pour l'œil du songeur, tous les meurtriers historiques sont là, dans la pénombre hideuse, à genoux, avec un pan de leur suaire pour tablier, épongeant lugubrement leur besogne. Louis XI y est avec Tristan, François Ier y est avec Duprat, Charles IX y est avec sa mère, Richelieu y est avec Louis XIII, Louvois y est, Letellier y est, Hébert et Maillard y sont, grattant les pierres et tâchant de faire disparaître la trace de leurs actions. On entend sous ces voûtes le balai de ces spectres. On y respire la fétidité énorme des catastrophes sociales. On voit dans des coins des miroitements rougeâtres. Il coule là une eau terrible où se sont lavées des mains sanglantes.

L'observateur social doit entrer dans ces ombres. Elles font partie de son laboratoire. La philosophie est le microscope de la pensée. Tout veut la fuir, mais rien ne lui échappe. Tergiverser est inutile. Quel côté de soi montre-t-on en tergiversant ? le côté honte. La philosophie poursuit de son regard probe le mal, et ne lui permet pas de s'évader dans le néant. Dans l'effacement des choses qui disparaissent, dans le rapetissement des choses qui s'évanouissent, elle reconnaît tout. Elle reconstruit la pourpre d'après le haillon et la femme d'après le chiffon. Avec le cloaque elle refait la ville ; avec la boue elle refait les mœurs. Du tesson elle conclut l'amphore, ou la cruche. Elle reconnaît à une empreinte d'ongle sur un parchemin la différence qui sépare la juiverie de la Judengasse de la juiverie du Ghetto. Elle retrouve dans ce qui reste ce qui a été, le bien, le mal, le faux, le vrai, la tache de sang du palais, le pâté d'encre de la caverne, la goutte de suif du lupanar, les épreuves subies, les tentations bien venues, les orgies vomies, le pli qu'ont fait les caractères en s'abaissant, la trace de la prostitution dans les âmes que leur grossièreté en faisait capables, et sur la veste des portefaix de Rome la marque du coup de coude de Messaline.

III

BRUNESEAU

L'ÉGOUT de Paris, au moyen-âge, était légendaire. Au seizième siècle Henri II essaya un sondage qui avorta. Il n'y a pas cent ans, le cloaque, Mercier l'atteste, était abandonné à lui-même et devenait ce qu'il pouvait.

Tel était cet ancien Paris, livré aux querelles, aux indécisions et aux tâtonnements. Il fut longtemps assez bête. Plus tard, 89 montra comment l'esprit vient aux villes. Mais, au bon vieux temps, la capitale avait peu de tête ; elle ne savait faire ses affaires ni moralement ni matériellement, et pas mieux balayer les ordures que les abus. Tout était obstacle, tout faisait question. L'égout, par exemple, était réfractaire à tout itinéraire. On ne parvenait pas plus à s'orienter dans la voirie qu'à s'entendre dans la ville ; en haut l'inintelligible, en bas l'inextricable ; sous la confusion des langues il y avait la confusion des caves ; Dédale doublait Babel.

Quelquefois, l'égout de Paris se mêlait de déborder, comme si ce Nil méconnu était subitement pris de colère. Il y avait, chose infâme, des inondations d'égout. Par moments, cet estomac de la civilisation digérait mal, le cloaque refluait dans le gosier de la ville, et Paris avait l'arrière-goût de sa fange. Ces ressemblances de l'égout avec le remords avaient du bon ; c'étaient des avertissements ; fort mal pris du reste ; la ville s'indignait que sa boue eût tant d'audace, et n'admettait pas que l'ordure revînt. Chassez-la mieux.

L'inondation de 1802 est un des souvenirs actuels des parisiens de quatrevingts ans. La fange se répandit en croix place des Victoires, où est la statue de Louis XIV ; elle entra rue Saint-Honoré par les deux bouches d'égout des Champs-Élysées, rue Saint-Florentin par l'égout Saint-Florentin, rue Pierre-à-Poisson par l'égout de la Sonnerie, rue Popincourt par l'égout du Chemin-Vert, rue de la Roquette par l'égout de la rue de Lappe ; elle couvrit le caniveau de la rue des Champs-Élysées jusqu'à une hauteur de trente-cinq centimètres ; et, au midi, par le vomitoire de la Seine faisant sa fonction en sens inverse, elle pénétra rue Mazarine, rue de l'Échaudé, et rue des Marais, où elle s'arrêta à une longueur de cent neuf mètres, précisément à quelques pas de la maison qu'avait habitée Racine, respectant, dans le dix-septième siècle, le poëte plus que le roi. Elle atteignit son maximum de profondeur rue Saint-Pierre où elle s'éleva à trois pieds au-dessus des dalles de la gargouille, et son maximum d'étendue rue Saint-Sabin où elle s'étala sur une longueur de deux cent trente-huit mètres.

Au commencement de ce siècle, l'égout de Paris était encore un lieu mystérieux. La boue ne peut jamais être bien famée ; mais ici le mauvais renom allait jusqu'à l'effroi. Paris savait confusément qu'il avait sous lui une cave terrible. On en parlait comme de cette monstrueuse souille de Thèbes où fourmillaient des scolopendres de quinze pieds de long et qui eût pu servir de baignoire à Béhémoth. Les grosses bottes des égoutiers ne s'aventuraient jamais au delà de certains points connus. On était encore très voisin du temps où les tombereaux des boueurs, du haut desquels Sainte-Foix fraternisait avec le marquis de Créqui, se déchargeaient tout simplement dans l'égout. Quant au curage, on confiait cette fonction aux averses, qui encombraient plus qu'elles ne balayaient. Rome laissait encore quelque poésie à son cloaque et l'appelait Gémonies ; Paris insultait le sien et l'appelait Trou punais. La science et la superstition étaient d'accord pour l'horreur. Le Trou punais ne répugnait pas moins à l'hygiène qu'à la légende. Le Moine-Bourru était éclos sous la voussure fétide de l'égout Mouffetard ; les cadavres des Marmousets avaient été jetés dans l'égout de la Barillerie ; Fagon avait attribué la redoutable fièvre maligne de 1685 au grand hiatus de l'égout du Marais qui resta béant jusqu'en 1833 rue Saint-Louis presque en face de l'enseigne du Messager galant. La bouche d'égout de la rue de la Mortellerie était célèbre par les pestes qui en sortaient ; avec sa grille de fer à pointes qui simulait une rangée de dents, elle était dans cette rue fatale comme une gueule de dragon soufflant l'enfer sur les hommes. L'imagination populaire assaisonnait le sombre évier parisien d'on ne sait quel hideux mélange d'infini. L'égout était sans fond. L'égout, c'était le barathrum. L'idée d'explorer ces régions lépreuses ne venait pas même à la police. Tenter cet inconnu, jeter la sonde dans cette ombre, aller à la découverte dans cet abîme, qui l'eût osé ? C'était effrayant. Quelqu'un se présenta pourtant. Le cloaque eut son Christophe Colomb.

Un jour, en 1805, dans une de ces rares apparitions que l'empereur faisait à Paris, le ministre de l'intérieur, un Decrès ou un Crétet quelconque, vint au petit lever du maître. On entendait dans le Carrousel le traînement des sabres de tous ces soldats extraordinaires de la grande république et du grand empire ; il y avait encombrement de héros à la porte de Napoléon ; hommes du Rhin, de l'Escaut, de l'Adige et du Nil ; compagnons de Joubert, de Desaix, de Marceau, de Hoche, de Kléber ; aérostiers de Fleurus, grenadiers de Mayence, pontonniers de Gênes, hussards que les Pyramides avaient regardés, artilleurs qu'avait éclaboussés le boulet de Junot, cuirassiers qui avaient pris d'assaut la flotte à l'ancre dans le Zuyderzée ; les uns avaient suivi Bonaparte sur le pont de Lodi, les autres avaient accompagné Murat dans la tranchée de Mantoue, les autres avaient devancé Lannes dans le chemin creux de Montebello. Toute l'armée d'alors était là, dans la cour des Tuileries, représentée par une escouade ou par un peloton, et gardant Napoléon au repos ; et c'était l'époque splendide où la grande armée avait derrière elle Marengo et devant elle Austerlitz. — Sire, dit le ministre de l'intérieur à Napoléon, j'ai vu hier l'homme le plus intrépide de votre empire. — Qu'est-ce que cet homme ? dit brusquement l'empereur, et qu'est-ce qu'il a fait ? — Il veut faire une chose, sire. — Laquelle ? — Visiter les égouts de Paris.

Cet homme existait et se nommait Bruneseau.

IV

DÉTAILS IGNORÉS

La visite eut lieu. Ce fut une campagne redoutable ; une bataille nocturne contre la peste et l'asphyxie. Ce fut en même temps un voyage de découvertes. Un des survivants de cette exploration, ouvrier intelligent, très jeune alors, en racontait encore il y a quelques années les curieux détails que Bruneseau crut devoir omettre dans son rapport au préfet de police, comme indignes du style administratif. Les procédés désinfectants étaient à cette époque très rudimentaires. A peine Bruneseau eut-il franchi les premières articulations du réseau souterrain, que huit des travailleurs sur vingt refusèrent d'aller plus loin. L'opération était compliquée ; la visite entraînait le curage ; il fallait donc curer, et en même temps arpenter : noter les entrées d'eau, compter les grilles et les bouches, détailler les branchements, indiquer les courants à points de partage, reconnaître les circonscriptions respectives des divers bassins, sonder les petits égouts greffés sur l'égout principal, mesurer la hauteur sous clef de chaque couloir, et la largeur, tant à la naissance des voûtes qu'à fleur du radier, enfin déterminer les ordonnées du nivellement au droit de chaque entrée d'eau, soit du radier de l'égout, soit du sol de la rue. On avançait péniblement. Il n'était pas rare que les échelles de descente plongeassent dans trois pieds de vase. Les lanternes agonisaient dans les miasmes. De temps en temps on emportait un égoutier évanoui. A de certains endroits, précipice. Le sol s'était effondré, le dallage avait croulé, l'égout s'était changé en puits perdu ; on ne trouvait plus le solide ; un homme disparut brusquement ; on eut grand'peine à le retirer. Par le conseil de Fourcroy, on allumait de distance en distance, dans les endroits suffisamment assainis, de grandes cages pleines d'étoupe imbibée de résine. La muraille, par places, était couverte de fongus difformes, et l'on eût dit des tumeurs ; la pierre elle-même semblait malade dans ce milieu irrespirable.

Bruneseau, dans son exploration, procéda d'amont

en aval. Au point de partage des deux conduites d'eau du Grand-Hurleur, il déchiffra sur une pierre en saillie la date 1550 ; cette pierre indiquait la limite où s'était arrêté Philibert Delorme, chargé par Henri II de visiter la voirie souterraine de Paris. Cette pierre était la marque du seizième siècle à l'égout. Bruneseau retrouva la main-d'œuvre du dix-septième dans le conduit du Ponceau et dans le conduit de la rue Vieille-du-Temple, voûtés entre 1600 et 1650, et la main-d'œuvre du dix-huitième dans la section ouest du canal collecteur, encaissée et voûtée en 1740. Ces deux voûtes, surtout la moins ancienne, celle de 1740, étaient plus lézardées et plus décrépites que la maçonnerie de l'égout de ceinture, laquelle datait de 1412, époque où le ruisseau d'eau vive de Ménilmontant fut élevé à la dignité de grand égout de Paris, avancement analogue à celui d'un paysan qui deviendrait premier valet de chambre du roi ; quelque chose comme Gros-Jean transformé en Lebel.

On crut reconnaître çà et là, notamment sous le Palais de justice, des alvéoles d'anciens cachots pratiqués dans l'égout même. *In pace* hideux. Un carcan de fer pendait dans l'une de ces cellules. On les mura toutes. Quelques trouvailles furent bizarres ; entre autres le squelette d'un orang-outang disparu du Jardin des Plantes en 1800, disparition probablement connexe à la fameuse et incontestable apparition du diable rue des Bernardins dans la dernière année du dix-huitième siècle. Le pauvre diable avait fini par se noyer dans l'égout.

Sous le long couloir cintré qui aboutit à l'Arche-Marion, une hotte de chiffonnier, parfaitement conservée, fit l'admiration des connaisseurs. Partout, la vase, que les égoutiers en étaient venus à manier intrépidement, abondait en objets précieux, bijoux d'or et d'argent, pierreries, monnaies. Un géant qui eût filtré ce cloaque eût eu dans son tamis la richesse des siècles. Au point de partage des deux branchements de la rue du Temple et de la rue Sainte-Avoye, on ramassa une singulière médaille huguenote en cuivre, portant d'un côté un porc coiffé d'un chapeau de cardinal et de l'autre un loup la tiare en tête.

La rencontre la plus surprenante fut à l'entrée du Grand Égout. Cette entrée avait été autrefois fermée par une grille dont il ne restait plus que les gonds. A l'un de ces gonds pendait une sorte de loque informe et souillée qui, sans doute arrêtée là au passage, y flottait dans l'ombre et achevait de s'y déchiqueter. Bruneseau approcha sa lanterne et examina ce lambeau. C'était de la batiste très fine, et l'on distinguait à l'un des coins moins rongé que le reste une couronne héraldique brodée au-dessus de ces sept lettres : LAVBESP. La couronne était une couronne de marquis et les sept lettres signifiaient *Laubespine*. On reconnut que ce qu'on avait sous les yeux était un morceau du linceul de Marat. Marat, dans sa jeunesse, avait eu des amours. C'était quand il faisait partie de la maison du comte d'Artois en qualité de médecin des écuries. De ces amours, historiquement constatés, avec une grande dame, il lui était resté ce drap de lit. Épave ou souvenir. A sa mort, comme c'était le seul linge un peu fin qu'il eût chez lui, on l'y avait enseveli. De vieilles femmes avaient emmaillotté pour la tombe, dans ce lange où il y avait eu de la volupté, le tragique Ami du Peuple.

Bruneseau passa outre. On laissa cette guenille où elle était ; on ne l'acheva pas. Fut-ce mépris ou respect ? Marat méritait les deux. Et puis, la destinée y était assez empreinte pour qu'on hésitât à y toucher. D'ailleurs, il faut laisser aux choses du sépulcre la place qu'elles choisissent. En somme, la relique était étrange. Une marquise y avait dormi ; Marat y avait pourri ; elle avait traversé le Panthéon pour aboutir aux rats de l'égout. Ce chiffon d'alcôve, dont Watteau eût jadis joyeusement dessiné tous les plis, avait fini par être digne du regard fixe de Dante.

La visite totale de la voirie immonditielle souterraine de Paris dura sept ans, de 1805 à 1812. Tout en cheminant, Bruneseau désignait, dirigeait et mettait à fin des travaux considérables ; en 1808, il abaissait le radier du Ponceau, et, créant partout des lignes nouvelles, il poussait l'égout, en 1809, sous la rue Saint-Denis jusqu'à la fontaine des Innocents ; en 1810, sous la rue Froidmanteau et sous la Salpêtrière, en 1811, sous la rue Neuve-des-Petits-Pères, sous la rue du Mail, sous la rue de l'Écharpe, sous la place Royale, en 1812, sous la rue de la Paix et sous la chaussée d'Antin. En même temps, il faisait désinfecter et assainir tout le réseau. Dès la deuxième année, Bruneseau s'était adjoint son gendre Nargaud.

C'est ainsi qu'au commencement de ce siècle la vieille société cura son double-fond et fit la toilette de son égout. Ce fut toujours cela de nettoyé.

Tortueux, crevassé, dépavé, craquelé, coupé de fondrières, cahoté par des coudes bizarres, montant et descendant sans logique, fétide, sauvage, farouche, submergé d'obscurité, avec des cicatrices sur ses dalles et des balafres sur ses murs, épouvantable, tel était, vu rétrospectivement, l'antique égout de Paris. Ramifications en tous sens, croisements de tranchées, branchements, pattes d'oie, étoiles comme dans les sapes, cœcums, culs-de-sac, voûtes salpêtrées, puisards infects, suintements dartreux sur les parois, gouttes tombant des plafonds, ténèbres ; rien n'égalait l'horreur de cette vieille crypte exutoire, appareil digestif de Babylone, antre, fosse, gouffre percé de rues, taupinière titanique où l'esprit croit voir rôder à travers l'ombre, dans de l'ordure qui a été de la splendeur, cette énorme taupe aveugle, le passé.

Ceci, nous le répétons, c'était l'égout d'Autrefois.

V

PROGRÈS ACTUEL

AUJOURD'HUI l'égout est propre, froid, droit, correct. Il réalise presque l'idéal de ce qu'on entend en Angleterre par le mot « respectable ». Il est convenable et grisâtre ; tiré au cordeau ; on pourrait presque dire à quatre épingles. Il ressemble à un fournisseur devenu conseiller d'état. On y voit presque clair. La fange s'y comporte décemment. Au premier abord, on le prendrait volontiers pour un de ces corridors souterrains si communs jadis et si utiles aux fuites de monarques et de princes, dans cet ancien bon temps « où le peuple aimait ses rois ». L'égout actuel est un bel égout ; le style pur y règne ; le classique alexandrin rectiligne qui, chassé de la poésie, paraît s'être réfugié dans l'architecture, semble mêlé à toutes les pierres de cette longue voûte ténébreuse et blanchâtre ; chaque dégorgeoir est une arcade ; la rue de Rivoli fait école jusque dans le cloaque. Au reste, si la ligne géométrique est quelque part à sa place, c'est à coup sûr dans la tranchée stercoraire d'une grande ville. Là, tout doit être subordonné au chemin le plus court. L'égout a pris aujourd'hui un certain aspect officiel. Les rapports mêmes de police dont il est quelquefois l'objet ne lui manquent plus de respect. Les mots qui le caractérisent dans le langage administratif sont relevés et dignes. Ce qu'on appelait boyau, on l'appelle galerie ; ce qu'on appelait trou, on l'appelle regard. Villon ne reconnaîtrait plus son antique logis en-cas. Ce réseau de caves a bien toujours son immémoriale population de rongeurs, plus pullulante que jamais ; de temps en temps, un rat, vieille moustache, risque sa tête à la fenêtre de l'égout et examine les parisiens ; mais cette vermine elle-même s'apprivoise, satisfaite qu'elle est de son palais souterrain. Le cloaque n'a plus rien de sa férocité primitive. La pluie, qui salissait l'égout d'autrefois, lave l'égout d'à présent. Ne vous y fiez pas trop pourtant. Les miasmes l'habitent encore. Il est plutôt hypocrite qu'irréprochable. La préfecture de police et la commission de salubrité ont eu beau faire. En dépit de tous les procédés d'assainissement, il exhale une vague odeur suspecte, comme Tartuffe après la confession.

Convenons-en, comme, à tout prendre, le balayage est un hommage que l'égout rend à la civilisation, et comme, à ce point de vue, la conscience de Tartuffe est un progrès sur l'étable d'Augias, il est certain que l'égout de Paris s'est amélioré.

C'est plus qu'un progrès ; c'est une transmutation. Entre l'égout ancien et l'égout actuel, il y a une révolution. Qui a fait cette révolution ?

L'homme que tout le monde oublie et que nous avons nommé, Bruneseau.

VI

PROGRÈS FUTUR

Le creusement de l'égout de Paris n'a pas été une petite besogne. Les dix derniers siècles y ont travaillé sans le pouvoir terminer, pas plus qu'ils n'ont pu finir Paris. L'égout, en effet, reçoit tous les contre-coups de la croissance de Paris. C'est, dans la terre, une sorte de polype ténébreux aux mille antennes qui grandit dessous en même temps que la ville dessus. Chaque fois que la ville perce une rue, l'égout allonge un bras. La vieille monarchie n'avait construit que vingt-trois mille trois cents mètres d'égouts ; c'est là que Paris en était le 1er janvier 1806. A partir de cette époque, dont nous reparlerons tout à l'heure, l'œuvre a été utilement et énergiquement reprise et continuée ; Napoléon a bâti, ces chiffres sont curieux, quatre mille huit cent quatre mètres ; Louis XVIII, cinq mille sept cent neuf ; Charles X, dix mille huit cent trente-six ; Louis-Philippe, quatrevingt-neuf mille vingt ; la république de 1848, vingt-trois mille trois cent quatrevingt-un ; le régime actuel, soixante-dix mille cinq cents ; en tout, à l'heure qu'il est, deux cent vingt-six mille six cent dix mètres, soixante lieues d'égouts ; entrailles énormes de Paris. Ramification obscure, toujours en travail ; construction ignorée et immense.

Comme on le voit, le dédale souterrain de Paris est aujourd'hui plus que décuple de ce qu'il était au commencement du siècle. On se figure malaisément tout ce qu'il a fallu de persévérance et d'efforts pour amener ce cloaque au point de perfection relative où il est maintenant. C'était à grand'peine que la vieille prévôté monarchique et, dans les dix dernières années du dix-huitième siècle, la mairie révolutionnaire étaient parvenues à forer les cinq lieues d'égouts qui existaient avant 1806. Tous les genres d'obstacles entravaient cette opération, les uns propres à la nature du sol, les autres inhérents aux préjugés mêmes de la population laborieuse de Paris. Paris est bâti sur un gisement étrangement rebelle à la pioche, à la houe, à la sonde, au maniement humain. Rien de plus difficile à percer et à pénétrer que cette formation géologique à laquelle se superpose la merveilleuse formation historique nommée Paris ; dès que, sous une forme quelconque, le travail s'engage et s'aventure dans cette nappe d'alluvions, les résistances souterraines abondent. Ce sont des argiles liquides, des sources vives, des roches dures, de ces vases molles et profondes que la science spéciale appelle moutardes. Le pic avance laborieusement dans des lames calcaires alternées de filets de glaises très minces et de couches schisteuses aux feuillets incrustés d'écailles d'huîtres contemporaines des océans préadamites. Parfois un ruisseau crève brusquement une voûte commencée et inonde les travailleurs ; ou c'est une coulée de marne qui se fait jour et se rue avec la furie d'une cataracte, brisant comme verre les plus grosses poutres de soutènement. Tout récemment, à la Villette, quand il a fallu, sans interrompre la navigation et sans vider le canal, faire passer l'égout collecteur sous le canal Saint-Martin, une fissure s'est faite dans la cuvette du canal, l'eau a abondé subitement dans le chantier souterrain, au delà de toute la puissance des pompes d'épuisement ; il a fallu faire chercher par un plongeur la fissure qui était dans le goulet du grand bassin, et on ne l'a point bouchée sans peine. Ailleurs, près de la Seine, et même assez loin du fleuve, comme par exemple à Belleville, Grande-Rue et passage Lunière, on rencontre des sables sans fond où l'on s'enlize et où un homme peut fondre à vue d'œil. Ajoutez l'asphyxie par les miasmes, l'ensevelissement par les éboulements, les effondrements subits. Ajoutez le typhus, dont les travailleurs s'imprègnent lentement. De nos jours, après avoir creusé la galerie de Clichy, avec banquette pour recevoir une conduite maîtresse d'eau de l'Ourcq, travail exécuté en tranchée, à dix mètres de profondeur ; après avoir, à travers les éboulements, à l'aide des fouilles, souvent putrides, et des étrésillonnements, voûté la Bièvre du boulevard de l'Hôpital jusqu'à la Seine ; après avoir, pour délivrer Paris des eaux torrentielles de Montmartre et pour donner écoulement à cette mare fluviale de neuf hectares qui croupissait près de la barrière des Martyrs ; après avoir, disons-nous, construit la ligne d'égouts de la barrière Blanche au chemin d'Aubervilliers, en quatre mois, jour et nuit, à une profondeur de onze mètres ; après avoir, chose qu'on n'avait pas vue encore, exécuté souterrainement un égout rue Barre-du-Bec, sans tranchée, à six mètres au-dessous du sol, le conducteur Monnot est mort. Après avoir voûté trois mille mètres d'égouts sur tous les points de la ville, de la rue Traversière-Saint-Antoine à la rue de Lourcine, après avoir, par le branchement de l'Arbalète, déchargé des inondations pluviales le carrefour Censier-Mouffetard, après avoir bâti l'égout Saint-Georges sur enrochement et béton dans des sables fluides, après avoir dirigé le redoutable abaissement de radier du branchement Notre-Dame-de Nazareth, l'ingénieur Duleau est mort. Il n'y a pas de bulletin pour ces actes de bravoure-là, plus utiles pourtant que la tuerie bête des champs de bataille.

Les égouts de Paris, en 1832, étaient loin d'être ce qu'ils sont aujourd'hui. Bruneseau avait donné le branle, mais il fallait le choléra pour déterminer la vaste reconstruction qui a eu lieu depuis. Il est surprenant de dire, par exemple, qu'en 1821, une partie de l'égout de ceinture, dit Grand Canal, comme à Venise, croupissait encore à ciel ouvert, rue des Gourdes. Ce n'est qu'en 1823 que la ville de Paris a trouvé dans son gousset les deux cent soixante-six mille quatrevingts francs six centimes nécessaires à la couverture de cette turpitude. Les trois puits absorbants du Combat, de la Cunette et de Saint-Mandé, avec leurs dégorgeoirs, leurs appareils, leurs puisards et leurs branchements dépuratoires, ne datent que de 1836. La voirie intestinale de Paris a été refaite à neuf et, comme nous l'avons dit, plus que décuplée depuis un quart de siècle.

Il y a trente ans, à l'époque de l'insurrection des 5 et 6 juin, c'était encore, dans beaucoup d'endroits, presque l'ancien égout. Un très grand nombre de rues, aujourd'hui bombées, étaient alors des chaussées fendues. On voyait très souvent, au point déclive où les versants d'une rue ou d'un carrefour aboutissaient, de larges grilles carrées à gros barreaux dont le fer luisait fourbi par les pas de la foule, dangereuses et glissantes aux voitures et faisant abattre les chevaux. La langue officielle des ponts et chaussées donnait à ces points déclives et à ces grilles le nom expressif de *cassis*. En 1832, dans une foule de rues, rue de l'Étoile, rue Saint-Louis, rue du Temple, rue Vieille-du-Temple, rue Notre-Dame-de-Nazareth, rue Folie-Méricourt, quai aux Fleurs, rue du Petit-

Musc, rue de Normandie, rue Pont-aux-Biches, rue des Marais, faubourg Saint-Martin, rue Notre-Dame-des-Victoires, faubourg Montmartre, rue Grange-Batelière, aux Champs-Élysées, rue Jacob, rue de Tournon, le vieux cloaque gothique montrait encore cyniquement ses gueules. C'étaient d'énormes hiatus de pierre à cagnards, quelquefois entourés de bornes, avec une effronterie monumentale.

Paris, en 1806, en était encore presque au chiffre d'égouts constaté en mai 1663 : cinq mille trois cent vingt-huit toises. Après Bruneseau, le 1er janvier 1832, il en avait quarante mille trois cents mètres. De 1806 à 1831, on avait bâti annuellement, en moyenne, sept cent cinquante mètres ; depuis on a construit tous les ans huit et même dix mille mètres de galeries, en maçonnerie de petits matériaux à bain de chaux hydraulique sur fondation de béton. A deux cents francs le mètre, les soixante lieues d'égouts du Paris actuel représentent quarante-huit millions.

Outre le progrès économique que nous avons indiqué en commençant, de graves problèmes d'hygiène publique se rattachent à cette immense question : l'égout de Paris.

Paris est entre deux nappes, une nappe d'eau et une nappe d'air. La nappe d'eau, gisante à une assez grande profondeur souterraine, mais déjà tâtée par deux forages, est fournie par la couche de grès vert située entre la craie et le calcaire jurassique ; cette couche peut être représentée par un disque de vingt-cinq lieues de rayon ; une foule de rivières et de ruisseaux y suintent ; on boit la Seine, la Marne, l'Yonne, l'Oise, l'Aisne, le Cher, la Vienne et la Loire dans un verre d'eau du puits de Grenelle. La nappe d'eau est salubre, elle vient du ciel d'abord, de la terre ensuite ; la nappe d'air est malsaine, elle vient de l'égout. Tous les miasmes du cloaque se mêlent à la respiration de la ville ; de là cette mauvaise haleine. L'air pris au-dessus d'un fumier, ceci a été scientifiquement constaté, est plus pur que l'air pris au-dessus de Paris. Dans un temps donné, le progrès aidant, les mécanismes se perfectionnant, et la clarté se faisant, on emploiera la nappe d'eau à purifier la nappe d'air. C'est-à-dire à laver l'égout. On sait que par : lavage de l'égout, nous entendons : restitution de la fange à la terre ; renvoi du fumier au sol et de l'engrais aux champs. Il y aura, par ce simple fait, pour toute la communauté sociale, diminution de misère et augmentation de santé. A l'heure où nous sommes, le rayonnement des maladies de Paris va à cinquante lieues autour du Louvre, pris comme moyeu de cette roue pestilentielle.

On pourrait dire que, depuis dix siècles, le cloaque est la maladie de Paris. L'égout est le vice que la ville a dans le sang. L'instinct populaire ne s'y est jamais trompé. Le métier d'égoutier était autrefois presque aussi périlleux, et presque aussi répugnant au peuple, que le métier d'équarrisseur, frappé d'horreur et si longtemps abandonné au bourreau. Il fallait une haute paye pour décider un maçon à disparaître dans cette sape fétide ; l'échelle du puisatier hésitait à s'y plonger ; on disait proverbialement : *descendre dans l'égout, c'est entrer dans la fosse ;* et toutes sortes de légendes hideuses, nous l'avons dit, couvraient d'épouvante ce colossal évier ; sentine redoutée qui a la trace des révolutions du globe comme des révolutions des hommes, et où l'on trouve des vestiges de tous les cataclysmes depuis le coquillage du déluge jusqu'au haillon de Marat.

LIVRE TROISIÈME

LA BOUE, MAIS L'ÂME

I

LE CLOAQUE ET SES SURPRISES

C'EST dans l'égout de Paris que se trouvait Jean Valjean.

Ressemblance de plus de Paris avec la mer. Comme dans l'océan, le plongeur peut y disparaître.

La transition était inouïe. Au milieu même de la ville, Jean Valjean était sorti de la ville ; et, en un clin d'œil, le temps de lever un couvercle et de le refermer, il avait passé du plein jour à l'obscurité complète, de midi à minuit, du fracas au silence, du tourbillon des tonnerres à la stagnation de la tombe, et, par une péripétie bien plus prodigieuse encore que celle de la rue Polonceau, du plus extrême péril à la sécurité la plus absolue.

Chute brusque dans une cave ; disparition dans l'oubliette de Paris ; quitter cette rue où la mort était partout pour cette espèce de sépulcre où il y avait la vie ; ce fut un instant étrange. Il resta quelques secondes comme étourdi ; écoutant, stupéfait. La chausse-trape du salut s'était subitement ouverte sous lui. La bonté céleste l'avait en quelque sorte pris par trahison. Adorables embuscades de la providence !

Seulement le blessé ne remuait point, et Jean Valjean ne savait pas si ce qu'il emportait dans cette fosse était un vivant ou un mort.

Sa première sensation fut l'aveuglement. Brusquement, il ne vit plus rien. Il lui sembla aussi qu'en une minute il était devenu sourd. Il n'entendait plus rien. Le frénétique orage de meurtre qui se déchaînait à quelques pieds au-dessus de lui n'arrivait jusqu'à lui, nous l'avons dit, grâce à l'épaisseur de terre qui l'en séparait, qu'éteint et indistinct, et comme une rumeur dans une profondeur. Il sentait que c'était solide sous ses pieds ; voilà tout ; mais cela suffisait. Il étendit un bras, puis l'autre, et toucha le mur des deux côtés, et reconnut que le couloir était étroit ; il glissa, et reconnut que la dalle était mouillée. Il avança un pied avec précaution, craignant un trou, un puisard, quelque gouffre ; il constata que le dallage se prolongeait. Une bouffée de fétidité l'avertit du lieu où il était.

Au bout de quelques instants, il n'était plus aveugle. Un peu de lumière tombait du soupirail par où il s'était glissé, et son regard s'était fait à cette cave. Il commença à distinguer quelque chose. Le couloir où il s'était terré, nul autre mot n'exprime mieux la situation, était muré derrière lui. C'était un de ces culs-de-sac que la langue spéciale appelle branchements. Devant lui, il y avait un autre mur, un mur de nuit. La clarté du soupirail expirait à dix ou douze pas du point où était Jean Valjean, et faisait à peine une blancheur blafarde sur quelques mètres de la paroi humide de l'égout. Au delà l'opacité était massive ;

y pénétrer paraissait horrible, et l'entrée y semblait un engloutissement. On pouvait s'enfoncer pourtant dans cette muraille de brume, et il le fallait. Il fallait même se hâter. Jean Valjean songea que cette grille, aperçue par lui sous les pavés, pouvait l'être par les soldats, et que tout tenait à ce hasard. Ils pouvaient descendre eux aussi dans ce puits et le fouiller. Il n'y avait pas une minute à perdre. Il avait déposé Marius sur le sol, il le ramassa, ceci est encore le mot vrai, le reprit sur ses épaules et se mit en marche. Il entra résolument dans cette obscurité.

La réalité est qu'ils étaient moins sauvés que Jean Valjean ne le croyait. Des périls d'un autre genre et non moins grands les attendaient peut-être. Après le tourbillon fulgurant du combat, la caverne des miasmes et des pièges ; après le chaos, le cloaque. Jean Valjean était tombé d'un cercle de l'enfer dans l'autre.

Quand il eut fait cinquante pas, il fallut s'arrêter. Une question se présenta. Le couloir aboutissait à un autre boyau qu'il rencontrait transversalement. Là s'offraient deux voies. Laquelle prendre ? fallait-il tourner à gauche ou à droite ? Comment s'orienter dans ce labyrinthe noir ? Ce labyrinthe, nous l'avons fait remarquer, a un fil ; c'est sa pente. Suivre la pente, c'est aller à la rivière.

Jean Valjean le comprit sur-le-champ.

Il se dit qu'il était probablement dans l'égout des halles ; que, s'il choisissait la gauche et suivait la pente, il arriverait avant un quart d'heure à quelque embouchure sur la Seine entre le Pont-au-Change et le Pont-Neuf, c'est-à-dire à une apparition en plein jour sur le point le plus peuplé de Paris. Peut-être aboutirait-il à quelque cagnard de carrefour. Stupeur des passants de voir deux hommes sanglants sortir de terre sous leurs pieds. Survenue des sergents de ville, prise d'armes du corps de garde voisin. On serait saisi avant d'être sorti. Il valait mieux s'enfoncer dans le dédale, se fier à cette noirceur, et s'en remettre à la providence quant à l'issue.

Il remonta la pente et prit à droite.

Quand il eut tourné l'angle de la galerie, la lointaine lueur du soupirail disparut, le rideau d'obscurité retomba sur lui et il redevint aveugle. Il n'en avança pas moins, et aussi rapidement qu'il put. Les deux bras de Marius étaient passés autour de son cou et les pieds pendaient derrière lui. Il tenait les deux bras d'une main et tâtait le mur de l'autre. La joue de Marius touchait la sienne et s'y collait, étant sanglante. Il sentait couler sur lui et pénétrer sous ses vêtements un ruisseau tiède qui venait de Marius. Cependant une chaleur humide à son oreille que touchait la bouche du blessé indiquait de la respiration, et par conséquent de la vie. Le couloir où Jean Valjean cheminait maintenant était moins étroit que le premier. Jean Valjean y marchait assez péniblement. Les pluies de la veille n'étaient pas encore écoulées et faisaient un petit torrent au centre du radier, et il était forcé de se serrer contre le mur pour ne pas avoir les pieds dans l'eau. Il allait ainsi ténébreusement. Il ressemblait aux êtres de nuit tâtonnant dans l'invisible et souterrainement perdus dans les veines de l'ombre.

Pourtant, peu à peu, soit que des soupiraux lointains envoyassent un peu de lueur flottante dans cette brume opaque, soit que ses yeux s'accoutumassent à l'obscurité, il lui revint quelque vision vague, et il recommença à se rendre confusément compte, tantôt de la muraille à laquelle il touchait, tantôt de la voûte sous laquelle il passait. La pupille se dilate dans la nuit et finit par y trouver du jour, de même que l'âme se dilate dans le malheur et finit par y trouver Dieu.

Se diriger était malaisé.

Le tracé des égouts répercute, pour ainsi dire, le tracé des rues qui lui est superposé. Il y avait dans le Paris d'alors deux mille deux cents rues. Qu'on se figure là-dessous cette forêt de branches ténébreuses qu'on nomme l'égout. Le système d'égouts existant à cette époque, mis bout à bout, eût donné une longueur de onze lieues. Nous avons dit plus haut que le réseau actuel, grâce à l'activité spéciale des trente dernières années, n'a pas moins de soixante lieues.

Jean Valjean commença par se tromper. Il crut être sous la rue Saint-Denis, et il était fâcheux qu'il n'y fût pas. Il y a sous la rue Saint-Denis un vieil égout en pierre qui date de Louis XIII et qui va droit à l'égout collecteur dit Grand Égout, avec un seul coude, à droite, à la hauteur de l'ancienne cour des Miracles, et un seul embranchement, l'égout Saint-Martin, dont les quatre bras se coupent en croix. Mais le boyau de la Petite-Truanderie dont l'entrée était près du cabaret de Corinthe n'a jamais communiqué avec le souterrain de la rue Saint-Denis ; il aboutit à l'égout Montmartre et c'est là que Jean Valjean était engagé. Là, les occasions de se perdre abondaient. L'égout Montmartre est un des plus dédaléens du vieux réseau. Heureusement Jean Valjean avait laissé derrière lui l'égout des halles dont le plan géométral figure une foule de mâts de perroquet enchevêtrés ; mais il avait devant lui plus d'une rencontre embarrassante et plus d'un coin de rue — car ce sont des rues — s'offrant dans l'obscurité comme un point d'interrogation : premièrement, à sa gauche, le vaste égout Plâtrière, espèce de casse-tête chinois, poussant et brouillant son chaos de T et de Z sous l'hôtel des Postes et sous la rotonde de la halle aux blés jusqu'à la Seine où il se termine en Y ; deuxièmement, à sa droite, le corridor courbe de la rue du Cadran avec ses trois dents qui sont autant d'impasses ; troisièmement, à sa gauche, l'embranchement du Mail, compliqué, presque à l'entrée, d'une espèce de fourche, et allant de zigzag en zigzag aboutir à la grande crypte exutoire du Louvre tronçonnée et ramifiée dans tous les sens ; enfin, à droite, le couloir cul-de-sac de la rue des Jeûneurs, sans compter de petits réduits çà et là, avant d'arriver à l'égout de ceinture, lequel seul pouvait le conduire à quelque issue assez lointaine pour être sûre.

Si Jean Valjean eût eu quelque notion de tout ce que nous indiquons ici, il se fût vite aperçu, rien qu'en tâtant la muraille, qu'il n'était pas dans la galerie souterraine de la rue Saint-Denis. Au lieu de la vieille pierre de taille, au lieu de l'ancienne architecture, hautaine et royale jusque dans l'égout, avec radier et assises courantes en granit et mortier de chaux grasse, laquelle coûtait huit cents livres la toise, il eût senti sous sa main le bon marché contemporain, l'expédient économique, la meulière à bain de mortier hydraulique sur couche de béton qui coûte deux cents francs le mètre, la maçonnerie bourgeoise dite à *petits matériaux* ; mais il ne savait rien de tout cela.

Il allait devant lui, avec anxiété, mais avec calme, ne voyant rien, ne sachant rien, plongé dans le hasard, c'est-à-dire englouti dans la providence.

Par degrés, disons-le, quelque horreur le gagnait. L'ombre qui l'enveloppait entrait dans son esprit. Il marchait dans une énigme. Cet aqueduc du cloaque est redoutable ; il s'entre-croise vertigineusement. C'est une chose lugubre d'être pris dans ce Paris de ténèbres. Jean Valjean était obligé de trouver et presque d'inventer sa route sans la voir. Dans cet inconnu, chaque pas qu'il risquait pouvait être le dernier. Comment sortirait-il de là ? Trouverait-il une issue ? La trouverait-il à temps ? Cette colossale éponge souterraine aux alvéoles de pierre se laisserait-elle pénétrer et percer ? Y rencontrerait-on quelque nœud inattendu d'obscurité ? Arriverait-on à l'inextricable et à l'infranchissable ? Marius y mourrait-il d'hémorragie, et lui de faim ? Finiraient-ils par se perdre là tous les deux, et par faire deux squelettes dans un coin de cette nuit ? Il l'ignorait. Il se demandait tout cela et ne pouvait se répondre. L'intestin de Paris est un précipice. Comme le prophète, il était dans le ventre du monstre.

Il eut brusquement une surprise. A l'instant le plus imprévu, et sans avoir cessé de marcher en ligne droite, il s'aperçut qu'il ne montait plus ; l'eau du ruisseau lui battait les talons au lieu de lui venir sur la pointe des pieds. L'égout maintenant descendait. Pourquoi ? Allait-il donc arriver soudainement à la Seine ? Ce danger était grand, mais le péril de reculer l'était plus encore. Il continua d'avancer.

Ce n'était point vers la Seine qu'il allait. Le dos d'âne que fait le sol de Paris sur la rive droite vide un de ses versants dans la Seine et l'autre dans le Grand Égout. La crête de ce dos d'âne qui détermine la division des eaux dessine une ligne très capricieuse. Le point culminant, qui est le lieu de partage des écoulements, est, dans l'égout Sainte-Avoye, au delà de la rue Michel-le-Comte, dans l'égout du Louvre, près des boulevards, et dans l'égout Montmartre, près des halles. C'est à ce point culminant que Jean Valjean était arrivé. Il se dirigeait vers l'égout de ceinture ; il était dans le bon chemin. Mais il n'en savait rien.

Chaque fois qu'il rencontrait un embranchement, il en tâtait les angles, et s'il trouvait l'ouverture qui s'offrait moins large que le corridor où il était, il n'entrait pas et continuait sa route, jugeant avec raison que toute voie plus étroite devait aboutir à un cul-de-sac et ne pouvait que l'éloigner du but, c'est-à-dire de l'issue. Il évita ainsi le quadruple piège qui lui était tendu dans l'obscurité par les quatre dédales que nous venons d'énumérer.

A un certain moment il reconnut qu'il sortait de dessous le Paris pétrifié par l'émeute, où les barricades avaient supprimé la circulation, et qu'il rentrait sous le Paris vivant et normal. Il eut subitement au-dessus de sa tête comme un bruit de foudre, lointain, mais continu. C'était le roulement des voitures.

Il marchait depuis une demi-heure environ, du moins au calcul qu'il faisait en lui-même, et n'avait pas encore songé à se reposer ; seulement il avait changé la main qui soutenait Marius. L'obscurité était plus profonde que jamais, mais cette profondeur le rassurait.

Tout à coup il vit son ombre devant lui. Elle se découpait sur une faible rougeur presque indistincte qui empourprait vaguement le radier à ses pieds et la voûte sur sa tête, et qui glissait à sa droite et à sa gauche sur les deux murailles visqueuses du corridor. Stupéfait, il se retourna.

Derrière lui, dans la partie du couloir qu'il venait de dépasser, à une distance qui lui parut immense, flamboyait, rayant l'épaisseur obscure, une sorte d'astre horrible qui avait l'air de le regarder.

C'était la sombre étoile de la police qui se levait dans l'égout.

Derrière cette étoile remuaient confusément huit ou dix formes noires, droites, indistinctes, terribles.

II

EXPLICATION

DANS la journée du 6 juin, une battue des égouts avait été ordonnée. On craignit qu'ils ne fussent pris pour refuge par les vaincus, et le préfet Gisquet dut fouiller le Paris occulte pendant que le général Bugeaud balayait le Paris public; double opération connexe qui exigea une double stratégie de la force publique représentée en haut par l'armée et en bas par la police. Trois pelotons d'agents et d'égoutiers explorèrent la voirie souterraine de Paris, le premier, rive droite, le deuxième, rive gauche, le troisième, dans la Cité.

Les agents étaient armés de carabines, de casse-tête, d'épées et de poignards.

Ce qui était en ce moment dirigé sur Jean Valjean, c'était la lanterne de la ronde de la rive droite.

Cette ronde venait de visiter la galerie courbe et les trois impasses qui sont sous la rue du Cadran. Pendant qu'elle promenait son falot au fond de ces impasses, Jean Valjean avait rencontré sur son chemin l'entrée de la galerie, l'avait reconnue plus étroite que le couloir principal et n'y avait point pénétré. Il avait passé outre. Les hommes de police, en ressortant de la galerie du Cadran, avaient cru entendre un bruit de pas dans la direction de l'égout de ceinture. C'étaient les pas de Jean Valjean en effet. Le sergent chef de ronde avait élevé sa lanterne, et l'escouade s'était mise à regarder dans le brouillard du côté d'où était venu le bruit.

Ce fut pour Jean Valjean une minute inexprimable.

Heureusement, s'il voyait bien la lanterne, la lanterne le voyait mal. Elle était la lumière et il était l'ombre. Il était très loin, et mêlé à la noirceur du lieu. Il se rencogna le long du mur et s'arrêta.

Du reste, il ne se rendait pas compte de ce qui se mouvait là derrière lui. L'insomnie, le défaut de nourriture, les émotions, l'avaient fait passer, lui aussi, à l'état visionnaire. Il voyait un flamboiement, et, autour de ce flamboiement, des larves. Qu'était-ce ? Il ne comprenait pas.

Jean Valjean s'étant arrêté, le bruit avait cessé.

Les hommes de la ronde écoutaient et n'entendaient rien, ils regardaient et ne voyaient rien. Ils se consultèrent.

Il y avait à cette époque sur ce point de l'égout Montmartre une espèce de carrefour dit *de service* qu'on a supprimé depuis à cause du petit lac intérieur qu'y formait, en s'y engorgeant dans les forts orages, le torrent des eaux pluviales. La ronde put se pelotonner dans ce carrefour.

Jean Valjean vit ces larves faire une sorte de cercle. Ces têtes de dogues se rapprochèrent et chuchotèrent.

Le résultat de ce conseil tenu par les chiens de garde fut qu'on s'était trompé, qu'il n'y avait pas eu de bruit, qu'il n'y avait là personne, qu'il était inutile de s'engager dans l'égout de ceinture, que ce serait du temps perdu, mais qu'il fallait se hâter d'aller vers Saint-Merry, que s'il y avait quelque chose à faire et quelque « bousingot » à dépister, c'était dans ce quartier-là.

De temps en temps les partis remettent des semelles neuves à leurs vieilles injures. En 1832, le mot *bousingot* faisait l'intérim entre le mot *jacobin* qui était éculé, et le mot *démagogue* alors presque inusité et qui a fait depuis un si excellent service.

Le sergent donna l'ordre d'obliquer à gauche vers le versant de la Seine. S'ils eussent eu l'idée de se diviser en deux escouades et d'aller dans les deux sens, Jean Valjean était saisi. Cela tint à ce fil. Il est probable que les instructions de la préfecture, prévoyant un cas de combat et les insurgés en nombre, défendaient à la ronde de se morceler. La ronde se remit en marche, laissant derrière elle Jean Valjean. De tout ce mouvement Jean Valjean ne perçut rien sinon l'éclipse de la lanterne qui se retourna subitement.

Avant de s'en aller, le sergent, pour l'acquit de la conscience de la police, déchargea sa carabine du côté qu'on abandonnait, dans la direction de Jean Valjean. La détonation roula d'écho en écho dans la crypte comme le borborygme de ce boyau titanique. Un plâtras qui tomba dans le ruisseau et fit clapoter l'eau à quelques pas de Jean Valjean, l'avertit que la balle avait frappé la voûte au-dessus de sa tête.

Des pas mesurés et lents résonnèrent quelque temps sur le radier, de plus en plus amortis par l'augmentation progressive de l'éloignement, le groupe des formes noires s'enfonça, une lueur oscilla et flotta, faisant à la voûte un cintre rougeâtre qui décrut, puis disparut, le silence redevint profond, l'obscurité redevint complète, la cécité et la surdité reprirent possession des ténèbres ; et Jean Valjean, n'osant encore remuer, demeura longtemps adossé au mur, l'oreille tendue, la prunelle dilatée, regardant l'évanouissement de cette patrouille de fantômes.

III

L'HOMME FILÉ

Il faut rendre à la police de ce temps-là cette justice que, même dans les plus graves conjonctures publiques, elle accomplissait imperturbablement son devoir de voirie et de surveillance. Une émeute n'était point à ses yeux un prétexte pour laisser aux malfaiteurs la bride sur le cou, et pour négliger la société par la raison que le gouvernement était en péril. Le service ordinaire se faisait correctement à travers le service extraordinaire, et n'en était pas troublé. Au milieu d'un incalculable événement politique commencé, sous la pression d'une révolution possible, sans se laisser distraire par l'insurrection et la barricade, un agent « filait » un voleur.

C'était précisément quelque chose de pareil qui se passait dans l'après-midi du 6 juin au bord de la Seine, sur la berge de la rive droite, un peu au delà du pont des Invalides.

Il n'y a plus là de berge aujourd'hui. L'aspect des lieux a changé.

Sur cette berge, deux hommes séparés par une certaine distance semblaient s'observer, l'un évitant l'autre. Celui qui allait en avant tâchait de s'éloigner, celui qui venait par derrière tâchait de se rapprocher.

C'était comme une partie d'échecs qui se jouait de loin et silencieusement. Ni l'un ni l'autre ne semblait se presser, et ils marchaient lentement tous les deux, comme si chacun d'eux craignait de faire par trop de hâte doubler le pas à son partenaire.

On eût dit un appétit qui suit une proie, sans avoir l'air de le faire exprès. La proie était sournoise et se tenait sur ses gardes.

Les proportions voulues entre la fouine traquée et le dogue traqueur étaient observées. Celui qui tâchait d'échapper avait peu d'encolure et une chétive mine ; celui qui tâchait d'empoigner, gaillard de haute stature, était de rude aspect et devait être de rude rencontre.

Le premier, se sentant le plus faible, évitait le second ; mais il l'évitait d'une façon profondément furieuse ; qui eût pu l'observer eût vu dans ses yeux la sombre hostilité de la fuite, et toute la menace qu'il y a dans la crainte.

La berge était solitaire ; il n'y avait point de passant ; pas même de batelier ni de débardeur dans les chalands amarrés çà et là.

On ne pouvait apercevoir aisément ces deux hommes que du quai en face, et pour qui les eût examinés à cette distance, l'homme qui allait devant eût apparu comme un être hérissé, déguenillé et oblique, inquiet et grelottant sous une blouse en haillons, et l'autre comme une personne classique et officielle, portant la redingote de l'autorité boutonnée jusqu'au menton.

Le lecteur reconnaîtrait peut-être ces deux hommes, s'il les voyait de plus près.

Quel était le but du dernier ?

Probablement d'arriver à vêtir le premier plus chaudement.

Quand un homme habillé par l'état poursuit un homme en guenilles, c'est afin d'en faire aussi un homme habillé par l'état. Seulement la couleur est toute la question. Être habillé de bleu, c'est glorieux ; être habillé de rouge, c'est désagréable.

Il y a une pourpre d'en bas.

C'est probablement quelque désagrément et quelque pourpre de ce genre que le premier désirait esquiver.

Si l'autre le laissait marcher devant et ne le saisissait pas encore, c'était, selon toute apparence, dans l'espoir de le voir aboutir à quelque rendez-vous significatif et à quelque groupe de bonne prise. Cette opération délicate s'appelle « la filature ».

Ce qui rend cette conjecture tout à fait probable, c'est que l'homme boutonné, apercevant de la berge sur le quai un fiacre qui passait à vide, fit signe au cocher ; le cocher comprit, reconnut évidemment à qui il avait affaire, tourna bride et se mit à suivre au pas du haut du quai les deux hommes. Ceci ne fut pas aperçu du personnage louche et déchiré qui allait en avant.

Le fiacre roulait le long des arbres des Champs-Élysées. On voyait passer au-dessus du parapet le buste du cocher, son fouet à la main.

Une des instructions secrètes de la police aux agents contient cet article : « Avoir toujours à portée une voiture de place, en cas. »

Tout en manœuvrant chacun de leur côté avec une stratégie irréprochable, ces deux hommes approchaient d'une rampe du quai descendant jusqu'à la berge qui permettait alors aux cochers de fiacre arrivant de Passy de venir à la rivière faire boire leurs chevaux. Cette rampe a été supprimée depuis, pour la symétrie ; les chevaux crèvent de soif, mais l'œil est flatté.

Il était vraisemblable que l'homme en blouse allait monter par cette rampe afin d'essayer de s'échapper dans les Champs-Élysées, lieu orné d'arbres, mais en revanche fort croisé d'agents de police, et où l'autre aurait aisément main-forte.

Ce point du quai est fort peu éloigné de la maison apportée de Moret à Paris en 1824 par le colonel Brack, et dite maison de François Ier. Un corps de garde est là tout près.

A la grande surprise de son observateur, l'homme traqué ne prit point par la rampe de l'abreuvoir. Il continua de s'avancer sur la berge le long du quai.

Sa position devenait visiblement critique.

A moins de se jeter à la Seine, qu'allait-il faire ?

Aucun moyen désormais de remonter sur le quai ; plus de rampe et pas d'escalier ; et l'on était tout près de l'endroit, marqué par le coude de la Seine vers le pont d'Iéna, où la berge, de plus en plus rétrécie, finissait en langue mince et se perdait sous l'eau. Là il allait inévitablement se trouver bloqué entre le mur à pic à sa droite, la rivière à gauche et en face, et l'autorité sur ses talons.

Il est vrai que cette fin de la berge était masquée au regard par un monceau de déblais de six à sept pieds de haut, produit d'on ne sait quelle démolition. Mais cet homme espérait-il se cacher utilement derrière ce tas de gravats qu'il suffisait de tourner ? L'expédient eût été puéril. Il n'y songeait certainement pas. L'innocence des voleurs ne va point jusque-là.

Le tas de déblais faisait au bord de l'eau une

sorte d'éminence qui se prolongeait en promontoire jusqu'à la muraille du quai.

L'homme suivi arriva à cette petite colline et la doubla, de sorte qu'il cessa d'être aperçu par l'autre.

Celui-ci, ne voyant pas, n'était pas vu ; il en profita pour abandonner toute dissimulation et pour marcher très rapidement. En quelques instants il fut au monceau de déblais et le tourna. Là, il s'arrêta stupéfait. L'homme qu'il chassait n'était plus là.

Éclipse totale de l'homme en blouse.

La berge n'avait guère à partir du monceau de déblais qu'une longueur d'une trentaine de pas, puis elle plongeait sous l'eau qui venait battre le mur du quai.

Le fuyard n'aurait pu se jeter à la Seine ni escalader le quai sans être vu par celui qui le suivait. Qu'était-il devenu ?

L'homme à la redingote boutonnée marcha jusqu'à l'extrémité de la berge, et y resta un moment pensif, les poings convulsifs, l'œil furetant. Tout à coup il se frappa le front. Il venait d'apercevoir, au point où finissait la terre et où l'eau commençait, une grille de fer large et basse, cintrée, garnie d'une épaisse serrure et de trois gonds massifs. Cette grille, sorte de porte percée au bas du quai, s'ouvrait sur la rivière autant que sur la berge. Un ruisseau noirâtre passait dessous. Ce ruisseau se dégorgeait dans la Seine.

Au delà de ses lourds barreaux rouillés on distinguait une sorte de corridor voûté et obscur.

L'homme croisa les bras et regarda la grille d'un air de reproche.

Ce regard ne suffisant pas, il essaya de la pousser ; il la secoua, elle résista solidement. Il était probable qu'elle venait d'être ouverte, quoiqu'on n'eût entendu aucun bruit, chose singulière d'une grille si rouillée ; mais il était certain qu'elle avait été refermée. Cela indiquait que celui devant qui cette porte venait de tourner avait non un crochet, mais une clef.

Cette évidence éclata tout de suite à l'esprit de l'homme qui s'efforçait d'ébranler la grille et lui arracha cet épiphonème indigné :

— Voilà qui est fort ! une clef du gouvernement !

Puis, se calmant immédiatement, il exprima tout un monde d'idées intérieures par cette bouffée de monosyllabes accentués presque ironiquement :

— Tiens ! tiens ! tiens ! tiens !

Cela dit, espérant on ne sait quoi, ou voir ressortir l'homme, ou en voir entrer d'autres, il se posta aux aguets derrière le tas de déblais, avec la rage patiente du chien d'arrêt.

De son côté, le fiacre, qui se réglait sur toutes ses allures, avait fait halte au-dessus de lui près du parapet. Le cocher, prévoyant une longue station, emboîta le museau de ses chevaux dans le sac d'avoine humide en bas, si connu des parisiens, auxquels les gouvernements, soit dit par parenthèse, le mettent quelquefois. Les rares passants du pont d'Iéna, avant de s'éloigner, tournaient la tête pour regarder un moment ces deux détails du paysage immobiles, l'homme sur la berge, le fiacre sur le quai.

IV

LUI AUSSI PORTE SA CROIX

JEAN VALJEAN avait repris sa marche et ne s'était plus arrêté.

Cette marche était de plus en plus laborieuse. Le niveau de ces voûtes varie ; la hauteur moyenne est d'environ cinq pieds six pouces, et a été calculée pour la taille d'un homme ; Jean Valjean était forcé de se courber pour ne pas heurter Marius à la voûte ; il fallait à chaque instant se baisser, puis se redresser, tâter sans cesse le mur. La moiteur des pierres et la viscosité du radier en faisaient de mauvais points d'appui, soit pour la main, soit pour le pied. Il trébuchait dans le hideux fumier de la ville. Les reflets intermittents des soupiraux n'apparaissaient qu'à de très longs intervalles, et si blêmes que le plein soleil y semblait clair de lune ; tout le reste était brouillard, miasme, opacité, noirceur. Jean Valjean avait faim et soif ; soif surtout ; et c'est là, comme la mer, un lieu plein d'eau où l'on ne peut boire. Sa force, qui était prodigieuse, on le sait, et fort peu diminuée par l'âge, grâce à sa vie chaste et sobre, commençait pourtant à fléchir. La fatigue lui venait, et la force en décroissant faisait croître le poids du fardeau. Marius, mort peut-être, pesait comme pèsent les corps inertes. Jean Valjean le soutenait de façon que la poitrine ne fût pas gênée et que la respiration pût toujours passer le mieux possible. Il sentait entre ses jambes le glissement rapide des rats. Un d'eux fut effaré au point de le mordre. Il lui venait de temps en temps par les bavettes des bouches de l'égout un souffle d'air frais qui le ranimait.

Il pouvait être trois heures de l'après-midi quand il arriva à l'égout de ceinture.

Il fut d'abord étonné de cet élargissement subit. Il se trouva brusquement dans une galerie dont ses mains étendues n'atteignaient point les deux murs et sous une voûte que sa tête ne touchait pas. Le Grand Égout en effet a huit pieds de large sur sept de haut.

Au point où l'égout Montmartre rejoint le Grand Égout, deux autres galeries souterraines, celle de la rue de Provence et celle de l'Abattoir, viennent faire un carrefour. Entre ces quatre voies, un moins sagace eût été indécis. Jean Valjean prit la plus large, c'est-à-dire l'égout de ceinture. Mais ici revenait la question : descendre, ou monter ? Il pensa que la situation pressait, et qu'il fallait, à tout risque, gagner maintenant la Seine. En d'autres termes, descendre. Il tourna à gauche.

Bien lui en prit. Car ce serait une erreur de croire que l'égout de ceinture a deux issues, l'une vers Bercy, l'autre vers Passy, et qu'il est, comme l'indique son nom, la ceinture souterraine du Paris de la rive droite. Le Grand Égout, qui n'est, il faut s'en souvenir, autre chose que l'ancien ruisseau Ménilmontant, aboutit, si on le remonte, à un cul-de-sac, c'est-à-dire à son ancien point de départ, qui fut sa source, au pied de la butte Ménilmontant. Il n'a point de communication directe avec le branchement qui ramasse les eaux de Paris à partir du quartier Popincourt, et qui se jette dans la Seine par l'égout Amelot au-dessus de l'ancienne île Louviers. Ce branchement, qui complète l'égout collecteur, en est séparé, sous la rue Ménilmontant même, par un massif qui marque le point de partage des eaux en amont et en aval. Si Jean Valjean eût remonté la galerie, il fût arrivé, après mille efforts, épuisé de fatigue, expirant, dans les ténèbres, à une muraille. Il était perdu.

A la rigueur, en revenant un peu sur ses pas, en s'engageant dans le couloir des Filles-du-Calvaire, à la condition de ne pas hésiter à la patte d'oie souterraine du carrefour Boucherat, en prenant le corridor Saint-Louis, puis, à gauche, le boyau Saint-Gilles, puis en tournant à droite et en évitant la galerie Saint-Sébastien, il eût pu gagner l'égout Amelot, et de là, pourvu qu'il ne s'égarât point dans l'espèce d'F qui est sous la Bastille, atteindre l'issue sur la Seine près de l'Arsenal. Mais, pour cela, il eût fallu connaître à fond, et dans toutes ses ramifications et dans toutes ses percées, l'énorme madrépore de l'égout. Or, nous devons y insister, il ne savait rien de cette voirie effrayante où il cheminait ; et, si on lui eût demandé dans quoi il était, il eût répondu : dans de la nuit.

Son instinct le servit bien. Descendre, c'était en effet le salut possible.

Il laissa à sa droite les deux couloirs qui se ramifient en forme de griffe sous la rue Laffitte et la rue Saint-Georges et le long corridor bifurqué de la chaussée d'Antin.

Un peu au delà d'un affluent qui était vraisemblablement le branchement de la Madeleine, il fit halte. Il était très las. Un soupirail assez large, probablement le regard de la rue d'Anjou, donnait une lumière presque vive. Jean Valjean, avec la douceur de mouvements qu'aurait un frère pour son frère blessé, déposa Marius sur la banquette de l'égout. La face sanglante de Marius apparut sous la lueur blanche du soupirail comme au fond d'une tombe. Il avait les yeux fermés, les cheveux appliqués aux tempes comme des pinceaux séchés dans de la couleur rouge, les mains pendantes et mortes, les membres froids, du sang coagulé au coin des lèvres. Un caillot de sang s'était amassé dans le nœud de la cravate ; la chemise entrait dans les plaies, le drap de l'habit frottait les coupures béantes de la chair vive. Jean Valjean, écartant du bout des doigts les vêtements, lui posa la main sur la poitrine ; le cœur battait encore. Jean Valjean déchira sa chemise, banda les plaies le mieux qu'il put et arrêta le sang qui coulait ; puis, se penchant dans ce demi-jour sur Marius toujours sans connaissance et presque sans souffle, il le regarda avec une inexprimable haine.

En dérangeant les vêtements de Marius, il avait trouvé dans les poches deux choses, le pain qui y était oublié depuis la veille, et le portefeuille de Marius. Il mangea le pain et ouvrit le portefeuille. Sur la première page, il trouva les quatre lignes écrites par Marius. On s'en souvient :

« Je m'appelle Marius Pontmercy. Porter mon « cadavre chez mon grand-père, M. Gillenormand, « rue des Filles-du-Calvaire, nº 6, au Marais. »

Jean Valjean lut, à la clarté du soupirail, ces quatre lignes, et resta un moment comme absorbé en lui-même, répétant à demi-voix : Rue des Filles-du-Calvaire, numéro six, monsieur Gillenormand. Il replaça le portefeuille dans la poche de Marius. Il avait mangé, la force lui était revenue ; il reprit Marius sur son dos, lui appuya soigneusement la tête sur son épaule droite, et se remit à descendre l'égout.

Le Grand Égout, dirigé selon le thalweg de la vallée de Ménilmontant, a près de deux lieues de long. Il est pavé sur une notable partie de son parcours.

Ce flambeau du nom des rues de Paris dont

nous éclairons pour le lecteur la marche souterraine de Jean Valjean, Jean Valjean ne l'avait pas. Rien ne lui disait quelle zone de la ville il traversait, ni quel trajet il avait fait. Seulement la pâleur croissante des flaques de lumière qu'il rencontrait de temps en temps lui indiqua que le soleil se retirait du pavé et que le jour ne tarderait pas à décliner ; et le roulement des voitures au-dessus de sa tête, étant devenu de continu intermittent, puis ayant presque cessé, il en conclut qu'il n'était plus sous le Paris central et qu'il approchait de quelque région solitaire, voisine des boulevards extérieurs ou des quais extrêmes. Là où il y a moins de maisons et moins de rues, l'égout a moins de soupiraux. L'obscurité s'épaississait autour de Jean Valjean. Il n'en continua pas moins d'avancer, tâtonnant dans l'ombre.

Cette ombre devint brusquement terrible.

V

POUR LE SABLE COMME POUR LA FEMME IL Y A UNE FINESSE QUI EST PERFIDIE

Il sentit qu'il entrait dans l'eau, et qu'il avait sous ses pieds, non plus du pavé, mais de la vase.

Il arrive parfois, sur de certaines côtes de Bretagne ou d'Écosse, qu'un homme, un voyageur ou un pêcheur, cheminant à marée basse sur la grève loin du rivage, s'aperçoit soudainement que depuis plusieurs minutes il marche avec quelque peine. La plage est sous ses pieds comme de la poix ; la semelle s'y attache ; ce n'est plus du sable, c'est de la glu. La grève est parfaitement sèche, mais à tous les pas qu'on fait, dès qu'on a levé le pied, l'empreinte qu'il laisse se remplit d'eau. L'œil, du reste, ne s'est aperçu d'aucun changement ; l'immense plage est unie et tranquille, tout le sable a le même aspect, rien ne distingue le sol qui est solide du sol qui ne l'est plus ; la petite nuée joyeuse des pucerons de mer continue de sauter tumultueusement sur les pieds du passant. L'homme suit sa route, va devant lui, appuie vers la terre, tâche de se rapprocher de la côte. Il n'est pas inquiet. Inquiet de quoi ? Seulement il sent quelque chose comme si la lourdeur de ses pieds croissait à chaque pas qu'il fait. Brusquement, il enfonce. Il enfonce de deux ou trois pouces. Décidément il n'est pas dans la bonne route ; il s'arrête pour s'orienter. Tout à coup il regarde à ses pieds. Ses pieds ont disparu. Le sable les couvre. Il retire ses pieds du sable, il veut revenir sur ses pas, il retourne en arrière ; il enfonce plus profondément. Le sable lui vient à la cheville, il s'en arrache et se jette à gauche, le sable lui vient à mi-jambe, il se jette à droite, le sable lui vient aux jarrets. Alors il reconnaît avec une indicible terreur qu'il est engagé dans de la grève mouvante, et qu'il a sous lui le milieu effroyable où l'homme ne peut pas plus marcher que le poisson n'y peut nager. Il jette son fardeau s'il en a un, il s'allège comme un navire en détresse ; il n'est déjà plus temps, le sable est au-dessus de ses genoux.

Il appelle, il agite son chapeau ou son mouchoir, le sable le gagne de plus en plus ; si la grève est déserte, si la terre est trop loin, si le banc de sable est trop mal famé, s'il n'y a pas de héros dans les environs, c'est fini, il est condamné à l'enlizement. Il est condamné à cet épouvantable enterrement long, infaillible, implacable, impossible à retarder ni à hâter, qui dure des heures, qui n'en finit pas, qui vous prend debout, libre et en pleine santé, qui vous tire par les pieds, qui, à chaque effort que vous tentez, à chaque clameur que vous poussez, vous entraîne un peu plus bas, qui a l'air de vous punir de votre résistance par un redoublement d'étreinte, qui fait rentrer lentement l'homme dans la terre en lui laissant tout le temps de regarder l'horizon, les arbres, les campagnes vertes, les fumées des villages dans la plaine, les voiles des navires sur la mer, les oiseaux qui volent et qui chantent, le soleil, le ciel. L'enlizement, c'est le sépulcre qui se fait marée et qui monte du fond de la terre vers un vivant. Chaque minute est une ensevelisseuse inexorable. Le misérable essaye de s'asseoir, de se coucher, de ramper ; tous les mouvements qu'il fait l'enterrent ; il se redresse, il enfonce ; il se sent engloutir ; il hurle, implore, crie aux nuées, se tord les bras, désespère. Le voilà dans le sable jusqu'au ventre ; le sable atteint la poitrine ; il n'est plus qu'un buste. Il élève les mains, jette des gémissements furieux, crispe ses ongles sur la grève, veut se retenir à cette cendre, s'appuie sur les coudes pour s'arracher de cette gaine molle, sanglote frénétiquement ; le sable monte. Le sable atteint les épaules, le sable atteint le cou ; la face seule est visible maintenant. La bouche crie, le sable l'emplit ; silence. Les yeux regardent encore, le sable les ferme ; nuit. Puis le front décroît, un peu de chevelure frissonne au-dessus du sable ; une main sort, troue la surface de la grève, remue et s'agite, et disparaît. Sinistre effacement d'un homme.

Quelquefois le cavalier s'enlize avec le cheval ; quelquefois le charretier s'enlize avec la charrette ; tout sombre sous la grève. C'est le naufrage ailleurs que dans l'eau. C'est la terre noyant l'homme. La terre, pénétrée d'océan, devient piège. Elle s'offre comme une plaine et s'ouvre comme une onde. L'abîme a de ces trahisons.

Cette funèbre aventure, toujours possible sur telle ou telle plage de la mer, était possible aussi, il y a trente ans, dans l'égout de Paris.

Avant les importants travaux commencés en 1833, la voirie souterraine de Paris était sujette à des effondrements subits.

L'eau s'infiltrait dans de certains terrains sous-jacents, particulièrement friables ; le radier, qu'il fût de pavé, comme dans les anciens égouts, ou de chaux hydraulique sur béton, comme dans les nouvelles galeries, n'ayant plus de point d'appui, pliait. Un pli dans un plancher de ce genre, c'est une fente ; une fente, c'est l'écroulement. Le radier croulait sur une certaine longueur. Cette crevasse, hiatus d'un gouffre de boue, s'appelait dans la langue spéciale *fontis*. Qu'est-ce qu'un fontis ? C'est le sable mouvant des bords de la mer tout à coup rencontré sous terre ; c'est la grève du mont Saint-Michel dans un égout. Le sol, détrempé, est comme en fusion ; toutes ses molécules sont en suspension dans un milieu mou ; ce n'est pas de la terre et ce n'est pas de l'eau. Profondeur quelquefois très grande. Rien de plus redoutable qu'une telle rencontre. Si l'eau domine, la mort est prompte, il y a engloutissement ; si la terre domine, la mort est lente, il y a enlizement.

Se figure-t-on une telle mort ? si l'enlizement est effroyable sur une grève de la mer, qu'est-ce dans le cloaque ? Au lieu du plein air, de la pleine lumière, du grand jour, de ce clair horizon, de ces vastes bruits, de ces libres nuages d'où pleut la vie, de ces barques aperçues au loin, de cette espérance sous toutes les formes, des passants probables, du secours possible jusqu'à la dernière minute, au lieu de tout cela, la surdité, l'aveuglement, une voûte noire, un dedans de tombe déjà tout fait, la mort dans de la bourbe sous un couvercle ! l'étouffement lent par l'immondice, une boîte de pierre où l'asphyxie ouvre sa griffe dans la fange et vous prend à la gorge ; la fétidité mêlée au râle ; la vase au lieu de la grève, l'hydrogène sulfuré au lieu de l'ouragan, l'ordure au lieu de l'océan ! et appeler, et grincer des dents, et se tordre, et se débattre, et agoniser, avec cette ville énorme qui n'en sait rien, et qu'on a au-dessus de sa tête !

Inexprimable horreur de mourir ainsi ! La mort rachète quelquefois son atrocité par une certaine dignité terrible. Sur le bûcher, dans le naufrage, on peut être grand ; dans la flamme comme dans l'écume, une attitude superbe est possible ; on s'y transfigure en s'y abîmant. Mais ici point. La mort est malpropre. Il est humiliant d'expirer. Les suprêmes visions flottantes sont abjectes. Boue est synonyme de honte. C'est petit, laid, infâme. Mourir dans une tonne de malvoisie, comme Clarence, soit ; dans la fosse du boueur, comme d'Escoubleau, c'est horrible. Se débattre là-dedans est hideux ; en même temps qu'on agonise, on patauge. Il y a assez de ténèbres pour que ce soit l'enfer, et assez de fange pour que ce ne soit que le bourbier, et le mourant ne sait pas s'il va devenir spectre ou s'il va devenir crapaud.

Partout ailleurs le sépulcre est sinistre ; ici il est difforme.

La profondeur des fontis variait, et leur longueur, et leur densité, en raison de la plus ou moins mauvaise qualité du sous-sol. Parfois un fontis était profond de trois ou quatre pieds, parfois de huit ou dix ; quelquefois on ne trouvait pas le fond. La vase était ici presque solide, là presque liquide. Dans le fontis Lunière, un homme eût mis un jour à disparaître, tandis qu'il eût été dévoré en cinq minutes par le bourbier Phélippeaux. La vase porte plus ou moins selon son plus ou moins de densité. Un enfant se sauve où un homme se perd. La première loi de salut, c'est de se dépouiller de toute espèce de chargement. Jeter son sac d'outils, ou sa hotte ou son auge, c'était par là que commençait tout égoutier qui sentait le sol fléchir sous lui.

Les fontis avaient des causes diverses : friabilité du sol ; quelque éboulement à une profondeur hors de la portée de l'homme ; les violentes averses de l'été ; l'ondée incessante de l'hiver ; les longues petites pluies fines. Parfois le poids des maisons environnantes sur un terrain marneux ou sablonneux chassait les voûtes des galeries souterraines et les faisait gauchir, ou bien il arrivait que le radier éclatait et se fendait sous cette écrasante poussée. Le tassement du Panthéon a oblitéré de cette façon, il y a un siècle, une partie des caves de la montagne Sainte-Geneviève. Quand un égout s'effondrait sous la pression des maisons, le désordre, dans certaines occasions, se traduisait en haut dans la rue par une espèce d'écarts en dents de scie entre les pavés ; cette déchirure se développait en ligne serpentante dans toute la longueur de la voûte lézardée, et alors, le mal étant visible, le remède pouvait être prompt. Il advenait aussi que souvent le ravage intérieur ne se révélait par aucune balafre au dehors. Et dans ce cas-là, malheur aux égoutiers. Entrant sans précaution dans l'égout défoncé, ils pouvaient s'y perdre.

Les anciens registres font mention de quelques puisatiers ensevelis de la sorte dans les fontis. Ils donnent plusieurs noms ; entre autres celui de l'égoutier qui s'enliza dans un effondrement sous le cagnard de la rue Carême-Prenant, un nommé Blaise Poutrain ; ce Blaise Poutrain était frère de Nicolas Poutrain qui fut le dernier fossoyeur du cimetière dit charnier des Innocents en 1785, époque où ce cimetière mourut.

Il y eut aussi ce jeune et charmant vicomte d'Escoubleau dont nous venons de parler, l'un des héros du siège de Lérida où l'on donna l'assaut en bas de soie, violons en tête. D'Escoubleau, surpris une nuit chez sa cousine, la duchesse de Sourdis, se noya dans une fondrière de l'égout Beautreillis où il s'était réfugié pour échapper au duc. Madame de Sourdis, quand on lui raconta cette mort, demanda son flacon, et oublia de pleurer à force de respirer des sels. En pareil cas, il n'y a pas d'amour qui tienne ; le cloaque l'éteint. Héro refuse de laver le cadavre de Léandre. Thisbé se bouche le nez devant Pyrame et dit : Pouah !

VI

LE FONTIS

JEAN VALJEAN se trouvait en présence d'un fontis.

Ce genre d'écroulement était alors fréquent dans le sous-sol des Champs-Élysées, difficilement maniable aux travaux hydrauliques et peu conservateur des constructions souterraines à cause de son excessive fluidité. Cette fluidité dépasse l'inconsistance des sables même du quartier Saint-Georges, qui n'ont pu être vaincus que par un enrochement sur béton, et des couches glaiseuses infectées de gaz du quartier des Martyrs, si liquides que le passage n'a pu être pratiqué sous la galerie des Martyrs qu'au moyen d'un tuyau en fonte. Lorsqu'en 1836 on a démoli sous le faubourg Saint-Honoré, pour le reconstruire, le vieil égout en pierre où nous voyons en ce moment Jean Valjean engagé, le sable mouvant, qui est le sous-sol des Champs-Élysées jusqu'à la Seine, fit obstacle au point que l'opération dura près de six mois, au grand récri des riverains, surtout des riverains à hôtels et à carrosses. Les travaux furent plus que malaisés ; ils furent dangereux. Il est vrai qu'il y eut quatre mois et demi de pluie et trois crues de la Seine.

Le fontis que Jean Valjean rencontrait avait pour cause l'averse de la veille. Un fléchissement du pavé mal soutenu par le sable sous-jacent avait produit un engorgement d'eau pluviale. L'infiltration s'étant faite, l'effondrement avait suivi. Le radier, disloqué, s'était affaissé dans la vase. Sur quelle longueur ? Impossible de le dire. L'obscurité était là plus épaisse que partout ailleurs. C'était un trou de boue dans une caverne de nuit.

Jean Valjean sentit le pavé se dérober sous lui. Il entra dans cette fange. C'était de l'eau à la surface, de la vase au fond. Il fallait bien passer. Revenir sur ses pas était impossible. Marius était expirant, et Jean Valjean exténué. Où aller d'ailleurs ? Jean Valjean avança. Du reste la fondrière parut peu profonde aux premiers pas. Mais à mesure qu'il avançait, ses pieds plongeaient. Il eut bientôt de la vase jusqu'à mi-jambe et de l'eau plus haut que les genoux. Il marchait, exhaussant de ses deux bras Marius le plus qu'il pouvait au-dessus de l'eau. La vase lui venait maintenant aux jarrets et l'eau à la ceinture. Il ne pouvait déjà plus reculer. Il enfonçait de plus en plus. Cette vase, assez dense pour le poids d'un homme, ne pouvait évidemment en porter deux. Marius et Jean Valjean eussent eu chance de s'en tirer, isolément. Jean Valjean continua d'avancer, soutenant ce mourant, qui était un cadavre peut-être.

L'eau lui venait aux aisselles ; il se sentait sombrer ; c'est à peine s'il pouvait se mouvoir dans la profondeur de bourbe où il était. La densité, qui était le soutien, était aussi l'obstacle. Il soulevait toujours Marius, et, avec une dépense de force inouïe, il avançait ; mais il enfonçait. Il n'avait plus que la tête hors de l'eau, et ses deux bras élevant Marius. Il y a, dans les vieilles peintures du déluge, une mère qui fait ainsi de son enfant.

Il enfonça encore, il renversa sa face en arrière pour échapper à l'eau et pouvoir respirer ; qui l'eût vu dans cette obscurité eût cru voir un masque flottant sur de l'ombre ; il apercevait vaguement au-dessus de lui la tête pendante et le visage livide de Marius ; il fit un effort désespéré, et lança son pied en avant ; son pied heurta on ne sait quoi de solide. Un point d'appui. Il était temps.

Il se dressa et se tordit et s'enracina avec une sorte de furie sur ce point d'appui. Cela lui fit l'effet de la première marche d'un escalier remontant à la vie.

Ce point d'appui, rencontré dans la vase au moment suprême, était le commencement de l'autre versant du radier, qui avait plié sans se briser et s'était courbé sous l'eau comme une planche et d'un seul morceau. Les pavages bien construits font voûte et ont de ces fermetés-là. Ce fragment du radier, submergé en partie, mais solide, était une véritable rampe, et, une fois sur cette rampe, on était sauvé. Jean Valjean remonta ce plan incliné et arriva de l'autre côté de la fondrière.

En sortant de l'eau, il se heurta à une pierre et tomba sur les genoux. Il trouva que c'était juste, et y resta quelque temps, l'âme abîmée dans on ne sait quelle parole à Dieu.

Il se redressa, frissonnant, glacé, infect, courbé sous ce mourant qu'il traînait, tout ruisselant de fange, l'âme pleine d'une étrange clarté.

VII

QUELQUEFOIS ON ÉCHOUE OÙ L'ON CROIT DÉBARQUER

Il se remit en route encore une fois.

Du reste, s'il n'avait pas laissé sa vie dans le fontis, il semblait y avoir laissé sa force. Ce suprême effort l'avait épuisé. Sa lassitude était maintenant telle, que tous les trois ou quatre pas, il était obligé de reprendre haleine, et s'appuyait au mur. Une fois, il dut s'asseoir sur la banquette pour changer la position de Marius, et il crut qu'il demeurerait là. Mais si sa vigueur était morte, son énergie ne l'était point. Il se releva.

Il marcha désespérément, presque vite, fit ainsi une centaine de pas, sans dresser la tête, presque sans respirer, et tout à coup se cogna au mur. Il était parvenu à un coude de l'égout, et, en arrivant tête basse au tournant, il avait rencontré la muraille. Il leva les yeux, et à l'extrémité du souterrain, là-bas devant lui, loin, très loin, il aperçut une lumière. Cette fois, ce n'était pas la lumière terrible ; c'était la lumière bonne et blanche. C'était le jour.

Jean Valjean voyait l'issue.

Une âme damnée qui, du milieu de la fournaise, apercevrait tout à coup la sortie de la géhenne, éprouverait ce qu'éprouva Jean Valjean. Elle volerait éperdument avec le moignon de ses ailes brûlées vers la porte radieuse. Jean Valjean ne sentit plus la fatigue, il ne sentit plus le poids de Marius, il retrouva ses jarrets d'acier, il courut plus qu'il ne marcha. A mesure qu'il approchait, l'issue se dessinait de plus en plus distinctement. C'était une arche cintrée, moins haute que la voûte qui se restreignait par degrés et moins large que la galerie qui se resserrait en même temps que la voûte s'abaissait. Le tunnel finissait en intérieur d'entonnoir ; rétrécissement vicieux, imité des guichets de maisons de force, logique dans une prison, illogique dans un égout, et qui a été corrigé depuis.

Jean Valjean arriva à l'issue.

Là, il s'arrêta.

C'était bien la sortie, mais on ne pouvait sortir.

L'arche était fermée d'une forte grille, et la grille, qui, selon toute apparence, tournait rarement sur ses gonds oxydés, était assujettie à son chambranle de pierre par une serrure épaisse qui, rouge de rouille, semblait une énorme brique. On voyait le trou de la clef, et le pêne robuste profondément plongé dans la gâche de fer. La serrure était visiblement fermée à double tour. C'était une de ces serrures de bastilles que le vieux Paris prodiguait volontiers.

Au delà de la grille, le grand air, la rivière, le jour, la berge très étroite, mais suffisante pour s'en aller, les quais lointains, Paris, ce gouffre où l'on se dérobe si aisément, le large horizon, la liberté. On distinguait à droite, en aval, le pont d'Iéna, et à gauche, en amont, le pont des Invalides ; l'endroit eût été propice pour attendre la nuit et s'évader. C'était un des points les plus solitaires de Paris ; la berge qui fait face au Gros-Caillou. Les mouches entraient et sortaient à travers les barreaux de la grille.

Il pouvait être huit heures et demie du soir. Le jour baissait.

Jean Valjean déposa Marius le long du mur sur la partie sèche du radier, puis marcha à la grille et crispa ses deux poings sur les barreaux ; la secousse fut frénétique, l'ébranlement nul. La grille ne bougea pas. Jean Valjean saisit les barreaux l'un après l'autre, espérant pouvoir arracher le moins solide et s'en faire un levier pour soulever la porte ou pour briser la serrure. Aucun barreau ne remua. Les dents d'un tigre ne sont pas plus solides dans leurs alvéoles. Pas de levier ; pas de pesée possible. L'obstacle était invincible. Aucun moyen d'ouvrir la porte.

Fallait-il donc finir là ? Que faire ? que devenir ? Rétrograder ; recommencer le trajet effrayant qu'il avait déjà parcouru ; il n'en avait pas la force. D'ailleurs, comment traverser de nouveau cette fondrière d'où l'on ne s'était tiré que par miracle ? Et après la fondrière, n'y avait-il pas cette ronde de police à laquelle, certes, on n'échapperait pas deux fois ? Et puis, où aller ? quelle direction prendre ? Suivre la pente, ce n'était point aller au but. Arrivât-on à une autre issue, on la trouverait obstruée d'un tampon ou d'une grille. Toutes les sorties étaient indubitablement closes de cette façon. Le hasard avait descellé la grille par laquelle on était entré, mais évidemment toutes les autres bouches de l'égout étaient fermées. On n'avait réussi qu'à s'évader dans une prison.

C'était fini. Tout ce qu'avait fait Jean Valjean était inutile. Dieu refusait.

Ils étaient pris l'un et l'autre dans la sombre et immense toile de la mort, et Jean Valjean sentait courir sur ces fils noirs tressaillant dans les ténèbres l'épouvantable araignée.

Il tourna le dos à la grille, et tomba sur le pavé, plutôt terrassé qu'assis, près de Marius toujours sans mouvement, et sa tête s'affaissa entre ses genoux. Pas d'issue. C'était la dernière goutte de l'angoisse.

A qui songeait-il dans ce profond accablement ? Ni à lui-même, ni à Marius. Il pensait à Cosette.

VIII

LE PAN DE L'HABIT DÉCHIRÉ

Au milieu de cet anéantissement, une main se posa sur son épaule, et une voix qui parlait bas lui dit :

— Part à deux.

Quelqu'un dans cette ombre ? Rien ne ressemble au rêve comme le désespoir. Jean Valjean crut rêver. Il n'avait point entendu de pas. Était-ce possible ? Il leva les yeux.

Un homme était devant lui.

Cet homme était vêtu d'une blouse ; il avait les pieds nus ; il tenait ses souliers dans sa main gauche ; il les avait évidemment ôtés pour pouvoir arriver jusqu'à Jean Valjean, sans qu'on l'entendît marcher.

Jean Valjean n'eut pas un moment d'hésitation. Si imprévue que fût la rencontre, cet homme lui était connu. Cet homme était Thénardier.

Quoique réveillé, pour ainsi dire, en sursaut, Jean Valjean, habitué aux alertes et aguerri aux coups inattendus qu'il faut parer vite, reprit possession sur-le-champ de toute sa présence d'esprit. D'ailleurs la situation ne pouvait empirer, un certain degré de détresse n'est plus capable de crescendo, et Thénardier lui-même ne pouvait ajouter de la noirceur à cette nuit.

Il y eut un instant d'attente.

Thénardier, élevant sa main droite à la hauteur de son front, s'en fit un abat-jour, puis il rapprocha les sourcils en clignant les yeux, ce qui, avec un léger pincement de la bouche, caractérise l'attention sagace d'un homme qui cherche à en reconnaître un autre. Il n'y réussit point. Jean Valjean, on vient de le dire, tournait le dos au jour, et était d'ailleurs si défiguré, si fangeux et si sanglant qu'en plein midi il eût été méconnaissable. Au contraire, éclairé de face par la lumière de la grille, clarté de cave, il est vrai, livide, mais précise dans sa lividité, Thénardier, comme dit l'énergique métaphore banale, sauta tout de suite aux yeux de Jean Valjean. Cette inégalité de conditions suffisait pour assurer quelque avantage à Jean Valjean dans ce mystérieux duel qui allait s'engager entre les deux situations et les deux hommes. La rencontre avait lieu entre Jean Valjean voilé et Thénardier démasqué.

Jean Valjean s'aperçut tout de suite que Thénardier ne le reconnaissait pas.

Ils se considérèrent un moment dans cette pénombre, comme s'ils se prenaient mesure. Thénardier rompit le premier le silence.

— Comment vas-tu faire pour sortir ?

Jean Valjean ne répondit pas.

Thénardier continua :

— Impossible de crocheter la porte. Il faut pourtant que tu t'en ailles d'ici.

— C'est vrai, dit Jean Valjean.

— Eh bien, part à deux.

— Que veux-tu dire ?

— Tu as tué l'homme ; c'est bien. Moi, j'ai la clef.

Thénardier montrait du doigt Marius. Il poursuivit :

— Je ne te connais pas, mais je veux t'aider. Tu dois être un ami.

Jean Valjean commença à comprendre. Thénardier le prenait pour un assassin.

Thénardier reprit :

— Écoute, camarade. Tu n'as pas tué cet homme sans regarder ce qu'il avait dans ses poches. Donne-moi ma moitié. Je t'ouvre la porte.

Et, tirant à demi une grosse clef de dessous sa blouse toute trouée, il ajouta :

— Veux-tu voir comment est faite la clef des champs ? Voilà.

Jean Valjean « demeura stupide », le mot est du vieux Corneille, au point de douter que ce qu'il voyait fût réel. C'était la providence apparaissant horrible, et le bon ange sortant de terre sous la forme de Thénardier.

Thénardier fourra son poing dans une large poche cachée sous sa blouse, en tira une corde et la tendit à Jean Valjean.

— Tiens, dit-il, je te donne la corde par-dessus le marché.

— Pourquoi faire, une corde ?

— Il te faut aussi une pierre, mais tu en trouveras dehors. Il y a là un tas de gravats.

— Pourquoi faire, une pierre ?

— Imbécile, puisque tu vas jeter le pantre à la rivière, il te faut une pierre et une corde, sans quoi ça flotterait sur l'eau.

Jean Valjean prit la corde. Il n'est personne qui n'ait de ces acceptations machinales.

Thénardier fit claquer ses doigts comme à l'arrivée d'une idée subite :

— Ah çà, camarade, comment as-tu fait pour te tirer là-bas de la fondrière ? je n'ai pas osé m'y risquer. Peuh ! tu ne sens pas bon.

Après une pause, il ajouta :

— Je te fais des questions, mais tu as raison de ne pas y répondre. C'est un apprentissage pour le fichu quart d'heure du juge d'instruction. Et puis, en ne parlant pas du tout, on ne risque pas de parler trop haut. C'est égal, parce que je ne vois pas ta figure et parce que je ne sais pas ton nom, tu aurais tort de croire que je ne sais pas qui tu es et ce que tu veux. Connu. Tu as un peu cassé ce monsieur ; maintenant tu voudrais le serrer quelque part. Il te faut la rivière, le grand cache-sottise. Je vas te tirer d'embarras. Aider un bon garçon dans la peine, ça me botte.

Tout en approuvant Jean Valjean de se taire, il cherchait visiblement à le faire parler. Il lui poussa l'épaule, de façon à tâcher de le voir de profil, et s'écria sans sortir pourtant du médium où il maintenait sa voix :

— A propos de la fondrière, tu es un fier animal. Pourquoi n'y as-tu pas jeté l'homme ?

Jean Valjean garda le silence.

Thénardier reprit en haussant jusqu'à sa pomme

d'Adam la loque qui lui servait de cravate, geste qui complète l'air capable d'un homme sérieux :

— Au fait, tu as peut-être agi sagement. Les ouvriers demain en venant boucher le trou auraient, à coup sûr, trouvé le pantinois oublié là, et on aurait pu, fil à fil, brin à brin, pincer ta trace, et arriver jusqu'à toi. Quelqu'un a passé par l'égout. Qui ? par où est-il sorti ? l'a-t-on vu sortir ? La police est pleine d'esprit. L'égout est traître, et vous dénonce. Une telle trouvaille est une rareté, cela appelle l'attention, peu de gens se servent de l'égout pour leurs affaires, tandis que la rivière est à tout le monde. La rivière, c'est la vraie fosse. Au bout d'un mois, on vous repêche l'homme aux filets de Saint-Cloud. Eh bien, qu'est-ce que cela fiche ? c'est une charogne, quoi ! Qui a tué cet homme ? Paris. Et la justice n'informe même pas. Tu as bien fait.

Plus Thénardier était loquace, plus Jean Valjean était muet. Thénardier lui secoua de nouveau l'épaule.

— Maintenant, concluons l'affaire. Partageons. Tu as vu ma clef, montre-moi ton argent.

Thénardier était hagard, fauve, louche, un peu menaçant, pourtant amical.

Il y avait une chose étrange ; les allures de Thénardier n'étaient pas simples ; il n'avait pas l'air tout à fait à son aise ; tout en n'affectant pas d'air mystérieux, il parlait bas ; de temps en temps il mettait son doigt sur sa bouche et murmurait : chut ! Il était difficile de deviner pourquoi. Il n'y avait là personne qu'eux deux. Jean Valjean pensa que d'autres bandits étaient peut-être cachés dans quelque recoin, pas très loin, et que Thénardier ne se souciait pas de partager avec eux.

Thénardier reprit :

— Finissons. Combien le pantre avait-il dans ses profondes ?

Jean Valjean se fouilla.

C'était, on s'en souvient, son habitude, d'avoir toujours de l'argent sur lui. La sombre vie d'expédients à laquelle il était condamné lui en faisait une loi. Cette fois pourtant il était pris au dépourvu. En mettant, la veille au soir, son uniforme de garde national, il avait oublié, lugubrement absorbé qu'il était, d'emporter son portefeuille. Il n'avait que quelque monnaie dans le gousset de son gilet. Cela se montait à une trentaine de francs. Il retourna sa poche, toute trempée de fange, et étala sur la banquette du radier un louis d'or, deux pièces de cinq francs et cinq ou six gros sous.

Thénardier avança la lèvre inférieure avec une torsion de cou significative.

— Tu l'as tué pour pas cher, dit-il.

Il se mit à palper, en toute familiarité, les poches de Jean Valjean et les poches de Marius. Jean Valjean, préoccupé surtout de tourner le dos au jour, le laissait faire. Tout en maniant l'habit de Marius, Thénardier, avec une dextérité d'escamoteur, trouva moyen d'en arracher, sans que Jean Valjean s'en aperçût, un lambeau qu'il cacha sous sa blouse, pensant probablement que ce morceau d'étoffe pourrait lui servir plus tard à reconnaître l'homme assassiné et l'assassin. Il ne trouva du reste rien de plus que les trente francs.

— C'est vrai, dit-il, l'un portant l'autre, vous n'avez pas plus que ça.

Et, oubliant son mot : *part à deux,* il prit tout.

Il hésita un peu devant les gros sous. Réflexion faite, il les prit aussi en grommelant :

— N'importe ! c'est suriner les gens à trop bon marché.

Cela fait, il tira de nouveau la clef de dessous sa blouse.

— Maintenant, l'ami, il faut que tu sortes. C'est ici comme à la foire, on paye en sortant. Tu as payé, sors.

Et il se mit à rire.

Avait-il, en apportant à un inconnu l'aide de cette clef et en faisant sortir par cette porte un autre que lui, l'intention pure et désintéressée de sauver un assassin ? c'est ce dont il est permis de douter.

Thénardier aida Jean Valjean à replacer Marius sur ses épaules, puis il se dirigea vers la grille sur la pointe de ses pieds nus, faisant signe à Jean Valjean de le suivre, il regarda au dehors, posa le doigt sur sa bouche, et demeura quelques secondes comme en suspens ; l'inspection faite, il mit la clef dans la serrure. Le pêne glissa et la porte tourna. Il n'y eut ni craquement, ni grincement. Cela se fit très doucement. Il était visible que cette grille et ces gonds, huilés avec soin, s'ouvraient plus souvent qu'on ne l'eût pensé. Cette douceur était sinistre ; on y sentait les allées et venues furtives, les entrées et les sorties silencieuses des hommes nocturnes, et les pas de loup du crime. L'égout était évidemment en complicité avec quelque bande mystérieuse. Cette grille taciturne était une recéleuse.

Thénardier entre-bâilla la porte, livra tout juste passage à Jean Valjean, referma la grille, tourna deux fois la clef dans la serrure, et replongea dans l'obscurité, sans faire plus de bruit qu'un souffle. Il semblait marcher avec les pattes de velours du tigre.

Un moment après, cette hideuse providence était rentrée dans l'invisible.

Jean Valjean se trouva dehors.

IX

MARIUS FAIT L'EFFET D'ÊTRE MORT A QUELQU'UN QUI S'Y CONNAÎT

Il laissa glisser Marius sur la berge.

Ils étaient dehors !

Les miasmes, l'obscurité, l'horreur, étaient derrière lui. L'air salubre, pur, vivant, joyeux, librement respirable, l'inondait. Partout autour de lui le silence, mais le silence charmant du soleil couché en plein azur. Le crépuscule s'était fait ; la nuit venait, la grande libératrice, l'amie de tous ceux qui ont besoin d'un manteau d'ombre pour sortir d'une angoisse. Le ciel s'offrait de toutes parts comme un calme énorme. La rivière arrivait à ses pieds avec le bruit d'un baiser. On entendait le dialogue aérien des nids qui se disaient bonsoir dans les ormes des Champs-Élysées. Quelques étoiles, piquant faiblement le bleu pâle du zénith et visibles à la seule rêverie, faisaient dans l'immensité de petits resplendissements imperceptibles. Le soir déployait sur la tête de Jean Valjean toutes les douceurs de l'infini.

C'était l'heure indécise et exquise qui ne dit ni oui ni non. Il y avait déjà assez de nuit pour qu'on pût s'y perdre à quelque distance, et encore assez de jour pour qu'on pût s'y reconnaître de près.

Jean Valjean fut pendant quelques secondes irrésistiblement vaincu par toute cette sérénité auguste et caressante ; il y a de ces minutes d'oubli ; la souffrance renonce à harceler le misérable ; tout s'éclipse dans la pensée ; la paix couvre le songeur comme une nuit ; et sous le crépuscule qui rayonne, et à l'imitation du ciel qui s'illumine, l'âme s'étoile. Jean Valjean ne put s'empêcher de contempler cette vaste ombre claire qu'il avait au-dessus de lui ; pensif, il prenait dans le majestueux silence du ciel éternel un bain d'extase et de prière. Puis, vivement, comme si le sentiment d'un devoir lui revenait, il se courba vers Marius, et, puisant de l'eau dans le creux de sa main, il lui en jeta doucement quelques gouttes sur le visage. Les paupières de Marius ne se soulevèrent pas ; cependant sa bouche entr'ouverte respirait.

Jean Valjean allait plonger de nouveau sa main dans la rivière, quand tout à coup il sentit je ne sais quelle gêne, comme lorsqu'on a, sans le voir, quelqu'un derrière soi.

Nous avons déjà indiqué ailleurs cette impression, que tout le monde connaît.

Il se retourna.

Comme tout à l'heure, quelqu'un en effet était derrière lui.

Un homme de haute stature, enveloppé d'une longue redingote, les bras croisés, et portant dans son poing droit un casse-tête dont on voyait la pomme de plomb, se tenait debout à quelques pas en arrière de Jean Valjean accroupi sur Marius.

C'était, l'ombre aidant, une sorte d'apparition. Un homme simple en eût eu peur à cause du crépuscule, et un homme réfléchi à cause du casse-tête.

Jean Valjean reconnut Javert.

Le lecteur a deviné sans doute que le traqueur de Thénardier n'était autre que Javert. Javert, après sa sortie inespérée de la barricade, était allé à la préfecture de police, avait rendu verbalement compte au préfet en personne, dans une courte audience, puis avait repris immédiatement son service, qui impliquait, on se souvient de la note saisie sur lui, une certaine surveillance de la berge de la rive droite aux Champs-Élysées, laquelle depuis quelque temps éveillait l'attention de la police. Là, il avait aperçu Thénardier et l'avait suivi. On sait le reste.

On comprend aussi que cette grille, si obligeamment ouverte devant Jean Valjean, était une habileté de Thénardier. Thénardier sentait Javert toujours là ; l'homme guetté a un flair qui ne le trompe pas ; il fallait jeter un os à ce limier. Un assassin, quelle aubaine ! C'était la part du feu, qu'il ne faut jamais refuser. Thénardier, en mettant dehors Jean Valjean à sa place, donnait une proie à la police, lui faisait lâcher sa piste, se faisait oublier dans une plus grosse aventure, récompensait Javert de son attente, ce qui flatte toujours un espion, gagnait trente francs, et comptait bien, quant à lui, s'échapper à l'aide de cette diversion.

Jean Valjean était passé d'un écueil à l'autre.

Ces deux rencontres coup sur coup, tomber de Thénardier en Javert, c'était rude.

Javert ne reconnut pas Jean Valjean qui, nous l'avons dit, ne se ressemblait plus à lui-même. Il ne décroisa pas les bras, assura son casse-tête dans son poing par un mouvement imperceptible, et dit d'une voix brève et calme :

— Qui êtes-vous ?

— Moi.

— Oui, vous ?

— Jean Valjean.

Javert mit le casse-tête entre ses dents, ploya les jarrets, inclina le torse, posa ses deux mains puissantes sur les épaules de Jean Valjean, qui s'y emboîtèrent comme dans deux étaux, l'examina, et le reconnut. Leurs visages se touchaient presque. Le regard de Javert était terrible.

Jean Valjean demeura inerte sous l'étreinte de

Javert comme un lion qui consentirait à la griffe d'un lynx.

— Inspecteur Javert, dit-il, vous me tenez. D'ailleurs, depuis ce matin je me considère comme votre prisonnier. Je ne vous ai point donné mon adresse pour chercher à vous échapper. Prenez-moi. Seulement, accordez-moi une chose.

Javert semblait ne pas entendre. Il appuyait sur Jean Valjean sa prunelle fixe. Son menton froncé poussait ses lèvres vers son nez, signe de rêverie farouche. Enfin, il lâcha Jean Valjean, se dressa tout d'une pièce, reprit à plein poignet le casse-tête, et, comme dans un songe, murmura plutôt qu'il ne prononça cette question :

— Que faites-vous là ? et qu'est-ce que c'est que cet homme ?

Il continuait de ne plus tutoyer Jean Valjean.

Jean Valjean répondit, et le son de sa voix parut réveiller Javert :

— C'est de lui précisément que je voulais vous parler. Disposez de moi comme il vous plaira ; mais aidez-moi d'abord à le rapporter chez lui. Je ne vous demande que cela.

La face de Javert se contracta comme cela lui arrivait toutes les fois qu'on semblait le croire capable d'une concession. Cependant il ne dit pas non.

Il se courba de nouveau, tira de sa poche un mouchoir qu'il trempa dans l'eau, et essuya le front ensanglanté de Marius.

— Cet homme était à la barricade, dit-il à demi-voix et comme se parlant à lui-même. C'est celui qu'on appelait Marius.

Espion de première qualité, qui avait tout observé, tout écouté, tout entendu et tout recueilli, croyant mourir ; qui épiait même dans l'agonie, et qui, accoudé sur la première marche du sépulcre, avait pris des notes.

Il saisit la main de Marius, cherchant le pouls.

— C'est un blessé, dit Jean Valjean.

— C'est un mort, dit Javert.

Jean Valjean répondit :

— Non. Pas encore.

— Vous l'avez donc apporté de la barricade ici ? observa Javert.

Il fallait que sa préoccupation fût profonde pour qu'il n'insistât point sur cet inquiétant sauvetage par l'égout, et pour qu'il ne remarquât même pas le silence de Jean Valjean après sa question.

Jean Valjean, de son côté, semblait avoir une pensée unique. Il reprit :

— Il demeure au Marais, rue des Filles-du-Calvaire, chez son aïeul... — Je ne sais plus le nom.

Jean Valjean fouilla dans l'habit de Marius, en tira le portefeuille, l'ouvrit à la page crayonnée par Marius, et le tendit à Javert.

Il y avait encore dans l'air assez de clarté flottante pour qu'on pût lire. Javert, en outre, avait dans l'œil la phosphorescence féline des oiseaux de nuit. Il déchiffra les quelques lignes écrites par Marius, et grommela : — Gillenormand, rue des Filles-du-Calvaire, numéro 6.

Puis il cria : — Cocher !

On se rappelle le fiacre qui attendait, en cas.

Javert garda le portefeuille de Marius.

Un moment après, la voiture, descendue par la rampe de l'abreuvoir, était sur la berge, Marius était déposé sur la banquette du fond, et Javert s'asseyait près de Jean Valjean sur la banquette de devant.

La portière refermée, le fiacre s'éloigna rapidement, remontant les quais dans la direction de la Bastille.

Ils quittèrent les quais et entrèrent dans les rues. Le cocher, silhouette noire sur son siège, fouettait ses chevaux maigres. Silence glacial dans le fiacre. Marius, immobile, le torse adossé au coin du fond, la tête abattue sur la poitrine, les bras pendants, les jambes roides, paraissait ne plus attendre qu'un cercueil ; Jean Valjean semblait fait d'ombre, et Javert de pierre ; et dans cette voiture pleine de nuit, dont l'intérieur, chaque fois qu'elle passait devant un réverbère, apparaissait lividement blêmi comme par un éclair intermittent, le hasard réunissait et semblait confronter lugubrement les trois immobilités tragiques, le cadavre, le spectre, la statue.

X

RENTRÉE DE L'ENFANT PRODIGUE DE SA VIE

A CHAQUE cahot du pavé, une goutte de sang tombait des cheveux de Marius.

Il était nuit close quand le fiacre arriva au numéro 6 de la rue des Filles-du-Calvaire.

Javert mit pied à terre le premier, constata d'un coup d'œil le numéro au-dessus de la porte cochère, et, soulevant le lourd marteau de fer battu, historié à la vieille mode d'un bouc et d'un satyre qui s'affrontaient, frappa un coup violent. Le battant s'entr'ouvrit, et Javert le poussa. Le portier se montra à demi, bâillant, vaguement réveillé, une chandelle à la main.

Tout dormait dans la maison. On se couche de

bonne heure au Marais ; surtout les jours d'émeute. Ce bon vieux quartier, effarouché par la révolution, se réfugie dans le sommeil, comme les enfants, lorsqu'ils entendent venir Croquemitaine, cachent bien vite leur tête sous leur couverture.

Cependant Jean Valjean et le cocher tiraient Marius du fiacre, Jean Valjean le soutenant sous les aisselles et le cocher sous les jarrets.

Tout en portant Marius de la sorte, Jean Valjean glissa sa main sous les vêtements qui étaient largement déchirés, tâta la poitrine et s'assura que le cœur battait encore. Il battait même un peu moins faiblement, comme si le mouvement de la voiture avait déterminé une certaine reprise de la vie.

Javert interpella le portier du ton qui convient au gouvernement en présence du portier d'un factieux.

— Quelqu'un qui s'appelle Gillenormand ?

— C'est ici. Que lui voulez-vous ?

— On lui rapporte son fils.

— Son fils ? dit le portier avec hébétement.

— Il est mort.

Jean Valjean, qui venait, déguenillé et souillé, derrière Javert, et que le portier regardait avec quelque horreur, lui fit signe de la tête que non.

Le portier ne parut comprendre ni le mot de Javert, ni le signe de Jean Valjean.

Javert continua :

— Il est allé à la barricade, et le voilà.

— A la barricade ! s'écria le portier.

— Il s'est fait tuer. Allez réveiller le père.

Le portier ne bougeait pas.

— Allez donc ! reprit Javert.

Et il ajouta :

— Demain il y aura ici de l'enterrement.

Pour Javert, les incidents habituels de la voie publique étaient classés catégoriquement, ce qui est le commencement de la prévoyance et de la surveillance, et chaque éventualité avait son compartiment ; les faits possibles étaient en quelque sorte dans des tiroirs d'où ils sortaient, selon l'occasion, en quantités variables ; il y avait, dans la rue, du tapage, de l'émeute, du carnaval, de l'enterrement.

Le portier se borna à réveiller Basque. Basque réveilla Nicolette ; Nicolette réveilla la tante Gillenormand. Quant au grand-père, on le laissa dormir, pensant qu'il saurait toujours la chose assez tôt.

On monta Marius au premier étage, sans que personne, du reste, s'en aperçût dans les autres parties de la maison, et on le déposa sur un vieux canapé dans l'antichambre de M. Gillenormand ; et, tandis que Basque allait chercher un médecin et que Nicolette ouvrait les armoires à linge, Jean Valjean sentit Javert qui lui touchait l'épaule. Il comprit, et redescendit, ayant derrière lui le pas de Javert qui le suivait.

Le portier les regarda partir comme il les avait regardés arriver, avec une somnolence épouvantée.

Ils remontèrent dans le fiacre, et le cocher sur son siège.

— Inspecteur Javert, dit Jean Valjean, accordez-moi encore une chose.

— Laquelle ? demanda rudement Javert.

— Laissez-moi rentrer un moment chez moi. Ensuite vous ferez de moi ce que vous voudrez.

Javert demeura quelques instants silencieux, le menton rentré dans le collet de sa redingote, puis il baissa la vitre de devant.

— Cocher, dit-il, rue de l'Homme-Armé, numéro 7.

XI

ÉBRANLEMENT DANS L'ABSOLU

Ils ne desserrèrent plus les dents de tout le trajet.

Que voulait Jean Valjean ? Achever ce qu'il avait commencé ; avertir Cosette, lui dire où était Marius, lui donner peut-être quelque autre indication utile, prendre, s'il le pouvait, de certaines dispositions suprêmes. Quant à lui, quant à ce qui le concernait personnellement, c'était fini ; il était saisi par Javert et n'y résistait pas ; un autre que lui, en une telle situation, eût peut-être vaguement songé à cette corde que lui avait donnée Thénardier et aux barreaux du premier cachot où il entrerait ; mais, depuis l'évêque, il y avait dans Jean Valjean devant tout attentat, fût-ce contre lui-même, insistons-y, une profonde hésitation religieuse.

Le suicide, cette mystérieuse voie de fait sur l'inconnu, laquelle peut contenir dans une certaine mesure la mort de l'âme, était impossible à Jean Valjean.

A l'entrée de la rue de l'Homme-Armé, le fiacre s'arrêta, cette rue étant trop étroite pour que les voitures puissent y pénétrer. Javert et Jean Valjean descendirent.

Le cocher représenta humblement à « monsieur l'inspecteur » que le velours d'Utrecht de sa voiture était tout taché par le sang de l'homme assassiné et par la boue de l'assassin. C'était là ce qu'il avait compris. Il ajouta qu'une indemnité lui était due. En même temps, tirant de sa poche son livret, il pria monsieur l'inspecteur d'avoir la bonté de lui écrire dessus « un petit bout d'attestation comme quoi ».

Javert repoussa le livret que lui tendait le cocher, et dit :

— Combien te faut-il, y compris ta station et ta course ?

— Il y a sept heures et quart, répondit le cocher, et mon velours était tout neuf. Quatrevingts francs, monsieur l'inspecteur.

Javert tira de sa poche quatre napoléons et congédia le fiacre.

Jean Valjean pensa que l'intention de Javert était de le conduire à pied au poste des Blancs-Manteaux ou au poste des Archives, qui sont tout près.

Ils s'engagèrent dans la rue. Elle était, comme d'habitude, déserte. Javert suivait Jean Valjean. Ils arrivèrent au numéro 7. Jean Valjean frappa. La porte s'ouvrit.

— C'est bien, dit Javert. Montez.

Il ajouta avec une expression étrange et comme s'il faisait effort en parlant de la sorte :

— Je vous attends ici.

Jean Valjean regarda Javert. Cette façon de faire était peu dans les habitudes de Javert. Cependant, que Javert eût maintenant en lui une sorte de confiance hautaine, la confiance du chat qui accorde à la souris une liberté de la longueur de sa griffe, résolu qu'était Jean Valjean à se livrer et à en finir, cela ne pouvait le surprendre beaucoup. Il poussa la porte, entra dans la maison, cria au portier qui était couché et qui avait tiré le cordon de son lit : C'est moi ! et monta l'escalier.

Parvenu au premier étage, il fit une pause. Toutes les voies douloureuses ont des stations. La fenêtre du palier, qui était une fenêtre-guillotine, était ouverte. Comme dans beaucoup d'anciennes maisons, l'escalier prenait jour et avait vue sur la rue. Le réverbère de la rue, situé précisément en face, jetait quelque lumière sur les marches, ce qui faisait une économie d'éclairage.

Jean Valjean, soit pour respirer, soit machinalement, mit la tête à cette fenêtre. Il se pencha sur la rue. Elle est courte et le réverbère l'éclairait d'un bout à l'autre. Jean Valjean eut un éblouissement de stupeur ; il n'y avait plus personne.

Javert s'en était allé.

XII

L'AÏEUL

Basque et le portier avaient transporté dans le salon Marius toujours étendu sans mouvement sur le canapé où on l'avait déposé en arrivant. Le médecin, qu'on avait été chercher, était accouru. La tante Gillenormand s'était levée.

La tante Gillenormand allait et venait, épouvantée, joignant les mains, et incapable de faire autre chose que de dire : Est-il Dieu possible ! Elle ajoutait par moments : Tout va être confondu de sang ! Quand la première horreur fut passée, une certaine philosophie de la situation se fit jour jusqu'à son esprit et se traduisit par cette exclamation : Cela devait finir comme ça ! Elle n'alla point jusqu'au : *Je l'avais bien dit !* qui est d'usage dans les occasions de ce genre.

Sur l'ordre du médecin, un lit de sangle avait été dressé près du canapé. Le médecin examina Marius, et, après avoir constaté que le pouls persistait, que le blessé n'avait à la poitrine aucune plaie pénétrante, et que le sang du coin des lèvres venait des fosses nasales, il le fit poser à plat sur le lit, sans oreiller, la tête sur le même plan que le corps, et même un peu plus basse, le buste nu, afin de faciliter la respiration. Mademoiselle Gillenormand, voyant qu'on déshabillait Marius, se retira. Elle se mit à dire son chapelet dans sa chambre.

Le torse n'était atteint d'aucune lésion intérieure ; une balle, amortie par le portefeuille, avait dévié et fait le tour des côtes avec une déchirure hideuse, mais sans profondeur, et par conséquent sans danger. La longue marche souterraine avait achevé la dislocation de la clavicule cassée, et il y avait là de sérieux désordres. Les bras étaient sabrés. Aucune balafre ne défigurait le visage ; la tête pourtant était comme couverte de hachures ; que deviendraient ces blessures à la tête ? s'arrêtaient-elles au cuir chevelu ? entamaient-elles le crâne ? On ne pouvait le dire encore. Un symptôme grave, c'est qu'elles avaient causé l'évanouissement, et l'on ne se réveille pas toujours de ces évanouissements-là. L'hémorragie, en outre, avait épuisé le blessé. A partir de la ceinture, le bas du corps avait été protégé par la barricade.

Basque et Nicolette déchiraient des linges et préparaient des bandes ; Nicolette les cousait, Basque les roulait. La charpie manquant, le médecin avait provisoirement arrêté le sang des plaies avec des galettes d'ouate. A côté du lit, trois bougies brûlaient sur une table où la trousse de chirurgie était étalée. Le médecin lava le visage et les cheveux de Marius avec de l'eau froide. Un seau plein fut rouge en un instant. Le portier, sa chandelle à la main, éclairait.

Le médecin semblait songer tristement. De temps en temps, il faisait un signe de tête négatif, comme s'il répondait à quelque question qu'il s'adressait intérieurement. Mauvais signe pour le malade, ces mystérieux dialogues du médecin avec lui-même.

Au moment où le médecin essuyait la face et touchait légèrement du doigt les paupières toujours fermées, une porte s'ouvrit au fond du salon, et une longue figure pâle apparut.

C'était le grand-père.

L'émeute, depuis deux jours, avait fort agité, indigné et préoccupé M. Gillenormand. Il n'avait pu dormir la nuit précédente, et il avait eu la fièvre toute la journée. Le soir, il s'était couché de très bonne heure, recommandant qu'on verrouillât tout dans la maison, et, de fatigue, il s'était assoupi.

Les vieillards ont le sommeil fragile ; la chambre de M. Gillenormand était contiguë au salon, et, quelques précautions qu'on eût prises, le bruit l'avait réveillé. Surpris de la fente de lumière qu'il voyait à sa porte, il était sorti de son lit et était venu à tâtons.

Il était sur le seuil, une main sur le bec-de-cane de la porte entre-bâillée, la tête un peu penchée en avant, et branlante, le corps serré dans une robe de chambre blanche, droite et sans plis comme un suaire, étonné ; et il avait l'air d'un fantôme qui regarde dans un tombeau.

Il aperçut le lit, et sur le matelas ce jeune homme sanglant, blanc d'une blancheur de cire, les yeux fermés, la bouche ouverte, les lèvres blêmes, nu jusqu'à la ceinture, tailladé partout de plaies vermeilles, immobile, vivement éclairé.

L'aïeul eut de la tête aux pieds tout le frisson que peuvent avoir des membres ossifiés, ses yeux dont la cornée était jaune à cause du grand âge se voilèrent d'une sorte de miroitement vitreux, toute sa face prit en un instant les angles terreux d'une tête de squelette, ses bras tombèrent pendants comme si un ressort s'y fût brisé, et sa stupeur se traduisit par l'écartement des doigts de ses deux vieilles mains toutes tremblantes, ses genoux firent un angle en avant, laissant voir par l'ouverture de la robe de chambre ses pauvres jambes nues hérissées de poils blancs, et il murmura :

— Marius !

— Monsieur, dit Basque, on vient de rapporter monsieur. Il est allé à la barricade, et...

— Il est mort ! cria le vieillard d'une voix terrible. Ah ! le brigand !

Alors une sorte de transfiguration sépulcrale redressa ce centenaire droit comme un jeune homme.

— Monsieur, dit-il, c'est vous le médecin. Commencez par me dire une chose. Il est mort, n'est-ce pas ?

Le médecin, au comble de l'anxiété, garda le silence.

M. Gillenormand se tordit les mains avec un éclat de rire effrayant.

— Il est mort ! il est mort ! Il s'est fait tuer aux barricades ! en haine de moi ! C'est contre moi qu'il a fait ça ! Ah ! buveur de sang ! c'est comme cela qu'il me revient ! Misère de ma vie, il est mort !

Il alla à une fenêtre, l'ouvrit toute grande comme s'il étouffait, et, debout devant l'ombre, il se mit à parler dans la rue à la nuit :

— Percé, sabré, égorgé, exterminé, déchiqueté, coupé en morceaux ! voyez-vous ça, le gueux ! Il savait bien que je l'attendais, et que je lui avais fait arranger sa chambre, et que j'avais mis au chevet de mon lit son portrait du temps qu'il était petit enfant ! Il savait bien qu'il n'avait qu'à revenir, et que depuis des ans je le rappelais, et que je restais le soir au coin de mon feu les mains sur mes genoux ne sachant que faire, et que j'en étais imbécile ! Tu savais bien cela, que tu n'avais qu'à rentrer, et qu'à dire : C'est moi, et que tu serais le maître de la maison, et que je t'obéirais, et que tu ferais tout ce que tu voudrais de ta vieille ganache de grand-père ! Tu le savais bien, et tu as dit : Non, c'est un royaliste, je n'irai pas ! Et tu es allé aux barricades, et tu t'es fait tuer par méchanceté ! pour te venger de ce que je t'avais dit au sujet de monsieur le duc de Berry ! C'est ça qui est infâme ! Couchez-vous donc et dormez donc tranquillement ! Il est mort. Voilà mon réveil.

Le médecin, qui commençait à être inquiet de deux côtés, quitta un moment Marius et alla à M. Gillenormand, et lui prit le bras. L'aïeul se retourna, le regarda avec des yeux qui semblaient agrandis et sanglants, et lui dit avec calme :

— Monsieur, je vous remercie. Je suis tranquille, je suis un homme, j'ai vu la mort de Louis XVI, je sais porter les événements. Il y a une chose qui est terrible, c'est de penser que ce sont vos journaux qui font tout le mal. Vous aurez des écrivassiers, des parleurs, des avocats, des orateurs, des tribunes, des discussions, des progrès, des lumières, des droits de l'homme, de la liberté de la presse, et voilà comment on vous rapportera vos enfants dans vos maisons ! Ah ! Marius ! c'est abominable ! Tué ! mort avant moi ! Une barricade ! Ah ! le bandit ! Docteur, vous demeurez dans le quartier, je crois ? Oh ! je vous connais bien. Je vois de ma fenêtre passer votre cabriolet. Je vais vous dire. Vous auriez tort de croire que je suis en colère. On ne se met pas en colère contre un mort.

Ce serait stupide. C'est un enfant que j'ai élevé. J'étais déjà vieux, qu'il était encore tout petit. Il jouait aux Tuileries avec sa petite pelle et sa petite chaise, et, pour que les inspecteurs ne grondassent pas, je bouchais à mesure avec ma canne les trous qu'il faisait dans la terre avec sa pelle. Un jour il a crié : A bas Louis XVIII ! et s'en est allé. Ce n'est pas ma faute. Il était tout rose et tout blond. Sa mère est morte. Avez-vous remarqué que tous les petits enfants sont blonds ? A quoi cela tient-il ? C'est le fils d'un de ces brigands de la Loire. Mais les enfants sont innocents des crimes de leurs pères. Je me le rappelle quand il était haut comme ceci. Il ne pouvait pas parvenir à prononcer les *d*. Il avait un parler si doux et si obscur qu'on eût cru un oiseau. Je me souviens qu'une fois, devant l'Hercule Farnèse, on faisait cercle pour s'émerveiller et l'admirer, tant il était beau, cet enfant ! C'était une tête comme il y en a dans les tableaux. Je lui faisais ma grosse voix, je lui faisais peur avec ma canne, mais il savait bien que c'était pour rire. Le matin, quand il entrait dans ma chambre, je bougonnais, mais cela me faisait l'effet du soleil. On ne peut pas se défendre contre ces mioches-là. Ils vous prennent, ils vous tiennent, ils ne vous lâchent plus. La vérité est qu'il n'y avait pas d'amour comme cet enfant-là. Maintenant, qu'est-ce que vous dites de vos Lafayette, de vos Benjamin Constant, et de vos Tirecuir de Corcelles, qui me le tuent ! Ça ne peut pas passer comme ça.

Il s'approcha de Marius toujours livide et sans mouvement, et auquel le médecin était revenu, et il recommença à se tordre les bras. Les lèvres blanches du vieillard remuaient comme machinalement, et laissaient passer, comme des souffles dans un râle, des mots presque indistincts qu'on entendait à peine : — Ah ! sans-cœur ! Ah ! clubiste ! Ah ! scélérat ! Ah ! septembriseur ! — Reproches à voix basse d'un agonisant à un cadavre.

Peu à peu, comme il faut toujours que les éruptions intérieures se fassent jour, l'enchaînement des paroles revint, mais l'aïeul paraissait n'avoir plus la force de les prononcer : sa voix était tellement sourde et éteinte qu'elle semblait venir de l'autre bord d'un abîme :

— Ça m'est bien égal, je vais mourir aussi, moi. Et dire qu'il n'y a pas dans Paris une drôlesse qui n'eût été heureuse de faire le bonheur de ce misérable ! Un gredin qui, au lieu de s'amuser et de jouir de la vie, est allé se battre et s'est fait mitrailler comme une brute ! Et pour qui pourquoi ? Pour la république ! Au lieu d'aller danser à la Chaumière, comme c'est le devoir des jeunes gens ! C'est bien la peine d'avoir vingt ans. La république, belle fichue sottise ! Pauvres mères, faites donc de jolis garçons ! Allons, il est mort. Ça fera deux enterrements sous la porte cochère. Tu t'es donc fait arranger comme cela pour les beaux yeux du général Lamarque ! Qu'est-ce qu'il t'avait fait, ce général Lamarque ! Un sabreur ! un bavard ! Se faire tuer pour un mort ! S'il n'y a pas de quoi rendre fou ! Comprenez cela ! A vingt ans ! Et sans retourner la tête pour regarder s'il ne laissait rien derrière lui ! Voilà maintenant les pauvres vieux bonshommes qui sont forcés de mourir tout seuls. Crève dans ton coin, hibou ! Eh bien, au fait, tant mieux, c'est ce que j'espérais, ça va me tuer net. Je suis trop vieux, j'ai cent ans, j'ai cent mille ans, il y a longtemps que j'ai le droit d'être mort. De ce coup-là, c'est fait. C'est donc fini, quel bonheur ! A quoi bon lui faire respirer de l'ammoniaque et tout ce tas de drogues ? Vous perdez votre peine, imbécile de médecin ! Allez, il est mort, bien mort. Je m'y connais, moi qui suis mort aussi. Il n'a pas fait la chose à demi. Oui, ce temps-ci est infâme, infâme, infâme, et voilà ce que je pense de vous, de vos idées, de vos systèmes, de vos maîtres, de vos oracles, de vos docteurs, de vos garnements d'écrivains, de vos gueux de philosophes, et de toutes les révolutions qui effarouchent depuis soixante ans les nuées de corbeaux des Tuileries ! Et puisque tu as été sans pitié en te faisant tuer comme cela, je n'aurai même pas de chagrin de ta mort, entends-tu, assassin !

En ce moment, Marius ouvrit lentement les paupières, et son regard, encore voilé par l'étonnement léthargique, s'arrêta sur M. Gillenormand.

— Marius ! cria le vieillard. Marius ! mon petit Marius ! mon enfant ! mon fils bien-aimé ! Tu ouvres les yeux, tu me regardes, tu es vivant, merci !

Et il tomba évanoui.

LIVRE QUATRIÈME

JAVERT DÉRAILLÉ

JAVERT s'était éloigné à pas lents de la rue de l'Homme-Armé.

Il marchait la tête baissée, pour la prèmiere fois de sa vie, et, pour la première fois de sa vie également, les mains derrière le dos.

Jusqu'à ce jour, Javert n'avait pris, dans les deux attitudes de Napoléon, que celle qui exprime la résolution, les bras croisés sur la poitrine ; celle qui exprime l'incertitude, les mains derrière le dos, lui était inconnue. Maintenant, un changement s'était fait ; toute sa personne, lente et sombre, était empreinte d'anxiété.

Il s'enfonça dans les rues silencieuses.

Cependant il suivait une direction.

Il coupa par le plus court vers la Seine, gagna le quai des Ormes, longea le quai, dépassa la Grève, et s'arrêta, à quelque distance du poste de la place du Châtelet, à l'angle du pont Notre-Dame. La Seine fait là, entre le pont Notre-Dame et le Pont au Change d'une part, et d'autre part entre le quai de la Mégisserie et le quai aux Fleurs, une sorte de lac carré traversé par un rapide.

Ce point de la Seine est redouté des mariniers.

Rien n'est plus dangereux que ce rapide, resserré à cette époque et irrité par les pilotis du moulin du pont, aujourd'hui démoli. Les deux ponts, si voisins l'un de l'autre, augmentent le péril ; l'eau se hâte formidablement sous les arches. Elle y roule de larges plis terribles ; elle s'y accumule et s'y entasse ; le flot fait effort aux piles des ponts comme pour les arracher avec de grosses cordes liquides. Les hommes qui tombent là ne reparaissent pas ; les meilleurs nageurs s'y noient.

Javert appuya ses deux coudes sur le parapet, son menton dans ses deux mains, et, pendant que ses ongles se crispaient machinalement dans l'épaisseur de ses favoris, il songea.

Une nouveauté, une révolution, une catastrophe, venait de se passer au fond de lui-même ; et il y avait de quoi s'examiner.

Javert souffrait affreusement.

Depuis quelques heures Javert avait cessé d'être simple. Il était troublé ; ce cerveau, si limpide dans sa cécité, avait perdu sa transparence ; il y avait un nuage dans ce cristal. Javert sentait dans sa conscience le devoir se dédoubler, et il ne pouvait se le dissimuler. Quand il avait rencontré si inopinément Jean Valjean sur la berge de la Seine, il y avait eu en lui quelque chose du loup qui ressaisit sa proie et du chien qui retrouve son maître.

Il voyait devant lui deux routes également droites toutes deux, mais il en voyait deux ; et cela le terrifiait, lui qui n'avait jamais connu dans sa vie qu'une ligne droite. Et, angoisse poignante, ces deux routes étaient contraires. L'une de ces deux lignes droites excluait l'autre. Laquelle des deux était la vraie ?

Sa situation était inexprimable.

Devoir la vie à un malfaiteur, accepter cette

dette et la rembourser, être, en dépit de soi-même, de plain-pied avec un repris de justice, et lui payer un service avec un autre service ; se laisser dire : Va-t'en, et lui dire à son tour : Sois libre ; sacrifier à des motifs personnels le devoir, cette obligation générale, et sentir dans ces motifs personnels quelque chose de général aussi, et de supérieur peut-être ; trahir la société pour rester fidèle à sa conscience ; que toutes ces absurdités se réalisassent et qu'elles vinssent s'accumuler sur lui-même, c'est ce dont il était atterré.

Une chose l'avait étonné, c'était que Jean Valjean lui eût fait grâce, et une chose l'avait pétrifié, c'était que, lui Javert, il eût fait grâce à Jean Valjean.

Où en était-il ? Il se cherchait et ne se trouvait plus.

Que faire maintenant ? Livrer Jean Valjean, c'était mal ; laisser Jean Valjean libre, c'était mal. Dans le premier cas, l'homme de l'autorité tombait plus bas que l'homme du bagne ; dans le second, un forçat montait plus haut que la loi et mettait le pied dessus. Dans les deux cas, déshonneur pour lui Javert. Dans tous les partis qu'on pouvait prendre, il y avait de la chute. La destinée a de certaines extrémités à pic sur l'impossible, et au delà desquelles la vie n'est plus qu'un précipice. Javert était à une de ces extrémités-là.

Une de ses anxiétés, c'était d'être contraint de penser. La violence même de toutes ces émotions contradictoires l'y obligeait. La pensée, chose inusitée pour lui, et singulièrement douloureuse.

Il y a toujours dans la pensée une certaine quantité de rébellion intérieure ; et il s'irritait d'avoir cela en lui.

La pensée, sur n'importe quel sujet en dehors

du cercle étroit de ses fonctions, eût été pour lui, dans tous les cas, une inutilité et une fatigue ; mais la pensée sur la journée qui venait de s'écouler était une torture. Il fallait bien cependant regarder dans sa conscience après de telles secousses, et se rendre compte de soi-même à soi-même.

Ce qu'il venait de faire lui donnait le frisson. Il avait, lui Javert, trouvé bon de décider, contre tous les règlements de police, contre toute l'organisation sociale et judiciaire, contre le code tout entier, une mise en liberté ; cela lui avait convenu ; il avait substitué ses propres affaires aux affaires publiques ; n'était-ce pas inqualifiable ? Chaque fois qu'il se mettait en face de cette action sans nom qu'il avait commise, il tremblait de la tête aux pieds. A quoi se résoudre ? Une seule ressource lui restait : retourner en hâte rue de l'Homme-Armé, et faire écrouer Jean Valjean. Il était clair que c'était cela qu'il fallait faire. Il ne pouvait.

Quelque chose lui barrait le chemin de ce côté-là.

Quelque chose ? Quoi ? Est-ce qu'il y a au monde autre chose que les tribunaux, les sentences exécutoires, la police et l'autorité ? Javert était bouleversé.

Un galérien sacré ! un forçat imprenable à la justice ! et cela par le fait de Javert !

Que Javert et Jean Valjean, l'homme fait pour sévir, l'homme fait pour subir, que ces deux hommes, qui étaient l'un et l'autre la chose de la loi, en fussent venus à ce point de se mettre tous les deux au-dessus de la loi, est-ce que ce n'était pas effrayant ?

Quoi donc ! de telles énormités arriveraient, et personne ne serait puni ! Jean Valjean, plus fort que l'ordre social tout entier, serait libre, et lui Javert continuerait de manger le pain du gouvernement !

Sa rêverie devenait peu à peu terrible.

Il eût pu à travers cette rêverie se faire encore quelque reproche au sujet de l'insurgé rapporté rue des Filles-du-Calvaire ; mais il n'y songeait pas. La faute moindre se perdait dans la plus grande. D'ailleurs cet insurgé était évidemment un homme mort, et, légalement, la mort éteint la poursuite.

Jean Valjean, c'était là le poids qu'il avait sur l'esprit.

Jean Valjean le déconcertait. Tous les axiomes qui avaient été les points d'appui de toute sa vie s'écroulaient devant cet homme. La générosité de Jean Valjean envers lui Javert l'accablait. D'autres faits, qu'il se rappelait et qu'il avait autrefois traités de mensonges et de folies, lui revenaient maintenant comme des réalités. M. Madeleine reparaissait derrière Jean Valjean, et les deux figures se superposaient de façon à n'en plus faire qu'une, qui était vénérable. Javert sentait que quelque chose d'horrible pénétrait dans son âme, l'admiration pour un forçat. Le respect d'un galérien, est-ce que c'est possible ? Il en frémissait, et ne pouvait s'y soustraire. Il avait beau se débattre, il était réduit à confesser dans son for intérieur la sublimité de ce misérable. Cela était odieux.

Un malfaiteur bienfaisant, un forçat compatissant, doux, secourable, clément, rendant le bien pour le mal, rendant le pardon pour la haine, préférant la pitié à la vengeance, aimant mieux se perdre que de perdre son ennemi, sauvant celui qui l'a frappé, agenouillé sur le haut de la vertu, plus voisin de l'ange que de l'homme ! Javert était contraint de s'avouer que ce monstre existait.

Cela ne pouvait durer ainsi.

Certes, et nous y insistons, il ne s'était pas rendu sans résistance à ce monstre, à cet ange infâme, à ce héros hideux, dont il était presque aussi indigné que stupéfait. Vingt fois, quand il était dans cette voiture face à face avec Jean Valjean, le tigre légal avait rugi en lui. Vingt fois il avait été tenté de se jeter sur Jean Valjean ; de le saisir et de le dévorer, c'est-à-dire de l'arrêter. Quoi de plus simple en effet ? Crier au premier poste devant lequel on passe : — Voilà un repris de justice en rupture de ban ! appeler les gendarmes et leur dire : — Cet homme est pour vous ! ensuite s'en aller, laisser là ce damné, ignorer le reste, et ne plus se mêler de rien. Cet homme est à jamais le prisonnier de la loi ; la loi en fera ce qu'elle voudra. Quoi de plus juste ? Javert s'était dit tout cela ; il avait voulu passer outre, agir, appréhender l'homme, et, alors comme à présent, il n'avait pas pu ; et chaque fois que sa main s'était convulsivement levée vers le collet de Jean Valjean, sa main, comme sous un poids énorme, était retombée, et il avait entendu au fond de sa pensée une voix, une étrange voix qui lui criait : — C'est bien. Livre ton sauveur. Ensuite fais apporter la cuvette de Ponce-Pilate, et lave-toi les griffes.

Puis sa réflexion retombait sur lui-même, et à côté de Jean Valjean grandi, il se voyait, lui Javert, dégradé.

Un forçat était son bienfaiteur !

Mais aussi pourquoi avait-il permis à cet homme de le laisser vivre ? Il avait, dans cette barricade, le droit d'être tué. Il aurait dû user de ce droit. Appeler les autres insurgés à son secours contre Jean Valjean, se faire fusiller de force, cela valait mieux.

Sa suprême angoisse, c'était la disparition de la certitude. Il se sentait déraciné. Le code n'était plus qu'un tronçon dans sa main. Il avait affaire à des scrupules d'une espèce inconnue. Il se faisait en lui une révélation sentimentale entièrement distincte de l'affirmation légale, son unique mesure jusqu'alors. Rester dans l'ancienne honnêteté, cela ne suffisait plus. Tout un ordre de faits inattendus surgissait et le subjuguait. Tout un monde nouveau apparaissait à son âme : le bienfait accepté et rendu, le dévouement, la miséricorde, l'indulgence, les violences faites par la pitié à l'austérité, l'acception de personnes, plus de condamnation définitive, plus de damnation, la possibilité d'une larme dans l'œil de la loi, on ne sait quelle justice selon Dieu allant en sens inverse de la justice selon les hommes. Il apercevait dans les ténèbres l'effrayant lever d'un soleil moral inconnu ; il en avait l'horreur et l'éblouissement. Hibou forcé à des regards d'aigle.

Il se disait que c'était donc vrai, qu'il y avait des exceptions, que l'autorité pouvait être décontenancée, que la règle pouvait rester court devant un fait, que tout ne s'encadrait pas dans le texte du code, que l'imprévu se faisait obéir, que la vertu d'un forçat pouvait tendre un piège à la vertu d'un fonctionnaire, que le monstrueux pouvait être divin, que la destinée avait de ces embuscades-là, et il songeait avec désespoir que lui-même n'avait pas été à l'abri d'une surprise.

Il était forcé de reconnaître que la bonté existait. Ce forçat avait été bon. Et lui-même, chose inouïe, il venait d'être bon. Donc il se dépravait.

Il se trouvait lâche. Il se faisait horreur.

L'idéal pour Javert, ce n'était pas d'être humain, d'être grand, d'être sublime ; c'était d'être irréprochable.

Or il venait de faillir.

Comment en était-il arrivé là ? comment tout cela s'était-il passé ? Il n'aurait pu se le dire à lui-même. Il prenait sa tête dans ses deux mains, mais il avait beau faire, il ne parvenait pas à se l'expliquer.

Il avait certainement toujours eu l'intention de remettre Jean Valjean à la loi, dont Jean Valjean était le captif, et dont lui, Javert, était l'esclave. Il ne s'était pas avoué un seul instant, pendant qu'il le tenait, qu'il eût la pensée de le laisser aller. C'était en quelque sorte à son insu que sa main s'était ouverte et l'avait lâché.

Toutes sortes de nouveautés énigmatiques s'entr'ouvraient devant ses yeux. Il s'adressait des questions, et il se faisait des réponses, et ses réponses l'effrayaient. Il se demandait : Ce forçat, ce désespéré, que j'ai poursuivi jusqu'à le persécuter, et qui m'a eu sous son pied, et qui pouvait se venger, et qui le devait tout à la fois pour sa rancune et pour sa sécurité, en me laissant la vie, en me faisant grâce, qu'a-t-il fait ? Son devoir. Non. Quelque chose de plus. Et moi, en lui faisant grâce à mon tour, qu'ai-je fait ? Mon devoir. Non. Quelque chose de plus. Il y a donc quelque chose de plus que le devoir ? Ici il s'effarait ; sa balance se disloquait ; l'un des plateaux tombait dans l'abîme, l'autre s'en allait dans le ciel ; et Javert n'avait pas moins d'épouvante de celui qui était en haut que de celui qui était en bas. Sans être le moins du monde ce qu'on appelle voltairien, ou philosophe, ou incrédule, respectueux au contraire, par instinct, pour l'église établie, il ne la connaissait que comme un fragment auguste de l'ensemble social ; l'ordre était son dogme et lui suffisait ; depuis qu'il avait âge d'homme et de fonctionnaire, il mettait dans la police à peu près toute sa religion, étant, et nous employons ici les mots sans la moindre ironie et dans leur acception la plus sérieuse, étant, nous l'avons dit, espion comme on est prêtre. Il avait un supérieur, M. Gisquet ; il n'avait guère songé jusqu'à ce jour à cet autre supérieur, Dieu.

Ce chef nouveau, Dieu, il le sentait inopinément, et en était troublé.

Il était désorienté de cette présence inattendue ; il ne savait que faire de ce supérieur-là, lui qui n'ignorait pas que le subordonné est tenu de se courber toujours, qu'il ne doit ni désobéir, ni blâmer, ni discuter, et que, vis-à-vis d'un supérieur qui l'étonne trop, l'inférieur n'a d'autre ressource que sa démission.

Mais comment s'y prendre pour donner sa démission à Dieu ?

Quoi qu'il en fût, et c'était toujours là qu'il en revenait, un fait pour lui dominait tout, c'est qu'il venait de commettre une infraction épouvantable. Il venait de fermer les yeux sur un condamné récidiviste en rupture de ban. Il venait d'élargir un galérien. Il venait de voler aux lois un homme qui leur appartenait. Il avait fait cela. Il ne se comprenait plus. Il n'était pas sûr d'être lui-même. Les raisons même de son action lui échappaient, il n'en avait que le vertige. Il avait vécu jusqu'à ce moment de cette foi aveugle qui engendre la probité ténébreuse. Cette foi le quittait, cette probité lui faisait défaut. Tout ce qu'il avait cru se dissipait. Des vérités dont il ne voulait pas l'obsédaient inexorablement. Il fallait désormais être un autre homme. Il souffrait les étranges douleurs d'une conscience brusquement opérée de la cataracte. Il voyait ce qu'il lui répugnait de voir. Il se sentait vidé, inutile, disloqué de sa vie passée, destitué, dissous. L'autorité était morte en lui. Il n'avait plus de raison d'être.

Situation terrible ! être ému.

Être le granit, et douter ! être la statue du châtiment fondue tout d'une pièce dans le moule de la loi, et s'apercevoir subitement qu'on a sous sa mamelle de bronze quelque chose d'absurde et de désobéissant qui ressemble presque à un cœur ! en venir à rendre le bien pour le bien, quoiqu'on se soit dit jusqu'à ce jour que ce bien-là c'est le mal ! être le chien de garde, et lécher ! être la glace, et fondre ! être la tenaille, et devenir une main ! se sentir tout à coup des doigts qui s'ouvrent ! lâcher prise, chose épouvantable !

L'homme projectile ne sachant plus sa route, et reculant !

Être obligé de s'avouer ceci : l'infaillibilité n'est pas infaillible, il peut y avoir de l'erreur dans le dogme, tout n'est pas dit quand un code a parlé, la société n'est pas parfaite, l'autorité est compliquée de vacillation, un craquement dans l'immuable est possible, les juges sont des hommes, la loi peut se tromper, les tribunaux peuvent se méprendre ! voir une fêlure dans l'immense vitre bleue du firmament !

Ce qui se passait dans Javert, c'était le Fampoux d'une conscience rectiligne, la mise hors de voie d'une âme, l'écrasement d'une probité irrésistiblement lancée en ligne droite et se brisant à Dieu. Certes, cela était étrange. Que le chauffeur de l'ordre, que le mécanicien de l'autorité, monté sur l'aveugle cheval de fer à voie rigide, puisse être désarçonné par un coup de lumière ! que l'incommutable, le direct, le correct, le géométrique, le passif, le parfait, puisse fléchir ! qu'il y ait pour la locomotive un chemin de Damas !

Dieu, toujours intérieur à l'homme, et réfractaire, lui la vraie conscience, à la fausse, défense à l'étincelle de s'éteindre, ordre au rayon de se souvenir du soleil, injonction à l'âme de reconnaître le véritable absolu quand il se confronte avec l'absolu fictif, l'humanité imperdable, le cœur humain inamissible, ce phénomène splendide, le plus beau peut-être de nos prodiges intérieurs, Javert le comprenait-il ? Javert le pénétrait-il ? Javert s'en rendait-il compte ? Évidemment non. Mais sous la pression de cet incompréhensible incontestable, il sentait son crâne s'entr'ouvrir.

Il était moins le transfiguré que la victime de ce prodige. Il le subissait, exaspéré. Il ne voyait dans tout cela qu'une immense difficulté d'être. Il lui semblait que désormais sa respiration était gênée à jamais.

Avoir sur sa tête de l'inconnu, il n'était pas accoutumé à cela.

Jusqu'ici tout ce qu'il avait au-dessus de lui avait été pour son regard une surface nette, simple, limpide ; là rien d'ignoré, ni d'obscur ; rien qui ne fût défini, coordonné, enchaîné, précis, exact, circonscrit, limité, fermé ; tout prévu ; l'autorité était une chose plane ; aucune chute en elle, aucun vertige devant elle. Javert n'avait jamais vu de l'inconnu qu'en bas. L'irrégulier, l'inattendu, l'ouverture désordonnée du chaos, le glissement possible dans un précipice, c'était là le fait des régions inférieures, des rebelles, des mauvais, des misérables. Maintenant Javert se renversait en arrière, et il était brusquement effaré par cette apparition inouïe : un gouffre en haut.

Quoi donc ! on était démantelé de fond en

comble ! on était déconcerté, absolument ! A quoi se fier ? Ce dont on était convaincu s'effondrait !

Quoi ! le défaut de la cuirasse de la société pouvait être trouvé par un misérable magnanime ! Quoi ! un honnête serviteur de la loi pouvait se voir tout à coup pris entre deux crimes, le crime de laisser échapper un homme, et le crime de l'arrêter ! Tout n'était pas certain dans la consigne donnée par l'état au fonctionnaire ! Il pouvait y avoir des impasses dans le devoir ! Quoi donc ! tout cela était réel ! était-il vrai qu'un ancien bandit, courbé sous les condamnations, pût se redresser et finir par avoir raison ? était-ce croyable ? y avait-il donc des cas où la loi devait se retirer devant le crime transfiguré en balbutiant des excuses !

Oui, cela était ! et Javert le voyait ! et Javert le touchait ! et non seulement il ne pouvait le nier, mais il y prenait part. C'étaient là des réalités. Il était abominable que les faits réels pussent arriver à une telle difformité.

Si les faits faisaient leur devoir, ils se borneraient à être les preuves de la loi ; les faits, c'est Dieu qui les envoie. L'anarchie allait-elle donc maintenant descendre de là-haut ?

Ainsi, — et dans le grossissement de l'angoisse, et dans l'illusion d'optique de la consternation, tout ce qui eût pu restreindre et corriger son impression s'effaçait, et la société, et le genre humain, et l'univers, se résumaient désormais à ses yeux dans un linéament simple et hideux, — ainsi la pénalité, la chose jugée, la force due à la législation, les arrêts des cours souveraines, la magistrature, le gouvernement, la prévention et la répression, la sagesse officielle, l'infaillibilité légale, le principe d'autorité, tous les dogmes sur lesquels repose la sécurité politique et civile, la souveraineté, la justice, la logique découlant du code, l'absolu social, la vérité publique, tout cela, décombre, monceau, chaos ; lui-même Javert, le guetteur de l'ordre, l'incorruptibilité au service de la police, la providence-dogue de la société, vaincu et terrassé ; et sur toute cette ruine un homme debout, le bonnet vert sur la tête et l'auréole au front ; voilà à quel bouleversement il en était venu ; voilà la vision effroyable qu'il avait dans l'âme.

Que cela fût supportable. Non.

État violent, s'il en fut. Il n'y avait que deux manières d'en sortir. L'une d'aller résolument à Jean Valjean, et de rendre au cachot l'homme du bagne. L'autre...

Javert quitta le parapet, et, la tête haute cette fois, se dirigea d'un pas ferme vers le poste indiqué par une lanterne à l'un des coins de la place du Châtelet.

Arrivé là, il aperçut par la vitre un sergent de ville, et entra. Rien qu'à la façon dont ils poussent la porte d'un corps de garde, les hommes de police se reconnaissent entre eux. Javert se nomma, montra sa carte au sergent, et s'assit à la table du poste où brûlait une chandelle. Il y avait sur la table une plume, un encrier de plomb, et du papier en cas pour les procès-verbaux éventuels et les consignations des rondes de nuit.

Cette table, toujours complétée par sa chaise de paille, est une institution ; elle existe dans tous les postes de police ; elle est invariablement ornée d'une soucoupe en buis pleine de sciure de bois et d'une grimace en carton pleine de pains à cacheter rouges, et elle est l'étage inférieur du style officiel. C'est à elle que commence la littérature de l'état.

Javert prit la plume et une feuille de papier et se mit à écrire. Voici ce qu'il écrivit :

QUELQUES OBSERVATIONS POUR LE BIEN DU SERVICE

« Premièrement : je prie monsieur le préfet de « jeter les yeux.

« Deuxièmement : les détenus arrivant de l'in- « struction ôtent leurs souliers et restent pieds nus « sur la dalle pendant qu'on les fouille. Plusieurs « toussent en rentrant à la prison. Cela entraîne des « dépenses d'infirmerie.

« Troisièmement : la filature est bonne, avec « relais des agents de distance en distance, mais il « faudrait que, dans les occasions importantes, deux « agents au moins ne se perdissent pas de vue, « attendu que, si, pour une cause quelconque, un « agent vient à faiblir dans le service, l'autre le « surveille et le supplée.

« Quatrièmement : on ne s'explique pas pourquoi « le règlement spécial de la prison des Madelon- « nettes interdit au prisonnier d'avoir une chaise, « même en la payant.

« Cinquièmement : aux Madelonnettes, il n'y a que « deux barreaux à la cantine, ce qui permet à la « cantinière de laisser toucher sa main aux détenus.

« Sixièmement, les détenus, dits aboyeurs, qui « appellent les autres détenus au parloir, se font « payer deux sous par le prisonnier pour crier son « nom distinctement. C'est un vol.

« Septièmement : pour un fil courant, on retient « dix sous au prisonnier dans l'atelier des tisserands ; « c'est un abus de l'entrepreneur, puisque la toile « n'est pas moins bonne.

« Huitièmement : il est fâcheux que les visitants

« de la Force aient à traverser la cour des mômes « pour se rendre au parloir de Sainte-Marie-l'Égyp- « tienne.

« Neuvièmement : il est certain qu'on entend tous « les jours des gendarmes raconter dans la cour « de la préfecture des interrogatoires de pré- « venus par les magistrats. Un gendarme, qui « devrait être sacré, répéter ce qu'il a entendu dans « le cabinet de l'instruction, c'est là un désordre « grave.

« Dixièmement : Mme Henry est une honnête « femme ; sa cantine est fort propre ; mais il est « mauvais qu'une femme tienne le guichet de la « souricière du secret. Cela n'est pas digne de la « Conciergerie d'une grande civilisation. »

Javert écrivit ces lignes de son écriture la plus calme et la plus correcte, n'omettant pas une virgule, et faisant fermement crier le papier sous la plume. Au-dessous de la dernière ligne il signa :

« JAVERT.

« Inspecteur de 1re classe.

« Au poste de la place du Châtelet.

« 7 juin 1832, environ une heure du matin. »

Javert sécha l'encre fraîche sur le papier, le plia comme une lettre, le cacheta, écrivit au dos : *Note pour l'administration*, le laissa sur la table, et sortit du poste. La porte vitrée et grillée retomba derrière lui.

Il traversa de nouveau diagonalement la place du Châtelet, regagna le quai, et revint avec une précision automatique au point même qu'il avait quitté un quart d'heure auparavant ; il s'y accouda, et se retrouva dans la même attitude sur la même dalle du parapet. Il semblait qu'il n'eût pas bougé.

L'obscurité était complète. C'était le moment sépulcral qui suit minuit. Un plafond de nuages cachait les étoiles. Le ciel n'était qu'une épaisseur sinistre. Les maisons de la Cité n'avaient plus une seule lumière ; personne ne passait ; tout ce qu'on apercevait des rues et des quais était désert ; Notre-Dame et les tours du Palais de justice semblaient des linéaments de la nuit. Un réverbère rougissait la margelle du quai. Les silhouettes des ponts se déformaient dans la brume les unes derrière les autres. Les pluies avaient grossi la rivière.

L'endroit où Javert s'était accoudé était, on s'en souvient, précisément situé au-dessus du rapide de la Seine, à pic sur cette redoutable spirale de tourbillons qui se dénoue et se renoue comme une vis sans fin.

Javert pencha la tête et regarda. Tout était noir. On ne distinguait rien. On entendait un bruit d'écume ; mais on ne voyait pas la rivière. Par instants, dans cette profondeur vertigineuse, une lueur apparaissait et serpentait vaguement, l'eau ayant cette puissance, dans la nuit la plus complète, de prendre la lumière on ne sait où et de la changer en couleuvre. La lueur s'évanouissait, et tout redevenait indistinct. L'immensité semblait ouverte là. Ce qu'on avait au-dessous de soi, ce n'était pas de l'eau, c'était du gouffre. Le mur du quai, abrupt, confus, mêlé à la vapeur, tout de suite dérobé, faisait l'effet d'un escarpement de l'infini.

On ne voyait rien, mais on sentait la froideur hostile de l'eau et l'odeur fade des pierres mouillées. Un souffle farouche montait de cet abîme. Le grossissement du fleuve plutôt deviné qu'aperçu, le tragique chuchotement du flot, l'énormité lugubre des arches du pont, la chute imaginable dans ce vide sombre, toute cette ombre était pleine d'horreur.

Javert demeura quelques minutes immobile, regardant cette ouverture de ténèbres ; il considérait l'invisible avec une fixité qui ressemblait à de l'attention. L'eau bruissait. Tout à coup, il ôta son chapeau et le posa sur le rebord du quai. Un moment après, une figure haute et noire, que de loin quelque passant attardé eût pu prendre pour un fantôme, apparut debout sur le parapet, se courba vers la Seine, puis se redressa, et tomba droite dans les ténèbres ; il y eut un clapotement sourd ; et l'ombre seule fut dans le secret des convulsions de cette forme obscure disparue sous l'eau.

LIVRE CINQUIÈME

LE PETIT-FILS ET LE GRAND-PÈRE

I

OÙ L'ON REVOIT L'ARBRE A L'EMPLÂTRE DE ZINC

QUELQUE temps après les événements que nous venons de raconter, le sieur Boulatruelle eut une émotion vive.

Le sieur Boulatruelle est ce cantonnier de Montfermeil qu'on a déjà entrevu dans les parties ténébreuses de ce livre.

Boulatruelle, on s'en souvient peut-être, était un homme occupé de choses troubles et diverses. Il cassait des pierres et endommageait des voyageurs sur la grande route. Terrassier et voleur, il avait un rêve ; il croyait aux trésors enfouis dans la forêt de Montfermeil. Il espérait quelque jour trouver de l'argent dans la terre au pied d'un arbre ; en attendant, il en cherchait volontiers dans les poches des passants.

Néanmoins, pour l'instant, il était prudent. Il venait de l'échapper belle. Il avait été, on le sait, ramassé dans le galetas Jondrette avec les autres bandits. Utilité d'un vice : son ivrognerie l'avait sauvé. On n'avait jamais pu éclaircir s'il était là comme voleur ou comme volé. Une ordonnance de non-lieu, fondée sur son état d'ivresse bien constaté dans la soirée du guet-apens, l'avait mis en liberté. Il avait repris la clef des bois. Il était revenu à son chemin de Gagny à Lagny faire, sous la surveillance administrative, de l'empierrement pour le compte de l'état, la mine basse, fort pensif, un peu refroidi pour le vol, qui avait failli le perdre, mais ne se tournant qu'avec plus d'attendrissement vers le vin, qui venait de le sauver.

Quant à l'émotion vive qu'il eut peu de temps après sa rentrée sous le toit de gazon de sa hutte de cantonnier, la voici :

Un matin, Boulatruelle, en se rendant comme d'habitude à son travail, et à son affût peut-être, un peu avant le point du jour, aperçut parmi les branches un homme dont il ne vit que le dos, mais dont l'encolure, à ce qui lui sembla, à travers la distance et le crépuscule, ne lui était pas tout à fait inconnue. Boulatruelle, quoique ivrogne, avait une mémoire correcte et lucide, arme défensive indispensable à quiconque est un peu en lutte avec l'ordre légal.

— Où diable ai-je vu quelque chose comme cet homme-là ? se demanda-t-il.

Mais il ne put rien se répondre, sinon que cela ressemblait à quelqu'un dont il avait confusément la trace dans l'esprit.

Boulatruelle, du reste, en dehors de l'identité qu'il ne réussissait point à ressaisir, fit des rapprochements et des calculs. Cet homme n'était pas du pays. Il y arrivait. A pied, évidemment. Aucune voiture publique ne passe à ces heures-là à Montfermeil. Il avait marché toute la nuit. D'où venait-il ? De pas loin. Car il n'avait ni havre-sac, ni paquet. De Paris sans doute. Pourquoi était-il dans ce bois ? pourquoi y était-il à pareille heure ? qu'y venait-il faire ?

Boulatruelle songea au trésor. A force de creuser dans sa mémoire, il se rappela vaguement avoir eu déjà, plusieurs années auparavant, une semblable alerte au sujet d'un homme qui lui faisait bien l'effet de pouvoir être cet homme-là.

Tout en méditant, il avait, sous le poids même de sa méditation, baissé la tête, chose naturelle, mais peu habile. Quand il la releva, il n'y avait plus rien. L'homme s'était effacé dans la forêt et dans le crépuscule.

— Par le diantre, dit Boulatruelle, je le retrouverai. Je découvrirai la paroisse de ce paroissien-là. Ce promeneur de patron-minette a un pourquoi, je le saurai. On n'a pas de secret dans mon bois sans que je m'en mêle.

Il prit sa pioche qui était fort aiguë.

— Voilà, grommela-t-il, de quoi fouiller la terre et un homme.

Et, comme on rattache un fil à un autre fil, emboîtant le pas de son mieux dans l'itinéraire que l'homme avait dû suivre, il se mit en marche à travers le taillis.

Quand il eut fait une centaine d'enjambées, le jour, qui commençait à se lever, l'aida. Des semelles empreintes sur le sable çà et là, des herbes foulées, des bruyères écrasées, de jeunes branches pliées dans les broussailles et se redressant avec une gracieuse lenteur comme les bras d'une jolie femme qui s'étire en se réveillant, lui indiquèrent une sorte de piste. Il la suivit, puis il la perdit. Le temps s'écoulait. Il entra plus avant dans le bois et parvint sur une espèce d'éminence. Un chasseur matinal qui passait au loin sur un sentier en sifflant l'air de Guillery lui donna l'idée de grimper dans un arbre. Quoique vieux, il était agile. Il y avait là un hêtre de grande taille, digne de Tityre et de Boulatruelle. Boulatruelle monta sur le hêtre, le plus haut qu'il put.

L'idée était bonne. En explorant la solitude du côté où le bois est tout à fait enchevêtré et farouche, Boulatruelle aperçut tout à coup l'homme.

A peine l'eut-il aperçu qu'il le perdit de vue.

L'homme entra, ou plutôt se glissa dans une clairière assez éloignée, masquée par de grands arbres, mais que Boulatruelle connaissait très bien, pour y avoir remarqué, près d'un gros tas de pierres meulières, un châtaignier malade pansé avec une plaque de zinc clouée à même sur l'écorce. Cette clairière est celle qu'on appelait autrefois le fonds Blaru. Le tas de pierres, destiné à on ne sait quel emploi, qu'on y voyait il y a trente ans, y est sans doute encore. Rien n'égale la longévité d'un tas de pierres, si ce n'est celle d'une palissade en planches. C'est là provisoirement. Quelle raison pour durer !

Boulatruelle, avec la rapidité de la joie, se laissa tomber de l'arbre plutôt qu'il n'en descendit. Le gîte était trouvé, il s'agissait de saisir la bête. Ce fameux trésor rêvé était probablement là.

Ce n'était pas une petite affaire d'arriver à cette clairière. Par les sentiers battus, qui font mille zigzags taquinants, il fallait un bon quart d'heure. En ligne droite, par le fourré, qui est là singulièrement épais, très épineux et très agressif, il fallait une grande demi-heure. C'est ce que Boulatruelle eut le tort de ne point comprendre. Il crut à la ligne droite ; illusion d'optique respectable, mais qui perd beaucoup d'hommes. Le fourré, si hérissé qu'il fût, lui parut le bon chemin.

— Prenons par la rue de Rivoli des loups, dit-il.

Boulatruelle, accoutumé à aller de travers, fit cette fois la faute d'aller droit.

Il se jeta résolument dans la mêlée des broussailles.

Il eut affaire à des houx, à des orties, à des aubépines, à des églantiers, à des chardons, à des ronces fort irascibles. Il fut très égratigné.

Au bas du ravin, il trouva de l'eau qu'il fallut traverser.

Il arriva enfin à la clairière Blaru, au bout de quarante minutes, suant, mouillé, essoufflé, griffé, féroce.

Personne dans la clairière.

Boulatruelle courut au tas de pierres. Il était à sa place. On ne l'avait pas emporté.

Quant à l'homme, il s'était évanoui dans la forêt. Il s'était évadé. Où ? de quel côté ? dans quel fourré ? Impossible de le deviner.

Et, chose poignante, il y avait derrière le tas de pierres, devant l'arbre à la plaque de zinc, de la terre toute fraîche remuée, une pioche oubliée ou abandonnée, et un trou.

Ce trou était vide.

— Voleur ! cria Boulatruelle en montrant les deux poings à l'horizon.

II

MARIUS, EN SORTANT DE LA GUERRE CIVILE, S'APPRÊTE A LA GUERRE DOMESTIQUE

Marius fut longtemps ni mort ni vivant. Il eut durant plusieurs semaines une fièvre accompagnée de délire, et d'assez graves symptômes cérébraux causés plutôt encore par les commotions des blessures à la tête que par les blessures elles-mêmes.

Il répéta le nom de Cosette pendant des nuits entières dans la loquacité lugubre de la fièvre et avec la sombre opiniâtreté de l'agonie. La largeur de certaines lésions fut un sérieux danger, la suppuration des plaies larges pouvant toujours se résorber, et par conséquent tuer le malade, sous de certaines influences atmosphériques ; à chaque changement de temps, au moindre orage, le médecin était inquiet. — Surtout que le blessé n'ait aucune émotion, répétait-il. Les pansements étaient compliqués et difficiles, la fixation des appareils et des linges par le sparadrap n'ayant pas encore été imaginée à cette époque. Nicolette dépensa en charpie un drap de lit « grand comme un plafond », disait-elle. Ce ne fut pas sans peine que les lotions chlorurées et le nitrate d'argent vinrent à bout de la gangrène. Tant qu'il y eut péril, M. Gillenormand, éperdu au chevet de son petit-fils, fut comme Marius ; ni mort ni vivant.

Tous les jours, et quelquefois deux fois par jour, un monsieur en cheveux blancs, fort bien mis, tel était le signalement donné par le portier, venait savoir des nouvelles du blessé, et déposait pour les pansements un gros paquet de charpie.

Enfin, le 7 septembre, quatre mois, jour pour jour, après la douloureuse nuit où on l'avait rapporté mourant chez son grand-père, le médecin déclara qu'il répondait de lui. La convalescence s'ébaucha. Marius dut pourtant rester encore plus de deux mois étendu sur une chaise longue, à cause des accidents produits par la fracture de la clavicule. Il y a toujours comme cela une dernière plaie qui ne veut pas se fermer et qui éternise les pansements, au grand ennui du malade.

Du reste, cette longue maladie et cette longue convalescence le sauvèrent des poursuites. En France, il n'y a pas de colère, même publique, que six mois n'éteignent. Les émeutes, dans l'état où est la société, sont tellement la faute de tout le monde qu'elles sont suivies d'un certain besoin de fermer les yeux.

Ajoutons que l'inqualifiable ordonnance Gisquet, qui enjoignait aux médecins de dénoncer les blessés, ayant indigné l'opinion, et non seulement l'opinion, mais le roi tout le premier, les blessés furent couverts et protégés par cette indignation ; et, à l'exception de ceux qui avaient été faits prisonniers dans le combat flagrant, les conseils de guerre n'osèrent en inquiéter aucun. On laissa donc Marius tranquille.

M. Gillenormand traversa toutes les angoisses d'abord, et ensuite toutes les extases. On eut beaucoup de peine à l'empêcher de passer toutes les nuits près du blessé ; il fit apporter son grand fauteuil à côté du lit de Marius ; il exigea que sa fille prît le plus beau linge de la maison pour en faire des compresses et des bandes. Mademoiselle Gillenormand, en personne sage et aînée, trouva moyen d'épargner le beau linge, tout en laissant croire à l'aïeul qu'il était obéi. M. Gillenormand ne permit pas qu'on lui expliquât que pour faire de la charpie la batiste ne vaut pas la grosse toile, ni la toile neuve la toile usée. Il assistait à tous les pansements dont mademoiselle Gillenormand s'absentait pudiquement. Quand on coupait les chairs mortes avec des ciseaux, il disait : aïe ! aïe ! Rien n'était touchant comme de le voir tendre au blessé une tasse de tisane avec son doux tremblement sénile. Il accablait le médecin de questions. Il ne s'apercevait pas qu'il recommençait toujours les mêmes.

Le jour où le médecin lui annonça que Marius était hors de danger, le bonhomme fut en délire. Il donna trois louis de gratification à son portier. Le soir, en rentrant dans sa chambre, il dansa une gavotte, en faisant des castagnettes avec son pouce et son index, et il chanta une chanson que voici :

Jeanne est née à Fougère,
Vrai nid d'une bergère ;
J'adore son jupon
    Fripon.

Amour, tu vis en elle ;
Car c'est dans sa prunelle
Que tu mets ton carquois,
    Narquois !

Moi, je la chante, et j'aime
Plus que Diane même,
Jeanne et ses durs tetons
    Bretons.

Puis il se mit à genoux sur une chaise, et Basque, qui l'observait par la porte entr'ouverte, crut être sûr qu'il priait.

Jusque-là, il n'avait guère cru en Dieu.

A chaque nouvelle phase du mieux, qui allait se dessinant de plus en plus, l'aïeul extravaguait. Il faisait un tas d'actions machinales pleines d'allégresse, il montait et descendait les escaliers sans savoir pourquoi. Une voisine, jolie du reste, fut toute stupéfaite de recevoir un matin un gros bouquet ; c'était M. Gillenormand qui le lui envoyait. Le mari fit une scène de jalousie. M. Gillenormand essayait de prendre Nicolette sur ses genoux. Il appelait Marius monsieur le baron. Il criait : Vive la république !

A chaque instant, il demandait au médecin :

N'est-ce pas qu'il n'y a plus de danger ? Il regardait Marius avec des yeux de grand'mère. Il le couvait quand il mangeait. Il ne se connaissait plus, il ne se comptait plus, Marius était le maître de la maison, il y avait de l'abdication dans sa joie, il était le petit-fils de son petit-fils.

Dans cette allégresse où il était, c'était le plus vénérable des enfants. De peur de fatiguer ou d'importuner le convalescent, il se mettait derrière lui pour lui sourire. Il était content, joyeux, ravi, charmant, jeune. Ses cheveux blancs ajoutaient une majesté douce à la lumière gaie qu'il avait sur le visage. Quand la grâce se mêle aux rides, elle est adorable. Il y a on ne sait quelle aurore dans de la vieillesse épanouie.

Quant à Marius, tout en se laissant panser et soigner, il avait une idée fixe : Cosette.

Depuis que la fièvre et le délire l'avaient quitté, il ne prononçait plus ce nom, et l'on aurait pu croire qu'il n'y songeait plus. Il se taisait, précisément parce que son âme était là.

Il ne savait ce que Cosette était devenue, toute l'affaire de la rue de la Chanvrerie était comme un nuage dans son souvenir ; des ombres presque indistinctes flottaient dans son esprit, Éponine, Gavroche, Mabeuf, les Thénardier, tous ses amis lugubrement mêlés à la fumée de la barricade ; l'étrange passage de M. Fauchelevent dans cette aventure sanglante lui faisait l'effet d'une énigme dans une tempête ; il ne comprenait rien à sa propre vie, il ne savait comment ni par qui il avait été sauvé, et personne ne le savait autour de lui ; tout ce qu'on avait pu lui dire, c'est qu'il avait été rapporté la nuit dans un fiacre rue des Filles-du-Calvaire ; passé, présent, avenir, tout n'était plus en lui que le brouillard d'une idée vague, mais il y avait dans cette brume un point immobile, un linéament net et précis, quelque chose qui était en granit, une résolution, une volonté : retrouver Cosette. Pour lui, l'idée de la vie n'était pas distincte de l'idée de Cosette ; il avait décrété dans son cœur qu'il n'accepterait pas l'une sans l'autre, et il était inébranlablement décidé à exiger de n'importe qui voudrait le forcer à vivre, de son grand-père, du sort, de l'enfer, la restitution de son éden disparu.

Les obstacles, il ne se les dissimulait pas.

Soulignons ici un détail : il n'était point gagné et était peu attendri par toutes les sollicitudes et toutes les tendresses de son grand-père. D'abord il n'était pas dans le secret de toutes ; ensuite, dans ses rêveries de malade, encore fiévreuses peut-être, il se défiait de ces douceurs-là comme d'une chose étrange et nouvelle ayant pour but de le dompter. Il y restait froid. Le grand-père dépensait en pure perte son pauvre vieux sourire. Marius se disait que c'était bon tant que lui Marius ne parlait pas et se laissait faire ; mais que, lorsqu'il s'agirait de Cosette, il trouverait un autre visage, et que la véritable attitude de l'aïeul se démasquerait. Alors ce serait rude ; recrudescence des questions de famille, confrontation des positions, tous les sarcasmes et toutes les objections à la fois, Fauchelevent, Coupelevent, la fortune, la pauvreté, la misère, la pierre au cou, l'avenir. Résistance violente ; conclusion, refus. Marius se roidissait d'avance.

Et puis, à mesure qu'il reprenait vie, ses anciens griefs reparaissaient, les vieux ulcères de sa mémoire se rouvraient, il resongeait au passé, le colonel Pontmercy se replaçait entre M. Gillenormand et lui Marius, il se disait qu'il n'avait aucune vraie bonté à espérer de qui avait été si injuste et si dur pour son père. Et avec la santé, il lui revenait une sorte d'âpreté contre son aïeul. Le vieillard en souffrait doucement.

M. Gillenormand, sans en rien témoigner d'ailleurs, remarquait que Marius, depuis qu'il avait été rapporté chez lui et qu'il avait repris connaissance, ne lui avait pas dit une seule fois mon père. Il ne disait point monsieur, cela est vrai ; mais il trouvait moyen de ne dire ni l'un ni l'autre, par une certaine manière de tourner ses phrases.

Une crise approchait évidemment.

Comme il arrive presque toujours en pareil cas, Marius, pour s'essayer, escarmoucha avant de livrer bataille. Cela s'appelle tâter le terrain. Un matin il advint que M. Gillenormand, à propos d'un journal qui lui était tombé sous la main, parla légèrement de la Convention et lâcha un épiphonème royaliste sur Danton, Saint-Just et Robespierre. — Les hommes de 93 étaient des géants, dit Marius avec sévérité. Le vieillard se tut et ne souffla point du reste de la journée.

Marius, qui avait toujours présent à l'esprit l'inflexible grand-père de ses premières années, vit dans ce silence une profonde concentration de colère, en augura une lutte acharnée, et augmenta dans les arrière-recoins de sa pensée ses préparatifs de combat.

Il arrêta qu'en cas de refus il arracherait ses appareils, disloquerait sa clavicule, mettrait à nu et à vif ce qu'il lui restait de plaies, et repousserait toute nourriture. Ses plaies, c'étaient ses munitions. Avoir Cosette ou mourir.

Il attendit le moment favorable avec la patience sournoise des malades.

Ce moment arriva.

III

MARIUS ATTAQUE

Un jour, M. Gillenormand, tandis que sa fille mettait en ordre les fioles et les tasses sur le marbre de la commode, était penché sur Marius, et lui disait de son accent le plus tendre :

— Vois-tu, mon petit Marius, à ta place je mangerais maintenant plutôt de la viande que du poisson. Une sole frite, cela est excellent pour commencer une convalescence, mais, pour mettre le malade debout, il faut une bonne côtelette.

Marius, dont presque toutes les forces étaient revenues, les rassembla, se dressa sur son séant, appuya ses deux poings crispés sur les draps de son lit, regarda son grand-père en face, prit un air terrible, et dit :

— Ceci m'amène à vous dire une chose.

— Laquelle ?

— C'est que je veux me marier.

— Prévu, dit le grand-père. Et il éclata de rire.

— Comment, prévu ?

— Oui, prévu. Tu l'auras, ta fillette.

Marius, stupéfait et accablé par l'éblouissement, trembla de tous ses membres.

M. Gillenormand continua :

— Oui, tu l'auras, ta belle jolie petite fille. Elle vient tous les jours sous la forme d'un vieux monsieur savoir de tes nouvelles. Depuis que tu es blessé, elle passe son temps à pleurer et à faire de la charpie. Je me suis informé. Elle demeure rue de l'Homme-Armé, numéro sept. Ah, nous y voilà ! Ah ! tu la veux. Eh bien, tu l'auras. Ça t'attrape. Tu avais fait ton petit complot, tu t'étais dit : — Je vais lui signifier cela carrément à ce grand-père, à cette momie de la régence et du directoire, à cet ancien beau, à ce Dorante devenu Géronte ; il a eu ses légèretés aussi, lui, et ses amourettes, et ses grisettes, et ses Cosettes ; il a fait son frou-frou, il a eu ses ailes, il a mangé du pain du printemps ; il faudra bien qu'il s'en souvienne. Nous allons voir. Bataille. Ah ! tu prends le hanneton par les cornes. C'est bon. Je t'offre une côtelette, et tu me réponds : A propos, je veux me marier. C'est ça qui est une transition ! Ah ! tu avais compté sur de la bisbille ! Tu ne savais pas que j'étais un vieux lâche. Qu'est-ce que tu dis de ça ? Tu bisques. Trouver ton grand-père encore plus bête que toi, tu ne t'y attendais pas, tu perds le discours que tu devais me faire, monsieur l'avocat, c'est taquinant. Eh bien, tant pis, rage. Je fais ce que tu veux, ça te la coupe, imbécile ! Écoute. J'ai pris des renseignements, moi aussi je suis sournois ; elle est charmante, elle est sage, le lancier n'est pas vrai, elle a fait des tas de charpie, c'est un bijou, elle t'adore. Si tu étais mort, nous aurions été trois ; sa bière aurait accompagné la mienne. J'avais bien eu l'idée, dès que tu as été mieux, de te la camper tout bonnement à ton chevet, mais il n'y a que dans les romans qu'on introduit tout de go les jeunes filles près du lit des jolis blessés qui les intéressent. Ça ne se fait pas. Qu'aurait dit ta tante ? Tu étais tout nu les trois quarts du temps, mon bonhomme. Demande à Nicolette, qui ne t'a pas quitté une minute, s'il y avait moyen qu'une femme fût là. Et puis qu'aurait dit le médecin ? Ça ne guérit pas la fièvre, une jolie fille. Enfin, c'est bon, n'en parlons plus, c'est dit, c'est fait, c'est bâclé, prends-la. Telle est ma férocité. Vois-tu, j'ai vu que tu ne m'aimais pas, j'ai dit : Qu'est-ce que je pourrais donc faire pour que cet animal-là m'aime ? J'ai dit : Tiens, j'ai ma petite Cosette sous la main, je vais la lui donner, il faudra bien qu'il m'aime alors un peu, ou qu'il dise pourquoi. Ah ! tu croyais que le vieux allait tempêter, faire la grosse voix, crier non, et lever la canne sur toute cette aurore. Pas du tout. Cosette, soit ; amour, soit. Je ne demande pas mieux. Monsieur, prenez la peine de vous marier. Sois heureux, mon enfant bien-aimé.

Cela dit, le vieillard éclata en sanglots.

Et il prit la tête de Marius, et il la serra dans ses deux bras contre sa vieille poitrine, et tous deux se mirent à pleurer. C'est là une des formes du bonheur suprême.

— Mon père ! s'écria Marius.

— Ah ! tu m'aimes donc ! dit le vieillard.

Il y eut un moment ineffable. Ils étouffaient et ne pouvaient parler.

Enfin le vieillard bégaya :

— Allons ! le voilà débouché. Il m'a dit : Mon père.

Marius dégagea sa tête des bras de l'aïeul, et dit doucement :

— Mais, mon père, à présent que je me porte bien, il me semble que je pourrais la voir.

— Prévu encore, tu la verras demain.

— Mon père !

— Quoi ?

— Pourquoi pas aujourd'hui ?

— Eh bien, aujourd'hui. Va pour aujourd'hui Tu m'as dit trois fois « mon père », ça vaut bien ça. Je vais m'en occuper. On te l'amènera ! Prévu, te dis-je. Ceci a déjà été mis en vers. C'est le dénouement de l'élégie du *Jeune malade* d'André

Chénier, d'André Chénier qui a été égorgé par les scélér... — par les géants de 93.

M. Gillenormand crut apercevoir un léger froncement du sourcil de Marius, qui, en vérité, nous devons le dire, ne l'écoutait plus, envolé qu'il était dans l'extase, et pensant beaucoup plus à Cosette qu'à 1793. Le grand-père, tremblant d'avoir introduit si mal à propos André Chénier, reprit précipitamment :

— Égorgé n'est pas le mot. Le fait est que les grands génies révolutionnaires, qui n'étaient pas méchants, cela est incontestable, qui étaient des héros, pardi ! trouvaient qu'André Chénier les gênait un peu, et qu'ils l'ont fait guillot... — c'est-à-dire que ces grands hommes, le sept thermidor, dans l'intérêt du salut public, ont prié André Chénier de vouloir bien aller... —

M. Gillenormand, pris à la gorge par sa propre phrase, ne put continuer ; ne pouvant ni la terminer, ni la rétracter, pendant que sa fille arrangeait derrière Marius l'oreiller, bouleversé de tant d'émotions, le vieillard se jeta, avec autant de vitesse que son âge le lui permit, hors de la chambre à coucher, en repoussa la porte derrière lui, et, pourpre, étranglant, écumant, les yeux hors de la tête, se trouva nez à nez avec l'honnête Basque qui cirait les bottes dans l'antichambre. Il saisit Basque au collet et lui cria en plein visage avec fureur : — Par les cent mille Javottes du diable, ces brigands l'ont assassiné !

— Qui, monsieur ?

— André Chénier !

— Oui, monsieur, dit Basque épouvanté.

IV

MADEMOISELLE GILLENORMAND FINIT PAR NE PLUS TROUVER MAUVAIS QUE M. FAUCHELEVENT SOIT ENTRÉ AVEC QUELQUE CHOSE SOUS LE BRAS

COSETTE et Marius se revirent.

Ce que fut l'entrevue, nous renonçons à le dire. Il y a des choses qu'il ne faut pas essayer de peindre ; le soleil est du nombre.

Toute la famille, y compris Basque et Nicolette, était réunie dans la chambre de Marius au moment où Cosette entra.

Elle apparut sur le seuil ; il semblait qu'elle était dans un nimbe.

Précisément à cet instant-là, le grand-père allait se moucher ; il resta court, tenant son nez dans son mouchoir et regardant Cosette par-dessus :

— Adorable ! s'écria-t-il.

Puis il se moucha bruyamment.

Cosette était enivrée, ravie, effrayée, au ciel. Elle était aussi effarouchée qu'on peut l'être par le bonheur. Elle balbutiait, toute pâle, toute rouge, voulant se jeter dans les bras de Marius, et n'osant pas. Honteuse d'aimer devant tout ce monde. On est sans pitié pour les amants heureux ; on reste là quand ils auraient le plus envie d'être seuls. Ils n'ont pourtant pas du tout besoin des gens.

Avec Cosette et derrière elle, était entré un homme en cheveux blancs, grave, souriant néanmoins, mais d'un vague et poignant sourire. C'était « monsieur Fauchelevent » ; c'était Jean Valjean.

Il était *très bien mis*, comme avait dit le portier,

entièrement vêtu de noir et de neuf et en cravate blanche.

Le portier était à mille lieues de reconnaître dans ce bourgeois correct, dans ce notaire probable, l'effrayant porteur de cadavres qui avait surgi à sa porte dans la nuit du 7 juin, déguenillé, fangeux, hideux, hagard, la face masquée de sang et de boue, soutenant sous les bras Marius évanoui ; cependant son flair de portier était éveillé. Quand M. Fauchelevent était arrivé avec Cosette, le portier n'avait pu s'empêcher de confier à sa femme cet aparté : Je ne sais pourquoi je me figure toujours que j'ai déjà vu ce visage-là.

M. Fauchelevent, dans la chambre de Marius, restait comme à l'écart près de la porte. Il avait sous le bras un paquet assez semblable à un volume in-octavo, enveloppé dans du papier. Le papier de l'enveloppe était verdâtre et semblait moisi.

— Est-ce que ce monsieur a toujours comme cela des livres sous le bras ? demanda à voix basse à Nicolette mademoiselle Gillenormand qui n'aimait point les livres.

— Eh bien, répondit du même ton M. Gillenormand qui l'avait entendue, c'est un savant. Après ? Est-ce sa faute ? Monsieur Boulard, que j'ai connu, ne marchait jamais sans un livre, lui non plus, et avait toujours comme cela un bouquin contre son cœur.

Et, saluant, il dit à haute voix :

— Monsieur Tranchelevent...

Le père Gillenormand ne le fit pas exprès, mais l'inattention aux noms propres était chez lui une manière aristocratique.

— Monsieur Tranchelevent, j'ai l'honneur de vous demander pour mon petit-fils, monsieur le baron Marius Pontmercy, la main de mademoiselle.

« Monsieur Tranchelevent » s'inclina.

— C'est dit, fit l'aïeul.

Et, se tournant vers Marius et Cosette, les deux bras étendus et bénissant, il cria :

— Permission de vous adorer.

Ils ne se le firent pas dire deux fois. Tant pis ! le gazouillement commença. Ils se parlaient bas, Marius accoudé sur sa chaise longue, Cosette debout près de lui. — O mon Dieu ! murmurait Cosette, je vous revois. C'est toi ! c'est vous ! Être allé se battre comme cela ! Mais pourquoi ? C'est horrible. Pendant quatre mois, j'ai été morte. Oh ! que c'est méchant d'avoir été à cette bataille ! Qu'est-ce que je vous avais fait ? Je vous pardonne, mais vous ne le ferez plus. Tout à l'heure, quand on est venu nous dire de venir, j'ai encore cru que j'allais mourir, mais c'était de joie. J'étais si triste ! Je n'ai pas pris le temps de m'habiller, je dois faire peur. Qu'est-ce que vos parents diront de me voir une collerette toute chiffonnée ? Mais parlez donc ! Vous me laissez parler toute seule. Nous sommes toujours rue de l'Homme-Armé. Il paraît que votre épaule, c'était terrible. On m'a dit qu'on pouvait mettre le poing dedans. Et puis il paraît qu'on a coupé les chairs avec des ciseaux. C'est ça qui est affreux. J'ai pleuré, je n'ai plus d'yeux. C'est drôle qu'on puisse souffrir comme cela. Votre grand-père a l'air très bon ! Ne vous dérangez pas, ne vous mettez pas sur le coude, prenez garde, vous allez vous faire du mal. Oh ! comme je suis heureuse ! C'est donc fini, le malheur ! Je suis toute sotte. Je voulais vous dire des choses que je ne sais plus du tout. M'aimez-vous toujours ? Nous demeurons rue de l'Homme-Armé. Il n'y a pas de jardin. J'ai fait de la charpie tout le temps ; tenez, monsieur, regardez, c'est votre faute, j'ai un durillon aux doigts. — Ange ! disait Marius.

Ange est le seul mot de la langue qui ne puisse s'user. Aucun autre mot ne résisterait à l'emploi impitoyable qu'en font les amoureux.

Puis, comme il y avait des assistants, ils s'interrompirent et ne dirent plus un mot, se bornant à se toucher tout doucement la main.

M. Gillenormand se tourna vers tous ceux qui étaient dans la chambre et cria :

— Parlez donc haut, vous autres. Faites du bruit, la cantonnade. Allons, un peu de brouhaha, que diable ! que ces enfants puissent jaser à leur aise.

Et, s'approchant de Marius et de Cosette, il leur dit tout bas :

— Tutoyez-vous. Ne vous gênez pas.

La tante Gillenormand assistait avec stupeur à cette irruption de lumière dans son intérieur vieillot. Cette stupeur n'avait rien d'agressif ; ce n'était pas le moins du monde le regard scandalisé et envieux d'une chouette à deux ramiers ; c'était l'œil bête d'une pauvre innocente de cinquante-sept ans ; c'était la vie manquée regardant ce triomphe, l'amour.

— Mademoiselle Gillenormand aînée, lui disait son père, je t'avais bien dit que cela t'arriverait.

Il resta un moment silencieux et ajouta :

— Regarde le bonheur des autres.

Puis il se tourna vers Cosette :

— Qu'elle est jolie ! qu'elle est jolie ! C'est un Greuze. Tu vas donc avoir cela pour toi tout seul, polisson ! Ah ! mon coquin, tu l'échappes belle avec moi, tu es heureux, si je n'avais pas quinze ans de trop, nous nous battrions à l'épée à qui l'aurait. Tiens ! je suis amoureux de vous, mademoiselle. C'est tout simple. C'est votre droit. Ah ! la belle jolie charmante petite noce que cela va faire ! C'est Saint-Denis du Saint-Sacrement qui est notre paroisse, mais j'aurai une dispense pour que vous vous épousiez à Saint-Paul. L'église est mieux. C'est bâti par les jésuites. C'est plus coquet. C'est vis-à-vis la fontaine du cardinal de Birague. Le chef-d'œuvre de l'architecture jésuite est à Namur. Ça s'appelle Saint-Loup. Il faudra y aller quand vous serez mariés. Cela vaut le voyage. Mademoiselle, je suis tout à fait de votre parti, je veux que les filles se marient, c'est fait pour ça. Il y a une certaine sainte Catherine que je voudrais voir toujours décoiffée. Rester fille, c'est beau, mais c'est froid. La Bible dit : Multipliez. Pour sauver le peuple, il faut Jeanne d'Arc ; mais, pour faire le peuple, il faut la mère Gigogne. Donc, mariez-vous, les belles. Je ne vois vraiment pas à quoi bon rester fille ? Je sais bien qu'on a une chapelle à part dans l'église et qu'on se rabat sur la confrérie de la Vierge ; mais, sapristi, un joli mari, brave garçon, et, au bout d'un an, un gros mioche blond qui vous tette gaillardement, et qui a de bons plis de graisse aux cuisses, et qui vous tripote le sein à poignées dans ses petites pattes roses en riant comme l'aurore, cela vaut pourtant mieux que de tenir un cierge à vêpres et de chanter *Turris eburnea !*

Le grand-père fit une pirouette sur ses talons de quatrevingt-dix ans, et se remit à parler, comme un ressort qui repart :

— Ainsi, bornant le cours de tes rêvasseries,
Alcippe, il est donc vrai, dans peu tu te maries.

A propos !

— Quoi, mon père ?

— N'avais-tu pas un ami intime ?

— Oui, Courfeyrac.

— Qu'est-il devenu ?

— Il est mort.

— Ceci est bon.

Il s'assit près d'eux, fit asseoir Cosette, et prit leurs quatre mains dans ses vieilles mains ridées.

— Elle est exquise, cette mignonne. C'est un chef-d'œuvre, cette Cosette-là ! Elle est très petite fille et très grande dame. Elle ne sera que baronne, c'est déroger ; elle est née marquise. Vous a-t-elle des cils ! Mes enfants, fichez-vous bien dans la caboche que vous êtes dans le vrai. Aimez-vous. Soyez-en bêtes. L'amour, c'est la bêtise des hommes et l'esprit de Dieu. Adorez-vous. Seulement, ajouta-t-il rembruni tout à coup, quel malheur ! Voilà que j'y pense ! Plus de la moitié de ce que j'ai est en viager ; tant que je vivrai, cela ira encore, mais après ma mort, dans une vingtaine d'années d'ici, ah ! mes pauvres enfants, vous n'aurez pas le sou ! Vos belles mains blanches, madame la baronne, feront au diable l'honneur de le tirer par la queue.

Ici on entendit une voix grave et tranquille qui disait :

— Mademoiselle Euphrasie Fauchelevent a six cent mille francs.

C'était la voix de Jean Valjean.

Il n'avait pas encore prononcé une parole, personne ne semblait même plus savoir qu'il était là, et il se tenait debout et immobile derrière tous ces gens heureux.

— Qu'est-ce que c'est que mademoiselle Euphrasie en question ? demanda le grand-père effaré.

— C'est moi, reprit Cosette.

— Six cent mille francs ! répondit M. Gillenormand.

— Moins quatorze ou quinze mille francs peut-être, dit Jean Valjean.

Et il posa sur la table le paquet que la tante Gillenormand avait pris pour un livre.

Jean Valjean ouvrit lui-même le paquet ; c'était une liasse de billets de banque. On les feuilleta et on les compta. Il y avait cinq cents billets de mille francs et cent soixante-huit de cinq cents. En tout cinq cent quatrevingt-quatre mille francs.

— Voilà un bon livre, dit M. Gillenormand.

— Cinq cent quatrevingt-quatre mille francs ! murmura la tante.

— Ceci arrange bien des choses, n'est-ce pas, mademoiselle Gillenormand aînée ? reprit l'aïeul. Ce diable de Marius, il vous a déniché dans l'arbre des rêves une grisette millionnaire ! Fiez-vous donc maintenant aux amourettes des jeunes gens ! Les étudiants trouvent des étudiantes de six cent mille francs. Chérubin travaille mieux que Rothschild.

— Cinq cent quatrevingt-quatre mille francs ! répétait à demi-voix mademoiselle Gillenormand. Cinq cent quatrevingt-quatre ! autant dire six cent mille, quoi !

Quant à Marius et à Cosette, ils se regardaient pendant ce temps-là ; ils firent à peine attention à ce détail.

V

DÉPOSEZ PLUTÔT VOTRE ARGENT DANS TELLE FORÊT QUE CHEZ TEL NOTAIRE

On a sans doute compris, sans qu'il soit nécessaire de l'expliquer longuement, que Jean Valjean, après l'affaire Champmathieu, avait pu, grâce à sa première évasion de quelques jours, venir à Paris, et retirer à temps de chez Laffitte la somme gagnée par lui, sous le nom de monsieur Madeleine, à Montreuil-sur-mer ; et que, craignant d'être repris, ce qui lui arriva en effet peu de temps après, il avait caché et enfoui cette somme dans la forêt de Montfermeil au lieu dit le fonds Blaru. La somme, six cent trente mille francs, toute en billets de banque, avait peu de volume et tenait dans une boîte ; seulement, pour préserver la boîte de l'humidité, il l'avait placée dans un coffret en chêne plein de copeaux de châtaignier. Dans le même coffret, il avait mis son autre trésor, les chandeliers de l'évêque. On se souvient qu'il avait emporté ces chandeliers en s'évadant de Montreuil-sur-mer. L'homme aperçu un soir une première fois par Boulatruelle, c'était Jean Valjean. Plus tard, chaque fois que Jean Valjean avait besoin d'argent, il venait en chercher à la clairière Blaru. De là les absences dont nous avons parlé. Il avait une pioche quelque part dans les bruyères, dans une cachette connue de lui seul. Lorsqu'il vit Marius convalescent, sentant que l'heure approchait où cet argent pourrait être utile, il était allé le chercher ; et c'était encore lui que Boulatruelle avait vu dans le bois, mais cette fois le matin et non le soir. Boulatruelle hérita de la pioche.

La somme réelle était cinq cent quatrevingt-quatre mille cinq cents francs. Jean Valjean retira les cinq cents francs pour lui. — Nous verrons après, pensa-t-il.

La différence entre cette somme et les six cent trente mille francs retirés de chez Laffitte représentait la dépense de dix années, de 1823 à 1833. Les cinq années de séjour au couvent n'avaient coûté que cinq mille francs.

Jean Valjean mit les deux flambeaux d'argent sur la cheminée où ils resplendirent à la grande admiration de Toussaint.

Du reste, Jean Valjean se savait délivré de Javert. On avait raconté devant lui, et il avait vérifié le fait dans le *Moniteur,* qui l'avait publié, qu'un inspecteur de police nommé Javert avait été trouvé noyé sous un bateau de blanchisseuses entre le Pont au Change et le Pont-Neuf, et qu'un écrit laissé par cet homme, d'ailleurs irréprochable et fort estimé de ses chefs, faisait croire à un accès d'aliénation mentale et à un suicide. — Au fait, pensa Jean Valjean, puisque, me tenant, il m'a laissé en liberté, c'est qu'il fallait qu'il fût déjà fou.

VI

LES DEUX VIEILLARDS FONT TOUT, CHACUN A LEUR FAÇON, POUR QUE COSETTE SOIT HEUREUSE

On prépara tout pour le mariage. Le médecin consulté déclara qu'il pourrait avoir lieu en février. On était en décembre. Quelques ravissantes semaines de bonheur parfait s'écoulèrent.

Le moins heureux n'était pas le grand-père. Il restait des quarts d'heure en contemplation devant Cosette.

— L'admirable jolie fille ! s'écriait-il. Et elle a l'air si douce et si bonne ! Il n'y a pas à dire mamie mon cœur, c'est la plus charmante fille que j'aie vue de ma vie. Plus tard, ça vous aura des vertus avec odeur de violette. C'est une grâce, quoi ! On ne peut que vivre noblement avec une telle créature. Marius, mon garçon, tu es baron, tu es riche, n'avocasse pas, je t'en supplie.

Cosette et Marius étaient passés brusquement du sépulcre au paradis. La transition avait été peu ménagée, et ils en auraient été étourdis s'ils n'en avaient été éblouis.

— Comprends-tu quelque chose à cela ? disait Marius à Cosette.

— Non, répondit Cosette, mais il me semble que le bon Dieu nous regarde.

Jean Valjean fit tout, aplanit tout, concilia tout, rendit tout facile. Il se hâtait vers le bonheur de Cosette avec autant d'empressement, et, en apparence, de joie, que Cosette elle-même.

Comme il avait été maire, il sut résoudre un problème délicat, dans le secret duquel il était seul, l'état civil de Cosette. Dire crûment l'origine, qui sait ? cela eût pu empêcher le mariage. Il tira Cosette de toutes les difficultés. Il lui arrangea une famille de gens morts, moyen sûr de n'encourir aucune réclamation. Cosette était ce qui restait d'une famille éteinte ; Cosette n'était pas sa fille à lui, mais la fille d'un autre Fauchelevent. Deux frères Fauchelevent avaient été jardiniers au couvent du Petit-Picpus. On alla à ce couvent ; les meilleurs renseignements et les plus respectables témoignages abondèrent ; les bonnes religieuses, peu aptes et peu enclines à sonder les questions de paternité, et n'y entendant pas malice, n'avaient jamais su bien au juste duquel des deux Fauchelevent la petite Cosette était la fille. Elles dirent ce qu'on voulut, et le dirent avec zèle. Un acte de notoriété fut dressé. Cosette devint devant la loi mademoiselle Euphrasie Fauchelevent. Elle fut déclarée orpheline de père et de mère. Jean Valjean s'arrangea de façon à être désigné, sous le nom de Fauchelevent, comme tuteur de Cosette, avec M. Gillenormand comme subrogé tuteur.

Quant aux cinq cent quatrevingt-quatre mille francs, c'était un legs fait à Cosette par une personne morte qui désirait rester inconnue. Le legs primitif avait été de cinq cent quatrevingt-quatorze mille francs ; mais dix mille francs avaient été dépensés pour l'éducation de mademoiselle Euphrasie, dont cinq mille francs payés au couvent même. Ce legs, déposé dans les mains d'un tiers, devait être remis à Cosette à sa majorité ou à l'époque de son mariage. Tout cet ensemble était fort acceptable, comme on voit, surtout avec un appoint de plus d'un demi-million. Il y avait bien çà et là quelques singularités, mais on ne les vit pas ; un des intéressés avait les yeux bandés par l'amour, les autres par les six cent mille francs.

Cosette apprit qu'elle n'était pas la fille de ce vieux homme qu'elle avait si longtemps appelé père. Ce n'était qu'un parent ; un autre Fauchelevent était son père véritable. Dans tout autre moment, cela l'eût navrée. Mais à l'heure ineffable où elle était, ce ne fut qu'un peu d'ombre, un rembrunissement, et elle avait tant de joie que ce nuage dura peu. Elle avait Marius. Le jeune homme arrivait, le bonhomme s'effaçait ; la vie est ainsi.

Et puis, Cosette était habituée depuis longues années à voir autour d'elle des énigmes ; tout être qui a eu une enfance mystérieuse est toujours prêt à de certains renoncements.

Elle continua pourtant de dire à Jean Valjean : Père.

Cosette, aux anges, était enthousiasmée du père Gillenormand. Il est vrai qu'il la comblait de madrigaux et de cadeaux. Pendant que Jean Valjean construisait à Cosette une situation normale dans la société et une possession d'état inattaquable, M. Gillenormand veillait à la corbeille de noces. Rien ne l'amusait comme d'être magnifique. Il avait donné à Cosette une robe de guipure de Binche qui lui venait de sa propre grand'mère à lui. — Ces modes-là renaissent, disait-il, les antiquailles font fureur, et les jeunes femmes de ma vieillesse s'habillent comme les vieilles femmes de mon enfance.

Il dévalisait ses respectables commodes de laque de Coromandel à panse bombée qui n'avaient pas été ouvertes depuis des ans. — Confessons ces douairières, disait-il ; voyons ce qu'elles ont dans la bedaine. Il violait bruyamment des tiroirs ventrus pleins des toilettes de toutes ses femmes, de toutes ses maîtresses, et de toutes ses aïeules. Pékins, damas, lampas, moires peintes, robes de gros de Tours flambé, mouchoirs des Indes brodés d'un or qui peut se laver, dauphines sans envers en pièces, points de Gênes et d'Alençon, parures en vieille orfévrerie, bonbonnières d'ivoire ornées de batailles microscopiques, nippes, rubans, il prodiguait tout à Cosette. Cosette, émerveillée, éperdue d'amour pour Marius et effarée de reconnaissance pour M. Gillenormand, rêvait un bonheur sans bornes vêtu de satin et de velours. Sa corbeille de noces lui apparaissait soutenue par les séraphins. Son âme s'envolait dans l'azur avec des ailes de dentelle de Malines.

L'ivresse des amoureux n'était égalée, nous l'avons dit, que par l'extase du grand-père. Il y avait comme une fanfare dans la rue des Filles-du-Calvaire.

Chaque matin, nouvelle offrande de bric-à-brac du grand-père à Cosette. Tous les falbalas possibles s'épanouissaient splendidement autour d'elle.

Un jour Marius, qui, volontiers, causait gravement à travers son bonheur, dit à propos de je ne sais quel incident :

— Les hommes de la révolution sont tellement grands, qu'ils ont déjà le prestige des siècles, comme Caton et comme Phocion, et chacun d'eux semble une mémoire antique.

— Moire antique ! s'écria le vieillard. Merci, Marius. C'est précisément l'idée que je cherchais.

Et le lendemain une magnifique robe de moire antique couleur thé s'ajoutait à la corbeille de Cosette.

Le grand-père extrayait de ces chiffons une sagesse.

— L'amour, c'est bien ; mais il faut cela avec. Il faut de l'inutile dans le bonheur. Le bonheur, ce n'est que le nécessaire. Assaisonnez-le-moi énormément de superflu. Un palais et son cœur. Son cœur et le Louvre. Son cœur et les grandes eaux de Versailles. Donnez-moi ma bergère, et tâchez qu'elle soit duchesse. Amenez-moi Philis couronnée de bleuets et ajoutez-lui cent mille livres de rente. Ouvrez-moi une bucolique à perte de vue sous une colonnade de marbre. Je consens à la bucolique et aussi à la féerie de marbre et d'or. Le bonheur sec ressemble au pain sec. On mange, mais on ne dîne pas. Je veux du superflu, de l'inutile, de l'extravagant, du trop, de ce qui ne sert à rien. Je me souviens d'avoir vu dans la cathédrale de Strasbourg une horloge haute comme une maison à trois étages qui marquait l'heure, qui avait la bonté de marquer l'heure, mais qui n'avait pas l'air faite pour cela ; et qui, après avoir sonné midi ou minuit, midi, l'heure du soleil, minuit, l'heure de l'amour, ou toute autre heure qu'il vous plaira, vous donnait la lune et les étoiles, la terre et la mer, les oiseaux et les poissons, Phébus et Phébé, et une ribambelle de choses qui sortaient d'une niche, et les douze apôtres, et l'empereur Charles-Quint, et Éponine et Sabinus, et un tas de petits bonshommes dorés qui jouaient de la trompette, par-dessus le marché. Sans compter de ravissants carillons qu'elle éparpillait dans l'air à tout propos sans qu'on sût pourquoi. Un méchant cadran tout nu qui ne dit que les heures vaut-il cela ? Moi je suis de l'avis de la grosse horloge de Strasbourg, et je la préfère au coucou de la Forêt-Noire.

M. Gillenormand déraisonnait spécialement à propos de la noce, et tous les trumeaux du dix-huitième siècle passaient pêle-mêle dans ses dithyrambes.

— Vous ignorez l'art des fêtes. Vous ne savez pas faire un jour de joie dans ce temps-ci, s'écriait-il. Votre dix-neuvième siècle est veule. Il manque d'excès. Il ignore le riche, il ignore le noble. En toute chose, il est tondu ras. Votre tiers état est insipide, incolore, inodore et informe. Rêves de vos bourgeoises qui s'établissent, comme elles disent : un joli boudoir fraîchement décoré, palissandre et calicot. Place ! place ! le sieur Grigou épouse la demoiselle Grippesou. Somptuosité et splendeur ! on a collé un louis d'or à un cierge. Voilà l'époque. Je demande à m'enfuir au delà des sarmates. Ah ! dès 1787, j'ai prédit que tout était perdu, le jour où j'ai vu le duc de Rohan, prince de Léon, duc de Chabot, duc de Montbazon, marquis de Soubise, vicomte de Thouars, pair de France, aller à Longchamp en tapecul ! Cela a porté ses fruits. Dans ce siècle on fait des affaires, on joue à la Bourse, on gagne de l'argent, et l'on est pingre. On soigne et on vernit sa surface ; on est tiré à quatre épingles, lavé, savonné, ratissé, rasé, peigné, ciré, lissé, frotté, brossé, nettoyé au dehors, irréprochable, poli comme un caillou, discret, propret, et en même temps, vertu de ma mie ! on a au fond de la conscience des fumiers et des cloaques à faire reculer une vachère qui se mouche dans ses doigts. J'octroie à ce temps-ci cette devise : Propreté sale. Marius, ne te fâche pas, donne-moi la permission de parler, je ne dis pas de mal du peuple, tu vois, j'en ai plein la bouche de ton peuple, mais trouve bon que je flanque un peu une pile à la bourgeoisie. J'en suis. Qui aime bien cingle bien. Sur ce, je le dis tout net, aujourd'hui on se marie, mais on ne sait plus se marier. Ah ! c'est vrai, je regrette la gentillesse des anciennes mœurs. J'en regrette tout. Cette élégance, cette chevalerie, ces façons courtoises et mignonnes, ce luxe réjouissant que chacun avait, la musique faisant partie de la noce, symphonie en haut, tambourinage en bas, les danses, les joyeux visages attablés, les madrigaux alambiqués, les chansons, les fusées d'artifice, les francs rires, le diable et son train, les gros nœuds de rubans. Je regrette la jarretière de la mariée. La jarretière de la mariée est cousine de la ceinture de Vénus. Sur quoi roule la guerre de Troie ? Parbleu, sur la jarretière d'Hélène. Pourquoi se bat-on, pourquoi Diomède le divin fracasse-t-il sur la tête de Mérionée ce grand casque d'airain à dix pointes, pourquoi Achille et Hector se pignochent-ils à grands coups de pique ? Parce que Hélène a laissé prendre à Pâris sa jarretière. Avec la jarretière de Cosette, Homère ferait l'Iliade. Il mettrait dans son poëme un vieux bavard comme moi, et il le nommerait Nestor. Mes amis, autrefois, dans cet aimable autrefois, on se mariait savamment ; on faisait un bon contrat, et ensuite une bonne boustifaille. Sitôt Cujas sorti, Gamache entrait. Mais, dame ! c'est que l'estomac est une bête agréable qui demande son dû, et qui veut avoir sa noce aussi. On soupait bien, et l'on avait à table une belle voisine sans guimpe qui ne cachait sa gorge que modérément ! Oh ! les larges bouches riantes, et comme on était gai dans ce temps-là ! la jeunesse était un bouquet ; tout jeune homme se terminait par une branche de lilas ou par une touffe de roses ; fût-on guerrier, on était berger ; et si, par hasard, on était capitaine de dragons, on trouvait moyen de s'appeler Florian. On tenait à être joli. On se brodait, on s'empourprait. Un bourgeois avait l'air d'une fleur, un marquis avait l'air d'une pierrerie. On n'avait pas de sous-pieds, on n'avait pas de bottes. On était pimpant, lustré, moiré, mordoré, voltigeant, mignon, coquet, ce qui n'empêchait pas d'avoir l'épée au côté. Le colibri a bec et ongles. C'était le temps des *Indes galantes*. Un des côtés du siècle était le délicat, l'autre était le magnifique ; et, par la vertuchoux ! on s'amusait. Aujourd'hui on est sérieux. Le bourgeois est avare, la bourgeoise est prude ; votre siècle est infortuné. On chasserait les Grâces comme trop décolletées. Hélas ! on cache la beauté comme une laideur. Depuis la révolution, tout a des pantalons, même les danseuses ; une baladine doit être grave ; vos rigodons sont doctrinaires. Il faut être majestueux. On serait bien fâché de ne pas avoir le menton dans sa cravate. L'idéal d'un galopin de vingt ans qui se marie, c'est de ressembler à monsieur Royer-Collard. Et savez-vous à quoi l'on arrive avec cette majesté-là ? à être petit. Apprenez ceci : la joie n'est pas seulement joyeuse ; elle est grande. Mais soyez donc amoureux gaîment, que diable ! mariez-vous donc, quand vous vous mariez, avec la fièvre et l'étourdissement et le vacarme et le tohu-bohu du bonheur ! De la gravité à l'église, soit. Mais, sitôt la messe finie, sarpejeu ! il faudrait faire tourbillonner un songe autour de l'épousée. Un mariage doit être royal et chimérique ; il doit promener sa cérémonie de la cathédrale de Reims à la pagode de Chanteloup. J'ai horreur d'une noce pleutre. Ventregoulette ! soyez dans l'olympe, au moins ce jour-là. Soyez des dieux. Ah ! l'on pourrait être des sylphes, des Jeux et des Ris, des argyraspides ; on est des galoupiats ! Mes amis, tout nouveau marié doit être le prince Aldobrandini. Profitez de cette minute unique de la vie pour vous envoler dans l'empyrée avec les cygnes et les aigles, quitte à retomber le lendemain dans la bourgeoisie des grenouilles. N'économisez point sur l'hyménée, ne lui rognez pas ses splendeurs ; ne liardez pas le jour où vous rayonnez. La noce n'est pas le ménage. Oh ! si je faisais à ma fantaisie, ce serait galant. On entendrait des violons dans les arbres. Voici mon programme : bleu de ciel et argent. Je mêlerais à la fête les divinités agrestes, je convoquerais les dryades et les néréides. Les noces d'Amphitrite, une nuée rose, des nymphes bien coiffées et toutes nues, un académicien offrant des quatrains à la déesse, un char traîné par des monstres marins.

> Triton trottait devant, et tirait de sa conque
> Des sons si ravissants qu'il ravissait quiconque !

— Voilà un programme de fête, en voilà un, ou je ne m'y connais pas, sac à papier !

Pendant que le grand-père, en pleine effusion lyrique, s'écoutait lui-même, Cosette et Marius s'enivraient de se regarder librement.

La tante Gillenormand considérait tout cela avec sa placidité imperturbable. Elle avait eu depuis cinq ou six mois une certaine quantité d'émotions ; Marius revenu, Marius rapporté sanglant, Marius rapporté d'une barricade, Marius mort, puis vivant, Marius réconcilié, Marius fiancé, Marius se mariant avec une pauvresse, Marius se mariant avec une millionnaire. Les six cent mille francs avaient été sa dernière surprise. Puis son indifférence de première communiante lui était revenue. Elle allait régulièrement aux offices, égrenait son rosaire, lisait son eucologe, chuchotait dans un coin de la maison des *Ave* pendant qu'on chuchotait dans l'autre des *I love you*, et, vaguement, voyait Marius et Cosette comme deux ombres. L'ombre, c'était elle.

Il y a un certain état d'ascétisme inerte où l'âme, neutralisée par l'engourdissement, étrangère à ce qu'on pourrait appeler l'affaire de vivre, ne perçoit, à l'exception des tremblements de terre et des catastrophes, aucune des impressions humaines, ni les impressions plaisantes, ni les impressions pénibles. — Cette dévotion-là, disait le père Gillenormand à sa fille, correspond au rhume de cerveau. Tu ne sens rien de la vie. Pas de mauvaise odeur, mais pas de bonne.

Du reste, les six cent mille francs avaient fixé les indécisions de la vieille fille. Son père avait pris l'habitude de la compter si peu qu'il ne l'avait pas consultée sur le consentement au mariage de Marius. Il avait agi de fougue, selon sa mode, n'ayant, despote devenu esclave, qu'une pensée, satisfaire Marius. Quant à la tante, que la tante existât, et qu'elle pût avoir un avis, il n'y avait pas même songé, et, toute moutonne qu'elle était, ceci l'avait froissée. Quelque peu révoltée dans son for intérieur, mais extérieurement impassible, elle s'était dit : Mon père résout la question du mariage sans moi ; je résoudrai la question de l'héritage sans lui. Elle était riche, en effet, et le père ne l'était pas. Elle avait donc réservé là-dessus sa décision. Il est probable que si le mariage eût été pauvre, elle l'eût laissé pauvre. Tant pis pour monsieur mon neveu ! Il épouse une gueuse, qu'il soit gueux. Mais le demi-million de Cosette plut à la tante et changea sa situation intérieure à l'endroit de cette paire d'amoureux. On doit de la considération à six cent mille francs, et il était évident qu'elle ne pouvait faire autrement que de laisser sa fortune à ces jeunes gens, puisqu'ils n'en avaient plus besoin.

Il fut arrangé que le couple habiterait chez le grand-père. M. Gillenormand voulut absolument leur donner sa chambre, la plus belle de la maison. — *Cela me rajeunira*, déclarait-il. *C'est un ancien projet. J'avais toujours eu l'idée de faire la noce dans ma chambre.* Il meubla cette chambre d'un tas de vieux bibelots galants. Il la fit plafonner et tendre d'une étoffe extraordinaire qu'il avait en pièce et qu'il croyait d'Utrecht, fond satiné bouton-d'or avec fleurs de velours oreilles-d'ours. — C'est de cette étoffe-là, disait-il, qu'était drapé le lit de la duchesse d'Anville à La Roche-Guyon. — Il mit sur la cheminée une figurine de Saxe portant un manchon sur son ventre nu.

La bibliothèque de M. Gillenormand devint le cabinet d'avocat dont avait besoin Marius, un cabinet, on s'en souvient, étant exigé par le conseil de l'ordre.

VII

LES EFFETS DE RÊVE MÊLÉS AU BONHEUR

Les amoureux se voyaient tous les jours. Cosette venait avec M. Fauchelevent. — C'est le renversement des choses, disait mademoiselle Gillenormand, que la future vienne à domicile se faire faire la cour comme ça. — Mais la convalescence de Marius avait fait prendre l'habitude, et les fauteuils de la rue des Filles-du-Calvaire, meilleurs aux tête-à-tête que les chaises de paille de la rue de l'Homme-Armé, l'avaient enracinée. Marius et M. Fauchelevent se voyaient, mais ne se parlaient pas. Il semblait que cela fût convenu. Toute fille a besoin d'un chaperon. Cosette n'aurait pu venir sans M. Fauchelevent. Pour Marius, M. Fauchelevent était la condition de Cosette. Il l'acceptait. En mettant sur le tapis, vaguement et sans préciser, les matières de la politique, au point de vue de l'amélioration générale du sort de tous, ils parvenaient à se dire un peu plus que oui et non. Une fois, au sujet de l'enseignement, que Marius voulait gratuit et obligatoire, multiplié sous toutes les formes, prodigué à tous comme l'air et le soleil, en un mot, respirable au peuple tout entier, ils furent à l'unisson et causèrent presque. Marius remarqua à cette occasion que M. Fauchelevent parlait bien, et même avec une certaine élévation de langage. Il lui manquait pourtant on ne sait quoi. M. Fauchelevent avait quelque chose de moins qu'un homme du monde, et quelque chose de plus.

Marius, intérieurement et au fond de sa pensée,

entourait de toutes sortes de questions muettes ce M. Fauchelevent qui était pour lui simplement bienveillant et froid. Il lui venait par moments des doutes sur ses propres souvenirs. Il y avait dans sa mémoire un trou, un endroit noir, un abîme creusé par quatre mois d'agonie. Beaucoup de choses s'y étaient perdues. Il en était à se demander s'il était bien réel qu'il eût vu M. Fauchelevent, un tel homme si sérieux et si calme, dans la barricade.

Ce n'était pas d'ailleurs la seule stupeur que les apparitions et les disparitions du passé lui eussent laissée dans l'esprit. Il ne faudrait pas croire qu'il fût délivré de toutes ces obsessions de la mémoire qui nous forcent, même heureux, même satisfaits, à regarder mélancoliquement en arrière. La tête qui ne se retourne pas vers les horizons effacés ne contient ni pensée ni amour. Par moments, Marius prenait son visage dans ses mains et le passé tumultueux et vague traversait le crépuscule qu'il avait dans le cerveau. Il revoyait tomber Mabeuf, il entendait Gavroche chanter sous la mitraille, il sentait sous sa lèvre le froid du front d'Éponine ; Enjolras, Courfeyrac, Jean Prouvaire, Combeferre, Bossuet, Grantaire, tous ses amis, se dressaient devant lui, puis se dissipaient. Tous ces êtres chers, douloureux, vaillants, charmants ou tragiques, étaient-ce des songes ? avaient-ils en effet existé ? L'émeute avait tout roulé dans sa fumée. Ces grandes fièvres ont de grands rêves. Il s'interrogeait ; il se tâtait ; il avait le vertige de toutes ces réalités évanouies. Où étaient-ils donc tous ? était-ce bien vrai que tout fût mort ? Une chute dans les ténèbres avait tout emporté, excepté lui. Tout cela lui semblait avoir disparu comme derrière une toile de théâtre. Il y a de ces rideaux qui s'abaissent dans la vie. Dieu passe à l'acte suivant.

Et lui-même, était-il bien le même homme? Lui, le pauvre, il était riche ; lui, l'abandonné, il avait une famille ; lui, le désespéré, il épousait Cosette. Il lui semblait qu'il avait traversé une tombe, et qu'il y était entré noir, et qu'il en était sorti blanc. Et cette tombe, les autres y étaient restés. A de certains instants, tous ces êtres du passé, revenus et présents, faisaient cercle autour de lui et l'assombrissaient ; alors il songeait à Cosette, et redevenait serein ; mais il ne fallait rien moins que cette félicité pour effacer cette catastrophe.

M. Fauchelevent avait presque place parmi ces êtres évanouis. Marius hésitait à croire que le Fauchelevent de la barricade fût le même que ce Fauchelevent en chair et en os, si gravement assis près de Cosette. Le premier était probablement un de ces cauchemars apportés et remportés par ses heures de délire. Du reste, leurs deux natures étant escarpées, aucune question n'était possible de Marius à M. Fauchelevent. L'idée ne lui en fût pas même venue. Nous avons indiqué déjà ce détail caractéristique.

Deux hommes qui ont un secret commun, et qui, par une sorte d'accord tacite, n'échangent pas une parole à ce sujet, cela est moins rare qu'on ne pense.

Une fois seulement, Marius tenta un essai. Il fit venir dans la conversation la rue de la Chanvrerie, et, se tournant vers M. Fauchelevent, il lui dit :

— Vous connaissez bien cette rue-là ?

— Quelle rue ?

— La rue de la Chanvrerie ?

— Je n'ai aucune idée du nom de cette rue-là, répondit M. Fauchelevent du ton le plus naturel du monde.

La réponse, qui portait sur le nom de la rue, et point sur la rue elle-même, parut à Marius plus concluante qu'elle ne l'était.

— Décidément, pensa-t-il, j'ai rêvé. J'ai eu une hallucination. C'est quelqu'un qui lui ressemblait. M. Fauchelevent n'y était pas.

VIII

DEUX HOMMES IMPOSSIBLES A RETROUVER

L'ENCHANTEMENT, si grand qu'il fût, n'effaça point dans l'esprit de Marius d'autres préoccupations.

Pendant que le mariage s'apprêtait et en attendant l'époque fixée, il fit faire de difficiles et scrupuleuses recherches rétrospectives.

Il devait de la reconnaissance de plusieurs côtés ; il en devait pour son père, il en devait pour lui-même.

Il y avait Thénardier ; il y avait l'inconnu qui l'avait rapporté, lui Marius, chez M. Gillenormand.

Marius tenait à retrouver ces deux hommes, n'entendant point se marier, être heureux et les oublier, et craignant que ces dettes du devoir non payées ne fissent ombre sur sa vie, si lumineuse désormais. Il lui était impossible de laisser tout cet arriéré en souffrance derrière lui, et il voulait, avant d'entrer joyeusement dans l'avenir, avoir quittance du passé.

Que Thénardier fût un scélérat, cela n'ôtait rien à ce fait qu'il avait sauvé le colonel Pontmercy. Thénardier était un bandit pour tout le monde, excepté pour Marius.

Et Marius, ignorant la véritable scène du champ de bataille de Waterloo, ne savait pas cette particularité, que son père était vis-à-vis de Thénardier dans cette situation étrange de lui devoir la vie sans lui devoir de reconnaissance.

Aucun des divers agents que Marius employa ne parvint à saisir la piste de Thénardier. L'effacement semblait complet de ce côté-là. La Thénardier était morte en prison pendant l'instruction du procès. Thénardier et sa fille Azelma, les deux seuls qui restassent de ce groupe lamentable, avaient replongé dans l'ombre. Le gouffre de l'Inconnu social s'était silencieusement refermé sur ces êtres. On ne voyait même plus à la surface ce frémissement, ce tremblement, ces obscurs cercles concentriques qui annoncent que quelque chose est tombé là, et qu'on peut y jeter la sonde.

La Thénardier étant morte, Boulatruelle étant mis hors de cause, Claquesous ayant disparu, les principaux accusés s'étant échappés de prison, le procès du guet-apens de la masure Gorbeau avait à peu près avorté. L'affaire était restée assez obscure. Le banc des assises avait dû se contenter de deux subalternes, Panchaud, dit Printanier, dit Bigrenaille, et Demi-Liard, dit Deux-Milliards, qui avaient été condamnés contradictoirement à dix ans de galères. Les travaux forcés à perpétuité avaient été prononcés contre leurs complices évadés et contumaces. Thénardier, chef et meneur, avait été, par contumace également, condamné à mort. Cette condamnation était la seule chose qui restât sur Thénardier, jetant sur ce nom enseveli sa lueur sinistre, comme une chandelle à côté d'une bière.

Du reste, en refoulant Thénardier dans les dernières profondeurs par la crainte d'être ressaisi, cette condamnation ajoutait à l'épaississement ténébreux qui couvrait cet homme.

Quant à l'autre, quant à l'homme ignoré qui avait sauvé Marius, les recherches eurent d'abord quelque résultat, puis s'arrêtèrent court. On réussit à retrouver le fiacre qui avait rapporté Marius rue des Filles-du-Calvaire dans la soirée du 6 juin. Le cocher déclara que le 6 juin, d'après l'ordre d'un agent de police, il avait « stationné », depuis trois heures de l'après-midi jusqu'à la nuit, sur le quai des Champs-Élysées, au-dessus de l'issue du Grand Égout ; que, vers neuf heures du soir, la grille de l'égout qui donne sur la berge de la rivière s'était ouverte ; qu'un homme en était sorti, portant sur ses épaules un autre homme, qui semblait mort ; que l'agent, lequel était en observation sur ce point, avait arrêté l'homme vivant et saisi l'homme mort ; que, sur l'ordre de l'agent, lui cocher avait reçu « tout ce monde-là » dans son fiacre ; qu'on était allé d'abord rue des Filles-du-Calvaire ; qu'on y avait déposé l'homme mort ; que l'homme mort, c'était monsieur Marius, et que lui cocher le reconnaissait bien, quoiqu'il fût vivant « cette fois-ci » ; qu'ensuite on était remonté dans sa voiture, qu'il avait fouetté ses chevaux, que, à quelques pas de la porte des Archives, on lui avait crié de s'arrêter, que là, dans la rue, on l'avait payé et quitté, et que l'agent avait emmené l'autre homme ; qu'il ne savait rien de plus ; que la nuit était très noire.

Marius, nous l'avons dit, ne se rappelait rien. Il se souvenait seulement d'avoir été saisi en arrière par une main énergique au moment où il tombait à la renverse dans la barricade ; puis tout s'effaçait pour lui. Il n'avait repris connaissance que chez M. Gillenormand.

Il se perdait en conjectures.

Il ne pouvait douter de sa propre identité. Comment se faisait-il pourtant que, tombé rue de la Chanvrerie, il eût été ramassé par l'agent de police sur la berge de la Seine, près du pont des Invalides ? Quelqu'un l'avait emporté du quartier des halles aux Champs-Élysées. Et comment ? Par l'égout. Dévouement inouï !

Quelqu'un ? qui ?

C'était cet homme que Marius cherchait.

De cet homme, qui était son sauveur, rien ; nulle trace ; pas le moindre indice.

Marius, quoique obligé de ce côté-là à une grande réserve, poussa ses recherches jusqu'à la préfecture de police. Là, pas plus qu'ailleurs, les renseignements pris n'aboutirent à aucun éclaircissement. La préfecture en savait moins que le cocher de fiacre. On n'y avait connaissance d'aucune arrestation opérée le 6 juin à la grille du Grand Égout ; on n'y avait reçu aucun rapport d'agent sur ce fait qui, à la préfecture, était regardé comme une fable. On y attribuait l'invention de cette fable au cocher. Un cocher qui veut un pourboire est capable de tout, même d'imagination. Le fait, pourtant, était certain, et Marius n'en pouvait douter, à moins de douter de sa propre identité, comme nous venons de le dire.

Tout, dans cette étrange énigme, était inexplicable.

Cet homme, ce mystérieux homme, que le cocher avait vu sortir de la grille du Grand Égout portant sur son dos Marius évanoui, et que l'agent de police aux aguets avait arrêté en flagrant délit de sauvetage d'un insurgé, qu'était-il devenu ? qu'était devenu l'agent lui-même ? Pourquoi cet agent avait-il gardé le silence ? l'homme avait-il réussi à s'évader ? avait-il corrompu l'agent ? Pourquoi cet homme ne donnait-il aucun signe de vie à Marius qui lui devait tout ? Le désintéressement n'était pas moins prodigieux que le dévouement. Pourquoi cet homme ne reparaissait-il pas ? Peut-être était-il au-dessus de la récompense, mais personne n'est au-dessus de la reconnaissance. Était-il mort ? quel homme était-ce ? quelle figure avait-il ? Personne ne pouvait le dire. Le cocher répondait : La nuit était très noire. Basque et Nicolette, ahuris, n'avaient regardé que leur jeune maître tout sanglant. Le portier, dont la chandelle avait éclairé la tragique arrivée de Marius, avait seul remarqué l'homme en question, et voici le signalement qu'il en donnait : « Cet homme était épouvantable. »

Dans l'espoir d'en tirer parti pour ses recherches, Marius fit conserver les vêtements ensanglantés qu'il avait sur le corps, lorsqu'on l'avait ramené chez son aïeul. En examinant l'habit, on remarqua qu'un pan était bizarrement déchiré. Un morceau manquait.

Un soir, Marius parlait, devant Cosette et Jean Valjean, de toute cette singulière aventure, des informations sans nombre qu'il avait prises et de l'inutilité de ses efforts. Le visage froid de « monsieur Fauchelevent » l'impatientait. Il s'écria avec une vivacité qui avait presque la vibration de la colère :

— Oui, cet homme-là, quel qu'il soit, a été sublime. Savez-vous ce qu'il a fait, monsieur ? Il est intervenu comme l'archange. Il a fallu qu'il se jetât au milieu du combat, qu'il me dérobât, qu'il ouvrît l'égout, qu'il m'y traînât, qu'il m'y portât ! Il a fallu qu'il fît plus d'une lieue et demie dans d'affreuses galeries souterraines, courbé, ployé, dans les ténèbres, dans le cloaque, plus d'une lieue et demie, monsieur, avec un cadavre sur le dos ! Et dans quel but ? Dans l'unique but de sauver ce cadavre. Et ce cadavre, c'était moi. Il s'est dit : Il y a encore là peut-être une lueur de vie ; je vais risquer mon existence à moi pour cette misérable étincelle ! Et son existence, il ne l'a pas risquée une fois, mais vingt ! Et chaque pas était un danger. La preuve, c'est qu'en sortant de l'égout il a été arrêté. Savez-vous, monsieur, que cet homme a fait tout cela ? Et aucune récompense à attendre. Qu'étais-je ? Un insurgé. Qu'étais-je ? Un vaincu. Oh ! si les six cent mille francs de Cosette étaient à moi...

— Ils sont à vous, interrompit Jean Valjean.

— Eh bien, reprit Marius, je les donnerais pour retrouver cet homme !

Jean Valjean garda le silence.

LIVRE SIXIÈME

LA NUIT BLANCHE

I

LE 16 FÉVRIER 1833

LA nuit du 16 au 17 février 1833 fut une nuit bénie. Elle eut au-dessus de son ombre le ciel ouvert. Ce fut la nuit de noces de Marius et de Cosette.

La journée avait été adorable.

Ce n'avait pas été la fête bleue rêvée par le grand-père, une féerie avec une confusion de chérubins et de cupidons au-dessus de la tête des mariés, un mariage digne de faire un dessus de porte ; mais cela avait été doux et riant.

La mode du mariage n'était pas en 1833 ce qu'elle est aujourd'hui. La France n'avait pas encore emprunté à l'Angleterre cette délicatesse suprême d'enlever sa femme, de s'enfuir en sortant de l'église, de se cacher avec honte de son bonheur, et de combiner les allures d'un banqueroutier avec les ravissements du cantique des cantiques. On n'avait pas encore compris tout ce qu'il y a de chaste, d'exquis et de décent à cahoter son paradis en chaise de poste, à entrecouper son mystère de clic-clacs, à prendre pour lit nuptial un lit d'auberge, et à laisser derrière soi, dans l'alcôve banale à tant par nuit, le plus sacré des souvenirs de la vie pêle-mêle avec le tête-à-tête du conducteur de diligence et de la servante d'auberge.

Dans cette seconde moitié du dix-neuvième siècle où nous sommes, le maire et son écharpe, le prêtre et sa chasuble, la loi et Dieu, ne suffisent plus ; il faut les compléter par le postillon de Longjumeau ; veste bleue aux retroussis rouges et aux boutons grelots, plaque en brassard, culotte de peau verte, jurons aux chevaux normands à la queue nouée, faux galons, chapeau ciré, gros cheveux poudrés, fouet énorme et bottes fortes. La France ne pousse pas encore l'élégance jusqu'à faire, comme la nobility anglaise, pleuvoir sur la calèche de poste des mariés une grêle de pantoufles éculées et de vieilles savates, en souvenir de Churchill, depuis Marlborough, ou Malbrouck, assailli le jour de son mariage par une colère de tante qui lui porta bonheur. Les savates et les pantoufles ne font point encore partie de nos célébrations nuptiales ; mais patience, le bon goût continuant à se répandre, on y viendra.

En 1833, il y a cent ans, on ne pratiquait pas le mariage au grand trot.

On s'imaginait encore à cette époque, chose bizarre, qu'un mariage est une fête intime et sociale, qu'un banquet patriarcal ne gâte point une solennité domestique, que la gaîté, fût-elle excessive, pourvu qu'elle soit honnête, ne fait aucun mal au bonheur, et qu'enfin il est vénérable et bon que la fusion de ces deux destinées d'où sortira une famille commence dans la maison, et que le ménage ait désormais pour témoin la chambre nuptiale.

Et l'on avait l'impudeur de se marier chez soi.

Le mariage se fit donc, suivant cette mode maintenant caduque, chez M. Gillenormand.

Si naturelle et si ordinaire que soit cette affaire de se marier, les bans à publier, les actes à dresser, la mairie, l'église, ont toujours quelque complication. On ne put être prêt avant le 16 février.

Or, nous notons ce détail pour la pure satisfaction d'être exact, il se trouva que le 16 était un mardi gras. Hésitations, scrupules, particulièrement de la tante Gillenormand.

— Un mardi gras ! s'écria l'aïeul, tant mieux. Il y a un proverbe :

> Mariage un mardi gras
> N'aura point d'enfants ingrats.

Passons outre. Va pour le 16 ! Est-ce que tu veux retarder, toi, Marius ?

— Non, certes ! répondit l'amoureux.

— Marions-nous, fit le grand-père.

Le mariage se fit donc le 16, nonobstant la gaîté publique. Il pleuvait ce jour-là, mais il y a toujours dans le ciel un petit coin d'azur au service du bonheur, que les amants voient, même quand le reste de la création serait sous un parapluie.

La veille, Jean Valjean avait remis à Marius, en présence de M. Gillenormand, les cinq cent quatrevingt-quatre mille francs.

Le mariage se faisant sous le régime de la communauté, les actes avaient été simples.

Toussaint était désormais inutile à Jean Valjean ; Cosette en avait hérité et l'avait promue au grade de femme de chambre.

Quant à Jean Valjean, il y avait dans la maison

Gillenormand une belle chambre meublée exprès pour lui, et Cosette lui avait si irrésistiblement dit : « Père, je vous en prie », qu'elle lui avait fait à peu près promettre qu'il viendrait l'habiter.

Quelques jours avant le jour fixé pour le mariage, il était arrivé un accident à Jean Valjean ; il s'était un peu écrasé le pouce de la main droite. Ce n'était point grave ; et il n'avait pas permis que personne s'en occupât, ni le pansât, ni même vît son mal, pas même Cosette. Cela pourtant l'avait forcé de s'emmitoufler la main d'un linge, et de porter le bras en écharpe, et l'avait empêché de rien signer. M. Gillenormand, comme subrogé tuteur de Cosette, l'avait suppléé.

Nous ne mènerons le lecteur ni à la mairie ni à l'église. On ne suit guère deux amoureux jusque-là, et l'on a l'habitude de tourner le dos au drame dès qu'il met à sa boutonnière un bouquet de marié. Nous nous bornerons à noter un incident qui, d'ailleurs inaperçu de la noce, marqua le trajet de la rue des Filles-du-Calvaire à l'église Saint-Paul.

On repavait à cette époque l'extrémité nord de la rue Saint-Louis. Elle était barrée à partir de la rue du Parc-Royal. Il était impossible aux voitures de la noce d'aller directement à Saint-Paul. Force était de changer l'itinéraire, et le plus simple était de tourner par le boulevard. Un des invités fit observer que c'était le mardi gras, et qu'il y aurait là encombrement de voitures. — Pourquoi ? demanda M. Gillenormand. — A cause des masques. — A merveille, dit le grand-père. Allons par là. Ces jeunes gens se marient ; ils vont entrer dans le sérieux de la vie. Cela les préparera de voir un peu de mascarade.

On prit par le boulevard. La première des berlines de la noce contenait Cosette et la tante Gillenormand, M. Gillenormand et Jean Valjean. Marius, encore séparé de sa fiancée, selon l'usage, ne venait que dans la seconde. Le cortège nuptial, au sortir de la rue des Filles-du-Calvaire, s'engagea dans la longue procession de voitures qui faisait la chaîne sans fin de la Madeleine à la Bastille et de la Bastille à la Madeleine.

Les masques abondaient sur le boulevard. Il avait beau pleuvoir par intervalles, Paillasse, Pantalon et Gille s'obstinaient. Dans la bonne humeur de cet hiver de 1833, Paris s'était déguisé en Venise. On ne voit plus de ces mardis gras-là aujourd'hui. Tout ce qui existe étant un carnaval répandu, il n'y a plus de carnaval.

Les contre-allées regorgeaient de passants et les fenêtres de curieux. Les terrasses qui couronnent les péristyles des théâtres étaient bordées de spectateurs. Outre les masques, on regardait ce défilé, propre au mardi gras comme à Longchamp, de véhicules de toutes sortes, fiacres, citadines, tapissières, carrioles, cabriolets, marchant en ordre, rigoureusement rivés les uns aux autres par les règlements de police et comme emboîtés dans des rails. Quiconque est dans un de ces véhicules-là est tout à la fois spectateur et spectacle. Des sergents de ville maintenaient sur les bas côtés du boulevard ces deux interminables files parallèles se mouvant en mouvement contrarié, et surveillaient, pour que rien n'entravât leur double courant, ces deux ruisseaux de voitures coulant, l'un en aval, l'autre en amont, l'un vers la chaussée d'Antin, l'autre vers le faubourg Saint-Antoine. Les voitures armoriées des pairs de France et des ambassadeurs tenaient le milieu de la chaussée, allant et venant librement. De certains cortèges magnifiques et joyeux, notamment le Bœuf Gras, avaient le même privilège. Dans cette gaîté de Paris, l'Angleterre faisait claquer son fouet ; la chaise de poste de lord Seymour, harcelée d'un sobriquet populacier, passait à grand bruit.

Dans la double file, le long de laquelle des gardes municipaux galopaient comme des chiens de berger, d'honnêtes berlingots de famille, encombrés de grand'tantes et d'aïeules, étalaient à leurs portières de frais groupes d'enfants déguisés, pierrots de sept ans, pierrettes de six ans, ravissants petits êtres, sentant qu'ils faisaient officiellement partie de l'allégresse publique, pénétrés de la dignité de leur arlequinade et ayant une gravité de fonctionnaires.

De temps en temps un embarras survenait quelque part dans la procession des véhicules, et l'une ou l'autre des deux files latérales s'arrêtait jusqu'à ce que le nœud fût dénoué ; une voiture empêchée suffisait pour paralyser toute la ligne. Puis on se remettait en marche.

Les carrosses de la noce étaient dans la file allant vers la Bastille et longeant le côté droit du boulevard. A la hauteur de la rue du Pont-aux-Choux, il y eut un temps d'arrêt. Presque au même instant, sur l'autre bas côté, l'autre file qui allait vers la Madeleine s'arrêta également. Il y avait à ce point-là de cette file une voiture de masques.

Ces voitures, ou, pour mieux dire, ces charretées de masques sont bien connues des parisiens. Si elles manquaient à un mardi gras ou à une mi-carême, on y entendrait malice, et l'on dirait : *Il y a quelque chose là-dessous. Probablement le ministère va changer.* Un entassement de Cassandres, d'Arlequins et de Colombines, cahoté au-dessus des passants, tous les grotesques possibles depuis le turc jusqu'au sauvage, des hercules supportant des marquises, des poissardes qui feraient boucher les oreilles à Rabelais de même que les ménades faisaient baisser les yeux à Aristophane, perruques de filasse, maillots roses, chapeaux de faraud, lunettes de grimacier, tricornes de Janot taquinés par un papillon, cris jetés aux piétons, poings sur les hanches, postures hardies, épaules nues, faces masquées, impudeurs démuselées ; un chaos d'effronteries promené par un cocher coiffé de fleurs ; voilà ce que c'est que cette institution.

La Grèce avait besoin du chariot de Thespis, la France a besoin du fiacre de Vadé.

Tout peut être parodié, même la parodie. La saturnale, cette grimace de la beauté antique, arrive, de grossissement en grossissement, au mardi gras ; et la bacchanale, jadis couronnée de pampres, inondée de soleil, montrant des seins de marbre dans une demi-nudité divine, aujourd'hui avachie sous la guenille mouillée du nord, a fini par s'appeler la chie-en-lit.

La tradition des voitures de masques remonte aux plus vieux temps de la monarchie. Les comptes de Louis XI allouent au bailli du palais « vingt « sous tournois pour trois coches de mascarades « ès carrefours ». De nos jours, ces monceaux bruyants de créatures se font habituellement charrier par quelque ancien coucou dont ils encombrent l'impériale, ou accablent de leur tumultueux groupe un landau de régie dont les capotes sont rabattues. Ils sont vingt dans une voiture de six. Il y en a sur le siège, sur le strapontin, sur les joues des capotes, sur le timon. Ils enfourchent jusqu'aux lanternes de la voiture. Ils sont debout, couchés, assis, jarrets recroquevillés, jambes pendantes. Les femmes occupent les genoux des hommes. On voit de loin sur le fourmillement des têtes leur pyramide forcenée. Ces carrossées font des montagnes d'allégresse au milieu de la cohue. Collé, Panard et Piron en découlent, enrichis d'argot. On crache de là-haut sur le peuple le catéchisme poissard. Ce fiacre, devenu démesuré par son chargement, a un air de conquête. Brouhaha est à l'avant, Tohubohu est à l'arrière. On y vocifère, on y vocalise, on y hurle, on y éclate, on s'y tord de bonheur ; la gaîté y rugit, le sarcasme y flamboie, la jovialité s'y étale comme une pourpre ; deux haridelles y traînent la farce épanouie en apothéose ; c'est le char de triomphe du Rire.

Rire trop cynique pour être franc. Et en effet ce rire est suspect. Ce rire a une mission. Il est chargé de prouver aux parisiens le carnaval.

Ces voitures poissardes, où l'on sent on ne sait quelles ténèbres, font songer le philosophe. Il y a du gouvernement là-dedans. On touche là du doigt une affinité mystérieuse entre les hommes publics et les femmes publiques.

Que des turpitudes échafaudées donnent un total de gaîté, qu'en étageant l'ignominie sur l'opprobre on affriande un peuple, que l'espionnage servant de cariatide à la prostitution amuse les cohues en les affrontant, que la foule aime à voir passer sur les quatre roues d'un fiacre ce monstrueux tas vivant, clinquant-haillon, mi-parti ordure et lumière, qui aboie et qui chante, qu'on batte des mains à cette gloire faite de toutes les hontes, qu'il n'y ait pas de fête pour les multitudes si la police ne promène au milieu d'elles ces espèces d'hydres de joie à vingt têtes, certes, cela est triste. Mais qu'y faire ? Ces tombereaux de fange enrubannée et fleurie sont insultés et amnistiés par le rire public. Le rire de tous est complice de la dégradation universelle. De certaines fêtes malsaines désagrègent le peuple et le font populace ; et aux populaces comme aux tyrans il faut des bouffons. Le roi a Roquelaure, le peuple a Paillasse. Paris est la grande ville folle, toutes les fois qu'il n'est pas la grande cité sublime. Le carnaval y fait partie de la politique. Paris, avouons-le, se laisse volontiers donner la comédie par l'infamie. Il ne demande à ses maîtres, — quand il a des maîtres, — qu'une chose : fardez-moi la boue. Rome était de la même humeur. Elle aimait Néron. Néron était un débardeur titan.

Le hasard fit, comme nous venons de le dire, qu'une de ces difformes grappes de femmes et d'hommes masqués, trimballée dans une vaste calèche, s'arrêta à gauche du boulevard pendant que le cortège de la noce s'arrêtait à droite. D'un bord du boulevard à l'autre, la voiture où étaient les masques aperçut vis-à-vis d'elle la voiture où était la mariée.

— Tiens ! dit un masque, une noce.

— Une fausse noce, reprit un autre. C'est nous qui sommes la vraie.

Et, trop loin pour pouvoir interpeller la noce, craignant d'ailleurs le holà des sergents de ville, les deux masques regardèrent ailleurs.

Toute la carrossée masquée eut fort à faire au bout d'un instant, la multitude se mit à la huer, ce qui est la caresse de la foule aux mascarades ; et les deux masques qui venaient de parler durent faire front à tout le monde avec leurs camarades, et n'eurent pas trop de tous les projectiles du répertoire des halles pour répondre aux énormes coups de gueule du peuple. Il se fit entre les masques et la foule un effrayant échange de métaphores.

Cependant, deux autres masques de la même voiture, un espagnol au nez démesuré avec un air vieillot et d'énormes moustaches noires, et une poissarde maigre, et toute jeune fille, masquée d'un loup, avaient remarqué la noce, eux aussi, et, pendant que leurs compagnons et les passants s'insultaient, avaient un dialogue à voix basse.

Leur aparté était couvert par le tumulte et s'y perdait. Les bouffées de pluie avaient mouillé la voiture toute grande ouverte ; le vent de février n'est pas chaud ; tout en répondant à l'espagnol, la poissarde, décolletée, grelottait, riait, et toussait.

Voici le dialogue :

— Dis donc.

— Quoi, daron [1] ?

— Vois-tu ce vieux ?

— Quel vieux ?

— Là, dans la première roulotte [2] de la noce, de notre côté.

— Qui a le bras accroché dans une cravate noire ?

— Oui.

— Eh bien ?

— Je suis sûr que je le connais.

— Ah !

— Je veux qu'on me fauche le colabre et n'avoir de ma vioc dit vousaille, tonorgue ni mézig, si je ne colombe pas ce pantinois-là [3].

— C'est aujourd'hui que Paris est Pantin.

— Peux-tu voir la mariée, en te penchant ?

— Non.

— Et le marié ?

— Il n'y a pas de marié dans cette roulotte-là.

[1] *Daron*, père.
[2] *Roulotte*, voiture.
[3] Je veux qu'on me coupe le cou, et n'avoir de ma vie dit vous, toi, ni moi, si je ne connais pas ce parisien-là.

— Bah !

— A moins que ce ne soit l'autre vieux.

— Tâche donc de voir la mariée en te penchant bien.

— Je ne peux pas.

— C'est égal, ce vieux qui a quelque chose à la patte, j'en suis sûr, je connais ça.

— Et à quoi ça te sert-il de le connaître ?

— On ne sait pas. Des fois !

— Je me fiche pas mal des vieux, moi.

— Je le connais !

— Connais-le à ton aise.

— Comment diable est-il à la noce ?

— Nous y sommes bien, nous.

— D'où vient-elle, cette noce ?

— Est-ce que je sais ?

— Écoute.

— Quoi ?

— Tu devrais faire une chose.

— Quoi ?

— Descendre de notre roulotte et filer [1] cette noce-là.

— Pourquoi faire ?

— Pour savoir où elle va, et ce qu'elle est. Dépêche-toi de descendre, cours, ma fée [2], toi qui es jeune.

— Je ne peux pas quitter la voiture.

— Pourquoi ça ?

— Je suis louée.

— Ah fichtre !

— Je dois ma journée de poissarde à la préfecture.

— C'est vrai.

— Si je quitte la voiture, le premier inspecteur qui me voit m'arrête. Tu sais bien.

[1] *Filer*, suivre. [2] *Fée*, fille.

— Oui, je sais.
— Aujourd'hui, je suis achetée par Pharos [1].
— C'est égal. Ce vieux m'embête.
— Les vieux t'embêtent. Tu n'es pourtant pas une jeune fille.
— Il est dans la première voiture.
— Eh bien ?
— Dans la roulotte de la mariée.
— Après ?
— Donc il est le père.
— Qu'est-ce que cela me fait ?
— Je te dis qu'il est le père.
— Il n'y a pas que ce père-là.
— Écoute.
— Quoi ?
— Moi, je ne peux guère sortir que masqué. Ici, je suis caché, on ne sait pas que j'y suis. Mais demain, il n'y a plus de masques. C'est mercredi des cendres. Je risque de tomber [2]. Il faut que je rentre dans mon trou. Toi, tu es libre.
— Pas trop.
— Plus que moi toujours.
— Eh bien, après ?
— Il faut que tu tâches de savoir où est allée cette noce-là ?
— Où elle va ?
— Oui.
— Je le sais.
— Où va-t-elle donc ?
— Au Cadran Bleu.
— D'abord ce n'est pas de ce côté-là.
— Eh bien ! à la Râpée.
— Ou ailleurs.
— Elle est libre. Les noces sont libres.
— Ce n'est pas tout ça. Je te dis qu'il faut que

[1] *Pharos*, le gouvernement. [2] *Tomber*, être arrêté.

tu tâches de me savoir ce que c'est que cette noce-là, dont est ce vieux, et où cette noce-là demeure.

— Plus souvent ! voilà qui sera drôle. C'est commode de retrouver, huit jours après, une noce qui a passé dans Paris le mardi gras. Une tiquante [1] dans un grenier à foin ! Est-ce que c'est possible ?

— N'importe, il faudra tâcher. Entends-tu, Azelma ?

Les deux files reprirent des deux côtés du boulevard leur mouvement en sens inverse, et la voiture des masques perdit de vue « la roulotte » de la mariée.

II

JEAN VALJEAN A TOUJOURS SON BRAS EN ÉCHARPE

Réaliser son rêve. A qui cela est-il donné ? Il doit y avoir des élections pour cela dans le ciel ; nous sommes tous candidats à notre insu ; les anges votent. Cosette et Marius avaient été élus.

Cosette, à la mairie et dans l'église, était éclatante et touchante. C'était Toussaint, aidée de Nicolette, qui l'avait habillée.

Cosette avait sur une jupe de taffetas blanc sa robe de guipure de Binche, un voile de point d'Angleterre, un collier de perles fines, une couronne de fleurs d'oranger ; tout cela était blanc, et, dans cette blancheur, elle rayonnait. C'était

[1] *Tiquante*, épingle.

une candeur exquise se dilatant et se transfigurant dans de la clarté. On eût dit une vierge en train de devenir déesse.

Les beaux cheveux de Marius étaient lustrés et parfumés ; on entrevoyait çà et là, sous l'épaisseur des boucles, des lignes pâles qui étaient les cicatrices de la barricade.

Le grand-père, superbe, la tête haute, amalgamant plus que jamais dans sa toilette et dans ses manières toutes les élégances du temps de Barras, conduisait Cosette. Il remplaçait Jean Valjean qui, à cause de son bras en écharpe, ne pouvait donner la main à la mariée.

Jean Valjean, en noir, suivait et souriait.

— Monsieur Fauchelevent, lui disait l'aïeul, voilà un beau jour. Je vote la fin des afflictions et des chagrins. Il ne faut plus qu'il y ait de tristesse nulle part désormais. Pardieu ! je décrète la joie ! Le mal n'a pas le droit d'être. Qu'il y ait des hommes malheureux, en vérité, cela est honteux pour l'azur du ciel. Le mal ne vient pas de l'homme qui, au fond, est bon. Toutes les misères humaines ont pour chef-lieu et pour gouvernement central l'enfer, autrement dit les Tuileries du diable. Bon, voilà que je dis des mots démagogiques à présent ! Quant à moi, je n'ai plus d'opinion politique ; que tous les hommes soient riches, c'est-à-dire joyeux, voilà à quoi je me borne.

Quand, à l'issue de toutes les cérémonies, après avoir prononcé devant le maire et devant le prêtre tous les oui possibles, après avoir signé sur les registres à la municipalité et à la sacristie, après avoir échangé leurs anneaux, après avoir été à genoux coude à coude sous le poêle de moire blanche dans la fumée de l'encensoir, ils arrivèrent se tenant par la main, admirés et enviés de tous,

Marius en noir, elle en blanc, précédés du suisse à épaulettes de colonel frappant les dalles de sa hallebarde, entre deux haies d'assistants émerveillés, sous le portail de l'église ouvert à deux battants, prêts à remonter en voiture et tout étant fini, Cosette ne pouvait encore y croire. Elle regardait Marius, elle regardait la foule, elle regardait le ciel ; il semblait qu'elle eût peur de se réveiller. Son air étonné et inquiet lui ajoutait on ne sait quoi d'enchanteur. Pour s'en retourner, ils montèrent ensemble dans la même voiture, Marius près de Cosette ; M. Gillenormand et Jean Valjean leur faisaient vis-à-vis. La tante Gillenormand avait reculé d'un plan, et était dans la seconde voiture. — Mes enfants, disait le grand-père, vous voilà monsieur le baron et madame la baronne avec trente mille livres de rente. Et Cosette, se penchant tout contre Marius, lui caressa l'oreille de ce chuchotement angélique : — C'est donc vrai. Je m'appelle Marius. Je suis madame Toi.

Ces deux êtres resplendissaient. Ils étaient à la minute irrévocable et introuvable, à l'éblouissant point d'intersection de toute la jeunesse et de toute la joie. Ils réalisaient le vers de Jean Prouvaire ; à eux deux, ils n'avaient pas quarante ans. C'était le mariage sublimé, ces deux enfants étaient deux lys. Ils ne se voyaient pas, ils se contemplaient. Cosette apercevait Marius dans une gloire ; Marius apercevait Cosette sur un autel. Et sur cet autel et dans cette gloire, les deux apothéoses se mêlant, au fond, on ne sait comment, derrière un nuage pour Cosette, dans un flamboiement pour Marius, il y avait la chose idéale, la chose réelle, le rendez-vous du baiser et du songe, l'oreiller nuptial.

Tout le tourment qu'ils avaient eu leur revenait en enivrement. Il leur semblait que les chagrins, les insomnies, les larmes, les angoisses, les épouvantes, les désespoirs, devenus caresses et rayons, rendaient plus charmante encore l'heure charmante qui approchait ; et que les tristesses étaient autant de servantes qui faisaient la toilette de la joie. Avoir souffert, comme c'est bon ! Leur malheur faisait auréole à leur bonheur. La longue agonie de leur amour aboutissait à une ascension.

C'était dans ces deux âmes le même enchantement, nuancé de volupté dans Marius et de pudeur dans Cosette. Ils se disaient tout bas : Nous irons revoir notre petit jardin de la rue Plumet. Les plis de la robe de Cosette étaient sur Marius.

Un tel jour est un mélange ineffable de rêve et de certitude. On possède et on suppose. On a encore du temps devant soi pour deviner. C'est une indicible émotion ce jour-là d'être à midi et de songer à minuit. Les délices de ces deux cœurs débordaient sur la foule et donnaient de l'allégresse aux passants.

On s'arrêtait rue Saint-Antoine devant Saint-Paul pour voir à travers la vitre de la voiture trembler les fleurs d'oranger sur la tête de Cosette.

Puis ils rentrèrent rue des Filles-du-Calvaire, chez eux. Marius, côte à côte avec Cosette, monta, triomphant et rayonnant, cet escalier où on l'avait traîné mourant. Les pauvres, attroupés devant la porte et se partageant leurs bourses, les bénissaient. Il y avait partout des fleurs. La maison n'était pas moins embaumée que l'église ; après l'encens, les roses. Ils croyaient entendre des voix chanter dans l'infini ; ils avaient Dieu dans le cœur ; la destinée leur apparaissait comme un plafond d'étoiles ; ils voyaient au-dessus de leurs têtes une lueur de soleil levant. Tout à coup l'horloge sonna. Marius regarda le charmant bras nu de Cosette et les choses roses qu'on apercevait vaguement à travers les dentelles de son corsage, et Cosette, voyant le regard de Marius, se mit à rougir jusqu'au blanc des yeux.

Bon nombre d'anciens amis de la famille Gillenormand avaient été invités ; on s'empressait autour de Cosette. C'était à qui l'appellerait madame la baronne.

L'officier Théodule Gillenormand, maintenant capitaine, était venu de Chartres où il tenait garnison, pour assister à la noce de son cousin Pontmercy. Cosette ne le reconnut pas.

Lui, de son côté, habitué à être trouvé joli par les femmes, ne se souvint pas plus de Cosette que d'une autre.

— Comme j'ai eu raison de ne pas croire à cette histoire du lancier ! disait à part soi le père Gillenormand.

Cosette n'avait jamais été plus tendre avec Jean Valjean. Elle était à l'unisson du père Gillenormand ; pendant qu'il érigeait la joie en aphorismes et en maximes, elle exhalait l'amour et la bonté comme un parfum. Le bonheur veut tout le monde heureux.

Elle retrouvait, pour parler à Jean Valjean, des inflexions de voix du temps qu'elle était petite fille. Elle le caressait du sourire.

Un banquet avait été dressé dans la salle à manger.

Un éclairage à giorno est l'assaisonnement nécessaire d'une grande joie. La brume et l'obscurité ne sont point acceptées par les heureux. Ils ne consentent pas à être noirs. La nuit, oui ; les ténèbres, non. Si l'on n'a pas de soleil, il faut en faire un.

La salle à manger était une fournaise de choses gaies. Au centre, au-dessus de la table blanche et éclatante, un lustre de Venise à lames plates, avec toutes sortes d'oiseaux de couleur, bleus, violets, rouges, verts, perchés au milieu des bougies ; autour du lustre des girandoles, sur le mur des miroirs-appliques à triples et quintuples branches ; glaces, cristaux, verreries, vaisselles, porcelaines, faïences, poteries, orfèvreries, argenteries, tout étincelait et se réjouissait. Les vides entre les candélabres étaient comblés par les bouquets, en sorte que, là où il n'y avait pas une lumière, il y avait une fleur.

Dans l'antichambre trois violons et une flûte jouaient en sourdine des quatuors de Haydn.

Jean Valjean s'était assis sur une chaise dans le salon, derrière la porte, dont le battant se repliait sur lui de façon à le cacher presque. Quelques instants avant qu'on se mît à table, Cosette vint, comme par coup de tête, lui faire une grande révérence en étalant de ses deux mains sa toilette de mariée, et, avec un regard tendrement espiègle, elle lui demanda :

— Père, êtes-vous content ?

— Oui, dit Jean Valjean, je suis content.

— Eh bien, riez alors.

Jean Valjean se mit à rire.

Quelques instants après, Basque annonça que le dîner était servi.

Les convives, précédés de M. Gillenormand donnant le bras à Cosette, entrèrent dans la salle à manger, et se répandirent, selon l'ordre voulu, autour de la table.

Deux grands fauteuils y figuraient, à droite et à gauche de la mariée, le premier pour M. Gillenormand, le second pour Jean Valjean.

M. Gillenormand s'assit. L'autre fauteuil resta vide.

On chercha des yeux « monsieur Fauchelevent ». Il n'était plus là.

M. Gillenormand interpella Basque.

— Sais-tu où est monsieur Fauchelevent ?

— Monsieur, répondit Basque, précisément. Monsieur Fauchelevent m'a dit de dire à monsieur qu'il souffrait un peu de sa main malade, et qu'il ne pourrait dîner avec monsieur le baron et madame la baronne. Qu'il priait qu'on l'excusât. Qu'il viendrait demain matin. Il vient de sortir.

Ce fauteuil vide refroidit un moment l'effusion du repas de noces. Mais, M. Fauchelevent absent, M. Gillenormand était là, et le grand-père rayonnait pour deux. Il affirma que M. Fauchelevent faisait bien de se coucher de bonne heure, s'il souffrait, mais que ce n'était qu'un « bobo ». Cette déclaration suffit. D'ailleurs, qu'est-ce qu'un coin obscur dans une telle submersion de joie ? Cosette et Marius étaient dans un de ces moments égoïstes et bénis où l'on n'a pas d'autre faculté que de percevoir le bonheur. Et puis, M. Gillenormand eut une idée. — Pardieu, ce fauteuil est vide. Viens-y, Marius. Ta tante, quoiqu'elle ait droit à toi, te le permettra. Ce fauteuil est pour toi. C'est légal, et c'est gentil. Fortunatus près de Fortunata. — Applaudissement de toute la table. Marius prit près de Cosette la place de Jean Valjean ; et les choses s'arrangèrent de telle sorte que Cosette, d'abord triste de l'absence de Jean Valjean, finit par en être contente. Du moment où Marius était le remplaçant, Cosette n'eût pas regretté Dieu. Elle mit son doux petit pied chaussé de satin blanc sur le pied de Marius.

Le fauteuil occupé, M. Fauchelevent fut effacé ; et rien ne manqua. Et, cinq minutes après, la table entière riait d'un bout à l'autre avec toute la verve de l'oubli.

Au dessert, M. Gillenormand debout, un verre de vin de champagne en main, à demi plein pour que le tremblement de ses quatrevingt-douze ans ne le fît pas déborder, porta la santé des mariés.

— Vous n'échapperez pas à deux sermons, s'écria-t-il. Vous avez eu le matin celui du curé, vous aurez le soir celui du grand-père. Écoutez-moi ; je vais vous donner un conseil : adorez-vous. Je ne fais pas un tas de giries, je vais au but, soyez heureux. Il n'y a pas dans la création d'autres sages que les tourtereaux. Les philosophes disent : Modérez vos joies. Moi je dis : Lâchez-leur la bride, à vos joies. Soyez épris comme des diables. Soyez enragés. Les philosophes radotent. Je voudrais leur faire rentrer leur philosophie dans la gargoine. Est-ce qu'il peut y avoir trop de parfums, trop de boutons de rose ouverts, trop de rossignols chantants, trop de feuilles vertes, trop d'aurore dans la vie ? est-ce qu'on peut trop s'aimer ? est-ce qu'on peut trop se plaire l'un à l'autre ? Prends garde, Estelle, tu es trop jolie ! Prends garde, Némorin, tu es trop beau ! La bonne balourdise ! Est-ce qu'on peut trop s'enchanter, trop se cajoler, trop se charmer ? est-ce qu'on peut trop être vivant ? est-ce qu'on peut trop être heureux ? Modérez vos joies. Ah ouiche ! A bas les philosophes ! La sagesse, c'est la jubilation. Jubilez, jubilons. Sommes-nous heureux parce que nous sommes bons, ou sommes-nous bons parce que nous sommes heureux ? Le Sancy s'appelle-t-il le Sancy parce qu'il a appartenu à Harlay de Sancy, ou parce qu'il pèse cent six carats ? Je n'en sais rien :

la vie est pleine de ces problèmes-là ; l'important, c'est d'avoir le Sancy, et le bonheur. Soyons heureux sans chicaner. Obéissons aveuglément au soleil. Qu'est-ce que le soleil ? C'est l'amour. Qui dit amour, dit femme. Ah ! ah ! voilà une toute-puissance, c'est la femme. Demandez à ce démagogue de Marius s'il n'est pas l'esclave de cette petite tyranne de Cosette. Et de son plein gré, le lâche ! La femme ! Il n'y a pas de Robespierre qui tienne, la femme règne. Je ne suis plus royaliste que de cette royauté-là. Qu'est-ce qu'Adam ? C'est le royaume d'Ève. Pas de 89 pour Ève. Il y avait le sceptre royal surmonté d'une fleur de lys, il y avait le sceptre impérial surmonté d'un globe, il y avait le sceptre de Charlemagne qui était en fer, il y avait le sceptre de Louis le Grand qui était en or, la révolution les a tordus entre son pouce et son index, comme des fétus de paille de deux liards ; c'est fini, c'est cassé, c'est par terre, il n'y a plus de sceptre ; mais faites-moi donc des révolutions contre ce petit mouchoir brodé qui sent le patchouli ! Je voudrais vous y voir. Essayez. Pourquoi est-ce solide ? Parce que c'est un chiffon. Ah ! vous êtes le dix-neuvième siècle ? Eh bien, après ? Nous étions le dix-huitième, nous ! Et nous étions aussi bêtes que vous. Ne vous imaginez pas que vous ayez changé grand'chose à l'univers, parce que votre trousse-galant s'appelle le choléra-morbus, et parce que votre bourrée s'appelle la cachucha. Au fond, il faudra bien toujours aimer les femmes. Je vous défie de sortir de là. Ces diablesses sont nos anges. Oui, l'amour, la femme, le baiser, c'est un cercle dont je vous défie de sortir ; et, quant à moi, je voudrais bien y rentrer. Lequel de vous a vu se lever dans l'infini, apaisant tout au-dessous d'elle, regardant les flots comme une femme, l'étoile Vénus, la grande coquette de l'abîme, la Célimène de l'océan? L'océan, voilà un rude Alceste. Eh bien, il a beau bougonner, Vénus paraît, il faut qu'il sourie. Cette bête brute se soumet. Nous sommes tous ainsi. Colère, tempête, coups de foudre, écume jusqu'au plafond. Une femme entre en scène, une étoile se lève ; à plat ventre ! Marius se battait il y a six mois ; il se marie aujourd'hui. C'est bien fait. Oui, Marius, oui, Cosette, vous avez raison. Existez hardiment l'un pour l'autre, faites-vous des mamours, faites-nous crever de rage de n'en pouvoir faire autant, idolâtrez-vous. Prenez dans vos deux becs tous les petits brins de félicité qu'il y a sur la terre, et arrangez-vous-en un nid pour la vie. Pardi, aimer, être aimé, le beau miracle quand on est jeune ! Ne vous figurez pas que vous ayez inventé cela. Moi aussi, j'ai rêvé, j'ai songé, j'ai soupiré ; moi aussi, j'ai eu une âme clair de lune. L'amour est un enfant de six mille ans. L'amour a droit à une longue barbe blanche. Mathusalem est un gamin près de Cupidon. Depuis soixante siècles, l'homme et la femme se tirent d'affaire en aimant. Le diable, qui est malin, s'est mis à haïr l'homme ; l'homme, qui est plus malin, s'est mis à aimer la femme. De cette façon, il s'est fait plus de bien que le diable ne lui a fait de mal. Cette finesse-là a été trouvée dès le paradis terrestre. Mes amis, l'invention est vieille, mais elle est toute neuve. Profitez-en. Soyez Daphnis et Chloé en attendant que vous soyiez Philémon et Baucis. Faites en sorte que, quand vous êtes l'un avec l'autre, rien ne vous manque, et que Cosette soit le soleil pour Marius, et que Marius soit l'univers pour Cosette. Cosette, que le beau temps, ce soit le sourire de votre mari ; Marius, que la pluie, ce soit les larmes de ta femme. Et qu'il ne pleuve jamais dans votre ménage. Vous avez chipé à la loterie le bon numéro, l'amour dans le sacrement ; vous avez le gros lot, gardez-le bien, mettez-le sous clef, ne le gaspillez pas, adorez-vous, et fichez-vous du reste. Croyez ce que je dis là. C'est du bon sens. Bon sens ne peut mentir. Soyez-vous l'un pour l'autre une religion. Chacun a sa façon d'adorer Dieu. Saperlotte ! la meilleure manière d'adorer Dieu, c'est d'aimer sa femme. Je t'aime ! voilà mon catéchisme. Quiconque aime est orthodoxe. Le juron de Henri IV met la sainteté entre la ripaille et l'ivresse. Ventre-saint-gris ! je ne suis pas de la religion de ce juron-là. La femme y est oubliée. Cela m'étonne de la part du juron de Henri IV. Mes amis, vive la femme ! je suis vieux, à ce qu'on dit ; c'est étonnant comme je me sens en train d'être jeune. Je voudrais aller écouter des musettes dans les bois. Ces enfants-là qui réussissent à être beaux et contents, cela me grise. Je me marierais bellement si quelqu'un voulait. Il est impossible de s'imaginer que Dieu nous ait faits pour autre chose que ceci : idolâtrer, roucouler, adoniser, être pigeon, être coq, becqueter ses amours du matin au soir, se mirer dans sa petite femme, être fier, être triomphant, faire jabot ; voilà le but de la vie. Voilà, ne vous en déplaise, ce que nous pensions, nous autres, dans notre temps dont nous étions les jeunes gens. Ah ! vertu-bamboche ! qu'il y en avait donc de charmantes femmes, à cette époque-là, et des minois, et des tendrons ! J'y exerçais mes ravages. Donc aimez-vous. Si l'on ne s'aimait pas, je ne vois pas vraiment à quoi cela servirait qu'il y eût un printemps ; et, quant à moi, je prierais le bon Dieu de serrer toutes les belles choses qu'il nous montre, et de nous les reprendre, et de remettre dans sa boîte les fleurs, les oiseaux et les jolies filles. Mes enfants, recevez la bénédiction du vieux bonhomme.

La soirée fut vive, gaie, aimable. La belle humeur souveraine du grand-père donna l'ut à toute la fête, et chacun se régla sur cette cordialité presque centenaire. On dansa un peu, on rit beaucoup ; ce fut une noce bonne enfant. On eût pu y convier le bonhomme Jadis. Du reste il y était dans la personne du père Gillenormand.

Il y eut tumulte, puis silence.

Les mariés disparurent.

Un peu après minuit la maison Gillenormand devint un temple.

Ici nous nous arrêtons. Sur le seuil des nuits de noce un ange est debout, souriant, un doigt sur la bouche.

L'âme entre en contemplation devant ce sanctuaire où se fait la célébration de l'amour.

Il doit y avoir des lueurs au-dessus de ces maisons-là. La joie qu'elles contiennent doit s'échapper à travers les pierres des murs en clarté et rayer vaguement les ténèbres. Il est impossible que cette fête sacrée et fatale n'envoie pas un rayonnement céleste à l'infini. L'amour, c'est le creuset sublime où se fait la fusion de l'homme et de la femme ; l'être un, l'être triple, l'être final, la trinité humaine en sort. Cette naissance de deux âmes en une doit être une émotion pour l'ombre. L'amant est prêtre ; la vierge ravie s'épouvante. Quelque chose de cette joie va à Dieu. Là où il y a vraiment mariage, c'est-à-dire où il y a amour, l'idéal s'en mêle. Un lit nuptial fait dans les ténèbres un coin d'aurore. S'il était donné à la prunelle de chair de percevoir les visions redoutables et charmantes de la vie supérieure, il est probable qu'on verrait les formes de la nuit, les inconnus ailés, les passants bleus de l'invisible, se pencher, foule de têtes sombres, autour de la maison lumineuse, satisfaits, bénissants, se montrant les uns aux autres la vierge épouse, doucement effarés, et ayant le reflet de la félicité humaine sur leurs visages divins. Si, à cette heure suprême, les époux éblouis de volupté, et qui se croient seuls, écoutaient, ils entendraient dans leur chambre un bruissement d'ailes confuses. Le bonheur parfait implique la solidarité des anges. Cette petite alcôve obscure a pour plafond tout le ciel. Quand deux bouches, devenues sacrées par l'amour, se rapprochent pour créer, il est impossible qu'au-dessus de ce baiser ineffable il n'y ait pas un tressaillement dans l'immense mystère des étoiles.

Ces félicités sont les vraies. Pas de joie hors de ces joies-là. L'amour, c'est là l'unique extase. Tout le reste pleure.

Aimer ou avoir aimé, cela suffit. Ne demandez rien ensuite. On n'a pas d'autre perle à trouver dans les plis ténébreux de la vie. Aimer est un accomplissement.

III

L'INSÉPARABLE

Qu'était devenu Jean Valjean ?

Immédiatement après avoir ri, sur la gentille injonction de Cosette, personne ne faisant attention à lui, Jean Valjean s'était levé, et, inaperçu, il avait gagné l'antichambre. C'était cette même salle où, huit mois auparavant, il était entré noir de boue, de sang et de poudre, rapportant le petit-fils à l'aïeul. La vieille boiserie était enguirlandée de feuillages et de fleurs ; les musiciens étaient assis sur le canapé où l'on avait déposé Marius. Basque en habit noir, en culotte courte, en bas blancs et en gants blancs, disposait des couronnes de roses autour de chacun des plats qu'on allait servir. Jean Valjean lui avait montré son bras en écharpe, l'avait chargé d'expliquer son absence, et était sorti.

Les croisées de la salle à manger donnaient sur la rue. Jean Valjean demeura quelques minutes debout et immobile dans l'obscurité sous ces fenêtres radieuses. Il écoutait. Le bruit confus du banquet venait jusqu'à lui. Il entendait la parole haute et magistrale du grand-père, les violons, le cliquetis des assiettes et des verres, les éclats de rire, et dans toute cette rumeur gaie il distinguait la douce voix joyeuse de Cosette.

Il quitta la rue des Filles-du-Calvaire et s'en revint rue de l'Homme-Armé.

Pour s'en retourner, il prit par la rue Saint-Louis, la rue Culture-Sainte-Catherine et les Blancs-Manteaux ; c'était un peu le plus long, mais c'était le chemin par où, depuis trois mois, pour éviter les encombrements et les boues de la rue Vieille-du-Temple, il avait coutume de venir tous les jours, de la rue de l'Homme-Armé à la rue des Filles-du-Calvaire, avec Cosette.

Ce chemin où Cosette avait passé excluait pour lui tout autre itinéraire.

Jean Valjean rentra chez lui. Il alluma sa chandelle et monta. L'appartement était vide. Toussaint elle-même n'y était plus. Le pas de Jean Valjean faisait dans les chambres plus de bruit qu'à l'ordinaire. Toutes les armoires étaient ouvertes. Il pénétra dans la chambre de Cosette. Il n'y avait pas de draps au lit. L'oreiller de coutil, sans taie et sans dentelles, était posé sur les couvertures pliées au pied des matelas dont on voyait la toile et où personne ne devait plus coucher. Tous les petits objets féminins auxquels tenait Cosette avaient été emportés ; il ne restait que les gros meubles et les quatre murs. Le lit de Toussaint était également dégarni. Un seul lit était fait et semblait attendre quelqu'un ; c'était celui de Jean Valjean.

Jean Valjean regarda les murailles, ferma quelques portes d'armoires, alla et vint d'une chambre à l'autre.

Puis il se retrouva dans sa chambre, et il posa sa chandelle sur une table.

Il avait dégagé son bras de l'écharpe, et il se servait de sa main droite comme s'il n'en souffrait pas.

Il s'approcha de son lit, et ses yeux s'arrêtèrent, fut-ce par hasard ? fut-ce avec intention ? sur l'*inséparable,* dont Cosette avait été jalouse, sur la petite malle qui ne le quittait jamais. Le 4 juin, en arrivant rue de l'Homme-Armé, il l'avait déposée sur un guéridon près de son chevet. Il alla à ce guéridon avec une sorte de vivacité, prit dans sa poche une clef, et ouvrit la valise.

Il en tira lentement les vêtements avec lesquels, dix ans auparavant, Cosette avait quitté Montfermeil ; d'abord la petite robe noire, puis le fichu noir, puis les bons gros souliers d'enfant que Cosette aurait presque pu mettre encore, tant elle avait le pied petit, puis la brassière de futaine bien épaisse, puis le jupon de tricot, puis le tablier à poches, puis les bas de laine. Ces bas, où était encore gracieusement marquée la forme d'une petite jambe, n'étaient guère plus longs que la main de Jean Valjean. Tout cela était de couleur noire. C'était lui qui avait apporté ces vêtements pour elle à Montfermeil. A mesure qu'il les ôtait de la valise, il les posait sur le lit. Il pensait. Il se rappelait. C'était en hiver, un mois de décembre très froid, elle grelottait à demi nue dans des guenilles, ses pauvres petits pieds tout rouges dans des sabots. Lui Jean Valjean, il lui avait fait quitter ces haillons pour lui faire mettre cet habillement de deuil. La mère avait dû être contente dans sa tombe de voir sa fille porter son deuil, et surtout de voir qu'elle était vêtue et qu'elle avait chaud. Il pensait à cette forêt de Montfermeil ; ils l'avaient traversée ensemble, Cosette et lui ; il pensait au temps qu'il faisait, aux arbres sans feuilles, au bois sans oiseaux, au ciel sans soleil ; c'est égal, c'était charmant. Il rangea les petites nippes sur le lit, le fichu près du jupon, les bas à côté des souliers, la brassière à côté de la robe, et il les regarda l'une après l'autre. Elle n'était pas plus haute que cela, elle avait sa grande poupée dans ses bras, elle avait mis son louis d'or dans la poche de ce tablier, elle riait, ils marchaient tous les deux se tenant par la main, elle n'avait que lui au monde.

Alors sa vénérable tête blanche tomba sur le lit, ce vieux cœur stoïque se brisa, sa face s'abîma pour ainsi dire dans les vêtements de Cosette, et si quelqu'un eût passé dans l'escalier en ce moment, on eût entendu d'effrayants sanglots.

IV

« IMMORTALE JECUR »

La vieille lutte formidable, dont nous avons déjà vu plusieurs phases, recommença.

Jacob ne lutta avec l'ange qu'une nuit. Hélas ! combien de fois avons-nous vu Jean Valjean saisi corps à corps dans les ténèbres par sa conscience, et luttant éperdument contre elle !

Lutte inouïe ! A de certains moments, c'est le pied qui glisse ; à d'autres instants, c'est le sol qui croule. Combien de fois cette conscience, forcenée au bien, l'avait-elle étreint et accablé ! Combien de fois la vérité, inexorable, lui avait-elle mis le genou sur la poitrine ! Combien de fois, terrassé par la lumière, lui avait-il crié grâce ! Combien de fois cette lumière implacable, allumée en lui et sur lui par l'évêque, l'avait-elle ébloui de force lorsqu'il souhaitait être aveuglé ! Combien de fois s'était-il redressé dans le combat, retenu au rocher, adossé au sophisme, traîné dans la poussière, tantôt renversant sa conscience sous lui, tantôt renversé par elle ! Combien de fois, après une équivoque, après un raisonnement traître et spécieux de l'égoïsme, avait-il entendu sa conscience irritée lui crier à l'oreille : Croc-en-jambe ! misérable ! Combien de fois sa pensée réfractaire avait-elle râlé convulsivement sous l'évidence du devoir ! Résistance à Dieu. Sueurs funèbres. Que de blessures secrètes, que lui seul sentait saigner ! Que d'écorchures à sa lamentable existence ! Combien de fois s'était-il relevé sanglant, meurtri, brisé, éclairé, le désespoir au cœur, la sérénité dans l'âme ! et, vaincu, il se sentait vainqueur. Et après l'avoir disloqué, tenaillé et rompu, sa conscience, debout au-dessus de lui, redoutable, lumineuse, tranquille, lui disait : Maintenant, va en paix !

Mais, au sortir d'une si sombre lutte, quelle paix lugubre, hélas !

Cette nuit-là pourtant, Jean Valjean sentit qu'il livrait son dernier combat.

Une question se présentait, poignante.

Les prédestinations ne sont pas toutes droites ; elles ne se développent pas en avenue rectiligne devant le prédestiné ; elles ont des impasses, des cœcums, des tournants obscurs, des carrefours inquiétants offrant plusieurs voies. Jean Valjean faisait halte en ce moment au plus périlleux de ces carrefours.

Il était parvenu au suprême croisement du bien et du mal. Il avait cette ténébreuse intersection sous les yeux. Cette fois encore, comme cela lui était déjà arrivé dans d'autres péripéties douloureuses, deux routes s'ouvraient devant lui ; l'une tentante, l'autre effrayante. Laquelle prendre ?

Celle qui effrayait était conseillée par le mystérieux doigt indicateur que nous apercevons tous chaque fois que nous fixons nos yeux sur l'ombre.

Jean Valjean avait, encore une fois, le choix entre le port terrible et l'embûche souriante.

Cela est-il donc vrai ? l'âme peut guérir ; le sort, non. Chose affreuse ! une destinée incurable !

La question qui se présentait, la voici :

De quelle façon Jean Valjean allait-il se comporter avec le bonheur de Cosette et de Marius ? Ce bonheur, c'était lui qui l'avait voulu, c'était lui qui l'avait fait ; il se l'était lui-même enfoncé dans les entrailles, et à cette heure, en le considérant, il pouvait avoir l'espèce de satisfaction qu'aurait un armurier qui reconnaîtrait sa marque de fabrique sur un couteau, en se le retirant tout fumant de la poitrine.

Cosette avait Marius, Marius possédait Cosette. Ils avaient tout, même la richesse. Et c'était son œuvre.

Mais ce bonheur, maintenant qu'il existait, maintenant qu'il était là, qu'allait-il en faire, lui Jean Valjean ? S'imposerait-il à ce bonheur ? Le traiterait-il comme lui appartenant ? Sans doute Cosette était à un autre ; mais lui Jean Valjean retiendrait-il de Cosette tout ce qu'il en pourrait retenir ? Resterait-il l'espèce de père, entrevu, mais respecté, qu'il avait été jusqu'alors ? S'introduirait-il tranquillement dans la maison de Cosette ? Apporterait-il, sans dire mot, son passé à cet avenir ? Se présenterait-il là comme ayant droit, et viendrait-il s'asseoir, voilé, à ce lumineux foyer ? Prendrait-il, en leur souriant, les mains de ces innocents dans ses deux mains tragiques ? Poserait-il sur les paisibles chenets du salon Gillenormand ses pieds qui traînaient derrière eux l'ombre infamante de la loi ? Entrerait-il en participation de chances avec Cosette et Marius ? Épaissirait-il l'obscurité sur son front et le nuage sur le leur ? Mettrait-il en tiers avec leurs deux félicités sa catastrophe ? Continuerait-il de se taire ? En un mot serait-il, près de ces deux êtres heureux, le sinistre muet de la destinée ?

Il faut être habitué à la fatalité et à ses rencontres pour oser lever les yeux quand de certaines questions nous apparaissent dans leur nudité horrible. Le bien ou le mal sont derrière ce sévère point d'interrogation. Que vas-tu faire ? demande le sphinx.

Cette habitude de l'épreuve, Jean Valjean l'avait. Il regarda le sphinx fixement.

Il examina l'impitoyable problème sous toutes ses faces.

Cosette, cette existence charmante, était le radeau de ce naufragé. Que faire ? S'y cramponner, ou lâcher prise ?

S'il s'y cramponnait, il sortait du désastre, il remontait au soleil, il laissait ruisseler de ses vêtements et de ses cheveux l'eau amère, il était sauvé, il vivait.

Allait-il lâcher prise ?

Alors, l'abîme.

Il tenait ainsi douloureusement conseil avec sa pensée. Ou, pour mieux dire, il combattait ; il se ruait, furieux, au dedans de lui-même, tantôt contre sa volonté, tantôt contre sa conviction.

Ce fut un bonheur pour Jean Valjean d'avoir pu pleurer. Cela l'éclaira peut-être. Pourtant le commencement fut farouche. Une tempête, plus furieuse que celle qui autrefois l'avait poussé vers Arras, se déchaîna en lui. Le passé lui revenait en regard du présent ; il comparait, et il sanglotait. Une fois l'écluse des larmes ouverte, le désespéré se tordit.

Il se sentait arrêté.

Hélas, dans ce pugilat à outrance entre notre égoïsme et notre devoir, quand nous reculons ainsi pas à pas devant notre idéal incommutable, égarés, acharnés, exaspérés de céder, disputant le terrain, espérant une fuite possible, cherchant une issue, quelle brusque et sinistre résistance derrière nous que le pied du mur !

Sentir l'ombre sacrée qui fait obstacle !

L'invisible inexorable, quelle obsession !

Donc avec la conscience on n'a jamais fini. Prends-en ton parti, Brutus ; prends-en ton parti, Caton. Elle est sans fond, étant Dieu. On jette dans ce puits le travail de toute sa vie, on y jette sa fortune, on y jette sa richesse, on y jette son succès, on y jette sa liberté ou sa patrie, on y jette son bien-être, on y jette son repos, on y jette sa joie. Encore ! encore ! encore ! Videz le vase ! penchez l'urne ! Il faut finir par y jeter son cœur.

Il y a quelque part dans la brume des vieux enfers un tonneau comme cela.

N'est-on pas pardonnable de refuser enfin ? Est-ce que l'inépuisable peut avoir un droit ? Est-ce que les chaînes sans fin ne sont pas au-dessus de la force humaine ? Qui donc blâmerait Sisyphe et Jean Valjean de dire : c'est assez !

L'obéissance de la matière est limitée par le frottement ; est-ce qu'il n'y a pas une limite à l'obéissance de l'âme ? Si le mouvement perpétuel est impossible, est-ce que le dévouement perpétuel est exigible ?

Le premier pas n'est rien ; c'est le dernier qui est difficile. Qu'était-ce que l'affaire Champmathieu à côté du mariage de Cosette et de ce qu'il entraînait ? Qu'est-ce que ceci : rentrer au bagne, à côté de ceci : entrer dans le néant ?

O première marche à descendre, que tu es sombre ! O seconde marche, que tu es noire !

Comment ne pas détourner la tête cette fois ?

Le martyre est une sublimation, sublimation corrosive. C'est une torture qui sacre. On peut y consentir la première heure ; on s'assied sur le trône de fer rouge, on met sur son front la couronne de fer rouge, on accepte le globe de fer rouge, on prend le sceptre de fer rouge, mais il reste encore à vêtir le manteau de flamme, et n'y a-t-il pas un moment où la chair misérable se révolte, et où l'on abdique le supplice !

Enfin Jean Valjean entra dans le calme de l'accablement.

Il pesa, il songea, il considéra les alternatives de la mystérieuse balance de lumière et d'ombre.

Imposer son bagne à ces deux enfants éblouissants, ou consommer lui-même son irrémédiable engloutissement. D'un côté le sacrifice de Cosette ; de l'autre le sien propre.

A quelle solution s'arrêta-t-il ? Quelle détermination prit-il ? Quelle fut, au dedans de lui-même, sa réponse définitive à l'incorruptible interrogatoire de la fatalité ? Quelle porte se décida-t-il à ouvrir ? Quel côté de sa vie prit-il le parti de fermer et de condamner ? Entre tous ces escarpements insondables qui l'entouraient, quel fut son choix ? Quelle extrémité accepta-t-il ? Auquel de ces gouffres fit-il un signe de tête ?

Sa rêverie vertigineuse dura toute la nuit.

Il resta là jusqu'au jour, dans la même attitude, ployé en deux sur ce lit, prosterné sous l'énormité du sort, écrasé peut-être, hélas ! les poings crispés, les bras étendus à angle droit comme un crucifié décloué qu'on aurait jeté la face contre terre. Il demeura douze heures, les douze heures d'une longue nuit d'hiver, glacé, sans relever la tête et sans prononcer une parole. Il était immobile comme un cadavre, pendant que sa pensée se roulait à terre et s'envolait, tantôt comme l'hydre, tantôt comme l'aigle. A le voir ainsi sans mouvement on eût dit un mort ; tout à coup il tressaillait convulsivement et sa bouche, collée aux vêtements de Cosette, les baisait ; alors on voyait qu'il vivait.

Qui ? on ? puisque Jean Valjean était seul, et qu'il n'y avait personne là ?

Le On qui est dans les ténèbres.

LIVRE SEPTIÈME

LA DERNIÈRE GORGÉE DU CALICE

I

LE SEPTIÈME CERCLE ET LE HUITIÈME CIEL

LES lendemains de noce sont solitaires. On respecte le recueillement des heureux. Et aussi un peu leur sommeil attardé. Le brouhaha des visites et des félicitations ne commence que plus tard. Le matin du 17 février, il était un peu plus de midi quand Basque, la serviette et le plumeau sous le bras, occupé « à faire son antichambre », entendit un léger frappement à la porte. On n'avait point sonné, ce qui est discret un pareil jour. Basque ouvrit et vit M. Fauchelevent. Il l'introduisit dans le salon, encore encombré et sens dessus dessous, et qui avait l'air du champ de bataille des joies de la veille.

— Dame, monsieur, observa Basque, nous nous sommes réveillés tard.

— Votre maître est-il levé ? demanda Jean Valjean.

— Comment va le bras de monsieur ? répondit Basque.

— Mieux. Votre maître est-il levé ?

— Lequel ? l'ancien ou le nouveau ?

— Monsieur Pontmercy.

— Monsieur le baron ? fit Basque en se redressant.

On est surtout baron pour ses domestiques. Il leur en revient quelque chose ; ils ont ce qu'un philosophe appellerait l'éclaboussure du titre, et cela les flatte. Marius, pour le dire en passant, républicain militant, et il l'avait prouvé, était maintenant baron malgré lui. Une petite révolution s'était faite dans la famille sur ce titre ; c'était à présent M. Gillenormand qui y tenait et Marius qui s'en détachait. Mais le colonel Pontmercy avait écrit : *Mon fils portera mon titre,* Marius obéissait. Et puis Cosette, en qui la femme commençait à poindre, était ravie d'être baronne.

— Monsieur le baron ? répéta Basque. Je vais voir. Je vais lui dire que monsieur Fauchelevent est là.

— Non. Ne lui dites pas que c'est moi. Dites-lui que quelqu'un demande à lui parler en particulier, et ne lui dites pas de nom.

— Ah ! fit Basque.

— Je veux lui faire une surprise.

— Ah ! reprit Basque, se donnant à lui-même son second Ah ! comme explication du premier.

Et il sortit.

Jean Valjean resta seul.

Le salon, nous venons de le dire, était tout en désordre. Il semblait qu'en prêtant l'oreille on eût pu y entendre encore la vague rumeur de la noce. Il y avait sur le parquet toutes sortes de fleurs tombées des guirlandes et des coiffures. Les bougies brûlées jusqu'au tronçon ajoutaient aux cristaux des lustres des stalactites de cire. Pas un meuble n'était à sa place. Dans des coins, trois ou quatre fauteuils, rapprochés les uns des autres et faisant cercle, avaient l'air de continuer une causerie. L'ensemble était riant. Il y a encore une certaine grâce dans une fête morte. Cela a été heureux. Sur ces chaises en désarroi, parmi ces fleurs qui se fanent, sous ces lumières éteintes, on a pensé de la joie. Le soleil succédait au lustre, et entrait gaîment dans le salon.

Quelques minutes s'écoulèrent. Jean Valjean était immobile à l'endroit où Basque l'avait quitté. Il était très pâle. Ses yeux étaient creux et tellement enfoncés par l'insomnie sous l'orbite qu'ils y disparaissaient presque. Son habit noir avait les plis fatigués d'un vêtement qui a passé la nuit. Les coudes étaient blanchis de ce duvet que laisse au drap le frottement du linge. Jean Valjean regardait à ses pieds la fenêtre dessinée sur le parquet par le soleil.

Un bruit se fit à la porte, il leva les yeux.

Marius entra, la tête haute, la bouche riante, on ne sait quelle lumière sur le visage, le front épanoui, l'œil triomphant. Lui aussi n'avait pas dormi.

— C'est vous, père ! s'écria-t-il en apercevant Jean Valjean ; cet imbécile de Basque qui avait un air mystérieux ! Mais vous venez de trop bonne heure. Il n'est encore que midi et demi. Cosette dort.

Ce mot : Père, dit à M. Fauchelevent par Marius, signifiait : Félicité suprême. Il y avait toujours eu, on le sait, escarpement, froideur et contrainte entre eux, glace à rompre ou à fondre. Marius en était à ce point d'enivrement que l'escarpement s'abaissait, que la glace se dissolvait, et que M. Fauchelevent était pour lui, comme pour Cosette, un père.

Il continua ; les paroles débordaient de lui, ce qui est propre à ces divins paroxysmes de la joie :

— Que je suis content de vous voir ! Si vous saviez comme vous nous avez manqué hier ! Bonjour, père. Comment va votre main ? Mieux, n'est-ce pas ?

Et, satisfait de la bonne réponse qu'il se faisait à lui-même, il poursuivit :

— Nous avons bien parlé de vous tous les deux. Cosette vous aime tant ! Vous n'oubliez pas que vous avez votre chambre ici. Nous ne voulons plus de la rue de l'Homme-Armé. Nous n'en voulons plus du tout. Comment aviez-vous pu aller demeurer dans une rue comme ça, qui est malade, qui est grognon, qui est laide, qui a une barrière à un bout, où l'on a froid, où l'on ne peut pas entrer ? Vous viendrez vous installer ici. Et dès aujourd'hui. Ou vous aurez affaire à Cosette. Elle entend nous mener tous par le bout du nez, je vous en préviens. Vous avez vu votre chambre, elle est tout près de la nôtre, elle donne sur des jardins ; on a fait arranger ce qu'il y avait à la serrure, le lit est fait, elle est toute prête, vous n'avez qu'à arriver. Cosette a mis près de votre lit une grande vieille bergère en velours d'Utrecht, à qui elle a dit : tends-lui les bras. Tous les printemps, dans le massif d'acacias qui est en face de vos fenêtres, il vient un rossignol. Vous l'aurez dans deux mois. Vous aurez son nid à votre gauche et le nôtre à votre droite. La nuit il chantera, et le jour Cosette parlera. Votre chambre est en plein midi. Cosette vous y rangera vos livres, votre voyage du capitaine Cook, et l'autre, celui de Vancouver, toutes vos affaires. Il y a, je crois, une petite valise à laquelle vous tenez, j'ai disposé un coin d'honneur pour elle. Vous avez conquis mon grand-père, vous lui allez.

Nous vivrons ensemble. Savez-vous le whist ? vous comblerez mon grand-père si vous savez le whist. C'est vous qui mènerez promener Cosette mes jours de palais, vous lui donnerez le bras, vous savez, comme au Luxembourg autrefois. Nous sommes absolument décidés à être très heureux. Et vous en serez, de notre bonheur, entendez-vous, père ? Ah çà, vous déjeunez avec nous aujourd'hui ?

— Monsieur, dit Jean Valjean, j'ai une chose à vous dire. Je suis un ancien forçat.

La limite des sons aigus perceptibles peut être tout aussi bien dépassée pour l'esprit que pour l'oreille. Ces mots : *Je suis un ancien forçat*, sortant de la bouche de M. Fauchelevent et entrant dans l'oreille de Marius, allaient au delà du possible. Marius n'entendit pas. Il lui sembla que quelque chose venait de lui être dit ; mais il ne sut quoi. Il resta béant.

Il s'aperçut alors que l'homme qui lui parlait était effrayant. Tout à son éblouissement, il n'avait pas jusqu'à ce moment remarqué cette pâleur terrible.

Jean Valjean dénoua la cravate noire qui lui soutenait le bras droit, défit le linge roulé autour de sa main, mit son pouce à nu et le montra à Marius.

— Je n'ai rien à la main, dit-il.

Marius regarda le pouce.

— Je n'y ai jamais rien eu, reprit Jean Valjean.

Il n'y avait en effet aucune trace de blessure.

Jean Valjean poursuivit :

— Il convenait que je fusse absent de votre mariage. Je me suis fait absent le plus que j'ai pu. J'ai supposé cette blessure pour ne point faire un faux, pour ne pas introduire de nullité dans les actes du mariage, pour être dispensé de signer.

Marius bégaya :

— Qu'est-ce que cela veut dire ?

— Cela veut dire, répondit Jean Valjean, que j'ai été aux galères.

— Vous me rendez fou ! s'écria Marius épouvanté.

— Monsieur Pontmercy, dit Jean Valjean, j'ai été dix-neuf ans aux galères. Pour vol. Puis j'ai été condamné à perpétuité. Pour vol. Pour récidive. A l'heure qu'il est, je suis en rupture de ban.

Marius avait beau reculer devant la réalité, refuser le fait, résister à l'évidence, il fallait s'y rendre. Il commença à comprendre, et comme cela arrive toujours en cas pareil, il comprit au delà. Il eut le frisson d'un hideux éclair intérieur ; une idée, qui le fit frémir, lui traversa l'esprit. Il entrevit dans l'avenir, pour lui-même, une destinée difforme.

— Dites tout, dites tout ! cria-t-il. Vous êtes le père de Cosette !

Et il fit deux pas en arrière avec un mouvement d'indicible horreur.

Jean Valjean redressa la tête dans une telle majesté d'attitude qu'il sembla grandir jusqu'au plafond.

— Il est nécessaire que vous me croyiez ici, monsieur ; et, quoique notre serment à nous autres ne soit pas reçu en justice...

Ici il fit un silence, puis, avec une sorte d'autorité souveraine et sépulcrale, il ajouta en articulant lentement et en pesant sur les syllabes :

— ... Vous me croirez. Le père de Cosette, moi ! devant Dieu, non. Monsieur le baron Pontmercy, je suis un paysan de Faverolles. Je gagnais ma vie à émonder des arbres. Je ne m'appelle pas Fauchelevent, je m'appelle Jean Valjean. Je ne suis rien à Cosette. Rassurez-vous.

Marius balbutia :

— Qui me prouve ?...

— Moi. Puisque je le dis.

Marius regarda cet homme. Il était lugubre et tranquille. Aucun mensonge ne pouvait sortir d'un tel calme. Ce qui est glacé est sincère. On sentait le vrai dans cette froideur de tombe.

— Je vous crois, dit Marius.

Jean Valjean inclina la tête comme pour prendre acte, et continua :

— Que suis-je pour Cosette ? un passant. Il y a dix ans, je ne savais pas qu'elle existât. Je l'aime, c'est vrai. Une enfant qu'on a vue petite, étant soi-même déjà vieux, on l'aime. Quand on est vieux, on se sent grand-père pour tous les petits enfants. Vous pouvez, ce me semble, supposer que j'ai quelque chose qui ressemble à un cœur. Elle était orpheline. Sans père ni mère. Elle avait besoin de moi. Voilà pourquoi je me suis mis à l'aimer. C'est si faible les enfants, que le premier venu, même un homme comme moi, peut être leur protecteur. J'ai fait ce devoir-là vis-à-vis de Cosette. Je ne crois pas qu'on puisse vraiment appeler si peu de chose une bonne action ; mais si c'est une bonne action, eh bien, mettez que je l'ai faite. Enregistrez cette circonstance atténuante. Aujourd'hui Cosette quitte ma vie ; nos deux chemins se séparent. Désormais je ne puis plus rien pour elle. Est est madame Pontmercy. Sa providence a changé. Et Cosette gagne au change. Tout est bien. Quant aux six cent mille francs, vous ne m'en parlez pas, mais je vais au-devant de votre pensée, c'est un dépôt. Comment ce dépôt était-il entre mes mains ? Qu'importe ? Je rends le dépôt. On n'a rien de plus à me demander. Je complète la restitution en disant mon vrai nom. Ceci encore me regarde. Je tiens, moi, à ce que vous sachiez qui je suis.

Et Jean Valjean regarda Marius en face.

Tout ce qu'éprouvait Marius était tumultueux et incohérent. De certains coups de vent de la destinée font de ces vagues dans notre âme.

Nous avons tous eu de ces moments de trouble dans lesquels tout se disperse en nous ; nous disons les premières choses venues, lesquelles ne sont pas toujours précisément celles qu'il faudrait dire. Il y a des révélations subites qu'on ne peut porter et qui enivrent comme un vin funeste. Marius était stupéfié de la situation nouvelle qui lui apparaissait, au point de parler à cet homme presque comme quelqu'un qui lui en aurait voulu de cet aveu.

— Mais enfin, s'écria-t-il, pourquoi me dites-vous tout cela ? Qu'est-ce qui vous y force ? Vous pouviez vous garder le secret à vous-même. Vous n'êtes ni dénoncé, ni poursuivi, ni traqué ? Vous avez une raison pour faire, de gaîté de cœur, une telle révélation. Achevez. Il y a autre chose. A quel propos faites-vous cet aveu ? Pour quel motif ?

— Pour quel motif ? répondit Jean Valjean d'une voix si basse et si sourde qu'on eût dit que c'était à lui-même qu'il parlait plus qu'à Marius. Pour quel motif, en effet, ce forçat vient-il dire : Je suis un forçat ? Eh bien oui ! le motif est étrange. C'est par honnêteté. Tenez, ce qu'il y a de malheureux, c'est un fil que j'ai là dans le cœur et qui me tient attaché. C'est surtout quand on est vieux que ces fils-là sont solides. Toute la vie se défait alentour ; ils résistent. Si j'avais pu arracher ce fil, le casser, dénouer le nœud ou le couper, m'en aller bien loin, j'étais sauvé, je n'avais qu'à partir ;

il y a des diligences rue du Bouloi ; vous êtes heureux, je m'en vais. J'ai essayé de le rompre, ce fil, j'ai tiré dessus, il a tenu bon, il n'a pas cassé, je m'arrachais le cœur avec. Alors j'ai dit : Je ne puis pas vivre ailleurs que là. Il faut que je reste. Eh bien oui, mais vous avez raison, je suis un imbécile, pourquoi ne pas rester tout simplement ? Vous m'offrez une chambre dans la maison, madame Pontmercy m'aime bien, elle dit à ce fauteuil : tends-lui les bras, votre grand-père ne demande pas mieux que de m'avoir, je lui vas, nous habiterons tous ensemble, repas en commun, je donnerai le bras à Cosette... — à madame Pontmercy, pardon, c'est l'habitude, — nous n'aurons qu'un toit, qu'une table, qu'un feu, le même coin de cheminée l'hiver, la même promenade l'été, c'est la joie cela, c'est le bonheur cela, c'est tout, cela. Nous vivrons en famille. En famille !

A ce mot, Jean Valjean devint farouche. Il croisa les bras, considéra le plancher à ses pieds comme s'il voulait y creuser un abîme, et sa voix fut tout à coup éclatante :

— En famille ! non. Je ne suis d'aucune famille, moi. Je ne suis pas de la vôtre. Je ne suis pas de celle des hommes. Les maisons où l'on est entre soi, j'y suis de trop. Il y a des familles, mais ce n'est pas pour moi. Je suis le malheureux ; je suis dehors. Ai-je eu un père et une mère ? j'en doute presque. Le jour où j'ai marié cette enfant, cela a été fini, je l'ai vue heureuse, et qu'elle était avec l'homme qu'elle aime, et qu'il y avait là un bon vieillard, un ménage de deux anges, toutes les joies dans cette maison, et que c'était bien, et je me suis dit : Toi, n'entre pas. Je pouvais mentir, c'est vrai, vous tromper tous, rester monsieur Fauchelevent. Tant que cela a été pour elle, j'ai pu mentir ; mais maintenant ce serait pour moi, je ne le dois pas. Il suffisait de me taire, c'est vrai, et tout continuait. Vous me demandez ce qui me force à parler ? une drôle de chose, ma conscience. Me taire, c'était pourtant bien facile. J'ai passé la nuit à tâcher de me le persuader ; vous me confessez, et ce que je viens vous dire est si extraordinaire que vous en avez le droit ; eh bien oui, j'ai passé la nuit à me donner des raisons, je me suis donné de très bonnes raisons, j'ai fait ce que j'ai pu, allez. Mais il y a deux choses où je n'ai pas réussi : ni à casser le fil qui me tient par le cœur fixé, rivé et scellé ici, ni à faire taire quelqu'un qui me parle bas quand je suis seul. C'est pourquoi je suis venu vous avouer tout ce matin. Tout, ou à peu près tout. Il y a de l'inutile à dire qui ne concerne que moi ; je le garde pour moi. L'essentiel, vous le savez. Donc j'ai pris mon mystère, et je vous l'ai apporté. Et j'ai éventré mon secret sous vos yeux. Ce n'était pas une résolution aisée à prendre. Toute la nuit je me suis débattu. Ah ! vous croyez que je ne me suis pas dit que ce n'était point là l'affaire Champmathieu, qu'en cachant mon nom je ne faisais de mal à personne, que le nom de Fauchelevent m'avait été donné par Fauchelevent lui-même en reconnaissance d'un service rendu, et que je pouvais bien le garder, et que je serais heureux dans cette chambre que vous m'offrez, que je ne gênerais rien, que je serais dans mon petit coin, et que, tandis que vous auriez Cosette, moi j'aurais l'idée d'être dans la même maison qu'elle. Chacun aurait eu son bonheur proportionné. Continuer d'être monsieur Fauchelevent, cela arrangeait tout. Oui, excepté mon âme. Il y avait de la joie partout sur moi, le fond de mon âme restait noir. Ce n'est pas assez d'être heureux, il faut être content. Ainsi je serais resté monsieur Fauchelevent, ainsi mon vrai visage, je l'aurais caché, ainsi, en présence de votre épanouissement, j'aurais eu une énigme, ainsi, au milieu de votre plein jour, j'aurais eu des ténèbres ; ainsi, sans crier gare, tout bonnement, j'aurais introduit le bagne à votre foyer, je me serais assis à votre table avec la pensée que, si vous saviez qui je suis, vous m'en chasseriez, je me serais laissé servir par des domestiques qui, s'ils avaient su, auraient dit : Quelle horreur ! Je vous aurais touché avec mon coude dont vous avez droit de ne pas vouloir, je vous aurais filouté vos poignées de main ! Il y aurait eu dans votre maison un partage de respect entre des cheveux blancs vénérables et des cheveux blancs flétris ; à vos heures les plus intimes, quand tous les cœurs se seraient crus ouverts jusqu'au fond les uns pour les autres, quand nous aurions été tous quatre ensemble, votre aïeul, vous deux, et moi, il y aurait eu là un inconnu ! J'aurais été côte à côte avec vous dans votre existence, ayant pour unique soin de ne jamais déranger le couvercle de mon puits terrible. Ainsi, moi, un mort, je me serais imposé à vous qui êtes des vivants. Elle, je l'aurais condamnée à moi à perpétuité. Vous, Cosette et moi, nous aurions été trois têtes dans le bonnet vert ! Est-ce que vous ne frissonnez pas ? Je ne suis que le plus accablé des hommes, j'en aurais été le plus monstrueux. Et ce crime, je l'aurais commis tous les jours ! Et ce mensonge, je l'aurais fait tous les jours ! Et cette face de nuit, je l'aurais eue sur mon visage tous les jours ! Et ma flétrissure, je vous en aurais donné votre part tous les jours ! tous les jours ! à vous mes bien-aimés, à vous mes enfants, à vous mes innocents ! Se taire n'est rien ? garder le silence est simple ? Non, ce n'est pas simple. Il y a un silence qui ment. Et mon mensonge, et ma fraude, et mon indignité, et ma lâcheté, et ma trahison, et mon crime, je l'aurais bu goutte à goutte, je l'aurais recraché, puis rebu, j'aurais fini à minuit et recommencé à midi, et mon bonjour aurait menti, et mon bonsoir aurait menti, et j'aurais dormi là-dessus, et j'aurais mangé cela avec mon pain, et j'aurais regardé Cosette en face, et j'aurais répondu au sourire de l'ange par le sourire du damné, et j'aurais été un fourbe abominable ! Pourquoi faire ? pour être heureux. Pour être heureux, moi ! Est-ce que j'ai le droit d'être heureux ? Je suis hors de la vie, monsieur.

Jean Valjean s'arrêta. Marius écoutait. De tels enchaînements d'idées et d'angoisses ne se peuvent interrompre. Jean Valjean baissa la voix de nouveau, mais ce n'était plus la voix sourde, c'était la voix sinistre.

— Vous demandez pourquoi je parle ? je ne suis ni dénoncé, ni poursuivi, ni traqué, dites-vous. Si ! je suis dénoncé ! si ! je suis poursuivi ! si ! je suis traqué ! Par qui ? par moi. C'est moi qui me barre à moi-même le passage, et je me traîne, et je me pousse, et je m'arrête, et je m'exécute, et quand on se tient soi-même, on est bien tenu.

Et, saisissant son propre habit à poigne-main et le tirant vers Marius :

— Voyez donc ce poing-ci, continua-t-il. Est-ce que vous ne trouvez pas qu'il tient ce collet-là de façon à ne pas le lâcher ? Eh bien ! c'est bien un autre poignet, la conscience ! Il faut, si l'on veut être heureux, monsieur, ne jamais comprendre le devoir ; car, dès qu'on l'a compris, il est implacable. On dirait qu'il vous punit de le comprendre ; mais non ; il vous en récompense ; car il vous met dans un enfer où l'on sent à côté de soi Dieu. On ne s'est pas sitôt déchiré les entrailles qu'on est en paix avec soi-même.

Et, avec une accentuation poignante, il ajouta :

— Monsieur Pontmercy, cela n'a pas le sens commun, je suis un honnête homme. C'est en me dégradant à vos yeux que je m'élève aux miens. Ceci m'est déjà arrivé une fois, mais c'était moins douloureux ; ce n'était rien. Oui, un honnête homme. Je ne le serais pas si vous aviez, par ma faute, continué de m'estimer ; maintenant que vous me méprisez, je le suis. J'ai cette fatalité sur moi que, ne pouvant jamais avoir que de la considération volée, cette considération m'humilie et m'accable intérieurement, et que, pour que je me respecte, il faut qu'on me méprise. Alors je me redresse. Je suis un galérien qui obéit à sa conscience. Je sais bien que cela n'est pas ressemblant. Mais que voulez-vous que j'y fasse ? cela est. J'ai pris des engagements envers moi-même ; je les tiens. Il y a des rencontres qui nous lient, il y a des hasards qui nous entraînent dans des devoirs. Voyez-vous, monsieur Pontmercy, il m'est arrivé des choses dans ma vie.

Jean Valjean fit encore une pause, avalant sa salive avec effort comme si ses paroles avaient un arrière-goût amer, et il reprit :

— Quand on a une telle horreur sur soi, on n'a pas le droit de la faire partager aux autres à leur insu, on n'a pas le droit de leur communiquer sa peste, on n'a pas le droit de les faire glisser dans son précipice sans qu'ils s'en aperçoivent, on n'a pas le droit de laisser traîner sa casaque rouge sur eux, on n'a pas le droit d'encombrer sournoisement de sa misère le bonheur d'autrui. S'approcher de ceux qui sont sains et les toucher dans l'ombre avec son ulcère invisible, c'est hideux. Fauchelevent a eu beau me prêter son nom, je n'ai pas le droit de m'en servir ; il a pu me le donner, je n'ai pas pu le prendre. Un nom, c'est un moi. Voyez-vous, monsieur, j'ai un peu pensé, j'ai un peu lu, quoique je sois un paysan ; et je me rends compte des choses. Vous voyez que je m'exprime convenablement. Je me suis fait une éducation à moi. Eh bien oui, soustraire un nom et se mettre dessous, c'est déshonnête. Des lettres de l'alphabet, cela s'escroque comme une bourse ou comme une montre. Être une fausse signature en chair et en os, être une fausse clef vivante, entrer chez d'honnêtes gens en trichant leur serrure, ne plus jamais regarder, loucher toujours, être infâme au dedans de moi, non ! non ! non ! non ! Il vaut mieux souffrir, saigner, pleurer, s'arracher la peau de la chair avec les ongles, passer les nuits à se tordre dans les angoisses, se ronger le ventre et l'âme. Voilà pourquoi je viens vous raconter tout cela. De gaîté de cœur, comme vous dites.

Il respira péniblement, et jeta ce dernier mot :

— Pour vivre, autrefois, j'ai volé un pain ; aujourd'hui, pour vivre, je ne veux pas voler un nom.

— Pour vivre ! interrompit Marius. Vous n'avez pas besoin de ce nom pour vivre ?

— Ah ! je m'entends, répondit Jean Valjean, en levant et en abaissant la tête lentement plusieurs fois de suite.

Il y eut un silence. Tous deux se taisaient, chacun abîmé dans un gouffre de pensées. Marius s'était assis près d'une table et appuyait le coin de sa bouche sur un de ses doigts replié. Jean Valjean allait et venait. Il s'arrêta devant une glace et demeura sans mouvement. Puis, comme s'il répondait à un raisonnement intérieur, il dit en regardant cette glace où il ne se voyait pas :

— Tandis qu'à présent je suis soulagé !

Il se remit à marcher et alla à l'autre bout du salon. A l'instant où il se retourna, il s'aperçut que Marius le regardait marcher. Alors il lui dit avec un accent inexprimable :

— Je traîne un peu la jambe. Vous comprenez maintenant pourquoi.

Puis il acheva de se tourner vers Marius.

— Et maintenant, monsieur, figurez-vous ceci : Je n'ai rien dit, je suis resté monsieur Fauchelevent, j'ai pris ma place chez vous, je suis des vôtres, je suis dans ma chambre, je viens déjeuner le matin en pantoufles, les soirs nous allons au spectacle tous les trois, j'accompagne madame Pontmercy aux Tuileries et à la place Royale, nous sommes ensemble, vous me croyez votre semblable ; un beau jour, je suis là, vous êtes là nous causons, nous rions, tout à coup vous entendez une voix crier ce nom : Jean Valjean ! et voilà que cette main épouvantable, la police, sort de l'ombre et m'arrache mon masque brusquement !

Il se tut encore ; Marius s'était levé avec un frémissement. Jean Valjean reprit :

— Qu'en dites-vous ?

Le silence de Marius répondait.

Jean Valjean continua :

— Vous voyez bien que j'ai raison de ne pas me taire. Tenez, soyez heureux, soyez dans le ciel, soyez l'ange d'un ange, soyez dans le soleil, et contentez-vous-en, et ne vous inquiétez pas de la manière dont un pauvre damné s'y prend pour s'ouvrir la poitrine et faire son devoir ; vous avez un misérable homme devant vous, monsieur.

Marius traversa lentement le salon, et quand il fut près de Jean Valjean, lui tendit la main.

Mais Marius dut aller prendre cette main qui ne

se présentait point, Jean Valjean se laissa faire, et il sembla à Marius qu'il étreignait une main de marbre.

— Mon grand-père a des amis, dit Marius ; je vous aurai votre grâce.

— C'est inutile, répondit Jean Valjean. On me croit mort, cela suffit. Les morts ne sont pas soumis à la surveillance. Ils sont censés pourrir tranquillement. La mort, c'est la même chose que la grâce.

Et, dégageant sa main que Marius tenait, il ajouta avec une sorte de dignité inexorable :

— D'ailleurs, faire mon devoir, voilà l'ami auquel j'ai recours ; et je n'ai besoin que d'une grâce, celle de ma conscience.

En ce moment, à l'autre extrémité du salon, la porte s'entr'ouvrit doucement et dans l'entrebâillement la tête de Cosette apparut. On n'apercevait que son doux visage, elle était admirablement décoiffée, elle avait les paupières encore gonflées de sommeil. Elle fit le mouvement d'un oiseau qui passe sa tête hors du nid, regarda d'abord son mari, puis Jean Valjean, et leur cria en riant, on croyait voir un sourire au fond d'une rose :

— Parions que vous parlez politique ! Comme c'est bête, au lieu d'être avec moi !

Jean Valjean tressaillit.

— Cosette !... balbutia Marius. — Et il s'arrêta. On eût dix deux coupables.

Cosette, radieuse, continuait de les regarder tour à tour tous les deux. Il y avait dans ses yeux comme des échappées de paradis.

— Je vous prends en flagrant délit, dit Cosette. Je viens d'entendre à travers la porte mon père Fauchelevent qui disait : — La conscience... — Faire son devoir... — C'est de la politique, ça. Je ne veux pas. On ne doit pas parler politique dès le lendemain. Ce n'est pas juste.

— Tu te trompes, Cosette, répondit Marius. Nous parlons affaires. Nous parlons du meilleur placement à trouver pour tes six cent mille francs...

— Ce n'est pas tout ça, interrompit Cosette. Je viens. Veut-on de moi ici ?

Et, passant résolument la porte, elle entra dans le salon. Elle était vêtue d'un large peignoir blanc à mille plis et à grandes manches qui, partant du cou, lui tombait jusqu'aux pieds. Il y a, dans les ciels d'or des vieux tableaux gothiques, de ces charmants sacs à mettre un ange.

Elle se contempla de la tête aux pieds dans une grande glace, puis s'écria avec une explosion d'extase ineffable :

— Il y avait une fois un roi et une reine. Oh ! comme je suis contente !

Cela dit, elle fit la révérence à Marius et à Jean Valjean.

— Voilà, dit-elle, je vais m'installer près de vous sur un fauteuil, on déjeune dans une demi-heure, vous direz tout ce que vous voudrez, je sais bien qu'il faut que les hommes parlent, je serai bien sage.

Marius lui prit le bras, et lui dit amoureusement :

— Nous parlons affaires.

— A propos, répondit Cosette, j'ai ouvert ma fenêtre, il vient d'arriver un tas de pierrots dans le jardin. Des oiseaux, pas des masques. C'est aujourd'hui mercredi des cendres ; mais pas pour les oiseaux.

— Je te dis que nous parlons affaires, va, ma petite Cosette, laisse-nous un moment. Nous parlons chiffres. Cela t'ennuierait.

— Tu as mis ce matin une charmante cravate, Marius. Vous êtes fort coquet, monseigneur. Non, cela ne m'ennuiera pas.

— Je t'assure que cela t'ennuiera.

— Non. Puisque c'est vous. Je ne vous comprendrai pas, mais je vous écouterai. Quand on entend les voix qu'on aime, on n'a pas besoin de comprendre les mots qu'elles disent. Être là ensemble, c'est tout ce que je veux. Je reste avec vous, bah !

— Tu es ma Cosette bien-aimée ! Impossible.

— Impossible !

— Oui.

— C'est bon, reprit Cosette. Je vous aurais dit des nouvelles. Je vous aurais dit que mon grand-père dort encore, que votre tante est à la messe, que la cheminée de la chambre de mon père Fauchelevent fume, que Nicolette a fait venir le ramoneur, que Toussaint et Nicolette se sont déjà disputées, que Nicolette se moque du bégayement de Toussaint. Eh bien, vous ne saurez rien. Ah ! c'est impossible ? Moi aussi, à mon tour, vous verrez, monsieur, je dirai : c'est impossible. Qui est-ce qui sera attrapé ? Je t'en prie, mon petit Marius, laisse-moi ici avec vous deux.

— Je te jure qu'il faut que nous soyons seuls.

— Eh bien, est-ce que je suis quelqu'un ?

Jean Valjean ne prononçait pas une parole. Cosette se tourna vers lui :

— D'abord, père, vous, je veux que vous veniez m'embrasser. Qu'est-ce que vous faites là à ne rien dire au lieu de prendre mon parti ? qui est-ce qui m'a donné un père comme ça ? Vous voyez bien que je suis très malheureuse en ménage. Mon mari me bat. Allons, embrassez-moi tout de suite.

Jean Valjean s'approcha.

Cosette se retourna vers Marius.

— Vous, je vous fais la grimace.

Puis elle tendit son front à Jean Valjean.

Jean Valjean fit un pas vers elle.

Cosette recula.

— Père, vous êtes pâle. Est-ce que votre bras vous fait mal ?

— Il est guéri, dit Jean Valjean.

— Est-ce que vous avez mal dormi ?

— Non.

— Est-ce que vous êtes triste ?

— Non.

— Embrassez-moi. Si vous vous portez bien, si vous dormez bien, si vous êtes content, je ne vous gronderai pas.

Et de nouveau elle lui tendit son front.

Jean Valjean déposa un baiser sur ce front où il y avait un reflet céleste.

— Souriez.

Jean Valjean obéit. Ce fut le sourire d'un spectre.

— Maintenant défendez-moi contre mon mari.

— Cosette !... fit Marius.

— Fâchez-vous, père. Dites-lui qu'il faut que je reste. On peut bien parler devant moi. Vous me trouvez donc bien sotte. C'est donc bien étonnant ce que vous dites ! des affaires, placer de l'argent à une banque, voilà grand'chose. Les hommes font les mystérieux pour rien. Je veux rester. Je suis très jolie ce matin ; regarde-moi, Marius.

Et avec un haussement d'épaules adorable et on ne sait quelle bouderie exquise, elle regarda Marius. Il y eut comme un éclair entre ces deux êtres. Que quelqu'un fût là, peu importait.

— Je t'aime ! dit Marius.

— Je t'adore ! dit Cosette.

Et ils tombèrent irrésistiblement dans les bras l'un de l'autre.

— A présent, reprit Cosette en rajustant un pli de son peignoir avec une petite moue triomphante, je reste.

— Cela, non, répondit Marius d'un ton suppliant. Nous avons quelque chose à terminer !

— Encore non ?

Marius prit une inflexion de voix grave :

— Je t'assure, Cosette, que c'est impossible.

— Ah ! vous faites votre voix d'homme, monsieur. C'est bon, on s'en va. Vous, père, vous ne m'avez pas soutenue. Monsieur mon mari, monsieur mon papa, vous êtes des tyrans. Je vais le dire à grand-père. Si vous croyez que je vais revenir et vous faire des platitudes, vous vous trompez. Je suis fière. Je vous attends à présent. Vous allez voir que c'est vous qui allez vous ennuyer sans moi. Je m'en vais, c'est bien fait.

Et elle sortit.

Deux secondes après, la porte se rouvrit, sa fraîche tête vermeille passa encore une fois entre les deux battants, et elle leur cria :

— Je suis très en colère.

La porte se referma et les ténèbres se refirent.

Ce fut comme un rayon de soleil fourvoyé qui, sans s'en douter, aurait traversé brusquement de la nuit.

Marius s'assura que la porte était bien refermée.

— Pauvre Cosette ! murmura-t-il, quand elle va savoir...

A ce mot, Jean Valjean trembla de tous ses membres. Il fixa sur Marius un œil égaré.

— Cosette ! oh oui, c'est vrai, vous allez dire cela à Cosette. C'est juste. Tiens, je n'y avais pas pensé. On a de la force pour une chose, on n'en a pas pour une autre. Monsieur, je vous en conjure, je vous en supplie, monsieur, donnez-moi votre parole la plus sacrée, ne le lui dites pas. Est-ce qu'il ne suffit pas que vous le sachiez, vous ? J'ai pu le dire de moi-même sans y être forcé, je l'aurais dit à l'univers, à tout le monde, ça m'était égal. Mais elle, elle ne sait pas ce que c'est, cela l'épouvanterait. Un forçat, quoi ! on serait forcé de lui expliquer, de lui dire : C'est un homme qui a été aux galères. Elle a vu un jour passer la chaîne. Oh mon Dieu !

Il s'affaissa sur un fauteuil et cacha son visage dans ses deux mains. On ne l'entendait pas, mais aux secousses de ses épaules, on voyait qu'il pleurait. Pleurs silencieux, pleurs terribles.

Il y a de l'étouffement dans le sanglot. Une sorte de convulsion le prit, il se renversa en arrière sur le dossier du fauteuil comme pour respirer, laissant pendre ses bras et laissant voir à Marius sa face inondée de larmes, et Marius l'entendit murmurer si bas que sa voix semblait être dans une profondeur sans fond : — Oh ! je voudrais mourir !

— Soyez tranquille, dit Marius, je garderai votre secret pour moi seul.

Et, moins attendri peut-être qu'il n'aurait dû l'être, mais obligé depuis une heure de se familiariser avec un inattendu effroyable, voyant par degrés un forçat se superposer sous ses yeux à M. Fauchelevent, gagné peu à peu par cette réalité lugubre, et amené par la pente naturelle de la situation à constater l'intervalle qui venait de se faire entre cet homme et lui, Marius ajouta :

— Il est impossible que je ne vous dise pas un mot du dépôt que vous avez si fidèlement et si honnêtement remis. C'est là un acte de probité. Il est juste qu'une récompense vous soit donnée. Fixez la somme vous-même, elle vous sera comptée. Ne craignez pas de la fixer très haut.

— Je vous remercie, monsieur, répondit Jean Valjean avec douceur.

Il resta pensif un moment, passant machinalement le bout de son index sur l'ongle de son pouce, puis il éleva la voix :

— Tout est à peu près fini. Il me reste une dernière chose...

— Laquelle ?

Jean Valjean eut comme une suprême hésitation, et, sans voix, presque sans souffle, il balbutia plus qu'il ne dit :

— A présent que vous savez, croyez-vous, monsieur, vous qui êtes le maître, que je ne dois plus voir Cosette ?

— Je crois que ce serait mieux, répondit froidement Marius.

— Je ne la verrai plus, murmura Jean Valjean.

Et il se dirigea vers la porte.

Il mit la main sur le bec-de-cane, le pêne céda, la porte s'entre-bâilla, Jean Valjean l'ouvrit assez pour pouvoir passer, demeura une seconde immobile, puis referma la porte et se retourna vers Marius.

Il n'était plus pâle, il était livide. Il n'y avait plus de larmes dans ses yeux, mais une sorte de flamme tragique. Sa voix était redevenue étrangement calme.

— Tenez, monsieur, dit-il, si vous voulez, je viendrai la voir. Je vous assure que je le désire beaucoup. Si je n'avais pas tenu à voir Cosette, je ne vous aurais pas fait l'aveu que je vous ai fait, je serais parti ; mais voulant rester dans l'endroit où est Cosette et continuer de la voir, j'ai dû honnêtement tout vous dire. Vous suivez mon raisonnement, n'est-ce pas ? c'est là une chose qui se comprend. Voyez-vous, il y a neuf ans passés que je l'ai près de moi. Nous avons demeuré d'abord dans cette masure du boulevard, ensuite dans le couvent, ensuite près du Luxembourg. C'est là que vous l'avez vue pour la première fois. Vous vous rappelez son chapeau de peluche bleue. Nous avons été ensuite dans le quartier des Invalides où il y avait une grille et un jardin. Rue Plumet. J'habitais une petite arrière-cour d'où j'entendais son piano. Voilà ma vie. Nous ne nous quittions jamais. Cela a duré neuf ans et des mois. J'étais comme son père, et elle était mon enfant. Je ne sais pas si vous me comprenez, monsieur Pontmercy, mais s'en aller à présent, ne plus la voir, ne plus lui parler, n'avoir plus rien, ce serait difficile. Si vous ne le trouvez pas mauvais, je viendrai de temps en temps voir Cosette. Je ne viendrais pas souvent. Je ne resterais pas longtemps. Vous diriez qu'on me reçoive dans la petite salle basse. Au rez-de-chaussée. J'entrerais bien par la porte de derrière, qui est pour les domestiques, mais cela étonnerait peut-être. Il vaut mieux, je crois, que j'entre par la porte de tout le monde. Monsieur, vraiment. Je voudrais bien voir encore un peu Cosette. Aussi rarement qu'il vous plaira. Mettez-vous à ma place, je n'ai plus que cela. Et puis, il faut prendre garde. Si je ne venais plus du tout, il y aurait un mauvais effet, on trouverait cela singulier. Par exemple, ce que je puis faire, c'est de venir le soir, quand il commence à être nuit.

— Vous viendrez tous les soirs, dit Marius, et Cosette vous attendra.

— Vous êtes bon, monsieur, dit Jean Valjean.

Marius salua Jean Valjean, le bonheur reconduisit jusqu'à la porte le désespoir, et ces deux hommes se quittèrent.

II

LES OBSCURITÉS QUE PEUT CONTENIR UNE RÉVÉLATION

Marius était bouleversé.

L'espèce d'éloignement qu'il avait toujours eu pour l'homme près duquel il voyait Cosette lui était désormais expliqué. Il y avait dans ce personnage un on ne sait quoi énigmatique dont son instinct l'avertissait. Cette énigme, c'était la plus hideuse des hontes, le bagne. Ce M. Fauchelevent était le forçat Jean Valjean.

Trouver brusquement un tel secret au milieu de son bonheur, cela ressemble à la découverte d'un scorpion dans un nid de tourterelles.

Le bonheur de Marius et de Cosette était-il condamné désormais à ce voisinage? Était-ce là un fait accompli? L'acceptation de cet homme faisait-elle partie du mariage consommé? N'y avait-il plus rien à faire?

Marius avait-il épousé aussi le forçat?

On a beau être couronné de lumière et de joie, on a beau savourer la grande heure de pourpre de la vie, l'amour heureux, de telles secousses forceraient même l'archange dans son extase, même le demi-dieu dans sa gloire, au frémissement.

Comme il arrive toujours dans les changements à vue de cette espèce, Marius se demandait s'il n'avait pas de reproche à se faire à lui-même?

Avait-il manque de divination ? Avait-il manqué de prudence ? S'était-il étourdi involontairement ? Un peu, peut-être. S'était-il engagé, sans assez de précaution pour éclairer les alentours, dans cette aventure d'amour qui avait abouti à son mariage avec Cosette ? Il constatait, — c'est ainsi, par une série de constatations successives de nous-mêmes sur nous-mêmes, que la vie nous amende peu à peu, — il constatait le côté chimérique et visionnaire de sa nature, sorte de nuage intérieur propre à beaucoup d'organisations, et qui, dans les paroxysmes de la passion et de la douleur, se dilate, la température de l'âme changeant, et envahit l'homme tout entier, au point de n'en plus faire qu'une conscience baignée d'un brouillard. Nous avons plus d'une fois indiqué cet élément caractérisque de l'individualité de Marius. Il se rappelait que, dans l'enivrement de son amour, rue Plumet, pendant ces six ou sept semaines extatiques, il n'avait pas même parlé à Cosette de ce drame énigmatique du bouge Gorbeau où la victime avait eu un si étrange parti pris de silence pendant la lutte et d'évasion après. Comment se faisait-il qu'il n'en eût point parlé à Cosette ? Cela pourtant était si proche et si effroyable ! Comment se faisait-il qu'il ne lui eût pas même nommé les Thénardier, et, particulièrement, le jour où il avait rencontré Éponine ? Il avaitpresque peine à s'expliquer maintenant son silence d'alors. Il s'en rendait compte cependant. Il se rappelait son étourdissement, son ivresse de Cosette, l'amour absorbant tout, cet enlèvement de l'un par l'autre dans l'idéal, et peut-être aussi, comme la quantité imperceptible de raison mêlée à cet état violent et charmant de l'âme, un vague et sourd instinct de cacher et d'abolir dans sa mémoire cette aventure redoutable dont il craignait le contact, où il ne voulait jouer aucun rôle, à laquelle il se dérobait, et où il ne pouvait être narrateur ni témoin sans être accusateur. D'ailleurs, ces quelques semaines avaient été un éclair ; on n'avait eu le temps de rien, que de s'aimer. Enfin, tout pesé, tout retourné, tout examiné, quand il eût raconté le guet-apens Gorbeau à Cosette, quand il lui eût nommé les Thénardier, quelles qu'eussent été les conséquences, quand même il eût découvert que Jean Valjean était un forçat, cela l'eût-il changé, lui Marius, cela l'eût-il changée, elle Cosette ? Eût-il reculé ? L'eût-il moins adorée ? L'eût-il moins épousée ? Non. Cela eût-il changé quelque chose à ce qui s'était fait ? Non. Rien donc à regretter, rien à se reprocher. Tout était bien. Il y a un dieu pour ces ivrognes qu'on appelle les amoureux. Aveugle, Marius avait suivi la route qu'il eût choisie clairvoyant. L'amour lui avait bandé les yeux, pour le mener où ? Au paradis.

Mais ce paradis était compliqué désormais d'un côtoiement infernal.

L'ancien éloignement de Marius pour cet homme, pour ce Fauchelevent devenu Jean Valjean, était à présent mêlé d'horreur.

Dans cette horreur, disons-le, il y avait quelque pitié, et même une certaine surprise.

Ce voleur, ce voleur récidiviste, avait restitué un dépôt. Et quel dépôt ? Six cent mille francs. Il était seul dans le secret du dépôt. Il pouvait tout garder, il avait tout rendu.

En outre, il avait révélé de lui-même sa situation. Rien ne l'y obligeait. Si l'on savait qui il était, c'était par lui. Il y avait dans cet aveu plus que l'acceptation de l'humiliation, il y avait l'acceptation du péril. Pour un condamné, un masque n'est pas un masque, c'est un abri. Il avait renoncé à cet abri. Un faux nom, c'est de la sécurité ; il avait rejeté ce faux nom. Il pouvait, lui galérien, se cacher à jamais dans une famille honnête ; il avait résisté à cette tentation. Et pour quel motif ? par scrupule de conscience. Il l'avait expliqué lui-même avec l'irrésistible accent de la réalité. En somme, quel que fût ce Jean Valjean, c'était incontestablement une conscience qui se réveillait. Il y avait là on ne sait quelle mystérieuse réhabilitation commencée ; et, selon toute apparence, depuis longtemps déjà le scrupule était maître de cet homme. De tels accès du juste et du bien ne sont pas propres aux natures vulgaires. Réveil de conscience, c'est grandeur d'âme.

Jean Valjean était sincère. Cette sincérité, visible, palpable, irréfragable, évidente même par la douleur qu'elle lui faisait, rendait les informations inutiles et donnait autorité à tout ce que disait cet homme. Ici, pour Marius, interversion étrange des situations. Que sortait-il de M. Fauchelevent ? la défiance. Que se dégageait-il de Jean Valjean ? la confiance.

Dans le mystérieux bilan de ce Jean Valjean que Marius pensif dressait, il constatait l'actif, il constatait le passif, et il tâchait d'arriver à une balance. Mais tout cela était comme dans un orage. Marius, s'efforçant de se faire une idée nette de cet homme, et poursuivant, pour ainsi dire, Jean Valjean au fond de sa pensée, le perdait et le retrouvait dans une brume fatale.

Le dépôt honnêtement rendu, la probité de l'aveu, c'était bien. Cela faisait comme une éclaircie dans la nuée, puis la nuée redevenait noire.

Si troubles que fussent les souvenirs de Marius, il lui en revenait quelque ombre.

Qu'était-ce décidément que cette aventure du galetas Jondrette ? Pourquoi, à l'arrivée de la police, cet homme, au lieu de se plaindre, s'était-il évadé ? Ici Marius trouvait la réponse. Parce que cet homme était un repris de justice en rupture de ban.

Autre question : Pourquoi cet homme était-il venu dans la barricade ? Car à présent Marius revoyait distinctement ce souvenir, reparu dans ces émotions comme l'encre sympathique au feu. Cet homme était dans la barricade. Il n'y combattait pas. Qu'était-il venu y faire ? Devant cette question un spectre se dressait, et faisait la réponse. Javert. Marius se rappelait parfaitement à cette heure la funèbre vision de Jean Valjean entraînant hors de la barricade Javert garrotté, et il entendait encore derrière l'angle de la petite rue Mondétour l'affreux coup de pistolet. Il y avait, vraisemblablement, haine entre cet espion et ce galérien. L'un gênait l'autre. Jean Valjean était allé à la barricade pour se venger. Il y était arrivé tard. Il savait probablement que Javert y était prisonnier. La vendette corse a pénétré dans de certains bas-fonds et y fait loi ; elle est si simple qu'elle n'étonne pas les âmes même à demi retournées vers le bien ; et ces cœurs-là sont ainsi faits qu'un criminel, en voie de repentir, peut être scrupuleux sur le vol et ne l'être pas sur la vengeance. Jean Valjean avait tué Javert. Du moins, cela semblait évident.

Dernière question enfin ; mais à celle-ci pas de réponse. Cette question, Marius la sentait comme une tenaille. Comment se faisait-il que l'existence de Jean Valjean eût coudoyé si longtemps celle de Cosette ? Qu'était-ce que ce sombre jeu de la providence qui avait mis cet enfant en contact avec cet homme ? Y a-t-il donc aussi des chaînes à deux forgées là-haut, et Dieu se plaît-il à accoupler l'ange avec le démon ? Un crime et une innocence peuvent donc être camarades de chambrée dans le mystérieux bagne des misères ? Dans ce défilé de condamnés qu'on appelle la destinée humaine, deux fronts peuvent passer l'un près de l'autre, l'un naïf, l'autre formidable, l'un tout baigné des divines blancheurs de l'aube, l'autre à jamais blêmi par la lueur d'un éternel éclair ? Qui avait pu déterminer cet appareillement inexplicable ? De quelle façon, par suite de quel prodige, la communauté de vie avait-elle pu s'établir entre cette céleste petite et ce vieux damné ? Qui avait pu lier l'agneau au loup, et, chose plus incompréhensible encore, attacher le loup à l'agneau ? Car le loup aimait l'agneau, car l'être farouche adorait l'être faible, car, pendant neuf années, l'ange avait eu pour point d'appui le monstre. L'enfance et l'adolescence de Cosette, sa venue au jour, sa virginale croissance vers la vie et la lumière, avaient été abritées par ce dévouement difforme. Ici, les questions s'exfoliaient, pour ainsi parler, en énigmes innombrables, les abîmes s'ouvraient au fond des abîmes, et Marius ne pouvait plus se pencher sur Jean Valjean sans vertige. Qu'était-ce donc que cet homme précipice ?

Les vieux symboles génésiaques sont éternels ; dans la société humaine, telle qu'elle existe, jusqu'au jour où une clarté plus grande la changera, il y a à jamais deux hommes, l'un supérieur, l'autre souterrain ; celui qui est selon le bien, c'est Abel ; celui qui est selon le mal, c'est Caïn. Qu'était-ce que ce Caïn tendre ? Qu'était-ce que ce bandit religieusement absorbé dans l'adoration d'une vierge, veillant sur elle, l'élevant, la gardant, la dignifiant, et l'enveloppant, lui impur, de pureté ? Qu'était-ce que ce cloaque qui avait vénéré cette innocence au point de ne pas lui laisser une tache ? Qu'était-ce que ce Jean Valjean faisant l'éducation de Cosette ? Qu'était-ce que cette figure de ténèbres ayant pour unique soin de préserver de toute ombre et de tout nuage le lever d'un astre ?

Là était le secret de Jean Valjean ; là aussi était le secret de Dieu.

Devant ce double secret, Marius reculait. L'un en quelque sorte le rassurait sur l'autre. Dieu était dans cette aventure aussi visible que Jean Valjean. Dieu a ses instruments. Il se sert de l'outil qu'il veut. Il n'est pas responsable devant l'homme. Savons-nous comment Dieu s'y prend ? Jean Valjean avait travaillé à Cosette. Il avait un peu fait cette âme. C'était incontestable. Eh bien, après ? L'ouvrier était horrible ; mais l'œuvre était admirable. Dieu produit ses miracles comme bon lui semble. Il avait construit cette charmante Cosette, et il y avait employé Jean Valjean. Il lui avait plu de se choisir cet étrange collaborateur. Quel compte avons-nous à lui demander ? Est-ce la première fois que le fumier aide le printemps à faire la rose ?

Marius se faisait ces réponses-là et se déclarait à lui-même qu'elles étaient bonnes. Sur tous les points que nous venons d'indiquer, il n'avait pas osé presser Jean Valjean, sans s'avouer à lui-même qu'il ne l'osait pas. Il adorait Cosette, il possédait Cosette, Cosette était splendidement pure. Cela lui suffisait. De quel éclaircissement avait-il besoin ? Cosette était une lumière. La lumière a-t-elle besoin d'être éclaircie ? Il avait tout ; que pouvait-il désirer ? Tout, est-ce que ce n'est pas assez ? Les affaires personnelles de Jean Valjean ne le regardaient pas. En se penchant sur l'ombre fatale de cet homme, il se cramponnait à cette déclaration solennelle du misérable : *Je ne suis rien à Cosette. Il y a dix ans, je ne savais pas qu'elle existât.*

Jean Valjean était un passant. Il l'avait dit lui-même. Eh bien, il passait. Quel qu'il fût, son rôle était fini. Il y avait désormais Marius pour faire les fonctions de la providence près de Cosette. Cosette était venue retrouver dans l'azur son pareil, son amant, son époux, son mâle céleste. En s'envolant, Cosette, ailée et transfigurée, laissait derrière elle à terre, vide et hideuse, sa chrysalide, Jean Valjean.

Dans quelque cercle d'idées que tournât Marius, il en revenait toujours à une certaine horreur de Jean Valjean. Horreur sacrée peut-être, car, nous venons de l'indiquer, il sentait un *quid divinum* dans cet homme. Mais, quoi qu'on fît, et quelque atténuation qu'on y cherchât, il fallait bien toujours retomber sur ceci : c'était un forçat ; c'est-à-dire l'être qui, dans l'échelle sociale, n'a même pas de place, étant au-dessous du dernier échelon. Après le dernier des hommes vient le forçat. Le forçat n'est plus, pour ainsi dire, le semblable des vivants. La loi l'a destitué de toute la quantité d'humanité qu'elle peut ôter à un homme. Marius, sur les questions pénales, en était encore, quoique démocrate, au système inexorable, et il avait, sur ceux que la loi frappe, toutes les idées de la loi. Il n'avait pas encore, disons-le, accompli tous les progrès. Il n'en était pas encore à distinguer entre ce qui est écrit par l'homme et ce qui est écrit par Dieu, entre la loi et le droit. Il n'avait point examiné et pesé le droit que prend l'homme de disposer de l'irrévocable et de l'irréparable. Il n'était pas révolté du mot *vindicte*. Il trouvait simple que de certaines effractions de la loi écrite fussent suivies de peines éternelles, et il acceptait, comme procédé de civilisation, la damnation sociale. Il en était encore là, sauf à avancer infailliblement plus tard, sa nature étant bonne, et au fond toute faite de progrès latent.

Dans ce milieu d'idées, Jean Valjean lui apparaissait difforme et repoussant. C'était le réprouvé. C'était le forçat. Ce mot était pour lui comme un son de la trompette du jugement ; et, après avoir considéré longtemps Jean Valjean, son dernier geste était de détourner la tête. *Vade retro.*

Marius, il faut le reconnaître et même y insister, tout en interrogeant Jean Valjean au point que Jean Valjean lui avait dit : *vous me confessez*, ne lui avait pourtant pas fait deux ou trois questions décisives. Ce n'était pas qu'elles ne se fussent présentées à son esprit, mais il en avait eu peur. Le galetas Jondrette ? La barricade ? Javert ? Qui sait où se fussent arrêtées les révélations ? Jean Valjean ne semblait pas homme à reculer, et qui sait si Marius, après l'avoir poussé, n'aurait pas souhaité le retenir ? Dans de certaines conjonctures suprêmes, ne nous est-il pas arrivé à tous, après avoir fait une question, de nous boucher les oreilles pour ne pas entendre la réponse ? C'est surtout quand on aime qu'on a de ces lâchetés-là. Il n'est pas sage de questionner à outrance les situations sinistres, surtout quand le côté indissoluble de notre propre vie y est fatalement mêlé. Des explications désespérées de Jean Valjean, quelque épouvantable lumière pouvait sortir, et qui sait si cette clarté hideuse n'aurait pas rejailli jusqu'à Cosette ? Qui sait s'il n'en fût pas resté une sorte de lueur infernale sur le front de cet ange ? L'éclaboussure d'un éclair, c'est encore de la foudre. La fatalité a de ces solidarités-là, où l'innocence elle-même s'empreint de crime par la sombre loi des reflets colorants. Les plus pures figures peuvent garder à jamais la réverbération d'un voisinage horrible. A tort ou à raison, Marius avait eu peur. Il en savait déjà trop. Il cherchait plutôt à s'étourdir qu'à s'éclairer. Éperdu, il emportait Cosette dans ses bras en fermant les yeux sur Jean Valjean.

Cet homme était de la nuit, de la nuit vivante et terrible. Comment oser en chercher le fond ? C'est une épouvante de questionner l'ombre. Qui sait ce qu'elle va répondre ? L'aube pourrait en être noircie pour jamais.

Dans cette situation d'esprit, c'était pour Marius une perplexité poignante de penser que cet homme aurait désormais un contact quelconque avec Cosette. Ces questions redoutables, devant lesquelles il avait reculé, et d'où aurait pu sortir une décision implacable et définitive, il se reprochait presque à présent de ne pas les avoir faites. Il se trouvait trop bon, trop doux, disons le mot, trop faible. Cette faiblesse l'avait entraîné à une concession imprudente. Il s'était laissé toucher. Il avait eu tort. Il aurait dû purement et simplement rejeter Jean Valjean. Jean Valjean était la part du feu, il aurait dû la faire, et débarrasser sa maison de cet homme. Il s'en voulait, il en voulait à la brusquerie de ce tourbillon d'émotions qui l'avait assourdi, aveuglé, et entraîné. Il était mécontent de lui-même.

Que faire maintenant ? Les visites de Jean Valjean lui répugnaient profondément. A quoi bon cet homme chez lui ? que faire ? Ici il s'étourdissait, il ne voulait pas creuser, il ne voulait pas approfondir ; il ne voulait pas se sonder lui-même. Il avait promis, il s'était laissé entraîner à promettre ; Jean Valjean avait sa promesse ; même à un forçat, surtout à un forçat, on doit tenir sa parole. Toutefois, son premier devoir était envers Cosette. En somme, une répulsion, qui dominait tout, le soulevait.

Marius roulait confusément tout cet ensemble d'idées dans son esprit, passant de l'une à l'autre, et remué par toutes. De là un trouble profond. Il ne lui fut pas aisé de cacher ce trouble à Cosette, mais l'amour est un talent, et Marius y parvint.

Du reste, il fit, sans but apparent, des questions à Cosette, candide comme une colombe est blanche, et ne se doutant de rien ; il lui parla de son enfance et de sa jeunesse, et il se convainquit de plus en plus que tout ce qu'un homme peut être de bon, de paternel et de respectable, ce forçat l'avait été pour Cosette. Tout ce que Marius avait entrevu et supposé était réel. Cette ortie sinistre avait aimé et protégé ce lys.

LIVRE HUITIÈME

LA DÉCROISSANCE CRÉPUSCULAIRE

I

LA CHAMBRE D'EN BAS

Le lendemain, à la nuit tombante, Jean Valjean frappait à la porte cochère de la maison Gillenormand. Ce fut Basque qui le reçut. Basque se trouvait dans la cour à point nommé, et comme s'il avait eu des ordres. Il arrive quelquefois qu'on dit à un domestique : Vous guetterez monsieur un tel, quand il arrivera.

Basque, sans attendre que Jean Valjean vînt à lui, lui adressa la parole :

— Monsieur le baron m'a chargé de demander à monsieur s'il désire monter ou rester en bas ?

— Rester en bas, répondit Jean Valjean.

Basque, d'ailleurs absolument respectueux, ouvrit la porte de la salle basse et dit : Je vais prévenir madame.

La pièce où Jean Valjean entra était un rez-de-chaussée voûté et humide, servant de cellier dans l'occasion, donnant sur la rue, carrelé de carreaux rouges, et mal éclairé d'une fenêtre à barreaux de fer.

Cette chambre n'était pas de celles que harcèlent le houssoir, la tête de loup et le balai. La poussière y était tranquille. La persécution des araignées n'y était pas organisée. Une belle toile, largement étalée, bien noire, ornée de mouches mortes, faisait la roue sur une des vitres de la fenêtre. La salle, petite et basse, était meublée d'un tas de bouteilles vides amoncelées dans un coin. La muraille, badigeonnée d'un badigeon d'ocre jaune, s'écaillait par larges plaques. Au fond, il y avait une cheminée de bois peinte en noir à tablette étroite. Un feu y était allumé ; ce qui indiquait qu'on avait compté sur la réponse de Jean Valjean : *Rester en bas*.

Deux fauteuils étaient placés aux deux coins de la cheminée. Entre les fauteuils était étendue, en guise de tapis, une vieille descente de lit montrant plus de corde que de laine.

La chambre avait pour éclairage le feu de la cheminée et le crépuscule de la fenêtre.

Jean Valjean était fatigué. Depuis plusieurs jours il ne mangeait ni ne dormait. Il se laissa tomber sur un des fauteuils.

Basque revint, posa sur la cheminée une bougie allumée et se retira. Jean Valjean, la tête ployée et le menton sur la poitrine, n'aperçut ni Basque, ni la bougie.

Tout à coup, il se dressa comme en sursaut. Cosette était derrière lui.

Il ne l'avait pas vue entrer, mais il avait senti qu'elle entrait.

Il se retourna. Il la contempla. Elle était adorablement belle. Mais ce qu'il regardait de ce profond regard, ce n'était pas la beauté, c'était l'âme.

— Ah bien, s'écria Cosette, voilà une idée ! père, je savais que vous étiez singulier, mais jamais je ne me serais attendue à celle-là. Marius me dit que c'est vous qui voulez que je vous reçoive ici.

— Oui, c'est moi.

— Je m'attendais à la réponse. Tenez-vous bien. Je vous préviens que je vais vous faire une scène. Commençons par le commencement. Père, embrassez-moi.

Et elle tendit sa joue.

Jean Valjean demeura immobile.

— Vous ne bougez pas. Je le constate. Attitude de coupable. Mais c'est égal, je vous pardonne. Jésus-Christ a dit : Tendez l'autre joue. La voici.

Et elle tendit l'autre joue.

Jean Valjean ne remua pas. Il semblait qu'il eût les pieds cloués dans le pavé.

— Ceci devient sérieux, dit Cosette. Qu'est-ce que je vous ai fait ? Je me déclare brouillée. Vous me devez mon raccommodement. Vous dînez avec nous.

— J'ai dîné.

— Ce n'est pas vrai. Je vous ferai gronder par monsieur Gillenormand. Les grands-pères sont faits pour tancer les pères. Allons. Montez avec moi dans le salon. Tout de suite.

— Impossible.

Cosette ici perdit un peu de terrain. Elle cessa d'ordonner et passa aux questions.

— Mais pourquoi ? Et vous choisissez pour me voir la chambre la plus laide de la maison. C'est horrible ici.

— Tu sais...

Jean Valjean se reprit.

— Vous savez, madame, je suis particulier, j'ai mes lubies.

Cosette frappa ses petites mains l'une contre l'autre.

— Madame !... vous savez !... encore du nouveau ! Qu'est-ce que cela veut dire ?

Jean Valjean attacha sur elle ce sourire navrant auquel il avait parfois recours.

— Vous avez voulu être madame. Vous l'êtes.

— Pas pour vous, père.

— Ne m'appelez plus père.

— Comment ?

— Appelez-moi monsieur Jean. Jean, si vous voulez.

— Vous n'êtes plus père ? je ne suis plus Cosette ? monsieur Jean ? Qu'est-ce que cela signifie ? mais c'est des révolutions, ça ! que s'est-il donc passé ? regardez-moi donc un peu en face. Et vous ne voulez pas demeurer avec nous ! Et vous ne voulez pas de ma chambre ! Qu'est-ce que je vous ai fait ? qu'est-ce que je vous ai fait ? Il y a donc eu quelque chose ?

— Rien.

— Eh bien alors ?

— Tout est comme à l'ordinaire.

— Pourquoi changez-vous de nom ?

— Vous en avez bien changé, vous.

Il sourit encore de ce même sourire et ajouta :

— Puisque vous êtes madame Pontmercy, je puis bien être monsieur Jean.

— Je n'y comprends rien. Tout cela est idiot. Je demanderai à mon mari la permission que vous soyez monsieur Jean. J'espère qu'il n'y consentira pas. Vous me faites beaucoup de peine. On a des lubies, mais on ne fait pas du chagrin à sa petite Cosette. C'est mal. Vous n'avez pas le droit d'être méchant, vous qui êtes bon.

Il ne répondit pas.

Elle lui prit vivement les deux mains, et, d'un mouvement irrésistible, les élevant vers son visage, elle les pressa contre son cou sous son menton, ce qui est un profond geste de tendresse.

— Oh ! lui dit-elle, soyez bon !

Et elle poursuivit :

— Voici ce que j'appelle être bon : être gentil, venir demeurer ici, reprendre nos bonnes petites promenades, il y a des oiseaux ici comme rue Plumet, vivre avec nous, quitter ce trou de la rue de l'Homme-Armé, ne pas nous donner des charades à deviner, être comme tout le monde, dîner avec nous, déjeuner avec nous, être mon père.

Il dégagea ses mains.

— Vous n'avez plus besoin de père, vous avez un mari.

Cosette s'emporta.

— Je n'ai plus besoin de père ! Des choses comme ça qui n'ont pas le sens commun, on ne sait que dire vraiment !

— Si Toussaint était là, reprit Jean Valjean comme quelqu'un qui en est à chercher des autorités et qui se rattache à toutes les branches, elle serait la première à convenir que c'est vrai que j'ai toujours eu mes manières à moi. Il n'y a rien de nouveau. J'ai toujours aimé mon coin noir.

— Mais il fait froid ici. On n'y voit pas clair. C'est abominable, ça, de vouloir être monsieur Jean. Je ne veux pas que vous me disiez vous.

— Tout à l'heure, en venant, répondit Jean Valjean, j'ai vu rue Saint-Louis un meuble. Chez un ébéniste. Si j'étais une jolie femme, je me donnerais ce meuble-là. Une toilette très bien ; genre d'à présent. Ce que vous appelez du bois de rose, je crois. C'est incrusté. Une glace assez grande. Il y a des tiroirs. C'est joli.

— Hou ! le vilain ours ! répliqua Cosette.

Et avec une gentillesse suprême, serrant les dents et écartant les lèvres, elle souffla contre Jean Valjean. C'était une Grâce copiant une chatte.

— Je suis furieuse, reprit-elle. Depuis hier vous me faites tous rager. Je bisque beaucoup. Je ne comprends pas. Vous ne me défendez pas contre Marius. Marius ne me soutient pas contre vous. Je suis toute seule. J'arrange une chambre gentiment. Si j'avais pu y mettre le bon Dieu, je l'y aurais mis. On me laisse ma chambre sur les bras. Mon locataire me fait banqueroute. Je commande à Nicolette un bon petit dîner. On n'en veut pas de votre dîner, madame. Et mon père Fauchelevent veut que je l'appelle monsieur Jean, et que je le reçoive dans une affreuse vieille laide cave moisie où les murs ont de la barbe, et où il y a, en fait de cristaux, des bouteilles vides, et en fait de rideaux, des toiles d'araignées ! Vous êtes singulier, j'y consens, c'est votre genre, mais on accorde une trêve à des gens qui se marient. Vous n'auriez pas dû vous remettre à être singulier tout de suite. Vous allez donc être bien content dans votre abominable rue de l'Homme-Armé. J'y ai été bien désespérée, moi ! Qu'est-ce que vous avez contre moi ? Vous me faites beaucoup de peine. Fi !

Et, sérieuse subitement, elle regarda fixement Jean Valjean, et ajouta :

— Vous m'en voulez donc de ce que je suis heureuse ?

La naïveté, à son insu, pénètre quelquefois très avant. Cette question, simple pour Cosette, était profonde pour Jean Valjean. Cosette voulait égratigner ; elle déchirait.

Jean Valjean pâlit. Il resta un moment sans

répondre, puis, d'un accent inexprimable et se parlant à lui-même, il murmura :

— Son bonheur, c'était le but de ma vie. A présent Dieu peut me signer ma sortie. Cosette, tu es heureuse ; mon temps est fait.

— Ah ! vous m'avez dit *tu !* s'écria Cosette.

Et elle lui sauta au cou.

Jean Valjean, éperdu, l'étreignit contre sa poitrine avec égarement. Il lui sembla presque qu'il la reprenait.

— Merci, père ! lui dit Cosette.

L'entraînement allait devenir poignant pour Jean Valjean. Il se retira doucement des bras de Cosette, et prit son chapeau.

— Eh bien ? dit Cosette.

Jean Valjean répondit :

— Je vous quitte, madame, on vous attend.

Et, du seuil de la porte, il ajouta :

— Je vous ai dit tu. Dites à votre mari que cela ne m'arrivera plus. Pardonnez-moi.

Jean Valjean sortit, laissant Cosette stupéfaite de cet adieu énigmatique.

II

AUTRES PAS EN ARRIÈRE

Le jour suivant, à la même heure, Jean Valjean vint.

Cosette ne lui fit pas de questions, ne s'étonna plus, ne s'écria plus qu'elle avait froid, ne parla plus du salon ; elle évita de dire ni père ni monsieur Jean. Elle se laissa dire vous. Elle se laissa appeler madame. Seulement elle avait une certaine diminution de joie. Elle eût été triste, si la tristesse lui eût été possible.

Il est probable qu'elle avait eu avec Marius une de ces conversations dans lesquelles l'homme aimé dit ce qu'il veut, n'explique rien, et satisfait la femme aimée. La curiosité des amoureux ne va pas très loin au delà de leur amour.

La salle basse avait fait un peu de toilette. Basque avait supprimé les bouteilles, et Nicolette les araignées.

Tous les lendemains qui suivirent ramenèrent à la même heure Jean Valjean. Il vint tous les jours, n'ayant pas la force de prendre les paroles de Marius autrement qu'à la lettre. Marius s'arrangea de manière à être absent aux heures où Jean Valjean venait. La maison s'accoutuma à la nouvelle manière d'être de M. Fauchelevent. Toussaint y aida. *Monsieur a toujours été comme ça,* répétait-elle. Le grand-père rendit ce décret : — C'est un original. Et tout fut dit. D'ailleurs, à quatrevingt-dix ans il n'y a plus de liaison possible ; tout est juxtaposition ; un nouveau venu est une gêne. Il n'y a plus de place ; toutes les habitudes sont prises. M. Fauchelevent, M. Tranchelevent, le père Gillenormand ne demanda pas mieux que d'être dispensé de « ce monsieur ». Il ajouta : — Rien n'est plus commun que ces originaux-là. Ils font toutes sortes de bizarreries. De motif, point. Le marquis de Canaples était pire. Il acheta un palais pour se loger dans le grenier. Ce sont des apparences fantasques qu'ont les gens.

Personne n'entrevit le dessous sinistre. Qui eût d'ailleurs pu deviner une telle chose ? Il y a de ces marais dans l'Inde ; l'eau semble extraordinaire, inexplicable, frissonnante sans qu'il y ait de vent, agitée là où elle devrait être calme. On regarde à la superficie ces bouillonnements sans cause ; on n'aperçoit pas l'hydre qui se traîne au fond.

Beaucoup d'hommes ont ainsi un monstre secret, un mal qu'ils nourrissent, un dragon qui les ronge, un désespoir qui habite leur nuit. Tel homme ressemble aux autres, va, vient. On ne sait pas qu'il a en lui une effroyable douleur parasite aux mille dents, laquelle vit dans ce misérable, qui en meurt. On ne sait pas que cet homme est un gouffre. Il est stagnant, mais profond. De temps en temps un trouble auquel on ne comprend rien se fait à sa surface. Une ride mystérieuse se plisse, puis s'évanouit, puis reparaît ; une bulle d'air monte et crève. C'est peu de chose, c'est terrible. C'est la respiration de la bête inconnue.

De certaines habitudes étranges, arriver à l'heure où les autres partent, s'effacer pendant que les autres s'étalent, garder dans toutes les occasions ce qu'on pourrait appeler le manteau couleur de muraille, chercher l'allée solitaire, préférer la rue déserte, ne point se mêler aux conversations, éviter les foules et les fêtes, sembler à son aise et vivre pauvrement, avoir, tout riche qu'on est, sa clef dans sa poche et sa chandelle chez le portier, entrer par la petite porte, monter par l'escalier dérobé, toutes ces singularités insignifiantes, rides, bulles d'air, plis fugitifs à la surface, viennent souvent d'un fond formidable.

Plusieurs semaines se passèrent ainsi. Une vie nouvelle s'empara peu à peu de Cosette ; les relations que crée le mariage, les visites, le soin de la maison, les plaisirs, ces grandes affaires. Les plaisirs de Cosette n'étaient pas coûteux ; ils consistaient en un seul : être avec Marius. Sortir avec lui, rester avec lui, c'était là la grande occupation de sa vie. C'était pour eux une joie toujours toute neuve de sortir bras dessus bras dessous, à la face du soleil, en pleine rue, sans se cacher, devant tout le monde, tous les deux tout seuls. Cosette eut une contrariété. Toussaint ne put s'accorder avec Nicolette, le soudage de deux vieilles filles étant impossible, et s'en alla. Le grand-père se portait bien ; Marius plaidait çà et là quelques causes ; la tante Gillenormand menait paisiblement près du nouveau ménage cette vie latérale qui lui suffisait. Jean Valjean venait tous les jours.

Le tutoiement disparu, le vous, le madame, le monsieur Jean, tout cela le faisait autre pour Cosette. Le soin qu'il avait pris lui-même de la détacher de lui, lui réussissait. Elle était de plus en plus gaie et de moins en moins tendre. Pourtant elle l'aimait toujours bien, et il le sentait. Un jour elle lui dit tout à coup : Vous étiez mon père, vous n'êtes plus mon père, vous étiez mon oncle, vous n'êtes plus mon oncle, vous étiez monsieur Fauchelevent, vous êtes Jean. Qui êtes-vous donc ? Je n'aime pas tout ça. Si je ne vous savais pas si bon, j'aurais peur de vous.

Il demeurait toujours rue de l'Homme-Armé, ne pouvant se résoudre à s'éloigner du quartier qu'habitait Cosette.

Dans les premiers temps il ne restait près de Cosette que quelques minutes, puis s'en allait.

Peu à peu il prit l'habitude de faire ses visites moins courtes. On eût dit qu'il profitait de l'autorisation des jours qui s'allongeaient ; il arriva plus tôt et partit plus tard.

Un jour il échappa à Cosette de lui dire : Père. Un éclair de joie illumina le vieux visage sombre de Jean Valjean. Il la reprit : Dites Jean. — Ah ! c'est vrai, répondit-elle avec un éclat de rire, monsieur Jean. — C'est bien, dit-il. Et il se détourna pour qu'elle ne le vît pas essuyer ses yeux.

III

ILS SE SOUVIENNENT DU JARDIN DE LA RUE PLUMET

Ce fut la dernière fois. A partir de cette dernière lueur, l'extinction complète se fit. Plus de familiarité, plus de bonjour avec un baiser, plus jamais ce mot si profondément doux : mon père ! il était, sur sa demande et par sa propre complicité, successivement chassé de tous ses bonheurs ; et il avait cette misère qu'après avoir perdu Cosette tout entière en un jour, il lui avait fallu ensuite la reperdre en détail.

L'œil finit par s'habituer aux jours de cave. En somme, avoir tous les jours une apparition de Cosette, cela lui suffisait. Toute sa vie se concentrait dans cette heure-là. Il s'asseyait près d'elle, il la regardait en silence, ou bien il lui parlait des années d'autrefois, de son enfance, du couvent, de ses petites amies d'alors.

Une après-midi, — c'était une des premières journées d'avril, déjà chaude, encore fraîche, le moment de la grande gaîté du soleil, les jardins qui environnaient les fenêtres de Marius et de Cosette avaient l'émotion du réveil, l'aubépine allait poindre, une bijouterie de giroflées s'étalait sur les vieux murs, les gueules-de-loup roses bâillaient dans les fentes des pierres, il y avait dans l'herbe un charmant commencement de pâquerettes et de boutons-d'or, les papillons blancs de l'année débutaient, le vent, ce ménétrier de la noce éternelle, essayait dans les arbres les premières notes de cette grande symphonie aurorale que les vieux poëtes appelaient le renouveau, — Marius dit à Cosette : — Nous avons dit que nous irions revoir notre jardin de la rue Plumet. Allons-y. Il ne faut pas être ingrats. — Et ils s'envolèrent comme deux hirondelles vers le printemps. Ce jardin de la rue Plumet leur faisait l'effet de l'aube. Ils avaient déjà derrière eux dans la vie quelque chose qui était comme le printemps de leur amour. La maison de la rue Plumet, étant prise à bail, appartenait encore à Cosette. Ils allèrent à ce jardin et à cette maison. Ils s'y retrouvèrent, ils s'y oublièrent. Le soir, à l'heure ordinaire, Jean Valjean vint rue des Filles-du-Calvaire. — Madame est sortie avec monsieur, et n'est pas rentrée encore, lui dit Basque. — Il s'assit en silence et attendit une heure. Cosette ne rentra point. Il baissa la tête et s'en alla.

Cosette était si enivrée de sa promenade à « leur jardin » et si joyeuse d'avoir « vécu tout un jour dans son passé » qu'elle ne parla pas d'autre chose le lendemain. Elle ne s'aperçut pas qu'elle n'avait point vu Jean Valjean.

— De quelle façon êtes-vous allés là ? lui demanda Jean Valjean.

— A pied.

— Et comment êtes-vous revenus ?

— En fiacre.

Depuis quelque temps Jean Valjean remarquait la vie étroite que menait le jeune couple. Il en était importuné. L'économie de Marius était sévère, et le mot pour Jean Valjean avait son sens absolu. Il hasarda une question :

— Pourquoi n'avez-vous pas une voiture à vous ? Un joli coupé ne vous coûterait que cinq cents francs par mois. Vous êtes riches.

— Je ne sais pas, répondit Cosette.

— C'est comme Toussaint, reprit Jean Valjean. Elle est partie. Vous ne l'avez pas remplacée. Pourquoi ?

— Nicolette suffit.

— Mais il vous faudrait une femme de chambre.

— Est-ce que je n'ai pas Marius ?

— Vous devriez avoir une maison à vous, des domestiques à vous, une voiture, loge au spectacle. Il n'y a rien de trop beau pour vous. Pourquoi ne pas profiter de ce que vous êtes riches ? La richesse, cela s'ajoute au bonheur.

Cosette ne répondit rien.

Les visites de Jean Valjean ne s'abrégeaient point. Loin de là. Quand c'est le cœur qui glisse, on ne s'arrête pas sur la pente.

Lorsque Jean Valjean voulait prolonger sa visite et faire oublier l'heure, il faisait l'éloge de Marius ; il le trouvait beau, noble, courageux, spirituel, éloquent, bon. Cosette enchérissait. Jean Valjean recommençait. On ne tarissait pas. Marius, ce mot était inépuisable ; il y avait des volumes dans ces six lettres. De cette façon Jean Valjean parvenait à rester longtemps. Voir Cosette, oublier près d'elle, cela lui était si doux ! C'était le pansement de sa plaie. Il arriva plusieurs fois que Basque vint dire à deux reprises : Monsieur Gillenormand m'envoie rappeler à madame la baronne que le dîner est servi.

Ces jours-là, Jean Valjean rentrait chez lui très pensif.

Y avait-il donc du vrai dans cette comparaison de la chrysalide qui s'était présentée à l'esprit de Marius ? Jean Valjean était-il en effet une chrysalide qui s'obstinerait, et qui viendrait faire des visites à son papillon ?

Un jour il resta plus longtemps encore qu'à l'ordinaire. Le lendemain, il remarqua qu'il n'y avait point de feu dans la cheminée. — Tiens ! pensa-t-il. Pas de feu. — Et il se donna à lui-même cette explication : — C'est tout simple. Nous sommes en avril. Les froids ont cessé.

— Dieu ! qu'il fait froid ici ! s'écria Cosette en entrant.

— Mais non, dit Jean Valjean.

— C'est donc vous qui avez dit à Basque de ne pas faire de feu ?

— Oui. Nous sommes en mai tout à l'heure.

— Mais on fait du feu jusqu'au mois de juin. Dans cette cave-ci, il en faut toute l'année.

— J'ai pensé que le feu était inutile.

— C'est bien là une de vos idées ! reprit Cosette.

Le jour d'après, il y avait du feu. Mais les deux fauteuils étaient rangés à l'autre bout de la salle près de la porte. — Qu'est-ce que cela veut dire ? pensa Jean Valjean.

Il alla chercher les fauteuils, et les remit à leur place ordinaire près de la cheminée.

Ce feu rallumé l'encouragea pourtant. Il fit durer la causerie plus longtemps encore que d'habitude. Comme il se levait pour s'en aller, Cosette lui dit :

— Mon mari m'a dit une drôle de chose hier.

— Quelle chose donc ?

— Il m'a dit : Cosette, nous avons trente mille livres de rente. Vingt-sept que tu as, trois que me fait mon grand-père. J'ai répondu : Cela fait trente. Il a repris : Aurais-tu le courage de vivre avec les trois mille ? J'ai répondu : Oui, avec rien. Pourvu que ce soit avec toi. Et puis j'ai demandé : Pourquoi me dis-tu ça ? Il m'a répondu : Pour savoir.

Jean Valjean ne trouva pas une parole. Cosette attendait probablement de lui quelque explication ; il l'écouta dans un morne silence. Il s'en retourna rue de l'Homme-Armé ; il était si profondément absorbé qu'il se trompa de porte, et qu'au lieu de rentrer chez lui, il entra dans la maison voisine. Ce ne fut qu'après avoir monté presque deux étages qu'il s'aperçut de son erreur et qu'il redescendit.

Son esprit était bourrelé de conjectures. Il était évident que Marius avait des doutes sur l'origine de ces six cent mille francs, qu'il craignait quelque source non pure, qui sait ? qu'il avait même peut-être découvert que cet argent venait de lui Jean Valjean, qu'il hésitait devant cette fortune suspecte, et répugnait à la prendre comme sienne, aimant mieux rester pauvres, lui et Cosette, que d'êtres riches d'une richesse trouble.

En outre, vaguement, Jean Valjean commençait à se sentir éconduit.

Le jour suivant, il eut, en pénétrant dans la salle basse, comme une secousse. Les fauteuils avaient disparu. Il n'y avait pas même une chaise.

— Ah çà, s'écria Cosette en entrant, pas de fauteuils ! Où sont donc les fauteuils ?

— Ils n'y sont plus, répondit Jean Valjean.

— Voilà qui est fort !

Jean Valjean bégaya :

— C'est moi qui ai dit à Basque de les enlever.

— Et la raison ?

— Je ne reste que quelques minutes aujourd'hui.

— Rester peu, ce n'est pas une raison pour rester debout.

— Je crois que Basque avait besoin des fauteuils pour le salon.

— Pourquoi ?

— Vous avez sans doute du monde ce soir.

— Nous n'avons personne.

Jean Valjean ne put dire un mot de plus.

Cosette haussa les épaules.

— Faire enlever les fauteuils ! L'autre jour vous faites éteindre le feu. Comme vous êtes singulier !

— Adieu, murmura Jean Valjean.

Il ne dit pas : Adieu, Cosette. Mais il n'eut pas la force de dire : Adieu, madame.

Il sortit accablé.

Cette fois il avait compris.

Le lendemain il ne vint pas. Cosette ne le remarqua que le soir.

— Tiens, dit-elle, monsieur Jean n'est pas venu aujourd'hui.

Elle eut comme un léger serrement de cœur, mais elle s'en aperçut à peine, tout de suite distraite par un baiser de Marius.

Le jour d'après, il ne vint pas.

Cosette n'y prit pas garde, passa sa soirée et dormit sa nuit, comme à l'ordinaire, et n'y pensa qu'en se réveillant. Elle était si heureuse ! Elle envoya bien vite Nicolette chez monsieur Jean savoir s'il était malade, et pourquoi il n'était pas venu la veille. Nicolette rapporta la réponse de monsieur Jean. Il n'était point malade. Il était occupé. Il viendrait bientôt. Le plus tôt qu'il pourrait. Du reste, il allait faire un petit voyage. Que madame devait se souvenir que c'était son habitude de faire des voyages de temps en temps. Qu'on n'eût pas d'inquiétude. Qu'on ne songeât point à lui.

Nicolette, en entrant chez monsieur Jean, lui

avait répété les propres paroles de sa maîtresse. Que madame envoyait savoir « pourquoi monsieur Jean n'était pas venu la veille ». — Il y a deux jours que je ne suis venu, dit Jean Valjean avec douceur.

Mais l'observation glissa sur Nicolette qui n'en rapporta rien à Cosette.

IV

L'ATTRACTION ET L'EXTINCTION

PENDANT les derniers mois du printemps et les premiers mois de l'été de 1833, les passants clairsemés du Marais, les marchands des boutiques, les oisifs sur le pas des portes, remarquaient un vieillard proprement vêtu de noir, qui, tous les jours, vers la même heure, à la nuit tombante, sortait de la rue de l'Homme-Armé, du côté de la rue Sainte-Croix-de-la-Bretonnerie, passait devant les Blancs-Manteaux, gagnait la rue Culture-Sainte-Catherine, et, arrivé à la rue de l'Écharpe, tournait à gauche, et entrait dans la rue Saint-Louis.

Là il marchait à pas lents, la tête tendue en avant, ne voyant rien, n'entendant rien, l'œil immuablement fixé sur un point toujours le même, qui semblait pour lui étoilé, et qui n'était autre que l'angle de la rue des Filles-du-Calvaire. Plus il approchait de ce coin de rue, plus son œil s'éclairait ; une sorte de joie illuminait ses prunelles comme une aurore intérieure, il avait l'air fasciné et attendri, ses lèvres faisaient des mouvements obscurs, comme s'il parlait à quelqu'un qu'il ne voyait pas, il souriait vaguement, et il avançait le plus lentement qu'il pouvait. On eût dit que, tout en souhaitant d'arriver, il avait peur du moment où il serait tout près. Lorsqu'il n'y avait plus que quelques maisons entre lui et cette rue qui paraissait l'attirer, son pas se ralentissait au point que par instants on pouvait croire qu'il ne marchait plus. La vacillation de sa tête et la fixité de sa prunelle faisaient songer à l'aiguille qui cherche le pôle. Quelque temps qu'il mît à faire durer l'arrivée, il fallait bien arriver ; il atteignait la rue des Filles-du-Calvaire ; alors il s'arrêtait, il tremblait, il passait sa tête avec une sorte de timidité sombre au delà du coin de la dernière maison, et il regardait dans cette rue, et il y avait dans ce tragique regard quelque chose qui ressemblait à l'éblouissement de l'impossible et à la réverbération d'un paradis fermé. Puis une larme, qui s'était peu à peu amassée dans l'angle des paupières, devenue assez grosse pour tomber, glissait sur sa joue, et quelquefois s'arrêtait à sa bouche. Le vieillard en sentait la saveur amère. Il restait ainsi quelques minutes comme s'il eût été de pierre ; puis il s'en retournait par le même chemin et du même pas, et, à mesure qu'il s'éloignait, son regard s'éteignait.

Peu à peu, ce vieillard cessa d'aller jusqu'à l'angle de la rue des Filles-du-Calvaire ; il s'arrêtait à mi-chemin dans la rue Saint-Louis ; tantôt un peu plus loin, tantôt un peu plus près. Un jour, il resta au coin de la rue Culture-Sainte-Catherine et regarda la rue des Filles-du-Calvaire de loin. Puis il hocha silencieusement la tête de droite à gauche, comme s'il se refusait quelque chose, et rebroussa chemin.

Bientôt il ne vint même plus jusqu'à la rue

Saint-Louis. Il arrivait jusqu'à la rue Pavée, secouait le front, et s'en retournait ; puis il n'alla plus au delà de la rue des Trois-Pavillons ; puis il ne dépassa plus les Blancs-Manteaux. On eût dit un pendule qu'on ne remonte plus et dont les oscillations s'abrègent en attendant qu'elles s'arrêtent.

Tous les jours, il sortait de chez lui à la même heure, il entreprenait le même trajet, mais il ne l'achevait plus, et, peut-être sans qu'il en eût conscience, il le raccourcissait sans cesse. Tout son visage exprimait cette unique idée : A quoi bon ? La prunelle était éteinte ; plus de rayonnement. La larme aussi était tarie ; elle ne s'amassait plus dans l'angle des paupières ; cet œil pensif était sec. La tête du vieillard était toujours tendue en avant ; le menton par moments remuait ; les plis de son cou maigre faisaient de la peine. Quelquefois, quand le temps était mauvais, il avait sous le bras un parapluie, qu'il n'ouvrait point. Les bonnes femmes du quartier disaient : C'est un innocent. Les enfants le suivaient en riant.

LIVRE NEUVIÈME

SUPRÊME OMBRE, SUPRÊME AURORE

I

PITIÉ POUR LES MALHEUREUX, MAIS INDULGENCE POUR LES HEUREUX

C'EST une terrible chose d'être heureux ! Comme on s'en contente ! Comme on trouve que cela suffit ! Comme, étant en possession du faux but de la vie, le bonheur, on oublie le vrai but, le devoir !

Disons-le pourtant, on aurait tort d'accuser Marius.

Marius, nous l'avons expliqué, avant son mariage, n'avait pas fait de questions à M. Fauchelevent, et, depuis, il avait craint d'en faire à Jean Valjean. Il avait regretté la promesse à laquelle il s'était laissé entraîner. Il s'était beaucoup dit qu'il avait eu tort de faire cette concession au désespoir. Il s'était borné à éloigner peu à peu Jean Valjean de sa maison et à l'effacer le plus possible dans l'esprit de Cosette. Il s'était en quelque sorte toujours placé entre Cosette et Jean Valjean, sûr que de cette façon elle ne l'apercevrait pas et n'y songerait point. C'était plus que l'effacement, c'était l'éclipse.

Marius faisait ce qu'il jugeait nécessaire et juste. Il croyait avoir, pour écarter Jean Valjean, sans dureté, mais sans faiblesse, des raisons sérieuses qu'on a vues déjà et d'autres encore qu'on verra plus tard. Le hasard lui ayant fait rencontrer, dans un procès qu'il avait plaidé, un ancien commis de la maison Laffitte, il avait eu, sans les chercher, de mystérieux renseignements qu'il n'avait pu, à la vérité, approfondir, par respect même pour ce secret qu'il avait promis de garder, et par ménagement pour la situation périlleuse de Jean Valjean. Il croyait, en ce moment-là même, avoir un grave devoir à accomplir, la restitution des six cent mille francs à quelqu'un qu'il cherchait le plus discrètement possible. En attendant, il s'abstenait de toucher à cet argent.

Quant à Cosette, elle n'était dans aucun de ces secrets-là ; mais il serait dur de la condamner, elle aussi.

Il y avait de Marius à elle un magnétisme tout-puissant, qui lui faisait faire, d'instinct et presque machinalement, ce que Marius souhaitait. Elle sentait, du côté de « monsieur Jean », une volonté de Marius ; elle s'y conformait. Son mari n'avait eu rien à lui dire ; elle subissait la pression vague, mais claire, de ses intentions tacites, et obéissait aveuglément. Son obéissance ici consistait à ne pas se souvenir de ce que Marius oubliait. Elle n'avait aucun effort à faire pour cela. Sans qu'elle sût elle-même pourquoi, et sans qu'il y ait à l'en accuser, son âme était tellement devenue celle de son mari, que ce qui se couvrait d'ombre dans la pensée de Marius s'obscurcissait dans la sienne.

N'allons pas trop loin cependant ; en ce qui

concerne Jean Valjean, cet oubli et cet effacement n'étaient que superficiels. Elle était plutôt étourdie qu'oublieuse. Au fond, elle aimait bien celui qu'elle avait si longtemps nommé son père. Mais elle aimait plus encore son mari. C'est ce qui avait un peu faussé la balance de ce cœur, penchée d'un seul côté.

Il arrivait parfois que Cosette parlait de Jean Valjean et s'étonnait. Alors Marius la calmait : — Il est absent, je crois. N'a-t-il pas dit qu'il partait pour un voyage ? — C'est vrai, pensait Cosette. Il avait l'habitude de disparaître ainsi. Mais pas si longtemps. — Deux ou trois fois elle envoya Nicolette rue de l'Homme-Armé s'informer si monsieur Jean était revenu de son voyage. Jean Valjean fit répondre que non.

Cosette n'en demanda pas davantage, n'ayant sur la terre qu'un besoin, Marius.

Disons encore que, de leur côté, Marius et Cosette avaient été absents. Ils étaient allés à Vernon. Marius avait mené Cosette au tombeau de son père.

Marius avait peu à peu soustrait Cosette à Jean Valjean. Cosette s'était laissée faire.

Du reste, ce qu'on appelle beaucoup trop durement, dans de certains cas, l'ingratitude des enfants, n'est pas toujours une chose aussi reprochable qu'on le croit. C'est l'ingratitude de la nature. La nature, nous l'avons dit ailleurs, « regarde devant elle ». La nature divise les êtres vivants en arrivants et en partants. Les partants sont tournés vers l'ombre, les arrivants vers la lumière. De là un écart qui, du côté des vieux, est fatal, et, du côté des jeunes, involontaire. Cet écart, d'abord insensible, s'accroît lentement comme toute séparation de branches. Les rameaux, sans se détacher du tronc, s'en éloignent. Ce n'est pas leur faute. La jeunesse va où est la joie, aux fêtes, aux vives clartés, aux amours. La vieillesse va à la fin. On ne se perd pas de vue, mais il n'y a plus d'étreinte. Les jeunes gens sentent le refroidissement de la vie ; les vieillards celui de la tombe. N'accusons pas ces pauvres enfants.

II

DERNIÈRES PALPITATIONS DE LA LAMPE SANS HUILE

Jean Valjean un jour descendit son escalier, fit trois pas dans la rue, s'assit sur une borne, sur cette même borne où Gavroche, dans la nuit du 5 au 6 juin, l'avait trouvé songeant ; il resta là quelques minutes, puis remonta. Ce fut la dernière oscillation du pendule. Le lendemain, il ne sortit pas de chez lui. Le surlendemain, il ne sortit pas de son lit.

Sa portière, qui lui apprêtait son maigre repas, quelques choux ou quelques pommes de terre avec un peu de lard, regarda dans l'assiette de terre brune et s'exclama :

— Mais vous n'avez pas mangé hier, pauvre cher homme !

— Si fait, répondit Jean Valjean.

— L'assiette est toute pleine.

— Regardez le pot à l'eau. Il est vide.

— Cela prouve que vous avez bu : cela ne prouve pas que vous avez mangé.

— Eh bien, fit Jean Valjean, si je n'ai eu faim que d'eau ?

— Cela s'appelle la soif, et, quand on ne mange pas en même temps, cela s'appelle la fièvre.

— Je mangerai demain.

— Ou à la Trinité. Pourquoi pas aujourd'hui ? Est-ce qu'on dit : Je mangerai demain ! Me laisser tout mon plat sans y toucher ! Mes viquelottes qui étaient si bonnes !

Jean Valjean prit la main de la vieille femme :

— Je vous promets de les manger, lui dit-il de sa voix bienveillante.

— Je ne suis pas contente de vous, répondit la portière.

Jean Valjean ne voyait guère d'autre créature humaine que cette bonne femme. Il y a dans Paris des rues où personne ne passe et des maisons où personne ne vient. Il était dans une de ces rues-là et dans une de ces maisons-là.

Du temps qu'il sortait encore, il avait acheté à un chaudronnier pour quelques sous un petit crucifix de cuivre qu'il avait accroché à un clou en face de son lit. Ce gibet-là est toujours bon à voir.

Une semaine s'écoula sans que Jean Valjean fît un pas dans sa chambre. Il demeurait toujours couché. La portière disait à son mari : — Le bonhomme de là-haut ne se lève plus, il ne mange plus, il n'ira pas loin. Ça a des chagrins, ça. On ne m'ôtera pas de la tête que sa fille est mal mariée.

Le portier répliqua avec l'accent de la souveraineté maritale :

— S'il est riche, qu'il ait un médecin. S'il n'est pas riche, qu'il n'en ait pas. S'il n'a pas de médecin, il mourra.

— Et s'il en a un ?

— Il mourra, dit le portier.

La portière se mit à gratter avec un vieux couteau de l'herbe qui poussait dans ce qu'elle appelait son pavé, et tout en arrachant l'herbe, elle grommelait :

— C'est dommage. Un vieillard qui est si propre ! Il est blanc comme un poulet.

Elle aperçut au bout de la rue un médecin du quartier qui passait ; elle prit sur elle de le prier de monter.

— C'est au deuxième, lui dit-elle. Vous n'aurez qu'à entrer. Comme le bonhomme ne bouge plus de son lit, la clef est toujours à la porte.

Le médecin vit Jean Valjean et lui parla.

Quand il redescendit, la portière l'interpella :

— Eh bien, docteur ?

— Votre malade est bien malade.

— Qu'est-ce qu'il a ?

— Tout et rien. C'est un homme qui, selon toute apparence, a perdu une personne chère. On meurt de cela.

— Qu'est-ce qu'il vous a dit ?

— Il m'a dit qu'il se portait bien.

— Reviendrez-vous, docteur ?

— Oui, répondit le médecin. Mais il faudrait qu'un autre que moi revînt.

III

UNE PLUME PÈSE A QUI SOULEVAIT LA CHARRETTE FAUCHELEVENT

Un soir Jean Valjean eut de la peine à se soulever sur le coude ; il se prit la main et ne trouva pas son pouls ; sa respiration était courte et s'arrêtait par instants ; il reconnut qu'il était plus faible qu'il ne l'avait encore été. Alors, sans doute sous la pression de quelque préoccupation suprême, il fit un effort, se dressa sur son séant, et s'habilla. Il mit son vieux vêtement d'ouvrier. Ne sortant plus, il y était revenu, et il le préférait. Il dut s'interrompre plusieurs fois en s'habillant ; rien que pour passer les manches de la veste, la sueur lui coulait du front.

Depuis qu'il était seul, il avait mis son lit dans l'antichambre, afin d'habiter le moins possible cet appartement désert.

Il ouvrit la valise et en tira le trousseau de Cosette.

Il l'étala sur son lit.

Les chandeliers de l'évêque étaient à leur place sur la cheminée. Il prit dans un tiroir deux bougies de cire et les mit dans les chandeliers. Puis, quoiqu'il fît encore grand jour, c'était en été, il les alluma. On voit ainsi quelquefois des flambeaux allumés en plein jour dans les chambres où il y a des morts.

Chaque pas qu'il faisait en allant d'un meuble à l'autre l'exténuait, et il était obligé de s'asseoir. Ce n'était point de la fatigue ordinaire qui dépense la force pour la renouveler ; c'était le reste des mouvements possibles ; c'était la vie épuisée qui s'égoutte dans des efforts accablants qu'on ne recommencera pas.

Une des chaises où il se laissa tomber était placée devant le miroir, si fatal pour lui, si providentiel pour Marius, où il avait lu sur le buvard l'écriture renversée de Cosette. Il se vit dans ce miroir, et ne se reconnut pas. Il avait quatrevingts ans ; avant le mariage de Marius, on lui eût à peine donné cinquante ans ; cette année avait compté trente. Ce qu'il avait sur le front, ce n'était plus la ride de l'âge, c'était la marque mystérieuse de la mort. On sentait là le creusement de l'ongle impitoyable. Ses joues pendaient ; la peau de son visage avait cette couleur qui ferait croire qu'il y a déjà de la terre dessus ; les deux coins de sa bouche s'abaissaient comme dans ce masque que les anciens sculptaient sur les tombeaux ; il regardait le vide avec un air de reproche ; on eût dit un de ces grands êtres tragiques qui ont à se plaindre de quelqu'un.

Il était dans cette situation, la dernière phase de l'accablement, où la douleur ne coule plus ; elle est, pour ainsi dire, coagulée ; il y a sur l'âme comme un caillot de désespoir.

La nuit était venue. Il traîna laborieusement une table et le vieux fauteuil près de la cheminée, et posa sur la table une plume, de l'encre et du papier.

Cela fait, il eut un évanouissement. Quand il reprit connaissance, il avait soif. Ne pouvant soulever le pot à l'eau, il le pencha péniblement vers sa bouche, et but une gorgée.

Puis il se tourna vers le lit, et, toujours assis, car il ne pouvait rester debout, il regarda la petite robe noire et tous ces chers objets.

Ces contemplations-là durent des heures qui semblent des minutes. Tout à coup il eut un frisson, il sentit que le froid lui venait ; il s'accouda à la table que les flambeaux de l'évêque éclairaient, et prit la plume.

Comme la plume ni l'encre n'avaient servi depuis longtemps, le bec de la plume était recourbé, l'encre était desséchée, il fallut qu'il se levât et qu'il mît quelques gouttes d'eau dans l'encre, ce qu'il ne put faire sans s'arrêter et s'asseoir deux ou trois fois, et il fut forcé d'écrire avec le dos de la plume. Il s'essuyait le front de temps en temps.

Sa main tremblait. Il écrivit lentement quelques lignes que voici :

« Cosette, je te bénis. Je vais t'expliquer. Ton « mari a eu raison de me faire comprendre que je « devais m'en aller ; cependant il y a un peu d'er- « reur dans ce qu'il a cru, mais il a eu raison. Il est « excellent. Aime-le toujours bien quand je serai « mort. Monsieur Pontmercy, aimez toujours mon « enfant bien-aimé. Cosette, on trouvera ce papier- « ci, voici ce que je veux te dire, tu vas voir les « chiffres, si j'ai la force de me les rappeler, écoute « bien, cet argent est bien à toi. Voici toute la « chose : Le jais blanc vient de Norvège, le jais « noir vient d'Angleterre, la verroterie noire vient « d'Allemagne. Le jais est plus léger, plus précieux, « plus cher. On peut faire en France des imitations « comme en Allemagne. Il faut une petite enclume « de deux pouces carrés et une lampe à esprit de « vin pour amollir la cire. La cire autrefois se faisait « avec de la résine et du noir de fumée et coûtait « quatre francs la livre. J'ai imaginé de la faire « avec de la gomme laque et de la térébenthine. « Elle ne coûte plus que trente sous, et elle est « bien meilleure. Les boucles se font avec un verre « violet qu'on colle au moyen de cette cire sur « une petite membrure en fer noir. Le verre doit « être violet pour les bijoux de fer et noir pour les « bijoux d'or. L'Espagne en achète beaucoup. C'est « le pays du jais... »

Ici il s'interrompit, la plume tomba de ses doigts, il lui vint un de ces sanglots désespérés qui montaient par moments des profondeurs de son être, le pauvre homme prit sa tête dans ses deux mains, et songea.

— Oh ! s'écria-t-il au dedans de lui-même (cris lamentables, entendus de Dieu seul), c'est fini. Je ne la verrai plus. C'est un sourire qui a passé sur moi. Je vais entrer dans la nuit sans même la revoir. Oh ! une minute, un instant, entendre sa voix, toucher sa robe, la regarder, elle, l'ange ! et puis mourir ! Ce n'est rien de mourir, ce qui est affreux, c'est de mourir sans la voir. Elle me sourirait, elle me dirait un mot. Est-ce que cela ferait du mal à quelqu'un ? Non, c'est fini, jamais. Me voilà tout seul. Mon Dieu ! mon Dieu ! je ne la verrai plus.

En ce moment on frappa à sa porte.

IV

BOUTEILLE D'ENCRE QUI NE RÉUSSIT QU'À BLANCHIR

Ce même jour, ou, pour mieux dire, ce même soir, comme Marius sortait de table et venait de se retirer dans son cabinet, ayant un dossier à étudier, Basque lui avait remis une lettre en disant : La personne qui a écrit la lettre est dans l'antichambre.

Cosette avait pris le bras du grand-père et faisait un tour dans le jardin.

Une lettre peut, comme un homme, avoir mauvaise tournure. Gros papier, pli grossier, rien qu'à les voir, de certaines missives déplaisent. La lettre qu'avait apportée Basque était de cette espèce.

Marius la prit. Elle sentait le tabac. Rien n'éveille

un souvenir comme une odeur. Marius reconnut ce tabac. Il regarda la suscription : *A monsieur, monsieur le baron Pommerci. En son hôtel.* Le tabac reconnu lui fit reconnaître l'écriture. On pourrait dire que l'étonnement a des éclairs. Marius fut comme illuminé d'un de ces éclairs-là.

L'odorat, ce mystérieux aide-mémoire, venait de faire revivre en lui tout un monde. C'était bien là le papier, la façon de plier, la teinte blafarde de l'encre, c'était bien là l'écriture connue ; surtout c'était là le tabac. Le galetas Jondrette lui apparaissait.

Ainsi, étrange coup de tête du hasard ! une des deux pistes qu'il avait tant cherchées, celle pour laquelle dernièrement encore il avait fait tant d'efforts et qu'il croyait à jamais perdue, venait d'elle-même s'offrir à lui.

Il décacheta avidement la lettre, et il lut :

« Monsieur le baron,

« Si l'Être Suprême m'en avait donné les talents,
« j'aurais pu être le baron Thénard, membre de
« l'institut (académie des ciences), mais je ne le
« suis pas. Je porte seulement le même nom que
« lui, heureux si ce souvenir me recommande à l'ex-
« cellence de vos bontés. Le bienfait dont vous m'ho-
« norerez sera réciproque. Je suis en posession d'un
« secret consernant un individu. Cet individu vous
« conserne. Je tiens le secret à votre disposition dési-
« rant avoir l'honneur de vous être hutile. Je vous
« donnerai le moyen simple de chaser de votre
« honorable famille cet individu qui n'y a pas droit,
« madame la barone étant de haute naissance. Le
« sanctuaire de la vertu ne pourrait coabiter plus
« longtemps avec le crime sans abdiqer.

« J'atends dans l'entichambre les ordres de mon-
« sieur le baron. « Avec respect. »

La lettre était signée « THÉNARD ».

Cette signature n'était pas fausse. Elle était seulement un peu abrégée.

Du reste l'amphigouri et l'orthographe achevaient la révélation. Le certificat d'origine était complet. Aucun doute n'était possible.

L'émotion de Marius fut profonde. Après le mouvement de surprise, il eut un mouvement de bonheur. Qu'il trouvât maintenant l'autre homme qu'il cherchait, celui qui l'avait sauvé lui Marius, et il n'aurait plus rien à souhaiter.

Il ouvrit un tiroir de son secrétaire, y prit quelques billets de banque, les mit dans sa poche, referma le secrétaire et sonna. Basque entrebâilla la porte.

— Faites entrer, dit Marius.

Basque annonça :

— Monsieur Thénard.

Un homme entra.

Nouvelle surprise pour Marius. L'homme qui entra lui était parfaitement inconnu.

Cet homme, vieux du reste, avait le nez gros, le menton dans la cravate, des lunettes vertes à double abat-jour de taffetas vert sur les yeux, les cheveux lissés et aplatis sur le front au ras des sourcils comme la perruque des cochers anglais de high life. Ses cheveux étaient gris. Il était vêtu de noir de la tête aux pieds, d'un noir très râpé, mais propre ; un trousseau de breloques, sortant de son gousset, y faisait supposer une montre. Il tenait à la main un vieux chapeau. Il marchait voûté, et la courbure de son dos s'augmentait de la profondeur de son salut.

Ce qui frappait au premier abord, c'est que l'habit de ce personnage, trop ample, quoique soigneusement boutonné, ne semblait pas fait pour lui.

Ici une courte digression est nécessaire.

Il y avait à Paris, à cette époque, dans un vieux logis borgne, rue Beautreillis, près de l'Arsenal, un juif ingénieux qui avait pour profession de changer un gredin en honnête homme. Pas pour trop longtemps, ce qui eût pu être gênant pour le gredin. Le changement se faisait à vue, pour un jour ou deux, à raison de trente sous par jour, au moyen d'un costume ressemblant le plus possible à l'honnêteté de tout le monde. Ce loueur de costumes s'appelait *le Changeur ;* les filous parisiens lui avaient donné ce nom, et ne lui en connaissaient pas d'autre. Il avait un vestiaire assez complet. Les loques dont il affublait les gens étaient à peu près possibles. Il avait des spécialités et des catégories ; à chaque clou de son magasin pendait, usée et fripée, une condition sociale ; ici l'habit de magistrat, là l'habit de curé, là l'habit de banquier, dans un coin l'habit de militaire en retraite, ailleurs l'habit d'homme de lettres, plus loin l'habit d'homme d'état. Cet être était le costumier du drame immense que la friponnerie joue à Paris. Son bouge était la coulisse d'où le vol sortait et où l'escroquerie rentrait. Un coquin déguenillé arrivait à ce vestiaire, déposait trente sous, et choisissait, selon le rôle qu'il voulait jouer ce jour-là, l'habit qui lui convenait, et, en redescendant l'escalier, le coquin était quelqu'un. Le lendemain les nippes étaient fidèlements rapportées, et le Changeur, qui confiait tout aux voleurs, n'était jamais volé. Ces vêtements avaient un inconvénient, ils « n'allaient pas » ; n'étant point faits pour ceux qui les portaient, ils étaient collants pour celui-ci, flottants pour celui-là, et ne s'ajustaient à personne. Tout filou qui dépassait la moyenne humaine en petitesse ou en grandeur, était mal à l'aise dans les costumes du Changeur. Il ne fallait être ni trop gras ni trop maigre. Le Changeur n'avait prévu que les hommes ordinaires. Il avait pris mesure à l'espèce dans la personne du premier gueux venu, lequel n'est ni gros, ni mince, ni grand, ni petit. De là des adaptations quelquefois difficiles dont les pratiques du Changeur se tiraient comme elles pouvaient. Tant pis pour les exceptions ! L'habit d'homme d'état, par exemple, noir du haut en bas, et par conséquent convenable, eût été trop large pour Pitt et trop étroit pour Castelcicala. Le vêtement d'*homme d'état* était désigné comme il suit dans le catalogue du Changeur ; nous copions : « Un habit de drap noir, un pantalon de cuir de « laine noir, un gilet de soie, des bottes et du linge. » Il y avait en marge : *Ancien ambassadeur*, et une note que nous transcrivons également : « Dans « une boîte séparée, une perruque proprement frisée, « des lunettes vertes, des breloques, et deux petits « tuyaux de plume d'un pouce de long enveloppés « de coton. » Tout cela revenait à l'homme d'état, ancien ambassadeur. Tout ce costume était, si l'on peut parler ainsi, exténué ; les coutures blanchissaient, une vague boutonnière s'entr'ouvrait à l'un des coudes ; en outre, un bouton manquait à l'habit sur la poitrine ; mais ce n'est qu'un détail ; la main de l'homme d'état, devant toujours être dans l'habit et sur le cœur, avait pour fonction de cacher le bouton absent.

Si Marius avait été familier avec les institutions occultes de Paris, il eût tout de suite reconnu, sur le dos du visiteur que Basque venait d'introduire, l'habit d'homme d'état emprunté au Décroche-moi-ça du Changeur.

Le désappointement de Marius, en voyant entrer un homme autre que celui qu'il attendait, tourna en disgrâce pour le nouveau venu. Il l'examina des pieds à la tête, pendant que le personnage s'inclinait démesurément, et lui demanda d'un ton bref :

— Que voulez-vous ?

L'homme répondit avec un rictus aimable dont le sourire caressant d'un crocodile donnerait quelque idée :

— Il me semble impossible que je n'aie pas déjà eu l'honneur de voir monsieur le baron dans le monde. Je crois bien l'avoir particulièrement rencontré, il y a quelques années, chez madame la princesse Bagration et dans les salons de sa seigneurie le vicomte Dambray, pair de France.

C'est toujours une bonne tactique en coquinerie que d'avoir l'air de reconnaître quelqu'un qu'on ne connaît point.

Marius était attentif au parler de cet homme. Il épiait l'accent et le geste, mais son désappointement croissait ; c'était une prononciation nasillarde, absolument différente du son de voix aigre et sec auquel il s'attendait. Il était tout à fait dérouté.

— Je ne connais, dit-il, ni madame Bagration, ni M. Dambray. Je n'ai de ma vie mis le pied ni chez l'un ni chez l'autre.

La réponse était bourrue. Le personnage, gracieux quand même, insista.

— Alors ce sera chez Chateaubriand que j'aurai vu monsieur ! Je connais beaucoup Chateaubriand. Il est très affable. Il me dit quelquefois :

Thénard, mon ami... est-ce que vous ne buvez pas un verre avec moi ?

Le front de Marius devint de plus en plus sévère :

— Je n'ai jamais eu l'honneur d'être reçu chez monsieur de Chateaubriand. Abrégeons. Qu'est-ce que vous voulez ?

L'homme, devant la voix plus dure, salua plus bas.

— Monsieur le baron, daignez m'écouter. Il y a en Amérique, dans un pays qui est du côté de Panama, un village appelé la Joya. Ce village se compose d'une seule maison. Une grande maison carrée de trois étages en briques cuites au soleil, chaque côté du carré long de cinq cents pieds, chaque étage en retraite de douze pieds sur l'étage inférieur de façon à laisser devant soi une terrasse qui fait le tour de l'édifice, au centre une cour intérieure où sont les provisions et les munitions, pas de fenêtres, des meurtrières, pas de porte, des échelles, des échelles pour monter du sol à la première terrasse, et de la première à la seconde, et de la seconde à la troisième, des échelles pour descendre dans la cour intérieure, pas de portes aux chambres, des trappes, pas d'escaliers aux chambres, des échelles ; le soir on ferme les trappes, on retire les échelles, on braque des tromblons et des carabines aux meurtrières ; nul moyen d'entrer ; une maison le jour, une citadelle la nuit, huit cents habitants, voilà ce village. Pourquoi tant de précautions ? c'est que ce pays est dangereux ; il est plein d'anthropophages. Alors pourquoi y va-t-on ? c'est que ce pays est merveilleux ; on y trouve de l'or.

— Où voulez-vous en venir ? interrompit Marius qui du désappointement passait à l'impatience.

— A ceci, monsieur le baron. Je suis un ancien diplomate fatigué. La vieille civilisation m'a mis sur les dents. Je veux essayer des sauvages.

— Après ?

— Monsieur le baron, l'égoïsme est la loi du monde. La paysanne prolétaire qui travaille à la journée se retourne quand la diligence passe, la paysanne propriétaire qui travaille à son champ ne se retourne pas. Le chien du pauvre aboie après le riche, le chien du riche aboie après le pauvre. Chacun pour soi. L'intérêt, voilà le but des hommes. L'or, voilà l'aimant.

— Après ? Concluez.

— Je voudrais aller m'établir à la Joya. Nous sommes trois. J'ai mon épouse et ma demoiselle ; une fille qui est fort belle. Le voyage est long et cher. Il me faut un peu d'argent.

— En quoi cela me regarde-t-il ? demanda Marius.

L'inconnu tendit le cou hors de sa cravate, geste propre au vautour, et répliqua avec un redoublement de sourire :

— Est-ce que monsieur le baron n'a pas lu ma lettre ?

Cela était à peu près vrai. Le fait est que le contenu de l'épître avait glissé sur Marius. Il avait vu l'écriture plus qu'il n'avait lu la lettre. Il s'en souvenait à peine. Depuis un moment un nouvel éveil venait de lui être donné. Il avait remarqué ce détail : Mon épouse et ma demoiselle. Il attachait sur l'inconnu un œil pénétrant. Un juge d'instruction n'eût pas mieux regardé. Il le guettait presque. Il se borna à lui répondre :

— Précisez.

L'inconnu inséra ses deux mains dans ses deux goussets, releva sa tête sans redresser son épine dorsale, mais en scrutant de son côté Marius avec le regard vert de ses lunettes.

— Soit, monsieur le baron. Je précise. J'ai un secret à vous vendre.

— Un secret !

— Un secret.

— Qui me concerne ?

— Un peu.

— Quel est ce secret ?

Marius examinait de plus en plus l'homme, tout en l'écoutant.

— Je commence gratis, dit l'inconnu. Vous allez voir que je suis intéressant.

— Parlez.

— Monsieur le baron, vous avez chez vous un voleur et un assassin.

Marius tressaillit.

— Chez moi ? non, dit-il.

L'inconnu, imperturbable, brossa son chapeau du coude, et poursuivit :

— Assassin et voleur. Remarquez, monsieur le baron, que je ne parle pas ici de faits anciens, arriérés, caducs, qui peuvent être effacés par la prescription devant la loi et par le repentir devant Dieu. Je parle de faits récents, de faits actuels, de faits encore ignorés de la justice à cette heure. Je continue. Cet homme s'est glissé dans votre confiance, et presque dans votre famille, sous un faux nom. Je vais vous dire son nom vrai. Et vous le dire pour rien.

— J'écoute.

— Il s'appelle Jean Valjean.

— Je le sais.

— Je vais vous dire, également pour rien, qui il est.

— Dites.

— C'est un ancien forçat.

— Je le sais.

— Vous le savez depuis que j'ai eu l'honneur de vous le dire.

— Non. Je le savais auparavant.

Le ton froid de Marius, cette double réplique *je le sais,* son laconisme réfractaire au dialogue, remuèrent dans l'inconnu quelque colère sourde. Il décocha à la dérobée à Marius un regard furieux, tout de suite éteint. Si rapide qu'il fût, ce regard était de ceux qu'on reconnaît quand on les a vus une fois ; il n'échappa point à Marius. De certains flamboiements ne peuvent venir que de certaines âmes ; la prunelle, ce soupirail de la pensée, s'en embrase ; les lunettes ne cachent rien ; mettez donc une vitre à l'enfer.

L'inconnu reprit, en souriant :

— Je ne me permets pas de démentir monsieur le baron. Dans tous les cas, vous devez voir que je suis renseigné. Maintenant ce que j'ai à vous apprendre n'est connu que de moi seul. Cela intéresse la fortune de madame la baronne. C'est un secret extraordinaire. Il est à vendre. C'est à vous que je l'offre d'abord. Bon marché. Vingt mille francs.

— Je sais ce secret-là comme je sais les autres, dit Marius.

Le personnage sentit le besoin de baisser un peu son prix :

— Monsieur le baron, mettez dix mille francs, et je parle.

— Je vous répète que vous n'avez rien à m'apprendre. Je sais ce que vous voulez me dire.

Il y eut dans l'œil de l'homme un nouvel éclair. Il s'écria :

— Il faut pourtant que je dîne aujourd'hui. C'est un secret extraordinaire, vous dis-je. Monsieur le baron, je vais parler. Je parle. Donnez-moi vingt francs.

Marius le regarda fixement :

— Je sais votre secret extraordinaire ; de même que je savais le nom de Jean Valjean, de même que je sais votre nom.

— Mon nom ?

— Oui.

— Ce n'est pas difficile, monsieur le baron. J'ai eu l'honneur de vous l'écrire et de vous le dire. Thénard.

— Dier.

— Hein ?

— Thénardier.

— Qui ça ?

Dans le danger, le porc-épic se hérisse, le scarabée fait le mort, la vieille garde se forme en carré ; cet homme se mit à rire.

Puis il épousseta d'une chiquenaude un grain de poussière sur la manche de son habit.

Marius continua :

— Vous êtes aussi l'ouvrier Jondrette, le comédien Fabantou, le poëte Genflot, l'espagnol don Alvarès, et la femme Balizard.

— La femme quoi ?

— Et vous avez tenu une gargote à Montfermeil.

— Une gargote ! Jamais.

— Et je vous dis que vous êtes Thénardier.

— Je le nie.

— Et que vous êtes un gueux. Tenez.

Et Marius, tirant de sa poche un billet de banque, le lui jeta à la face.

— Merci ! pardon ! cinq cents francs ! monsieur le baron !

Et l'homme, bouleversé, saluant, saisissant le billet, l'examina.

— Cinq cents francs ! reprit-il, ébahi. Et il bégaya à demi-voix : Un fafiot sérieux !

Puis brusquement :

— Eh bien soit, s'écria-t-il. Mettons-nous à notre aise.

Et, avec une prestesse de singe, rejetant ses cheveux en arrière, arrachant ses lunettes, retirant de son nez et escamotant les deux tuyaux de plume dont il a été question tout à l'heure, et qu'on a d'ailleurs déjà vus à une autre page de ce livre, il ôta son visage comme on ôte son chapeau.

L'œil s'alluma ; le front inégal, raviné, bossu par endroits, hideusement ridé en haut, se dégagea, le nez redevint aigu comme un bec ; le profil féroce et sagace de l'homme de proie reparut.

— Monsieur le baron est infaillible, dit-il d'une voix nette et d'où avait disparu tout nasillement, je suis Thénardier.

Et il redressa son dos voûté.

Thénardier, car c'était bien lui, était étrangement surpris ; il eût été troublé s'il avait pu l'être. Il était venu apporter de l'étonnement, et c'était lui qui en recevait. Cette humiliation lui était payée cinq cents francs, et, à tout prendre, il l'acceptait ; mais il n'en était pas moins abasourdi.

Il voyait pour la première fois ce baron Pontmercy, et, malgré son déguisement, ce baron Pontmercy le reconnaissait, et le reconnaissait à fond. Et non seulement ce baron était au fait de Thénardier, mais il semblait au fait de Jean Valjean. Qu'était-ce que ce jeune homme presque imberbe, si glacial et si généreux, qui savait les noms des gens, qui savait tous leurs noms, et qui leur ouvrait sa bourse, qui malmenait les fripons comme un juge et qui les payait comme une dupe ?

Thénardier, on se le rappelle, quoique ayant été

voisin de Marius, ne l'avait jamais vu, ce qui est fréquent à Paris ; il avait autrefois entendu vaguement ses filles parler d'un jeune homme très pauvre appelé Marius qui demeurait dans la maison. Il lui avait écrit, sans le connaître, la lettre qu'on sait. Aucun rapprochement n'était possible dans son esprit entre ce Marius-là et M. le baron Pontmercy.

Quant au nom de Pontmercy, on se rappelle que, sur le champ de bataille de Waterloo, il n'en avait entendu que les deux dernières syllabes, pour lesquelles il avait toujours eu le légitime dédain qu'on doit à ce qui n'est qu'un remercîment.

Du reste, par sa fille Azelma, qu'il avait mise à la piste des mariés du 16 février, et par ses fouilles personnelles, il était parvenu à savoir beaucoup de choses, et, du fond de ses ténèbres, il avait réussi à saisir plus d'un fil mystérieux. Il avait, à force d'industrie, découvert, ou, tout au moins, à force d'inductions, deviné, quel était l'homme qu'il avait rencontré un certain jour dans le Grand Égout. De l'homme, il était facilement arrivé au nom. Il savait que madame la baronne Pontmercy, c'était Cosette. Mais de ce côté-là, il comptait être discret. Qui était Cosette ? Il ne le savait pas au juste lui-même. Il entrevoyait bien quelque bâtardise, l'histoire de Fantine lui avait toujours semblé louche ; mais à quoi bon en parler ? Pour se faire payer son silence ? Il avait, ou croyait avoir, à vendre mieux que cela. Et, selon toute apparence, venir faire, sans preuve, cette révélation au baron Pontmercy : *Votre femme est bâtarde,* cela n'eût réussi qu'à attirer la botte du mari vers les reins du révélateur.

Dans la pensée de Thénardier, la conversation avec Marius n'avait pas encore commencé. Il avait dû reculer, modifier sa stratégie, quitter une position, changer de front ; mais rien d'essentiel n'était encore compromis, et il avait cinq cents francs dans sa poche. En outre, il avait quelque chose de décisif à dire, et même contre ce baron Pontmercy si bien renseigné et si bien armé, il se sentait fort. Pour les hommes de la nature de Thénardier, tout dialogue est un combat. Dans celui qui allait s'engager, quelle était sa situation ? Il ne savait pas à qui il parlait, mais il savait de quoi il parlait. Il fit rapidement cette revue intérieure de ses forces, et après avoir dit : *Je suis Thénardier*, il attendit.

Marius était resté pensif. Il tenait donc enfin Thénardier. Cet homme, qu'il avait tant désiré retrouver, était là. Il allait donc pouvoir faire honneur à la recommandation du colonel Pontmercy. Il était humilié que ce héros dût quelque chose à ce bandit, et que la lettre de change tirée du fond du tombeau par son père sur lui Marius fût jusqu'à ce jour protestée. Il lui paraissait aussi, dans la situation complexe où était son esprit vis-à-vis de Thénardier, qu'il y avait lieu de venger le colonel du malheur d'avoir été sauvé par un tel gredin. Quoi qu'il en fût, il était content. Il allait donc enfin délivrer de ce créancier indigne l'ombre du colonel, et il lui semblait qu'il allait retirer de la prison pour dettes la mémoire de son père.

A côté de ce devoir, il en avait un autre, éclaircir, s'il se pouvait, la source de la fortune de Cosette. L'occasion semblait se présenter. Thénardier savait peut-être quelque chose. Il pouvait être utile de voir le fond de cet homme. Il commença par là.

Thénardier avait fait disparaître le « fafiot sérieux » dans son gousset, et regardait Marius avec une douceur presque tendre.

Marius rompit le silence.

— Thénardier, je vous ai dit votre nom. A présent, votre secret, ce que vous veniez m'apprendre, voulez-vous que je vous le dise? J'ai mes informations aussi, moi. Vous allez voir que j'en sais plus long que vous. Jean Valjean, comme vous l'avez dit, est un assassin et un voleur. Un voleur, parce qu'il a volé un riche manufacturier dont il a causé la ruine, M. Madeleine. Un assassin, parce qu'il a assassiné l'agent de police Javert.

— Je ne comprends pas, monsieur le baron, fit Thénardier.

— Je vais me faire comprendre. Écoutez. Il y avait, dans un arrondissement du Pas-de-Calais, vers 1822, un homme qui avait eu quelque ancien démêlé avec la justice, et qui, sous le nom de M. Madeleine, s'était relevé et réhabilité. Cet homme était devenu, dans toute la force du terme, un juste. Avec une industrie, la fabrique des verroteries noires, il avait fait la fortune de toute une ville. Quant à sa fortune personnelle, il l'avait faite aussi, mais secondairement et, en quelque sorte, par occasion. Il était le père nourricier des pauvres. Il fondait des hôpitaux, ouvrait des écoles, visitait les malades, dotait les filles, soutenait les veuves, adoptait les orphelins ; il était comme le tuteur du pays. Il avait refusé la croix, on l'avait nommé maire. Un forçat libéré savait le secret d'une peine encourue autrefois par cet homme ; il le dénonça et le fit arrêter, et profita de l'arrestation pour venir à Paris et se faire remettre par le banquier Laffitte, — je tiens le fait du caissier lui-même, — au moyen d'une fausse signature, une somme de plus d'un demi-million qui appartenait à M. Madeleine. Ce forçat, qui a volé M. Madeleine, c'est Jean Valjean. Quant à l'autre fait, vous n'avez rien non plus à m'apprendre. Jean Valjean a tué l'agent Javert ; il l'a tué d'un coup de pistolet. Moi qui vous parle, j'étais présent.

Thénardier jeta à Marius le coup d'œil souverain d'un homme battu qui remet la main sur la victoire et qui vient de regagner en une minute tout le terrain qu'il avait perdu. Mais le sourire revint tout de suite ; l'inférieur vis-à-vis du supérieur doit avoir le triomphe câlin, et Thénardier se borna à dire à Marius :

— Monsieur le baron, nous faisons fausse route.

Et il souligna cette phrase en faisant faire à son trousseau de breloques un moulinet expressif.

— Quoi ! repartit Marius, contestez-vous cela ? Ce sont des faits.

— Ce sont des chimères. La confiance dont monsieur le baron m'honore me fait un devoir de le lui dire. Avant tout la vérité et la justice. Je n'aime pas voir accuser les gens injustement. Monsieur le baron, Jean Valjean n'a point volé M. Madeleine, et Jean Valjean n'a point tué Javert.

— Voilà qui est fort ! comment cela ?

— Pour deux raisons.

— Lesquelles ? parlez.

— Voici la première : il n'a pas volé M. Madeleine, attendu que c'est lui-même Jean Valjean qui est M. Madeleine.

— Que me contez-vous là ?

— Et voici la seconde : il n'a pas assassiné Javert, attendu que celui qui a tué Javert, c'est Javert.

— Que voulez-vous dire ?

— Que Javert s'est suicidé.

— Prouvez ! prouvez ! cria Marius hors de lui.

Thénardier reprit en scandant sa phrase à la façon d'un alexandrin antique :

— L'agent-de-police-Ja-vert-a-été-trouvé-no-yé-sous-un-bateau-du-Pont-au-Change.

— Mais prouvez donc !

Thénardier tira de sa poche de côté une large enveloppe de papier gris qui semblait contenir des feuilles pliées de diverses grandeurs.

— J'ai mon dossier, dit-il avec calme.

Et il ajouta :

— Monsieur le baron, dans votre intérêt, j'ai voulu connaître à fond mon Jean Valjean. Je dis que Jean Valjean et Madeleine, c'est le même homme, et je dis que Javert n'a eu d'autre assassin que Javert, et quand je parle, c'est que j'ai des preuves. Non des preuves manuscrites, l'écriture est suspecte, l'écriture est complaisante, mais des preuves imprimées.

Tout en parlant, Thénardier extrayait de l'enveloppe deux numéros de journaux jaunis, fanés, et fortement saturés de tabac. L'un de ces deux journaux, cassé à tous les plis et tombant en lambeaux carrés, semblait beaucoup plus ancien que l'autre.

— Deux faits, deux preuves, fit Thénardier. Et il tendit à Marius les deux journaux déployés.

Ces deux journaux, le lecteur les connaît. L'un, le plus ancien, un numéro du *Drapeau blanc* du 25 juillet 1823, dont on a pu voir le texte à la page 148 [1] du tome troisième de ce livre, établissait l'identité de M. Madeleine et de Jean Valjean. L'autre, un *Moniteur* du 15 juin 1832, constatait le suicide de Javert, ajoutant qu'il résultait d'un rapport verbal de Javert au préfet que, fait prisonnier dans la barricade de la rue

[1] Voir tome Ier, p. 517, de cette édition. Dans l'édition originale, c'est au tome troisième qu'on trouve le chapitre : *Le numéro* 24601 *devient le numéro* 9430.

de la Chanvrerie, il avait dû la vie à la magnanimité d'un insurgé qui, le tenant sous son pistolet, au lieu de lui brûler la cervelle, avait tiré en l'air.

Marius lut. Il y avait évidence, date certaine, preuve irréfragable, ces deux journaux n'avaient pas été imprimés exprès pour appuyer les dires de Thénardier ; la note publiée dans le *Moniteur* était communiquée administrativement par la préfecture de police. Marius ne pouvait douter. Les renseignements du commis-caissier étaient faux, et lui-même s'était trompé. Jean Valjean, grandi brusquement, sortait du nuage. Marius ne put retenir un cri de joie :

— Eh bien alors, ce malheureux est un admirable homme ! toute cette fortune était vraiment à lui ! c'est Madeleine, la providence de tout un pays ! c'est Jean Valjean, le sauveur de Javert ! c'est un héros ! c'est un saint !

— Ce n'est pas un saint, et ce n'est pas un héros, dit Thénardier. C'est un assassin et un voleur.

Et il ajouta du ton d'un homme qui commence à se sentir quelque autorité : — Calmons-nous.

Voleur, assassin, ces mots que Marius croyait disparus, et qui revenaient, tombèrent sur lui comme une douche de glace.

— Encore ! dit-il.

— Toujours, fit Thénardier. Jean Valjean n'a pas volé Madeleine, mais c'est un voleur. Il n'a pas tué Javert, mais c'est un meurtrier.

— Voulez-vous parler, reprit Marius, de ce misérable vol d'il y a quarante ans, expié, cela résulte de vos journaux mêmes, par toute une vie de repentir, d'abnégation et de vertu ?

— Je dis assassinat et vol, monsieur le baron. Et je répète que je parle de faits actuels. Ce que j'ai à vous révéler est absolument inconnu. C'est de l'inédit. Et peut-être y trouverez-vous la source de la fortune habilement offerte par Jean Valjean à madame la baronne. Je dis habilement, car, par une donation de ce genre, se glisser dans une honorable maison dont on partagera l'aisance, et, du même coup, cacher son crime, jouir de son vol, enfouir son nom, et se créer une famille, ce ne serait pas très maladroit.

— Je pourrais vous interrompre ici, observa Marius, mais continuez.

— Monsieur le baron, je vais vous dire tout, laissant la récompense à votre générosité. Ce secret vaut de l'or massif. Vous me direz : Pourquoi ne t'es-tu pas adressé à Jean Valjean ? Par une raison toute simple : je sais qu'il s'est dessaisi, et dessaisi en votre faveur, et je trouve la combinaison ingénieuse ; mais il n'a plus le sou, il me montrerait ses mains vides, et, puisque j'ai besoin de quelque argent pour mon voyage à la Joya, je vous préfère, vous qui avez tout, à lui qui n'a rien. Je suis un peu fatigué, permettez-moi de prendre une chaise.

Marius s'assit et lui fit signe de s'asseoir.

Thénardier s'installa sur une chaise capitonnée, reprit les deux journaux, les replongea dans l'enveloppe, et murmura en becquetant avec son ongle le *Drapeau blanc* : Celui-ci m'a donné du mal pour l'avoir. Cela fait, il croisa les jambes et s'étala sur le dos, attitude propre aux gens sûrs de ce qu'ils disent, puis entra en matière, gravement et en appuyant sur les mots :

— Monsieur le baron, le 6 juin 1832, il y a un an environ, le jour de l'émeute, un homme était dans le Grand Égout de Paris, du côté où l'égout vient rejoindre la Seine, entre le pont des Invalides et le pont d'Iéna.

Marius rapprocha brusquement sa chaise de celle

de Thénardier. Thénardier remarqua ce mouvement et continua avec la lenteur d'un orateur qui tient son interlocuteur et qui sent la palpitation de son adversaire sous ses paroles :

— Cet homme, forcé de se cacher, pour des raisons du reste étrangères à la politique, avait pris l'égout pour domicile et en avait une clef. C'était, je le répète, le 6 juin ; il pouvait être huit heures du soir. L'homme entendit du bruit dans l'égout. Très surpris, il se blottit, et guetta. C'était un bruit de pas, on marchait dans l'ombre, on venait de son côté. Chose étrange, il y avait dans l'égout un autre homme que lui. La grille de sortie de l'égout n'était pas loin. Un peu de lumière qui en venait lui permit de reconnaître le nouveau venu et de voir que cet homme portait quelque chose sur son dos. Il marchait courbé. L'homme qui marchait courbé était un ancien forçat, et ce qu'il traînait sur ses épaules était un cadavre. Flagrant délit d'assassinat, s'il en fut. Quant au vol, il va de soi ; on ne tue pas un homme gratis. Ce forçat allait jeter ce cadavre à la rivière. Un fait à noter, c'est qu'avant d'arriver à la grille de sortie, ce forçat, qui venait de loin dans l'égout, avait nécessairement rencontré une fondrière épouvantable où il semble qu'il eût pu laisser le cadavre ; mais, dès le lendemain, les égoutiers, en travaillant à la fondrière, y auraient retrouvé l'homme assassiné, et ce n'était pas le compte de l'assassin. Il avait mieux aimé traverser la fondrière, avec son fardeau, et ses efforts ont dû être effrayants, il est impossible de risquer plus complètement sa vie ; je ne comprends pas qu'il soit sorti de là vivant.

La chaise de Marius se rapprocha encore. Thénardier en profita pour respirer longuement. Il poursuivit :

— Monsieur le baron, un égout n'est pas le Champ de Mars. On y manque de tout, et même de place. Quand deux hommes sont là, il faut qu'ils se rencontrent. C'est ce qui arriva. Le domicilié et le passant furent forcés de se dire bonjour, à regret l'un et l'autre. Le passant dit au domicilié : — *Tu vois ce que j'ai sur le dos, il faut que je sorte, tu as la clef, donne-la-moi.* Ce forçat était un homme d'une force terrible. Il n'y avait pas à refuser. Pourtant celui qui avait la clef parlementa, uniquement pour gagner du temps. Il examina ce mort, mais il ne put rien voir, sinon qu'il était jeune, bien mis, l'air d'un riche, et tout défiguré par le sang. Tout en causant, il trouva moyen de déchirer et d'arracher par derrière, sans que l'assassin s'en aperçût, un morceau de l'habit de l'homme assassiné. Pièce à conviction, vous comprenez ; moyen de ressaisir la trace des choses et de prouver le crime au criminel. Il mit la pièce à conviction dans sa poche. Après quoi il ouvrit la grille, fit sortir l'homme avec son embarras sur le dos, referma la grille et se sauva, se souciant peu d'être mêlée au surplus de l'aventure et surtout ne voulant pas être là quand l'assassin jetterait l'assassiné à la rivière. Vous comprenez à présent. Celui qui portait le cadavre, c'est Jean Valjean ; celui qui avait la clef vous parle en ce moment ; et le morceau de l'habit...

Thénardier acheva la phrase en tirant de sa poche et en tenant, à la hauteur de ses yeux, pincé entre ses deux pouces et ses deux index, un lambeau de drap noir déchiqueté, tout couvert de taches sombres.

Marius s'était levé, pâle, respirant à peine, l'œil fixé sur le morceau de drap noir, et, sans prononcer une parole, sans quitter ce haillon du regard, il reculait vers le mur et, de sa main droite étendue derrière lui, cherchait en tâtonnant sur la muraille une clef qui était à la serrure d'un placard près de la cheminée. Il trouva cette clef, ouvrit le placard, et y enfonça son bras sans y regarder, et sans que sa prunelle effarée se détachât du chiffon que Thénardier tenait déployé.

Cependant Thénardier continuait :

— Monsieur le baron, j'ai les plus fortes raisons de croire que le jeune homme assassiné était un opulent étranger attiré par Jean Valjean dans un piège et porteur d'une somme énorme.

— Le jeune homme était moi, et voici l'habit ! cria Marius, et il jeta sur le parquet un vieil habit noir tout sanglant.

Puis, arrachant le morceau des mains de Thénardier, il s'accroupit sur l'habit, et rapprocha du pan déchiqueté le morceau déchiré. La déchirure s'adaptait exactement, et le lambeau complétait l'habit.

Thénardier était pétrifié. Il pensa ceci : Je suis épaté.

Marius se redressa frémissant, désespéré, rayonnant.

Il fouilla dans sa poche, et marcha, furieux, vers Thénardier, lui présentant et lui appuyant presque sur le visage son poing rempli de billets de cinq cents francs et de mille francs.

— Vous êtes un infâme ! vous êtes un menteur, un calomniateur, un scélérat. Vous veniez accuser cet homme, vous l'avez justifié ; vous vouliez le perdre, vous n'avez réussi qu'à le glorifier. Et c'est vous qui êtes un voleur ! Et c'est vous qui êtes un assassin ! Je vous ai vu, Thénardier Jondrette, dans ce bouge du boulevard de l'Hôpital. J'en sais assez sur vous pour vous envoyer au bagne, et plus loin même, si je voulais. Tenez, voilà mille francs, sacripant que vous êtes !

Et il jeta un billet de mille francs à Thénardier.

— Ah ! Jondrette Thénardier, vil coquin ! que ceci vous serve de leçon, brocanteur de secrets, marchand de mystères, fouilleur de ténèbres, misérable ! Prenez ces cinq cents francs, et sortez d'ici ! Waterloo vous protège.

— Waterloo ! grommela Thénardier, en empochant les cinq cents francs avec les mille francs.

— Oui, assassin ! vous y avez sauvé la vie à un colonel...

— A un général, dit Thénardier, en relevant la tête.

— A un colonel ! reprit Marius avec emportement. Je ne donnerais pas un liard pour un général. Et vous veniez ici faire des infamies ! Je vous dis que vous avez commis tous les crimes. Partez ! disparaissez ! Soyez heureux seulement, c'est tout ce que je désire. Ah ! monstre ! Voilà encore trois mille francs. Prenez-les. Vous partirez dès demain, pour l'Amérique, avec votre fille ; car votre femme est morte, abominable menteur ! Je veillerai à votre départ, bandit, et je vous compterai à ce moment-là vingt mille francs. Allez vous faire pendre ailleurs !

— Monsieur le baron, répondit Thénardier en saluant jusqu'à terre, reconnaissance éternelle.

Et Thénardier sortit, n'y concevant rien, stupéfait et ravi de ce doux écrasement sous des sacs d'or et de cette foudre éclatant sur sa tête en billets de banque.

Foudroyé, il l'était, mais content aussi ; et il eût été très fâché d'avoir un paratonnerre contre cette foudre-là.

Finissons-en tout de suite avec cet homme.

Deux jours après les événements que nous racontons en ce moment, il partit, par les soins de Marius, pour l'Amérique, sous un faux nom, avec sa fille Azelma, muni d'une traite de vingt mille francs sur New-York. La misère morale de Thénardier, ce bourgeois manqué, était irrémédiable ; il fut en Amérique ce qu'il était en Europe. Le contact d'un méchant homme suffit quelquefois pour pourrir une bonne action et pour en faire sortir une chose mauvaise. Avec l'argent de Marius, Thénardier se fit négrier.

Dès que Thénardier fut dehors, Marius courut au jardin où Cosette se promenait encore.

— Cosette ! Cosette ! cria-t-il. Viens ! viens vite. Partons. Basque, un fiacre ! Cosette, viens. Ah ! mon Dieu ! C'est lui qui m'avait sauvé la vie ! Ne perdons pas une minute ! Mets ton châle.

Cosette le crut fou, et obéit.

Il ne respirait pas, il mettait la main sur son cœur pour en comprimer les battements. Il allait et venait à grands pas, il embrassait Cosette : — Ah ! Cosette ! je suis un malheureux ! disait-il.

Marius était éperdu. Il commençait à entrevoir dans ce Jean Valjean on ne sait quelle haute et sombre figure. Une vertu inouïe lui apparaissait, suprême et douce, humble dans son immensité. Le forçat se transfigurait en Christ. Marius avait l'éblouissement de ce prodige. Il ne savait pas au juste ce qu'il voyait, mais c'était grand.

En un instant, un fiacre fut devant la porte.

Marius y fit monter Cosette et s'y élança.

— Cocher, dit-il, rue de l'Homme-Armé, numéro 7.

Le fiacre partit.

— Ah ! quel bonheur ! fit Cosette, rue de

l'Homme-Armé. Je n'osais plus t'en parler. Nous allons voir monsieur Jean.

— Ton père, Cosette ! ton père plus que jamais. Cosette, je devine. Tu m'as dit que tu n'avais jamais reçu la lettre que je t'avais envoyée par Gavroche. Elle sera tombée dans ses mains. Cosette, il est allé à la barricade pour me sauver. Comme c'est son besoin d'être un ange, en passant, il en a sauvé d'autres ; il a sauvé Javert. Il m'a tiré de ce gouffre pour me donner à toi. Il m'a porté sur son dos dans cet effroyable égout. Ah ! je suis un monstrueux ingrat. Cosette, après avoir été ta providence, il a été la mienne. Figure-toi qu'il y avait une fondrière épouvantable, à s'y noyer cent fois, à se noyer dans la boue, Cosette ! il me l'a fait traverser. J'étais évanoui ; je ne voyais rien, je n'entendais rien, je ne pouvais rien savoir de ma propre aventure. Nous allons le ramener, le prendre avec nous, qu'il le veuille ou non, il ne nous quittera plus. Pourvu qu'il soit chez lui ! Pourvu que nous le trouvions ! Je passerai le reste de ma vie à le vénérer. Oui, ce doit être cela, vois-tu, Cosette ? C'est à lui que Gavroche aura remis ma lettre. Tout s'explique. Tu comprends.

Cosette ne comprenait pas un mot.

— Tu as raison, lui dit-elle.

Cependant le fiacre roulait.

V

NUIT DERRIÈRE LAQUELLE IL Y A LE JOUR

Au coup qu'il entendit frapper à sa porte, Jean Valjean se retourna.

— Entrez, dit-il faiblement.

La porte s'ouvrit. Cosette et Marius parurent.

Cosette se précipita dans la chambre.

Marius resta sur le seuil, debout, appuyé contre le montant de la porte.

— Cosette ! dit Jean Valjean, et il se dressa sur sa chaise, les bras ouverts et tremblants, hagard, livide, sinistre, une joie immense dans les yeux.

Cosette, suffoquée d'émotion, tomba sur la poitrine de Jean Valjean.

— Père ! dit-elle.

Jean Valjean, bouleversé, bégayait :

— Cosette ! elle ! vous, madame ! c'est toi ! Ah mon Dieu !

Et, serré dans les bras de Cosette, il s'écria :

— C'est toi ! tu es là ! Tu me pardonnes donc !

Marius, baissant les paupières pour empêcher ses larmes de couler, fit un pas et murmura entre ses lèvres contractées convulsivement pour arrêter les sanglots :

— Mon père !

— Et vous aussi, vous me pardonnez ! dit Jean Valjean.

Marius ne put trouver une parole, et Jean Valjean ajouta : — Merci.

Cosette arracha son châle et jeta son chapeau sur le lit.

— Cela me gêne, dit-elle.

Et, s'asseyant sur les genoux du vieillard, elle écarta ses cheveux blancs d'un mouvement adorable, et lui baisa le front.

Jean Valjean se laissait faire, égaré.

Cosette, qui ne comprenait que très confusément, redoublait ses caresses, comme si elle voulait payer la dette de Marius.

Jean Valjean balbutiait :

— Comme on est bête ! Je croyais que je ne la verrais plus. Figurez-vous, monsieur Pontmercy, qu'au moment où vous êtes entré, je me disais : C'est fini. Voilà sa petite robe, je suis un misérable homme, je ne verrai plus Cosette, je disais cela au moment même où vous montiez l'escalier. Étais-je idiot ! Voilà comme on est idiot ! Mais on compte sans le bon Dieu. Le bon Dieu dit : Tu t'imagines qu'on va t'abandonner, bêta ! Non, non, ça ne se passera pas comme ça. Allons, il y a là un pauvre bonhomme qui a besoin d'un ange. Et l'ange vient ; et l'on revoit sa Cosette, et l'on revoit sa petite Cosette ! Ah ! j'étais bien malheureux !

Il fut un moment sans pouvoir parler, puis il poursuivit :

— J'avais vraiment besoin de voir Cosette une petite fois de temps en temps. Un cœur, cela veut un os à ronger. Cependant je sentais bien que j'étais de trop. Je me donnais des raisons : Ils n'ont pas besoin de toi, reste dans ton coin, on n'a pas le droit de s'éterniser. Ah ! Dieu béni, je la revois ! Sais-tu, Cosette, que ton mari est très beau ? Ah ! tu as un joli col brodé, à la bonne heure. J'aime ce dessin-là. C'est ton mari qui l'a choisi, n'est-ce pas ? Et puis, il te faudra des cachemires. Monsieur Pontmercy, laissez-moi la tutoyer. Ce n'est pas pour longtemps.

Et Cosette reprenait :

— Quelle méchanceté de nous avoir laissés comme cela ! Où êtes-vous donc allé ? pourquoi avez-vous été si longtemps ? Autrefois vos voyages ne duraient pas plus de trois ou quatre jours. J'ai envoyé Nicolette, on répondait toujours : Il est absent. Depuis quand êtes-vous revenu ? Pourquoi ne pas nous l'avoir fait savoir ? Savez-vous que vous êtes très changé ? Ah ! le vilain père ! il a été malade, et nous ne l'avons pas su ! Tiens, Marius, tâte sa main comme elle est froide !

— Ainsi vous voilà ! Monsieur Pontmercy, vous me pardonnez ! répéta Jean Valjean.

A ce mot, que Jean Valjean venait de redire, tout ce qui se gonflait dans le cœur de Marius trouva une issue, il éclata :

— Cosette, entends-tu ? il en est là ! il me demande pardon. Et sais-tu ce qu'il m'a fait, Cosette ? il m'a sauvé la vie. Il a fait plus. Il t'a donnée à moi. Et après m'avoir sauvé, et après t'avoir donnée à moi, Cosette, qu'a-t-il fait de lui-même ? il s'est sacrifié. Voilà l'homme. Et, à moi l'ingrat, à moi l'oublieux, à moi l'impitoyable, à moi le coupable, il me dit : Merci ! Cosette, toute ma vie passée aux pieds de cet homme, ce sera trop peu. Cette barricade, cet égout, cette fournaise, ce cloaque, il a tout traversé pour moi, pour toi, Cosette ! Il m'a emporté à travers toutes les morts qu'il écartait de moi et qu'il acceptait pour lui. Tous les courages, toutes les vertus, tous les héroïsmes, toutes les saintetés, il les a ! Cosette, cet homme-là, c'est l'ange !

— Chut ! chut ! dit tout bas Jean Valjean. Pourquoi dire tout cela ?

— Mais vous ! s'écria Marius avec une colère où il y avait de la vénération, pourquoi ne l'avez-vous pas dit ? C'est votre faute aussi. Vous sauvez la vie aux gens, et vous le leur cachez ! Vous faites plus, sous prétexte de vous démasquer, vous vous calomniez. C'est affreux.

— J'ai dit la vérité, répondit Jean Valjean.

— Non, reprit Marius, la vérité, c'est toute la vérité ; et vous ne l'avez pas dite. Vous étiez monsieur Madeleine, pourquoi ne pas l'avoir dit ?

Vous aviez sauvé Javert, pourquoi ne pas l'avoir dit ? Je vous devais la vie, pourquoi ne pas l'avoir dit ?

— Parce que je pensais comme vous. Je trouvais que vous aviez raison. Il fallait que je m'en allasse. Si vous aviez su cette affaire de l'égout, vous m'auriez fait rester près de vous. Je devais donc me taire. Si j'avais parlé, cela aurait tout gêné.

— Gêné quoi ! gêné qui ! repartit Marius. Est-ce que vous croyez que vous allez rester ici ? Nous vous emmenons. Ah ! mon Dieu ! quand je pense que c'est par hasard que j'ai appris tout cela ! Nous vous emmenons. Vous faites partie de nous-mêmes. Vous êtes son père et le mien. Vous ne passerez pas dans cette affreuse maison un jour de plus. Ne vous figurez pas que vous serez demain ici.

— Demain, dit Jean Valjean, je ne serai pas ici, mais je ne serai pas chez vous.

— Que voulez-vous dire ? répliqua Marius. Ah çà, nous ne permettons plus de voyage. Vous ne nous quitterez plus. Vous nous appartenez. Nous ne vous lâchons pas.

— Cette fois-ci, c'est pour de bon, ajouta Cosette. Nous avons une voiture en bas. Je vous enlève. S'il le faut, j'emploierai la force.

Et, riant, elle fit le geste de soulever le vieillard dans ses bras.

— Il y a toujours votre chambre dans notre maison, poursuivit-elle. Si vous saviez comme le jardin est joli dans ce moment-ci ! Les azalées y viennent très bien. Les allées sont sablées avec du sable de rivière ; il y a de petits coquillages violets. Vous mangerez de mes fraises. C'est moi qui les arrose. Et plus de madame, et plus de monsieur Jean, nous sommes en république, tout le monde se dit *tu*, n'est-ce pas, Marius ? Le programme est changé. Si vous saviez, père, j'ai eu un chagrin, il y avait un rouge-gorge qui avait fait son nid dans un trou du mur, un horrible chat me l'a mangé. Mon pauvre joli petit rouge-gorge qui mettait sa tête à sa fenêtre et qui me regardait ! J'en ai pleuré. J'aurais tué le chat ! Mais maintenant personne ne pleure plus. Tout le monde rit, tout le monde est heureux. Vous allez venir avec nous. Comme le grand-père va être content ! Vous aurez votre carré dans le jardin, vous le cultiverez, et nous verrons si vos fraises sont aussi belles que les miennes. Et puis, je ferai tout ce que vous voudrez, et puis, vous m'obéirez bien.

Jean Valjean l'écoutait sans l'entendre. Il entendait la musique de sa voix plutôt que le sens de ses paroles ; une de ces grosses larmes, qui sont les sombres perles de l'âme, germait lentement dans son œil. Il murmura :

— La preuve que Dieu est bon, c'est que la voilà.

— Mon père ! dit Cosette.

Jean Valjean continua :

— C'est bien vrai que ce serait charmant de vivre ensemble. Ils ont des oiseaux plein leurs arbres. Je me promènerais avec Cosette. Être des gens qui vivent, qui se disent bonjour, qui s'appellent dans le jardin, c'est doux. On se voit dès le matin. Nous cultiverions chacun un petit coin. Elle me ferait manger ses fraises, je lui ferais cueillir mes roses. Ce serait charmant. Seulement...

Il s'interrompit, et dit doucement :

— C'est dommage.

La larme ne tomba pas, elle rentra, et Jean Valjean la remplaça par un sourire.

Cosette prit les deux mains du vieillard dans les siennes.

— Mon Dieu ! dit-elle, vos mains sont encore plus froides. Est-ce que vous êtes malade ? Est-ce que vous souffrez ?

— Moi ? non, répondit Jean Valjean, je suis très bien. Seulement...

Il s'arrêta.

— Seulement quoi ?

— Je vais mourir tout à l'heure.

Cosette et Marius frissonnèrent.

— Mourir ! s'écria Marius.

— Oui, mais ce n'est rien, dit Jean Valjean.

Il respira, sourit, et reprit :

— Cosette, tu me parlais, continue, parle encore, ton petit rouge-gorge est donc mort, parle, que j'entende ta voix !

Marius pétrifié regardait le vieillard.

Cosette poussa un cri déchirant.

— Père ! mon père ! vous vivrez. Vous allez vivre. Je veux que vous viviez, entendez-vous !

Jean Valjean leva la tête vers elle avec adoration.

— Oh oui, défends-moi de mourir. Qui sait ? j'obéirai peut-être. J'étais en train de mourir quand vous êtes arrivés. Cela m'a arrêté, il m'a semblé que je renaissais.

— Vous êtes plein de force et de vie, s'écria Marius. Est-ce que vous vous imaginez qu'on meurt comme cela ? Vous avez eu du chagrin, vous n'en aurez plus. C'est moi qui vous demande pardon, et à genoux encore ! Vous allez vivre, et vivre avec nous, et vivre longtemps. Nous vous reprenons. Nous sommes deux ici qui n'aurons désormais qu'une pensée, votre bonheur !

— Vous voyez bien, reprit Cosette tout en larmes, que Marius dit que vous ne mourrez pas.

Jean Valjean continuait de sourire.

— Quand vous me reprendriez, monsieur Pontmercy, cela ferait-il que je ne sois pas ce que je suis ? Non, Dieu a pensé comme vous et moi, et il ne change pas d'avis ; il est utile que je m'en aille. La mort est un bon arrangement. Dieu sait mieux que nous ce qu'il nous faut. Que vous soyez heureux, que monsieur Pontmercy ait Cosette, que la jeunesse épouse le matin, qu'il y ait autour de vous, mes enfants, des lilas et des rossignols, que votre vie soit une belle pelouse avec du soleil, que tous les enchantements du ciel vous remplissent l'âme, et maintenant, moi qui ne suis bon à rien, que je meure, il est sûr que tout cela est bien. Voyez-vous, soyons raisonnables, il n'y a plus rien de possible maintenant, je sens tout à fait que c'est fini. Il y a une heure, j'ai eu un évanouissement. Et puis, cette nuit, j'ai bu tout ce pot d'eau qui est là. Comme ton mari est bon, Cosette ! tu es bien mieux qu'avec moi.

Un bruit se fit à la porte. C'était le médecin qui entrait.

— Bonjour et adieu, docteur, dit Jean Valjean. Voici mes pauvres enfants.

Marius approcha du médecin. Il lui adressa ce seul mot : Monsieur ?... mais dans la manière de le prononcer, il y avait une question complète.

Le médecin répondit à la question par un coup d'œil expressif.

— Parce que les choses déplaisent, dit Jean Valjean, ce n'est pas une raison pour être injuste envers Dieu.

Il y eut un silence. Toutes les poitrines étaient oppressées.

Jean Valjean se tourna vers Cosette. Il se mit à

la contempler comme s'il voulait en prendre pour l'éternité. A la profondeur d'ombre où il était déjà descendu, l'extase lui était encore possible en regardant Cosette. La réverbération de ce doux visage illuminait sa face pâle. Le sépulcre peut avoir son éblouissement.

Le médecin lui tâta le pouls.

— Ah ! c'est vous qu'il lui fallait ! murmura-t-il en regardant Cosette et Marius.

Et, se penchant à l'oreille de Marius, il ajouta très bas :

— Trop tard.

Jean Valjean, presque sans cesser de regarder Cosette, considéra Marius et le médecin avec sérénité. On entendit sortir de sa bouche cette parole à peine articulée :

— Ce n'est rien de mourir ; c'est affreux de ne pas vivre.

Tout à coup il se leva. Ces retours de force sont quelquefois un signe même de l'agonie. Il marcha d'un pas ferme à la muraille, écarta Marius et le médecin qui voulaient l'aider, détacha du mur le petit crucifix de cuivre qui y était suspendu, revint s'asseoir avec toute la liberté de mouvement de la pleine santé, et dit d'une voix haute en posant le crucifix sur la table :

— Voilà le grand martyr.

Puis sa poitrine s'affaissa, sa tête eut une vacillation, comme si l'ivresse de la tombe le prenait, et ses deux mains, posées sur ses genoux, se mirent à creuser de l'ongle l'étoffe de son pantalon.

Cosette lui soutenait les épaules, et sanglotait, et tâchait de lui parler sans pouvoir y parvenir. On distinguait, parmi les mots mêlés à cette salive lugubre qui accompagne les larmes, des paroles comme celles-ci : — Père ! ne nous quittez pas.

Est-il possible que nous ne vous retrouvions que pour vous perdre ?

On pourrait dire que l'agonie serpente. Elle va, vient, s'avance vers le sépulcre, et se retourne vers la vie. Il y a du tâtonnement dans l'action de mourir.

Jean Valjean, après cette demi-syncope, se raffermit, secoua son front comme pour en faire tomber les ténèbres, et redevint presque pleinement lucide. Il prit un pan de la manche de Cosette et le baisa.

— Il revient ! docteur, il revient ! cria Marius.

— Vous êtes bons tous les deux, dit Jean Valjean. Je vais vous dire ce qui m'a fait de la peine. Ce qui m'a fait de la peine, monsieur Pontmercy, c'est que vous n'ayez pas voulu toucher à l'argent. Cet argent-là est bien à votre femme. Je vais vous expliquer, mes enfants, c'est même pour cela que je suis content de vous voir. Le jais noir vient d'Angleterre, le jais blanc vient de Norvège. Tout ceci est dans le papier que voilà, que vous lirez. Pour les bracelets, j'ai inventé de remplacer les coulants en tôle soudée par des coulants en tôle rapprochée. C'est plus joli, meilleur, et moins cher. Vous comprenez tout l'argent qu'on peut gagner. La fortune de Cosette est donc bien à elle. Je vous donne ces détails-là pour que vous ayez l'esprit en repos.

La portière était montée et regardait par la porte entre-bâillée. Le médecin la congédia, mais il ne put empêcher qu'avant de disparaître cette bonne femme zélée ne criât au mourant :

— Voulez-vous un prêtre ?

— J'en ai un, répondit Jean Valjean.

Et, du doigt, il sembla désigner un point au-dessus de sa tête où l'on eût dit qu'il voyait quelqu'un.

Il est probable que l'évêque en effet assistait à cette agonie.

Cosette, doucement, lui glissa un oreiller sous les reins.

Jean Valjean reprit :

— Monsieur Pontmercy, n'ayez pas de crainte, je vous en conjure. Les six cent mille francs sont bien à Cosette. J'aurais donc perdu ma vie si vous n'en jouissiez pas ! Nous étions parvenus à faire très bien cette verroterie-là. Nous rivalisions avec ce qu'on appelle les bijoux de Berlin. Par exemple, on ne peut pas égaler le verre noir d'Allemagne. Une grosse, qui contient douze cents grains très bien taillés, ne coûte que trois francs.

Quand un être qui nous est cher va mourir, on le regarde avec un regard qui se cramponne à lui et qui voudrait le retenir. Tous deux, muets d'angoisse, ne sachant que dire à la mort, désespérés et tremblants, étaient debout devant lui, Cosette donnant la main à Marius.

D'instant en instant, Jean Valjean déclinait. Il baissait ; il se rapprochait de l'horizon sombre. Son souffle était devenu intermittent ; un peu de râle l'entrecoupait. Il avait de la peine à déplacer son avant-bras, ses pieds avaient perdu tout mouvement, et en même temps que la misère des membres et l'accablement du corps croissait, toute la majesté de l'âme montait et se déployait sur son front. La lumière du monde inconnu était déjà visible dans sa prunelle.

Sa figure blêmissait et en même temps souriait. La vie n'était plus là, il y avait autre chose. Son haleine tombait, son regard grandissait. C'était un cadavre auquel on sentait des ailes.

Il fit signe à Cosette d'approcher, puis à Marius ; c'était évidemment la dernière minute de la dernière heure, et il se mit à leur parler d'une voix si faible qu'elle semblait venir de loin, et qu'on eût dit qu'il y avait dès à présent une muraille entre eux et lui.

— Approche, approchez tous deux. Je vous aime bien. Oh ! c'est bon de mourir comme cela ! Toi aussi, tu m'aimes, ma Cosette. Je savais bien que tu avais toujours de l'amitié pour ton vieux bonhomme. Comme tu es gentille de m'avoir mis ce coussin sous les reins ! Tu me pleureras un peu, n'est-ce pas ? Pas trop. Je ne veux pas que tu aies de vrais chagrins. Il faudra vous amuser beaucoup, mes enfants. J'ai oublié de vous dire que sur les boucles sans ardillons on gagnait encore plus que sur tout le reste. La grosse, les douze douzaines, revenait à dix francs, et se vendait soixante. C'était vraiment un bon commerce. Il ne faut donc pas s'étonner des six cent mille francs, monsieur Pontmercy. C'est de l'argent honnête. Vous pouvez être riches tranquillement. Il faudra avoir une voiture, de temps en temps une loge aux théâtres, de belles toilettes de bal, ma Cosette, et puis donner de bons dîners à vos amis, être très heureux. J'écrivais tout à l'heure à Cosette. Elle trouvera ma lettre. C'est à elle que je lègue les deux chandeliers qui sont sur la cheminée. Ils sont en argent ; mais pour moi ils sont en or, ils sont en diamant ; ils changent les chandelles qu'on y met, en cierges. Je ne sais pas si celui qui me les a donnés est content de moi là-haut. J'ai fait ce que j'ai pu. Mes enfants, vous n'oublierez pas que je suis un pauvre, vous me ferez enterrer dans le premier coin de terre venu sous une pierre pour marquer l'endroit. C'est là ma volonté. Pas de nom sur la pierre. Si Cosette veut venir un peu quelquefois, cela me fera plaisir.

Vous aussi, monsieur Pontmercy. Il faut que je vous avoue que je ne vous ai pas toujours aimé ; je vous en demande pardon. Maintenant, elle et vous, vous n'êtes qu'un pour moi. Je vous suis très reconnaissant. Je sens que vous rendez Cosette heureuse. Si vous saviez, monsieur Pontmercy, ses belles joues roses, c'était ma joie ; quand je la voyais un peu pâle, j'étais triste. Il y a dans la commode un billet de cinq cents francs. Je n'y ai pas touché. C'est pour les pauvres. Cosette, vois-tu ta petite robe, là, sur le lit ? la reconnais-tu ? Il n'y a pourtant que dix ans de cela. Comme le temps passe ! Nous avons été bien heureux. C'est fini. Mes enfants, ne pleurez pas, je ne vais pas très loin. Je vous verrai de là. Vous n'aurez qu'à regarder quand il fera nuit, vous me verrez sourire. Cosette, te rappelles-tu Montfermeil, tu étais dans le bois, tu avais bien peur ; te rappelles-tu quand j'ai pris l'anse du seau d'eau ? C'est la première fois que j'ai touché ta pauvre petite main. Elle était si froide ! Ah ! vous aviez les mains rouges dans ce temps-là, mademoiselle, vous les avez bien blanches maintenant. Et la grande poupée ! te rappelles-tu ? Tu la nommais Catherine. Tu regrettais de ne pas l'avoir emmenée au couvent ! Comme tu m'as fait rire des fois, mon doux ange ! Quand il avait plu, tu embarquais sur les ruisseaux des brins de paille, et tu les regardais aller. Un jour, je t'ai donné une raquette en osier, et un volant avec des plumes jaunes, bleues, vertes. Tu l'as oublié, toi. Tu étais si espiègle toute petite ! Tu jouais. Tu te mettais des cerises aux oreilles. Ce sont là des choses du passé. Les forêts où l'on a passé avec son enfant, les arbres où l'on s'est promené, les couvents où l'on s'est caché, les jeux, les bons rires de l'enfance, c'est de l'ombre. Je m'étais imaginé que tout cela m'appartenait. Voilà où était ma bêtise. Ces Thénardier ont été méchants. Il faut leur pardonner. Cosette, voici le moment venu de te dire le nom de ta mère. Elle s'appelait Fantine. Retiens ce nom-là : Fantine. Mets-toi à genoux toutes les fois que tu le prononceras. Elle a bien souffert. Elle t'a bien aimée. Elle a eu en malheur tout ce que tu as en bonheur. Ce sont les partages de Dieu. Il est là-haut, il nous voit tous, et il sait ce qu'il fait au milieu de ses grandes étoiles. Je vais donc m'en aller, mes enfants. Aimez-vous bien toujours. Il n'y a guère autre chose que cela dans le monde : s'aimer. Vous penserez quelquefois au pauvre vieux qui est mort ici. O ma Cosette ! ce n'est pas ma faute, va, si je ne t'ai pas vue tous ces temps-ci, cela me fendait le cœur ; j'allais jusqu'au coin de ta rue, je devais faire un drôle d'effet aux gens qui me voyaient passer, j'étais comme fou, une fois je suis sorti sans chapeau. Mes enfants, voici que je ne vois plus très clair, j'avais encore des choses à dire, mais c'est égal. Pensez un peu à moi. Vous êtes des êtres bénis. Je ne sais pas ce que j'ai, je vois de la lumière. Approchez encore. Je meurs heureux. Donnez-moi vos chères têtes bien-aimées, que je mette mes mains dessus.

Cosette et Marius tombèrent à genoux, éperdus, étouffés de larmes, chacun sur une des mains de Jean Valjean. Ces mains augustes ne remuaient plus.

Il était renversé en arrière, la lueur des deux chandeliers l'éclairait ; sa face blanche regardait le ciel, il laissait Cosette et Marius couvrir ses mains de baisers ; il était mort.

La nuit était sans étoiles et profondément

obscures. Sans doute, dans l'ombre, quelque ange immense était debout, les ailes déployées, attendant l'âme.

VI

L'HERBE CACHE ET LA PLUIE EFFACE

Il y a, au cimetière du Père-Lachaise, aux environs de la fosse commune, loin du quartier élégant de cette ville des sépulcres, loin de tous ces tombeaux de fantaisie qui étalent en présence de l'éternité les hideuses modes de la mort, dans un angle désert, le long d'un vieux mur, sous un grand if auquel grimpent, parmi les chiendents et les mousses, les liserons, une pierre. Cette pierre n'est pas plus exempte que les autres des lèpres du temps, de la moisissure, du lichen, et des fientes d'oiseaux. L'eau la verdit, l'air la noircit. Elle n'est voisine d'aucun sentier, et l'on n'aime pas aller de ce côté-là, parce que l'herbe est haute et qu'on a tout de suite les pieds mouillés. Quand il y a un peu de soleil, les lézards y viennent. Il y a, tout autour, un frémissement de folles avoines. Au printemps, les fauvettes chantent dans l'arbre.

Cette pierre est toute nue. On n'a songé en la taillant qu'au nécessaire de la tombe, et l'on n'a pris d'autre soin que de faire cette pierre assez longue et assez étroite pour couvrir un homme.

On n'y lit aucun nom.

Seulement, voilà de cela bien des années déjà, une main y a écrit au crayon ces quatre vers qui sont devenus peu à peu illisibles sous la pluie et la poussière, et qui probablement sont aujourd'hui effacés :

Il dort. Quoique le sort fût pour lui bien étrange,
Il vivait. Il mourut quand il n'eut plus son ange ;
La chose simplement d'elle-même arriva,
Comme la nuit se fait lorsque le jour s'en va.

FIN

IMPRIMERIE NELSON, ÉDIMBOURG, ÉCOSSE
IMPRIMÉ EN GRANDE-BRETAGNE
PRINTED IN GREAT BRITAIN

THE PORTABLE

Russian Reader

A Collection Newly Translated from

Classical and Present-Day Authors

Chosen and Done into English, with a Foreword

and Biographical and Other Notes, by

Bernard Guilbert Guerney

New York

The Viking Press

1947

PUBLISHED IN OCTOBER 1947

PUBLISHED ON THE SAME DAY IN THE DOMINION OF CANADA
BY THE MACMILLAN COMPANY OF CANADA LIMITED

PRINTED IN U. S. A. BY THE COLONIAL PRESS INC.

To

CLIFTON FADIMAN

ON THE RUSSIAN TONGUE

Carolus V, Emperor of Rome, was wont to say that the Hispanic tongue was seemly for converse with God, the French with friends, the German with enemies, the Italian with the feminine sex. Had he been versed in the Russian tongue, however, he would of a certainty have added to this that it is appropriate in converse with all of the above, inasmuch as he would have found in it the magnificence of the Hispanic tongue, the sprightliness of the French, the sturdiness of the German, the *tendresse* of the Italian and, over and above all that, the richness and the conciseness of powerful imagery, of the Greek and Latin tongues.

MIKHAIL VASSILIEVICH LOMONOSSOV

The language of Turgenev, of Tolstoy, of Dobroliubov, of Chernyshevsky, is great and mighty.

VLADIMIR ILICH ULIANOV (NIKOLAI LENIN)

CONTENTS

POST-REVOLUTIONARY

A BUDGET OF LETTERS

A NEW HANDFUL OF OLD PROVERBS

Editor's Foreword

WERE all the sky parchment (so, we are told, that grand old Rabbi, Jochanaan ben Zakkai, was fond of saying)—were all the sky parchment, and all the seas ink, and were all the reeds by all the rivers sharpened into writing implements, and all men turned into scribes, and were they to write unceasingly through all eternity, they nonetheless would never record the wisdom he had learned from his master, the gentle Hillel. And yet what the son of Zakkai had imbibed from his master was no more than a gnat imbibes from the ocean when it dips therein. . . .

Without pretending to have imbibed any more of Russian literature than some lesser insect might imbibe from the veins of a gnat, the present anthologist has nevertheless often felt very much the same way about that literature as the old sage did about his master. Given years enough, one could turn out scores of collections, all diverse, from each of the fields of Russian literature (these are very many), and from each of its recorded centuries (known to be ten). But even if an opaque paper thinner than india were ever made, and faces still more condensed than the present ones were ever to be cast, the anthologist from the Russian would still have to be an unwilling Procrustes, and an exhaustive compendium of Russian writings will have to remain a fata morgana.

Probably no other literature (as the Editor has tried to show elsewhere) would afford so great a field day for

Mr. Robert Ripley as the Russian. For one thing this amazing literature, as it is now generally known in English (and it has been thus known for less than seventy years) is really only Modern Russian literature and, as such, is not yet two hundred years old; its language was first used as a literary instrument only ninety years before the formal beginning,[1] while its very alphabet preceded that beginning only by something like sixty years.[2] But there is also an Intermediate Russian literature, of about a century, and an Ancient Russian literature, of six centuries and a half, the latter containing a few productions whose very authors are unknown yet who are as titanic as the giants of the nineteenth century (*The Lay of the Host of Igor; The Tale of Misery-Misfortune*); there is even an oral literature, which the Russians did not begin to formulate much before the seventeenth century—and even in that they had been anticipated by an Englishman. All these three precedent literatures are, save to the specialist, *terrae incognitae* in English. And, within the last quarter of a century, we are confronted with two factors in Russian literature for which it would be hard to find analogies in any other: there is a Russian literature-in-exile, an aerophyte that occasionally assumes French, German, English and other linguistic forms, yet is not to be passed over without a note, and a Soviet literature, now in its lusty twenties. And even here we are faced with a unique phenomenon: if one wants to be precious about it, the Soviets contain

---

[1] 1762, the year of the Russian publication (in a *corrected* form) of *The Satires* of Prince Antioch Kantemir (1708–1744). These were first published not in Russia but in England (London, 1749 and 1750), not in Russian but in French, not in the original verse but in prose, and the author was not a native Russian.

[2] The modern Russian alphabet came into being during the reign of Peter the Great, which lasted from 1682 to 1725. Wilhelm Mons, his Empress's lover, wrote genuinely Russian love lyrics—in German characters.

seven score or so different peoples, whose literatures, written in almost as many languages, dialects and alphabets, all constitute Soviet Literature. . . .[1]

This Reader, then, does not lay the least claim to exhaustiveness. It is, however, comprehensive insofar as the prose of the nineteenth century classics is concerned, generously representative of Russian Soviet literature, and even includes some material from pre-Modern Russian literature. The chief aim has been a simple one: to present a considerable number of good but unhackneyed things by comparatively many authors, old and new; should the reader gain some conceptions of Russia, Russians, and Russian life and letters somewhat nearer the mark than those which unfortunately still persist, a secondary end will have been achieved.

The selections range from a group of sketches, to short stories of practically novelette length and miscellaneous brief pieces. About half the book has never, to the best of the Editor's knowledge and belief, appeared in English before. The rest of the material has hardly been tapped by the anthologists. All the translations are new, both by choice and through necessity, and only one selection has been taken from a previously published collection of the Editor's.

A wary attitude toward High Lights (or Elegant Extracts) from Novels is, on the whole, a wholesome thing; excerpts have their place, but that place is in a chrestomathy rather than an anthology. The reader, it is felt, generally prefers to form a personal, ever-varying selection of such things by the extremely simple expedient of taking down the books he or she likes and re-reading the

---

[1] Having no overwhelming love for formalism, the Editor has cut all these Gordian knots by dividing this Reader into four sections: Pre-Revolutionary, Post-Revolutionary, and a Budget of Letters and a Handful of Proverbs, both containing certain timeless things.

favorite pages as the mood prompts. Also, quite often, the inclusion of extracts offers appealing fare only to lovers of steak-tatar, while not infrequently it is actually a disservice not only to the authors but to the readers as well. But where extracts are perfect (or almost perfect) integers, there is little sense in being fanatical about the thing. Only two extracted chapters are given here, but both are entities in their own right. Abridgment, a device always to be used sparingly and circumspectly, was also but little resorted to.

Treasuries of the Familiar have, no doubt, their appeal; yet the matter of familiarity, at least in non-English literatures, is always a ticklish one, for while it may not breed contempt it may create an unjustified impression that most Russian writers tend to be men of but one story. It is therefore hoped that the favorites the reader finds here are those he first met outside of anthologies. If the present Editor has not included *The Queen of Spades, Mumu, The Death of Ivan Ilyich, Twenty-Six Men and One Girl, The Darling, Lazarus,* and *The Insult* it was simply because Pushkin, Gogol, Turgenev, Leo Tolstoy, Gorky, Chekhov, Andreyev and Kuprin have, after all, written other things every whit as good—if not better. One exception, however, proved inescapable. There is apparently an unwritten law compelling every anthology from the Russian to present the ineluctable "The Overcoat"; thus the pleasure of proving that Gogol, as storyteller, had more strings than one to his bow had to be put off till some other (and happier) occasion.

Re-readability is another moot point; it is doubtful if any anthology has ever had its *every* page dogeared by any one reader. Most of the inclusions are lifelong favorites of the Editor's (and almost every Russian's); other items met the very severe test of a re-reading after being remembered for decades; each final selection had to undergo at least five readings during the brute tasks of translation and editing—and still was not found boring at any time. It is hoped, then, that a not inconsequential number of things herein will be re-read by the purchaser, and that a few may become perennial favorites.

To be quite candid, the usual (and almost lethal) scrapiana of sleazy mysticism and metaphysical frumpery, the obvious, the ersatz, the over-emphasized, the pseudo-profound and, above all, that which is commonly (but fallaciously) regarded as ever so delectably typical of the Slav Soul, have all been shunned as earnestly as the ragweed, the polecat and the Arizona rock-rattler, since, basically, the Slav Soul is not a jot better or worse than, or even different from, the American Soul or the Patagonian Soul. The mysterious Slav Soul and Melancholy double-talk is the favorite butt and target of the better writing Slavs themselves. Including Dostoevsky, who surely knew his Souls.[1] On the other hand, bearing in mind Heine's dictum that it is more difficult to create something short and droll than something long and dour, a genuine welcome was given to humor, satire and folk-material, all of which abound in Russian but which are not usually presented in English or, if they are, are muffed in the presentation.

There seems to be a tendency in reading foreign literatures (especially the Russian!) to expect certain things from them that just aren't characteristic, and not to expect others that definitely are. Thus, certain sub-

---

[1] Whenever Ilf had a loafing spell, Petrov used to ask when the Mysterious Jewish Soul would feel like working, and when Petrov had an idle streak, Ilf wanted to know when the Mysterious Slav Soul would buckle down to the typewriter. And it was Chekhov who said that Melancholy was to the Russian writer what the potato was to the skilled French chef: it could be dished up in two hundred tasty ways.

jects may strike the reader as strange, yet they are hardly strange to the Russian. Russian authors are intensely interested (as much so as are Americans or Englishmen) in the phenomenon of Thought, for instance; yet if a cold-blooded survey were to be made of Russian literature (a task which the present writer would much rather leave to others) it would be found that it is certainly not Morbidity and Mysticism which are among the predominant Russian themes, but that, odd as it may sound, the Steppe and the Horse are. Or, at least, as dominant as the sea and ships are in English literature.

Then, too, the Russians seem as taken up with love as are Americans or Italians, as intrigued by the Devil as are Americans or Afghans, as interested in the supernatural as are Americans or Spaniards, and as proud of their Revolution as Americans and Frenchmen are of their respective Revolutions.

Yet although there are but thirty-odd miles at one point separating Russia and United States territory, in the understanding each forms from reading the literature of the other the Russian and the American still are, regrettably, far as the poles apart. The Russians realized, ever so many years ago, that Edgar Allan Poe is neither the only American voice nor the last American word, but one hesitates to think for how many otherwise wide-awake Americans Russian literature has, apparently, never emerged from under Dostoevsky's sombre cape. (This may sound blasphemous, but there are moments when one wishes that Dostoevsky had not been among the very first Russian authors to be introduced into English.)

However, the only answer a symptom deserves is the suggestion of a remedy. The cultured non-Russian knows that the diapaison of Russian music is from the ribald *chastoushka* to Shostakovich's *Seventh,* that Russian pictorial art ranges from the Soudeikin backdrops for the *Chauve Souris* to Repin's *Ioann the Awesome Mourning His Son;* he has also seen Russian films and the Russian ballet. But Russian literature has to vault the barrier of language (not infrequently breaking its neck in doing so), and it isn't the English reader's fault if he receives a one-sided, monotonous and blurred impression of Russian writing and can't quite make up his mind as to what Russia and Russians are all about.

The remedy is simple and effective—and, for those very reasons, has been and will probably continue to be disregarded: it consists of exercising greater catholicity and eclecticism, a little more good taste, in the choice of the material to be presented in English, somewhat less bad taste in such presentation, and an insistence upon versions that should be at least adequately Englished.

One disclaimer seems inevitable in every book of this nature, a disclaimer usually brought forward by the harshest critics themselves. Exclusions are not always due to sheer ignorance nor inclusions to the editor's own poor taste, but, overwhelmingly, to the inexorability of space. Why on earth did So-and-so find place, and why in heaven is Such-and-such out in the cold? The only answers are: An anthology is like a madhouse—some of those in it ought to be out; an anthology is also like Congress—many a good man out of it ought to be in. And—it's an ill-wind that has no silver lining: perhaps it's just as well, unless one wishes to be as unoccupied as Othello, that all the golden eggs cannot be put in any one basket.

There is an ancient adage (probably from the Burmese), to the effect that if the host does his best his guests feast with zest; it is hoped that it applies here.

Reader, you are cordially bidden welcome. Or (since this book derives from the Russian): *Meelosti prossim—naslazhdaitess!*

BERNARD GUILBERT GUERNEY

New York, February, 1947.

A Note on Russian Names

There is really no more sense in spelling Chichikov as Tschitschikowff or Cziczikow than there is in spelling Churchill as Tschioeowrtschiouill or Czërczel, and still less reason for thirty-two different English spellings (an actual tabulation) of so simple a name as Turgenev; but the *oweoueffsky, owitsch* and *itch* school of translators is still, unfortunately, not dead. All such horrors are due to the heinous practice of re-translating or re-transliterating from the French, German and Polish, rather than working directly from the Russian, or to clinging to pseudo-scholarly precedents that were none too bright to begin with. However, radio comedians (those sensitive barometers of the public's reaction) have long ceased trying for laughs by sprinkling their scripts with *sky's* and *ovich's,* and there are other hopeful signs.

Russian names can be just as meaningful as American names, say, even though it is not always possible to translate them. Russians don't regard "Longfellow" as weird; there is really no reason for regarding Tolstoy (Stout Fellow) as outlandish. The *sky* ending is generally and concisely descriptive: Alexander Nevsky is Alexander of the Neva—or, more particularly, Alexander, Victor of the Great Battle of the Neva River. The

Russians also (along with other folk) cling to the charming courtesy of the patronymic; the masculine suffixes *ovich, ievich* (or *ich,* or even *ych*) are tantamount to such prefixes as *Mac* or *O'*. Peter Petrovich Petrov is Peter McPeter Peters; *ovna, ievna* (or even *ishna*) are feminine: Olga Andreievna is Olga, daughter of Andrew. The *a* ending is generally feminine (even though Garnett quaintly calls Anna's husband Karenina instead of Karenin). Many masculine nicknames, however, end in *a:* Sasha (Aleck), or even in the extremely familiar *ka:* Sashka.

As to pronunciation: diacritical marks, in the Editor's not unshared opinion, accomplish little save irritating the compositor, wearying the eye of the reader, and pockmarking the fair printed page. Two minutes with any Russian will avail more than a ton of such flyspecks. Therefore, save for a few unavoidable umlauts, they have been shunned. There is no language fraught with more *Gemütlichkeit* than the Russian, there is no better language to make love in, and Russians can be genuinely charming even when they are cursing one another out—therefore, you'll generally fare best by avoiding harshness in pronouncing a Russian word or name.

Accent marks are just another nuisance. But one suggestion may be extended—utterly empirical and unorthodox, but you'll find it works, ninety times out of a hundred: stress a Russian name exactly contrary to the way you may feel like accenting it. You will probably want to say Dunya*sha*; try Du*nya*sha, and you'll do better than the best American, British and French stars of the stage, screen and radio. Oh, yes—Ivan is not *Eye*van but Ee*van*.

The Editor's heartiest thanks are hereby extended to Irina Aleksander for her exceptional knowledge (among many other things) of Moscow (Pushkin's as well as today's) and of Petersburg, under all its three names; to Miss Ida Judge for the loan of a rare text; to Miss Marjory Langer for her familiarity with the Orient; to Mr. Morris Orans for access to his highly specialized Russian collections, to Mr. Charles J. Phelan, champion weight-lifter, for help with certain first-hand, non-dictionary sporting and other terms. And thanks, too, to those who helped in the non-glamorous tasks of preparing the script, and who offered suggestions, but who preferred to remain unnamed.

B. G. G.

Pre-Revolutionary

FOLK SATIRE

EDITOR'S NOTE

UNIVERSAL folklore appears to have but few judges who are both just and ingenious (King Solomon and solomonics are prominent in the Russian Apocrypha); occasionally folk wit presents a judge whose judgments are so madly ingenious as to be considered poetic justice, akin to that of the folk-fools—Dracula [Devil], the Wallachian Leader-in-Battle, who had a historical prototype about the middle of the XVth century, and later became identified with Czar Ioann the Awesome, is a case in point; it is the judge who is as unjust as he is ingenious who predominates in folk satire, probably going even further back than the Judges of Sodom (who also figure in the Russian pseudepigrapha).

Such a judge is Shemyaka, identified with Dmitri Shemyaka, Prince of Galicia (d. 1453), who put out the eyes of his brother, Vassili II, Prince of Muscovy. So notorious was Shemyaka that, according to one chronicler, "from his time, throughout Great Russia, *Shemyaka's judgment* was used as a term of reproach against all judges and takers of bribes."

Not the least curious aspect of Russian literature is the derivative mania of Russian literary scholars. Thus, while they rummage for Scandinavian and Icelandic origins of the indigenously Russian *byliny* (lays-of-things-that-have-been), non-Russian scholars establish incontrovertibly that German minstrelsy and Norse Edda borrowed Ilya of Murom, one of the chief giant-heroes of those same *byliny*. Similarly, one hypersensitive Slav actually tried to saddle *The Judgments of Shemyaka* with a Polish origin, but even Russian scholars could not stomach this, and have definitely proven this theory to be utterly baseless. The story is now generally considered a typically Russian folk satire against judges. "Fear not the law but the judge," says a Russian proverb (one of very many similar ones), while another runs: "The law is like an axle—you can turn it as you please, if you give it plenty of grease."

The manuscript versions are of the seventeenth century, but the story itself is, naturally, much older. In the eighteenth century it became very popular in chapbooks and, since then, has served as a basis for poetic and dramatic treatments.

Three texts have been followed for the translations, with an eye mainly to the story as a story.

The Judgments of Shemyaka

(XVIIth Century)

ONCE upon a time, in a certain land and region, there lived two brothers, tillers of the soil both. One was well off, the other poor as poor can be; the one that was well off used to help out the poor one for many years and long, yet could not abide him because of his poverty.

So one day the poor brother came to the one that was well off and begged for the loan of a horse, to haul a load of firewood to keep him warm through the winter, but the brother that was well off was loath to lend his horse to the one that was poor, saying: Thou hast borrowed much, brother, yet couldst never repay.—

Yet when the poor brother did get the horse at last, what does he do but ask for the loan of a horse-collar as well! Whereupon the brother that was well off waxed wroth at him and fell to railing at his poverty, saying: What, thou hast not even a horse-collar?—But give him one he would not.

So the poor brother left the one that was well off, got out his sledge, hitched the horse thereto by its tail, drove to the forest, chopped a lot of wood and loaded the sledge with it, as much as the horse could draw. When he got home he opened the gates and gave the horse the whip, but he had forgotten to remove the bottom bar on the gates, so that the horse ran the sledge full tilt against it and tore its tail right out.

And when the poor brother brought back the horse, the brother that was well off, seeing that his horse now lacked a tail, fell to upbraiding his poor brother, because he had maimed his horse all for nothing and, refusing to take the animal back, started off for town to lodge a complaint against his poor brother before Shemyaka the Judge. As for the poor brother, when he saw the brother that was well off setting out to lodge a complaint against him, he decided to go along, knowing that otherwise a summons would come for him, and he would have to pay the expenses of the sumner on top of everything else.

With the darkness coming on and the town still far off, when they reached a certain hamlet the well-off brother decided to lodge with the priest, whom he knew; as for the poor brother, he also went to the same priest's house, but climbed up on a sort of unrailed balcony and laid him down there. And the well-off brother started telling the priest of the mishap that had befallen his horse, and why he was on his way to town, after which he and the priest fell to their supper; however, they never called the poor brother to join them. But the poor brother became so taken up in watching what his brother and the priest were eating that he tumbled off the balcony and, falling upon a cradle, crushed the priest's little boy to death.

So the priest, too, started off to town to lodge a complaint against the poor brother for having been the cause of his little son's death, and the poor brother tagged right along.

As they were crossing a bridge that led into the town, a certain citizen thereof happened to be passing through the moat below, bringing his sick father to the public baths. In the meanwhile the poor brother, pondering on the utter ruin that would be brought upon him by his brother and the priest, and deciding to put an end to himself, cast himself headlong off the bridge, thinking he would be smashed to death in the moat below. But it was the sick old man he landed on, causing him to die before the eyes of his son, who laid hold of the poor brother and dragged him off before the judge.

Now the poor brother, mulling over how he might get out of his scrape, and what he could give the judge, yet having nought upon him, struck on the idea of picking up a stone and, wrapping it in a kerchief, he placed it in his cap as he took his place before the judge.

So then his well-off brother laid a complaint against him before Judge Shemyaka, seeking damages for his horse. And, having heard the complaint to the end, Shemyaka spake to the poor brother, saying: Make answer.—But the poor brother, knowing not what answer to make, took the wrapped stone out of his cap and, showing the bundle to the judge, bowed low before him. Whereupon the judge, thinking the defendant was offering him a reward if the decision went his way, spake unto the rich brother: Since he has plucked out thy horse's tail, thou art not to take thy horse back from him until such time as it hath grown a new tail; but when the said horse shall have grown a new tail, then wilt thou take the said horse back from him.—

And thereafter the second suit began: the priest sought to have the poor brother executed for having crushed his son to death; but the poor brother, even as before, took the same stone wrapped in a kerchief and showed the bundle to the judge. The judge saw this, and again thinking that the defendant was promising him another bag of gold for a second favorable decision, spake unto the priest: Since he hath crushed thy son to death, thou shalt even let him have thy wife, until such time as he shall have begotten a son upon her, when thou shalt take from him thy wife and the child.—

And thereupon the third suit began, concerning the poor brother's having cast himself off the bridge and, by falling on the sick old man, having killed the townsman's father. But the poor man, once more taking out of his cap the stone wrapped in a kerchief, showed it to the judge for the third time. And the judge, looking forward to a third bag of gold for a third decision favorable to the defendant, spake unto the man whose father had been killed: Go thou up on the bridge, while the slayer of thy father shall take his place below it, and do thou cast thyself down upon him in thy turn, slaying him even as he hath slain thy father.—

The trials over, the plaintiffs left the courtroom together with the defendant.

Now when the well-off brother approached the poor one and asked him for the return of the horse, the latter answered him, saying: According to the decision, as soon as that horse will have grown back its tail, I shall surely give it back to thee.—Whereupon the rich brother offered him five rubles, and seventeen bushels and a little over of grain, and a milch goat, and the poor brother promised to give him back the horse, even without a tail, and the two brothers made up their differences and lived in amity to the end of their days, even as all brethren should.

And when the poor brother approached the priest, asking him to turn his wife over to him, according to Shemyaka's decision, that he might beget a child upon her and, having begotten the same, give both wife and child back to him, the priest fell to pleading with him not to take his wife from him, and the poor man at last agreed to accept fifty rubles from the priest, and twenty-three bushels and a little over of grain, and a cow with a calf, and a mare with a foal, and they made up their difference and lived in amity to the end of their days.

And in the same way the poor brother spake unto the third plaintiff: In accordance with the decision, I shall take my place under the bridge; see that thou go up on the bridge and cast thyself down upon me, even as I did upon thy father.—But the other bethought himself: I may cast myself down, right enough, but what if I not only miss him but kill myself into the bargain?—And he began making peace with the other, and gave him two hundred rubles, and all but a little short of twenty-nine bushels of grain, and a bull, and they made up their difference and lived in amity to the end of their days.

And thus did the poor brother collect payment from all three.

As for Judge Shemyaka, he sent one of his men out to the defendant, and bade him bring back the three bags the poor brother had shown him; but when the judge's man began asking for these three bags: Give me that which thou didst show to the judge, which is in those three bags thou hadst in thy cap; he told me to take it from thee,—the poor brother did take out of his cap the stone in the kerchief and, unwrapping the kerchief, showed him the stone, whereupon the judge's man asked him: Wherefore showest thou me a stone?—Whereupon the defendant told him: That was for the judge. I showed him the stone that he might not decide against me, for had he done so I would have let him have it over his head.—

And the messenger went back and told this to the judge. And Judge Shemyaka, having heard his messenger out, spake, saying: I thank and praise my God that I decided in his favor, for had I not done so he would have brained me.—

And the poor man went thence, and home, rejoicing and praising God.

FROM *The Russian Truth* OR *Justice*

(XIth Century)

EDITOR'S NOTE

The following is from the oldest Slavic codex extant, promulgated by the Russian Solon, Prince Yaroslav the Wise (978–1054), son of Vladimir. Legal minds will easily perceive its indebtednesses to early Scandinavian laws and certain parallels to the English law of the same period.

IF ONE man of gentle birth slay another, let the slain man be avenged by his father, or brother, or son, or nephew. If there be none to take blood-vengeance, let a wergild [blood-fine] of seventy *grivny*[1] be levied upon

[1] A *grivna* was a unit of value; as a weight, it is thought to have approximated a pound, troy, eventually decreasing to half a pound

the slayer, if the slain man were a Prince's thane, or a Prince's thane's retainer. If the slain man was a Russ [a Scandinavian bearing no arms], or a henchman, or a trader, or a noble's vassal, or a sword-fighter, or a churl, or a Slovene [man of Novgorod], let the wergild be forty *grivny.—After Yaroslav his sons Isyaslav, Svyatoslav, Vsevolod, and their adherents Kuznyachko, Pechenyeg and Nikiphor did convene and did abrogate blood-vengeance, making wergild the sole penalty; but in all else the sons of Yaroslav left his decrees untouched.*

If one man smite another with naked sword, or the hilt thereof, the werwite [fine paid into the Prince's treasury] shall be twelve *grivny*. If one smite another with staff, or goblet, or horn, or the back of a sword, the werwite is likewise twelve *grivny;* should such be done in warding off a stroke of the sword, however, there is to be no werwite. If one man smite the hand of another, so that it be lopped off, or shall wither, or if he gouge out an eye, or sever a foot, or cut off the nose, the werwite shall be twenty *grivny* and, to the maimed man, ten *grivny* also, in compensation. If one man lop off the finger of another, the werwite shall be three *grivny* and, to the maimed man, in compensation, a *grivna* also, of seven marten skins.

If the plaintiff [in a case of assault] come bloodied or bruised, he need not bring witnesses; however, if he be unmarked, let him bring witnesses. If it be a counter-suit, let him that began [the fight] pay six marten skins. If the bloodied man be the one that began, let him keep his bruises for his pains. . . .

If a man ride another's horse, without having first asked the owner's permission therefor, the werwite is

---

or less. Three monetary values were recognized for the *grivna:* in marten skins, in silver, and in gold.—*Trans.-Ed.*

Universal Courtiers' Grammar

DENIS IVANOVICH FONVIZIN

ADVERTISEMENT

This *Grammar* is not intended for any one Court in particular; it is Universal, or Philosophical. The manuscript original thereof was found in Asia where, so it is said, the first Czar and the first Court came into being. The antiquity of this work is of the profoundest, for on its first leaf, even though no year is designated, the following words are precisely set forth: *Shortly after the Universal Deluge.*

CHAPTER THE FIRST. INDUCTION

QUESTION: What is Courtiers' Grammar? *Answer:* Courtiers' Grammar is the Art, or Science, of flattering cunningly, with tongue and pen. *Q:* What is meant by "flattering cunningly"? *A:* It means uttering and writing such untruth as may prove pleasing to those of high station and, at the same time, of benefit to the flatterer. *Q:* What is Courtly Untruth? *A:* It is the expression of a soul inglorious before the soul vainglorious. It consists of shameless praises heaped upon a Great Man for those services which he never performed and those virtues which he never had. *Q:* Into how many Categories are the mean-spirited souls divided? *A:* Six. *Q:* What mean-spirited souls constitute the first Category? *A:* Those that have contracted the miserable habit of cooling their heels in the anterooms of Great Gentlemen all day and every day, without the least need therefor. *Q:* What mean-spirited souls constitute the second Category? *A:* Those that, standing in reverent awe in the presence of a Great Man, gaze into his orbs in servility and thirst to anticipate his thoughts, so that they may gratify him by base yea-saying. *Q:* What truly mean-spirited souls constitute the third Category? *A:* Those that, before the face of a Great Man, rejoice, out of sheer pusillanimity, in falsely imputing to themselves all sorts of unheard-of things and in disavowing all things. *Q:* And what mean-spirited souls constitute the fourth Category? *A:* Those that exalt with great praises even such things in Great Gentlemen as honest men ought to despise. *Q:* What truly mean-spirited souls constitute the fifth Category? *A:* Those that, for their servility to the Great, are shameless enough to accept rewards appertaining to meritorious services alone. *Q:* What truly mean-spirited souls, then, constitute the sixth Category? *A:* Those that, through the most contemptible dissembling, deceive the Public: Outside the palace they seem the veriest Catos, they clamor against flatterers, they revile without the least mercy all those before whose mere gaze they tremble, they preach intrepidity and, from their reports, one would gather that they alone, through their firmness, are standing guard over the integrity of the fatherland and warding off ruin from the unfortunate; but, once they set foot within the chambers of the Sovereign, they undergo utter transformation: the tongue that had reviled flatterers prompts them, of itself, to the ignoblest flattery; he is a voiceless slave before the one whom he had reviled but half an hour ago; the preacher of intrepidity is afraid of looking up inopportunely, of inopportunely approaching; the guardian of the integrity of the fatherland will be the first, if he find the chance, to stretch out his hand to plunder the fatherland; the intercessor for the unfortunate rejoices, for the sake of the smallest benefit accruing to him, in sending an innocent man to his ruin.

Question: What Division of Words is to be noted at Court? *Answer:* The Words ordinarily occurring are: Monosyllabic, bisyllabic, trisyllabic and polysyllabic.—Monosyllabic: *yea, Prince, slave;* bisyllabic: *potent, event, fallen;* trisyllabic: *gracious, humoring, favoring;* and, lastly, polysyllabic: Yourmostexaltedexcellency.

CHAPTER THE SECOND. OF VOWELS AND THE PARTS OF SPEECH

Question: What people usually make up a Court? *Answer:* Those who sound off, or Vowels, and Mutes. *Q:* What does the Grammarian mean by Vowels? *A:* By Vowels are meant those powerful Grandees who, for the most part through the simplest of sounds, by the mere opening of their mouths, already bring about the desired action on the part of the Mutes. Example: Should a Great Man, while a report is being read to him, frown and utter *O!*—no one, ever, will venture to carry that matter out; unless, perchance, someone explains the same to the Great Man in a different manner and he, having gotten different ideas on the subject, will, in a tone that proclaims his error, utter *A!*—in which case, usually, the matter is settled right then and there. *Q:* How many Vowels are there at Court? *A:* No overwhelming number, usually; three or four—rarely five. *Q:* But is there not some Intermediate Classification? *A:* There is: semi-Vowels, or demi-Lords. *Q:* What is a demi-Lord? *A:* A demi-Lord is one who has come up from the Mutes but has not yet wormed his way in among the Vowels. Or, to put it another way: One who, while he is still a Mute before the Vowels, is already a

Vowel before the Mutes. *Q:* What does the Grammarian mean by Mutes at Court? *A:* They are at Court what the sign denoting the hard ending is in the Russian alphabet: of themselves, without the help of others, they make never a sound.

Question: What things should be noted in connection with Words? *Answer:* Gender, Number, and Declension. *Q:* What is Gender at Court? *A:* There is a distinction between the Masculine soul and the Feminine. This distinction, however, does not depend upon sex, for, at Court, a woman may at times be of greater worth than any man, while many a man is worse than any female creature. *Q:* What is Number? *A:* Number at Court means Calculation: How many favors can one obtain for how many base deeds? Sometimes the Calculation will be: How many semi-Vowels and Mutes will it require to bring one Vowel down with a crash? Or else, at times: How many semi-Vowels and Mutes must one Vowel topple over to survive as a Vowel? *Q:* What is Declension at Court? *A:* Declension at Court consists mostly of the Mood of brazenness on the part of those in power, and of baseness on the part of those without. However, Nobles for the most part regard all others as compared with themselves as being in the Accusative; the condescension and patronage of these Nobles, on the other hand, is usually sought through the Dative [L., *dativus,* of giving]. *Q:* How many kinds of Verbs are there at Court? *A: Three:* Active, Passive [L., pp. of *patior,* to suffer], and, most frequently of all, Deponent [L., *deponere,* laid aside]. What Moods are in use at Court? *A:* Imperative and Infinitive. *Q:* What Tense, generally, is used at Court by persons who have done meritorious services but are now helpless, in conversing with Great Gentlemen? *A:* The Past: I *have borne* wounds, I *have served,* and the like. *Q:* In what Tense, as a rule, is the answer such unfortunates receive? *A:* The Future. Example: I *will see,* I *will file* a report—and so on.

CHAPTER THE THIRD. OF VERBS

Question: What Verb is conjugated most frequently of all at Court, and in what Tense? *Answer:* Even as at Court, so in the Capital, no one lives out of debt; therefore, the Verb conjugated most frequently of all is: *to be in debt.* (The appended Exemplary Conjugation is in the Present, since that is the Tense used most frequently of all.)

I am in debt
Thou art in debt
He, She or It is in debt

We are in debt
You, Ye are in debt
They are in debt

Question: Is this Verb ever conjugated in the Past Tense? *Answer:* Ever so rarely—inasmuch as no he or she pays his or her debts. *Q:* And in the Future Tense? *A:* The conjugation of this Verb in the Future Tense is in good usage, for it goes without saying that if one be not in debt yet, he or she inevitably *will be.*

IVAN ANDREIEVICH KRYLOV

(1768 or '69–1844)

> Krylov spent more than three hours sitting without a move . . . and did not as much as turn his colossal, ponderous and majestic head. . . .
>
> —*Turgenev*

EDITOR'S NOTE

AN ARMY captain's son, brought up in poverty, without formal schooling, forced to be a minor government clerk almost from childhood, Krylov became Russia's greatest fabulist. His fables were (and are) immensely popular and have immortalized him—but they have also obscured his other work. Some of his comedies, for instance, were unqualified hits.

By fifteen he had written a comic opera (a satire on serfdom); in 1789 he was publishing a satirical periodical, *The Ghostly Post Office,* attacking the nobility, officialdom, the *mores* of serfdom; in 1792 he issued *The Spectator.*[1] Czardom was prompt with its usual recognition; on orders of a rival satirist, Catherine II, the printing plant of which he was part owner was raided and he was placed under police surveillance. Like Dostoevsky after him, he found out that a new name will not revive a suppressed periodical and, in 1794, was forced to abandon both Petersburg and literature. Years of misery in the provinces followed.

---

[1] *Kàib,* a salty satire on autocracy, appeared in this periodical. Space permits only the portrait of this amusing potentate.

From 1801 to 1804 he again worked for the government; in 1802 he staged *The Pie,* a comedy (curiously, his first comic opera was called *The Coffee-Can*); in 1806 he settled in Petersburg permanently; during this year and the next he wrote two more comedies and an opera about Ilya of Murom. It was also in 1806 that, encouraged by Dmitriev, himself a fabulist, he went back to writing fables, a form with which he had first experimented in the 1780's. He wrote at least three hundred twenty-four, of which only thirty-eight are borrowed—and even these are improvements.

He was one of the true and great eccentrics. On seeing a Hindu juggler, he remarked: "A Hindu is the same sort of human creature as I; why, then, shouldn't a Russian be able to do what a Hindu does?" Procuring similar objects for juggling and a rug, he secluded himself—and weeks later, to prove that "there is nothing impossible for mortals," displayed all of the Hindu's feats before the children of a friend's family—and then abandoned the whole business.

In 1818 (at fifty) he made a wager with Gnedich, who had spent half his life mastering Greek and had translated Homer into Russian. Gnedich maintained that no man could learn a new language at Krylov's age. Two years later, at another gathering of the same people, Krylov won the trifling stake, passing brilliantly the examination in Greek syntax and literature through which Gnedich himself put him.

He knew French and Italian excellently, was a virtuoso on the violin—and a confirmed feeder of the pigeons that haunted his living quarters at the St. Petersburg Public Library, where he held a sinecure; he was utterly indifferent to his surroundings, despised dress, and was a legend as a glutton.

"He never attempted to be a counterfeit of anything,

and in his way of life was original to oddity," wrote Belinski. "Yet his oddities were no mask, nor calculated—on the contrary, they constituted an inseparable part of his self, they were his nature."

Kaïb

IVAN ANDREIEVICH KRYLOV

KAÏB was one of the Oriental potentates; his name filled all Creation. "Thy fame," one of his versifiers was wont to say to him, "thy fame might be likened unto the sun—were it not that the sun goeth down." Kaïb was fond of apt similes, and therefore, after having graciously made the versifier a eunuch, he put him in charge over his seraglio.

The riches of Kaïb were inexhaustible; his palace, one historian informs us, was girt about with a thousand pillars of jasper, the capitals thereof being of solid emerald, and of the Corinthian order, while their bases were of refined gold; the palace itself was builded of black marble, and its walls were so smoothly polished that the daintiest damsels regarded themselves therein as if in a mirror. The proportions of the windows were those of the latest Italian architecture—constructed only just a trifle bigger than the gates of a city—and each window was set with but a single pane, yet so strong was the glass that the most brazen-browed yea-saying men of our time would have found it beyond them to break a hole therein with their foreheads. The roof was of sheet silver, but so trimly worked that often, on clear days, the whole city would come running to the palace thinking it on fire, whereas all the alarum had been created solely by the glitter of the roof. Mark you, amiable reader, all this is told us by an historian of Kaïb's.

The magnificence within the palace overwhelmed whosoever set foot therein: the common folk were dazzled by the gold, pearls and precious stones, of all of which there was a greater profusion than there is of misspellings in the works of our new writers; the cognoscenti were attracted by the refulgence of the art that shone in all the adornments of the palace: one came upon swaying draperies of opaque stuff thicker than all the four parts of the *Conversing Citizen* [1] bound together, and beheld glittering carved work, done with such neatness that no author could wish to see a greater on the bindings of his works; many of the chambers were adorned with paintings that deceived the eye and, to render full justice to Kaïb, it must be said that, though he would not admit men of learning into his palace, their portraits constituted not the least ornament of his walls. True, his versifiers were poor, yet his immeasurable liberality compensated for this great failing of theirs: Kaïb commanded that they be depicted in rich raiment, and that their portraits be hung in the best chambers, inasmuch as he sought to encourage learning in every way. And, truly, there was not in the domain of Kaïb a single versifier who did not envy his portrait.

Elsewhere in the palace (our historian continues) one could see small stuffed birds of precious plumage, mounted with such taste that, no matter how the ladies of the court strove to imitate them in the motley hues of their tirings, they nonetheless often perceived with vexation that the splendidly beautiful stuffed birds were more

---

[1] A magazine published in 1789, with the participation of A. N. Radishchev, whose case is an almost perfect antecedent of Dostoevsky's. Catherine II condemned him to death for his *Journey from St. Petersburg to Moscow* (privately printed in 25 copies), then "graciously" commuted the sentence to ten years in Siberia.—*Trans.-Ed.*

admired than they. In some places amusing marmosets frolicked upon slender chains of gold, grimacing so pleasantly that the most adroit courtiers held it an honor to ape them, and not infrequently (such is human frailty) put forth the conceits of the monkeys as their own, because of which there was at that time great enmity between the marmosets and the courtiers, concerning which an history in six and thirty elephant folios was issued by the Academy of that realm.

There, upon magnificent pedestals, glittered the busts of Kaïb's ancestors, the artistry of which busts was in no way unworthy of their exalted originals. His inner chambers were adorned with rugs of such rare beauty and value that the greatest kings, the contemporaries of Kaïb, came from far and wide to take part in the pastime of racing upon them on all fours, and then bade their historiographers to inscribe this among the number of their greatest deeds. His mirrors, although each was twelve yards in height and of the purest steel, were considered rare not so much because of their size as for a virtue which had been bestowed upon them by a certain sorceress: these mirrors had the property of showing things a thousandfold more beautiful than they really were; the dotard saw himself in them as a beautiful springald, a decrepit coquette saw herself as a maid of fifteen, a monster of homeliness as a paragon of comeliness, and a lout as an adroit fellow. For all that Kaïb never contemplated himself therein but kept them solely for his courtiers, and then only for the amusement he derived from seeing how those with the most repulsive faces disputed about their beauty before these mirrors and became embroiled in quarrels which Kaïb loved to watch.

Thousands of parrots in his cages uttered extempore verses; many of these parrots were more eloquent than the academicians of that day, even though the Academy of Kaïb was considered the first in the world, inasmuch as no other academy whatsoever had so rich a collection of baldpates as Kaïb's, and not a one among them but could easily read by syllables and, on occasion, even write quite legible letters to friends. For all that, many of them had to yield first place to the parrots, many of whom Kaïb, who cherished learning, made members of the Academy merely because they could utter in tolerably clear accents that which some other may have thought of.

As for plenty, that of Kaïb's court surpassed all the courts of the Orient, and Kaïb's least scullion had more savory fare than the kings of Homer. The calendar of Kaïb's court was made up wholly of holidays, and weekdays were scarcer therein than are the birthdays of those who are born on the twenty-ninth of February.

His seraglio was filled with the first beauties of the world, and not a one of them was over seventeen. No matter how hard the factories strive nowadays to attain perfection in the compounding of rouges, their best ones would nevertheless seem savagely crude by comparison with the natural blush of the least of his sultanas. His maidens did not spoil their charms with uncalled-for affectations of daintiness; they did not swoon away at the sight of spiders and roaches, merely to fall into disarray pleasing to the eye. . . .

His magnificent stables were filled with horses of the rarest blood, which were of better build than our popinjays and more submissive than his prime viziers. His icehouses were crammed to bulging with wines of the most exquisite bouquets. The very gods (we are told) were delighted to drink themselves into unconsciousness in his wine-cellars and preferred his wines to nectar, which they had grown heartily weary of ever since the versifiers had taken to pouring it out to their heroes just as off-handedly as countrywives pour out slops to the pigs.

The whole world, as it contemplated Kaïb, considered him happy; the printers waxed rich publishing the thickest of books concerning his state of bliss. Whenever the versifiers of that day wanted to describe the triumphs of the gods and paradisaical merrymakings they would never buckle down to their task unless they contrived an opportunity, through some eunuch, of worming their way in among the musicians of Kaïb for a peep of the magnificence at court and the festal days in the seraglio; however, despite all that, their descriptions of the feasts of the gods not infrequently reeked of the fusty straw amid which they had been composed.

The whole world clamored that Kaïb was happy, and Kaïb was the only one who knew that this was not the case, but he told this to none, fearing lest he be considered ungrateful for the favors of fortune, something which he was always on his guard against. He frequently read, in the works of his versifiers, descriptions of his happiness and laughed at the vacuous imagination of the poetasters or, at times, felt envy because he was not even as blind as they, so that he might perceive himself only from his happy side.

At any rate, Kaïb was not as happy as popular clamor proclaimed him; within his heart there persisted a certain emptiness which the objects surrounding him could not fill. The princelings at court, the women, the marmosets, the parrots—nothing gladdened him; he regarded all these from his lofty throne with a yawn; occasionally he smiled at the cavortings of the marmosets or at the grimacing and posturing of his courtiers, but in these smiles was to be seen more of regret than of pleasure. . . .

ALEXANDER SERGHEIEVICH PUSHKIN

(1799–1837)

EDITOR'S NOTE

FRANCE's greatest historical novelist was of Negro descent; Russia's Pushkin was proud of his maternal great-grandfather, Ibrahim Hannibal (described as an Abyssinian princeling), and immortalized him in *The Blackamoor of Peter the Great.* The poet's more or less lackadaisical father came from a clan whose names (together with those of the Turgenevs and the Tolstoys) are of the warp and woof of the bizarre fabric of Russia's past. When Pushkin makes another of his ancestors a leading character in *Boris Godunov* he is not being a squireen genealogist but a true historian.

No one in the world can pervert the Russian language as a Teuton can—and a German was appointed to instruct the young Pushkin in Russian; his other preceptors were certain Frenchmen vomited forth by the French Revolution. At eight he was spending whole nights reading—but his books were French; he started writing at nine—in French. He was saved for Russia by his nurse, Arina Rodionovna, just as Turgenev was by an old serf who used to read to him in Russian, on the sly.

At twelve Pushkin entered the recently founded (and aristocratic) Lyceum; his first poem in print appeared when he was about fifteen; at eighteen he graduated.

During the next three years (1817-20) he had a taste of government service; he lived the life of the Petersburg wit and beau; and wrote *Russlan and Liudmilla,* his first, longest and greatest folk-poem, the publication of which novelty in 1820 won him a place in the front ranks as an author. However, the circulation (in manuscript), during the same year, of his "Ode to Liberty" and other poems gained him nothing but his first set-to with the powers that were, and banishment to Ekaterinoslav and Kishenev, in the depths of southern Russia. In 1823 he was transferred to Odessa, in Russia proper; but here, too, an intercepted letter of his, filled with atheistic sentiments, led to his dismissal and to enforced residence at Mikhailovskoe, a family estate in Pskov, where he was spied upon by police, priests (naturally), and even his father. Yet *Eugene Oneghin* and *Boris Godunov* were produced during this period.

The regrettably abortive uprising of December 14 (Old Style), 1825, marking the accession of the hardly mentionable Nicholas I, involved Pushkin as well. The Emperor not merely pardoned but almost smothered him by his monarchic protection, appointing himself the poet's censor and putting him under the unremitting surveillance of the unspeakable Section III, a secret *Polizei* within the Czar's general gestapo. There were two other occasions when Pushkin was in jeopardy again: over *André Chenier*, and when he had to deny his authorship of the exceedingly racy and anything but Orthodox *Gabrieliad.*

In 1831 (a year after the publication of his *Tales of Belkin*) Pushkin married Natalie Goncharova, scarcely half his age, whose beauty was as great as her wit was small. A court intrigue, involving an anonymous letter that called Pushkin a cuckold and accused him of having in his turn cuckolded the Czar, brought about a duel with one George Heckeren, Baron d'Anthès, fop, mohock, and brother-in-law to Pushkin's wife. On February

8th (New Style), 1837, the poet received a pistol wound, which caused his death two days later.

Master poet, dramatist, storyteller, historian, critic, Pushkin gave to Russian literature both form and new content, and has done more than any other to make Russian the superb literary instrument it is, far superior even to French, and second only to English.

The best and most complete collection of his poetry and prose in English is Avrahm Yarmolinsky's *The Works of Alexander Pushkin,* with an able biographical sketch of the great Russian.

The Shot

ALEXANDER SERGHEIEVICH PUSHKIN

We fought with pistols.
—*Baratynski*

I vowed to shoot him, in accordance with the code of dueling (he still had to face my shot).
—*Evening at a Bivouack*

WE WERE stationed in the small town of ——. Everybody knows what the life of an army officer is like. In the morning, drilling and the riding-school; then dinner with the commander of the regiment, or at a Jewish tavern; in the evening, punch and cards. There was not one open house at ——, nor even one marriageable young lady; we used to gather in one another's rooms, where we never saw anything save our own uniforms.

There was only one man who, while he was not of the military, nevertheless belonged in our society. He was about five and thirty, and for that reason we considered him an ancient. His store of experience gave him many advantages over us; besides that, his habitual moroseness, stern nature, and sharp tongue had a strong influence on our youthful minds. A certain mysteriousness surrounded his destiny; he appeared to be Russian, yet bore a foreign name. At one time he had served in the Hussars, and that brilliantly; no one knew the reason that had induced him to resign from the service and settle down in a miserable little hole, where he lived both poorly and extravagantly: he always went about on foot, in a badly worn frockcoat of black, yet kept a table at which all the officers of our regiment were ever welcome. True, the dinner he offered consisted of but two or three courses, prepared by a superannuated soldier, but the champagne flowed like water. No one knew anything about either his circumstances or his income—and none ventured to ask him about either.

You could find books at his place, military treatises and novels, for the most part; he lent them willingly enough, never demanding their return, but then he never gave back to its owner any book he had borrowed. His chief exercise consisted of pistol-shooting. The walls of his room were all bullet-riddled, all honey-combed with chinks. An expensive collection of pistols was the sole luxury in the lowly clay-daubed hut where he lived. The skill he had attained was past all belief, and had he undertaken to knock a pear off anyone's cap with a bullet, not a man in our regiment would have had any qualms about presenting his head to him as part of the target. Our talk often turned upon duels; Sylvio (I will give him that name) never took part therein. To the question whether he had ever had occasion to duel, he would answer drily that he had, but did not go into any details, and it was evident that he found such questions disagreeable. We supposed that his conscience was burdened by the memories of some unfortunate victim of his dreadful skill. However, it never even entered our heads to suspect him of anything in the least like timorousness. There are men whose mere appearance removes such suspicions. It was an unexpected incident which astonished us all.

On one occasion there were ten of us, all officers, dining at Sylvio's. We drank as we usually did—which is to say, a very great deal; after dinner we fell to persuading our host to be our banker at faro. For a long while he refused, inasmuch as he practically never played; at last he ordered cards to be brought, put out fifty gold pieces or thereabouts on the table, and sat down to deal. We gathered around him and the play caught on. Sylvio had a way of preserving perfect silence while playing; he never argued and never made any explanations. If the punter miscalculated, Sylvio immediately either paid him the difference or marked down the extra sum. We were already familiar with this procedure and did not interfere with his running things his own way; however, we had among us an officer who had been only recently transferred to our regiment. Joining in our game, he absent-mindedly turned down an extra corner on a card. Sylvio picked up the chalk and, after his wont, made the necessary correction. The officer, thinking that Sylvio was in error, launched into explanations. Sylvio kept on dealing in silence. The officer, losing patience, took the eraser and rubbed out that which to him seemed an incorrect entry. Sylvio took the chalk and re-wrote the score. The officer, heated by wine, the game, and the laughter of his messmates, deemed himself grossly affronted and, enraged, seized a brass candlestick off the table and let it fly at Sylvio, who barely managed to duck the missile. We were thrown into consternation. Sylvio stood up, turning pale from wrath and said, his eyes flashing:

"My dear sir, be good enough to leave, and you may thank God that this has occurred under my roof."

We had no doubt as to the outcome and considered our new messmate as good as slain already. The officer left, saying that he was prepared to give satisfaction for the offence in any manner suitable to the gentleman keeping the bank. The play went on for a few minutes more but, sensing that our host was anything but inclined to further play, we fell out one after the other and dispersed to our respective quarters, discussing the impending vacancy in our regiment.

The next day, at the riding-school, we were already asking if the poor lieutenant was still among the living, when he himself appeared in our midst. We put the same question to him; he answered that so far he had had no word whatsoever from Sylvio. This astounded us. We set out to see Sylvio, and came upon him in his courtyard, sending bullet upon bullet into an ace stuck against the gates. He received us as usual, without a word in reference to last night's incident. Three days went by; the lieutenant was still among the living. "Can it be that Sylvio isn't going to fight a duel?" we asked in amazement.

Sylvio did not fight. He was content with a very offhanded explanation and became reconciled with the lieutenant.

This, at first, did exceeding damage to the reputation he had enjoyed among the younger men. A lack of courage is least of all excused among the youth, who usually see in bravery the height of all human virtues and the excuse for all possible vices. However, little by little everything was forgotten, and Sylvio regained all his former influence.

I alone could not be on close terms with him again. Being by nature endowed with a romantic imagination, I had been more strongly than all the others attached to this man whose life was an enigma, and who seemed to me to be the hero of some mysterious romance. He had loved me; or, at least, I was the only one before whom he dropped his usual caustic and malicious manner of speech and spoke on various matters with simpleheartedness and unusual pleasantness. But after that unfortunate evening the thought that his honor had been besmirched and that, through his own volition, the stain had not been removed—that thought never forsook me and stood in the way of my resuming our former footing; it embarrassed me to look at him. Sylvio was far too intelligent and worldly not to perceive this and surmise the reason for it. This apparently grieved him; at least I noticed, once or twice, a desire on his part to explain things to me, but I avoided such opportunities and Sylvio drew back from me. Thenceforth I saw him only in the presence of my fellow-officers, and our former frank conversations ceased.

Those who live amid the distractions of a metropolis have no conception of many experiences which are so familiar to those who live in villages and small towns—such as waiting for the day when the mail comes. On Tuesdays and Fridays the office of our regiment was thronged with officers, some expecting money, others letters, still others newspapers. The packets were usually unsealed on the spot, there was an interchange of news, and the office presented a very animated picture. Sylvio had his letters addressed to the regiment, and was usually to be found at the office on mail days. One day he was handed a letter the seal of which he tore off with an air of the greatest impatience. His eyes, as they ran through the letter, were sparkling. The officers, each one taken up with his own letters, did not notice anything.

"Gentlemen," Sylvio addressed them, "circumstances demand my immediate departure; I am setting out to-night—I hope you will not refuse to dine with me for the last time. I expect you also," he went on, turning to me. "I expect you, without fail."

With that he hastened away, while we, after we had agreed to get together at Sylvio's, went our respective ways.

I arrived at Sylvio's place at the appointed time and found almost all our regimental staff there. All his possessions were already packed; he was leaving behind only the bare, bullet-riddled walls. We took our places at the table; our host was in exceptionally fine humor, and shortly his gaiety became general; corks were popping every minute, the glasses foamed and seethed incessantly, and most earnestly did we wish our departing friend *bon voyage* and every blessing. When we got up from the table the evening was already far gone. As we were picking out our caps and Sylvio was bidding farewell to all, he took me by the arm and detained me just as I was about to leave.

"I must have a talk with you," said he in a low voice. I remained.

The guests had gone; left alone, we two sat down face to face and silently lit our pipes. Sylvio seemed preoccupied; by now not even a trace remained of his former strained gaiety. His sombre pallor, his sparkling eyes and the dense smoke issuing from his mouth made him look like a veritable devil. Several minutes passed, and then Sylvio broke the silence.

"Perhaps we shall never see each other again," said he. "I would like, before our parting, to explain things to you. As you may have noticed, I care but little for the opinion of outsiders; but I am fond of you, and I feel it would be hard for me to have an unjust impression remaining in your mind."

He stopped; his pipe had burned out, and he began to refill it; I kept silent, with my eyes fixed on the ground.

"You found it strange," he went on, "when I did not demand satisfaction from that tipsy and harebrained fellow R——. You will agree that, since the privilege of choosing the weapons was mine, his life was in my hands, whereas mine was practically in no danger; I might ascribe my forbearance to magnanimity, but I do not want to lie. Were I in a position to chastise R—— without subjecting my life to any risk whatsoever, I would not have forgiven him under any circumstances."

I was looking at Sylvio with amazement. Such a confession threw me into utter confusion.

"That's just it—I haven't the right to expose myself to death," Sylvio went on. "Six years ago I received a slap in the face—and my enemy is still among the living."

My curiosity was greatly aroused:

"You did not fight him?" I asked. "Certain circumstances probably prevented your meeting—"

"I did fight him," replied Sylvio, "and here is a memento of our duel."

He got up and took out of a cardboard box a red cap, trimmed with a gold tassel and galloon (what the French call a *bonnet de police*) and put it on—it had been riddled with a bullet about an inch above his forehead.

"As you know," Sylvio went on, "I served in the —th Regiment of Hussars. You are aware what my character is like—I am used to being the first in all things, but when I was young this was a mania with me. In our day wildness was all the fashion; I was the wildest fellow in the army. We used to boast of our drinking ability;

Burtzov, whom Denis Davidov has hymned, was in his glory then—and I drank him under the table. Hardly a moment passed in our regiment without a duel; I was either a second or a principal in all of them. My messmates deified me, while the regimental commanders—there seemed to be a different one every few minutes!—regarded me as a necessary evil.

"I was enjoying my fame at my ease (or rather with unease), when a certain young man from a rich and distinguished family—I would rather not name him—joined our regiment. Never, since the day I was born, have I met so illustrious a favorite of fortune! Picture him in your imagination: youth, brains, good looks, the maddest gaiety, the most reckless bravery, a resounding name, money which he could not keep track of and of which he never ran short—and then imagine what an effect he was bound to produce among us. My supremacy was shaken. Captivated by my reputation he at first sought my friendship, but I received him coldly and, without the least regret, he became aloof to me. I grew to hate him. His successes in the regiment and in feminine society threw me into utter despair. I took to seeking quarrels with him; he responded to my epigrams with epigrams which always seemed to me more spontaneous and pointed than mine, and which, of course, were incomparably more mirth-provoking; he was jesting, whereas I was being malicious. Finally—the occasion was a ball at the house of a Polish landowner—seeing him the cynosure of all the ladies, and especially of the hostess herself, with whom I had a liaison, I whispered some vulgar insult or other in his ear. He flared up and gave me a slap in the face. We dashed for our sabres; the ladies swooned away; we were dragged apart, and that same night we set out to fight a duel.

"This was at dawn. I was standing at the designated spot with my three seconds. With inexplicable impatience did I await my opponent. The spring sun had risen, and it was already growing hot. I saw him from afar. He was on foot, the coat of his uniform slung on a sabre over his shoulder, and was accompanied by but one second. We went toward him. He approached, holding his cap, which was filled with cherries. Our seconds measured off twelve paces for us. I had to fire first, but my resentment made me so agitated that I could not rely upon the steadiness of my hand and, to give myself time to cool down, I conceded the first shot to him; to this my opponent would not agree. It was decided to cast lots; the first number fell to him, the constant favorite of fortune. He took aim, and his bullet riddled my cap. It was my turn. His life, at last, was in my hands; I eyed him avidly, trying to detect even a single shadow of uneasiness. He stood before my pistol, picking out the ripe cherries and spitting out the stones, which flew to where I was standing. His equanimity maddened me. 'What would be the use,' it occurred to me, 'to deprive him of life when he does not treasure it in the least?' A malicious thought flashed through my mind. I lowered my pistol.

" 'You apparently have other things on your mind outside of death,' I said to him. 'It pleases you to be breaking your fast; I have no wish to interfere with you.'

" 'You are not interfering with me in the least,' he retorted. 'You may shoot, if you like; however, please yourself; you may keep back the shot—I am always at your service.'

"I turned to the seconds, informing them that I had no intention of shooting just then, and with that the duel was over.

"I resigned from the army and withdrew to this little town. Since then not a day has passed without my thinking of revenge. Now my hour has come—"

Sylvio took out of his pocket the letter he had received that morning, and handed it to me to read. Someone (apparently his business agent) wrote him from Moscow that a *certain person* was soon going to marry a young and beautiful girl.

"You can surmise," said Sylvio, "who that *certain person* is. I am off to Moscow. We shall see if he will meet death now, when he is about to marry, with the same equanimity as he faced it then, over his cherries!"

With these words Sylvio stood up, dashed his cap against the floor, and took to pacing up and down the room, like a tiger in his cage. I had listened to him and never stirred; strange, contradictory feelings agitated me.

The servant entered and announced that the horses were waiting. Sylvio squeezed my hand hard; we kissed each other. He seated himself in the small cart, lying in which were two valises, one containing his pistols, the other his belongings. We bade each other farewell once more, and the horses started off at a gallop.

II

Several years passed, and domestic circumstances forced me to settle in a poor little village in the N—— district. Busying myself with husbandry, I did not cease from sighing in secret about my former noisy and carefree life. The hardest thing of all for me was to become accustomed to passing the spring and winter evenings in utter solitude. I did manage to get through the time before dinner somehow or other, discussing things with the overseer, riding about to see how this work or that was coming along, or inspecting new undertakings;

but no sooner did it begin to get dark than I absolutely did not know what to do with myself. The few books I had found under cupboards and in the store-room I had read till I knew them by heart; all the fairy-tales which Kirilovna, my housekeeper, could recall had been told me over and over; the songs of the peasant women brought on a mood of depression. For a while I took to drinking unsweetened fruit liqueurs, but they made my head ache; besides, I confess, I felt afraid of becoming a "drunkard from misery," that is to say, the most "bitter" drunkard, of which kind I had seen a multitude of examples in our district.

I had no close neighbors, save for two or three "bitter" drinkers, whose conversation consisted for the most part of hiccupping and deep sighs. Solitude was easier to bear. Finally I decided to go to bed as early as possible and to dine as late as possible; in this manner I shortened the evening and added length to the days, and gained thereby, since *it is good for a man so to be.*

A little less than three miles from my place was a rich estate belonging to Countess B——; but there was nobody living there save the steward; as for the Countess herself, she had visited her estate only once, during the first year of her married life, and then she had stayed there for no more than a month. However, during the second spring of my life as a recluse, a rumor spread that the Countess with her husband would come to her country estate for the summer. And, at the beginning of June, they actually came.

The arrival of a rich neighbor marks a great epoch for those who live in the country. The landowners and their house serfs discuss the matter for two months before the arrival and for three years afterward. As for me, I confess that the tidings of the coming of a young and beautiful neighbor affected me greatly; I burned with impatience to see her, and consequently on the first Sunday after her arrival set out after dinner for the settlement of ——, to introduce myself to their Excellencies as their nearest neighbor and most obedient servant.

A flunky showed me into the Count's study and then went off to announce me. The spacious study was furnished with every possible luxury; along the walls were bookcases, and each one was surmounted by a bronze bust; hanging over the marble fireplace was a large mirror; the floor was covered with a green carpet, with rugs over it. Having become unused to luxury in my poor nook, and not having seen the wealth of others for a long time by now, I became timid and awaited the Count with a certain trepidation, as a petitioner from the provinces awaits the appearance of a prime minister.

The doors opened and an exceptionally handsome man of thirty-two entered. The Count approached me with a frank and cordial air; I tried to perk up and began to introduce myself, but he forestalled me. His conversation, free and amiable, soon dispelled my backwoods shyness; I was already beginning to feel at my ordinary ease when the Countess suddenly entered, and embarrassment overcame me worse than ever. Truly, she was a beauty. The Count presented me. I wished to appear at ease, but the more I strove to assume an air of unconstraint the more awkward did I feel. In order to give me time to recover my self-possession and become accustomed to this new acquaintance, they began conversing with each other, treating me as a good neighbor and without standing on ceremony. In the meanwhile I began walking about, looking over the books and pictures. I am no connoisseur of pictures, but one of them attracted my attention. It represented some view or other in Switzerland, but it was not the way it was painted which struck me, but the fact that two bullets, one driven into the other, were imbedded in the picture.

"There's a good shot," I said, turning to the Count.

"Yes," he replied, "a most remarkable shot. Do you shoot well?" he went on.

"Tolerably well," I responded, rejoicing that the conversation had at last touched upon a subject I was familiar with. "I won't miss hitting a card at thirty paces—using pistols that I am used to, of course."

"Really?" spoke up the Countess, with an appearance of great interest. "And you, my dear—could you hit a card at thirty paces?"

"We shall have a try at it some day," answered the Count. "In my time I did not shoot at all badly, but it's four years by now since I have handled a pistol."

"Oh, in that case," I remarked, "I am ready to wager that Your Excellency will not hit a card at twenty paces; the pistol demands daily practice. That I know from experience. I was considered one of the best marksmen in our regiment; once a whole month happened to pass by without my touching a pistol—all of my weapons were being overhauled; well, what do you think was the result, Your Excellency? On the first occasion I began to shoot again I missed four times in a row, shooting at a bottle at twenty paces. Our captain, a wit and a wag, happened to be there: 'I can see you can't raise your hand against a bottle,' said he to me. No, Your Excellency, you mustn't neglect practice, or you'll lose the knack, sure as shooting. The best shot I ever came across used to shoot at least three times every day, before dinner. This was as much of a habit with him as a glass of vodka."

The Count and Countess were happy to see me so talkative.

"And what sort of a shot was he?" the Count asked me.

"Why, here's the sort he was, Your Excellency: if he happened to see a fly settle on a wall—are you laughing, Countess? By God, it's the truth! If he happened to see a fly, he'd call out: 'Kuzka, my pistol!'—and Kuzka would bring him a loaded pistol. He'd go *bang!*—and plug the fly into the wall!"

"Amazing!" declared the Count. "And what was his name?"

"Sylvio, Your Excellency."

"Sylvio!" cried out the Count, leaping up from his seat. "You knew Sylvio?"

"How else, Your Excellency? He and I were close friends; he was treated as a messmate and brother in our regiment, but it's five years by now since I've had any word of him. Your Excellency knew him as well, then?"

"I did know him, and that very well. Didn't he tell you about a certain very strange incident?"

"Was it about a slap in the face, Your Excellency, which he received at a ball from some rake or other?"

"And did he happen to mention to you the name of this rake?"

"No, Your Excellency, he didn't. . . . Ah, Your Excellency!" I continued, surmising the truth. "Pardon me, I didn't know . . . could it have been you, by any chance?"

"I, and none other," replied the Count, looking extremely upset. "As for that bullet-riddled picture—it is a memento of our last encounter."

"Ah, dearest," interposed the Countess, "for God's sake don't speak of it; it would frighten me to hear that story."

"No," retorted the Count, "I am going to relate the whole thing; he knows how I offended his friend—let him learn, then, how Sylvio had his revenge upon me."

The Count moved an armchair up for me, and I

listened, with the liveliest interest, to the following story:

"Five years ago I married. The first month—*the honeymoon*—I spent here, in this village. To this house I am indebted for the best moments of my life—and for one of my most painful recollections.

"One evening we were out for a horseback ride together; my wife's horse became stubborn for some reason —she became frightened, handed the reins over to me and set out for home on foot. I rode on. In the courtyard I saw a traveling cart; I was told there was a man sitting in my study, waiting for me—he had not wanted to give his name but merely said that he had business with me. I entered this room and saw a man in the dusk, covered with dust and unshaven; he was standing right here, by the fireplace. I approached him, trying to recall his features.

" 'You haven't recognized me, Count?' he asked in a quavering voice.

" 'Sylvio!' I cried out—and, I confess, I felt that my hair had suddenly stood up on end.

" 'Precisely,' he went on. 'There is a shot coming to me; I have come to discharge my pistol—are you ready?'

"He had a pistol sticking out of a side pocket. I measured off twelve paces and took my stand there, in that corner, begging him to fire as quickly as possible, before my wife came back. He dallied—he asked for a light. Candles were brought in. I locked the doors, gave orders that no one was to come in, and begged him anew to fire. He drew out his pistol and took aim. I counted the seconds . . . I was thinking of her. A terrible minute passed! Sylvio lowered his arm.

" 'What a pity,' said he, 'that the pistol is not loaded with cherry stones . . . a bullet is heavy. The notion persists that we are not engaged in a duel but a murder: I am not accustomed to taking aim at an unarmed man.

Let's start it over anew; we will cast lots as to who is to fire first.'

"My head was swimming. I believe I refused to agree to this. . . . Finally we loaded another pistol, rolled up two slips of paper—he put the latter in a cap, the one I had on a time riddled with a bullet; I again drew the first number.

" 'You have the devil's own luck, Count,' said he with a sneer which I shall never forget.

"I can't understand what came over me, and in what way he compelled me to do such a thing . . . but I fired—and hit that picture."

The Count pointed a finger at the bullet-damaged picture. His face seemed to be on fire; the Countess was whiter than the handkerchief she was holding; I could not restrain an exclamation.

"I fired," the Count resumed, "and, God be praised, shot wide of the mark, whereupon Sylvio—at that moment he was really terrible—Sylvio began taking aim at me. Suddenly the doors flew open, Mary ran in, and with a piercing shriek threw herself upon my neck. Her presence restored to me all my alertness.

" 'My dear,' I told her, 'can't you see that we're indulging in a practical joke? How thoroughly frightened you were! Go, drink a glass of water and then come to us; I will present to you an old friend and comrade.'

Mary was still doubtful.

" 'Tell me, is my husband telling the truth?' she asked, turning to Sylvio, who was awesome. 'Is it true that you are both having a joke?'

" 'He is always having his joke, Countess,' Sylvio answered her. 'Once, by way of a joke, he gave me a slap in the face; by way of a joke, he shot this cap through for me; by way of a joke he missed when he shot at me just now; now I, too, have gotten into the mood for a joke—'

"With that he wanted to take aim at me—in her presence! Mary cast herself down at his feet.

" 'Get up, Mary—this is disgraceful!' I cried out in a frenzy. 'As for you, sir—will you cease torturing and humiliating a poor woman? Are you going to fire or no?'

" 'I am not going to,' answered Sylvio. 'I am satisfied. I have seen your confusion, your timorousness; I have compelled you to fire at me; that is enough for me. You will remember me. I give you over to your conscience.'

"He was about to go out then, but he paused in the doorway, looked back at the picture my bullet had hit and, firing at it almost without taking aim, disappeared.

"My wife was lying in a swoon; the servants dared not stop him and were gazing at him in horror; he went out upon the steps, called his driver and rode off before I could regain my presence of mind."

The Count fell silent. It was thus that I came to know the conclusion of the story whose beginning had on a time made such an impression upon me. The hero thereof I never met again. They say that, during the uprising of Alexander Ypsilanti, Sylvio commanded a detachment of hetaerists, or Greek patriots, and that he was killed in the battle of Skulyani.

NIKOLAI VASSILIEVICH GOGOL

(1809–1852)

EDITOR'S NOTE

GOGOL-YANOVSKI (he did not use the latter name; *gogol* is a species of wild duck, and the Russian for "strutting" is "to walk like a *gogol*") was born in a family of landed gentry in the Ukraine. His father was a passionate theatromane, and wrote two comedies which hold high rank in Ukrainian literature. But, although a superb amateur actor and reader, Gogol failed in his one tryout for the professional stage, his style proving too natural for the stilted histrionics of the time.

He took up law but never practiced it; civil service he quit in a short while, unable to stomach bureaucracy and its ways. He had very hard sledding in St. Petersburg; his first book and his second (poetry, published pseudonymously) failed so dismally that he burned all the copies he could draw back from the booksellers. (This tendency for *burning* his unsuccessful works, or those he thought failures, led to the burnings of several drafts of the second part of *Dead Souls* and the final holocaust of Part Two and, probably, the outline of Part Three.) His first success came to him with the publication of *Evenings on a Croft Near Dikanaka, Published by Rood Panco the Beekeeper*—a fresh, fantastic work which gained him the friendship of Zhukovsky, Pushkin and others.

Gogol's ultimate debacle was due to the influence of his evil demon, an ignorant lout of a country priest, who had turned the writer's latent mysticism into downright religious mania. And his death, although he did not die actually raving but merely quoting a Slavic version of Jeremiah, was one of the most harrowing scenes in the history of literature.[1]

The Overcoat[2]

NIKOLAI VASSILIEVICH GOGOL

IN THE Bureau of . . . but it might be better not to mention the Bureau by its precise name. There is nothing more touchy than all these Bureaus, Regiments, Chancelleries of every sort and, in a word, every sort of person belonging to the administrative classes. Nowadays every civilian, even, considers all of society insulted in his own person. Quite recently, so they say, a petition came through from a certain Captain of Rural Police in some town or other (I can't recall its name), in which he explained clearly that the whole social structure was headed for ruin and that his sacred name was actually being taken entirely in vain, and, in proof, he documented his petition with the enormous tome of some romantic work or other wherein, every ten pages or so, a Captain of Rural Police appeared—in some passages even in an out-and-out drunken state. And so, to

---

[1] The best (and only readable) book on this writer in English is, despite certain quirks, Vladimir Nabokov's *Gogol* (New Directions), which treats him as a supreme fantast.—And the reader should, by all means, read Belinski's famous *Letter to Gogol*, now available in English.

[2] From *A Treasury of Russian Literature*, copyright, 1943, by the Vanguard Press, Inc., and republished by arrangement.

avoid any and all unpleasantnesses, we'd better call the Bureau in question *a certain Bureau.* And so, in *a certain Bureau* there served a *certain clerk*—a clerk whom one could hardly style very remarkable: quite low of stature, somewhat pockmarked, somewhat rusty-hued of hair, even somewhat purblind, at first glance; rather bald at the temples, with wrinkles along both cheeks, and his face of that complexion which is usually called hemorrhoidal. Well, what would you? It's the Petersburg climate that's to blame. As far as his rank is concerned (for among us the rank must be made known first of all), why, he was what they call a Perpetual Titular Councilor—a rank which, as everybody knows, various writers who have a praiseworthy wont of throwing their weight about among those who are in no position to hit back, have twitted and exercised their keen wits against often and long. This clerk's family name was Bashmachkin. It's quite evident, by the very name, that it sprang from *bashmak* or shoe, but at what time, just when and how it sprang from a shoe—of that nothing is known. For not only this clerk's father but his grandfather and even his brother-in-law, and absolutely all the Bashmachkins, walked about in boots, merely resoling them three times a year.

His name and patronymic were Akakii Akakiievich. It may, perhaps, strike the reader as somewhat odd and out of the way, but the reader may rest assured that the author has not gone out of his way at all to find it, but that certain circumstances had come about of themselves in such fashion that there was absolutely no way of giving him any other name. And the precise way this came about was as follows. Akakii Akakiievich was born —unless my memory plays me false—on the night of the twenty-third of March. His late mother, a government clerk's wife, and a very good woman, was all set to christen her child, all fit and proper. She was still lying in bed, facing the door, while on her right stood the godfather, a most excellent man by the name of Ivan Ivanovich Eroshkin, who had charge of some Department or other in a certain Administrative Office, and the godmother, the wife of the precinct police officer, a woman of rare virtues, by the name of Arina Semenovna Byelobrushkina. The mother was offered the choice of any one of three names: Mokii, Sossii—or the child could even be given the name of that great martyr, Hozdavat. "No," the late lamented had reflected, "what sort of names are these?" In order to please her they opened the calendar at another place—and the result was again three names: Triphilii, Dula, and Varahasii. "What a visitation!" said the elderly woman. "What names all these be! To tell you the truth, I've never even heard the likes of them. If it were at least Baradat or Baruch, but why do Triphilii and Varahasii have to crop up?" They turned over another page—and came up with Pavsikahii and Vahtissii. "Well, I can see now," said the mother, "that such is evidently his fate. In that case it would be better if he were called after his father. His father was an Akakii—let the son be an Akakii also." And that's how Akakii Akakiievich came to be Akakii Akakiievich.

The child was baptized, during which rite he began to bawl and made terrible faces as if anticipating that it would be his lot to become a Perpetual Titular Councilor. And so that's the way it had all come about. We have brought the matter up so that the reader might see for himself that all this had come about through sheer inevitability and it had been utterly impossible to bestow any other name upon Akakii Akakiievich.

When, at precisely what time, he entered the Bureau, and who gave him the berth, were things which no one could recall. No matter how many Directors and his superiors of one sort or another came and went, he was always to be seen in the one and the same spot, in the same posture, in the very same post, always the same Clerk of Correspondence, so that subsequently people became convinced that he evidently had come into the world just the way he was, all done and set, in a uniform frock and bald at the temples. No respect whatsoever was shown him in the Bureau. The porters not only didn't jump up from their places whenever he happened to pass by, but didn't even as much as glance at him, as if nothing more than a common housefly had passed through the reception hall. His superiors treated him with a certain chill despotism. Some assistant or other of some Head of a Department would simply shove papers under his nose, without as much as saying "Transcribe these," or "Here's a rather pretty, interesting little case," or any of those small pleasantries that are current in well-conducted administrative institutions. And he would take the work, merely glancing at the paper, without looking up to see who had put it down before him and whether that person had the right to do so; he took it and right then and there went to work on it. The young clerks made fun of him and sharpened their wits at his expense, to whatever extent their quill-driving wittiness sufficed, retailing in his very presence the various stories made up about him; they said of his landlady, a crone of seventy, that she beat him, and asked him when their wedding would take place; they scattered torn paper over his head, maintaining it was snow.

But not a word did Akakii Akakiievich say in answer to all this, as if there were actually nobody before him. It did not even affect his work: in the midst of all these annoyances he did not make a single clerical error. Only when the jest was past all bearing, when they jostled his arm, hindering him from doing his work, would he say: "Leave me alone! Why do you pick on me?" And there was something odd about his words and in the voice with which he uttered them. In that voice could be heard something that moved one to pity—so much so that one young man, a recent entrant, who, following the example of the others, had permitted himself to make fun of Akakii Akakiievich, stopped suddenly, as if pierced to the quick, and from that time on everything seemed to change in his eyes and appeared in a different light. Some sort of preternatural force seemed to repel him from the companions he had made, having taken them for decent, sociable people. And for a long time afterward, in the very midst of his most cheerful moments, the little squat clerk would appear before him, with the small bald patches on each side of his forehead, and he would hear his heart-piercing words "Leave me alone! Why do you pick on me?" And in these heart-piercing words he caught the ringing sound of others: "I am your brother." And the poor young man would cover his eyes with his hand, and many a time in his life thereafter did he shudder, seeing how much inhumanity there is in man, how much hidden ferocious coarseness lurks in refined, cultured worldliness and, O God! even in that very man whom the world holds to be noble and honorable. . . .

It is doubtful if you could find anywhere a man whose life lay so much in his work. It would hardly do to say that he worked with zeal; no, it was a labor of love. Thus, in this transcription of his, he visioned some sort of diversified and pleasant world all its own. His face expressed delight; certain letters were favorites of his and, whenever he came across them he would be beside himself with rapture: he'd chuckle, and wink, and help things along by working his lips, so that it seemed as if one could read on his face every letter his quill was outlining. If rewards had been meted out to him commensurately with his zeal, he might have, to his astonishment, actually found himself among the State Councilors; but, as none other than those wits, his own co-workers, expressed it, all he'd worked himself up to was a button in a buttonhole too wide, and piles in his backside.

However, it would not be quite correct to say that absolutely no attention was paid him. One Director, being a kindly man and wishing to reward him for his long service, gave orders that some work of a more important nature than the usual transcription be assigned to him; to be precise, he was told to make a certain referral to another Administrative Department out of a docket already prepared; the matter consisted, all in all, of changing the main title as well as some pronouns here and there from the first person singular to the third person singular. This made so much work for him that he was all of a sweat, kept mopping his forehead, and finally said: "No, better let me transcribe something." Thenceforth they left him to his transcription for all time. Outside of this transcription, it seemed, nothing existed for him.

He gave no thought whatsoever to his dress; the uniform frock coat on him wasn't the prescribed green at all, but rather of some rusty-flour hue. His collar was very tight and very low, so that his neck, even though it wasn't a long one, seemed extraordinarily long emerging therefrom, like those gypsum kittens with nodding heads which certain outlanders balance by the dozen atop their heads and peddle throughout Russia. And, always, something was bound to stick to his coat: a wisp of hay or some bit of thread; in addition to that, he had a peculiar knack whenever he walked through the streets of getting under some window at the precise moment when garbage of every sort was being thrown out of it, and for that reason always bore off on his hat watermelon and cantaloupe rinds and other such trifles. Not once in all his life had he ever turned his attention to the everyday things and doings out in the street—something, as everybody knows, that is always watched with eager interest by Akakii Akakiievich's confrère, the young government clerk, the penetration of whose lively gaze is so extensive that he will even take in somebody on the opposite sidewalk who has ripped loose his trouser strap—a thing that never fails to evoke a sly smile on the young clerk's face. But even if Akakii Akakiievich did look at anything, he saw thereon nothing but his own neatly, evenly penned lines of script, and only when some horse's nose, bobbing up from no one knew where, would be placed on his shoulder and let a whole gust of wind in his face through its nostrils, would he notice that he was not in the middle of a line of script but, rather, in the middle of the roadway.

On coming home he would immediately sit down at the table, gulp down his cabbage soup and bolt a piece of veal with onions, without noticing in the least the taste of either, eating everything together with the flies and whatever else God may have sent at that particular time of the year. On perceiving that his belly was beginning to bulge, he'd get up from the table, take out a small bottle of ink, and transcribe the papers he had brought home. If there were no homework, he would deliberately, for his own edification, make a copy of some paper for himself, especially if the document were remarkable not for its beauty of style but merely addressed to some new or important person.

Even at those hours when the gray sky of Petersburg

becomes entirely extinguished and all the pettifogging tribe has eaten its fill and finished dinner, each as best he could, in accordance with the salary he receives and his own bent, when everybody has already rested up after the scraping of quills in various departments, the running around, the unavoidable cares about their own affairs and the affairs of others, and all that which restless man sets himself as a task voluntarily and to an even greater extent than necessary—at a time when the petty bureaucrats hasten to devote whatever time remained to enjoyment: he who was of the more lively sort hastening to the theater, another for a saunter through the streets, devoting the time to an inspection of certain pretty little hats; still another to some evening party, to spend that time in paying compliments to some comely young lady, the star of a small bureaucratic circle; a fourth (and this happened most frequently of all) simply going to call on a confrère in a flat up three or four flights of stairs, consisting of two small rooms with an entry and a kitchen and one or two attempts at the latest improvements—a kerosene lamp instead of candles, or some other elegant little thing that had cost many sacrifices, such as going without dinners or good times—in short, even at the time when all the petty bureaucrats scatter through the small apartments of their friends for a session of dummy whist, sipping tea out of tumblers and nibbling at cheap zwieback, drawing deep at their pipes, the stems thereof as long as walking sticks, retailing, during the shuffling and dealing, some bit of gossip or other from high society that had reached them at long last (something which no Russian, under any circumstances, and of whatever estate he be, can ever deny himself), or even, when there was nothing whatsoever to talk about, retelling the eternal chestnut of the commandant to whom people came to say that the tail of the horse on the Falconetti monument had been docked—in short, even at the time when every soul yearns to be diverted, Akakii Akakiievich did not give himself up to any diversion. No man could claim having ever seen him at any evening gathering. Having had his sweet fill of quill-driving, he would lie down to sleep, smiling at the thought of the next day: just what would God send him on the morrow?

Such was the peaceful course of life of a man who, with a yearly salary of four hundred, knew how to be content with his lot, and that course might even have continued to a ripe old age had it not been for sundry calamities, such as are strewn along the path of life, not only of Titular, but even Privy, Actual, Court, and all other sorts of Councilors, even those who never give any counsel to anybody nor ever accept any counsel from others for themselves.

There is, in Petersburg, a formidable foe of all those whose salary runs to four hundred a year or thereabouts. This foe is none other than our Northern frost—even though, by the bye, they do say that it's the most healthful thing for you. At nine in the morning, precisely at that hour when the streets are thronged with those on their way to sundry Bureaus, it begins dealing out such powerful and penetrating fillips to all noses, without any discrimination, that the poor bureaucrats absolutely do not know how to hide them. At this time, when even those who fill the higher posts feel their foreheads aching because of the frost and the tears come to their eyes, the poor Titular Councilors are sometimes utterly defenseless. The sole salvation, if one's overcoat is of the thinnest, lies in dashing, as quickly as possible, through five or six blocks and then stamping one's feet for a long time in the porter's room, until the faculties and gifts for administrative duties, which have been frozen on the way, are thus thawed out at last.

For some time Akakii Akakiievich had begun to notice that the cold was somehow penetrating his back and shoulders with especial ferocity, despite the fact that he tried to run the required distance as quickly as possible. It occurred to him, at last, that there might be some defects about his overcoat. After looking it over rather thoroughly at home he discovered that in two or three places—in the back and at the shoulders, to be exact—it had become no better than the coarsest of sacking; the cloth was rubbed to such an extent that one could see through it, and the lining had crept apart. The reader must be informed that Akakii Akakiievich's overcoat, too, was a butt for the jokes of the petty bureaucrats; it had been deprived of the honorable name of an overcoat, even, and dubbed a *negligee*. And, really, it was of a rather queer cut; its collar grew smaller with every year, inasmuch as it was utilized to supplement the other parts of the garment. This supplementing was not at all a compliment to the skill of the tailor, and the effect really was baggy and unsightly.

Perceiving what the matter was, Akakii Akakiievich decided that the overcoat would have to go to Petrovich the tailor, who lived somewhere up four flights of backstairs and who, despite a squint-eye and pockmarks all over his face, did quite well at repairing bureaucratic as well as all other trousers and coats—of course, be it understood, when he was in a sober state and not hatching some nonsartorial scheme in his head. One shouldn't, really, mention this tailor at great length, but since there is already a precedent for each character in a tale being clearly defined, there's no help for it, and so let's trot out Petrovich as well. In the beginning he had been called simply Gregory and had been the serf of some squire or other; he had begun calling himself Petrovich only after obtaining his freedom papers and taking to drinking rather hard on any and every holiday—at first on the red-letter ones and then, without any discrimination, on all those designated by the church: wherever there was a little cross marking the day on the calendar. In this respect he was loyal to the customs of our grandsires and, when bickering with his wife, would call her a worldly woman and a German *frau*. And, since we've already been inadvertent enough to mention his wife, it will be necessary to say a word or two about her as well; but, regrettably, little was known about her—unless, perhaps, the fact that Petrovich had a wife, or that she even wore a house-cap and not a kerchief; but as for beauty, it appears that she could hardly boast of any; at least the soldiers in the Guards were the only ones with hardihood enough to bend down for a peep under her cap, twitching their mustachios as they did so and emitting a certain peculiar sound.

As he clambered up the staircase that led to Petrovich—the staircase, to render it its just due, was dripping all over from water and slops and thoroughly permeated with that alcoholic odor which makes the eyes smart and is, as everybody knows, unfailingly present on all the backstairs of all the houses in Petersburg—as he clambered up this staircase Akakii Akakiievich was already conjecturing how stiff Petrovich's asking-price would be and mentally determined not to give him more than two rubles. The door was open, because the mistress of the place, being busy preparing some fish, had filled the kitchen with so much smoke that one actually couldn't see the very cockroaches for it.

Akakii Akakiievich made his way through the kitchen, unperceived even by the mistress herself, and at last entered the room wherein he beheld Petrovich, sitting on a wide table of unpainted deal with his feet tucked in under him like a Turkish Pasha. His feet, as is the wont of tailors seated at their work, were bare, and the first thing that struck one's eyes was the big toe of one, very familiar to Akakii Akakiievich, with some sort of deformed nail, as thick and strong as a turtle's shell. About Petrovich's neck were loops of silk and cotton thread, while some sort of ragged garment was lying on his knees. For the last three minutes he had been trying to put a thread through the eye of a needle, couldn't hit the mark, and because of that was very wroth against the darkness of the room and even the thread itself, grumbling under his breath: "She won't go through, the heathen! You've spoiled my heart's blood, you damned good-for-nothing!"

Akakii Akakiievich felt upset because he had come at just the moment when Petrovich was very angry; he liked to give in his work when the latter was already under the influence or, as his wife put it, "He's already full of rot-gut, the one-eyed devil!" In such a state Petrovich usually gave in willingly and agreed to everything; he even bowed and was grateful every time. Afterward, true enough, his wife would come around and complain weepily that, now, her husband had been drunk and for that reason had taken on the work too cheaply; but all you had to do was to tack on another ten kopecks—and the thing was in the bag. But now, it seemed, Petrovich was in a sober state, and for that reason on his high horse, hard to win over, and bent on boosting his prices to the devil knows what heights. Akakii Akakiievich surmised this and, as the saying goes, was all set to make back tracks, but the deal had already been started. Petrovich puckered up his one good eye against him very fixedly and Akakii Akakiievich involuntarily said "Greetings, Petrovich!" "Greetings to you, sir," said Petrovich and looked askance at Akakii Akakiievich's hands, wishing to see what sort of booty the other bore.

"Well, now, I've come to see you, now, Petrovich!"

Akakii Akakiievich, the reader must be informed, explained himself for the most part in prepositions, adverbs, and such verbal oddments as had absolutely no significance. But if the matter was exceedingly difficult, he actually had a way of not finishing his phrase at all, so that, quite frequently, beginning his speech with such words as "This, really, is perfectly, you know—" he would have nothing at all to follow up with, and he himself would be likely to forget the matter, thinking that he had already said everything in full.

"Well, just what is it?" asked Petrovich, and at the same time, with his one good eye, surveyed the entire garment, beginning with the collar and going on to the sleeves, the back, the coat-skirts, and the buttonholes, for it was all very familiar to him, inasmuch as it was all his own handiwork. That's a way all tailors have; it's the first thing a tailor will do on meeting you.

"Why, what I'm after, now, Petrovich . . . the overcoat, now, the cloth . . . there, you see, in all the other places it's strong as can be . . . it's gotten a trifle dusty and only seems to be old, but it's really new, there's only one spot . . . a little sort of . . . in the back . . . and also one shoulder, a trifle rubbed through —and this shoulder, too, a trifle—do you see? Not a lot of work, really—"

Petrovich took up the *negligee*, spread it out over the table as a preliminary, examined it for a long time, shook his head, and then groped with his hand on the window sill for a round snuffbox with the portrait of some general or other on its lid—just which one nobody could tell, inasmuch as the place occupied by the face had been holed through with a finger and then pasted over with a small square of paper. After duly taking tobacco, Petrovich held the *negligee* taut in his hands and scrutinized it against the light, and again shook his head; after this he turned it with the lining up and again shook his head, again took off the lid with the general's face pasted over with paper and, having fully loaded both nostrils with snuff, covered the snuffbox, put it away, and, at long last, gave his verdict:

"No, there's no fixin' this thing: your wardrobe's in a bad way!"

Akakii Akakiievich's heart skipped a beat at these words.

"But why not, Petrovich?" he asked, almost in the imploring voice of a child. "All that ails it, now . . . it's rubbed through at the shoulders. Surely you must have some small scraps of cloth or other—"

"Why, yes, one could find the scraps—the scraps will turn up," said Petrovich. "Only there's no sewing them on: the whole thing's all rotten: touch a needle to it—and it just crawls apart on you."

"Well, let it crawl—and you just slap a patch right on to it."

"Yes, but there's nothing to slap them little patches on to; there ain't nothing for the patch to take hold on—there's been far too much wear. It's cloth in name only, but if a gust of wind was to blow on it, it would scatter."

"Well, now, you just fix it up. That, really, now . . . how can it be?"

"No," said Petrovich decisively, "there ain't a thing to be done. The whole thing's in a bad way. You'd better, when the cold winter spell comes, make footcloths out of it, because stockings ain't so warm. It's them Germans that invented them stockings, so's to rake in more money for themselves. [Petrovich loved to needle the Germans whenever the chance turned up.] But as for that there overcoat, it looks like you'll have to make yourself a new one."

At the word *new* a mist swam before Akakii Akakiievich's eyes and everything in the room became a jumble. All he could see clearly was the general on the lid of Petrovich's snuffbox, his face pasted over with a scrap of paper.

"A new one? But how?" he asked, still as if he were in a dream. "Why, I have no money for that."

"Yes, a new one," said Petrovich with a heathenish imperturbability.

"Well, if there's no getting out of it, how much, now—"

"You mean, how much it would cost?"

"Yes."

"Why, you'd have to cough up three fifties and a bit over," pronounced Petrovich and significantly pursed up his lips at this. He was very fond of strong effects, was fond of somehow nonplusing somebody, utterly and suddenly, and then eyeing his victim sidelong, to see what sort of wry face the nonplusee would pull after his words.

"A hundred and fifty for an overcoat!" poor Akakii Akakiievich cried out—cried out perhaps for the first time since he was born, for he was always distinguished for his low voice.

"Yes, sir!" said Petrovich. "And what an overcoat, at that! If you put a marten collar on it and add a silk-lined hood it might stand you even two hundred."

"Petrovich, please!" Akakii Akakiievich was saying in

an imploring voice, without grasping and without even trying to grasp the words uttered by Petrovich and all his effects. "Fix it somehow or other, now, so's it may do a little longer, at least—"

"Why, no, that'll be only having the work go to waste and spending your money for nothing," said Petrovich, and after these words Akakii Akakiievich walked out annihilated. But Petrovich, after his departure, remained as he was for a long time, with meaningfully pursed lips and without resuming his work, satisfied with neither having lowered himself nor having betrayed the sartorial art.

Out in the street, Akakii Akakiievich walked along like a somnambulist. "What a business, now, what a business," he kept saying to himself. "Really, I never even thought that it, now . . . would turn out like that. . . ." And then, after a pause, added: "So that's it! That's how it's turned out after all! Really, now, I couldn't even suppose that it . . . like that, now—" This was followed by another long pause, after which he uttered aloud: "So that's how it is! This, really, now, is something that's beyond all, now, expectation . . . well, I never! What a fix, now!"

Having said this, instead of heading for home, he started off in an entirely different direction without himself suspecting it. On the way a chimney sweep caught him square with his whole sooty side and covered all his shoulder with soot; enough quicklime to cover his entire hat tumbled down on him from the top of a building under construction. He noticed nothing of all this and only later, when he ran up against a policeman near his sentry box (who, having placed his halberd near him, was shaking some tobacco out of a paper cornucopia on to his calloused palm), did Akakii Akakiievich come a little to himself, and that only because the policeman said: "What's the idea of shoving your face right into mine? Ain't the sidewalk big enough for you?" This made him look about him and turn homeward.

Only here did he begin to pull his wits together; he perceived his situation in its clear and real light; he started talking to himself no longer in snatches but reasoningly and frankly, as with a judicious friend with whom one might discuss a matter most heartfelt and intimate. "Well, no," said Akakii Akakiievich, "there's no use reasoning with Petrovich now; he's, now, that way. . . . His wife had a chance to give him a drubbing, it looks like. No, it'll be better if I come to him on a Sunday morning; after Saturday night's good time he'll be squinting his eye and very sleepy, so he'll have to have a hair of the dog that bit him, but his wife won't give him any money, now, and just then I'll up with ten kopecks or so and into his hand with it—so he'll be more reasonable to talk with, like, and the overcoat will then be sort of . . ."

That was the way Akakii Akakiievich reasoned things out to himself, bolstering up his spirits. And, having bided his time till the next Sunday and spied from afar that Petrovich's wife was going off somewhere out of the house, he went straight up to him. Petrovich, sure enough, was squinting his eye hard after the Saturday night before, kept his head bowed down to the floor, and was ever so sleepy; but, for all that, as soon as he learned what was up, it was as though the Devil himself nudged him.

"Can't be done," said he. "You'll have to order a new overcoat."

Akakii Akakiievich thrust a ten-kopeck coin on him right then and there.

"I'm grateful to you, sir; I'll have a little something to

get me strength back and will drink to your health," said Petrovich, "but as for your overcoat, please don't fret about it; it's of no earthly use any more. As for a new overcoat, I'll tailor a glorious one for you; I'll see to that."

Just the same, Akakii Akakiievich started babbling again about fixing the old one, but Petrovich simply would not listen to him and said: "Yes, I'll tailor a new one for you without fail; you may rely on that, I'll try my very best. We might even do it the way it's all the fashion now—the collar will button with silver catches under appliqué."

It was then that Akakii Akakiievich perceived that there was no doing without a new overcoat, and his spirits sank utterly. Really, now, with what means, with what money would he make this overcoat? Of course he could rely, in part, on the coming holiday bonus, but this money had been apportioned and budgeted ahead long ago. There was an imperative need of outfitting himself with new trousers, paying the shoemaker an old debt for a new pair of vamps to an old pair of boot-legs, and he had to order from a sempstress three shirts and two pair of those nethergarments which it is impolite to mention in print; in short, all the money was bound to be expended entirely, and even if the Director were so gracious as to decide on giving him five and forty, or even fifty rubles as a bonus, instead of forty, why, even then only the veriest trifle would be left over, which, in the capital sum required for the overcoat, would be as a drop in a bucket. Even though Akakii Akakiievich was, of course, aware of Petrovich's maggot of popping out with the devil knows how inordinate an asking price, so that even his wife herself could not restrain herself on occasion from crying out: "What, are you going out of your mind, fool that you are! There's times when he won't take on work for anything, but the Foul One has egged him on to ask a bigger price than all of him is worth"—even though he knew, of course, that Petrovich would probably undertake the work for eighty rubles, nevertheless and notwithstanding where was he to get those eighty rubles? Half of that sum might, perhaps, be found; half of it could have been found, maybe even a little more—but where was he going to get the other half?

But first the reader must be informed where the first half was to come trom. Akakii Akakiievich had a custom of putting away a copper or so from every ruble he expended, into a little box under lock and key, with a small opening cut through the lid for dropping money therein. At the expiration of every half-year he made an accounting of the entire sum accumulated in coppers and changed it into small silver. He had kept this up a long time, and in this manner, during the course of several years, the accumulated sum turned out to be more than forty rubles. And so he had half the sum for the overcoat on hand; but where was he to get the other half? Where was he to get the other forty rubles? Akakii Akakiievich mulled the matter over and over and decided that it would be necessary to curtail his ordinary expenses, for the duration of a year at the very least; banish the indulgence in tea of evenings; also, of evenings, to do without lighting candles, but, if there should be need of doing something, to go to his landlady's room and work by her candle; when walking along the streets he would set his foot as lightly and carefully as possible on the cobbles and flagstones, walking almost on tiptoes, and thus avoid wearing out his soles prematurely; his linen would have to be given as infrequently as possible to the laundress and, in order that it might not become too soiled, every time he came home all of it must be taken off, the wearer having to remain only in his jean bathrobe, a most ancient garment and spared even by time itself.

It was, the truth must be told, most difficult for him in the beginning to get habituated to such limitations, but later it did turn into a matter of habit, somehow, and everything went well; he even became perfectly trained to going hungry of evenings; on the other hand, however, he had spiritual sustenance, always carrying about in his thoughts the eternal idea of the new overcoat. From this time forth it seemed as if his very existence had become somehow fuller, as though he had taken unto himself a wife, as though another person was always present with him, as though he were not alone but as if an amiable feminine helpmate had consented to traverse the path of life side by side with him—and this feminine helpmate was none other than this very same overcoat, with a thick quilting of cotton wool, with a strong lining that would never wear out.

He became more animated, somehow, even firmer of character, like a man who has already defined and set a goal for himself. Doubt, indecision—in a word, all vacillating and indeterminate traits—vanished of themselves from his face and actions. At times a sparkle appeared in his eyes; the boldest and most daring of thoughts actually flashed through his head: Shouldn't he, after all, put marten on the collar? Meditations on this subject almost caused him to make absent-minded blunders. And on one occasion, as he was transcribing a paper, he all but made an error, so that he emitted an almost audible "Ugh," and made the sign of the cross.

During the course of each month he would make at least one call on Petrovich, to discuss the overcoat: Where would it be best to buy the cloth, and of what color, and at what price—and even though somewhat preoccupied he always came home satisfied, thinking that the time would come, at last, when all the necessary things would be bought and the overcoat made.

The matter went even more quickly than he had expected. Contrary to all his anticipations, the Director designated a bonus not of forty or forty-five rubles for Akakii Akakiievich, but all of sixty. Whether he had a premonition that Akakii Akakiievich needed a new overcoat, or whether this had come about of its own self, the fact nevertheless remained: Akakii Akakiievich thus found himself the possessor of an extra twenty rubles. This circumstance hastened the course of things. Some two or three months more of slight starvation—and lo! Akakii Akakiievich had accumulated around eighty rubles. His heart, in general quite calm, began to palpitate. On the very first day possible he set out with Petrovich to the shops. The cloth they bought was very good, and no great wonder, since they had been thinking over its purchase as much as half a year before and hardly a month had gone by without their making a round of the shops to compare prices; but then, Petrovich himself said that there couldn't be better cloth than that. For lining they chose calico, but of such good quality and so closely woven that, to quote Petrovich's words, it was still better than silk and, to look at, even more showy and glossy. Marten they did not buy, for, to be sure, it was expensive, but instead they picked out the best catskin the shop boasted—catskin that could, at a great enough distance, be taken for marten.

Petrovich spent only a fortnight in fussing about with the making of the overcoat, for there was a great deal of stitching to it, and if it hadn't been for that it would have been ready considerably earlier. For his work Petrovich took twelve rubles—he couldn't have taken any less; everything was positively sewn with silk thread, with a small double stitch, and after the stitching Petrovich went over every seam with his own teeth, pressing out various figures with them.

It was on . . . it would be hard to say on precisely what day, but it was, most probably, the most triumphant day in Akakii Akakiievich's life when Petrovich, at last, brought the overcoat. He brought it in the morning, just before Akakii Akakiievich had to set out for his Bureau. Never, at any other time, would the overcoat have come in so handy, because rather hard frosts were already setting in and, apparently, were threatening to become still more severe. Petrovich's entrance with the overcoat was one befitting a good tailor. Such a portentous expression appeared on his face as Akakii Akakiievich had never yet beheld. Petrovich felt to the fullest, it seemed, that he had performed no petty labor and that he had suddenly evinced in himself that abyss which lies between those tailors who merely put in linings and alter and fix garments and those who create new ones.

He extracted the overcoat from the bandanna in which he had brought it. (The bandanna was fresh from the laundress; it was only later on that he thrust it in his pocket for practical use.) Having drawn out the overcoat, he looked at it quite proudly and, holding it in both hands, threw it deftly over the shoulders of Akakii Akakiievich, pulled it and smoothed it down the back with his hand, then draped it on Akakii Akakiievich somewhat loosely. Akakiievich, as a man along in his years, wanted to try it on with his arms through the sleeves. Petrovich helped him on with it: it turned out to be fine, even with his arms through the sleeves. In a word, the overcoat proved to be perfect and had come in the very nick of time. Petrovich did not let slip the opportunity of saying that he had done the work so cheaply only because he lived in a place without a sign, on a side street and, besides, had known Akakii Akaiievich for a long time, but on the Nevski Prospect they would have taken seventy-five rubles from him for the labor alone. Akakii Akakiievich did not feel like arguing the matter with Petrovich and, besides, he had a dread of all the fancy sums with which Petrovich liked to throw dust in people's eyes. He paid the tailor off, thanked him, and walked right out in the new overcoat on his way to the Bureau. Petrovich walked out at his heels and, staying behind on the street, for a long while kept looking after the overcoat from afar, and then deliberately went out of his way so that, after cutting across a crooked lane, he might run out again into the street and have another glance at his overcoat from a different angle—that is, full face.

In the meantime Akakii Akakiievich walked along feeling in the most festive of moods. He was conscious every second of every minute that he had a new overcoat on his shoulders, and several times even smiled slightly because of his inward pleasure. In reality he was a gainer on two points: for one, the overcoat was warm, for the other, it was a fine thing. He did not notice the walk at all and suddenly found himself at the Bureau; in the porter's room he took off his overcoat, looked it all over, and entrusted it to the particular care of the doorman. None knows in what manner everybody in the Bureau suddenly learned that Akakii Akakiievich had a new overcoat, and that the *negligee* was no longer in existence. They all immediately ran out into the vestibule to inspect Akakii Akakiievich's new overcoat. They fell to congratulating him, to saying agreeable things to him, so that at first he could merely smile, and in a short time became actually embarrassed. And when all of them, having besieged him, began telling him that the new overcoat ought to be baptized and that he ought, at the least, to get up an evening party for them, Akakii Akakiievich was utterly at a loss, not knowing what to do with himself, what answers to make, nor how to get out of inviting them. It was only a few minutes later that he began assuring them, quite simple-heartedly, that it wasn't a new overcoat at all, that it was just an ordinary overcoat, that in fact it was an old overcoat. Finally one of the bureaucrats—some sort of an Assistant to a Head of a Department, actually—probably in order to show that he was not at all a proud stick and willing to mingle even with those beneath him, said: "So be it, then; I'm giving a party this evening and ask all of you to have tea with me; today, appropriately enough, happens to be my birthday."

The clerks, naturally, at once thanked the Assistant to a Head of a Department and accepted the invitation with enthusiasm. Akakii Akakiievich attempted to excuse himself at first, but all began saying that it would show disrespect to decline, that it would be simply a shame and a disgrace, and after that there was absolutely no way for him to back out. However, when it was all over, he felt a pleasant glow as he reminded himself that this would give him a chance to take a walk in his new overcoat even in the evening. This whole day was for Akakii Akakiievich something in the nature of the greatest and most triumphant of holidays.

Akakii Akakiievich returned home in the happiest mood, took off the overcoat, and hung it carefully on the wall, once more getting his fill of admiring the cloth and the lining, and then purposely dragged out, for comparison, his former *negligee,* which by now had practically disintegrated. He glanced at it and he himself had to laugh, so great was the difference! And for a long while thereafter, as he ate dinner, he kept on smiling slightly whenever the present state of the *negli-gee* came to his mind. He dined gayly, and after dinner did not write a single stroke; there were no papers of any kind, for that matter; he just simply played the sybarite a little, lounging on his bed, until it became dark. Then, without putting matters off any longer, he dressed, threw the overcoat over his shoulders, and walked out into the street.

We are, to our regret, unable to say just where the official who had extended the invitation lived; our memory is beginning to play us false—very much so—and everything in Petersburg, no matter what, including all its streets and houses, has become so muddled in our mind that it's quite hard to get anything out therefrom in any sort of decent shape. But wherever it may have been, at least this much is certain: that official lived in the best part of town; consequently a very long way from Akakii Akakiievich's quarters. First of all Akakii Akakiievich had to traverse certain deserted streets with but scant illumination; however, in keeping with his progress toward the official's domicile, the streets became more animated; the pedestrians flitted by more and more often; he began meeting even ladies, handsomely dressed; the men he came upon had beaver collars on their overcoats; more and more rarely did he encounter jehus with latticed wooden sleighs, studded over with gilt nails—on the contrary, he kept coming across first-class drivers in caps of raspberry-hued velvet, their sleighs lacquered and with bearskin robes, while the carriages had decorated seats for the drivers and raced down the roadway, their wheels screeching over the snow.

Akakii Akakiievich eyed all this as a novelty—it was several years by now since he had set foot out of his house in the evening. He stopped with curiosity before the illuminated window of a shop to look at a picture, depicting some handsome woman or other, who was taking off her shoe, thus revealing her whole leg (very far from ill-formed), while behind her back some gentleman or other, sporting side whiskers and a handsome goatee, was poking his head out of the door of an adjoining room. Akakii Akakiievich shook his head and smiled, after which he went on his way. Why had he smiled? Was it because he had encountered something utterly unfamiliar, yet about which, nevertheless, everyone preserves a certain instinct? Or did he think, like so many other petty clerks: "My, the French they are a funny race! No use talking! If there's anything they get a notion of, then, sure enough, there it is!" And yet, perhaps, he did not think even that; after all, there's no way of insinuating one's self into a man's soul, of finding out all that he might be thinking about.

At last he reached the house in which the Assistant to a Head of a Department lived. The Assistant to a Head of a Department lived on a grand footing; there was a lantern on the staircase; his apartment was only one flight up. On entering the foyer of the apartment Akakii Akakiievich beheld row after row of galoshes. In their midst, in the center of the room, stood a samovar, noisy and emitting clouds of steam. The walls were covered with hanging overcoats and capes, among which were even such as had beaver collars or lapels of velvet. On the other side of the wall he could hear much noise and talk, which suddenly became distinct and resounding when the door opened and a flunky came out with a tray full of empty tumblers, a cream pitcher, and a basket of biscuits. It was evident that the bureaucrats had gathered long since and had already had their first glasses of tea.

Akakii Akakiievich, hanging up his overcoat himself,

entered the room and simultaneously all the candles, bureaucrats, tobacco-pipes and card tables flickered before him, and the continuous conversation and the scraping of moving chairs, coming from all sides, struck dully on his ears. He halted quite awkwardly in the center of the room, at a loss and trying to think what he ought to do. But he had already been noticed, was received with much shouting, and everyone immediately went to the foyer and again inspected his overcoat. Akakii Akakiievich, even though he was somewhat embarrassed, still could not but rejoice on seeing them all bestow such praises on his overcoat, since he was a man with an honest heart. Then, of course, they all dropped him and his overcoat and, as is usual, directed their attention to the whist tables.

All this—the din, the talk, and the throng of people —all this was somehow a matter of wonder to Akakii Akakiievich. He simply did not know what to do, how to dispose of his hands, his feet, and his whole body; finally he sat down near the cardplayers, watched their cards, looked now at the face of this man, now of that, and after some time began to feel bored, to yawn—all the more so since his usual bedtime had long since passed. He wanted to say good-by to his host but they wouldn't let him, saying that they absolutely must toast his new acquisition in a goblet of champagne. An hour later supper was served, consisting of mixed salad, cold veal, meat pie, patties from a pastry cook's, and champagne. They forced Akakii Akakiievich to empty two goblets, after which he felt that the room had become ever so much more cheerful. However, he absolutely could not forget that it was already twelve o'clock and that it was long since time for him to go home. So that his host might not somehow get the idea of detaining him, he crept out of the room, managed to find his overcoat—which, not without regret, he saw lying on the floor; then, shaking the overcoat and picking every bit of fluff off it, he threw it over his shoulders and made his way down the stairs and out of the house.

It was still dusk out in the street. Here and there small general stores, those round-the-clock clubs for domestics and all other servants, were still open; other shops, which were closed, nevertheless showed, by a long streak of light along the crack either at the outer edge or the bottom, that they were not yet without social life and that, probably, the serving wenches and lads were still winding up their discussions and conversations, thus throwing their masters into utter bewilderment as to their whereabouts. Akakii Akakiievich walked along in gay spirits; for reasons unknown he even made a sudden dash after some lady or other, who had passed by him like a flash of lightning, and every part of whose body was filled with buoyancy. However, he stopped right then and there and resumed his former exceedingly gentle pace, actually wondering himself at the sprightliness that had come upon him from none knows where.

Soon he again was passing stretch after stretch of those desolate streets which are never too gay even in the daytime, but are even less so in the evening. Now they had become still more deserted and lonely; he came upon glimmering street lamps more and more infrequently—the allotment of oil was now evidently decreasing; there was a succession of wooden houses and fences, with never another soul about; the snow alone glittered on the street, and the squat hovels, with their shutters closed in sleep, showed like depressing dark blotches. He approached a spot where the street was cut in two by an unending square, with the houses on the other side of it barely visible—a square that loomed ahead like an awesome desert.

Far in the distance, God knows where, a little light flickered in a policeman's sentry box that seemed to stand at the end of the world. Akakii Akakiievich's gay mood somehow diminished considerably at this point. He set foot in the square, not without a premonition of something evil. He looked back and on each side of him —it was as though he were in the midst of a sea. "No, it's better even not to look," he reflected and went on with his eyes shut. And when he did open them to see if the end of the square were near, he suddenly saw standing before him, almost at his very nose, two mustachioed strangers—just what sort of men they were was something he couldn't even make out. A mist arose before his eyes and his heart began to pound.

"Why, that there overcoat is mine!" said one of the men in a thunderous voice, grabbing him by the collar. Akakii Akakiievich was just about to yell "Police!" when the other put a fist right up to his mouth, a fist as big as any government clerk's head, adding: "There, you just let one peep out of you!"

All that Akakii Akakiievich felt was that they had taken the overcoat off him, given him a kick in the back with the knee, and that he had fallen flat on his back in the snow, after which he felt nothing more. In a few minutes he came to and got up on his feet, but there was no longer anybody around. He felt that it was cold out in that open space and that he no longer had the overcoat, and began to yell; but his voice, it seemed, had no intention whatsoever of reaching the other end of the square. Desperate, without ceasing to yell, he started off at a run across the square directly toward the sentry box near which the policeman was standing and, leaning on his halberd, was watching the running man, apparently with curiosity, as if he wished to know why the devil anybody should be running toward him from afar and yelling. Akakii Akakiievich, having run up to him, began to shout in a stifling voice that he, the policeman, had been asleep, that he was not watching and couldn't see that a man was being robbed. The policeman answered that he hadn't seen a thing; all he had seen was two men of some sort stop him in the middle of the square, but he had thought they were friends of Akakii Akakiievich's, and that instead of cursing him out for nothing he'd better go on the morrow to the Inspector, and the Inspector would find out who had taken his overcoat.

Akakii Akakiievich ran home in utter disarray; whatever little hair still lingered at his temples and the nape of his neck was all disheveled; his side and his breast and his trousers were all wet with snow. The old woman, his landlady, hearing the dreadful racket at the door, hurriedly jumped out of bed and, with only one shoe on, ran down to open the door, modestly holding the shift at her breast with one hand; but, on opening the door and seeing Akakii Akakiievich in such a state, she staggered back. When he had told her what the matter was, however, she wrung her hands and said that he ought to go directly to the Justice of the Peace; the District Officer of Police would take him in, would make promises to him and then lead him about by the nose; yes, it would be best of all to go straight to the Justice. Why, she was even acquainted with him, seeing as how Anna, the Finnish woman who had formerly been her cook, had now gotten a place as a nurse at the Justice's; that she, the landlady herself, saw the Justice often when he drove past her house, and also that he went to church every Sunday, praying, yet at the same time looking so cheerfully at all the folks, and that consequently, as one could see by all the signs, he was a kindhearted man. Having heard this solution of his troubles through to the end, the saddened Akakii Akakiievich shuffled off to his room, and how he passed the night there may be left to the discernment of him who can in any degree imagine the situation of another.

Early in the morning he set out for the Justice's, but was told there that he was sleeping; he came at ten o'clock, and was told again: "He's sleeping." He came at eleven; they told him: "Why, His Honor's not at home." He tried at lunchtime, but the clerks in the reception room would not let him through to the presence under any circumstances and absolutely had to know what business he had come on and what had occurred, so that, at last, Akakii Akakiievich for once in his life wanted to evince firmness of character and said sharply and categorically that he had to see the Justice personally, that they dared not keep him out, that he had come from his own Bureau on a Government matter, and that, now, when he'd lodge a complaint against them, why, they would see, then. The clerks dared not say anything in answer to this and one of them went to call out the Justice of the Peace.

The Justice's reaction to Akakii Akakiievich's story of how he had been robbed of his overcoat was somehow exceedingly odd. Instead of turning his attention to the main point of the matter, he began interrogating Akakii Akakiievich: Just why had he been coming home at so late an hour? Had he, perhaps, looked in at, or hadn't he actually visited, some disorderly house? Akakii Akakiievich became utterly confused and walked out of the office without himself knowing whether the investigation about the overcoat would be instituted or not.

This whole day he stayed away from his Bureau (the only time in his life he had done so). On the following day he put in an appearance, all pale and in his old *negligee,* which had become more woebegone than ever.

The recital of the robbery of the overcoat, despite the fact that there proved to be certain ones among his co-workers who did not let pass even this opportunity to make fun of Akakii Akakiievich, nevertheless touched many. They decided on the spot to make up a collection for him, but they collected the utmost trifle, inasmuch as the petty officials had spent a lot even without this, having subscribed for a portrait of the Director and for some book or other, at the invitation of the Chief of the Department, who was a friend of the writer's; and so the sum proved to be most trifling. One of them, moved by compassion, decided to aid Akakii Akakiievich with good advice at least, telling him that he oughtn't to go to the precinct officer of the police, because, even though it might come about that the precinct officer, wishing to merit the approval of his superiors, might locate the overcoat in some way, the overcoat would in the end remain with the police, if Akakii Akakiievich could not present legal proofs that it belonged to him; but that the best thing of all would be to turn to a *certain important person;* that this important person, after conferring and corresponding with the proper people in the proper quarters, could speed things up.

There was no help for it; Akakii Akakiievich summoned up his courage to go to the important person. Precisely what the important person's post was and what the work of that post consisted of, has remained unknown up to now. It is necessary to know that the certain important person had only recently become an Important Person, but, up to then, had been an unimportant person. However, his post was not considered an important one even now in comparison with more important ones. But there will always be found a circle of people who perceive the importance of that which is unimportant in the eyes of others. However, he tried to augment his importance by many other means, to wit: he inaugurated the custom of having the subordinate clerks meet him while he was still on the staircase when he arrived at his office; another, of no one coming directly into his presence, but having everything follow the most rigorous precedence: a Collegiate Registrar was to report to the Provincial Secretary, the Provincial Secretary to a Titular one, or whomever else it was necessary to report to, and only thus was any matter to come to him. For it is thus in our Holy Russia that everything is infected with imitativeness; everyone apes his superior and postures like him. They even say that a certain Titular Councilor, when they put him at the helm of some small individual chancellery, immediately had a separate room for himself partitioned off, dubbing it the Reception Centre, and had placed at the door some doormen or other with red collars and gold braid, who turned the doorknob and opened the door for every visitor, even though there was hardly room in the Reception Centre to hold even an ordinary desk.

The manners and ways of the important person were imposing and majestic, but not at all complex. The chief basis of his system was strictness. "Strictness, strictness, and—strictness," he was wont to say, and when uttering the last word he usually looked very significantly into the face of the person to whom he was speaking, even though, by the way, there was no reason for all this, inasmuch as the half-score of clerks constituting the whole administrative mechanism of his chancellery was under the proper state of fear and trembling even as it was: catching sight of him from afar the staff would at once drop whatever it was doing and wait, at attention, until the Chief had passed through the room. His ordinary speech with his subordinates reeked of strictness and consisted almost entirely of three phrases: "How dare you? Do you know whom you're talking to? Do you realize in whose presence you are?" However, at soul he was a kindly man, treated his friends well, and was obliging; but the rank of General had knocked him completely off his base. Having received a General's rank he had somehow become muddled, had lost his sense of direction, and did not know how to act. If he happened to be with his equals he was still as human as need be, a most decent man, in many respects—even a man not at all foolish; but whenever he happened to be in a group where there were people even one rank below him, why, there was no holding him; he was taciturn, and his situation aroused pity, all the more since he himself felt that he could have passed the time infinitely more pleasantly. In his eyes one could at times see a strong desire to join in some circle and its interesting conversation, but he was stopped by the thought: Wouldn't this be too much unbending on his part, wouldn't it be a familiar action, and wouldn't he lower his importance thereby? And as a consequence of such considerations he remained forever aloof in that invariably taciturn state, only uttering some monosyllabic sounds at rare intervals, and had thus acquired the reputation of a most boring individual.

It was before such an *important person* that our Akakii Akakiievich appeared, and he appeared at a most inauspicious moment, quite inopportune for himself—although, by the bye, most opportune for the important person. The important person was seated in his private office and had gotten into very, very jolly talk with a certain recently arrived old friend and childhood companion whom he had not seen for several years. It was at this point that they announced to the important person that some Bashmachkin or other had come to see him. He asked abruptly: "Who is he?" and was told:

"Some petty clerk or other." "Ah. He can wait; this isn't the right time for him to come," said the important man.

At this point it must be said that the important man had fibbed a little: he had the time; he and his old friend had long since talked over everything and had been long eking out their conversation with protracted silences, merely patting each other lightly on the thigh from time to time and adding, "That's how it is, Ivan Abramovich!" and "That's just how it is, Stepan Varlamovich!" But for all that he gave orders for the petty clerk to wait a while just the same, in order to show his friend, a man who had been long out of the Civil Service and rusticating in his village, how long petty clerks had to cool their heels in his anteroom.

Finally, having had his fill of talk, yet having had a still greater fill of silences, and after each had smoked a cigar to the end in a quite restful armchair with an adjustable back, he at last appeared to recall the matter and said to his secretary, who had halted in the doorway with some papers for a report, "Why, I think there's a clerk waiting out there. Tell him he may come in."

On beholding the meek appearance of Akakii Akakiievich and his rather old, skimpy frock coat, he suddenly turned to him and asked, "What is it you wish?" —in a voice abrupt and firm, which he had purposely rehearsed beforehand in his room at home in solitude and before a mirror, actually a week before he had received his present post and his rank of General.

Akakii Akakiievich already had plenty of time to experience the requisite awe, was somewhat abashed, and, as best he could, in so far as his poor freedom of tongue would allow him, explained, adding even more *now's* than he would have at another time, that his overcoat had been perfectly new, and that, now, he had been robbed of it in a perfectly inhuman fashion, and that he was turning to him, now, so that he might interest himself through his . . . now . . . might correspond with the Head of Police or somebody else, and find his overcoat, now. . . . Such conduct, for some unknown reason, appeared familiar to the General.

"What are you up to, my dear sir?" he resumed abruptly. "Don't you know the proper procedure? Where have you come to? Don't you know how matters ought to be conducted? As far as this is concerned, you should have first of all submitted a petition to the Chancellery; it would have gone from there to the head of the proper Division, then would have been transferred to the Secretary, and the Secretary would in due time have brought it to my attention—"

"But, Your Excellency," said Akakii Akakiievich, trying to collect whatever little pinch of presence of mind he had, yet feeling at the same time that he was in a dreadful sweat, "I ventured to trouble you, Your Excellency, because secretaries, now . . . aren't any too much to be relied upon—"

"What? What? What?" said the important person. "Where did you get such a tone from? Where did you get such notions? What sort of rebellious feeling has spread among the young people against the administrators and their superiors?" The important person had, it seems, failed to notice that Akakii Akakiievich would never see fifty again, consequently, even if he could have been called a young man it could be applied only relatively, that is, to someone who was already seventy. "Do you know whom you're saying this to? Do you realize in whose presence you are? Do you realize? Do you realize, I'm asking you!" Here he stamped his foot, bringing his voice to such an overwhelming note that even another than an Akakii Akakiievich would have been frightened. Akakii Akakiievich was simply bereft of his senses, swayed, shook all over, and actually could not stand on his feet. If a couple of doormen had not run up right then and there to support him he would have slumped to the floor; they carried him out in a practically cataleptic state. But the important person, satisfied because the effect had surpassed even anything he had expected, and inebriated by the idea that a word from him could actually deprive a man of his senses, looked out of the corner of his eye to learn how his friend was taking this and noticed, not without satisfaction, that his friend was in a most indeterminate state and was even beginning to experience fear on his own account.

How he went down the stairs, how he came out into the street—that was something Akakii Akakiievich was no longer conscious of. He felt neither his hands nor his feet; never in all his life had he been dragged over such hot coals by a General—and a General outside his Bureau, at that! With his mouth gaping, stumbling off the sidewalk, he breasted the blizzard that was whistling and howling through the streets; the wind, as is its wont in Petersburg, blew upon him from all the four quarters, from every cross lane. In a second it had blown a quinsy down his throat, and he crawled home without the strength to utter a word; he became all swollen and took to his bed. That's how effective a proper hauling over the coals can be at times!

On the next day he was running a high fever. Thanks to the magnanimous all-round help of the Petersburg climate, the disease progressed more rapidly than could have been expected, and when the doctor appeared he, after having felt the patient's pulse, could not strike on anything to do save prescribing hot compresses, and that solely so that the sick man might not be left without the beneficial help of medical science; but, on the whole, he announced on the spot that in another day and a half it would be curtains for Akakii Akakiievich, after which he turned to the landlady and said: "As for you, Mother, don't you be losing any time for nothing; order a pine coffin for him right now, because a coffin of oak will be beyond his means."

Whether Akakii Akakiievich heard the doctor utter these words, so fateful for him, and, even if he did hear them, whether they had a staggering effect on him, whether he felt regrets over his life of hard sledding—about that nothing is known, inasmuch as he was all the time running a temperature and was in delirium. Visions, each one stranger than the one before, appeared before him ceaselessly: now he saw Petrovich and was ordering him to make an overcoat with some sort of traps to catch thieves, whom he ceaselessly imagined to be under his bed, at every minute calling his landlady to pull out from under his blanket one of them who had actually crawled in there; then he would ask why his old *negligee* was hanging in front of him, for he had a new overcoat; then once more he had a hallucination that he was standing before the General, getting a proper raking over the coals, and saying: "Forgive me, Your Excellency!"; then, finally, he actually took to swearing foully, uttering such dreadful words that his old landlady could do nothing but cross herself, having never in her life heard anything of the sort from him, all the more so since these words followed immediately after "Your Excellency!"

After that he spoke utter nonsense, so that there was no understanding anything; all one could perceive was that his incoherent words and thoughts all revolved about that overcoat and nothing else.

Finally poor Akakii Akakiievich gave up the ghost.

Neither his room nor his things were put under seal; in the first place because he had no heirs, and in the second because there was very little left for anybody to inherit, to wit: a bundle of goose quills, a quire of white governmental paper, three pairs of socks, two or three buttons that had come off his trousers, and the *negligee* which the reader is already familiar with. Who fell heir to all this treasure-trove, God knows; I confess that even the narrator of this tale was not much interested in the matter. They bore Akakii Akakiievich off and buried him. And Petersburg was left without Akakii Akakiievich, as if he had never been therein. There vanished and disappeared a being protected by none, endeared to no one, of no interest to anyone, a being that actually had failed to attract to itself the attention of even a naturalist who wouldn't let a chance slip of sticking an ordinary housefly on a pin and of examining it through a microscope; a being that had submissively endured the jests of the whole chancellery and that had gone to its grave without any extraordinary fuss, but before which, nevertheless, even before the very end of its life, there had flitted a radiant visitor in the guise of an overcoat, which had animated for an instant a poor life, and upon which being calamity had come crashing down just as unbearably as it comes crashing down upon the heads of the mighty ones of this earth!

A few days after his death a doorman was sent to his house from the Bureau with an injunction for Akakii Akakiievich to appear immediately; the Chief, now, was asking for him; but the doorman had to return empty-handed, reporting back that "he weren't able to come no more," and, to the question: "Why not?" expressed himself in the words, "Why, just so; he up and died; they buried him four days back." Thus did they learn at the Bureau about the death of Akakii Akakiievich, and the very next day a new pettifogger, considerably taller than Akakii Akakiievich, was already sitting in his place and putting down the letters no longer in such a straight hand, but considerably more on the slant and downhill.

But whoever could imagine that this wouldn't be all about Akakii Akakiievich, that he was fated to live for several noisy days after his death, as though in reward for a life that had gone by utterly unnoticed? Yet that is how things fell out, and our poor history is taking on a fantastic ending.

Rumors suddenly spread through Petersburg that near the Kalinkin Bridge, and much farther out still, a dead man had started haunting of nights, in the guise of a petty government clerk, seeking for some overcoat or other that had been purloined from him and, because of that stolen overcoat, snatching from all and sundry shoulders, without differentiating among the various ranks and titles, all sorts of overcoats: whether they had collars of catskin or beaver, whether they were quilted with cotton wool, whether they were lined with raccoon, with fox, with bear—in a word, every sort of fur and skin that man has ever thought of for covering his own hide. One of the clerks in the Bureau had seen the dead man with his own eyes and had immediately recognized in him Akakii Akakiievich. This had inspired him with such horror, however, that he started running for all his legs were worth and for that reason could not make him out very well but had merely seen the other shake his finger at him from afar. From all sides came an uninterrupted flow of complaints that backs and shoulders—it wouldn't matter so much if they were merely those of Titular Councilors, but even those of Privy Councilors were affected—were exposed to the danger of catching thorough colds, because of this oft-repeated snatching-off of overcoats.

An order was put through to the police to capture the dead man, at any cost, dead or alive, and to punish him in the severest manner as an example to others—and they all but succeeded in this. To be precise, a policeman at a sentry box on a certain block of the Kirushkin Lane had already gotten a perfect grip on the dead man by his coat collar, at the very scene of his malefaction, while attempting to snatch off the frieze overcoat of some retired musician, who in his time had tootled a flute. Seizing the dead man by the collar, the policeman had summoned two of his colleagues by shouting and had entrusted the ghost to them to hold him, the while he himself took just a moment to reach down in his bootleg for his snuffbox, to relieve temporarily a nose that had been frostbitten six times in his life; but the snuff, probably, was of such a nature as even a dead man could not stand. Hardly had the policeman, after stopping his right nostril with a finger, succeeded in drawing half a handful of rapee up his left, than the dead man sneezed so heartily that he completely bespattered the eyes of all the three myrmidons. While they were bringing their fists up to rub their eyes, the dead man vanished without leaving as much as a trace, so that they actually did not know whether he had really been in their hands or not.

From then on the policemen developed such a phobia of dead men that they were afraid to lay hands even on living ones and merely shouted from a distance: "Hey, there, get going!" and the dead government clerk began to do his haunting even beyond the Kalinkin Bridge, inspiring not a little fear in all timid folk.

However, we have dropped entirely a certain *im-*

portant person who, in reality, had been all but the cause of the fantastic trend taken by what is, by the bye, a perfectly true story. First of all, a sense of justice compels us to say that the *certain important person,* soon after the departure of poor Akakii Akakiievich, done to a turn in the raking over the hot coals, had felt something in the nature of compunction. He was no stranger to compassion; many kind impulses found access to his heart, despite the fact that his rank often stood in the way of their revealing themselves. As soon as the visiting friend had left his private office, he actually fell into a brown study over Akakii Akakiievich. And from that time on, almost every day, there appeared before him the pale Akakii Akakiievich, who had not been able to stand up under an administrative hauling over the coals. The thought concerning him disquieted the certain important person to such a degree that, a week later, he even decided to send a clerk to him to find out what the man had wanted, and how he was, and whether it were really possible to help him in some way. And when he was informed that Akakii Akakiievich had died suddenly in a fever he was left actually stunned, hearkening to the reproaches of conscience, and was out of sorts the whole day.

Wishing to distract himself to some extent and to forget the unpleasant impression this news had made upon him, he set out for an evening party given by one of his friends, where he found a suitable social gathering and, what was best of all, all the men there were of almost the same rank, so that he absolutely could not feel constrained in any way. This had an astonishing effect on the state of his spirits. He relaxed, became amiable and pleasant to converse with—in a word, he passed the time very agreeably. At supper he drank off a goblet or two of champagne—a remedy which, as everybody knows, has not at all an ill effect upon one's gaiety. The champagne predisposed him to certain extracurricular considerations; to be precise, he decided not to go home yet but to drop in on a certain lady of his acquaintance, a Caroline Ivanovna—a lady of German extraction, apparently, toward whom his feelings and relations were friendly. It must be pointed out the important person was no longer a young man, that he was a good spouse, a respected paterfamilias. He had two sons, one of whom was already serving in a chancellery, and a pretty daughter of sixteen, with a somewhat humped yet very charming little nose, who came to kiss his hand every day, adding, "*Bonjour*, papa," as she did so. His wife, a woman who still had not lost her freshness and was not even in the least hard to look at, would allow him to kiss her hand first, then, turning her own over, kissed the hand that was holding hers.

Yet the important person, who, by the bye, was perfectly contented with domestic tendernesses, found it respectable to have a lady friend in another part of the city. This lady friend was not in the least fresher or younger than his wife, but such are the enigmas that exist in this world, and to sit in judgment upon them is none of our affair. And so the important person came down the steps, climbed into his sleigh, and told his driver: "To Carolina Ivanovna's!"—while he himself, after muffling up rather luxuriously in his warm overcoat, remained in that pleasant state than which no better could even be thought of for a Russian—that is, when one isn't even thinking of his own volition, but the thoughts in the meanwhile troop into one's head by themselves, each more pleasant than the other, without giving one even the trouble of pursuing them and seeking them. Filled with agreeable feelings, he lightly recalled all the gay episodes of the evening he had spent, all his *mots* that had made the select circle go off into peals of laughter; many of them he even repeated in a low voice and found that they were still just as amusing as before, and for that reason it is not to be wondered at that even he chuckled at them heartily.

Occasionally, however, he became annoyed with the gusty wind which, suddenly escaping from God knows where and no one knows for what reason, simply cut the face, tossing tatters of snow thereat, making the collar of his overcoat belly out like a sail, or suddenly, with unnatural force, throwing it over his head and in this manner giving him ceaseless trouble in extricating himself from it.

Suddenly the important person felt that someone had seized him rather hard by his collar. Turning around, he noticed a man of no great height, in an old, much worn frock coat and, not without horror, recognized in him Akakii Akakiievich. The petty clerk's face was wan as snow and looked utterly like the face of a dead man. But the horror of the important person passed all bounds when he saw that the mouth of the man became twisted and, horribly wafting upon him the odor of the grave, uttered the following speech: "Ah, so there you are, now, at last! At last I have collared you, now! Your overcoat is just the one I need! You didn't put yourself out any about mine, and on top of that hauled me over the coals—so now let me have yours!"

The poor important person almost passed away. No matter how firm of character he was in his chancellery and before his inferiors in general, and although after but one look merely at his manly appearance and his figure everyone said: "My, what character he has!"—in this instance, nevertheless, like quite a number of men who have the appearance of doughty knights, he experienced such terror that, not without reason, he even began to fear an attack of some physical disorder. He even hastened to throw his overcoat off his shoulders himself and cried out to the driver in a voice that was not his own, "Go home—fast as you can!"

The driver, on hearing the voice that the important person used only at critical moments and which he often accompanied by something of a far more physical nature, drew his head in between his shoulders just to be on the safe side, swung his whip, and flew off like an arrow. In just a little over six minutes the important person was already at the entrance to his own house. Pale, frightened out of his wits, and minus his overcoat, he had come home instead of to Caroline Ivanovna's, somehow made his way stumblingly to his room, and spent the night in quite considerable distress, so that the next day, during the morning tea, his daughter told him outright: "You're all pale today, papa." But papa kept silent and said not a word to anybody of what had befallen him, and where he had been, and where he had intended to go.

This adventure made a strong impression on him. He even badgered his subordinates at rarer intervals with his, "How dare you? Do you realize in whose presence you are?"—and even if he did utter these phrases he did not do so before he had first heard through to the end just what was what. But still more remarkable is the fact that from that time forth the apparition of the dead clerk ceased its visitations utterly; evidently the General's overcoat fitted him to a *t;* at least, no cases of overcoats being snatched off anybody were heard of any more, anywhere. However, many energetic and solicitous people simply would not calm down and kept on saying from time to time that the dead government clerk was still haunting the remoter parts of the city.

And, sure enough, one policeman at a sentry box in

Colomna had with his own eyes seen the apparition coming out of a house; but, being by nature somewhat puny, so that on one occasion an ordinary well-grown shoat, darting out of a private yard, had knocked him off his feet, to the profound amusement of the cab drivers who were standing around, from whom he had exacted a copper each for humiliating him so greatly, to buy snuff with—well, being puny, he had not dared to halt him but simply followed him in the dark until such time as the apparition suddenly looked over its shoulder and, halting, asking him: "What are you after?" and shook a fist at him whose like for size was not to be found among the living. The policeman said: "Nothing," and at once turned back. The apparition, however, was considerably taller by now and was sporting enormous mustachios; setting its steps apparently in the direction of the Obuhov Bridge it disappeared, utterly, in the darkness of night.

IVAN SERGHEIEVICH TURGENEV

(1818–1882)

> Great fellows, the Russians, for the telling of a story; the best storytellers are the Russians, and the best amongst them was Turgenev.
>
> —*George Moore*

EDITOR'S NOTE

SPASKOYE-LUTOVINOVO, the family estate of the great writer's mother, was a more fantastic circus than even the one at Mikhailovskoye, the estate of Pushkin's father. And, even as Saltykov and Nekrassov, Turgenev grew up to hate serfdom.

Influenced by his life abroad, while finishing his studies and afterwards, he became a Westernizer (anti-isolationist), for which he was naturally attacked by the hundred-percent professional Slavs. In 1842 he entered government service but, just as Pushkin and Gogol before him, found it but little to his liking and resigned the next year. It was also in 1843 that he took his first serious literary step, with the publication of an anonymous long poem. By 1846 he realized that poetry was not his strong point (he has wistfully and whimsically voiced this realization several times, in *Senilia* and elsewhere) and seriously considered abandoning literature. But the publication in 1847, by Nekrassov, of *Hor and Kalinich,* followed by a succession of similar pieces, proved Turgenev's great talent as a prosateur. These formed that unique work (his best and most significant one), *Hunting Sketches,* published in 1852 (the year of Gogol's death and the appearance of the truncated Part II of *Dead Souls*), and played an exceedingly important and effective part in the emancipation of the "white Negroes." The immediate result, however, of this publication, and, in the same year, of his essay on the death of Gogol, was to win him the recognition which Czarism extended to almost all Russians of talent or genius. Turgenev had to sit a month in the precinct jail and was sentenced to two years of enforced residence on his country estate.

In 1856 he published *Rudin;* in 1858, *A Nest of Gentlefolk;* in 1860, *On the Eve* and in 1862, *Fathers and Sons,* which created a furore, led to a misunderstanding on the part of Young Russia, which he loved so well and thought he knew, and brought about what amounted to a self-imposed exile and embitterment on his part. (See, in *Senilia,* "Thou Shalt Hear the Judgment of a Fool," written sixteen years after the publication of *Fathers and Sons,* and only four years before his death.)

He wrote and published comparatively little after that. *Smoke* appeared in 1867;*Virgin Soil,* his last novel, ten years later and, in 1882, the year of his death, *Senilia: Poems in Prose,* surely the most characteristic, Turgenevian work, the most lovable, and one of his best things. A second cycle of these short, exquisite pieces was discovered and published, in Russian and French, in 1933; but, despite the first cycle's having something very like a cult in Great Britain and over here, this new Turgenev item has not yet been honored by book publication in English.

His last years were literally agonizing. He died at Bougeval, near Paris; autopsy showed cancer of the spine, with three vertebrae destroyed.

At least two of Turgenev's critical articles seem to have been written directly in English; one of his last stories he did in French and had translated into Russian by another hand, although he himself had not deemed it beneath him to render Flaubert's "Herodias" into Russian; another story he dictated on his deathbed in French, German and Italian.

Turgenev is Russia's greatest poet-in-prose. No other can work quite the same gentle, misty magic in Aeolian Russian. Yet for all the velvetiness, the steel is underneath, as in the *Hunting Sketches,* wherein he attacks serfdom with a deceptive objectivity. How effective Turgenev's disguise of mere hunting adventures was can be judged by the fact that the cumulative anti-serfdom tone and the full impact of these superb sketches were apparently not perceived by officialdom until their publication in collected form.

Those who do not know Russian, or French, or German, or Italian will fare best if they hunt down the individual English versions of the '80's, made not directly from the Russian but from French translations. This advice is not as wild as it may sound, for Turgenev himself kept an eye on a number of the French (and perhaps even the German) translations. The Italian *Slavia* versions are, the Editor is assured on good authority, excellent. The writer has in his possession a heavily insured *Senilia*, Englished from a Danish adaptation of a German version from a French translation of the Russian—and even that evinces more love for the author and respect for his intent, as well as greater probity, than English translations.

Specters

A FANTASY

IVAN SERGHEIEVICH TURGENEV

> One moment only—and gone the magic tale,
> And with the commonplace again the soul is teeming.
>
> *A. Fet*

I HAD been unable to fall asleep for a long time and had kept incessantly tossing from side to side. "The devil take all this table-turning foolishness!" I reflected. "All it does is upset your nerves." At last I felt drowsiness coming over me.

Suddenly I thought I heard a sound, as if a harp string had twanged faintly and plaintively in the room.

I raised my head. The moon hung low in the heavens, and was peering right into my eyes. Its glow, white as chalk, fell upon the floor. The strange twang was plainly repeated.

I leaned upon my elbow, a slight fear plucking at my heart. A minute passed; then another. Somewhere far off a rooster crowed; still farther off another answered it. I let my head fall back on the pillow. "There, that's the state you can get into," I again reflected. "First thing you know your ears will start ringing."

A little later I fell asleep—or so it seemed to me. And I had an extraordinary dream. I thought I was lying in my bedroom, on my bed—and I was not asleep; I could not even close my eyes. There, that twang came again. I turned around. The moonglow on the floor began, ever so gently, to rise; it straightened out, became slightly rounded at the top. A woman in white, transparent as mist, stood motionless before me.

"Who are you?" I asked with an effort.

The answering voice sounded like the rustle of leaves:

"It is I—I—I. . . . I have come for you—"

"For me? But who are you?"

"Come tomorrow night to the edge of the forest, where the old oak stands. I shall be there."

I wanted to peer more closely into the features of the mysterious woman—and suddenly shuddered involuntarily. A wave of cold air was blowing upon me. And then I was no longer lying down but sitting up in bed —and at the spot where the specter had apparently been standing the moonlight whitened the floor in a long streak.

The day passed somehow. I remember I attempted to read, to work—but could not get on with anything. Night came. My heart was pounding, as though anticipating something. I lay down and turned my face to the wall.

"Why didn't you come?" a clear whisper sounded through the room.

I quickly looked over my shoulder.

It was she again. Again that mysterious specter. Unmoving eyes in an unmoving face—and their gaze was filled with pensiveness.

"Come!" I heard the whisper again.

"I shall," I answered with involuntary terror. The specter swayed gently forward, became all blurred, lightly swirling, like smoke—and the moon again rested whitely upon the smooth floor.

I passed the day restlessly. At supper I drank off almost a full bottle of wine; I went out on the veranda but left it soon and threw myself on my bed. My blood was surging heavily.

Again that sound. . . . I shuddered, but did not turn around to look. Suddenly I felt someone clasp me tightly from behind, at the same time babbling in my very ear: "Come, come, come—"

Startled and trembling, I got out in a moan: "I shall!" —and sat up straight.

The woman was bending over as she stood close to the head of my bed. She smiled faintly and vanished. I, however, managed to get a good look at her face. It seemed to me that I had seen her before. But when? Where?

I rose late and all day long roamed through the fields; several times I walked up to the old oak at the edge of the forest and looked about me closely.

Before evening I sat down at the open window in my study. The old woman who was my housekeeper placed a cup of tea before me, but I left it untouched. I was constantly wondering, and asking myself if I were not going out of my mind. The sun had just set, and it was not the sky alone that mantled red: all the air had suddenly filled with some almost unnatural purple tint; the leaves and grasses, looking as if they had been freshly lacquered, did not stir; in their petrified immobility, in the sharp vividness of their outlines, in this coupling of overpowering glitter and dead silence there was something strange, enigmatic. A rather large bird suddenly, without the least noise, flew up and perched on the very edge of my windowsill. I looked at it—and it looked at me askance with its round, dark eye.

"Haven't you, by some chance, been sent to remind me?" I mused.

The bird at once flipped its soft wings and flew off, as noiselessly as it had come. For a long while yet did I sit by the window, but I no longer gave myself up to perplexed conjecturing. It was as though I had gotten into an enchanted circle—and an insuperable yet gentle force was drawing me along, even as, long before coming to a waterfall, the rushing of the current draws along a boat. Finally I pulled myself together. The purple tinge in the air had long since vanished, its pigments had darkened, and the enchanted stillness had ended. A fluttering breeze sprang up; the moon was emerging ever more clearly against a sky that was now turning to indigo, and shortly, under its chill rays, the leaves of the trees were glinting with the sheen of silver and black. My old housekeeper entered the study carrying a lit candle, but a puff of air blew upon it through the window and its flame went out. I could not keep myself back any longer; getting up hastily I drew a cap low over my forehead and set out for the edge of the forest, for the old oak.

Lightning had struck this oak many years ago; its crest had split in two and withered, yet there was enough life left in the tree for several centuries more. As I was drawing near it a small cloud scudded toward the moon and hid it; it was very dark under the spreading branches of the oak. At first I did not notice anything out of the way; but then I happened to look to one side—and my heart simply sank: a white figure was standing motionlessly near a large bush between the oak and the forest. My hair began to stir slightly, as if it were about to stand up on end, but I pulled myself together and walked toward the forest.

Yes, it was she—my nocturnal visitant. As I came near her the moon began to shine anew. She seemed to be all woven out of semi-transparent, milky mist; I could see, through her face, a twig gently swaying in the wind; her hair alone, and her eyes, were ever so faintly dark, while upon one of the fingers of her clasped hands gleamed a narrow ring of white gold. I stopped before her and was about to speak, but my voice died away in my breast, even though by now I really felt no fear. Her eyes turned upon me: their gaze expressed neither sorrow nor joy, but a certain lifeless attentiveness. I waited for her to utter some word, but she remained motionless and speechless, still regarding me with her lifelessly fixed gaze. I again fell into an eldritch mood.

"I have come!" I said at last, loudly and with an effort. My voice had a stifled and odd sound.

"I love you," came her whisper.

"You love me?" I repeated in astonishment.

"Give yourself to me," the soughing came anew in answer.

"Give myself to you? But you are a specter—you haven't even a body." A strange animation took possession of me. "What are you—smoke, air, vapor? Give myself to you! Answer me first—who are you? Have you ever lived upon earth? Whence have you come?"

"Give yourself to me. I will do you no harm. Say but two words: 'Take me.' "

I looked at her. "What is she saying?" I mused. "What does all this mean? And how would she take me? Or should I try it?"

"Very well, then," I uttered aloud, and with unexpected loudness, as though someone had nudged me from behind. "Take me!"

Hardly had I said these words when the mysterious figure, with an inward laughter which made her face quiver for an instant, swayed forward, with arms outflung. I was about to leap away, but I was already in her power. She embraced me; my body rose half a yard above the ground—and we both soared off, smoothly and not too fast, over the unstirring wet grass.

At first my head swam, and I involuntarily closed my eyes. A moment or two later I opened them anew. We were soaring along as before, but the forest was no longer to be seen: a plain spread out below us, with dark blotches strewn over it. I became convinced, to my horror, that we had ascended to a frightful height.

"I am lost; I am in the power of Satan!" the thought flashed through me like lightning. Up to that instant the idea of possession by the Foul One, of the possibility of perdition, had not entered my head. We were still rushing along and, it seemed, going higher and higher.

"Where are you carrying me?" I got out in a moan at last.

"Wherever you like," answered my companion. She

was clinging to me, all of her; her face was almost touching mine. However, I hardly felt her touch.

"Let me down to the ground; I feel bad at this height."

"Very well; all you have to do is close your eyes and hold your breath."

I obeyed—and at once felt myself falling, like a hurled stone. The wind whistled through my hair. When I came to, we were again soaring smoothly over the very ground, so that the tops of the tallest grass-blades clung to us.

"Put me on my feet," I began. "What pleasure is there in flying? I am no bird!"

"I thought you would find it pleasant. We have no other occupation."

" 'We?' But who are all of you?"

There was no answer.

"You dare not tell me that?"

A plaintive sound, like that which had awakened me that first night, quavered in my ears. In the meanwhile we kept on moving at a barely perceptible rate through the damp night air.

"Do let me go!" I spoke up. My companion gently leaned over, away from me—and I found myself on my feet. She stopped before me and clasped her hands anew. I calmed down and looked her in the face: as hitherto, it bore an expression of submissive sorrow.

"Where are we?" I asked. I could not recognize the vicinity.

"Far from your home—but you can be there in an instant."

"In what way? By entrusting myself to you again?"

"I have done you no harm, nor will. You and I will fly about until the dawn-glow—and that is all. I can carry you off to any place you may think of—to all the ends of the earth. Give yourself to me! Say once more: 'Take me!' "

"Well then—take me!"

Again she drew close to me; my feet again left the ground—and we flew off.

"Where to?" she asked me.

"Straight ahead—straight ahead, all the time."

"But the forest is in our way."

"Rise over the forest—but as gently as you can."

We whirled upward, like a snipe that had collided with a birch—and again soared off in a straight line. Treetops, instead of grassblades, were now flitting by under our feet. It was wondrously odd to see the forest from above, to see its bristling back in the light of the moon. It looked like some enormous beast that had fallen asleep, and it sped us on our way with a sweeping, ceaseless rustling that sounded like indistinct, low growling. Here and there we would come upon a small glade, a serrated strip of shadow lying in a beautiful black silhouette to one side of it. Now and then we heard the piteous squeal of a rabbit below; up above an owl hooted, and its hoot also sounded piteously; there was a smell of mushrooms in the air, and of buds, of lovage; the moonlight was fairly flooding the earth in all directions, chillily and austerely; heat-lightnings flashed over our very heads.

Now the forest, too, had been left behind; a streak of mist stretched across the open field: that streak was a flowing river. We sped along one of its banks, over bushes weighed down and motionless from the night-damp. The river waves now shone with an indigo sheen, now rolled on, darkly, as if they were wrathy. In places thin vapor hovered in an odd fashion over the waves, and the cups of the water-lilies virginally and sumptuously flaunted the whiteness of their fully opened petals, as though aware that it was impossible to get at them. The idea came to me of plucking one of them—and lo, I found myself over the smooth surface of the water. The damp struck me in the face inimically as soon as I had severed the tough stalk of a large flower.

We began to flit from bank to bank, like sandpipers, whom we kept constantly awaking and whom we pursued. More than once we happened to fly full tilt against a small family of wild ducks, disposed in a small circle in some small clear space among clumps of reeds—but the birds would not stir, save that one of them might hastily take its head from under its wing, look about it, and fussily thrust its beak again into the downy feathers, while some other might quack faintly, at which a slight tremor would run through all its body. We frightened one heron: it rose up out of some willow bushes, its legs dangling, and beating its wings with a clumsy effort; that was when it struck me as actually looking like a German. Not a fish splashed anywhere; the fish, too, were asleep.

I was beginning to grow accustomed to the sensation of flight, and even found pleasure therein: everyone who has ever happened to fly in a dream will understand me. I began to scrutinize with greater attentiveness the strange being through whose favor such improbable events were befalling me.

This woman's face was small, not at all a Russian one. Grayish-whitish, semi-transparent, with barely defined shadows, it reminded one of the figures upon an alabaster vase lighted from within—and again it seemed familiar to me.

"May I speak with you?"

"You may."

"I see a ring on your finger; you have, therefore, lived upon earth once—you were married?"

I paused. There was no response.

"What is your name—or, at any rate, what was it?"

"Call me Ellis."

"Ellis—that's an English name. Are you an Englishwoman? Did you know me before?"

"No, I never did."

"Why, then, did you appear to me and not to some other?"

"I love you."

"And are you content?"

"Yes; you and I are soaring, circling through the pure air—"

"Ellis!" said I suddenly. "Are you, perchance, a soul that has transgressed, that is condemned?"

My companion bowed her head:

"I do not understand you," said she in a whisper.

"I adjure you in the name of God—" I began.

"What are you saying?" she uttered uncomprehendingly. "I do not understand." It seemed to me that the arm that lay about my waist like a chill girdle stirred gently. "Be not afraid," Ellis uttered. "Be not afraid, my dearest one!" She turned her face and drew it near to mine. I felt some strange sensation upon my lips, as if of the touch of a slender and pliant sting. . . . Sluggish leeches take hold in that fashion.

I glanced downward. We had again had time to ascend to a rather considerable height. We were flying over some provincial town unfamiliar to me, situated on the slope of a spreading knoll. Churches towered amid the dark mass of wooden houses, of orchards; a long bridge showed darkly at the bend of a river; everything was in silence, weighed down by slumber. The very cupolas and crosses, it seemed, gleamed with a mute gleaming; the tall poles of water wells stuck up mutely near the rounded caps of willows; the whitish, paved highroad was plunging mutely like a slim arrow in at one end of the town and emerging mutely at the other end into the murky spaciousness of monotonous fields.

"What town is that?" I asked.

"——sov."

"In the province of——?"

"Yes."

"I surely am at a great distance from home!"

"Distance does not exist for us."

"Really?" A sudden venturesomeness flared up within me. "In that case carry me to South America!"

"Not to America. It is day there now."

"And you and I are birds of the night. Well, bring me to some place where you can go—only as far off as possible."

"Close your eyes and hold your breath," answered Ellis, and we darted off with the speed of a whirlwind. The air rushed into my ears with a stunning din.

We stopped, but the noise did not cease. On the contrary, it had turned into some awesome roar, into the rumbling of thunder.

"You may open your eyes now," said Ellis.

I obeyed. My God, where was I?

Heavy, smoky clouds overhead; they huddled, they ran, like a herd of malevolent monsters—and there, below, was another monster: an infuriated—yes, an infuriated—sea. White foam flickered convulsively and seethed upon it in hillocks, and the sea, tossing its shaggy billows, pounded with a harsh rumbling against an enormous cliff as black as pitch. The howling of the storm, the icy breath of the heaving abyss, the heavy surge of the incoming tide, in which at times one imagined something like screams, like far off cannonading, like the ringing of church bells, the ear-splitting screech and grinding of pebbles along the shore, the sudden cry of an unseen gull, the shaky skeleton of a wrecked ship against the turbid horizon—all these told of death, death everywhere, death and horror. My head began to reel, and I shut my eyes again, on the verge of swooning.

"What is this? Where are we?"

"On the south shore of the Isle of Wight, before the Blackgang Chine, against which so many ships shatter," said Ellis, this time with especial distinctness and, as it seemed to me, not without evil joy.

"Carry me away—away from here . . . home! Home!"

I shrank into myself, hiding my face in my hands. I felt that we were speeding still more rapidly than before; the wind no longer howled, no longer whistled—it whined through my hair, through my clothing. I could not catch my breath.

"*Do* stand up on your feet!" I heard the voice of Ellis.

I strained to get possession of myself, of my consciousness. I felt the ground underfoot, but could not hear anything, as though everything about me were in a swoon—save that the blood was pounding unevenly at my temples, and my head still swam, with an inward faint ringing. I straightened up and opened my eyes.

We were on the dam of my mill-pond. Straight before me, through the pointed leaves of the willows, I could see its broad, smooth expanse, with here and there filaments of downy mist clinging to it. To the right was the dull glint of a field of rye; to the left, in the garden, the trees rose up, elongated, motionless; they seemed damp: morning had already breathed upon them. Two or three small, slanting clouds, like streamers of smoke, were straggling across the clear gray sky; they looked yellowish—the first faint reflection of the dawn-glow was falling upon them, God knows whence: the eye still could not discern upon the now wan horizon the spot where that glow would begin. The stars were vanishing; nothing stirred as yet, although all things were awakening amid the bewitched stillness of the early half-light.

"Morning! Morning is here!" Ellis cried out at my very ear. "Farewell. Until tomorrow!"

I turned around. Lightly detaching herself from the earth, she was floating past me—and suddenly raised both her hands; her shoulders glowed instantaneously with a fleshy, warm color; living sparks quivered in the dark eyes; a sly smile of secret languor stirred her blushing lips. A woman of splendid beauty suddenly arose before me. But, as if falling into a swoon, she immediately fell backward, and dissolved like vapor.

I remained motionless.

When I came to and looked about me, it seemed to me that the flesh-tinted, palely roseate hue that had flitted across the figure of my specter still had not vanished and, diffused through the air, was pouring upon me from all around. It was the dawn flaring up.

I suddenly felt extreme fatigue and set out for home. As I was going past the poultry yard I heard the first morning babble of the goslings (there is no bird that awakens before them); along the roof, at the end of every beam, perched a jackdaw, and all of them were fussily and silently preening themselves, clearly drawn against the milky sky. At rare intervals they would all take wing and, after a short flight, again perch next to one another, without giving their call. From the near-by forest came floating, twice, the vigorous snuffling of a blackcock that had just flown down into the dewy grass thick with berries.

With a light shiver running through my body, I got to my bed and shortly fell into a dead sleep.

The next night, as I began to approach the old oak, Ellis darted forth to meet me as if I were an old friend. I did not fear her, as I had done yesterday; I was almost glad to see her, nor did I even try to understand what was happening to me: all I wanted was to fly a while, as far as possible, over interesting places.

Ellis' arm again entwined me—and again we sped away.

"Let us go to Italy," I whispered in her ear.

"Wherever you will, my dearest one," she answered solemnly and gently, and gently and solemnly turned her face to me. It struck me as less transparent than it had been the night before, and more muliebrile and imposing; it reminded me of that splendidly beautiful being that had flitted before me in the morning glow before our parting.

"This night is a great night," Ellis continued. "It comes but rarely: when seven times thirteen—" here I failed to catch several words. "Now one can see that which is kept hidden at other times."

"Ellis," I implored her, "come, who are you? Tell me, at last!"

She silently raised her slender, white hand.

In the dark sky, there where her finger pointed, amid the lesser stars, a comet shone in a reddish streak.

"How am I to understand that?" I began. "Or, even as that comet wanders between the planets and the sun, are you wandering between mortals and—what?"

But the hand of Ellis unexpectedly fell over my eyes.

It was as if the white mist of a damp valley had blown upon me.

"To Italy! To Italy!" came her whisper. "This night is a great night!"

The mist before my eyes dissipated, and I saw an endless plain below me. But through the mere touch of the warm and soft air against my cheeks I could grasp that I was not in Russia; and besides, that plain bore no resemblance to our Russian plains. This was an enormous, dim expanse, a grassless wasteland; here and there, along its entire stretch, stagnant waters glittered like mirror-splinters; in the distance one could catch vague glimpses of an inaudible, immobile sea. Great stars shone in the interstices of big, beautiful clouds; a thousand-voiced, never silenced and yet low trill rose from everywhere—and wondrous was this piercing and drowsy hum, this nocturnal voice of the wilderness.

"The Pontine Marshes," Ellis uttered. "Do you hear the frogs? Do you feel the smell of sulphur?"

"The Pontine Marshes—" I repeated, and a sensation of grandiose despondence came over me. "But why have you brought me hither, into this sad, godforsaken region? Let us fly to Rome, rather."

"Rome is near," answered Ellis. "Prepare yourself!"

We descended and sped along an ancient Latin road. A water buffalo slowly raised out of clinging slime his shaggy, monstrous head with short tufts of bristles between back-slanting horns. He rolled the whites of his senselessly malevolent eyes askance and snorted hard through his dripping nostrils, as if he had scented us.

"Rome—Rome is near," Ellis was whispering. "Look—look ahead."

I raised my eyes.

What was that, darkling against the rim of the night

sky? The high arches of an enormous bridge? What river did it span? Why were there gaps in it here and there? No, this was no bridge; it was an ancient aqueduct. All around us was the sacred soil of the Campagna, while there, in the distance, were the Alban Hills, and their summits, and the hoary back of the old aqueduct, gleamed faintly in the rays of the newly risen moon.

We suddenly spiraled upward and hovered in the air above an isolated ruin. None could have said what it had once been—mausoleum, palace, tower. Black ivy entwined it with all of that growth's lethal force, while below, a half-fallen arch gaped like a maw. An oppressive odor like that of a cellar was wafted in my face from this pile of small, closely set stones, from which the granite facing of the wall had long since fallen.

"This is the spot," said Ellis, and raised her hand. "This is the spot! Utter aloud, thrice in succession, the name of some great Roman."

"And what will happen?"

"You will see."

I pondered.

"*Divus Gaius Julius Caesar!*" I called out sharply. "*Divus Gaius Julius Caesar!*" I repeated, dwelling on each syllable. "*Caesar!*"

The last reverberations of my voice had not yet had time to die away when I thought I heard . . . it is hard for me to say exactly what. At first I thought I heard an indistinct outburst of sounding trumpets and of plaudits, barely caught by the ear yet endlessly repeated. It sounded as if somewhere, fearfully far off, at some bottomless depth, a countless horde had suddenly begun to stir, and was rising up—rising up, turbulent and calling to one another barely audibly, as if in slumber, as if in the crushing slumber of many ages. Then the air streamed and darkened over the ruin. I began to imagine I was seeing shadows, myriads of shadows, millions of outlines, now rounded like helmets, now extended like spears; the rays of the moon shattered into momentary bluish sparks against these spears and helmets—and all this host, this horde, was coming nearer and nearer, growing, swaying at an increasing tempo. An indescribable tension, a tension that would suffice to lift the whole world, could be sensed about it, yet not a single visage stood out clearly. And suddenly it seemed to me that a tremor ran through all things around me, as though some enormous waves had ebbed and parted. *"Caesar, Caesar venit!* Caesar is coming!" rose the murmur of voices, as of forest trees under the sudden onslaught of a storm. The muffled thunderclap rumbled by, and a head—pale, austere, in a wreath of laurel, with eyelids lowered—the head of the Emperor began to emerge slowly out of the ruin. . . .

There are no words in the speech of man to express the terror that gripped my heart. It seemed to me that, were this head to open its eyes, to unseal its lips, I would die on the instant.

"Ellis!" I got out in a moan. "I do not want this, I cannot endure it; I have no need of Rome—of harsh, awesome Rome. Away, away from here!"

"Faint-heart!" she whispered—and we sped away. I still had time to hear behind me the clangorous, by now thunderous, cry of the legions. Then all grew dark.

"Look about you," said Ellis, "and compose yourself."

I obeyed: and, I remember, my first impression was delectable to such a degree that I could merely sigh. Something smokily cerulean, silvery soft that was either light or mist was beating down upon me from all sides. At first I distinguished nothing—this azure glitter blinded me; but then the outlines of splendidly beautiful mountains, of forests, began to emerge; a lake spread out under me, with stars quivering in its depths, with the caressing murmur of waves plashing shoreward. The fragrance of oranges billowed upon me and, together with it, and also as if in a billow, there were borne to me the powerful, clear sounds of a young feminine voice. This fragrance, these sounds fairly drew me downward, and I began to descend—to descend toward a magnificent marble palace, hospitably white in the midst of a cypress grove. The sounds were flowing out of its wide open windows; the waves of the lake, strewn with the pollen of flowers, plashed against its walls and, directly facing it, all clad in the dark greenery of orange trees and laurels, all inundated in a radiant vapor, with statues, stately pillars, and porticoes of temples scattered all over it, there rose from the bosom of the waters a steep, round island.

"Isola Bella!" spake Ellis. "Lago Maggiore—"

All I could utter was a gasp of admiration, and I kept on descending. The feminine voice sounded ever more loudly, ever more clearly within the palace; I was drawn to it irresistibly. I wanted to look upon the face of the fair singer, making such a night resound with such strains. We paused before one of the windows.

In the center of a chamber in the Pompeiian style, and bearing greater resemblance to a pagan temple rather than the newest of newly built palatial rooms, surrounded by Greek sculptures, Etruscan vases, rare plants, precious weaves, illuminated from above by the soft beams of two lamps enclosed in crystal globes, a young woman was seated at a pianoforte. With her head slightly tilted back and her eyes half closed she was singing an Italian aria; she was singing and smiling and, at the same time, her features expressed dignity, even austerity: a sign of full enjoyment. She was smiling —and the Faun of Praxiteles, as languid, as young as she, pampered, voluptuous, seemed to be smiling to her from around a corner, from behind the branches of an oleander, through the tenuous smoke rising from a bronze thurible upon an antique tripod. The beauty was alone. Enchanted by the sounds, the splendor, glitter and fragrance of the night, moved to the depths of my heart by the sight of this youthful, radiant happiness, I forgot utterly about my companion, forgot in what a strange manner I had come to be a witness to such a life, so remote, so alien to me, and I was just about to set foot on the window ledge, about to speak. . . .

All my body shuddered from a powerful jolt, as though I had touched a Leyden jar. I looked over my shoulder. Ellis' face (for all its transparency) was somber and sinister; malice was dully glowing in her eyes, which had instantly opened wide.

"Away!" she whispered in a rage—and again the whirlwind, and murk, and vertigo. Only this time it was not the shouting of the legions but the voice of the fair singer, broken off on a high note, which lingered in my ears.

We stopped. A high note, the same note, still rang on, and would not cease from its ringing, although I now sensed an altogether different air, a different odor. An invigorating freshness was wafted upon me, as if from some great river, and there was an odor of hay, of smoke, of hemp. The long-drawn note was followed by another, then by a third, but with such an indubitable shading, with such a familiar, native trill, that I at once said to myself: "This is a Russian man, singing a Russian song"—and that same instant all my surroundings became clear to me.

We were above a flat river-bank. On the left, losing themselves in infinity, stretched mown meadows, with enormous hay-ricks standing all over them; to the right, to the same infinity, receded the level expanse of a great river of many waters. Not far from the bank great, dark barges were ever so gently rocking at anchor, slightly dipping the tips of their masts, like so many index fingers. From one of these barges there came floating up to me the sound of a voice in the full tide of song; burning upon this barge was a small fire, its elongated red reflection quivering and swaying on the water. Here and there, both upon the river and in the fields (the eye could not grasp whether near or far) other small fires were twinkling, now seeming to pucker up like eyes, then suddenly moving forward like large, rayey dots; countless grasshoppers were chirking without cease, yielding in no way to the frogs of the Pontine Marshes, and under the cloudless but low-hanging dark sky unknown birds called at infrequent intervals.

"Are we in Russia?" I asked Ellis.

"This is the Volga," answered she.

We sped off along the bank.

"Why did you tear me away from there, from that beautiful region?" I began. "Were you envious, by any chance? Or is it possible that jealousy has awakened within you?"

Ellis' lips twitched ever so faintly, and menace again flashed in her eyes. But her face immediately became stony again.

"I want to go home," said I.

"Wait, wait!" answered Ellis. "This night is a great night. It will not recur soon. You may be an eyewitness of . . . wait!"

And we darted across the Volga in an oblique direction over the very water, flying low and fitfully, as swallows fly before a storm. The broad waves gurgled heavily below us; a cutting river wind beat upon us with its chill, powerful wing. The high right bank soon began to rear before us in the half-murk. Steep hills with big clefts appeared; we drew near to them.

"Call out: *Saryn na kichku!*" [1] Ellis whispered to me.

I recalled the terror I had experienced at the apparition of the Roman phantoms; I felt fatigue and a certain strange depression, just as if the heart within me were melting away; I did not want to utter the fateful words; I knew beforehand that in answer to them there would appear something monstrous, as in the Wolf Dale of *Der Freischutz*—but my lips opened against my will and, also against my will, I cried out in a faint, strained voice: "*Saryn na kichku!*"

At first all remained silent, even as had been the case when we were hovering over the Roman ruin; but suddenly, near my very ear, there resounded the raucous laughter of barge-haulers—and with a heavy plash something struck the water and, after a moan, began to gurgle there. I looked about me: not a soul was to be seen anywhere, but an echo rebounded from the bank, and instantaneously and from all quarters there arose a deafening clamor. What couldn't one hear in that chaos of sounds! Cries and squeals, furious curses and laughter—laughter above all!—the plashing of oars and the blows of axes; a splitting sound, as of doors and chests being broken open; the creaking of rigging and of wheels, and the galloping of horses; the tocsin pealing and the clangor of chains; the rumbling and roar of a conflagration; drunken songs and grating, quick speech; inconsolable weeping; supplication piteous and

---

[1] Every soul aboard—face down on the foredeck!"—the traditional warning of the Volga pirates when boarding an attacked vessel. —*Trans.-Ed.*

despairing—and imperious outcries; death-rattle and shrill, audacious whistling; whooping, and the stamping of a wild dance. . . . "Kill! Hang! Drown! Slash away! Fine, fine! That's it! No quarter!" One could hear these shouts plainly, could hear even the gasping breath of winded men—and yet, all around, as far as the eye could reach, nothing showed, nothing changed; the river rolled by, mysteriously, almost sullenly; the bank itself seemed more deserted and wilder than ever, and that was all.

I turned to speak to Ellis, but she laid a finger upon her lips.

"Stepan Timotheich! Stepan Timotheich is coming!" the noise arose all around us. "Our father, our hetman, our provider is coming!"[1]

As before, I saw nothing, but suddenly it appeared to me as if some enormous body were coming straight at me.

"Frolka, where are you, you hound!" thundered a frightful voice. "Put the place to the torch from every quarter—and let 'em have the edge of the axe, the lily-handed drones!"

The heat of a blaze close by struck me in a blast—and at the same instant something warm, that felt just like blood, spattered my face and hands. A thunder-clap of savage laughter shook the air around me.

[1] Stepan Timotheievich Razin was the celebrated Stenka Razin, Don Cossack, Russian Robin Hood—as well as the Russian John Brown, the Russian Henry Morgan, and the Russian William Tell. The Razin Uprising had great historical significance as a protest against the hardships of the peasants and the persecutions of schismatics; it endangered even Moscow, and was quelled only after fearful conflagrations and wholesale executions of over 100,000. Razin began his career as a brigand in 1667; among his exploits were the destruction of the Persian navy and the capture (or sacking) of Tsaritsin, Astrakhan, Saratov, Samara. Defeated in 1670; drawn on the wheel, in Moscow, in 1671. Frolka, his younger brother, was his Little John. —*Trans.-Ed.*

I lost consciousness—and when I came to Ellis and I were gently gliding along the familiar outskirt of my forest, right toward the old oak.

"Do you see that path?" Ellis asked me. "There, where the moon shines dully, and two small birches lean toward each other? Would you care to go there?"

But I felt myself so broken and exhausted that all I could say in answer was:

"Home . . . home—"

"You are home," Ellis answered.

I actually was standing before the very door of my house—alone. Ellis had vanished. A yard-dog walked up to me, looked me over suspiciously—and fled from me, howling.

I found it difficult to drag myself to bed, and fell asleep without undressing.

All that morning my head ached, and I could barely move my feet, but I paid no attention to my bodily indisposition; remorse was gnawing at me, vexation was stifling me. I was extremely dissatisfied with myself. " 'Faint-heart!' " I kept constantly repeating. "Yes, Ellis is right. What did I become frightened at? How could one have missed such an opportunity? I might have beheld Caesar himself—and I swooned away from fear, I squeaked, I turned away, as a child would at the sight of birchrods. When it comes to Razin—well, that's another matter. As one of the gentry and a landowner. . . . However, in this instance also: just what did I become frightened at? 'Faint-heart! Faint-heart!' But come, am I not seeing all this in a dream?" I finally asked myself. I summoned my housekeeper.

"Martha, at what hour did I go to bed last night—do you remember?"

"Why, who knows what you do, my provider? Late,

I guess. You left the house as dusk was coming on; and when you were stomping around in the bedroom with your big heels it was 'way past midnight. Right close to morning it was—yes. And two nights ago it was the same way. Some worriment must have gotten hold of you, I figure."

"Oho, ho!" I reflected. "My flying is beyond all doubt, then. Well, and how does my face look today?" I added aloud.

"Your face? Here, let me have a look at you. Your cheeks are a little sunken. And, my provider—there, as I live, you haven't as much as a drop of blood in your face!"

That ruffled me a little. I dismissed Martha.

"If you go on like that you'll die, likely as not, or go out of your mind," I reasoned, sitting pensively before the window. "You'll have to abandon all this. It's dangerous. There, your heart is pounding so peculiarly. And when I'm flying, it seems as if someone were sucking at it, or as though something were oozing out of it—yes, the way sap oozes out of a birch in the spring, if you drive an ax into it. And yet . . . it would be a pity to stop. Then there's Ellis, too. She's playing with me, like a cat with a mouse. But still, it's hardly likely that she wishes me ill. I'll give myself up to her for the last time; I will have my fill of sight-seeing, and after that . . . But what if she's drinking my blood? That is horrible. Also, such rapid locomotion cannot but be harmful. They say that in England the railroads are forbidden to go more than eighty miles an hour—"

Thus did I reason with my own self. But at ten that night I was already standing before the old oak.

The night was chill, dim, gray; one could smell rain in the air. To my astonishment I found no one under the oak; I circled it several times, went as far as the edge of the forest and peered intently into its darkness. Everything was deserted. I waited a little, then repeated Ellis' name several times in succession, each time more loudly, but she did not appear. Sadness—almost pain—overcame me; my former apprehensions vanished: I could not reconcile myself to the idea that my companion would return to me no more.

"Ellis! Do come! Is it possible that you won't come?" I called out for the last time.

A crow, awakened by my voice, suddenly began to fuss on the summit of a tree near by and, becoming entangled among the twigs, began to flap its wings. But Ellis did not appear.

With head downcast I set out for home. The willows along the mill-pond were already darkling ahead, and the light in the window of my room gleamed between the apple trees in the garden—gleamed and disappeared, like the eye of a man who might be lying in wait for me—when suddenly I heard a high-pitched hum in the air, as if something were hurtling through it, and I felt myself suddenly embraced and caught from behind, then being borne upward: thus does a merlin snatch up a quail with its talons, *striking* it. It was Ellis who had swooped upon me. I felt her cheek against mine, her arms in a ring about my body, and, like a piercing little chill, her whisper plunged into my ear: "Here I am!" I became frightened and overjoyed at the same time. We were soaring along a little above the ground.

"You did not wish to come today?" I asked.

"Why, have you longed for me? You do love me? Oh, you are mine!" Her last words abashed me. I did not know what to say. "They detained me," she continued. "They were watching me."

"Who could detain you?"

"Where do you want to go?" asked Ellis, as usual without answering my question.

"Bear me off to Italy, to that lake—do you remember?"

Ellis drew away a little and shook her head. It was then I first noticed that she had ceased to be transparent. And her face had taken on color, somehow: a ruby tinge was mantling its misty whiteness. I glanced into her eyes—and an eldritch feeling came over me: something was stirring in those eyes with the slow, ceaseless and sinister motion of a coiled and poised snake whom the sun is beginning to warm.

"Ellis!" I cried out. "Who are you? Do tell me: Who are you?"

Ellis merely shrugged a shoulder.

I felt irked. I wanted to revenge myself upon her—and suddenly the idea came to me of ordering her to transport both of us to Paris. "There, that's where you'll have occasion for jealousy," I mused. "Ellis," said I aloud, "you're not afraid of large cities? Of Paris, for instance?"

"No."

"No? Not even those places which are lit up as brightly as the Boulevards?"

"That is not the light of day."

"Splendid; in that case bear me off at once to the Boulevard des Italiens."

Ellis threw over my head the end of her long, hanging sleeve. I was immediately swathed in some sort of a white murk, permeated with the soporific fragrance of poppies. Everything vanished on the instant: all light, all sound—and almost consciousness itself. The sensation of life alone remained, and this state was not unpleasant.

Suddenly the murk vanished: Ellis had taken her sleeve off my head, and I beheld below me an enormous mass of buildings huddling together, a mass filled with glitter, movement, rumbling.

I beheld Paris.

I had been to Paris before, and therefore immediately recognized the place toward which Ellis was heading. It was the Garden of the Tuilleries, with its old chestnut trees, its iron gratings, fortress moat and bestial-looking Zouaves on guard. Passing by the palace, passing by the Church of St. Roch, on the steps of which the first Napoleon had spilt the first French blood, we halted high above the Boulevard des Italiens, where the third Napoleon had done much the same thing, and with much the same success. Crowds of people, dandies young and old, workers in smocks, women in resplendent clothes, were jostling upon the sidewalks; gilded restaurants and cafés blazed with lights; omnibuses, carriages of every sort and description darted along the Boulevard; everything simply seethed, simply glowed—everything, no matter where one's gaze fell. But, a strange thing! I felt no desire to forsake my pure, dark, nocturnal height, felt no desire to draw near to this human ant-hill. A hot, oppressive, rubescent vapor was, it seemed, rising thence, but one could not decide whether it was fragrant or malodorous, for far too many lives had herded together there in a single heap.

I wavered. But at that point the voice of a street *lorette*, grating as the clangor of iron bars, suddenly came floating up to me: like an impudent tongue it thrust itself forth, did this voice; it stung me, like the sting of a reptile. I at once pictured to myself a stony, greedy, flat Parisian face with high cheek-bones, the eyes of a usurer, and whitening, rouge, frizzled hair, and a bouquet of artificial flowers under a conical hat, nails manicured into talons, a hideous crinoline. . . . I also pictured to myself my brother squires, fresh from their steppes, running at an obscene trot after this meretricious poppet. I pictured to myself how such a one, so embarrassed that he became rude and forced himself to lisp, tried to ape the manners of the *garçons* at Vefour's, squeaking, fawning, wheedling—and a feeling of revulsion swept over me. "No," I mused, "Ellis will have no occasion to be jealous here!"

In the meanwhile I noticed that we had begun to descend. Paris was swirling up toward us with all its din and fumy hurly-burly.

"Stop!" I turned to Ellis. "Is it possible you don't feel stifled here, that you don't feel oppressed?"

"You yourself asked me to bring you here."

"My fault; I take back what I said. Take me away, Ellis, I beg of you. There, it's just as I thought: there goes Le Grand Duc Koulmametioff, hobbling along the boulevard, and his crony, Serge Waraxine, is waving his hand to him daintily and shouting: 'Ivan Stepanitch, *allons souper*, but quick—*j'ai engagé* Rigolbosch itself!' Bear me away from these *mabilles* and Maisons d'Or, from these *gandins* and *biches*, from Le Jockey Club and *Figaro*, from the soldiers with their foreheads cropped as a brand of their conscription and from their spick-and-span barracks, from the *sergents de ville* with their goatees, and from the glasses of turbid absinthe, from the domino players in the cafés and those who gamble on the Bourse, from bits of red ribbon in the buttonholes of coats and the buttonholes of overcoats, from M'sieu' de Fois, inventor of 'Specializing in Marriages,' and from the free consultations of Doctor Charles Albert, from free lectures and the brochures put out by the government, from Parisian comedies and

Parisian operas, from Parisian *bons mots* and Parisian boorishness. . . . Away! Away! Away!"

"Look down," Ellis answered me. "You are no longer over Paris."

I lowered my eyes. She was right. A dark plain, with the whitish streaks of roads traversing it here and there, was running swiftly into the distance below us, and only behind us, on the horizon, like the glow of an enormous conflagration, did the spreading reflection of the countless lights of the world capital beat upward.

Again the veil descended over my eyes. Again I fell into a coma. Finally that veil dissipated.

But what was that, below? What park, with paths of trimmed lindens, with isolated firs clipped into the shape of open parasols, with porticoes and temples *à la* Pompadour, with statues of satyrs and nymphs of the Bernini school, with rococo tritons in the center of curving ponds bordered with low balustrades of time-blackened marble? Was this Versailles, perchance? A small palace, also rococo, peeped out from behind a copse of curly-leafed oaks. The moon, enveloped in vapor, shone dimly, and the thinnest of smoke seemed to have carpeted the earth; the eye could not make out what it was: moonlight or mist. There, on one of the ponds, floated a sleeping swan; its long back gleamed as white as the frost-chilled snow of the steppes; while over yonder glowworms flashed like adamants in the bluish shadows at the feet of the statues.

"We are near Mannheim," Ellis remarked. "This is the park of Schwetzingen."

"So we are in Germany," I reflected, and cocked my ears. All was silent, save that somewhere a small rill of falling water plashed and babbled, lonelily and invisibly. It seemed to be repeating the unvarying words: "Aye, aye, aye—forever aye!" And suddenly I imagined I saw, in the very middle of one of the paths, between the walls of clipped verdure, a gallant stepping out on red heels, in long, gold-embroidered coat and lace cuffs, with a light damascus sword on his hip, daintily offering his arm to a *Fräulein* in a powdered coiffure and a bright *robe ronde*. . . . Strange, wan, their faces. I wanted to peer into them more closely—but everything had already vanished, and only the water was babbling as before.

"Those are dreams, wandering," Ellis whispered to me. "Yesterday one might have seen a great deal—a great deal! Tonight even dreams flee from the eye of man. Onward! Onward!"

We ascended and flew on. So smooth and level was our flight that it seemed as if we were not moving, but that on the contrary everything was moving toward us. Mountains appeared, dark, undulating, clothed with forests; they grew higher and floated toward us. There, they were already flowing past below us, with all their windings, ravines, narrow dells, with dots of light in the slumber-held hamlets along rapidly running streams in the bottomlands, while ahead other mountains were in their turn looming and floating toward us. We were in the depths of the Black Forest.

Mountains, mountains everywhere. And forest: splendidly beautiful, old, mighty forest. The night sky was clear; I could recognize every species of tree. Especially magnificent were the silver-firs, with their white, straight trunks. Here and there, on the borders of the forest, one could see wild goats; graceful and alert they stood upon their slim legs and hearkened, with their heads beautifully turned to one side, and their big, trumpet-shaped ears cocked. A ruined tower sadly and blindly thrust forth from the summit of a naked cliff its half-fallen battlements; a small golden star glowed warmly and peacefully over these old, forgotten stones. From a small, almost black tarn rose, like a mysterious plaint, the moaning croaks of small toads. I imagined I heard other sounds: prolonged, languishing, like to the sounds of an Aeolian harp. There it was, the land of legend! The same tenuous, lunar smoke which had aroused my wonder at Schwetzingen inundated everything here, and the further apart the mountains, the denser this smoke. I counted five, six, ten different tones in the different layers of shadow along the faces of the mountains, and above all this silent diversity reigned the pensive moon. The air streamed past softly and buoyantly; I myself felt buoyant and somehow exaltedly serene and melancholy.

"Ellis, you must love this region!"

"I do not love anything."

"How is that? And what about me?"

"Yes . . . I love you," she answered apathetically.

It seemed to me that her arm embraced me more tightly than before.

"Onward! Onward!" said Ellis with a certain chill enthusiasm.

"Onward!" I repeated.

A powerful, trilling, sonorous cry suddenly resounded over us, and was at once repeated, but this time a little ahead of us.

"Those are belated cranes flying to your country, to the north," said Ellis. "Would you like to join them?"

"Yes, yes! Bring me up to them."

We spiraled upward, and in an instant found ourselves alongside of the migrating flock.

The large, beautiful birds (there were but thirteen

of them in all) were flying in a triangle, beating their convex wings sharply and at long intervals. With head and legs stretched out taut, their breasts sharply out-thrust, they went ahead unrestrainably and with such speed that the air whistled about them. It was wondrously odd to see, at this height, at such a distance from all things living, such warm, strong life, such undeviating will. Without ceasing to cleave triumphantly through space, the cranes called from time to time to the companion at their head, their leader, and he would answer, and there was something proud, dignified, something insuperably self-assured in these loud calls, in this communion under the clouds. "We will fly to our goal, never fear, even though it be hard," they seemed to be saying, encouraging one another. And here it occurred to me that there were but few men in Russia (and not in Russia alone, but in the whole world) who were like to these birds.

"We are now flying to Russia," announced Ellis. This was not the first time I had been able to notice that she almost always knew what I was thinking about. "Do you want to turn back?"

"Should we turn back or no? I have been to Paris; carry me to Peterburg."

"Now?"

"This minute. Only cover my head with your pall, for otherwise I feel ill."

Ellis lifted up her arm. But before the fog enveloped me, I had time to feel upon my lips the touch of that soft, dull sting.

"Ha-a-a-a-ark!" a long-drawn call sounded in my ears. "Ha-a-a-a-ark!" came the answering echo in the distance, as if in despair. "Ha-a-a-a-a-ark!" the call died away, somewhere at the end of the world. I became alert. A towering golden spire obtruded on my sight: I recognized the Fortress of SS. Peter and Paul.

The wan night of the North! Yes, but was it really night? Was it not a wan, an ailing day? I had never been fond of Petersburg nights, but this time I actually grew frightened: the countenance of Ellis was vanishing utterly, melting away like morning mist under the July sun, and I clearly saw my whole body as it hung ponderously and solitarily at the level of the Alexander Column. So this was Petersburg! Yes, this was it, of a certainty. These empty, broad, gray streets; these graywhitish, yellow-gray, gray-lilac houses, stuccoed or with their plastering peeling off, with their windows sunken in, with lurid shop-signs, with metal marquees over their front entrances and wretched little vegetable shops: all these frontals, inscriptions, sentry-booths, barriers, the gold cap of the Cathedral of St. Isaac; the superfluous, gaudy Stock Exchange; the granite walls of a fortress and the roadway of broken boards; these barges of hay and firewood; this odor of dust, cabbage, matting and stable; these petrified janitors in sheep-lined short coats at the gateways; these cabbies writhingly hunched up in the sleep of the dead, perched upon their ramshackle droshkies. . . . Yes, this was it: our Palmyra of the North. Everything around us was visible, everything was clear, distinct and clear, to the verge of eeriness, and all was sadly slumbering, strangely piled up and outlined in the dully transparent air. The blush of the evening glow—a phthisic blush!—had not gone yet, and would not go until morning, off the wan, starless sky; it was spreading over the silky evenness of the Neva, while that river did but barely gurgle and barely heave, hurrying its chill, indigo waters onward.

"Let us fly away," Ellis implored.

And, without waiting for my answer, she bore me off across the Neva, across Palace Square, toward Liteinaya Street. I heard steps and voices below: a knot of young people with drink-ravaged faces was walking along the streets and discussing dancing classes. "Second Lieutenant Stolpakov the Seventh!" a soldier standing on guard over a small pyramid of rusty cannon-balls called out suddenly through his half-doze and, a little farther on, near the open window of a tall building, I saw a miss in a rumpled silk dress, without cuffs, with a pearl-net on her hair and with a cigarette dangling in her mouth. She was reverently reading a book: it was a volume of one of our latest Juvenals.

"Let us fly away!" said I to Ellis.

A moment—and already flitting before us were the wretched, rotting woods of fir and mossy bogs surrounding Petersburg. We were headed due south; sky and earth and all things were, little by little, becoming darker and darker. The ailing night, the ailing day, the ailing city—all had been left behind.

We were flying more slowly than usual and I had an opportunity of watching a vast expanse of my native land as it gradually unrolled before my eyes like an endless panorama. Forests, bushes, fields, ravines, rivers; at rare intervals villages, churches—and again fields, and forests, and bushes, and ravines. . . . I grew sad, and somehow apathetically weary, because I had flown precisely over Russia. But no! The earth itself, this flat surface which spread out below me, all the terrestrial globe with its population, living for the moment, frail, crushed by need, grief, diseases, shackled to a clod of contemned dust; this brittle, rough-surfaced crust; this excrescence upon the fiery dust-particle that is our planet, which excrescence had broken out with a mold that we glorify as the organic vegetable kingdom; these men-flies, a thousand times more insignificant than flies; their dwellings, molded out of mud; the microscopic traces of their petty, monotonous fossicking, of their diverting struggle against the immutable and the inevitable: how loathsome all this had suddenly become to me! The heart within me heaved slowly, and I felt no further desire to gaze upon these insignificant pictures, upon this vulgar exhibition. Yes, I became bored—and worse than bored. Not even pity did I feel for my cobrethren; all the feelings within me had been drowned in but one, which I hardly dare to name: in a feeling of revulsion. And strongest of all and above all within me was the revulsion toward my own self.

"Cease," whispered Ellis. "Cease, or I shall not be able to bear you up. You are becoming heavy."

"Home!" I told her in the same voice I used to give this command to my coachman whenever, at four in the morning, I would leave the house of my Moscow friends with whom, ever since finishing dinner, I had been discussing the future of Russia and the meaning of the common good. "Home!" I repeated, and shut my eyes.

But I opened them shortly. Ellis was pressing against me somehow strangely; she was almost nudging me along. I looked at her—and my blood froze. Whoever has happened to see upon the face of another a sudden expression of profound terror, the reason for which the spectator does not suspect—such a spectator will understand me. Terror, excruciating terror, was distorting, disfiguring the wan, almost vanished features of Ellis. I had never seen anything like it even upon a living human face. A lifeless, misty specter, a shade—and this swooning horror. . . .

"Ellis, what is wrong with you?" I got out at last.

"It is she—she—" Ellis answered with an effort. "It is she!"

"She? Who is she?"

"Do not name her—do not name her!" she gibbered. "We must save ourselves, otherwise there will be an end to everything—and for all time. . . . Look—over there!"

I turned my head in the direction her quivering hand was pointing out to me, and beheld something—something truly dreadful.

It was all the more dreadful because it had no definite image. Something ponderous, somber, yellowishly black, mottled, like the belly of a lizard; something that was neither cloud nor smoke was slowly, with the motion of a snake, slithering over the earth. A measured, sweeping sway up and down and down and up, a sway reminiscent of the sinister sweep of the wings of a bird of prey when it is seeking its victim; from time to time an inexplicably repulsive clinging to the earth, the way a spider clings to the captured fly. . . . Who art thou, what art thou, thou sinister mass? Under its influence—I saw this, I felt this—everything was turned to naught, everything grew mute. A putrid, noxious chill emanated from it—and because of this chill one's heart was nauseated and all grew dark before the eyes, and the hair stood up on end. This was Force coming; that Force against which there is no resistance, to which everything is subject, which without sight, without image, without sentience sees all things, knows all things, and like a bird of prey chooses its victims, like a snake crushes them and licks them with its frigid sting. . . .

"Ellis! Ellis!" I began to scream like one in a frenzy. "This is death. Death itself!"

A piteous sound I had heard before escaped the lips of Ellis—this time it resembled a human wail of despair more than anything else—and we sped away. But our flight was strangely and fearfully uneven; Ellis tumbled in the air, she fell, she darted from side to side, like a partridge mortally wounded or intent on drawing a dog away from her brood. Yet in the meanwhile, separating from the inexplicably horrible mass, certain long, undulating tendrils, just like extended hands, just like talons, darted after us. . . . The enormous image of a muffled figure on a white horse momently arose and reared up to the very sky. . . . Still more distractedly, still more despairingly did Ellis flutter and dart about.

"She has seen me! All is ended! I am lost!" I heard her broken whispering. "Oh, unhappy I! I might have availed myself of life, might have accumulated life— but now . . . Non-being! Non-being!"

This was past all bearing. I lost consciousness.

When I came to I was lying flat on my back in the grass, feeling a dull ache throughout my body, as if from a powerful blow. Morning was breaking in the sky: I could distinguish objects plainly. Not far off, along a small birch of groves, ran a road lined with willows; the locality seemed familiar to me. I began to recall what had happened to me, and shuddered all over when that last hideous apparition came to mind.

"But why did Ellis become frightened?" I mused. "Can she, too, be subject to *Its* sway? For is she not deathless? Or is she, too, subject to non-being, to destruction? But how can that be?"

A low moan sounded close to me. I turned my head. A young woman in a white garment, with her thick hair scattered and one shoulder bared, was lying outstretched two paces away from me. One arm was flung over her head; the other had fallen upon her breast. Her eyes were closed, and a slight scarlet froth had come out upon her compressed lips. Could this possibly be Ellis? But Ellis was a specter, whereas it was a living woman I saw before me. I crept up to her, bent over—

"Ellis! Is it you?" I cried out. Suddenly, after a slow flutter, the wide eyelids lifted; dark, piercing eyes fixed me with their gaze—and at that same instant her lips as well, warm, moist, with the odor of blood, fixed themselves to mine. Soft arms entwined my neck; her warm, full bosom pressed convulsively to mine.

"Farewell! Farewell forever!" her dying voice uttered clearly—and everything vanished.

I stood up, swaying on my legs as if I were intoxicated and, after passing my hand several times over my face, looked about me attentively. I was near the ——oya Road, a little over a mile from my estate.

The sun was already up when I managed to reach home.

All the following nights I awaited—and, I confess, not without fear—the appearance of my specter; but it never visited me more. Once, at dusk, I actually set out for the old oak, but even there nothing out of the ordinary occurred. However, I did not regret overmuch the termination of so strange a friendship. Much and long have I pondered over this incomprehensible, almost preposterous adventure, and I have become convinced that not only does science fail to explain it, but that even in fairy tales, in legends, one does not come across anything like it. Really, what does Ellis represent? An apparition, a vagrom soul, an evil spirit, a sylphide—a vampire, finally? Again, it occasionally seemed to me that Ellis was a woman whom I had known upon a time, and I made frightful efforts to recall where I might have seen her. There, there, it seemed to me at times, right now, this very moment, I would recall everything. In vain! Everything would dissipate again, like a dream. Yes, I thought a great deal and, as usually happens, did not think of any solution. I could not bring myself to ask the counsel or opinion of others, since I was afraid of becoming known as a madman.

I finally abandoned all my reflections; to tell the truth, I had other things to think of. On the one hand the Emancipation turned up, with the repartition of land, and so on; and, on the other, my own health went all to pieces: my chest has begun to pain me, I have insomnia, I cough. All my body is wasting away. My face is as yellow as that of a dead man. The doctor assures me that I haven't enough blood, calls my ailment by a Greek name—*anemia*—and is for packing me off to Gastein. But the arbitrator calls God to witness that there'll be no *contriving* anything with the peasants if I go away.

There, go ahead and contrive anything!

Yet . . . what is the meaning of those piercingly clear and high-pitched sounds, the sounds as of a harmonica, which I hear as soon as people start talking about someone's death in my presence? They are becoming ever more loud, these sounds, ever more piercing. And why do I shudder so excruciatingly at the mere thought of non-being? . . .

FEDOR MIKHAILOVICH DOSTOEVSKY

(1821–1881)

EDITOR'S NOTE

DOSTOEVSKY is the culminating point in that indictment of Czarist Russia which led to the sentence and execution of October, 1917.

Read this slowly: 1): *All* of Dostoevsky's masterpieces came within a few seconds (thirty, at his own estimate) of never being written. 2): His imprisonment before he was sentenced to be shot, plus the nine years in Siberia to which this sentence was commuted, shortened his creative life by a third—and that the best third. "Most certainly he wrote only one tenth of the stories which for years he had planned," says Strakhov.—"A monstrous and uncalled-for affront," Dostoevsky called this reprieve, granted "through the great mercy of His Imperial Majesty, Nicholas I. A period of burial alive. I was put in a coffin. The torture was unutterable and unbearable." And his latent epilepsy was intensified to such an extent that the fits came "every few days." 3): This, the ghastliest in the long, unbroken succession of Czarism's crimes against Russian genius, was based upon accusations of the author's having conducted a private press, or having read, or having listened to the reading of, tracts on Utopian Socialism, and of having circulated a "letter [to Gogol] of one Belinski, a journalist. . . ." 4): We are told (amazingly enough, in a book brought out by a reputable New York publisher) that "Dostoevsky's incarceration was a most paradoxical affair which should be looked upon as a classic in the voluminous history of police blunders both within and without Russia." Eight months in the notorious oubliette of SS. Peter and Paul, plus five years of inhuman penal labor, plus four years of military servitude in the ranks (Dostoevsky had graduated as a second lieutenant from the School of Military Engineers) amount, jesuitically, to no more than an "incarceration." 5): Siberia had the same effect on Dostoevsky that religious mania had on Gogol: Fedor came back to spout the most appalling rubbish and mystic twaddle about the Divine Spark, the Christian Morality-of-the-Slave, the infallibility of Orthodoxy—because it was Russian. No wonder so much drivel has been written about the Slavic Soul!

Every effort has been made to claim the Great Plebeian for the *aristoi,* although in fact he came from a poverty-haunted, Puritanical family that ran mostly to priests, just as it has been attempted, repeatedly, to canonize his father, a minor medico who was killed by his quondam serfs. Dostoevsky pursued one friar's-lantern after another in his search of fame and security; he gained the first when his *Poor Folk* was published by Nekrassov in 1846, and Belinski hailed him as a new literary luminary. But he was soon made to feel (by Turgenev and others) that his was to be the "word of the burgher"; page after page in his novels is devoted to parodying the "nobleman's prose," the "land-owning style."

He did not return to St. Petersburg until 1860; by 1862, with *The House of the Dead* and *The Humiliated and Wronged* he had re-won his position, but in 1863 all his struggles were again nullified by the government's suppression of his magazine; he ran into debt to the tune of $11,000—a considerable sum in the '60's. 1865 was the nadir of his fortunes. His wife, his child, his brother Michael (a sincere writer, naturally obscured by his illustrious brother), and his friend Grigoriev, all died; he was forced to sell to an overshrewd publisher not only the copyrights of all his published works, but also the yet unwritten *The Gambler*, for a sum amounting to about $1,500, and to seek escape in a second trip abroad. There he wrote what is indubitably his supreme novel, *Crime and Punishment*, and was able to return to Russia and stave off his creditors. In 1867 he married again and once more went abroad. The four years there were far from happy ones. A nomadic life, nostalgia, chronic poverty, shameful exploitation amounting to peonage, all took their toll. *The Idiot*, *The Eternal Husband*, *The Possessed* were among the things written during this period, but even this extraordinary productivity could not improve his circumstances. He risked debtors' prison and came home.

But this time he returned to St. Petersburg as a world-famous author, and by 1873 he was a success even financially. By 1880 he had become prophet, apostle, preceptor; with the publication of *The Brothers Karamazov* in that year he reached his apogee; his speech on Pushkin was his swan song. He had been (literally) living on his nerves for years; he died of pulmonary emphysema on February 9th (New Style), 1881.

The Grand Inquisitor is a unique. Had Dostoevsky written never another word before or after it, or if all his works were to perish cataclysmically, and nothing were to remain save this one chapter from his last novel, it would be enough to mark him as an Alpimalyan mind and a supreme master of the word. Whether its recognition as one of the world's comparatively few superlative short stories is very general is, however, something that one is not at all certain about. At any rate, it is believed that the present attempt is the first (at least in

English) to present *The Grand Inquisitor* (through reverent editing) as a perfect short story in its own right, rather than merely an extract from *The Brothers Karamazov.*

Most of Dostoevsky is available in English but, with no exceptions hitherto known to the Editor, only in the feeblest parodies on the elemental force of the original, while the only English version of *The Brothers Karamazov* (unfortunately in the public domain) is, beyond all doubt, one of the wretchedest translations ever made from any language into any other. The same advice as that given in the case of Turgenev is, therefore, reluctantly offered for Dostoevsky as well.

The Grand Inquisitor[1]

FEDOR MIKHAILOVICH DOSTOEVSKY

"YOU have written a poem?"

"Oh, no—I didn't *write* it, nor have I put together even two lines of verse in all my life. But I did make up the poem and have retained it in my memory. And I was at fever heat when I made it up. You'll be my first reader —or listener, rather. Really, why should an author forego even a single listener?" Ivan smiled slyly. "Should I tell the story or no?"

"I'm all ears," said Alësha.

"This prose-poem of mine is called *The Grand Inquisitor*—an incongruous thing, but I feel like imparting it to you. . . ."

---

[1] All notes for this selection are on page 175.

Fifteen centuries had already passed since He had given His promise to come into His kingdom, fifteen centuries since His prophet had written: *Behold, I come quickly.*[1]—*But of that day and that hour knoweth no man, no, not the angels which are in heaven, neither the Son, but the Father,*[2] even as He Himself hath uttered in His days upon earth. Yet mankind awaits Him with the same faith and the same fervor as it has always done. Oh, with even greater faith, inasmuch as fifteen centuries had already passed since the heavens have ceased issuing pledges to man:

> Have thou faith in what the heart says,
> For the heavens send no pledges.

And there was nothing save this faith in what the heart said! True, there were many miracles even then. There were saints who wrought miraculous cures; to certain men of righteousness (if we are to believe their hagiographies), the Queen of Heaven used to come down Herself. But the Devil slumbers not, and doubt as to the authenticity of these miracles had already sprung up among mankind. And it was precisely then that, in the North, in Germany, a fearful new heresy appeared. "An enormous star, like to a church-lanthorn (*quasi dicat,* like to a church), fell upon the well-springs of waters, and they turned bitter." These heresies began blasphemously to deny miracles. But those who had clung to their faith believed all the more vehemently. The tears of mankind welled up to Him as before; men awaited Him, loved Him, placed their trust in Him, thirsted to suffer and to die for Him, going through all this even as they had always done.

And lo, for so many centuries had mankind prayed in faith and fervor: *O Lord, our God, come unto us!*—so many ages had it called unto Him, that He, in His immeasurable compassion, yearned to come down to His supplicants. He had come down to, He had visited certain of the men of righteousness, certain of the martyrs and sainted anchorites, even before this, in His days upon earth, even as it is recorded in the Lives of the Saints. . . .

And so He yearned to appear, if but for a moment, before the people—the racked, all-suffering people, stinking in their sins yet like little children loving Him.

My action takes place in Spain, at Seville, during the most ghastly period of the Inquisition when, to the greater glory of God, bonfires blazed day in and day out all over the land, and

> In resplendent *autos da fé*
> The evil heretics were burned.

Oh, of course, this was not that Coming in which He will appear, according to His promise, at the end of time, in all His glory, and which will befall suddenly, *as the lightning cometh out of the East and shineth even unto the West*[3]. . . . (I do bring Him on; though, true enough, He does not speak even a single line in my poem, but merely comes on and crosses the stage. . . .) No, He yearned to visit, if but for a moment, His children, and nowhere else save where the bonfires to roast the heretics had begun to crackle. Because of His immeasurable compassion He passes once more among men in that very same image of man in which He walked among men for three years, fifteen centuries before.

He descends upon the *heated flagstones* of that very Southern town wherein only the evening before, in a resplendent *auto da fé*, in the presence of King, court, hidalgoes, Cardinals, and ladies of honor of the most bewitching beauty, before the multitudinous population of all Seville, almost an hundred heretics had been burned at the stake, and at one clip, *ad majorem gloriam Dei,* by the Cardinal who was Grand Inquisitor.

He had appeared quietly, unperceived, and yet all (and this is odd!)—all recognize Him. (This might be one of the best parts in the poem—that is, the statement of the precise reasons for their recognition of Him.) The people, through some invincible force, are drawn to Him, surround Him, grow in numbers about Him, follow in His steps. He passes among them in silence, with a gentle smile of infinite commiseration. The sun of love glows in His heart; rays of Light, Enlightenment and Strength stream from His eyes and, pouring forth upon the people, move their hearts with a responsive love. He stretches out His hands to them, He blesses them, and from His mere touch—or even the touch of His garments—there issues a healing power.

Over there, from out of the throng, an old man who has been blind from childhood cries out:

"Heal me, O Lord, that I may behold Thee!" And it is as if scales were falling off his eyes, and the blind man sees Him.

The people weep and kiss the ground He walks upon. Children strew flowers before Him, chanting and lifting up their voices to Him: *Hosanna!*

"This is none other than He Himself," all repeat. "This must be He—this is none other than He!"

He halts on the parvis of the Cathedral of Seville, at the very moment when a child's coffin, small, white and unlidded, is being borne amid weeping into the temple; in the coffin is a girl of seven, the only daughter of a certain illustrious citizen. The dead child is lying amid a profusion of flowers.

"He will bring thy daughter back from the dead!" voices in the crowd call out to the weeping mother.

The Cathedral padre who had come out to meet the coffin looks on in perplexity and knits his eyebrows. But at this moment the cry of the dead child's mother resounds; she casts herself down at His feet:

"If it be Thou, then bring my child back from the dead!" she cries out, stretching out her hands to Him. The cortège halts, the little coffin is lowered to the floor at His feet. He regards it with compassion, and His lips softly, and once again, utter:

"Talitha cumi,"—which is, being interpreted, Damsel, I say unto thee, arise.[4]

The little girl rises in her coffin, sits up and looks about her, her little eyes, wide open in wonder, smiling the while; the bouquet of white roses wherewith she had lain in the coffin still in her hand. There is confusion among the people, and outcries, and sobs—and lo, at that very moment, that very Cardinal who is Grand Inquisitor comes through the square, passing by the Cathedral.

He is an ancient of almost ninety, tall and erect, emaciated of face, with eyes sunken yet still agleam and aglitter with a glow like that of a coruscating spark. Oh, he is not clad now in his magnificent vestments of a Cardinal, those vestments in which he displayed himself in all his glory the evening before, in front of all the people, when they were burning the foes of the Faith of Rome—no, at the moment he is wearing only his monk's robe, coarse and old. He is followed—at a certain distance—by his sombre assistants, and his servitors, and his "holy" guards.

He halts before the crowd and watches everything from afar. He has seen all; he has seen how the coffin had been set down at His feet; he has seen the damsel arise from the dead. And his face has become clouded over. He knits his gray, bushy eyebrows, and his gaze flashes with a sinister fire. He holds up a finger and bids his guards to seize Him. And lo, such is his power, and to such an extent were the people trained, cowed and tremblingly submissive to him, that the throng immediately parts before the guards and the latter, amid the suddenly fallen silence, a silence as of the grave, lay their hands upon Him and lead Him away.

The throng instantly, as one man, bow their heads to the ground before that ancient, the Inquisitor; the latter silently blesses the people and strides past.

The guards bring their Captive into the cramped and gloomy vaulted prison in the ancient edifice of the Holy Office, and lock Him therein.

The day passes; night comes, the dark, sultry and "breathless" night of Seville. The air is "fragrant with laurel and with citron." Amid the profound murk the iron door of the dungeon opens abruptly and the ancient, the Grand Inquisitor himself, enters slowly with a lanthorn in his hand. He is alone; the door is immediately locked after him. He pauses near the entrance and protractedly, for a minute or two, scrutinizes His face. At last he approaches softly, puts his lanthorn on the table, and speaks to Him:

"Is it Thou? Thou?" But, receiving no answer, he quickly adds: "Answer not; be silent. And, to boot, what couldst Thou say? I know all too well what Thou wouldst say. Furthermore, Thou hast no right to add aught to that which Thou hast already said. Wherefore, then, hast Thou come to hinder us? For it is to hinder us Thou hast come, and Thou knowest that Thyself. Yet dost Thou know what will befall on the morrow? I know not who Thou art, nor do I want to know whether it is Thou or but a similitude of Him, but on the very morrow I shall condemn Thee and burn Thee at the stake as the most pernicious of heretics, and those very people who this very day were kissing Thy feet will, no later than on the morrow, at the merest wave of my hand, race to rake up the embers of Thy bonfire—dost Thou know that? Ay, it may be Thou dost know that," he added with thoughtful discernment, not taking his eyes off the Captive for even an instant.

"I don't quite understand, Ivan. What's all this?" smiled Alësha, who had been listening in silence throughout. "Is it out-and-out shoreless fantasy, or some sort of error on the old man's part, some sort of impossible *quid pro quo?*"

"You might take it as the last," Ivan broke into laughter, "if contemporary realism has pampered you to such an extent that you can't stand up under anything fantastic; if you hanker after a *quid pro quo,* so be it. True enough," he again broke into laughter, "the old man is ninety, and he may well have gone out of his mind over this idea of his. Then, too, he may have been overcome by the looks of his Captive. It might, finally, be simply delirium, the ante mortem vision of a nonagenarian ancient who, on top of everything, had been fired by yesterday's *auto da fé* with its cast of a hundred heretics burned to a crisp. But isn't it all one to us whether it's *quid pro quo* or shoreless fantasy? The whole point here lies merely in that the old man wants to have his full say, that at last after all of his ninety years he is having his say and is uttering aloud that about which he has been keeping mum for all of his ninety years."

"But what about the Captive—is He keeping silent too? Just gazes at the other and utters never a word?"

"Why, that's just how it must be, under any and all circumstances," Ivan once more began to laugh. "The old man himself remarks to Him that He actually has no right to add anything to that which He has already said, long ago. That, if you like, constitutes precisely the most fundamental feature of Roman Catholicism—at least in my opinion: 'There, now, everything has been handed over by Thee to the Pope and, therefore, everything is now in the Pope's hands, and as for Thee, there's no need now of Thy coming at all; the least Thou couldst do would be not to bother us ahead of time.' They not only talk but even write to that effect—at least the Jesuits do. I've read that myself in the works of their theologians."

"Hast Thou the right to declare to us even a single one of the mysteries of that world whence Thou hast come? [my ancient asks Him—and himself makes answer for Him:] Nay, Thou hast not, for Thou mayest add naught to that which has already been said of old, and Thou mayest not take away from men that freedom for which Thou didst contend so in Thy days upon earth. All that Thou wilt declare anew will be an attempt against men's freedom of faith, inasmuch as it will come as a miracle, and yet their freedom of faith was dear to Thee above all things even then, fifteen hundred years ago. Was it not Thou who didst say so often in those days: *I would make you free?*[5] But just now Thou didst see these *free* men," the old man adds with a pensively mocking smile. "Ay, all this business has cost us dear," he goes on, regarding Him sternly, "but we have accomplished it, in Thy name. For fifteen centuries have we striven agonizingly against this freedom, but now it is all over and done with—and done with for good. Thou dost not believe it is done with for good? Thou gazest upon me meekly and dost not deign to honor me even by becoming indignant? Know, then, that now, and precisely today, these men feel more certain than they ever did that they are utterly free, yet at the same time they themselves have brought their freedom to us and have submissively laid it at our feet. But it is we who have brought this about. However, was that what Thou didst desire—was it freedom such as that?"

"Again I don't understand," Alësha interrupted. "Is he indulging in irony? Is he sneering?"

"Not in the least. He is in all seriousness claiming as a meritorious service on the part of himself and his kind their having at last won the contest against freedom, and having done so in order to make men happy."

"For it is only now [of course he is talking of the Inquisition at this point] that it has become possible to give any thought to the happiness of men. Man is constituted as a rebel; come, can a rebel be happy? Thou wast forewarned [says the ancient to Him]; Thou hadst no lack of forewarnings and directives; but Thou didst not heed the forewarnings, Thou didst reject the only way to bring about happiness for men—fortunately, however, at Thy departure Thou didst hand over the task to us. Thou didst promise, Thou didst confirm with Thy word, Thou didst give us the authority *to bind and to loose*,[6] and quite naturally Thou couldst not now even contemplate taking this authority back from us. Wherefore, then, hast Thou come to hinder us?"

"But what do you mean by 'No lack of forewarnings and directives'?" asked Alësha.

"Why, that's just the main thing the old man wants to have his full say about."

"The dread and intelligent Spirit, the Spirit of self-annihilation and non-being [the old man goes on], the great Spirit spake with Thee in the wilderness, and it has been transmitted to us in books that he allegedly *tempted* Thee. Was it so? And could anything have been said more truthful than that which he annunciated to Thee in the form of three questions, and which Thou didst reject—that which is called *temptations*[7] in the books? And yet, if ever there was an utterly authentic, thunderous miracle on this earth it took place that day, the day of these three temptations. And it was precisely in the advent of these three questions that this miracle lay. Were it possible to suppose—merely tentatively and for argument's sake—that these three questions of the dread Spirit had vanished without a trace from the books and that it was necessary to re-establish them, to invent and create them anew, so as to insert them in the books again, and that to do so it were necessary to convene all the sages of the world—rulers, high priests, scholars, philosophers, poets—and then put the problem up to them: Invent, create three questions—but such questions as should not only be in keeping with the magnitude of the event (that would not be enough) but, over and above that, voice in three words, in but three human phrases, all the future history of the universe and of mankind—well, dost Thou think that all the combined great wisdom on earth could invent anything at all approaching the force and profundity of those three questions which were actually put to Thee at that time in the wilderness by the mighty and sage Spirit? By these questions alone, merely through the miracle of their advent, one can grasp that one is dealing not with the transient mind of man but with a mind sempiternal and absolute. For in these three questions all the subsequent history of man is, as it were, combined into one whole and foretold, and they present three images wherein all the unsolvable historical contradictions of the nature of man the world over will come together. At that time this could not be so clearly perceived, since the future was unknown; but now, with the passing of fifteen centuries, we perceive that everything in these three questions has been divined and foretold to such an extent, and to such an extent has come true, that it is no longer possible to add anything to them or to take anything away from them.

"Decide Thou Thyself, then, who was right: Thou, or he who put these questions to Thee at that time? Recall the first question—I may not be quoting it literally, yet its purport was this: 'Thou wouldst go forth into the world, and Thou art going forth with hands bare and empty, with some promise or other concerning freedom, a promise which men in their simplicity and inborn licentiousness cannot even take in with their minds, which they dread and shy away from—inasmuch as nothing, at any time, has been more insupportable to man and man's social structure than freedom! But dost Thou see those stones in that barren, incandescent wilderness? Turn them into loaves of bread, and mankind will run after Thee like to a herd, grateful and submissive, even though forever trembling lest Thou take away Thy hand and Thy loaves of bread will fail them.'

"But Thou wouldst not deprive man of freedom and didst spurn the suggestion—for, Thou didst reason, what kind of freedom can there be when submission is bought with bread? Thou didst retort: *Man doth not live by bread alone*[8]—yet dost Thou know that in the name of this same earthly bread the spirit of the earth will rise up against Thee and do battle with Thee and overcome Thee, and all will follow after the spirit of the earth, huzzaing: *Who is like unto the beast? . . . He maketh fire come down from heaven on the earth in the sight of men.*[9] Dost Thou know that ages will pass, and mankind will proclaim through the lips of its super-wisdom and science that there is no such thing as transgression and, therefore, no such thing as sin either, but that there are only the hungry. 'Feed them, and then go ahead and ask virtue of them!'—that is what they will inscribe upon the banner they will raise against Thee and through which Thy temple will be destroyed. On the site of Thy temple a new edifice will rise, there will rise anew the dread Tower of Babel, and even though this one, too, will never be builded to the end, even as its predecessor, Thou couldst nevertheless obviate this new tower and shorten the sufferings of men by a thousand years—inasmuch as it is to us, and us only, that they will come after having striven a thousand agonizing years over this tower of theirs! They will then seek us out once more underground, in the catacombs where we shall be in hiding (inasmuch as we will be persecuted and martyred anew), will find us, and cry out unto us: 'Feed us, for they who have promised us fire from heaven have not made it come down on earth in our sight.' And only then will we finish building their tower for them, for the only ones who can finish building it are those who will give them their fill of food—and it will be we alone who will give them that in Thy name, and we will lie that it *is* in Thy name. Oh, never, never will they feed themselves without us! No science whatsoever will yield them bread as long as they remain free, but it will all wind up by their bringing their freedom to our feet and saying unto us: 'Better make slaves of us, but give us our fill to eat.' They will come to understand at last, by themselves, that freedom and earthly bread enough for everyone are inconceivable together, inasmuch as they will never, never be able to share among themselves!

"They will also become convinced that they can never be free, either, inasmuch as they are of but little strength, depraved, insignificant and rebels all. Thou didst promise them heavenly bread, but I again repeat: Can it compare with the earthly in the eyes of the weak, eternally depraved and eternally ignoble tribe of men? And even if thousands and tens of thousands should follow after Thee for the sake of heavenly bread, what is to become of the millions and tens of thousands of millions of those beings who will find it beyond their strength to contemn earthly bread for the heavenly? Or are only the tens of thousands of the great and strong dear to Thee, while the millions of others, numerous as the sands of the sea, who are weak yet love Thee, are merely to serve as material for the great and the strong? Nay, to us even the weak are precious. They are depraved and they are rebels, but in the end it is just they who will become submissive as well. They will be wonderstruck by us and will consider us gods because we, having taken our place at their head, have consented to endure freedom and to lord it over them—so dreadful will they at last find it to be free! We, for our part, will say that we are in submission to Thee and are lording it over them in Thy name. Once more will we deceive them, inasmuch as we will no longer let Thee come to us. And in that very deception will lie our suffering, inasmuch as we will have to lie. There, that is what the first question in the wilderness signified, and that is what Thou didst reject in the name of that freedom which Thou hast put above all things else.

"Yet at the same time this question held the great mystery of this world. Hadst Thou accepted the *loaves of bread,* Thou wouldst have supplied an answer to the universal and sempiternal yearning not only of man as a unipersonal being but of mankind as one whole: 'Before whom are we to bend the knee?' Man, on finding himself free, hath no care more unremitting and excruciating than to seek out, as speedily as may be, someone or something before whom or which he might bend his knee. But man seeks to bend his knee before that which is already indisputable, so very indisputable that all men might simultaneously agree to do their knee-bending before it in common. For the care of these pitiful creatures does not consist solely of seeking out something before which I or another may bend the knee, but to seek out something or other in which even all might come to believe and bend the knee before—and all this must absolutely be done by *everybody in common.* And it is precisely this need of a *communality* of genuflection which constitutes the chiefest martyrdom of man individually as well as of mankind as a whole, since the start of time. Because of universal genuflection they have been extirpating one another with the sword. They have reared up gods and called to one another: 'Forsake your gods and come to bend your knee before ours—otherwise, death unto you and your gods!' And thus will it be to the end of the world; even when the very gods vanish from the world men will fall on their faces before idols just the same. Thou didst know, Thou couldst not but have known, this basic mystery of the nature of man, yet Thou didst reject the sole absolute banner—the banner of earthly bread—which was being offered Thee in order to compel all to bend their knees incontrovertibly before Thee—and it was in the name of freedom and heavenly bread Thou didst reject it.

"Now look upon that which Thou didst thereafter. And, again, still in the name of freedom. I tell Thee, man has no care more excruciating than to find as speedily as possible someone to whom to hand over the gift of freedom which this miserable creature is born with. But only he who will lull men's conscience can gain mastery over their freedom. Together with the bread an incontestable banner was being proffered to Thee: Give him bread and man will bend his knee, inasmuch as there is naught more incontestable than bread; yet if at the same time anyone outside of Thyself should gain mastery over man's conscience—O, man will then abandon even Thy bread and follow after him who will seduce his conscience. In this instance Thou wert right. Inasmuch as the mystery of man's being lies not in merely living but in what one is to live for. Without a definite notion of what he is to live for man will not consent to live, and would rather destroy himself than remain upon earth even if he were to have nothing but loaves of bread all around him. Yea, verily. Yet what was the upshot? Instead of gaining mastery over men's freedom, Thou didst make it still greater for them! Or hast Thou forgot that tranquility—and even death—is dearer to man than freedom of choice in the knowledge of good and of evil?

"There is naught more seductive to man than freedom of his conscience, but there is also naught more excruciating. And lo, instead of accepting firm grounds for the lulling of man's conscience once and for all, Thou didst prefer everything that is extraordinary, enigmatic and vague, everything that is beyond the strength of men—and therefore Thou didst act as if there were no love in Thee for them at all. And just see Who did this: He who had come to give His life for them! Instead of gaining mastery over the freedom of man, Thou didst increase it and burden for all time with its torments man's spiritual kingdom. Thy desire was to have man love Thee freely, to have him freely follow after Thee, enticed and captivated by Thee. Instead of resorting to the unyielding ancient law, man was henceforth to decide for himself with a free heart what is good and what is evil, having only Thy image before him for guidance—yet can it be possible it never occurred to Thee that he would at last spurn and impugn even Thy image and Thy truth if he were to be crushed down by such a frightful burden as freedom of choice? Men will cry out in the end that the truth is not in Thee, for none could have left them in greater confusion and torment than Thou hast done, leaving them so many cares and unsolvable problems. Thus it was that Thou Thyself hast furnished the basis for the destruction of Thy very kingdom, and Thou needst no longer blame any other therefor.

"And yet, was it that which was being proffered to Thee? There be three forces, the only three forces upon earth, capable of overcoming and capturing forever the conscience of these debile mutineers—for their own happiness; these powers are Miracle, Mystery, Authority. Thou hast rejected the one, and the other, and the third, and hast Thyself set the example for such rejection. When the awesome and super-wise Spirit set Thee on a pinnacle of the temple, and said unto Thee: *If Thou wouldst know if Thou be the Son of God, cast Thyself down from hence: for it is said concerning the same, that the angels shall bear Him up and carry Him in their hands, and He will not fall and will not bruise Himself; and Thou wilt learn then if Thou be the Son of God, and wilt prove then what Thy faith in Thy Father is like—*[10] Thou, having heard him out, didst spurn the suggestion, and submitted not, and cast not Thyself down. Oh, of course, in this instance Thou didst act as proudly and magnificently as a god! But the people, now, that weak, mutinous tribe—come, are *they* gods? O, Thou didst comprehend then that hadst Thou taken but one step, hadst Thou made but a move to cast Thyself down, Thou wouldst have tempted even the Lord and lost all faith in Him, and dashed Thyself against the earth Thou hadst come to save, and the intelligent spirit tempting Thee would have rejoiced. But, I repeat: Are there many like to Thee? And canst Thou possibly admit for even a moment that such temptation could be borne by men as well? Is the nature of man so fashioned that he is able to reject a miracle and, at such fearful moments of life, moments of the most basic, dread and excruciating spiritual questionings, can be left only to the free decision of the heart? Oh, Thou wert aware that Thy great exploit would be chronicled in books, would come down to the remotest reaches of time and the uttermost limits of the earth, and Thy hope was that, following after Thee, man also would retain God, without having need of any miracle. But Thou didst not know that no sooner would man reject miracle than he would on the instant reject God as well, for it is not so much God as miracles that man seeks. And since it is beyond man's strength to remain without miracles, he is bound to create for himself a mess of new miracles, this time all his own, and will bend his knee this time to the miracle of the witch-doctor, to the black magic of the witch-woman, though he may be a rebel, a heretic and an atheist a hundred times over.

"Thou didst not come down from the cross when they screamed at Thee, reviling and mocking Thee: *Descend now from the cross, that we may see and believe.*[11] Thou didst not come down because, this time as well, Thou wouldst not enslave man through miracle and didst thirst after a free faith and not a miraculous one. Thou didst thirst after a love in freedom, and not the slavish raptures of a thrall before a might that had stunned him with horror once and for all. But in this instance, too, Thou hadst too high an opinion of men since they are, as a matter of course, so many thralls, even though they had been created rebels. Gaze about Thee and judge: Lo, fifteen centuries have passed, yet go Thou and look upon them—whom hast Thou raised to Thy level? I swear to Thee, man is created weaker and lower than Thou didst think him! Can he—*can* he—fulfill that which Thou canst? In esteeming him so greatly Thou hast acted as if Thou hadst ceased to commiserate with him, for Thou didst actually ask too much of him. And who did this? The very same One Who had come to love man even above Himself! Hadst Thou esteemed him less, Thou wouldst even have demanded less of him, and that would have proven nearer love, in that his burden would have been lighter. Man is weak and vile. What is there to his present mutinying everywhere against our power, and to his pride in that he is mutinying? It is the pride of an infant and a schoolboy. Little children, who have mutinied in class and driven out their instructor. But an end will come to the jubilation of the urchins; they will have to pay for it dearly. They will overthrow temples and inundate the earth with blood. But the foolish children will at last surmise that, even though they are rebels, they are rebels of but little strength, unable to endure their own rebellion. Bathed in their foolish tears, they will confess at last that He Who had created them rebels had doubtlessly done so for a laugh at their expense. They will utter this in despair, and their utterance will be a blasphemy because of which they will become still more miserable, since the nature of man cannot bear blasphemy and at the very last it will avenge that blasphemy upon none other than its own self.

"And so uneasiness, consternation and misery form the present portion of men after Thou hast endured so much for their freedom! A great prophet of Thine tells in a vision and an allegory that he had beheld all the participants in the first Resurrection, and that there were twelve thousand of them in each tribe. But even if there were so many of them, they too were not like unto men, but gods, as it were. They had borne up under Thy cross, they had borne up under decades in the famished and naked desert, feeding upon locusts and roots—and, of course, Thou mayest well point proudly to these children of freedom, children of love in freedom, children of a free and splendid sacrifice in Thy name. Yet recall that there were but a few thousand of them in all, and that they were gods, at that—but what of the rest? And wherein are the remaining weak ones at fault because they had not been able to endure that which the mighty ones could? Wherein is a weak soul at fault because it finds it beyond its strength to contain such awesome gifts? Come, didst Thou come only to the chosen and for the chosen? But if that be so, then there is a mystery here, and it is not for us to understand it. Yet if a mystery there be, then we, too, were in the right in promulgating a mystery, and in teaching men that it is not the free decision of their hearts that matters, and not love, but a mystery to which they must submit blindly, even outside their conscience. And that is just what we did. We emended Thy great exploit and based it upon *Miracle, Mystery and Authority*. And the people were overcome with joy, because they were led off once more like a herd, and because so awesome a gift, which had brought them so many torments, was at last lifted from off their hearts. Speak—were we right, teaching and acting thus? For can it be that we did not love mankind, having with such resignation realized its impotency, having with such love eased its burden, and having granted dispensation to its frail nature for even sin, let us say, but sin by our sanction?

"Wherefore, then, hast Thou now come to hinder us? And wherefore art Thou gazing at me, silently and penetratingly, with Thy meek eyes? Wax angry—I want not Thy love, since I myself have no love for Thee. And what have I to conceal from Thee? For am I not aware Whom I am talking to? All that I am impelled to tell Thee—I read this in Thy eyes—is already known to Thee. And am I the one to conceal our mystery, our secret from Thee? Mayhap it is Thy wish to hear it only from my lips—hearken, then: We are not with Thee but with *him* —for eight centuries by now. It is exactly eight centuries since we have taken from him that which Thou didst reject with scorn, that last gift which he did offer Thee, shewing Thee all the kingdoms of the world; we have accepted Rome and the sword of Caesar at his hands, and have proclaimed only ourselves the kings of the world, the sole kings, even though to this very day we have not succeeded in bringing our enterprise to full completion. Yet who is to blame for that?

"Oh, that enterprise is to this very time still at its beginning—but at least it has been begun. There is a long wait yet to its consummation, and the earth will yet undergo many sufferings, but we shall attain our ends and be Caesars, and only then will we give thought to the universal happiness of men. And yet, Thou couldst even at that time have taken the sword of Caesar. Wherefore didst Thou reject this last gift? Hadst Thou accepted this third counsel of the mighty spirit, Thou wouldst have rounded out the sum of everything that man seeks upon earth; that is: before whom to bend his knee, to whom to hand over his conscience, and in what manner all are to become united at last into a single, incontrovertible, common and harmonious ant-heap, for the third and ultimate agony of man is his necessity for universal unification. Mankind, as a whole, has always striven to settle, infallibly, in one universal mould. Many have been the great nations, each with its great history, but the greater their height has been, the greater was their misery also, inasmuch as their realization of the need of universality in the unification of mankind was greater than that of other nations. The great conquerors, the Tamerlanes and Genghis-Khans, swept like tornadoes over the earth, striving to conquer Creation, yet even they expressed, though unconsciously, the very same great need of mankind for universal and general unity.

"Hadst Thou accepted the world and Caesar's purple, Thou wouldst have founded a universal kingdom and brought universal peace. For who is to have dominion over man if not they who have dominion over man's conscience and hold man's loaves of bread in their hands? And so we did take the sword of Caesar and, having taken it, we have as a matter of course rejected Thee and followed after *him*. Oh, more ages of their free mind, of their science and anthropophagy will yet pass—for, having started to rear their Tower of Babel without us, they will wind up with anthropophagy. But it is then, then! that the beast will come crawling to us on its belly and will fall to licking our feet and asperging them with the tears of blood spurting out of its eyes. And we shall mount the beast, and shall raise up the cup, and MYSTERY will be inscribed thereon. And then, and then only, will the kingdom of peace and happiness arrive for men.

"Proud art Thou of Thy chosen ones, yet all Thou hast are Thy chosen, whereas we shall set all men at peace. Yet come—how many of these chosen ones, of the mighty men who could have become chosen ones, have wearied at last of biding for Thee and have borne (and will still bear) the forces of their spirit, and the fervor of their hearts, to another fallow field, and will end up by raising their *free* banner against none other than Thee! However, Thou Thyself hast raised that banner. Whereas under us all will be happy, and will no longer rebel, nor extirpate one another, as they will go on doing the world over under Thy freedom. Oh, we will convince them that they can become really free only when they renounce their freedom in our favor and submit to us.

"Well, now, shall we prove right, or shall we be lying? They themselves will become convinced that we are in the right, for they will recall to what horrors of bondage and of consternation Thy freedom brought them. Freedom, the free mind and science, will lead them into such thick woods and confront them with such miracles and unsolvable mysteries that certain of them, the unsubmissive and ferocious ones, will destroy their own selves; others, unsubmissive yet having but little strength, will destroy one another; while others still, those who are left, impotent and miserable, will come crawling at our feet and raise their voices, wailing: 'Ye alone were possessed of His mystery, and we are returning to you—save us from our own selves!'

"Receiving loaves of bread from us they will, of course, perceive that we are taking from them none other than their own loaves of bread, gotten by none other than their own hands, so that we might distribute those loaves to none other than themselves, without any miracle whatsoever about the transaction. They will perceive that we have not turned stones into loaves of bread—yet truly, more than over the bread itself, will they rejoice over receiving it from our hands! For they will remember only too well that hitherto, without us, the very loaves of bread obtained by them turned in their hands into mere stones, whereas when they came back to us the very stones in their hands turned into loaves of bread. Only too, too well will they come to appreciate what it means to submit once and for all! And as long as men do not understand that they will be unhappy.

"Who above all others helped this incomprehension along—tell me that! Who scattered the herd and dispersed it over paths unknown? But the herd will gather anew, and anew will yield—and this time it will be once and for all. Then will we give them a gentle, resigned happiness, the happiness of the impotent, of creatures created as they have been. Oh, we will convince them at last not to be proud, for Thou hast raised them on high and taught them to be proud; we will prove to them that they are impotent, that they are no more than pitiful children, yet that childish happiness is the sweetest of all. They will wax timorous and take to looking up to us, and huddle close to us, even as chicks to a brood-hen. They will *wonder at us with great admiration,*[12] and be awestruck by us, and feel proud because we are so mighty and so intelligent that we were able to subdue so mutinous a herd of thousands of millions. Enfeebled, they will tremble before our wrath, their minds will grow timorous, their eyes as easily moved to tears as those of babes and women, yet they will just as easily, at the merest wave of our hands, shift to gaiety and to laughter, to radiant joy and the happy little song of children.

"Yea, we will compel them to labor, but in the hours free from labor we will arrange their life like a children's game, with childish songs, choir-singing, and innocent dances also. O, we shall grant them dispensation even to sin—they are weak and impotent, and they will love us with the love of children because we shall allow them to sin. We shall tell them that every sin will be redeemed if it be committed with our sanction, and as for our granting them dispensation to sin—well, we are doing it out of love for them; in the matter of chastisement for that sinning—well, so be it: we take it upon ourselves. And take it upon ourselves we will, and they will deify us as benefactors, who have taken on the load of their sins before God. And they will have no secrets from us whatsoever. We shall permit or forbid them to live with their wives and mistresses, to have or not to have children—depending entirely upon their obedience—and they will submit to us with blitheness and joy. The most excruciating secrets of their conscience—everything, everything!—will they bring to us, and we will decide everything for them, and they will believe our every decision with rejoicing inasmuch as that will deliver them from great care and their present torments of personal and free decision.

"And all will be happy, all these millions of beings, all save the hundred thousand or so governing them, that is. For we alone, we who guard the mystery, we alone will be unhappy. There will be thousands of millions of happy infants, and a hundred thousand scapegoats who took upon themselves the curse of the knowledge of good and of evil. Gently will these beings die, they will go out as little tapers in Thy name, and beyond the grave they will attain naught but death. Yet we will keep the secret and, for no other end save their own happiness, we will keep on luring them with a reward heavenly and eternal. For, even if there were anything in the other world, then, of a certainty, it would not be for the likes of them.

"They say and they prophesy that Thou wilt come and conquer anew, that Thou wilt come with Thy chosen, with Thy proud and mighty ones. But we shall say that these have saved themselves alone, whereas we save all men. They say that the whore sitting upon the scarlet-colored beast and having in her hands the *mystery* will be made desolate, that those of little strength will mutiny again, that they will rend the purple upon her and make naked her *loathsome* flesh. But when that time comes I shall rise up and point out to Thee thousands of millions of happy infants who knew no sin. And we, who have for the sake of their happiness taken their sins upon ourselves, we will stand up before Thee and say: 'Judge us, if Thou canst—and darest.'

"Know, that I fear Thee not. Know, that I, too, have been in the wilderness—that I, too, fed upon locusts and roots; that I, too, once blessed that freedom wherewith Thou hast blessed men; I, too, was preparing to take my place among the number of Thy chosen ones, among the number of the mighty and the strong thirsting to *make up the number*. But I came to my senses and did not want to be in the service of madness. I turned back and adhered to the host of those who have *emended Thy great exploit*. I went from the proud and turned back to the meek, for the happiness of the meek. That which I am telling Thee will come to pass, and our Kingdom will be built up. I repeat to Thee, that no later than on the morrow Thou wilt see this submissive herd rush forward, at the first wave of my hand, to rake up the hot embers upon Thy bonfire, that bonfire upon which I shall burn Thee because Thou hast come to hinder us. For if ever there was anyone deserving one of our bonfires most of all, Thou art surely the one. On the morrow I will burn Thee. *Dixi*."

Ivan stopped. He had warmed up while speaking, carried away by his story; when he had done, however, he suddenly smiled. Alësha, however, who had been listening to him in silence throughout, but had toward the end made many extremely agitated attempts to interrupt his brother's speech, although he had managed to restrain himself, now began speaking with a rush:

"But . . . that's an absurdity!" he cried out, flushing. "Your poem is praise to Jesus, and not blasphemy—as you wanted it to be. And whoever is going to believe the things you say about freedom? Is that—is *that* to be our understanding of it! Have we any such understanding of it in the Orthodox Church? That's Rome—and not all of Rome, either; that's a falsehood; those are the worst ones in Catholicism—inquisitors, Jesuits! And besides, such a fantastic personage as your Inquisitor is utterly out of the question. What sins of mankind are you talking about, which the others have taken upon themselves? What bearers of mystery be these, who have taken upon themselves some sort of curse for the happiness of men? Who has ever beheld them? We know the Jesuits—they are in ill repute; are they by any chance the way you have drawn them? They aren't at all—not at all. They are simply a Romish army for the future universal kingdom on earth, with an Emperor—the Pontiff of Rome—at its head. There you have their ideal, but without any mysteries and exalted melancholy about it. The commonest sort of lust after power, after filthy earthly benefits, after the enslavement of others—something in the nature of a system of serfdom for the future—with the stipulation that they be the landowners—and that's all they're after. It may well be that they don't even believe in God. Your agonizing Inquisitor is sheer fantasy—"

"Come, hold on, hold on!" Ivan laughed. "How hot under the collar you've gotten! Fantasy, you say—let it go at that. It's fantasy, of course. However, let me ask you this: Can it be that you really think all this Catholic movement of the latter ages is in reality nothing but a lust for power, solely for the sake of filthy benefits, and nothing else? Can it be that that is what Father Paissy is teaching you?"

"No, no; on the contrary, Father Paissy on one occasion said something of the same sort as you did, actually. But, of course, not that—not that at all," Alësha suddenly brought himself up short.

"That's a precious bit of information just the same, despite your 'not that at all.' What I am asking you, specifically, is why your Jesuits and inquisitors have banded together solely for material, vile benefits, and nothing else? Why can't a single agonizing soul spring up in their midst, a soul tormented by a great sorrow and filled with love for mankind? Look: suppose there has been found even one among all those desiring only material and filthy blessings—just one, let's say, such as this ancient, this Inquisitor of mine, who has himself eaten roots in the wilderness, who has raged as he subdued his flesh, so that he might make himself free and perfect, yet who nevertheless had loved mankind all his life, and then had his eyes suddenly opened, and perceived that it is no great moral bliss to attain perfection of will only to become convinced at the same time that the millions of other beings of God have remained set up only as a mockery, that they would never have the strength to get the hang of their freedom, that from among those sorry mutinous creatures there would never emerge any Titans for the completion of the Tower, that it is not for such geese that the Great Idealist dreamt of His harmony. . . . Having grasped all this, he turned back and attached himself to—the clever ones. Really, mightn't that have happened?"

"To whom did he attach himself—to what clever ones?" Alësha cried out, all but losing his temper. "There is no intelligence of that sort among them, nor any such mysteries and secrets. Godlessness alone, if you like—and there's their whole secret. This Inquisitor of yours has no faith in God—and there's the whole of *his* secret!

"Even so! You've caught on at last. And that is actually so, and it is actually of this that their whole secret consists—but then, isn't that suffering, even though it be suffering only to such a man as he, who has immolated his whole life in an exploit in the wilderness and yet hasn't cured himself of his love for mankind? At the sunset of that life he becomes clearly convinced that only the counsels of the great, awesome Spirit may put into any sort of tolerable order those mutinous creatures of little strength, 'the unfinished trial beings, created as a mockery.' And so, having become convinced of this, he perceives that it is necessary to follow the directive given by the intelligent Spirit, the awesome Spirit of death and destruction, and that to do so it is necessary to accept falsehood and deception and, with full awareness this time, to guide men to death and destruction, and on top of that to hoodwink them throughout the journey, so that they might not somehow notice whither they are being led, so that during this journey, at least, these pitiful blind men might deem themselves happy. And mark you this: the hoodwinking is in the name of Him in Whose ideal the old man had had such passionate faith all his life long! Come, is that not misery? And should even one such come to be at the head of all this army 'thirsting after power for the sake of filthy benefits alone—' then, truly, doesn't even one such suffice to create a tragedy? And not only that: it is enough to have but one such, standing at the head, for the finding at last of a genuinely guiding idea for the whole Roman business with all its armies and Jesuits—the supreme idea of that business.

"I tell you plainly that I firmly believe there has never been a paucity of such unique men among those standing at the head of the movement. Who knows, perhaps these unique ones may have occurred by chance, now and then, even among the Roman pontiffs. Who knows, perhaps this accursed old man, loving mankind so stubbornly and in a way so very much his own, may exist even now in the guise of a whole host of such unique old men, and that not at all by chance but as a concord, as a secret league, formed long since for the preservation of the mystery, for its preservation from men unhappy and of but little strength, for the purpose of assuring their happiness. That must be the case, absolutely—and, besides, that's how it should be.

"I have a glimmering notion that even the Masons have something in the nature of this very mystery as their cornerstone, and that the very reason why Catholics hate the Masons so is because they regard them as business rivals, splitting up the unity of the idea, whereas there should be but *one fold and one shepherd.*[13] However, this defence of my idea must make me look like a literary man who can't stand your criticism. Enough of this."

"Perhaps you're a Freemason yourself!" suddenly escaped from Alësha. "You don't believe in God," he added, but by now with exceeding sorrow. Besides that, it had struck him that his brother was looking at him with a mocking smile. "Well, and how does your poem end?" he asked abruptly, looking at the ground. "Or was that the end?"

"Here's how I wanted to end it—"

When the Inquisitor falls silent, he waits for some time for whatever answer his Captive may make. He finds His silence hard to bear. He had seen how the Captive had been listening to him all the while in absorption, gently gazing straight into his eyes and evidently without wishing to argue with him. The ancient wants Him to say something, even though it be something bitter, something dreadful.

Instead, He suddenly approaches the ancient and gently kisses him upon his bloodless, nonagenarian lips.

And therein is all His answer. The old man shudders.

Something stirs at the corners of his lips. He goes toward the door, opens it, and says to Him:

"Go, and come no more—do not come at all. Never, never!"

And the Grand Inquisitor releases Him, lets Him out upon the "dark flagstones of the city."

The Captive departs.

"But what of the old man?"

The kiss blazes upon the Grand Inquisitor's heart—but does not change his idea by a jot.

"And you are with him—you too?" Alësha exclaimed sorrowfully.

Ivan laughed.

"Why, all this is nonsense, Alësha. For it's only the muddled poem of a muddled student, who has never written even two lines of verse. Why do you take it so seriously? Are you thinking, perhaps, that I'm heading straight there, to the Jesuits, to take my place in the host of those who are rectifying His exploit? O, Lord—what's it to me? For I've told you: all I'm after is to drag along until I'm thirty, and after that—dash the goblet to the ground! . . ."

Alësha was looking at him in silence.

"I was thinking, brother, since I am going away, that I have you, at least, in all this world," Ivan uttered suddenly with unexpected emotion. "But now I see that in your heart as well I have no place, my beloved anchorite. I will not disown the 'all is permissible' formula; well, what then—will you disown me for that? Will you? Will you?"

Alësha got up, walked up to him and silently, gently, kissed him upon the lips.

"Literary theft!" Ivan cried out, in some transport of delight. "You lifted that out of my poem! Thanks, just the same. Come on, Alësha, let's go; time for both of us to be leaving. . . ."

NOTES

[1] Rev. XXII: 7; 12; 20.
[2] Mark XIII:32.
[3] Matt. XXIV:27.
[4] Mark V:41.
[5] Thus in the Russian. Apparently based on John VIII:36—*If the Son therefore shall make you free, ye shall be free indeed.*
[6] Derived from Matt. XVI:19; XVIII:18.
[7] Luke IV:13 reads: *all the temptation.*
[8] Matt. IV:4 and Luke IV:4 read: *It is written, Man shall not live by bread alone;* Deut. VIII:3 reads: *Man doth not live by bread only.*
[9] Rev. XIII:4; 13.
[10] *Cf.* Matt. IV:5,6; Luke IV:9-11.
[11] Mark XV:32.
[12] Based on Rev. xvii:6. *Admiration* is here used in its archaic sense of wonder, surprise or astonishment.
[13] John X:16.

NIKOLAI SEMËNOVICH LESKOV

(1831–1895)

> *Leo Tolstoy:* But Leskov, now . . . there's a real writer—have you read him?
> *Gorki:* Yes. I like him very much; especially his language.
> *Tolstoy:* He knew the language wonderfully—so much so that he could perform feats of magic with it.
>
> *Gorki*

EDITOR'S NOTE

AFTER a youth of hardships Leskov, at 29, became a provincial journalist and, two years later, a St. Petersburg one. Here, through a misinterpretation of one of his articles, he ran into much the same difficulty with the younger radical element as Turgenev did; Leskov, however, carried on the feud for years and, despite the boycott of the radicals and the animosity of the critics, won popular approval. Subsequently he wrote for liberal periodicals, and one of his anti-clerical stories deprived him of a government sinecure. Toward the end of his life he became badly, but not hopelessly, infected with Tolstoyanism.

His novel, *Cathedral Folk,* is by now accepted as a classic, but it is as a story teller that he is among the greatest, not only in Russia but in the world. No other Russian has told such odd, racy, droll tales as Leskov and, next to Chekhov, he is the most loved of Russian humorists. Some of his stories were such *naturals,* that he could not convince the critics that they were pure creations of his, and not mere retellings of folk or other material. There were three wizards of the word (in Gorki's phrase) each of whom fashioned Russian into an instrument peculiarly his own: Saltykov, Leskov, and Zoshchenko; of these Leskov is, in this respect, the greatest and, also in this respect, as well as in "the breadth of his grasp of life" and "the depth of his understanding of its folk-enigmas," he not infrequently "towers," in Gorki's opinion, above Leo Tolstoy, Gogol, Turgenev, Goncharov.

After his death interest in him waned considerably, but his popularity since the Revolution can be described only as immense. And that popularity extends to dramatizations of his works. *Lady Macbeth of Mtsensk* was a success not only as a play but as a grand opera (with music by Shostakovich), and Zamiatin's dramatic version of *The Flea* was also a hit. The story here given was likewise dramatized, within the last ten years.

Ivan Yakovlevich Koreisha (of whom Leskov wrote

more than once) was an actual figure, an innocent who spent half his life (1780–1861) in a madhouse and, as a miracle man, had a vast following among the Moscow merchants. *A Slight Error* is an exquisite vignette of the mores of that ignorant and quite depressing class.

A Slight Error

(A Certain Moscow Family's Skeleton-in-the-Closet)

NIKOLAI SEMËNOVICH LESKOV

ONE evening during the Christmas holidays, at a gathering of sensible people, a great deal was said about belief and lack of belief. The talk did not, however, deal with the higher questions of deism or materialism, but with belief in people gifted with the special powers of foresight and prediction and, if you like, the power, *sui genèris,* of working miracles. And as it happened there was a certain person there, a sedate citizen of Moscow, who spoke up as follows:

"It is no easy matter, ladies and gentlemen, to judge who is living according to belief and who isn't, for in this life there are all sorts of circumstances for believing or not believing; sometimes our very reason may fall into error in such cases."

And, after this prologue, he told us a curious tale, which I shall try to give in his own words.

My uncle and my aunt were alike adherents of the late miracle worker, Ivan Yakovlevich Koreisha. Especially my aunt: she would never begin any undertaking without consulting him beforehand. She would visit him in the madhouse, first thing, and get his advice, and then beg him to pray for her undertaking. Uncle had a mind of his own and placed less reliance on Ivan Yakovlevich; however, he too had faith in him, now and then, and did not object to gifts and offerings being brought to this miracle worker. They weren't rich people, yet they were very well off, carrying on a trade in sugar from a shop in their own house. They had no sons, but they did have three daughters: Kapitolina Nikitishna, Katerina Nikitishna, and Olga Nikitishna. All of the three were very far from being hard on the eyes, and they all knew well how to do different things and how to run a house. Kapitolina Nikitishna was married, only her husband wasn't a merchant but a painter; however, he was a most kindhearted man and doing rather well; he was getting well-paying commissions right along for painting church murals and so on. There was one thing about him, though, which the whole clan found disagreeable; he was painting divine subjects all the time, yet was familiar with certain free-thinking ideas from Kourganov's *Epistolary Guide*. He loved to talk about Chaos, about Ovid, about Prometheus, and was fond of comparing fables with historical writings. If it weren't for that everything would have been just fine. And another thing was that he and his wife had no children, and this grieved my uncle and aunt ever so much. So far they had married off only their first daughter, and to their surprise she had been childless for all of three years. Because of that the suitors had taken to giving the other sisters the go-by.

My aunt kept asking Ivan Yakovlevich, the miracle worker, the reason her daughter wasn't having a child. "They're young and handsome, the both of them," she said, "how come, then, there are no children?"

"There is therefore a heaven of heavens; and then

there is a heaven of heavens," Ivan Yakovlevich began to mutter.

The nuns, his Sibyls, interpreted the thing for my aunt:

"The Holy Father bids your son-in-law to pray to God—but, probably, he must be the one of little faith amongst you."

My aunt, she just oh'd:

"Everything," said she, "is revealed unto him!"

And she took to pestering the painter to go to confessional, but the other just didn't care a straw! He had a free and easy attitude toward everything; why, he even ate meat on fast-days—and not only that, but they'd heard in a roundabout way that, apparently, he ate both snails and oysters. And they were all living in the one house, now, and often felt downhearted that there was such a fellow, with no faith in him at all, amongst their merchant clan.

II

And so my aunt went to Ivan Yakovlevich, to ask him for a double-barreled prayer: That the womb of Kapitolina, the handmaiden of God, might be opened, and that Larii (as they called the painter), the servant of God, might see the light of faith.

Both my aunt and my uncle joined in asking the miracle worker to pray thus.

Ivan Yakovlevich began babbling something or other which you just couldn't understand, while the holy women who were in his service and attended on him, made the thing clear:

"Just now," said they, "there's no making him out, but you tell us what you're asking for, and we'll give him a note about it tomorrow."

So my aunt started telling them, and they wrote it

down: "That the womb of Kapitolina, handmaiden of God, might be opened, and that Larii, the slave of God, might be strengthened in faith."

So the old couple left this note with their request and went home with light steps.

At home they didn't tell a thing to anybody, save to Kapochka, and only then on the condition that she would not pass it on to her husband, the unbelieving painter, but would only live with him as lovingly and amicably as possible, and keep an eye on him: whether he wouldn't be drawing any closer to believing in Ivan Yakovlevich. And this painter, now, used to curse in the devil's name something awful, and always had some funny saying while he did so, just like a merry-andrew at a country fair. All he had in mind was having his joke and his bit of fun. He'd come at twilight to his father-in-law: "Come on," he'd say, "let's read the prayer-book with fifty-two pages"—meaning, that is, a game of cards. Or, as he would be sitting down, he'd say: "With the condition that we play until the first man keels over."

My aunt, now, she just couldn't stand hearing things like that. So my uncle he up and told him:

"Don't upset her like that; she loves you, and she has taken on a vow for you."

But the other burst out laughing, and said to his mother-in-law:

"Why do you make rash vows? Or don't you know that it was because of such a vow that John the Precursor had his head chopped off? Watch out; there may be some unforeseen misfortune in your home."

That threw still more of a scare into his mother-in-law, and every day she would dash over to the madhouse in alarm. There they would reassure her, telling her the matter was going well; the Holy Father was reading the note every day, and that what was written on it would now be soon fulfilled.

And fulfilled it was, most suddenly—and it was of such a nature that one doesn't feel like telling it, even.

III

Her second daughter, the unmarried Katechka, came to my aunt, and right off fell on her knees before her, and sobbed, and wept bitterly:

"What's up with you?" asked my aunt. "Who has wronged you?"

And the other answered, through her sobs:

"Mamma, dearest, I myself don't know what it is, and what from—it's the first time and the last such a thing has happened to me. . . . Only do you hide my sin from daddy."

My aunt gave her one look, jabbed a finger at her belly, and asked:

"This the spot?"

"Yes, mamma dear," answered Katechka. "How did you ever guess it? I myself don't know what it's from—"

My aunt just oh'd and wrung her hands.

"My child," said she, "don't even try to get to the bottom of it; I myself may be to blame for this mistake; I'm going right now to find out—" and she flew off at once in a cab to Ivan Yakovlevich.

"Show me," said she, "the note in which we request the Holy Father to pray about the fruit of the womb for a handmaiden of God—how is it written?"

The attending holy women searched on the window sill and handed her the note.

My aunt looked at it and all but lost her mind. What do you think? Why, sure enough, all this business had come about on account of an error in praying, because instead of the handmaiden of God Kapitolina, who was a married woman, they had written down the handmaiden of God Katerina, a still unmarried girl.

Said the holy women:

"There, what a come-uppance! The names are so much alike . . . howsomever, it don't matter: *it can be fixed.*"

But my aunt thought to herself: "No, you're lying; it's past your fixing now; Kate has already had her bellyful of prayer—" and she tore the bit of paper into tiny scraps.

IV

The main thing they dreaded was, how break the thing to my uncle? For he was the sort of a man that, once he let himself go, it was the devil and all to check him. Besides that, he liked Kate least of all, for his favorite daughter was Olenka, the youngest, and it was her he had promised to leave the most to.

So my aunt thought and thought, and she saw that with her one head there was no thinking a way out of this trouble; she called in her painter son-in-law for a council, and revealed everything to him, with all the particulars, and then she begged him:

"You," she told him, "even though you have no faith, you may have some feelings in you—please, take pity on Kate; help me hide her maidenly sin."

But a sudden frown came to the painter's forehead, and he told her sternly:

"Excuse me, please, but even if you are my wife's mother I have neither liking nor patience for being considered an unbeliever, for one thing, and, for another, I can't understand: what sort of sin you are imputing to Kate, since it was Ivan Yakovlevich who all the time was doing all that imploring for her? I have all the feelings of a brother for Katechka, and I will intercede for her because she is not at all at fault in this matter."

My aunt was biting her fingers and crying, but still she said:

"Well, now . . . how can she be not at all at fault?"

"Naturally she isn't, not at all. It's your miracle worker who balled everything up, and it's him you ought to ask for satisfaction."

"Come, how can one ask him for satisfaction! He's a saint of righteousness!"

"Well, now, if he's a saint of righteousness, just don't say anything. Send Kate to me with three bottles of champagne wine."

My aunt asked him, to find out if she had heard him aright:

"What was that?"

But he told her again:

"Three bottles of champagne; one right now, to my rooms, and two later on, wherever I tell you to bring them to, only they must be on hand in the house, and be kept on ice."

My aunt looked at him and only nodded her head:

"God be with you," said she. "I was thinking you were only without faith; but you paint the images of saints, yet you yourself turn out to have no feelings of any sort. That's why I can't bow down before your icons."

But he answered her:

"No, forget all about my faith—it's you, apparently, who are doubting and keep on thinking of physical nature, as though this thing were due to Kate's own fault, whereas I firmly believe that it's all the fault of none other than Ivan Yakovlevich; as for my feelings, you will perceive them when you send Kate to my studio with the champagne."

V

My aunt mulled over it some more, and in the end sent the wine to the painter, with Katechka herself. She went there with the wine on a tray, and she herself all in tears, but he sprang up, seized both of her little hands, and started crying himself.

"I feel sorrow, my little darling," said he, "over what has befallen you; but just the same you can't be napping with this business—come right out with all your secrets without wasting any time."

The girl confessed to him how she had happened to make this slip, and he up and put her under lock and key in his studio.

My aunt met her son-in-law with her eyes red from tears and didn't say anything. But he took her around, kissed her and said:

"There, now, don't be afraid; stop crying. Maybe God will help us."

"But tell me," my aunt whispered, "who's the guilty one in all this?"

But the painter shook his finger at her kindlily and said:

"There, now, that's already bad—you yourself were reproaching me all the time with lacking faith, but now, when your own faith has been put to a test, I see that you yourself haven't the least faith. Really, don't you see clearly that there are no guilty ones, but that the miracle man has simply made a slight error?"

"But where is my poor Katechka?"

"I spellbound her with an artist's frightful spell—and she scattered into dust, like magic treasure after an Amen!"

And at the same time he showed the studio key to his mother-in-law.

My aunt surmised that he had hidden the girl from her father's first wrath, and she took him around.

"Forgive me," she whispered, "you do have feelings of tenderness in you."

VI

My uncle came home, had his fill of tea as usual, and said:

"Well, shall we read the prayer-book of fifty-two leaves?"

They sat down to cards. And all those in the house shut all the doors on the two and walked about on tip-toes. As for my aunt, she kept walking away from the doors and walking up to them again: eavesdropping all the time and all the time crossing herself.

At last there was a sound of something smashing in the room. . . . She ran off and hid herself.

"He has revealed it," said she. "He has revealed the secret! Now there will be hell to pay!"

And sure enough: the doors flew open at once and my uncle shouted:

"Bring me my fur coat—and my big stick!"

The painter drew him back by his arm and said:

"What are you up to? Where are you bound?"

"I am going to the madhouse," said my uncle, "to beat up that miracle worker!"

My aunt, behind another door, started moaning:

"Run fast as you can to the madhouse and tell them to hide the Holy Father, Ivan Yakovlevich!"

And, true enough, uncle would have beaten him without fail, within an inch of his life, but his painter son-in-law restrained even him, awing him with the old man's own faith.

VII

The son-in-law started reminding his father-in-law that he had still another daughter.

"It don't matter," said the other. "She'll get her share of the inheritance, but I want to beat up this Ivan Yakovlevich Koreisha fellow! Let them law me after that."

"Why, I'm not trying to scare you with the law, but you just judge for yourself: think of the harm Ivan Yakovlevich can work to Olga. Why, it's horrible, the thing you are risking!"

My uncle stopped and became thoughtful.

"What sort of harm, now," he asked, "can he work?"

"Why, precisely the same sort of harm he worked to Katechka."

Uncle gave him a look and answered:

"Stop spouting bosh! Why, can he do anything like that?"

But the painter came right back at him:

"Well, if you have no faith, as I can see, then you can do as you know best; only don't be lamenting later and blaming the poor girls."

And that brought uncle up short. But his son-in-law dragged him back into the room and fell to convincing him.

"It would be best, the way I see it," said he, "to shove the miracle worker off to one side, but to tackle this business and mend it with domestic remedies."

The old man agreed, only he himself had no notion of what remedies to mend it with. But the painter came to his aid even in that.

"You've got to look for good ideas not when you're in wrath but when you're joyful."

"What sort of merrymaking can there be now, little brother," countered the other, "in a fix like this?"

"Why, this sort: I've got two flasks of the bubbly stuff, and until you drink them out with me I'm not going to tell you a word. You'd better agree. You know how mulish I am."

The old man looked at him and said:

"Keep on with your shenanigans—keep right on! What will come after that?"

But, in the end, he agreed.

VIII

The painter issued his orders, right lively, and came back—and his helper, also a master painter, came right behind him, carrying a tray, with two bottles and goblets.

No sooner had they come in than the painter locked the door after himself and put the key in his pocket. My uncle gave one look and grasped everything; as for his son-in-law, he nodded to the artist: the latter launched at once into humble supplication:

"I am the guilty one—forgive me and give us your blessing—"

My uncle asked:

"Is it all right to beat him up?"

His son-in-law said:

"It's all right, only there's really no need of it."

"Well, in that case, let him at least get down on his knees before me."

The son-in-law whispered to the other:

"There, for the sake of the girl you love, get down on your knees before her dad."

The other got down on his knees.

And what did the old man do but burst into tears.

"Do you," he asked the young painter, "love her very much?"

"I do."

"Well, kiss me."

And that's how they glossed over Ivan Yakovlevich's slight error. And all this remained in blessed secrecy, and the suitors began flocking to the youngest sister too, for they saw that these girls could be relied upon.

N. SHCHEDRIN
(MIKHAIL EUGRAPHOVICH SALTYKOV)

(1826–1889)

EDITOR'S NOTE

SALTYKOV is the direct inheritor of Gogol's mantle, and his undisputed classic, *The Golovlev Family,* is considered as great as *Dead Souls;* but he is also the creator of an original, castigatory genre, of a gallery of unforgettable scenes and portraits which, in addition to their artistic merits, furnish rich material for the social historian of Russia during serfdom and the period of emancipation; as a "master of the laughter which makes men wise" he surpasses even Gogol.

His mother, as a tyrant, seems to have been more than a match to Turgenev's. Saltykov's portrait of her is one of the most sardonic in all literature. But just as Pushkin was saved for Russia and humanity by his fabulous nurse, and Turgenev by an old serf, Saltykov found himself when, as a child, he came upon the Bible. This is not to imply Gogolian smugness in religion or Dostoevskian mysticism; there was no fighter against hypocrisy and bigotry more valiant than he.

He wrote his first poem at fifteen; since the days of Pushkin, each graduating class of the Alexandrovsky Lyceum had voted for a future Pushkin: in 1844 Saltykov was the choice. His first story, *A Muddled Affair*, was published in 1847; for his second, *Contradictions*, published in the sinister year of 1848 (he was involved in the same affair with Dostoevsky), he was banished for eight years to the hell-hole of Viatka. Saltykov had begun in the War Ministry after graduation, eventually attaining to a Lieutenant-Governorship; in 1868 he resigned to devote himself entirely to writing.

He made his reputation in 1856 with *Provincial Sketches; Innocent Stories, Prose Satires, Life's Trifles* and, above all, *Fairy Tales* (the selection here given is one of these), are works of satirical genius. Saltykov's sworn enemy was the hydra of Czarism, and he himself has enumerated some of its heads: "The law of the club, double-dealing, lying, rapaciousness, perfidy, emptyheadedness."

Saltykov, like so many other Russian writers, was forced to form a peculiar style as a "mask of naïve humor" to foil the censors; it was, by his own description, Aesopic. The homeliest colloquialisms will be found in it, and allusions, slang, half-utterances, coinages. Next to Leskov he is just about the hardest Russian to put over in English, even without the usual deadly insistence, on the part of others beside translators, upon *niceness* in translations, no matter how sprightly the originals may be. These factors may explain why so little of Saltykov has been Englished. *Fairy Tales* is available in a thoroughly feminine version, under the title of *Fables;* of

The Golovlev Family, however, there are no less than three English translations; of these, *A Family of Noblemen,* by Avrahm Yarmolinsky, is definitely to be preferred.

A Tale of How One Muzhik Kept Two Brass-Hats Well Fed

N. SHCHEDRIN

ONCE upon a time there were two Brass-Hats, and since both of them were feather-brained, they found themselves one fine day, through some magic spell, upon an uninhabited island.

They had served all their lives in some Registry or other, had these two Brass-Hats; there they had been born, and brought up, and grown old, and consequently hadn't a single notion of what was what. They even knew no other words save: With assurances of my highest esteem, I beg to remain, Your Most Humble Servant—

That Registry had been found superfluous and abolished, and the two Brass-Hats had been released. Upon retirement they settled in St. Petersburg, on Podyachevskaya Street, but each kept his own apartment; each had a woman to cook for him, and each had his own pension.

Well, then, they found themselves on an uninhabited island; they woke up and there they were, both of them under the same blanket. Naturally, at first they didn't realize anything, and began talking just as though nothing at all had happened to them.

"That was an odd dream I had just a little while ago,

Your Excellency," said one of the Brass-Hats. "Seems I was living on an uninhabited island—"

No sooner had he said this than up he leapt! And so did the other Brass-Hat.

"Oh, Lord! What's all this, now? Where are we?" they cried out in voices that they themselves wouldn't have been able to recognize. And then they started in feeling each other: Maybe it was in a dream, after all, and not in reality that such a mishap had befallen them? However, no matter how they tried to assure themselves that all this was no more than a dream, a conviction of the sad reality was forced upon them.

Stretching away before them was the sea on the one hand, and, on the other, there lay a mere clod of earth, beyond which spread the same illimitable sea. That was when the Brass-Hats burst into tears, for the first time since the shutting down of their Registry. They started eying each other, and saw that they were in their nighties, and that each had his order hung about his neck.

"A cup of coffee would be just the thing now!" spoke up one of the Brass-Hats, but then he recalled what an unheard-of thing had befallen them and burst into tears all over again. "Come to think of it, what are we to do now?" he went on through his tears. "Suppose we *did* draw up a report right now, whatever good would that do?"

"Tell you what," the other Brass-Hat responded, "you go east, Your Excellency, and I'll go west; then, toward evening, we'll come together here again; who knows, maybe we'll discover something or other."

So they began trying to find out which was east and which was west. They remembered that their Chief had once said: If you want to find where the east is, face north, and the east will be on your right hand. So they started trying to find out which was north; they stood this way and that way and made a stab at every quarter of the globe, but since they had worked all their lives in the Registry they got just nowhere at all.

"Tell you what, Your Excellency—you go to the right and I'll go to the left; that'll be best of all!" said one of the Brass-Hats—the one who, beside working in the Registry, had at one time taught penmanship in a government military school, and was consequently a little brighter than the other.

No sooner said than done. One Brass-Hat started off to the right—and what should he see but trees growing, with all sorts of fruit upon them. The Brass-Hat would have been glad to pluck just one apple, but all the fruit hung so high that one had to climb the trees. He did make a try at climbing, but nothing came of it save that he tore his nightie all to shreds. A brook was the next thing he came to; it was just teeming with fish, like a tank in a restaurant window.

"My, what I wouldn't give to have some of those fish and to be on Podyachevskaya Street!" yearned the Brass-Hat, and his face actually changed, what with the appetite he had worked up.

Then he wandered into a forest—there the grouse were whistling away, and heathcocks drumming, and rabbits scurrying hither and yon, all over the place.

"Lordy, Lordy! Look at all that food, now!" said the poor man, feeling himself getting queasy, he was that hungry by now.

But there was no help for it; he had to return to the rendezvous empty-handed. And when he got there, there was the other Brass-Hat, waiting for him.

"Well, now, Your Excellency, have you bagged anything?"

"Why, I came on this old copy of the *Moscow News*[1]—and that's all!"

So they laid them down to sleep again, but it's not so easy to sleep on an empty stomach. Now they would be upset by thinking of who would be drawing their pensions, now by the recollection of the fruits, fish, grouse, heathcocks and rabbits glimpsed during the day.

"Who could have thought, Your Excellency, that the food of man, in its original form, either flies, or swims, or grows on trees?" spoke up one of the Brass-Hats.

"Yes," responded the other, "I must confess that up to now I, too, used to think that rolls come into the world in the very shape they are served in with the morning coffee."

"It follows, then, that if one would partake of a partridge, for instance, he must first catch it, kill it, pluck and dress it, and broil it. . . . The only thing is, how is all that to be done?"

"How *is* all that to be done?" repeated the other Brass-Hat, like an echo.

They lapsed into silence and did their darnedest to fall asleep, but hunger drove sleep away. Grouse, turkey-hens, suckling pigs kept flitting before their eyes, each bird or porker succulent, done to a turn, garnished with salted cucumbers, piccalilli and other such fixings.

"Seems like I could eat up one of my own boots right now!" remarked one of the Brass-Hats.

"Gloves aren't so bad, either, provided they have seen long wear," sighed the other.

Each Brass-Hat suddenly eyed the other: there was a sinister light gleaming in their eyes, their teeth were snapping, low growling issued from their breasts. They

---

[1] Not the least reactionary member of old Russia's Newspaper Axis.—*Trans.-Ed.*

began stalking, creeping up on each other—and in an instant both became ravening wolves. The air was filled with handfuls of hair torn out by the roots and was rent by squeals and much oh'ing; the Brass-Hat who had once taught penmanship bit off his colleague's order and wolfed it on the spot. But the sight of flowing blood seemed to bring them to their senses.

"The Power of the Cross be with us!" they cried out in chorus. "Why, if things go on like this we'll wind up by devouring each other!"

"And how did we ever come to be here? What villain has played such a trick upon us?"

"The thing to do, Your Excellency, is to divert ourselves by talking about something or other—for otherwise there will be murder done here!" one of the Brass-Hats let drop.

"Begin, then!" responded the other.

"Well, to start the ball rolling—why, in your opinion, does the sun rise first and then set, and not the other way 'round?"

"What an odd fellow you are, Your Excellency! Why, you, too, rise first, go to your Bureau, do your paperwork, and only then lie down to sleep!"

"Yes, but why not assume a different sequence? First I lie down to sleep, see all sorts of things in my dreams, and only after all that do I rise—"

"Hmm . . . yes. And yet, I confess, when I was still serving in my Bureau, I always thought of things this way: There, it's morning, then it'll be day, afterwards they'll serve supper—and it's time for sleep!"

The mention of supper, however, threw both speakers into despond, and cut their conversation short at the very start.

"A certain doctor was once telling me that a human

being can find nourishment in his own juices for a long time," one of the Brass-Hats resumed after a while.

"How come?"

"Why, just so. One's own juices, it would seem, produce other juices; these, in their turn, produce still others, and so on, until all the juices come to an end at last."

"And what happens then?"

"Then one has to stoke up with some food—"

Whereupon the other had to spit in vexation and disgust.

In short, no matter what the two began to talk about, the conversation kept coming around to something that reminded them of food, and this whetted their appetite still more. So they decided to put an end to all talk and, happening to think of the back-number of the *Moscow News* one of them had found, they fell to reading it avidly.

" 'Yesterday,' " one of the Brass-Hats read out in a moved voice, " 'was signalized by the formal banquet tendered by His Honor, the Mayor of our ancient capital. The table was set for a hundred persons, with a magnificence that was truly overwhelming. The tributes of all lands seemed to have made this enchanted gala occasion a rendezvous, as it were. Here one found what our great poet Derzhavin has called "the Sheksna sterlet, golden-hued," and that offspring of the forest, the Caucasian pheasant, and strawberries, which are so rare in our Northern latitudes in the month of February—' "

"Good Lord! Can't Your Excellency really find anything else to read about?" the second Brass-Hat cried out in despair, and spat again; then, taking the paper from the other, he began to read aloud in his turn: " 'From our Correspondent in Tula. The local Chamber of Commerce had a festal occasion yesterday, to mark the taking of a sturgeon in the Upa river—something which even the oldest inhabitants cannot recall, and all the more remarkable since the said sturgeon bore a most recognizable resemblance to the Commissioner of Police. The prime mover of the celebration was brought in on a large wooden platter, garnished with salted gherkins and with a sprig of parsley stuck in its mouth. Dr. P——, who acted as the master of ceremonies on this great day, saw to it that everyone present received his share of the *pièce de résistance*. The sauces were almost infinite in variety, and even *recherché*—' "

"If Your Excellency will permit me to say so, you also do not seem to exercise over-much care in choosing what to read!" the first Brass-Hat interrupted him and, taking the paper in his turn, read out: " 'From our Correspondent in Viatka. One of the oldest inhabitants here has evolved the following original recipe for fish-chowder: Take a live burbot and, first of all, give it a sound flogging; when, because of its hurt feelings, its liver has become enlarged—' "

Both Brass-Hats let their heads droop. It did not matter what their gaze fell upon: everything testified to the phenomenon of food. Even their thought conspired to work malicious mischief against them, for no matter how they strove to drive all notions of beefsteaks from them, those notions nevertheless forced their way irresistibly into their consciousness.

And it was at this darkest hour that the Brass-Hat who had once taught penmanship was suddenly illuminated by an inspiration!

"But how would it be, Your Excellency," he began joyously, "if we were to find ourselves a muzhik?"

"A muzhik? Why, just what do you mean?"

"Yes, yes! Just an ordinary, everyday sort of muzhik,

like all muzhiks! He would serve us with rolls on the spot, and snare grouse for us, and catch fish!"

"Hmm . . . a muzhik. But where are we to get this muzhik, when there isn't a one around?"

"Come, whatever are you saying! There's always a muzhik around wherever you are—all you have to do is look for him! There's bound to be one hiding somewhere, trying to dodge work!"

This thought put so much heart into the Brass-Hats that they leapt up as if they had been stung and rushed off headlong in search of a muzhik.

Long did they wander the whole island over without the least success but, at last, the pungent odor of bran-bread and a musty sheepskin jacket put them on the right trail. Under a tree, belly up and with head pillowed on his fists, a mountain of a muzhik was sleeping his head off and dodging work in the most brazen manner. The indignation of the two Brass-Hats knew no bounds.

"So you're sleeping, are you, you lazybones!" they pounced on him. "It looks as if you didn't care a straw that there are two Generals dying of hunger for the second day in a row! Off with you, this minute—get to work!"

The mountain of a muzhik heaved himself up—and saw that these two Brass-Hats wouldn't stand any non-sense. He did think of showing them a clean pair of heels, but the others just froze on to him, and hung on tight.

And so, with their eyes up on him, he buckled down to work.

First off, he shinned up a tree and plucked ten ripe apples for each Brass-Hat, but took only one for him-self, and that one sour. Then he dug about in the ground for a while and brought up some potatoes. Then he took two pieces of wood, rubbed them against each other, and got fire that way. Then, out of his own hair, he made a snare and caught a grouse. Finally he got the fire going really well, and prepared so much cooked provender of all sorts for them that the Brass-Hats actually got to flirting with the idea of, perhaps, giving some small portion to this drone.

They watched the muzhik exerting himself, and their hearts leapt for joy within them. By now they had already forgotten that the day before they had all but died from hunger, but instead were thinking: "My, what a good thing it is to be Generals! No General ever came to grief, no matter where!"

"Are you satisfied with me, my masters?" that mountain of a muzhik, that lazybones, kept asking them in the meanwhile.

"We are, dear friend—we can see how hard you try!" the Brass-Hats assured him.

"Would you allow me to take a rest, then?"

"Do, our friend—only twist a little rope first."

So the man-mountain gathered some wild hemp, and soaked it in water, and pounded it, and mauled it till it was all in strands and, come evening, there was a lovely little rope, all twisted. And the Brass-Hats, they took that lovely little rope, and tied the mountain of a muzhik to a tree, so's he wouldn't run off, while they themselves laid them down to sleep.

A day went by, then another; the man-mountain had become so clever that he actually took to cooking soup for the Brass-Hats in his cupped hands. How happy our Brass-Hats were then, how plump, well-fed, and what a lovely color they had! They began pointing out to each other that they were living on the fat of the land here, with everything found, and yet back home, in Petersburg, their pensions kept piling up and piling up.

"What do you think, Your Excellency," one Brass-Hat

would say to the other, after they had fortified themselves with breakfast, "did the building of the Tower of Babel ever really take place, or is that just an allegory, so to speak?"

"I think, Your Excellency, that it really did take place, for otherwise how would you explain there being all those different languages in the world?"

"Therefore, the Flood also must have taken place?"

"Yes, the Flood too, for if it hadn't how would you explain the existence of antediluvian animals? All the more so, since the *Moscow News* informs us—"

"What do you say we look over the *Moscow News*?"

They would find the back-number, seat themselves comfortably in the shade and read the whole thing from the front page to the last, about what things people were eating in Moscow, eating in Tula, eating in Penza, eating in Ryazan—and it all went down with them; they didn't even gag!

However, that which was bound to happen sooner or later did happen: the Brass-Hats grew homesick. More and more often they would get to thinking about the cooks they had left behind them in St. Petersburg and, now and then, when nobody was looking, would even have a good cry.

"I wonder what's doing on Podyachevskaya Street now, Your Excellency?" one Brass-Hat would ask the other.

"Oh, don't even talk of it, Your Excellency!" the other Brass-Hat would answer. "All my heart has wasted away with pining."

"Everything is just fine and dandy here—there's no gainsaying it. But still, don't you know, a ram feels somehow uneasy without his yearling ewe. Then, too, one misses one's uniform!"

"I should say so! Especially when it's a uniform of the

Fourth Class—why, just one look at all the gold braid on it is enough to make your head swim!"

And so they started nagging away at the muzhik to get them back, to get them back to Podyachevskaya Street! And, would you believe it, it turned out that that muzhik actually knew about the street; just as the fairy-tales have it: he'd been there indeed, and drunk ale and mead; only instead of going down his throat the drinks had spilt all over his coat!

"Why," the Brass-Hats rejoiced, "we're both Podyachevskaya Street Generals!"

"Well, now, you may have chanced on me there too," the muzhik assured them. "Ever see a fellow in a sort of cradle on a rope slung over the walls and slapping paint on to 'em, or clambering over a roof, like he were a fly or something? Well, that same fellow was me!"

So then that muzhik started working the old bean, figuring and planning how he might pleasure his two Brass-Hats, seeing how gracious they had been to a drone like him and hadn't turned up their noses at his lowly efforts. And so he built a ship—well, no, not a ship exactly, but a vessel of sorts that you could cross the ocean-sea in, right up to Podyachevskaya Street itself.

"You just watch out, though, you canaille—don't you drown us!" the Brass-Hats told him when they laid eyes on the queer craft bobbing on the waves.

"You can rest easy on that score, my masters; this ain't my first try!" the muzhik assured them, and started getting ready for departure.

He gathered a lot of swansdown, ever so soft, did that muzhik, and lined the bottom of the cockleshell with it; after that he made his two Brass-Hats all nice and cumfy and, making the sign of the cross over himself, shoved off from shore.

What a lot of horrors the two Brass-Hats went through

on that journey because of storms and all sorts of gales, how they upbraided that coarse muzhik for the drone he was—that's something no pen could write, no tongue could tell. But the muzhik, he just kept on rowing and rowing, and never stopped feeding his two Brass-Hats on herring.

And then, one fine day, Mother Neva hove into view, and next the glorious Ekaterininski Canal, and at last that grand street, Great Podyachevskaya itself!

The cooks, they were *that* surprised when they saw how well-fed their Generals were, what fine color they had, and how cheerful they felt! So then the two Brass-Hats drank their fill of coffee, filled themselves up with rolls, and put on their full uniforms. After that they drove to the Treasury—and the money they raked in there, why, that too is something no pen can write, no tongue can tell!

However, they didn't forget the muzhik, either. They sent out a noggin of vodka to him, and five kopecks in silver on top of that:

There, stout fellow—have yourself a time!

LEO NIKOLAIEVICH TOLSTOY [1]

(1828–1910)

EDITOR'S NOTE

TOLSTOY the Artist is Mt. Everest; Tolstoy the Man, Tolstoy-Ecclesiastes, is Mt. Godwin-Austen.[2] But while Tolstoy the Artist is credited (by English critics, at least) with three of the world's greatest novels, Tolstoy-Ecclesiastes has merely proven, for the *n*th time, that a pink plaster will never work when the surgeon's knife is imperative. Tolstoyanism, today, is as vastly unimpor-

---

[1] Selected Data: Born at Yasnaya Polyana (Serene—[or Radiant]—Meadow), in the Province of Tula; orphaned at nine; 1843: entered University of Kazan, to study languages; 1844: began study of law; 1847: left University; 1851: entered the Army, saw action in Caucasus against mountaineers (re-reading of *The Foray, The Cossacks* suggested for this period); 1852: began literary career (*Childhood*); 1854: *Boyhood;* 1855: *Youth;* 1854-55: took part in Crimean Campaign (*Sebastopol Sketches*); 1857: resigned commission; traveled in Germany, France, Italy, England; 1859: second trip abroad, to study schools, do-good institutions—and jails; 1860: began *War and Peace;* 1861: most serious quarrel with Turgenev; 1862: marriage, at 34, to 18-year-old daughter of a Teutonic medico; 1864-69: publication of *War and Peace;* 1870: learned Greek; 1873-76: publication of *Anna Karenina;* 1876: Styx-crossing year for Tolstoy the literary titan; 1876-86: umbilicular contemplation; 1881: publication (in Geneva) of *A Criticism of Dogmatic Theology;* 1886: Tolstoy-Ecclesiastes born; publication of *The Death of Ivan Ilyich*—a green shoot from a dead oak; 1894: *Guy de Maupassant and the Art of Fiction* (an article—another green shoot); 1898: *What is Art?*—which soars to the depths of Nordau's *Degeneration;* 1901: excommunicated by Orthodox Church; 1910: night-escape from Serene Meadow; death at way-station of Astapovo, now named after him; followed by unbelievable persecution of Tolstoyans by Russian Church and State.

[2] Everest: 29,141 feet high; Godwin-Austen: 28,250.

tant as Couéism, and toward the end of his life Tolstoy himself used the substantive *Tolstoyan* as a term of opprobrium.

It is therefore a mistake, as lamentable as it is prevalent, to regard every writing of Tolstoy's as literature, merely because it bears his titanic name. Only one story after 1876 is good Tolstoy; *A Criticism of Dogmatic Theology* and *The Devil* are the only other works of importance after that date—but hardly as literature. Sunday School tracts, rehashings of the Bible and the Talmud, translations of minor Frenchmen, pleas for vegetarianism and thunderbolts against the Demon Rum and the Filthy Weed, even when all of them are by a Tolstoy, simply aren't literature, and Tolstoy-Stylites just isn't Tolstoy-the-green-oak-on-a-magic-strand. Ironically enough, Tolstoy's two greatest preachments, *War and Peace* and *Anna Karenina,* were uttered by Tolstoy the Artist.

"It never occurred to me to compare myself with him —never," Tolstoy wrote of Dostoevsky (the two giants had never met). Yet, as one critic has put it, not unmaliciously, Tolstoy came into the world apparently for the sole purpose of juxtaposition with Dostoevsky. Neither giant, precisely because he was a giant, was free from spiritual inconsistencies, and even contradictions. But the supreme difference between them, as literary artists, lay in that Dostoevsky embodied the spirit, while Tolstoy spiritualized the body.

Three Deaths is thoroughly typical both of Tolstoy the Artist coming into the flood of his power, and of the still nascent Tolstoy the Moralist.

There are innumerable translations of Tolstoy in English. No others (with the exception of two or three isolated instances) merit consideration or even mention save those of Louise and Aylmer Maude, far and away the best available, done with honesty and, above all, with love.

Three Deaths

LEO NIKOLAIEVICH TOLSTOY

IT WAS autumn. Two carriages were rolling at a fast trot along the highway. There were two women in the first. One was the mistress, thin and pale; the other her maid, plump and with glossily red cheeks. Her short, crinkly hair escaped from under a faded, small hat; she kept tucking the loose strands in impulsively with a reddened hand in a glove out at the tips. Her high bosom under a paisley shawl exuded health; her quick-darting dark eyes now watched the fields rushing past the window, then glanced timidly at her mistress, or restlessly examined the corners of the carriage. Her mistress's hat, hanging from a rack, dangled before the maid's very nose; a puppy was resting in her lap; her feet were elevated by the boxes on the floor, tapping out a barely audible tattoo upon them to the sound of the bouncing springs and the jarring of the panes.

With her hands folded on her lap and her eyes shut, the mistress swayed feebly on the cushions piled up behind her and, with a slight frown, was stifling her intermittent coughs. She had on a white nightcap; a baby-blue kerchief was bound about her delicate, bloodless neck. A straight parting, retreating under the cap, divided her fair hair, pomaded and lying very flat, and there was something desiccated, deathlike about the whiteness of the scalp revealed by this wide parting. The flabby, rather yellowish skin was drawn loosely over the fine and beautiful features, with flushed cheeks and cheekbones. The lips were dry and restless, the lashes were scanty and straight, and her cloth traveling cloak formed straight folds upon her sunken bosom. Despite her eyes being closed, the face of the mistress expressed fatigue, irritation and suffering that had become a habit.

A footman, with one elbow on an arm-rest, was dozing up on the box; the coachman, shouting now and then, was briskly urging on four big, sweating horses, from time to time looking over his shoulder at the coachman of the other carriage, who was also shouting now and then. Quickly, evenly, the tires left their broad, parallel impressions upon the limy mud of the road. The sky was gray and chill; a raw mist was coming down upon the fields and the road. The carriage was stuffy and smelled of eau de cologne and dust. The sick woman drew her head back and slowly opened her eyes; great, splendidly dark, they were aglitter.

"Again!" said she, nervously putting aside with a beautiful, gaunt hand a tip of the maid's cloak, which was barely touching her leg, and her mouth twisted sensitively. Matrësha picked up the hem of her cloak with both hands, raised herself up on her sturdy legs, and resumed her seat a little farther off. Her fresh face mantled a bright red. The sick woman's splendid dark eyes avidly followed the maid's every motion. The mistress propped both her hands against the seat and in her turn wanted to raise herself, so as to sit up higher, but could not find the strength to do so. Her mouth became twisted, and her whole face was distorted by an expression of impotent, malicious sarcasm.

"You might help me, at least! Ah, no need! I can manage it myself—only, as a favor to me, don't put those bags and things of yours behind me! Come, you'd better not touch me if you don't know what to do!"

The mistress shut her eyes; then, quickly lifting her eyelids again, glanced at the maid. A heavy sigh escaped the sick woman's breast, but that sigh, stopping short, turned into coughing. She turned away, wrinkled up her face, and clutched at her breast with both hands. When the coughing was over she closed her eyes anew and resumed her motionless pose. The carriage and barouche entered a village. Matrësha thrust a stout arm from under her shawl and made the sign of the cross over herself.

"What place is this?" asked the mistress.

"A posting-station, Madam."

"Why are you crossing yourself, then, may I ask?"

"There's a church, Madam."

The sick woman turned to the window and began crossing herself slowly, her great eyes opened to their fullest as she looked at the big village church, which her carriage was now skirting.

The carriage and the barouche halted at the same time before the posting-station. The sick woman's husband and a doctor got out of the barouche and walked up to the carriage.

"How do you feel?" asked the doctor, feeling her pulse.

"Well, my dear, how are you—tired?" the husband asked, in French. "Wouldn't you like to come out?"

Matrësha, having gathered up her bundles, was squeezing herself into a corner so as not to interfere with their conversation.

"It doesn't matter; my condition is the same," answered the sick woman. "I won't come out."

The husband, after staying near her a little while, went inside the building. Matrësha, jumping out of the carriage, ran off on tiptoe through the mud into the gate.

"Just because I do not feel well is no reason for you to go without your breakfast," the sick woman said with a slight smile to the doctor standing by the window of the carriage.

"Not a one of them is concerned about me now," she added to herself as soon as the doctor, having walked away from her at a sedate pace, ran up the steps of the posting-station at a round trot. "They feel fine, so nothing matters to them. Oh, my God!"

"Well, now, Edward Ivanovich," said the husband, in greeting to the doctor, at the same time rubbing his hands with a cheery smile, "I've ordered the cellarette to be brought in—what do you think of the idea?"

"Quite acceptable," answered the doctor.

"Well, how is she?" asked the husband with a sigh, lowering his voice and arching his eyebrows.

"I told you, she can never reach Italy—God grant she may get as far as Moscow. Especially in this weather."

"What's to be done, then! Ah, my God, my God!" the husband put a hand over his eyes. "Put it here," he added, turning to the man who was bringing in the cellarette.

"You should have remained at home," answered the doctor, with a shrug.

"But tell me, what could I do?" retorted the husband. "Why, I did everything in my power to keep her from going; I told her of our resources, I mentioned the children, whom we would have to leave behind, and my affairs—she won't listen to anything. She is making plans for living abroad just as though she were well. Yet to tell her about her condition—why, that would mean her death."

"Well, death has laid hold of her already—you ought to know that, Vassily Dmitrich. No one can live when he or she has no lungs, and there's no growing a new set of lungs. It's sad, it's distressing, but what's to be done? Your concern—and mine—consists solely of seeing that her end should be as easy as possible. The situation calls for a spiritual adviser."

"Ah, my God! Why, just enter into my situation, having to remind her of the last rites. Come what may, but I won't tell her that. Surely, you know how kind-hearted she is—"

"Just the same, try to persuade her to wait till the roads are frozen," said the doctor, shaking his head significantly. "Otherwise something very bad may happen on the way—"

"Axiusha—hey, Axiusha!" the station-master's daughter was screeching as she threw a sleeveless jacket over her head and stamped about on the dirty backstairs. "Let's go and have a look at the lady from Shirkin; they say she's being taken abroad because she's got trouble with her chest. I never yet saw what people with consumption look like!"

Axiusha darted out on the threshold and, seizing each other by the hand, the two ran out of the gates. Slowing down their pace, they walked past the carriage and peered in at its lowered window. The sick woman turned her head in their direction but, noticing their curiosity, she frowned and turned away.

"My good-*ness!*" remarked the station-master's daughter, turning her head away quickly. "What a stunning beauty she must have been—and what's become of her now? It's frightening, actually. Did you see her, Axiusha —did you see her?"

"Yes; how thin she is!" Axiusha seconded the other. "Let's go and have another look—make believe we're going to the well. See how she turned away, but I got a look at her just the same. What a pity, Masha!"

"And it's so muddy, too!" answered Masha, and both started running back to the gates.

"Apparently I have become a fright," the sick woman was thinking. "Oh, to get abroad as soon as possible—as soon as possible! There it won't take long for me to get better."

"Well, how are you, my dear?" asked the husband, coming up to the carriage and still munching a mouthful.

"Always the same invariable question," reflected the sick woman, "but that doesn't keep him from eating!"—"There's nothing out of the way," she let drop through clenched teeth.

"Do you know, my dear, I'm afraid you will feel worse, traveling in this weather, and Edward Ivanovich says the same thing. Hadn't we better turn back?"

She maintained an angry silence.

"The weather may improve, the roads will be fit for traveling; you would get better, too, and then all of us could go together."

"Pardon me—if I had stopped listening to you long ago I would be in Berlin now and would be entirely well."

"What could one do, my angel—that was impossible, as you know. But now, if you would remain for a month, you would improve gloriously, I would wind up my affairs, and we would take the children with us—"

"The children are in good health, but I'm not."

"But do understand, my dear, that with the weather the way it is, if you should get worse while traveling . . . at least you'd be better off at home, under those circumstances."

"Well, suppose I were at home? What am I to do—die at home?" the sick woman retorted, flaring up. But the word *die* apparently had terrified her; she looked at her husband imploringly and questioningly. He lowered his eyes and kept silent. The sick woman's mouth suddenly twisted, like a child's, and tears flowed from her eyes. Her husband covered his face with a handkerchief and walked away from the carriage in silence.

"No, I'm going," said the sick woman, lifting her eyes up to heaven; she folded her hands and fell to whispering disjointed words. "My God! What is this punishment for?" she was saying, and her tears flowed still more copiously. Long and fervently did she pray, but her chest felt just as painful and constricted, the sky, the fields and the road were just as gray and overcast, and the autumnal mist, neither denser nor lighter but still the same, fell in the same way upon the mire of the road, upon the roofs, upon the carriage and on the sheepskin jackets of the coachmen who, talking to each other in vigorous, cheerful voices, were greasing the axles of the carriage and harnessing fresh horses to it.

II

The carriage was harnessed, but the coachman still tarried. He had gone into the driver's hut. It was hot in this hut, stuffy, dark and depressing; it reeked of living quarters, baking bread, cabbage soup and sheepskins. There were several drivers in the main room; the cook was fussing near the oven; on a ledge atop the oven lay a sick man wrapped in sheepskins.

"Uncle Hvedor—hey, Uncle Hvedor!" said a driver, a young country fellow in a sheepskin jacket and with a whip stuck in his belt, entering the room and hailing the sick man.

"What do you want with Fedka, you lunkhead?" one of the others spoke up. "Can't you see the people in your carriage are waiting for you?"

"I'm after asking him for his boots—mine is all wore out," answered the country fellow, tossing his hair back and adjusting the gauntlets stuck in his belt. "Or is he asleep? Hey, Uncle Hvedor?" he repeated, approaching the oven.

"What is it?" came a weak voice, and a gaunt face covered with red hair bent over from the ledge. A broad, wasted, bloodless hand, all hairy, was pulling a drab overcoat over a bony shoulder in a dirty shirt. "Give us a sip of water, brother; what is it you want?"

The young fellow handed him a dipper of water.

"Well, now, Fedka," said he, shifting from foot to foot, "I guess you won't be needing your new boots now; give 'em to me—you won't be doing any walking, I guess."

The sick man, with his weary head close to the gleaming dipper and his scanty, drooping mustache soaking in the turbid water, was drinking weakly and avidly. His tangled beard was unclean; he had difficulty in raising his sunken, dimmed eyes to look at the young fellow's face. Done with the water, he wanted to raise his hand to wipe his dripping mouth, but could not, and wiped it against the sleeve of the coat. In silence and breathing hard through his nose, he was looking straight into the young fellow's eyes, trying to get his strength together.

"Maybe you've already promised them to somebody?" asked the young fellow. "In that case, let it go. Main thing is, it's sopping wet out, and I got me a job, driving; so I thought to myself—let's ask Fedka for his boots; guess he won't be needing 'em any more. In case you need 'em yourself, you just say so—"

Something began to gurgle and rumble within the sick man's chest; he bent over, strangling from a throaty, unceasing coughing.

"He's just the one to need 'em!" the cook unexpectedly

began to rattle away, angrily, her voice filling the whole hut. "It's the second month he hasn't set foot off that oven. Look at the way he's straining himself; why, it makes your own inwards ache, just to hear him. Where does he come to be needing boots? They're not going to bury him in any new boots. And yet it's time they did, long since—Lord forgive me the sinful thought! Look at the way he's straining himself. If they'd only shift him into another hut or somewhere else, now! There's hospitals for that in the city, I've heard tell; for that's no way—he's taken up the whole corner, and that's that. There's not enough room to turn around in. And yet they demand that the place be kept clean."

"Hey there, Serëga! Go on, get up on the box—the gentry are waiting for you!" the supervisor of the drivers called out, looking in at the door.

Serëga was about to leave without waiting for an answer, but the sick man, in the midst of his coughing, signalled to him with his eyes that he wanted to reply.

"You take them boots, Serëga," said he, having suppressed his cough and rested a little. "Only buy me a stone when I die—you hear?" he added, wheezing.

"Thanks, Uncle; I'll take 'em, then; as for the stone, I'll buy you one—by God, I will!"

"There, fellows, you've heard him," the sick man managed to get out, before he bent over in a new fit of strangling coughing.

"All right, we heard him," said one of the drivers. "Go on, Serëga, for there's that supervisor coming on the run again. The lady from Sharkin is sick, see."

Serëga briskly threw off his torn, inordinately large boots and tossed them under a bench. Uncle Fedor's new boots fitted him just right and, eying them, Serëga went out to the carriage.

"Eh, but those are grand boots! Here, let me grease

'em for you," said a driver who was holding a pot of axle-grease, just as Serëga, climbing up on the box, was picking up the reins. "Did he give 'em to you for nothing?"

"Why, are you envious?" retorted Serëga, rising up a little and tucking the skirts of his drab coat about his legs. "Never mind! Hey there, my darlings!" he called out to the horses, brandished his short whip, and the carriage and the barouche with their occupants, suitcases and boxes, disappearing in the gray autumnal fog, rolled off at a lively pace over the wet road.

The sick driver remained atop the oven in the stuffy hut and, having cut his coughing short, turned over on the other side with a superhuman effort and quieted down.

Until evening people kept coming and going and having their meals in the hut—there was never a sound from the sick man. Just before nightfall the cook clambered up on the ledge and reached over his legs for a sheepskin jacket.

"Don't you bear any hard feelings against me, Nastasia," the sick man got out, "I'll leave your corner free soon."

"That's all right, that's all right—it don't matter none, after all," muttered Nastasia. "But what's hurting you Uncle, eh? You go ahead and tell me."

"All my insides is just wore out with pain. God knows what it is."

"Guess even your throat hurts when you cough?"

"It hurts me all over. My death has come—that's what. Oh, oh, oh!" the sick man let out a moan.

"You cover your feet, now—there, like that," said Nastasia, pulling a drab coat over him as she clambered down off the oven.

A small lamp burned dimly in the hut all night.

Nastasia and half a score drivers were sleeping and snoring loudly on the floor and on the benches. The sick man alone kept groaning feebly, coughing and tossing on his ledge atop the oven. Toward morning he quieted down altogether.

"That was a queer dream I had last night, somehow," the cook was saying the next morning, stretching herself in the half-light. "I saw Uncle Hvedor get down off the oven, like, and go to chop wood. 'Here, Nastya,' says he, 'let me give you a hand.' But I says to him: 'Come, how can *you* chop wood?' But he just grabs the ax and starts chopping away, so fast, ever so fast; all you could see was the chips flying. 'How come,' I says, 'you was sick, wasn't you?' 'No,' says he, 'I'm all well,' and with that he swings back the ax so that a fright come over me. Then I let out a scream and awoke. Has he died, by any chance? Uncle Hvedor! Hey, Uncle!"

Fedor did not answer to her call.

"Maybe he has died, at that? Let's go and have a look," said one of the awakened drivers.

From the top of the oven a hand was dangling; gaunt, covered with red hair, it was cold and bloodlessly white.

"Let's go and tell the station-master—he has died, it looks like," said the driver.

Fedor had no known kin—he had come from distant parts. Next day they buried him in the new graveyard beyond the grove, and for several days Nastasia kept telling everybody of the dream she had seen, and how she had been the first to guess that Uncle Fedor had died.

III

Spring came. Over the wet streets of the city bustling streams murmured, meandering between small floes of frozen manure; the colors of the clothing on the people moving about, and the sounds of their talk, were lively. In the little fenced-in gardens the buds on the trees were swelling, and their branches made a barely audible rustling as they swayed in the fresh wind. Transparent water-drops were trickling or falling one by one everywhere. . . . The sparrows were chirping shrill nonsense and fluttering up now and then to no great height on their tiny wings. On the sunny side of fences, houses and trees all was movement and glitter. There was a feeling of joy, of youthfulness in the sky, and upon earth, and in the heart of man.

On one of the principal streets straw had been spread before a seigniorial house; within the house the same sick woman who had been hastening abroad was now dying.

Standing near the closed doors of the sick woman's room were her husband and an elderly woman. Sitting on a divan was a priest; his eyes were lowered, and he was holding something wrapped up in his stole. A little crone—the mother of the sick woman—was reclining in an easy chair and weeping bitterly. A maid was standing near her, with a fresh handkerchief thrown over her arm in readiness for the little crone, whenever she should ask for it; another was massaging the little crone's temples with something and, lifting up the cap, was blowing upon her gray head.

"Well, Christ be with you, my dear," the husband was saying to the elderly woman (a cousin) who was standing with him by the door. "She has such trust in you, you know so well how to talk to her—persuade her for the best, darling. Come, now!" He was just about to open the door for her, but the cousin restrained him; she applied the handkerchief several times to her eyes and then tossed up her head.

"There, I think now I don't look as if I had been crying," said she and, having opened the door herself, went through it.

The husband was greatly agitated and seemed utterly at a loss. He started going toward the little crone but, having stopped a few paces from her, wheeled around, took a turn about the room, and approached the priest. The priest glanced at him, his eyebrows went up, heavenward, and he heaved a sigh. His small beard, thick and grizzled, also went up and then sank back.

"My God! My God!" said the husband.

"What can one do?" said the priest, heaving another sigh, and his small beard went up anew and then sank back.

"And her mother is here, too!" said the husband, almost in desperation. "She will never be able to go through this. For, when you love anyone as much as she loves her . . . I don't know. If you could but try to calm her down, Father, and persuade her to leave this room—"

The priest got up and walked over to the little crone.

"Verily, none can appreciate a mother's heart," said he, "however, God is merciful."

The little crone's whole face suddenly began to twitch, and she had an attack of hysterical hiccupping.

"God is merciful," the priest went on, when she had calmed down a little. "There was a sick man in my parish, I must tell you, who was much worse than Maria Dmitrievna, and yet a simple townsman cured him with herbs in a short time. And this same man that cured him is in Moscow right now. I was telling Vassily Dmitrievich —we might give him a trial. It might be a comfort to the sick woman, at the least. All things are possible for God."

"No, she isn't fated to live on," uttered the little crone. "Instead of taking me, God is taking her." And her hysterical hiccupping increased to such an extent that she lost consciousness.

The sick woman's husband buried his face in his hands and dashed out of the room.

The first one he met in the hallway was a six-year-old boy, running with all his might after a younger girl.

"Well, what are your orders—shouldn't the children be brought to their mother?" asked their nurse.

"No, she doesn't wish to see them. It would upset her."

The boy halted for a moment, eying his father's face intently, then suddenly kicked back with one foot and ran on with a merry shout.

"She's making believe she's our black horse, daddy!" he shouted, pointing to his sister.

Meanwhile, in another room, the cousin was sitting by the sick woman's side and, by leading the conversation skillfully, was trying to prepare her for the idea of death. The doctor, standing at one of the windows, was compounding a draught.

The sick woman, in a white robe, propped up on all sides with pillows, was sitting up in bed and looking at the cousin in silence.

"Ah, my friend," said she, unexpectedly interrupting her, "there is no need for you to prepare me. Don't regard me as a child. I am a Christian woman. I know everything. I know I haven't long to live; I know that if my husband would have listened to me sooner I would be in Italy and probably, or even certainly, would be well by now. Everybody told him that. However, what's to be done? Evidently God willed things thus. All of us bear many sins, that I know, but I trust in God's mercy; all men and women will be forgiven—probably all men and women will be forgiven. I am trying to understand myself. There have been many sins upon me also, my friend. But then, how much suffering I have gone through! I have tried to bear my sufferings in patience—"

"Shall we call in the priest, then, my friend? You will feel still better after taking the sacrament," said the cousin.

The sick woman bowed her head as a sign of assent.

"God! Forgive me, who am a sinner," she got out in a whisper.

The cousin walked out and made a sign to the priest with her eyes.

"She is an angel!" she said to the husband, with tears in her eyes. The husband began to weep; the priest went through the door; the little crone was still unconscious, and utter silence fell in the outer room. After five minutes the priest walked out of the door and, having taken off his stole, put his hair to rights.

"Glory be to God, she is calmer now," said he. "She wishes to see you."

The cousin and the husband went in. The sick woman was softly weeping, gazing at a holy image.

"I congratulate you, my dear," said the husband.

"Thank you! How fine I feel now, what incomprehensible delectation I am experiencing!" the sick woman was saying, and a slight smile played upon her thin lips. "How merciful God is! Isn't that so? Merciful He is, and almighty!" And anew, in avid imploring, she gazed with tear-filled eyes at the holy image.

Then, suddenly, she seemed to recall something. She signed to her husband to come near.

"You never want to do anything I ask of you," said she in a weak and discontented voice.

The husband, craning his neck, was listening to her submissively.

"What is it, my dear?"

"How many times have I told you that those doctors don't know anything; there are healers, just ordinary peasant women—they're the ones who work cures. . . . There, the priest was telling me . . . about a simple townsman . . . send for him."

"Send for whom, my dear?"

"My God, he doesn't want to understand anything!" And the sick woman wrinkled up her face and closed her eyes.

The doctor, walking up to her, took her hand. The pulse was perceptibly beating more and more feebly. He made a sign to the husband with his eyes. The sick woman noticed this pantomime and looked about her in fright. The cousin turned away and began to weep.

"Don't cry; don't torture both yourself and me," the sick woman was saying. "It deprives me of whatever peace of mind is left me."

"You're an angel!" said the cousin, kissing the other's hand.

"No, kiss me just so—it's only the dead whose hands are kissed. My God! My God!"

That same evening the sick woman was already a corpse, and the corpse was laid out in a coffin standing in the drawing-room of the great house. Sitting all by himself in the big room, with its doors closed, was a minor deacon, reading the Psalms of David in a measured voice and through his nose. The vivid light of wax candles in their tall sticks of silver fell upon the pallid brow of her who had fallen into the long sleep, upon her heavy, waxlike hands, and the stonelike folds of the pall, sinisterly rising at the knees and toes. The minor deacon, without grasping the meaning of the words he was uttering, kept on with his measured reading, and his words sounded and died away strangely in the quiet room. From time to time the sounds of childish voices and of their romping came floating in from a distant room.

Thou hidest Thy face, they are troubled: Thou takest away their breath, they die, and return to their dust.

Thou sendest forth Thy spirit, they are created: and Thou renewest the face of the earth.[1]

The glory of the Lord shall endure for ever.

The face of her who had fallen into the long sleep was austere and majestic. Naught stirred upon the pure, cold brow, nor upon the firmly set lips. She was all heed. Yet did she grasp even now the meaning of these grandiose words?

IV

A month later a stone chapel had been raised over the grave of her who had gone to her long sleep. Over the grave of the driver there still was no stone, and only light-green grass was springing up over the small mound that served as the only sign of a man's existence in the past.

"It will be a sin on your part, Serëga," the cook at the posting-station remarked one day, "if you don't buy a stone for Hvedor. You kept on saying 'It's winter, it's winter,'—but why don't you keep your word now? Remember, I was there when you promised. He came back once already to ask you for it; if you won't buy that stone he'll come back once again, and strangle you."

"Well, now, am I going back on my word?" Serëga retorted. "I'll buy him a stone, like I said; I'll buy it—even if it costs me a ruble and a half in silver, I'll buy it. I haven't forgotten, but then it's got to be carted here. First chance I get to go to the city, why, I'll buy it."

"Tell you what—you ought to put up a cross at least,"

[1] In the Russian: . . . *and they renew the face of the earth.* Psalm CIV: 29-31.—*Trans.-Ed.*

commented an old driver, "for the way things are it's a downright shame. You're wearing the boots, all right."

"Where's one to get a cross, now? Hew it out of a log of firewood, or something?"

"What are you talking about? Sure you won't hew it out of a log of firewood; you take an ax, now, and go to the grove early in the day as you can—that's how you'll hew out the cross. Chop down a small ash, or something. And there's the monument, even though it's of wood. Otherwise you'll have to treat the forester to vodka. There ain't money enough to treat all the riff-raff. There, just the other day I broke a swingle-tree; so I cut me down a grand new one—nobody said a word to me about it."

Early in the morning, when the dawn-glow was just breaking, Serëga took his ax and set out for the grove.

A chill, dull-colored pall of still falling dew, not yet made sparkling by the sun, lay over everything. The east was imperceptibly growing lighter, its faint light reflected on the vault of the sky, overcast with tenuous clouds. Not the least blade of grass below, not a leaf on any branch above, was stirring. Wings fluttering in a thicket, or some rustle along the ground, were the only sounds that occasionally broke the stillness of the forest. Suddenly a strange sound, alien in nature, spread and died away on the edge of the forest. But the sound was heard anew, began to be repeated at measured intervals at the base of one of the motionless trees. One of the treetops broke into an unusual tremor; its sap-filled leaves began to whisper something, and a redbreast perched on one of its branches fluttered from twig to twig a couple of times, whistling, and then, its small tail twitching, perched on another tree.

The ax sounded more and more dully at the root, the sap-filled, white chips flew upon the dewy grass, and a light crackling was heard through the ax-strokes. A shudder ran through all the body of the tree, it bent and quickly straightened up, swaying at its roots in dismay. For an instant everything grew still, but the tree bent anew, the crackling of its trunk was heard and, breaking off its deadwood and lowering its branches, its top crashed against the dank earth.

The sounds of ax and footsteps became stilled. The redbreast whistled and fluttered upward. The branch its wings had caught against swayed for some time and then, even as all the others, became deadly still, down to its last leaf. Still more joyously did the trees flaunt the beauty of their motionless branches in the newly found space.

The first rays of the sun, having forced their way through a diaphonous cloud, flashed in the sky and darted over both earth and sky. The fog, billowing in the dales, began to play with the colors of the rainbow; the dew, glittering, became gemlike against the greenery; transparent little clouds, grown white, were scattering in haste over the vault of the sky, now taking on an azure hue. The birds were fussing in the thicket and, as if utterly carried away, were jargoning some song of happiness; the sap-filled leaves were joyously and calmly whispering upon the summits, and the branches of the living trees began to stir slowly, majestically over the dead, felled tree.

VSEVOLOD MIKHAILOVICH GARSHIN

(1855–1888)

EDITOR'S NOTE

HIS father was an officer in the Cuirassiers, his mother's father was a naval officer. When he was five his mother went off with a revolutionary, the tutor of the future writer's two elder brothers, whom she took with her; when he was nine she took him away from his father as well. And Vsevolod grew up to be a fighter against an intolerable autocracy.

It is of record that certain underground periodicals were literally his ABC's; at eight he was reading *What's To Be Done?* Other books which left their impress upon his early childhood were *Uncle Tom's Cabin* and *Notre Dame de Paris.* Social problems were not his sole interest; even as a boy he became fascinated by natural history; later on he studied physiology and psychiatry.

Garshin was so taken in by the Slavophile propaganda (which had no nobler purpose than the acquisition of markets in the Orient) that he tried, in 1876, to enlist in the Serbian army; in 1877 he was a rank-and-file soldier in the Russian infantry, and served in the Russo-Turkish War (1877-78), the only abiding good derived therefrom by Russia being *Four Days,* which laid the foundation of his literary reputation and, as a war story, surpasses even *The Red Badge of Courage.* He also wrote several other stories showing the senselessness of war and the stultifying effects of army life, stories that found an exceedingly wide and appreciative public.

There was a psychopathic taint in the Garshin family; both of the elder brothers committed suicide, one before Vsevolod's self-inflicted death, the other after it. Vsevolod, although of a cheerful disposition and physically strong, had had his first attack at seventeen; in 1880, after an unsuccessful personal appeal (at midnight, weeping and on his knees) to a nobly born satrap for the life of his would-be assassin, Garshin became seriously deranged and did not fully recover for months, and only after being in two psychiatric institutions. It was during this period that he went on a pilgrimage to Tolstoy at Serene Meadow and, unfortunately, came under the influence of the Master of the Pink Plaster—which influence had a far more serious effect upon him than his medically recognized derangement and resulted, among other things, in a maudlin novel that is now hardly readable.

However, all of Garshin's Russia was one vast madhouse that could unbalance even the soundest man. Garshin, in a final mood of depression, committed suicide by leaping down a stairwell.

Poet, short story writer, initiator of the socio-psychological novelette which Chekhov subsequently brought to such perfection, allegorist, art-critic, translator—Garshin made his impress upon Russian literature and ranks high therein. In less than a decade of creative life he has left a comparatively small yet a most significant body at work, fraught with altruism and passionate humanity.

In English Garshin (like so many other important Russian writers) has fared none too well. His exquisite allegory, *Attalea Princeps,* his unbelievably sensitive *The Red Flower,* and his truly wonderful *The Bears* are available in English, but that English is neither exquisite, nor very sensitive, nor at all wonderful.

Four Days

VSEVOLOD MIKHAILOVICH GARSHIN

I REMEMBER how we ran through the forest, how the bullets hummed, how the twigs they tore off came showering down, how we smashed our way through the bushes of hawthorn. The shots became more frequent. Something red, flickering, appeared here and there through the trees at the edge of the forest. Sidorov, a private of the first company, ever so young and small ("How did he ever get into our detachment?" flashed through my head), suddenly squatted on the ground and looked around at me with big, frightened eyes, without a word. A jet of blood was flowing out of his mouth. Yes, I remember that well. I remember also how, when I was almost at the edge of the forest, among the thick bushes, I caught sight of . . . *him.* He was an enormous, stout Turk, but I ran straight at him, even though I am puny and thin. Something banged; something enormous (so it seemed to me) flew past; my ears began to ring.

"That was his doing—he fired at me," the thought came to me.

But he, with a scream of horror, pressed his back against a thick bush of hawthorn. He could have gone around the bush but he was out of his senses from fear and kept clambering against the prickly branches. With one blow I knocked the gun out of his hands, with another I stuck my bayonet in, somewhere. Something began either to growl or to moan—one couldn't tell which it was. Then I ran on. Our men were hurrahing, falling, shooting. I remember I, too, fired a few shots out on a meadow, after I had already emerged from the forest. Suddenly the hurrahing rang out louder, and we instantly started to advance. That is, not *we* but our men, because I remained behind. This struck me as odd. What was still more odd was that everything suddenly vanished; all shouts and shots had become stilled. I heard nothing, but merely saw a blue something—it must have been the sky, in all likelihood. Then it, too, vanished.

Never before did I find myself in such an odd situation. I seem to be lying on my belly, and all I see before me is a tiny patch of ground. A few small grass-blades, an ant, head down, crawling off one of them, certain bits of litter from last year's grass—there is my whole universe. I see it with but one eye, inasmuch as the other is pressed down by something hard, probably by the branch against which my head is propped. I feel dreadfully cramped and I want to move, but utterly fail to grasp why I cannot. Thus does time pass. I hear the chirr of grasshoppers, the buzzing of a bee. Nothing more. At last I make an effort, free my right hand from under me and, propping both hands against the ground, want to get up on my knees.

Something keen and abrupt, like lightning, transpierces all my body from the knees to the chest and head, and I fall down anew. Again murk; again there is nothing.

I awoke.

Why do I see stars, which glow so vividly in the indigo sky of Bulgaria? Come, am I not in a tent? Why have I crawled out of it? I make a move—and feel excruciating pain in my legs.

Yes, I have been wounded in battle. Dangerously or not? I clutch at my legs—there, where the pain is. The right leg has become covered with encrusted blood, and so has the left. When I put my hands to them the pain becomes still greater. The pain is like a toothache: steady, nagging at the soul. There is ringing in my ears; my head has grown heavy. I grasp, dimly, that I am wounded in both legs. What's all this, then? Why haven't I been picked up? Can it be that the Turks have put us to rout? I begin to recall what had happened to me, at first dimly, then more clearly, and I arrive at the conclusion that we hadn't been put to rout at all. For I had fallen (this, however, I do not remember, but I do remember how all had started running forward, whereas I had been unable to run, and only a blue something had remained before my eyes)—I had fallen on a small meadow at the top of a knoll. It had been to this small meadow that the diminutive leader of our battalion had been pointing. "We'll make it, lads!" he had called out to us in his ringing voice. And we had made it, which meant that we had not been put to rout. Why, then, hadn't I been picked up? For here, on the meadow, the spot was all out in the open; everything was in plain sight. Why, I was probably not the only one lying here. Their fire had been so rapid. I must turn my head to take a look. I can do this with less discomfort now, for at the time when, having come to, I had seen the short grass and the ant crawling head down, I had, in attempting to get up, fallen not into my previous position but turned over on my back. That's the real reason why those stars are visible to me.

I raise myself a little and sit up. This is a thing hard to do when both legs have been smashed. You are forced to despair, time after time; finally, with tears in my eyes, I sit up.

Over me is a tatter of indigo sky, blazing on which are a great star and several small ones; around me is something dark, high. It's the bushes. I'm in the bushes—they have failed to find me!

I feel the hair on my head stirring at its roots.

But, how did I ever come to be in the bushes, when it was out on the little meadow that they had shot me down? Wounded, out of my senses from pain, I must have crawled over here. The only odd thing is that now I can't stir yet at that time I had been able to drag myself all the way to these bushes. Yet it may be that at that time I had had but one wound, and another bullet had caught up with me when I was already here.

Wan, roseate blotches began moving around me. The great star paled; the several small ones vanished. It was the moon, rising. How fine it must be now at home!

Odd sounds of some sort reach me. As if someone were moaning. Yes, it is a moan. Is there someone lying near me, just as forgotten as I, with legs smashed or a bullet in his belly? No, the moans are so near and yet, it seems, there is no one else near me. . . . My God—why, it is I, my own self, moaning! Low, plaintive moans; can it really be that my pain is as great as that? It must be. The only thing is that I do not grasp this pain, inasmuch as my head is filled with fog, with lead. Better lie down again and fall asleep—sleep, sleep. . . . The only thing is, will I ever awaken again? No matter.

At that moment, as I am getting ready to lie down, a broad, wan streak of moonlight brightens the spot and I see something dark and big lying five paces away from me. Here and there one can see glints of moonlight on it. Those are buttons or ammunition. It's a corpse or a wounded man.

No matter; I'm going to lie down.

No, it's impossible—our men haven't gone off. They're here, they've dislodged the Turks and have remained holding this position. Why, then, is there neither the hum of talk nor the crackling of bivouac fires? Come, it is because of my weakness that I can't hear a thing. They must be here, certainly.

"Help! Help!"

Wild, insane, hoarse screams escape my breast, and there is no answer to them. Loudly do they spread through the night air. All else is silent. Only the crickets keep chirring as indefatigably as before. The moon's round face is gazing upon me with pity.

Were *he* merely wounded, he would have come to from such an outcry. It's a corpse. One of our men or a Turk? Ah, my God! As though that mattered in the least.

And sleep falls upon my inflamed eyes.

I am lying with my eyes closed, although I have awakened long since. I do not feel like opening my eyes, for I can feel the sunlight through my closed eyelids: if I open my eyes, the sunlight will cut them. And besides, it's better not to stir. Yesterday (it was yesterday, wasn't it?) they had wounded me; a day and a night have passed; other days and nights will pass; I will die. No matter. It's better not to stir. Let the body stay motionless. How fine it would be to stop the working of the brain as well! But there is no way of holding it back. Thoughts, recollections throng my head. However, all this isn't for long; the end will come soon. All that will remain will be a few lines in the newspapers, to the effect that our losses, now, are insignificant: wounded, so many; killed, one Ivanov, a private in the ranks, one of the volunteers. No, they won't write down the name, even; they'll simply say: killed, one. One private in the ranks—just like that puppydog.

A whole picture flares up in my imagination. It had all happened long ago; however, all things, all my life, that *other* life, before I came to be lying here with my legs smashed, had been so long ago. . . . I was walking down a street; a knot of people blocked my way. The crowd was standing in silence and looking at something small and white, all in blood, piteously whimpering. It was a bitch, pretty and little; a street horsecar had run her over. She was dying—there, just the way I was doing now. Some janitor or other elbowed his way through the crowd, took the little bitch by the scruff of her neck and carried her away. The crowd dispersed.

Would anyone carry me away? No; lie there and die. And yet how fine life is! On that day (when this misfortune had befallen the little bitch) I had been happy. I had been walking along in some sort of intoxication—yes, and there had been reason for it. You, my recollections—do not torture me, let me be! Happiness that was; torments that are . . . if but the torments alone would be left, if but the recollections, which willy-nilly force one to make comparisons, would not torment me. Ah, yearning, yearning! Thou art worse than wounds.

However, it is getting hot. The sun is burning. I open my eyes, see the same bushes, the same sky—only in the light of day. And, right over there, is my neighbor. Yes, it's a Turk, a corpse. How enormous he is! I recognize him, it's that same one—

Lying before me is a man killed by me. Why did I kill him?

He lies there dead, all in blood. Why had fate driven him here? Who is he? Perhaps he, too, has an old mother, even as I have? For long will she sit of evenings at the door of her lowly clay-daubed hut and keep glancing toward the distant north to see if her son, whom she could never sate her eyes with, her toiler and her breadwinner, isn't coming.

But what about me? Why, the same holds true in my

case as well. I would even exchange places with him. How happy he is—he hears nothing, he feels neither the pain of wounds, nor a deathly yearning, nor thirst. The bayonet had gone straight to his heart. See, there's a great black hole in the coat of his uniform; that hole is ringed with blood. *It was I who did that.*

I hadn't wished this. I hadn't wished evil to anyone when I had been setting out to do battle. The thought that I, too, would be compelled to kill people had somehow eluded me. I had pictured to myself only how *I* would be offering *my* breast to the bullets. And I had gone, and had offered up my breast.

Well, and what had come of it? Foolish man, foolish man! And this unfortunate *fellah* (he has on an Egyptian uniform)—he is still less to blame. Up to the time he and his fellows had been packed on a steamer, like herrings in a barrel, and transported to Constantinople, he had not as much as heard either of Russia or Bulgaria. He had been ordered to go, and he had gone. If he hadn't gone they would have bastinadoed him, or else, like as not, some pasha or other would have sent a pistol-bullet through him. He had gone by a long, hard march from Stamboul to Roushchouk. We had attacked; he had defended himself. But, seeing that we were frightful men who, unafraid of his patented English rifle (a Peabody and Martini), were constantly pushing on and on, he had been overcome with terror. When he had wanted to get away some manikin or other, ever so small, whom he could have killed with one blow of his black fist, had leapt close to him and stuck a bayonet into his heart.

Wherein, then, is he at fault?

And wherein am I at fault, even though I did kill him? Wherefor is thirst torturing me? Thirst! Who knows the meaning of that word? Even when we had been going through Rumania, by marches of thirty-five miles during dreadful hot spells with the thermometer at 110 degrees —even then I had not felt what I was feeling now. Ah, if someone would but come!

My God! Why, in that enormous canteen of his he surely must have water. Yet one has to get to it, somehow. At what a cost that will be! No matter; get to it I shall, somehow.

I crawl along. My legs drag; my arms, grown weak, barely move the inert body. There are only fifteen feet or so to the corpse, but for me that is greater—no, not greater, but worse—than scores of miles. Nevertheless, crawl one must. My throat is burning, searing, as if on fire. Besides, death will come quicker without water. But still, perhaps. . . .

And I crawl along. My legs catch on the ground, and every move evokes unbearable pain. I cry out; I cry out and my cries are screams, yet I crawl along just the same. And, at last, there he is. There's the canteen . . . there's water in it—and what a lot of it! The canteen is more than half-full, apparently. Oh, the water will last me a long time . . . to my very death!

Thou wilt save me, my victim! . . . I began to unfasten the canteen, leaning on my elbow, and suddenly, losing my balance, fell face down on the breast of my savior. One could already sense a strong charnel odor coming from him.

I drank my fill. The water was warm but had not gone bad, and in addition there was a lot of it. I will live through several days more. If I remember rightly, it says in the *Physiology of Everyday Life* that man can live without food for a week, as long as there is water. Yes, and the same book tells the case of a suicide, who starved himself to death. He kept on living for a very long time, because he drank water.

Well, and what of that? Even if I should live on for another five or six days, what will come of it? Our men were gone; the Bulgarians had run off in all directions. There was no road near-by. One would have to die anyway. All it amounted to was that instead of a three days' agony I had created for myself one that would last a week. Wouldn't it be better to put an end to myself? Lying near my neighbor was his gun, an excellent piece of English workmanship. All one had to do was to stretch out one's hand; then—an instant, and the end. The cartridges were lying here too, in a heap. He hadn't had time to expend them all.

Should I end everything thus—or wait? Wait for what? Deliverance? Death? Wait until the Turks come and start flaying the skin off my wounded legs? It would be best, after all, to get the thing over with by one's self. . . .

No, you mustn't let your spirits sink; I'll struggle on to the end, to the last of my strength. For, should I be found, I would be saved. Perhaps the bones hadn't been touched; I would be made sound again. I shall see my native land, my mother, Mary—

Lord, let them not learn the whole truth! Let them think that I had been killed outright. What will happen to them when they learn that I had suffered for two, three, four days!

My head is going 'round; the tortured journey toward my neighbor had worn me out completely. And there was that horrible odor, to top everything off. How black he had turned—what would he be like on the morrow or the day after? And the only reason I'm lying here now is because I haven't the strength to crawl off. I'll rest up and then crawl off to my old spot; by the way, the wind is blowing from that direction, and will be carrying the evil stench away from me.

I lie there in utter exhaustion. The sun is burning my face and hands. There's nothing I could put over myself. If but the night would come more quickly; this night, I think, will be the second one.

My thoughts become tangled, and I fall into a coma.

I slept a long while, because when I awoke it was already night. Everything was as it had been: the wounds were paining; my neighbor was lying there, just as enormous and motionless as ever.

I cannot avoid thinking of him. Can it really be that I had abandoned all that was endearing and dear, had come here by a march of nearly seven hundred miles, had hungered, endured cold, suffered from the heat; can it really be that I am now lying at last amid such torments—only to the end that this unfortunate should have ceased to live? For, after all, had I done anything of use for the military objectives save this murder?

Murder, murderer. . . . And who was that, now? I!

When I'd gotten the notion of going off to fight, my mother and Mary had not dissuaded me, even though they did weep over me. Blinded by an idea, I had not seen those tears. I had not understood (that understanding had come now) what I was doing to the beings so close to me.

But why recall things? There's no bringing back the past.

And what an odd attitude many of my acquaintances evinced toward my action! "What a holy innocent! Pushing himself forward without knowing a thing!" How could they say a thing like that? How do such words tie in with *their* conception of heroism, of love for one's native land, and the like? For in *their* eyes I represented all the heroic virtues. Yet, nonetheless, I was a "holy innocent."

And there I am, on my way to Kishenev; they load me down with a knapsack and all sorts of military equipment. And I slog along with thousands of others, among whom you could hardly gather a handful of those who, like me, had gone willingly. The others would have stayed at home, had they been allowed to do so. However, they slog along just as we, "those who are aware," are doing; they cover thousands of miles and fight just as we do—or even better. They fulfill their duties, regardless of the fact that they would drop everything and go off in a minute—were they allowed to do so.

A slight, keen morning breeze sprang up; the bushes stirred; some small bird, half-asleep, fluttered upward. The stars dimmed. The indigo sky turned grayish, became flecked with tender, feathery little clouds; a gray half-murk was rising from the earth. It was the coming of the third day of my . . . what am I to call it? Life? Agony?

The third. How many more of them were left? Not many, in any event. I have become very weak and, it seems, won't be able even to move away from the corpse. Soon he and I will be on the same footing, and will cease to be disagreeable to each other.

I must have a good drink. I am going to drink three times a day: at morning, at noon, and in the evening.

The sun has risen. Its enormous disc, all criss-crossed and segmented by the black branches of the bushes, is red as blood. Looks as if it's going to be hot today. My neighbor, what will become of you? You're horrible enough, even as it is.

Yes, he was horrible. His hair had begun to fall out.

His skin, naturally black, had paled and yellowed; his bloated face had stretched to such an extent that it had split behind one ear. Maggots were busily stirring there. His legs, with boots drawn over them, had become bloated, and enormous blisters had forced their way between the hooks fastening these boots. And all of him had become mountainously bloated. What would the sun make of him this day?

To be lying so close to him is unbearable. I must crawl away, at any cost. But will I be able to do so? I'm still able to raise my arm, to open the canteen, to take a good swig; but—to shift my heavy, immobile body? Nevertheless, shift it I shall, even though a little, even though half a pace an hour.

My whole morning passes in this transit. The pain is strong, but what is it to me now? I no longer remember, I cannot picture to myself, the sensations of a hale man. I have, apparently, actually become accustomed to the pain. On this morning I did, after all, crawl fifteen feet away, and found myself on the spot where I had been before. But I do not have the benefit of fresh air for long —if there can be such a thing as fresh air six paces from a putrefying corpse. The wind shifts and again brings down upon me the evil stench, now so powerful that I am nauseated. My empty stomach contracts excruciatingly and convulsively; all my inwards turn. But the malodorous, infected air simply keeps floating toward me.

I fall into despair and weep.

Altogether crushed, stupefied as if with a narcotic, I am lying almost unconscious. Suddenly . . . was it my disordered imagination deceiving me? It seems to me that such is not the case. Yes, it's the sound of voices.

The beat of horse hoofs; the sound of human voices. I almost sent up a shout, but restrained myself. For what if they should prove to be Turks? What then? To these present torments would be added others, still more terrible, which make one's hair stand on end when one reads about them in the newspapers. They will flay off my skin, will broil my wounded legs. It would be well if it were no more than that; but then, they're so ingenious. Can it really be better to get done with life at their hands than to die here? But what if these are our men? Oh, these accursed bushes! Why have you grown up about me in so thick a fence? I don't see a thing through them; only in one spot does something like a little window open up a view for me into the distance, into a hollow. There seems to be a little stream there, the one out of which we had drunk before the battle. Yes, and there's that enormous slab of sandstone, laid across the little stream to bridge it. They'll ride across it, most probably. The sound of voices dies down. I can't hear clearly the language they're talking in—my hearing, too, has become weakened. Lord! If these are our men. . . . I'm going to shout to them; they'll hear me even as far away as that little stream. That's better than to risk falling into the paws of the *bashi-bazouks*. But how is it they're so long in coming? Impatience wearies me; I do not notice even the odor of the corpse, although it has not abated in the least.

And suddenly on the crossing over the stream Cossacks appear! Blue coats, red stripes down the sides of their trousers, lances. There's all of half a hundred of them. With a black-bearded officer on a magnificent horse at their head. No sooner had the half-a-hundred made its way across the stream than he turned his whole body around in the saddle and called out:

"At a trot, forward!"

"Hold on, hold on, for God's sake! Help me, help me, brothers!" I shout; but the trampling of the great chargers, the clatter of the sabres and the noisy Cossack speech are louder than my hoarse wheezing—and they do not hear me!

Oh, damnation! I fall in exhaustion with my face to the earth and begin to sob. Out of the canteen I had overturned the water—my life, my salvation, my reprieve from death—is flowing. But I notice this only when there is no more than half a tumblerful left, while the rest has gone into the avid, dry earth.

Can I ever recall that lethargy which took possession of me after this terrible incident? I lay motionless, with eyes half closed. The wind was forever shifting, and was by turns blowing fresh, pure air at me, or wafting the evil stench toward me. My neighbor had on this day become frightful past all description. Once, when I opened my eyes to have a look at him, I was horrified. He no longer had a face. It had crept off the bones. The frightful bony smile, an eternal smile, seemed to me as repulsive, as horrible as never before, even though I have had occasion more than once to hold skulls in my hands and to dissect whole heads. This skeleton in a uniform threw me into shudders.

"That's war," I reflected. "There is its image."

But the sun is burning and baking as before. My face and hands have long since become scorched. I had drunk all the water that had remained. Thirst was torturing me so much that, having decided to take but a small sip, I had gulped everything down at one draught. Ah, why hadn't I yelled out to the Cossacks when they had been so close to me! Even if it had been the Turks, I would still have been better off. Well, so they would have tortured me for an hour, for two hours, but as it is I still don't know how much longer I will have to sprawl here and suffer. Mother of mine, my dear one! You will pluck out your gray braids, will strike your head against the wall, will curse the day when you gave me birth, will curse the whole world for that it has conceived such a thing as war to make men suffer!

However, you and Mary will probably never even hear of my torments. Farewell, mother; farewell, my bride, my love! Ah, how hard this is, how bitter! Something is creeping up on my heart. . . .

That little white bitch, again! The janitor had taken no pity upon her, had smashed her head against a wall and thrown her into a pit into which garbage was thrown and slops were poured. But she had been still alive. And had been in torment through all of another day. Yet I am more unfortunate than she, because I have been in torment for all of three days. Tomorrow it will be the fourth day, then it will be the fifth, then the sixth. . . . Death, where art thou? Come, come! Take me!

But death comes not, nor does it take me. And I lie under that fearful sun, and have not as much as a swallow of water to refresh my inflamed throat, and the corpse is infecting me. It has oozed apart altogether. Myriads of maggots are tumbling off it. How squirmingly busy they are! When he will have been eaten up and all that will be left of him will be bones and uniform, my turn will come. And I will be even as he is.

The day passes; the night passes. Everything is still the same. One more day passes. . . .

The bushes are stirring and soughing, as though in quiet converse. "For you will die, will die, will die!" they whisper—"You will never see them, never see them, never see them!" the bushes on the other side respond.

"Why, they're where you'll never see them!" someone says loudly close to me.

I shudder and at once come to myself. The kindly blue eyes of Yakovlev, our corporal, are looking at me out of the bushes.

"Bring the spades!" he shouts. "There's two more on 'em here, one of our men and one of theirs."

"No need of spades, no need of burying me—I'm alive!" I want to shout, but only a feeble moan issues from my parched lips.

"Lord! Why, can it be that he's alive? Master Ivanov! Hey there, lads! Hurry over here—our master is alive! And call the doctor!"

Half a minute later they are pouring water into my mouth, and vodka, and something else. Then everything vanishes.

The stretcher moves along, swaying evenly. This even motion lulls me. I awaken and become oblivious again, by turns. My bound wounds are no longer painful; some sort of inexpressibly joyous feeling has suffused itself through all my body.

"Ha-a-alt! Let 'er do-o-o-own! Orderlies of the fourth squad, march! Grab hold of the stretcher! Lift 'er up!"

It's Peter Ivanich, our medical officer, a tall, gaunt and very kindly man, who is issuing these commands. He is so tall that, on turning my head in his direction, I never lose sight of his head, his long, scanty beard, and his shoulders, even though my stretcher is being carried on the shoulders of four well-grown soldiers.

"Peter Ivanich!" I whisper.

"What is it, dear man?" Peter Ivanich bends over me.

"What did the doctor tell you, Peter Ivanich? Am I going to die soon?"

"Whatever are you saying, Ivanov—that'll do you!

You're not going to die. Why, all your bones are whole. What a lucky fellow! Neither the bones nor the arteries were touched. But how did you ever live through those three days and a half? What did you eat?"

"Nothing."

"And what did you drink?"

"I took the canteen from the Turk. I can't talk now, Peter Ivanich. Later on—"

"Well, the Lord be with you, dear man; sleep in peace."

Again sleep, oblivion.

I come to in the divisional lazaret. There are doctors standing over me, and Sisters of Mercy and, besides these, I also see a familiar face, that of a famous professor from Petersburg, who is bending over my legs. His hands are covered with blood. He does not fuss with my legs overlong, and turns to me:

"Well, young man, you're in luck and God has been good to you. We did take off one of your legs; but then, that's just a trifle. Can you talk?"

I can, and I tell them everything that is written here.

ANTON PAVLOVICH CHEKHOV

(1860–1904)

> Chekhov is inexhaustible, because, despite the everyday life which he is supposed to be always depicting, he speaks, always, in his basic, spiritual leitmotif, not of the casual, not of the personal, but of that which is Human —with a capital H. . . .
>
> I have had occasion to play the one and the same rôle in the plays of Chekhov several hundred times, yet I do not remember a single performance during which there were not revealed in my soul new sensations and, in the piece itself, new depths or refinements which I had not remarked before!
>
> —*Stanislavsky*

EDITOR'S NOTE

OF ALL the acts of vandalism wrought by Germans upon the shrines of Russian genius and culture, the most symbolic is the destruction of the house at Taganrok in which Chekhov was born. There was no gentler soul, no heart warmer than Chekhov's, no spirit more opposed to the Germanic.

Chekhov, the son of an ex-serf, graduated as a physician in 1884; although he did not practice very long, he was prouder of his medical knowledge than of his literary talent. To help his family and pay for his tuition he became an unabashed funnyman, selling everything from squibs to short stories to newspapers and comic sheets—and even his most ephemeral things retain their humor to this day. His first story appeared in 1880 (the rate was 2½ cents a line); however, as early as 1877, he had been sending skits and jokes to be placed by his brother Alexander, another contributor to the humorous publications; still another brother, Nicholas, used to draw for them. Chekhov's first book, *The Stories of Melpomene*, was brought out at his own expense in 1884; his second, *Motley Stories*, appeared in 1886, by which time he was breaking into the "thick-paper" field.

As supreme master of the short story, Chekhov not merely perfected it in Russia and gained recognition for it as a literary form in Russian; his influence upon the short story throughout the world has been vast—in the case of certain British lady-writers it may be said to have been nothing short of disastrous. This despite the fact that, as noted as late as 1903, "in English has appeared but *Philosophy at Home*, in *Short Stories*, October, 1891," and that, up to now, only two hundred or so of the thousand and more stories he has written have been done into English which hardly conveys his full charm and power.

Chekhov, as playwright, is the creator of a theatre wherein lyricity and atmosphere predominate over plot and incident and character is almost action—the untheatrical theatre. Naturally, Chekhov fared as did other innovators: *Ivanov*, his first full-length play, scored success only three years after its first production in 1886, when it was met with both applause and hisses; *The Sea Gull* became a furore only in Stanislavsky's hands, two years after it was booed off the stage in 1896. And, in English, we find such comments as: "A pessimistic vein runs through all his productions, and all his characters seem to be fit subjects for the psychiatrist; this is especially the case in two of his dramas, *The Mew* and

Three Sisters, in which there is not one redeeming person, and where the very language of the dramatis personae is nothing but a series of semi-articulated hysterical ejaculations." That was written (in a scholarly anthology from the Russian) in 1903—one year before Chekhov's death, and when he had been writing for a quarter of a century.

Since then, English (or at least British) criticism has pronounced *The Cherry Orchard* the greatest play since Shakespeare, and *The Three Sisters* the supreme play of all time and all tongues. (First produced in 1901, the year of Chekhov's marriage to Olga Knipper, the great actress.)

There may be among the world's outstanding stories a few which approach *Ward No. 6* in poignancy. The Editor knows of none which surpasses this short novel in that respect. It was written over fifty years ago, yet it is as timely as the next recurrent exposé of our bedlams and lazar houses. And it is curious to what an extent Chekhov's negativist doctor anticipated the most recent of our philosophical fads: Existentialism.

Chekhov died, not unironically, in Germany, at Badenweiler, in the Black Forest.

Ward No. 6

ANTON PAVLOVICH CHEKHOV

THE small wing, surrounded by a whole forest of nettles, burdocks, and marijuana, is out in the courtyard of the hospital. The roof of this wing is rusted, its chimney half-fallen, its front steps are rotted and grown over with grass; as for the whitewash, there are only traces of it left. Its façade is toward the hospital, its rear looks out upon a field, from which it is divided by the gray hospital fence with its coping of nails. These nails, their sharp points up, and the fence, and the wing itself, all have that peculiar, dismal, hopelessly accursed air which is to be found only in our hospital and prison buildings.

If you are not afraid of being stung by the nettles, let us take the narrow little path leading to the wing and have a peek at what is going on within. The front door admits us into the entry. Here, along the walls and near the stove, are piled up whole mountains of hospital odds and ends. Mattresses, old tattered robes, trousers, shirts with narrow stripes of blue, utterly useless worn out footgear—all this rag-fair has been dumped in piles, has become rumpled, tangled; it is rotting and giving off a stifling odor.

Nikita the keeper, an old retired soldier whose service stripes have turned rusty from time, is lolling upon these odds and ends, his eternal pipe clenched between his teeth. His face is morose, drink-ravaged; his eyebrows are beetling, bestowing on his face the look of a steppe sheepdog, and his nose is red; he is not tall, rather spare to look at, and sinewy, but his bearing is impressive and his fists are huge, hard. He belongs to the number of those simple-hearted, positive, reliable, and stolid persons who love order above all things on earth, and are therefore convinced that people must be beaten. When he beats somebody he beats him about the face, the chest, the back—wherever his blows may fall—and is convinced that without this there would be no order in this place.

Next you enter a large, spacious room which takes up the whole wing—that is, if the entry is not taken into consideration. The walls here are daubed over with a dirty light-blue paint; the ceiling is covered with soot, as in a smoke-house: it is evident that the furnaces here smoke in winter and give off asphyxiating fumes. The windows are made hideous by iron bars on the inside. The floor is gray and splintery. There is a stench of sauerkraut, of charred lamp-wicks, of bedbugs and ammonia, and from the very first this stench gives you the impression that you are entering a menagerie.

Beds, screwed down to the floor, are placed about this room. Men in blue hospital bathrobes and in antiquated nightcaps are sitting or lying on them. These are the madmen.

There are altogether five of them here. Only one of them is of high birth; all the others are mere burghers. The man nearest the door, a tall, gaunt burgher with a red, shiny mustache and tearstained eyes, is sitting with his head propped up and his eyes fixed on one point. Day and night does he grieve, shaking his head, sighing and smiling a bitter smile; rarely does he take any part in the conversations and usually does not answer when questions are put to him. He eats and drinks mechanically, if food and drink are given him. Judging by his excruciating, hacking cough, his thinness and the flush on his cheeks, he has incipient consumption.

The next is a small, lively, exceedingly spry old man, with a little pointed beard, and black, kinky hair, like a Negro's. In the daytime he strolls about the ward, from window to window, or sits on his bed with his legs tucked in under him, Turkish fashion, and with never a let-up, like a bullfinch, whistles, hums, and snickers. He evinces his childish and lively character at night as well, when he gets up to pray to God—that is, to thump his breast and scrape at a doorpost with his finger.[1] This

[1] Under the impression that nailed up on the doorpost is a *mezuzah:* a tiny scroll, usually of parchment, whereon is inscribed

is the Jew Moisseika, an innocent, who lost his mind twenty years ago, when his hat factory burned down.

Of all the inmates of Ward No. 6 he is the only one who is allowed to go out of the wing—and even out of the hospital, into the street. He has enjoyed this privilege for a long, long time, probably because he is one of the time-honored hospital inmates and a quiet, harmless innocent, the butt of the town, whom the people have long since grown used to seeing upon the streets, surrounded by urchins and dogs. In his miserable little bathrobe, his funny nightcap, and in slippers (at times barefooted and even without his trousers) he goes about the streets, stopping at gateways and shops and begging for coppers. In one place they may give him some bread-cider, in another bread, in a third a copper, so that he usually returns to the wing sated and rich. All that he may bring back with him Nikita takes away from him for his own benefit. The soldier does this roughly, with great heat, turning out the idiot's pockets and calling upon God to be his witness that he's never going to let the sheeny go out into the street again, and that such irregularities are to him the most hateful things in the world.

Moisseika loves to make himself useful. He brings water to his fellows, tucks them in when they are asleep, promises each one to bring him back a copper from his street expeditions, and to sew a new hat for him; it is he, too, who feeds with a spoon his neighbor to the left,

---

the *krishma*, the most important and frequent prayer of the Jews. It admonishes that "these words" shall be spoken "when thou liest down, and when thou risest up"; also: "And thou shalt write them upon the doorposts of thy house, and upon thy gates." The case is almost invariably of some metal, with an opening through which can be read the three Hebrew letters signifying *HADASHEM* (one of the sacred names of the Lord) written on the outside of the scroll.—*Trans.-Ed.*

a paralytic. He acts thus not out of any commiseration, or because of any considerations of a humane nature, but in imitation of and involuntary submission to his neighbor on the right, one Gromov.

Ivan Dmitrich Gromov, a man of thirty-three, nobly born, at one time a court clerk and the secretary of the district, suffers from a persecution mania. He spends his time either lying in bed, curled up in a ball, or else paces from corner to corner, as if he were taking his constitutional; as for sitting, he indulges in that only very rarely. He is always agitated, excited, and tense because of some vague, undefined expectation. The least rustle in the entry, or a shout in the yard, will suffice to make him raise his head and prick up his ears: Are they coming to fetch him, perhaps? Is it him, by any chance, they are looking for? And his face at such a time bears an expression of extreme disquiet and revulsion.

I like his broad face with its high cheekbones, a face always pale and unhappy which reflects in itself, as in a mirror, his soul, tortured almost to death by struggling and long continued fear. His grimaces are queer and sickly, but the fine lineaments put on his face by profound, sincere suffering are discerning and intelligent, and his eyes have a warm, wholesome gleam. I like him for himself: polite, accommodating, and unusually delicate in his treatment of all save Nikita. When anyone happens to drop a button or a spoon he is quick to jump off his bed and pick up the fallen object. Every morning he greets his companions with a good morning; when he lies down to sleep he wishes them good night.

Besides his constant state of tension and his grimacing, his madness is also evinced by the following. At times, of evenings, he will muffle himself up in his miserable bathrobe and, with his whole body shaking, his teeth chattering, will take to striding rapidly from corner to corner and between the beds. It looks as if he were in the throes of a severe fit of the ague. One can see by the way he stops abruptly and glances at his fellows that he wants to say something of the utmost importance but, evidently surmising that no one will listen to him or understand him, he impatiently tosses his head and resumes his pacing. But the desire to speak shortly gets the upper hand over all and any considerations and, letting himself go, he speaks warmly and passionately. His speech is disorderly, feverish, like delirium, impulsive and not always intelligible, yet at the same time one can hear in it (both in the words and the voice) something exceedingly fine. When he speaks, you recognize in him a madman—and a human being. It is difficult to convey his insane speech on paper. He speaks of human baseness, of oppression trampling upon truth, of a splendid life which will in time prevail upon earth, of the window bars which at every moment remind him of the stupidity and cruelty of the oppressors. The result is a disordered, inchoate potpourri of songs that are old yet which thus far have never been sung to the end.

II

Some twelve or fifteen years ago a civil servant by the name of Gromov used to live in this town, in his own house, situated on the most important street. He had two sons, Serghei and Ivan. Serghei, when he was already a student in his fourth semester, contracted galloping consumption and died, and this death seemed to serve as the beginning of a whole series of misfortunes which suddenly fell upon the Gromov family. A week after Serghei's funeral the patriarchal head of the family was brought to trial for forgeries and embezzlements, and died shortly from typhus in the prison hospital. The house and all his personal property were sold under the hammer, and Ivan Dmitrich and his mother were left without any means.

Formerly, when his father had been alive, Ivan Dmitrich, who was living in St. Petersburg, where he was studying at the University, had been getting from sixty to seventy rubles a month and had had no conception of what need was, but now he had to change his life abruptly. He had to tutor from morning to night for coppers, to work at transcribing, yet go hungry just the same, since he sent all his earnings to his mother for her support. Ivan Dmitrich had not been able to stand such a life; his spirits sank, he began to ail and, leaving the University, he came back home. Here, in this little town, he obtained through influential friends a teaching position in the district school; however, he did not find his fellow-teachers congenial, was not liked by the pupils, and soon left the post. His mother died. For half a year or so he went without a position, living on nothing but bread and water; then he became a court clerk. This post he filled until he was dismissed because of his derangement.

Never, even during the years of his youth as a student, did he give the impression of a healthy man. He had always been pale, thin and subject to colds; he ate but little and slept poorly. One glass of wine sufficed to make his head swim and to bring on hysterics. He had always been drawn to people but, thanks to his irritable temper and his self-consciousness, he had never gotten on an intimate footing with anybody and had no friends. Of the people in the town he always spoke with contempt, saying that their boorish ignorance and drowsy, animal life seemed to him abominable and revolting. He spoke in a tenor, loudly, heatedly, and never otherwise than indignantly and wrathfully, or else with rapture and wonder, and always sincerely. No matter what one might begin a conversation with him about, he always brought it around to one thing: life in this town was stifling and tedious; its society had none of the higher interests; it was leading a drab, senseless life, diversifying it with oppression, coarse depravity, and hypocrisy; the scoundrels went well-fed and well-clad, while honest men subsisted on crumbs; there was need for schools, for a local newspaper with an honest policy, a theater, public readings, a consolidation of intellectual forces; there was need for society to recognize itself, and to be horrified by that recognition. In his judgments of people he laid the colors on thick, using only black and white, without admitting any shadings; he divided mankind into honest men and scoundrels—as for any middle ground, there was none. Of women and love he always spoke passionately, with rapture, yet he had not been in love even once.

In the town, despite the harshness of his judgments, he was liked and, behind his back, they called him Vanya. His innate delicacy, his obliging nature, decency, moral purity, and his threadbare, wretched little frock-coat, his ailing appearance and his family misfortunes, inspired people with a fine, warm and melancholy feeling; besides that, he was well educated and widely read; in the opinion of the townsmen he knew everything and, in this town, constituted something in the nature of a walking encyclopedic dictionary.

He read a very great deal. He was forever sitting in the club, nervously tugging at his little beard and turning the leaves of periodicals and books, and one could see by his face that he was not so much reading as swallowing everything, having barely masticated it. It must be supposed that reading was one of his unwholesome habits, since he fell with equal avidity upon everything that came to hand, even newspapers and almanacs years old.

III

One autumn morning, his coat-collar turned up and his feet squelching in the mud, Ivan Dmitrich was making his way through lanes and backlots to the house of a certain burgher, to collect on a writ of execution. His mood was a somber one, the usual thing with him of mornings. In one of the lanes he came upon two convicts in leg-irons, convoyed by four soldiers with guns. Ivan Dmitrich had very often come upon convicts before, and every time they had aroused within him feelings of commiseration and ill-ease, but now this encounter made some sort of a peculiar, strange impression. For some reason or other it suddenly struck him that he, too, could be put in leg-irons and, in the same way, be led off through the mud to prison. On his way home after calling on the burgher he met, near the post office, a police inspector whom he knew, who greeted him and went a few steps with him along the street—and for some reason this struck him as suspicious.

At home, all that day, he could not get those convicts and the soldiers with their guns out of his head, and an incomprehensible psychic disquiet hindered him from reading and concentrating. When evening came he did not light the lamp, while at night he could not sleep and kept on thinking incessantly of the possibility of his being arrested, put in irons and planted in prison. He knew himself to be utterly innocent of anything culpable and could vouch that in the future as well he would not commit murder, or arson, or theft; but then, is it hard to commit a crime accidentally, involuntarily? And being slandered—was that an impossibility? And, finally, what about a miscarriage of justice? It is not in vain that age-old folk-experience teaches that no man is certain of escaping the beggar's sack or prison. As for a miscarriage of justice: that, under present-day judicial procedure was very possible—nothing out of the way about that. Men whose duties, whose business had to do with the sufferings of others—for instance judges, policemen, physicians—became, in the course of time and through the force of habit, inured to such a degree that they could not, even if they wanted to, regard their clients otherwise than formally; in this respect they are in no way different from the muzhik who butchers sheep and calves in his backlot and does not even notice the blood. And where the attitude to the individual is formal, soulless the judge needs, in order to deprive a man of all his property rights and to condemn him to penal servitude, only one thing: time. Only time, for the observance of certain formalities—which is just what the judge receives his salary for—and then it's all over! After that, go and seek justice and protection in this miserable, filthy little town, a hundred and twenty-five miles away from any railroad! Yes, and wasn't it amusing even to think of justice, when every oppression was hailed by society as a sane and salutary necessity, whereas every act of mercy, such as an acquittal, for instance, evoked nothing less than an explosion of unsatisfied, vindictive passion?

In the morning Ivan Dmitrich got up in a state of terror, with sweat beading his forehead, by now altogether convinced that he might be arrested at any minute. Since the oppressive thoughts of yesterday would not leave him in all that time (he reflected), it meant that there must be a modicum of truth in them. Really, they could not have come into his head for no reason at all.

A policeman leisurely passed by under his window; it was not for nothing. There, two men had stopped near the house, and just stood there, in silence. Why were they keeping silent?

And tormenting days and nights set in for Ivan Dmitrich. All the people who passed by his windows and all who entered the courtyard seemed to him spies and detectives. The captain of police usually drove a two-horse carriage through the street about noon; he was merely on his way from his suburban estate to the police station, yet every time it struck Ivan Dmitrich that he was driving much too fast and that his expression was somehow peculiar: evidently he was in a hurry to make known the appearance in the town of a very important criminal. Ivan Dmitrich started at every ring and at every knock on the gate; he was on tenterhooks whenever he encountered a new face at his landlady's; each time he came across policemen and gendarmes he smiled and whistled, so as to appear nonchalant. He stayed awake whole nights through in expectation of an arrest, but snored loudly and breathed deeply, like one sleeping, to make his landlady think he was asleep—for, if he was not sleeping, it would mean he was tormented by the pangs of his conscience: what a piece of circumstantial evidence! Facts and sane logic strove to convince him that all these fears were nonsense and psychopathy; that, if one were to take a broad view of the matter, there was really nothing frightful about arrest and prison—provided one's conscience were clear; however, the more intelligently and logically he reasoned, the more powerful and tormenting did his psychic disquiet become. His was something like the case of a certain anchorite in a wilderness, who wanted to make a tiny clearing for himself in a virgin forest; but, the more assiduously he wielded his ax, the thicker and greater did the forest grow. At the very last Ivan Dmitrich, seeing how useless it was, abandoned reasoning and gave himself up wholly to despair and fear.

He began to isolate himself and to avoid people. Even before this he had found his work repellent, but now it became unbearable to him. He was afraid somebody would trip him up somehow or other, that someone would slip a bribe in his pocket unperceived and then expose him, or that he himself would inadvertently make some error in his official papers, tantamount to a forgery, or that he would lose money in his keeping for others. Strangely enough, at no other time had his mind been as flexible and inventive as now, when every day he was thinking up thousands of reasons for being seriously apprehensive about his liberty and honor. But then his interest in the external world grew markedly weaker, as was also the case, to some extent, with his interest in books, and his memory became very treacherous.

In the spring, when the snow was gone, two half-putrefied corpses were found in a ditch near the graveyard—those of an old woman and a boy, with indications of their having met a violent death. Nothing else was talked of in the town save these two corpses and their unknown slayers. Ivan Dmitrich, in order that people might not think that it was he who had killed these two, went about the streets with a smile; but whenever he met any acquaintances he paled, then turned red, and asserted that there was no crime more vile than the killing of the weak and the defenseless. However, this lie soon wearied him and, after some reflection, he decided that the best thing to do in his position would be to hide in his landlady's cellar. He sat there for a whole day, then through the night and another day, caught a great chill and, after waiting until it was growing dark, made his way to his room stealthily, as if he were a thief. Until the day broke he stood in the middle of his room without stirring and on the alert for every sound.

Early in the morning, before the sun was up, some bricklayers came to his landlady. Ivan Dmitrich knew well enough that they had come to make over the oven, but his fear prompted him that these were policemen disguised as bricklayers. Even so he left his room, ever so quietly and, gripped by terror, without his hat and coat, started running down the street. Dogs, barking, ran after him; somewhere behind him a muzhik was shouting; the wind whistled in his ears, and it seemed to Ivan Dmitrich that all the oppression throughout the world had gathered behind his back and was pursuing him.

They caught him, led him home, and sent his landlady for a doctor. Andrew Ephimich, the doctor (of whom more will be said further on) prescribed cold packs for his head and bay-rum drops, shook his head sadly and took his departure, after telling the landlady that he would not call again, because it was not right to hinder people from going out of their minds. Since Ivan Dmitrich had no means to live on at home and to take treatment, he was shortly sent off to the hospital, and there they placed him in the ward for venereal patients. He did not sleep of nights, was capricious and disturbed the patients, and in a short while by orders of Andrew Ephimich, he was transferred to Ward No. 6.

In a year the town had already completely forgotten Ivan Dmitrich, and his books, which his landlady had dumped in a sleigh out in the shed, were dragged off by little boys.

IV

The patient to the left of Ivan Dmitrich's bed is, as I have already said, the Jew Moisseika, while the patient on his right is a muzhik with a dull, utterly imbecilic face; he is bloated with fat and is almost globular. This is a motionless, gluttonous, and uncleanly animal that has long since lost the ability to think and feel. There is constantly a pungent, stifling odor coming from him.

Nikita, who cleans up after him, beats him frightfully, swinging back with all his might, without sparing his fists—and the frightful thing is not that he is beaten (one can get used to that): what is frightful is that this stupefied animal does not respond to these beatings by either sound, or any move, or the expression of his eyes, but merely keeps teetering slightly, like a heavy cask.

The fifth and last inmate of Ward No. 6 is a townsman who had at one time sorted letters in the post office—a small, rather spare blond fellow with a kindly but somewhat sly face. To judge by his intelligent, calm eyes, with their clear and cheerful look, he is out for Number One, and is harboring some exceedingly important and pleasant secret. He keeps under his pillow and his mattress something or other which he will not show to anybody—not out of any fear that it may be taken away or stolen, however, but out of bashfulness. Occasionally he will walk up to a window and, turning his back on his companions, pin something on his breast and, bending his head, contemplate it; if one approaches him at such a time he becomes confused and plucks that something off his breast. But it is not hard to fathom his secret.

"Congratulate me!" he often says to Ivan Dmitrich. "I have been presented with the Order of Stanislaus, of the Second Class—with a star. The Second Class—with a star—is given only to foreigners but, for some reason, they want to make an exception in my case." He smiles, shrugging his shoulders in a puzzled way. "There, now, I must confess I never expected that!"

"I don't understand anything about such things," Ivan Dmitrich declares glumly.

"But do you know what I'm going to win, sooner or later?" the one-time sorter continues, puckering up his eyes slyly. "I am absolutely bound to receive the Swedish Polar Star. Now *that* is a decoration which is really worth going to a lot of trouble for. A white cross and a black ribbon. Ever so beautiful."

Probably nowhere else is life as monotonous as in this wing. In the morning the patients (with the exception of the paralytic and the blubbery muzhik) wash themselves in the entry at a big tub, using the skirts of their robes for towels; after this they drink tea out of pewter mugs; the tea is brought to them from the main building by Nikita. Each one is supposed to get just one mug. At noon they eat soup made with sauerkraut and, with it, buckwheat grits; in the evening they sup on the grits left over from dinner. In between they lie on their beds, sleep, look out of the windows, and pace from corner to corner. And thus every day. Even the one-time sorter speaks always of the very same decorations.

Fresh faces are rarely seen in Ward No. 6. The doctor has long ago stopped admitting new mental cases, and there are but few people in this world who like to visit madhouses. Once every two months Semën Lazarich, the barber, calls at the wing. Of how he clips the insane, and how Nikita assists him, and into what confusion the patients are thrown at every appearance of the intoxicated, smiling barber—of that we will not speak.

Save for the barber no one looks in at the wing. The patients are condemned to see no one but Nikita, day in and day out.

However, a rather strange rumor has recently spread through the hospital building.

Someone has started a rumor that, apparently, the doctor has taken to visiting Ward No. 6.

V

A strange rumor!

Doctor Andrew Ephimich Raghin is, after his own fashion, a remarkable man. They say that in his early youth he was exceedingly pious and had been preparing himself for a career in the church, and that, after he had finished studying in the gymnasium in 1863, he had intended to enter a seminary; but his father, a doctor of medicine and a surgeon, had apparently jeered at him caustically and had declared categorically that he would not consider him his son if he joined the psalm-snufflers. How true that is I do not know, but Andrew Ephimich has confessed more than once that he had never felt any call for medicine and, in general, for the applied sciences.

Be that as it may, after finishing his medical courses he did not become a long-haired priest. He did not evince any piety, and at the beginning of his healing career resembled a person of the spiritual calling as little as he did now.

In outward looks he is ponderous, coarse, like a muzhik; his face, his beard, his flat hair and his strong, unwieldy physique make one think of someone who keeps a tavern along some main road, who has overindulged himself in food, is intemperate and hard-headed. His face is stern and criss-crossed with small blue veins, his eyes are small, his nose is red. In keeping with his great height and broad shoulders he has enormous feet and hands—it seems that, were he to swing his fist at you, you would be done for. Yet his step is soft and his walk cautious, stealthy; when you meet him in a narrow corridor he is always the first to stop and give you the right of way, and says "Excuse me!"—not in the bass you expect, however, but in a high, soft little tenor. He has a small swelling on his neck which keeps him from wearing hard, starched collars, and so he always walks about in a soft shirt of linen or calico; in general, he does not dress the way doctors do. He wears the self-same old suit for ten years at a stretch, while his new clothes (which he usually buys at some cheap place) look just as worn and wrinkled on him as his old ones; he will wear the very same coat when receiving patients, or dining, or paying social calls—this is not out of stinginess, however, but from a complete disregard for his appearance.

When Andrew Ephimich came to this town to take his post, the "eleemosynary institution" was in a dreadful state. It was hard to breathe in the wards, the corridors, and the hospital courtyard because of the stench. The hospital orderlies, the nurses, and their children, all used to sleep in the same wards with the sick. Everybody complained there was no living on account of the cockroaches, the bedbugs, and mice. There was never a shortage of erysipelas in the surgical division. For the whole hospital there were but two scalpels and not a single thermometer; the bathtubs were used as storage bins for potatoes. The superintendent, the woman who had full charge of the linen and so forth, and the assistant doctor—they all robbed the sick; while it was told of the old doctor, Andrew Ephimich's predecessor, that he bootlegged the hospital alcohol and had set up for himself a whole harem of nurses and female patients.

The people in the town were very familiar with these irregularities and even exaggerated them, yet regarded them with equanimity; some justified them by the fact that the only ones who filled the hospital beds were burghers and muzhiks, who could not possibly be dissatisfied, since they lived far worse at home than they did at the hospital: no use pampering them with delicacies, you know! Others said, in justification, that the town found it beyond its means to maintain a good hospital without any aid from the county: thank God there was even a bad one. As for the county, it would not open a hospital either in the city or near it, giving the excuse that the town already had a hospital of its own.

After an inspection of the hospital Andrew Ephimich came to the conclusion that this institution was immoral and in the highest degree harmful to the health of the inhabitants. The most intelligent thing to do, in his opinion, would be to turn the patients loose and close the hospital. But he reasoned that his will alone was not enough for this, and that it would be useless: were the physical and moral uncleanliness driven from one place it would pass on to some other; one had to wait until the thing had thoroughly aired itself. In addition to that, if the people opened a hospital and tolerated it in their midst, it meant that they found it necessary; the prejudices and all those everyday vilenesses and abominations were necessary, since in the course of time they become worked over into something useful, even as manure is worked over into black loam. There is nothing on this earth so good that it had not some vileness at its prime source.

After accepting the post Andrew Ephimich evidently took a rather indifferent attitude toward the irregularities. He merely requested the orderlies and the nurses not to pass their nights in the wards, and put in two wall-cases of surgical instruments; as for the superintendent, the woman in charge of linen, the assistant doctor, and the surgical erysipelas, they all stayed put.

Andrew Ephimich is exceedingly fond of intelligence and honesty, yet he has not sufficient character and belief in his rights to establish an intelligent and honest life about him. To order, to forbid, to insist—these things he is utterly unable to do. It seems as if he had taken a vow never to raise his voice and never to use the imperative mood. To say "Let me have this," or "Bring me that," is for him a difficult matter; when he wants to eat he coughs irresolutely and says to the cook: "What about some tea, now?"—or: "What about dinner?" As for telling the superintendent to stop stealing, or driving him out, or doing away altogether with this needless, parasitical post—that is something altogether beyond his strength. Whenever Andrew Ephimich is being taken in or flattered, or a palpably and vilely doctored account is submitted for his signature, he turns as red as a boiled lobster and feels himself guilty, yet he signs the account just the same; whenever the patients complain to him about being starved or about the boorish nurses he becomes confused and mumbles guiltily: "Very well, very well—I'll look into that later. . . . Probably there's some misunderstanding here—"

At first Andrew Ephimich had worked very assiduously. He received patients from morning until dinnertime, performed operations, and even practiced obstetrics. The ladies said of him that he was conscientious and diagnosed complaints excellently—especially those of women and children. But as time went on the work markedly bored him with its monotonousness and obvious futility. Today you received thirty patients; on the morrow, before you knew it, they ran up to thirty-five;

the day after there would be forty, and so on from day to day, from year to year, yet the death-rate in the town did not decrease and the sick never ceased coming. It was a physical impossibility, in the time between morning and noon, to extend any real aid to the forty patients who came; therefore, willy-nilly, the result was plain humbug. During the fiscal year twelve thousand out-patients had been received; therefore, it simply stood to reason that twelve thousand people had been humbugged. As for placing those seriously ill into the wards, and treating them in accordance with all the rules of science, that also was impossible—for although there were rules there was no science; on the other hand, were one to abandon philosophy and follow the rules pedantically, as other physicians did, you would need for that, first and foremost, cleanliness and ventilation instead of filth, wholesome food instead of soup cooked out of stinking sauerkraut, and decent assistants instead of thieves.

And besides, why hinder people from dying, since death is the normal and ordained end of every being? What did it matter if some haggling shopkeeper or petty government clerk did live five or ten years extra? But if one saw the aim of medicine as the alleviation of suffering through drugs then, involuntarily, the question bobbed up: Wherefore should sufferings be alleviated? In the first place, they say that sufferings lead man to perfection and, in the second, should mankind really learn to alleviate its sufferings through pills and drops, it would abandon altogether religion and philosophy, in which it has found up to now not only a defense against all tribulations but even happiness. Pushkin, just before death, experienced dreadful tortures; that poor fellow Heine, lay for several years stricken by paralysis —why, then, shouldn't some Andrew Ephimich or

Matrëna Savishna ail for a bit, since their lives are devoid of all content and would be altogether vacuous and like the life of an amoeba, were it not for their sufferings?

Crushed by such reflections Andrew Ephimich let his spirits sink and became irregular in his attendance at the hospital.

VI

Here is the way his life goes on. Usually he gets up about eight in the morning, dresses, and has his tea. Then he sits down in his study to read, or goes to the hospital. Here, in the hospital, in a narrow, dark little corridor, sit the ambulatory patients, waiting to be received. Orderlies, their boots clattering on the brick floor, and nurses hurry past them; gaunt patients walk by in their robes; dead bodies and filled bed-pans are carried by; the children are crying; there is a windy draft. Andrew Ephimich knows that for the ague-stricken, for the consumptives, and, in general, for all the susceptible patients such a setting is excruciating, but what can one do?

In the reception room he is met by Serghei Sergheich, the assistant doctor, a small, stout man with a clean-shaven, well-groomed puffy face, with soft, stately manners and wearing a new, roomy suit: he looks more like a senator than an assistant doctor. He has an enormous practice in town, wears a white cravat and considers himself better informed than the doctor, who has no practice whatsoever. Placed in one corner of the reception room is an icon, in a case, with a ponderous lampad glowing before it; standing near it is a lectern in a white slip-cover; hanging upon the walls are portraits of arch-priests, a view of Holy Mount Monastery and wreaths of dried corn-flowers. Serghei Sergheich is religious and loves churchly pomp. The holy image has been placed here at his expense; of Sundays, in this reception room, one patient or another reads an acathistus at his orders, at which all stand, while after the reading Serghei Sergheich makes the round of all the wards with a censer and thurifies them with frankincense.

The patients are many but the time is short, and therefore the whole business is limited to putting a few brief questions and issuing some medicine or other, such as volatile ointment or castor oil. Andrew Ephimich sits with cheek propped up on his fist, in deep thought, and puts his questions mechanically. Serghei Sergheich is also sitting, rubbing his little hands from time to time and putting in his oar every now and then.

"We ail and endure need," he will say, "because we pray but poorly to the merciful Lord. Yea, verily!"

At these clinical sessions Andrew Ephimich does not perform any operations whatsoever; he has long since grown disused to them and the sight of blood agitates him unpleasantly. When he has to open a baby's mouth to look down its throat, and the baby squalls and defends itself with its tiny hands, his head swims from the noise in his ears and tears appear in his eyes. He hastens to prescribe some medicine and waves his hands at the peasant woman to take the baby away in a hurry.

During such a session he soon becomes bored with the timidity of the patients and their lack of sense, with the proximity of the pompous Serghei Sergheich, with the portraits on the walls and with his own questions, which he has been putting, without ever varying them, for more than twenty years by now. And, after having received five or six patients, he leaves. The assistant doctor receives the rest without him.

With the pleasant reflection that, thank God, he has

had no private practice for a long, long time now, and that no one will interrupt him, Andrew Ephimich upon getting home immediately sits down at the desk in his study and falls to reading. He reads a very great deal, and always with great pleasure. Half his salary goes for the purchase of books, and out of the six rooms in his quarters three are piled up with books and old periodicals. Most of all he loves works on history and philosophy; in medicine, however, he subscribes only to *The Physician*, which he always begins reading from the end. Each time his reading goes on for several hours without a break and never tires him. He does not read as rapidly and fitfully as Ivan Dmitrich used to do at one time, but slowly, with penetration, frequently pausing at passages which are to his liking or which he cannot grasp. Always standing near his book is a small decanter of vodka, while lying right on the cloth, without any plate, is a pickled cucumber or a pickled apple. Every half hour, without taking his eyes off the book, he pours out a pony of vodka and drinks it down, then, without looking, he gropes for the cucumber and takes a small bite.

At three o'clock he cautiously approaches the kitchen door, coughs and says:

"Dariushka, what about some dinner?"

After dinner, rather badly cooked and sloppily served, Andrew Ephimich paces through his rooms, with his arms crossed on his breast, and meditates. Four o'clock chimes, then five, but he is still pacing and meditating. At rare intervals the kitchen door creaks and Dariushka's red, sleepy face peeks out:

"Isn't it time for your beer, Andrew Ephimich?" she asks solicitously.

"No, not yet," he answers. "I'll wait . . . I'll wait a while—"

In the evening Michael Averianich, the postmaster, usually drops in—the only man in town whose society does not oppress Andrew Ephimich. At one time Michael Averianich had been an exceedingly rich landed proprietor and had served in the cavalry, but he had become ruined and, out of necessity, had in his old age entered the post-office department. He has a wide-awake, hale appearance, luxurious gray side-whiskers, manners that show his fine upbringing, and a booming, pleasant voice. He is kind and responsive but quick-tempered. When, at the post office, any patron protests, disagrees, or simply starts an argument, Michael Averianich turns purple, quivers all over and shouts "Quiet, you!" in a thunderous voice, so that the post office has long since gotten a deep-rooted reputation of an institution a call at which is a frightening experience. Michael Averianich respects and loves Andrew Ephimich for his culture and the nobility of his soul; all the other inhabitants of the town he looks down upon, however, as if they were his subordinates.

"Well, here I am!" he says as he enters Andrew Ephimich's place. "How are you, my dear fellow! Guess you must be tired of me by now—eh?"

"On the contrary, I am very glad," the doctor answers him. "I am always glad to see you."

The friends seat themselves on the divan in the study and for some time smoke in silence.

"If we could only have some beer now, Dariushka!" says Andrew Ephimich.

The first bottle they drink in the same silence: the doctor in a pensive mood, and Michael Averianich with a gay, animated air, like a man who has something interesting to tell. It is the doctor who always begins the conversation.

"What a pity it is," he says slowly and softly, without

looking into the eyes of his companion (he never looks anyone in the eye), "what a profound pity it is, my dear Michael Averianich, that there are absolutely no people in our town who can, and like to, carry on an intelligent and interesting conversation. That is an enormous deprivation for us. Even the intelligents aren't above vulgarity; the level of their development, I assure you, is not in the least above that of the lower masses."

"You're absolutely correct. I agree with you."

"You yourself know," the doctor continues softly, and with frequent pauses, "that everything in this world is insignificant and uninteresting except the higher spiritual manifestations of the human mind. The mind draws a sharp dividing line between animal and man, hints at the divinity of the latter and, to a certain degree, even replaces for him immortality, which is nonexistent. Hence it follows that the mind serves as the sole possible source of enjoyment. True, we have books, but that's not at all the same as animated conversation and sociability. If you will allow me to make a not altogether apt analogy, books are notes, while conversation is singing."

"Absolutely correct!"

A silence ensues. Dariushka emerges from the kitchen and, with an air of stolid sorrow, propping up her chin on her fist, stops in the doorway to listen.

"Eh!" sighs Michael Averianich. "The very idea of expecting anybody nowadays to have a mind!"

And he tells how full of zest, and gaiety, and interest life used to be; what clever intelligents there had been in Russia, and how highly they held the concepts of honor and friendship. Money was loaned without any promissory notes, and it was considered a disgrace not to extend a helping hand to a comrade in need. And what campaigns there had been, what adventures and set-tos—what comrades, what women! Take the Caucasus—what an astonishing region! Then there was the wife of a certain battalion commander—a strange woman, who used to put on the uniform of an officer and go off into the mountains of evenings, all by herself, without any guide. They said she had a romantic affair in one of the eyrie-settlements with some native princeling or other.

"Queen of Heaven, Our Mother—" Dariushka would sigh.

"And how we drank! How we ate! And what reckless liberals there were!"

Andrew Ephimich listens and does not hear; he is meditating upon something and from time to time sips his beer.

"I frequently dream of clever people and of conversations with them," he says unexpectedly, interrupting Michael Averianich. "My father gave me a splendid education but, under the influence of the ideas of the 'sixties, compelled me to become a physician. It seems to me that if I had not heeded him then I would now be in the very center of the intellectual movement. Most probably I would be a member of some faculty or other. Of course, the mind is also not eternal but transitory; however, you already know why I cherish an inclination to it. Life is merely an irritating snare. When a thinking man attains the prime of his manhood and arrives at a mature consciousness of life, he involuntarily feels as if he were in a snare from which there is no escape. Really, now, against his own will, through certain accidental circumstances, he has been summoned from non-being into life. Wherefore? Should he desire to learn the significance and purpose of his existence he is either told nothing or he is told absurdities—he knocks, but it will not be opened unto him; then death comes to him—likewise against his will. And so, even as people in prison, bound by a common misfortune, feel themselves more at ease when they get together, even so in life one does not feel the snare one is in when people inclined to analysis and generalizations get together and pass the time in exchanging lofty, free ideas. In that sense the mind is a delight for which there is no substitute."

"Absolutely correct!"

Without looking into his companion's eyes, softly and with pauses, Andrew Ephimich goes on speaking of clever people and of conversations with them, while Michael Averianich listens to him attentively and concurs:

"Absolutely correct!"

"But don't you believe in the immortality of the soul?" the postmaster suddenly asks.

"No, my esteemed Michael Averianich, I do not believe in it, nor have I any basis for believing."

"I must confess that I, too, have my doubts. But then, I have a feeling as if I'll never die. Come, I think, you old curmudgeon, it's time for you to die. But in my soul there is some sort of a tiny voice: 'Don't you believe it—you won't die!' "

Just a little after ten Michael Averianich leaves. As he is putting on his fur-lined coat out in the entry he says with a sigh:

"But what a wilderness fate has cast us into! And the most vexing thing of all is that we'll even have to die here. Eh!"

VII

After seeing his friend off Andrew Ephimich sits down at his desk and starts reading again. The quietness of the evening, and then of the night, is not disturbed by a single sound, and time seems to stand still and to be rooted to the spot together with the doctor poring over his book, and it seems that nothing exists save this book and the lamp with its green shade. The doctor's coarse, peasant face becomes little by little illuminated by a smile of touched delight and rapture before the courses of the human mind. "O, why is not man immortal?" he thinks. Why has he been given cerebral centers and convolutions, why his sight, speech, consciousness of self, genius, if all these things are fated to go back into the soil and, in the very end, turn cold together with the earth's core and then go careering with the earth for millions of years around the sun, senselessly and aimlessly? Just to have him turn cold and then go off careering there is altogether no need to draw man with his lofty, almost divine mind out of non-being and then, as if in mockery, to turn him into clay.

Transubstantiation! But what cowardice it is to console one's self with this surrogate of immortality! The inanimate processes taking place in nature are beneath even human stupidity, inasmuch as in stupidity there are present, after all, consciousness and will, whereas in these processes there is just nothing at all. Only a coward who has more of the fear of death in him than of dignity is capable of consoling himself with the idea that his body will, in time, live again as grass, as stone, as toad. . . . To see one's immortality in transubstantiation is just as queer as to prophesy a brilliant future to a violin case after the priceless Stradivarius it once held has been shattered and become useless.

Whenever the clock strikes Andrew Ephimich throws himself back in his armchair and closes his eyes for a little thought. And unintentionally, under the influence of the fine thoughts he had read out of his books, he casts a glance over his past and his present. The past is execrable: better not recall it. As for the present, it is filled with the same sort of thing as the past. He knows that even as his thoughts go careering with the cooled earth around the sun, in the great barrack-like structure of the hospital, alongside of the quarters he occupies, people are languishing amid diseases and physical uncleanliness; someone is perhaps not sleeping but warring with insects; someone is being infected with erysipelas or moaning because of a bandage too tightly applied; the patients are, perhaps, playing cards with the nurses and drinking vodka. During the fiscal year twelve thousand people had been humbugged; this whole hospital business, just as the case was twenty years ago, is built upon thievery, squabbles, slanders, nepotism, and upon crass charlatanry, and the hospital, just as hitherto, represents an institution immoral and in the highest degree harmful to the inhabitants. He knows that behind the barred windows of Ward No. 6 Nikita is beating the patients, and that Moisseika goes through the town every day and collects alms.

On the other hand, he knows exceedingly well that a fairy-tale change has taken place in medicine during the last twenty-five years. When he had been studying at the university it had seemed to him that medicine would shortly be overtaken by the same fate as alchemy and metaphysics; but now, when he reads of nights, medicine amazes him and arouses wonder and even rapture in him. And really, what unexpected brilliancy there is here, and what a revolution! Thanks to antiseptics, surgeons perform such operations as the great Pirogov had deemed impossible even *in spe*. Ordinary country doctors have the courage to perform resections of the knee-joint; out of a hundred Caesarian sections one case only ends in mortality; as for gallstones, they are considered such a trifle that no one even writes about them. Syphilis can be radically cured. And what about the theory of heredity, and hypnotism, the discoveries of Pasteur and Koch, hygiene and its statistics? What about the county medical centers in Russia? Psychiatry, with its present classification of derangements, its methods of investigation and treatment—why, by comparison with what used to be, it towers nothing short of the Elbruz. The heads of the insane are no longer doused with cold water, nor are they strapped into straitjackets; they are maintained humanely and, actually (so the newspapers write), theatrical entertainments and balls are arranged for them. Andrew Ephimich knows that, judged by present-day views and tastes, such an abomination as Ward No. 6 is possible only a hundred and twenty-five miles from any railroad, in a miserable little town where the mayor and all the councilmen are semiliterate burghers who regard a physician as a high priest who must be believed without any criticism, even though he were to pour molten lead into your mouth; in any other place the public and the newspapers would long since have left not one stone of this little Bastille standing upon another.

"But what of it?" Andrew Ephimich asks himself, opening his eyes. "What of all this? There are antiseptics, and Koch, and Pasteur, yet in substance the business hasn't changed in the least. Ill-health and mortality are still the same. Balls and theatrical entertainments are arranged for the insane—but, just the same, they're not allowed to go free. Therefore, everything is bosh and pother and, substantially, there's no difference between the best clinic in Vienna and my lazar-house."

However, sorrow and a feeling resembling envy hinder him from being indifferent. This, probably, is due to fatigue. His ponderous head droops toward the book;

he places his hands under his face, to make it more comfortable, and reflects:

"I am serving an evil cause, and receive my salary from people whom I dupe: I am not honest. But then I, by myself, am nothing; I am but a particle of a necessary social evil: all the district bureaucrats are harmful and receive their salaries for nothing. Therefore, it is not I who am to blame for my dishonesty but the times. . . . Were I to be born two hundred or so years from now, I would be an honest man."

When three o'clock strikes he puts out the lamp and goes to his bedroom. He does not feel sleepy.

VIII

Two years before the county administration had had a fit of generosity and had voted a yearly appropriation of three hundred rubles as a subsidy for the enlargement of the medical personnel in the town hospital, until such time as the county hospital would be opened, and so the district doctor, Eugene Fedorich Hobotov, was invited to the town to assist Andrew Ephimich. Eugene Fedorich is still a young man, not even thirty yet; he is tall, dark-haired, with broad cheekbones and tiny eyes: probably his ancestors were aliens. He arrived in town without a copper, with a wretched little handbag and a young, homely woman, whom he calls his cook. This woman has a breast baby. Eugene Fedorich walks about in high boots and a round cap with a stiff brim and, in winter, in a short fur-lined coat. He has become very chummy with Serghei Sergheich, the assistant doctor, and with the treasurer; but as for the other officials, he for some reason or other calls them aristocrats and steers clear of them. In his entire flat he has exactly one book: *The Latest Prescriptions of the*

Vienna Clinic for 1881. Whenever he goes to call on a patient he infallibly takes this book along with the rest of his equipment. Of evenings, at the club, he plays billiards, but he does not like cards. He is very fond of interlarding his conversation with such phrases as "Long drawn out mess," "Poppycock oil," "That'll do you, trying to pull the wool over my eyes," and so forth.

He visits the hospital twice a week, makes the round of the wards and receives the patients. The complete absence of antiseptics and the presence of cupping-glasses arouse his indignation, but he does not introduce any new ways, being afraid of offending Andrew Ephimich thereby. He considers his colleague Andrew Ephimich an old knave, suspects him of having large means and, in secret, envies him. He would be willing enough to step into his place.

IX

On a certain evening in spring, when there was no longer any snow on the ground and the starlings were singing in the hospital garden, the doctor stepped out to see his friend the postmaster to the gate. Precisely at that moment the Jew Moisseika was entering the yard, returning from his foraging. He was hatless and had shallow galoshes on his bare feet, and was holding a small sack with the alms.

"Gimme a copper!" He turned to the doctor; he was shivering from the cold and smiling.

Andrew Ephimich, who never refused anybody, gave him a ten-kopeck silver coin.

"How bad that is," he thought, glancing at the bare legs, with red, bony ankles. "Why, it's wet out."

And, moved by a feeling which resembled both pity and squeamishness, he set out for the hospital wing after the Jew, glancing now at his bald spot, now at his ankles. At the doctor's entrance Nikita jumped up from his mound of rubbish and drew himself up at attention.

"How do, Nikita," Andrew Ephimich said softly. "What about issuing a pair of boots to this Jew, or something of that sort—for he's likely to catch cold."

"Right, Your Honor. I'll report it to the superintendent."

"Please do. Ask him in my name. Say I asked him to do it."

The entry door was open into the ward. Ivan Dmitrich, lying on his bed and propped up on an elbow, was listening uneasily to the unfamiliar voice, and suddenly recognized the doctor. His whole body began to quiver with wrath; he sprang up and, with a red, angry face, his eyes bulging, ran out into the middle of the ward.

"The doctor has come!" he cried out, and burst into laughter. "At last! Gentlemen, I felicitate you—the doctor is honoring you by his visit! You damned vermin!" he screeched, and stamped his foot in such fury as no one in the ward had ever seen before. "This vermin ought to be killed! No, killing him is not enough! He ought to be drowned in the privy!"

Andrew Ephimich, who had heard this, peeped out into the ward from the entry and asked gently:

"For what?"

"For what?" cried out Ivan Dmitrich, walking up to him with a threatening air and convulsively drawing his robe about him. "For what? You thief!" he uttered with revulsion and shaping his lips as if he wanted to spit. "Quack! Hangman!"

"Calm yourself," said Andrew Ephimich with a guilty smile. "I assure you I have never stolen anything; as for the rest, you probably exaggerate greatly. I can see that you are angry at me. Calm down if you can, I beg of you, and tell me without any heat what you are angry at me for."

"Well, why do you keep me here?"

"Because you are unwell."

"Yes—unwell. But then scores, hundreds of madmen are going about in full freedom, because your ignorance is incapable of distinguishing them from normal people. Why then must I, and all these unfortunates sit here, like so many scapegoats for everybody? You, your assistant doctor, the superintendent, and all your hospital riff-raff are, as far as morals are concerned, immeasurably beneath each one of us: why, then, are we sitting here and not the whole lot of you? Where's the logic in that?"

"A moral attitude and logic have nothing to do with all this. Everything depends on chance. He who has been placed in here stays here, while he who hasn't been placed here goes about in full freedom: that's all there is to it. In the fact that I am a doctor and you are a psychopathic case there is neither morality nor logic, but only trivial chance."

Moisseika, whom Nikita had been too bashful to search in the doctor's presence, had spread out on his bed pieces of bread, scraps of paper and little bones and, still shivering from the cold, began saying something in Hebrew, rapidly and in sing-song. Probably he had gotten the idea that he had opened a shop.

"Let me out," said Ivan Dmitrich, and his voice quavered.

"I can't."

"But why? Why?"

"Because that isn't in my power. Judge for yourself: what good would it do you if I were to let you out? Go ahead. The people in town and the police will detain you and send you back."

"Yes, yes, that's true enough," Ivan Dmitrich managed to say, and rubbed his forehead. "This is horrible! But what am I to do? What?"

The voice of Ivan Dmitrich, and his youthful, clever face with its grimaces proved to the doctor's liking. He felt an impulse to be kind to him and to calm him. He sat down next to him on the bed, thought a while, and said:

"You ask, what's to be done? The best thing to do in your situation is to escape from here. But, regrettably, that is useless. You would be detained. When society fences itself off from criminals, psychopaths, and people who are generally embarrassing, it is insuperable. There is but one thing left for you: to find reassurance in the thought that your staying here is necessary."

"It isn't necessary to anybody."

"Since prisons and madhouses exist, why, somebody is bound to sit in them. If not you, then I; if not I, then some third person. Bide your time; when in the distant future prisons and madhouses will have gone out of existence, there will be no more bars on windows, nor hospital robes. Of course, sooner or later, such a time will come."

Ivan Dmitrich smiled mockingly.

"You jest," said he, puckering his eyes. "Such gentry as you and your helper, Nikita, have nothing to do with the future; but you may rest assured, my dear sir, that better times will come! I may be expressing myself in a banal way—laugh, if you like—but the dawn of a new life will shine forth, truth will rise triumphant—and then it will be our turn to rejoice. I will not live to see the day, I will have perished even as animals perish—but then somebody's grandchildren will live to see it. I hail them with all my soul, and I rejoice—I rejoice for them! Onward! May God be with us and help us, my friends!"

Ivan Dmitrich, his eyes shining, stood up and, stretching his arms out toward a window, continued with excitement in his voice:

"From behind these window-bars I bless you! May truth prevail! I rejoice!"

"I can't find any particular cause for rejoicing," said Andrew Ephimich, whom Ivan Dmitrich's gesture had struck as theatrical while, at the same time, it had been very much to his liking. "There will be a time when jails and madhouses will no longer exist and truth, as you were pleased to put it, will rise triumphant; but then, the substance of things will not have changed; the laws of nature will still remain the same. Men will ail, will grow old, and die, even as they do now. No matter how magnificent a dawn may be illuminating your life, after all is said and done you will be nailed up in a coffin just the same and then pitched into a hole in the ground."

"But what of immortality?"

"Oh, come, now!"

"You do not believe; but then I do. Dostoevsky or Voltaire makes somebody say that if there were no God, men would have to invent Him. And I believe profoundly that if there is no immortality, some great human mind will, sooner or later, invent it."

"Well put," Andrew Ephimich let drop, with a smile of pleasure. "It's a good thing, your having faith. With such a faith one can live as snug as a bug in a rug even bricked up in a wall. Did you receive your education anywhere in particular?"

"Yes; I attended a university, but did not graduate."

"You are a thinking and meditative person. You are capable of finding tranquility within your own self, in any environment. Free and profound reasoning, which strives toward a rationalization of life, and a complete contempt for the foolish vanities of this world: there you have two blessings, higher than which no man has known. And you can possess them, even though you live behind triple bars. Diogenes lived in a tun—yet he was happier than all the princes of this earth."

"Your Diogenes was a blockhead," Ivan Dmitrich said morosely. "Why do you talk to me of Diogenes and of some rationalization or other?" he suddenly became angry and sprang up. "I love life—love it passionately! I have a persecution mania, a constant, excruciating fear; yet there are moments when I am overwhelmed by a thirst for life, and then I am afraid of going out of my mind. I want to live—I want to terribly, terribly!"

In his agitation he took a turn about the ward and then said, lowering his voice:

"When I am in a reverie, I am visited by phantoms. Some people or other come to me; I hear voices, music, and it seems to me that I am strolling through some sort of woods, or along the shore of a sea, and I feel such a passionate yearning for worldly vanity, for striving. . . . Tell me, now, what's new there?" asked Ivan Dmitrich. "What's going on there?"

"Do you want to know about the town, or about things in general?"

"Well, tell me about the town first, and then about things in general."

"What can I tell you, then? It is oppressively dreary in the town. There's nobody to exchange a word with, nobody one can listen to. There are no new faces. However, a young physician arrived recently—a certain Hobotov."

"He arrived even in my time. What sort of a fellow is he—a lout?"

"Yes, he is not a man of culture. It's odd, don't you

know . . . judging by all things, there is no mental stagnation in our capital cities, everything is in motion there; consequently, there also must be real people there—but for some reason or other they always send to us such men as one would rather not even look at. What an unfortunate town!"

"Yes, what an unfortunate town!" Ivan Dmitrich sighed, and began to laugh. "But how are things in general? What do they write in the newspapers and magazines?"

It was dark by now in the ward. The doctor got up and, standing, began telling the madman what was being written abroad and in Russia, and what trend of thought was to be noticed now. Ivan Dmitrich listened attentively and put questions, but suddenly, as though having recalled something horrible, clutched his head and lay down on his bed, with his back to the doctor.

"What is the matter with you?" asked Andrew Ephimich.

"You won't hear another word out of me!" Ivan Dmitrich said rudely. "Leave me alone!"

"But why?"

"Leave me, I tell you! What the devil!"

Andrew Ephimich shrugged his shoulders, sighed, and walked out. On his way through the entry he said:

"What about cleaning up a bit, Nikita? There's a terribly oppressive odor here."

"Right, Your Honor."

"What an agreeable young man!" reflected Andrew Ephimich, as he was going to his quarters. "All the time I've been living here this would seem to be the first man with whom one could chat. He knows how to talk about things, and is interested in precisely the right ones."

While he was reading and later, as he was going to bed, he kept thinking all the time of Ivan Dmitrich, and on awaking the next morning he recalled that he had made the acquaintance of an intelligent and interesting man yesterday, and decided to drop in on him once more at the first opportunity.

X

Ivan Dmitrich was lying in the same pose as yesterday, his hands clutching his head and with his legs tucked up. One could not see his face.

"Good day, my friend," said Andrew Ephimich. "You aren't sleeping?"

"In the first place I am not your friend," Ivan Dmitrich spoke into his pillow, "and, in the second, you are putting yourself out for nothing: you won't get a single word out of me."

"How odd—" Andrew Ephimich muttered in embarrassment. "Yesterday we were conversing so peacefully, but suddenly you took offense for some reason and at once cut our conversation short. Probably I must have expressed myself clumsily, somehow, or perhaps have come out with some idea incompatible with your convictions—"

"Oh, yes—catch me believing you, just like that!" said Ivan Dmitrich, raising himself and regarding the doctor mockingly and in disquiet; his eyes were red. "You can go and do your spying and interrogating somewhere else, but there's nothing for you to do here. I understood even yesterday what you had come here for."

"What a strange fancy!" smiled the doctor. "That means you take me for a spy?"

"Yes, I do. Either a spy or a doctor assigned to testing me—it's all one."

"Oh, come, you must excuse me for saying so, but really—what an odd fellow you are!"

The doctor seated himself on a tabouret next to the madman's bed and shook his head reproachfully.

"Well, let's suppose you are right," he said. "Let's suppose that I am treacherously trying to trip you up on something you say, so as to betray you to the police. You are arrested and then brought to trial. But then, will you be any worse off in the courtroom and in prison than you are here? And even if they send you away to live in some remote part of Siberia, or to penal servitude—would that be worse than sitting here, in this hospital wing? I don't think it would be. What, then, is there to fear?"

Evidently these words had an effect on Ivan Dmitrich. He sat up, reassured.

It was five in the afternoon—the time when Andrew Ephimich, as a rule, was pacing through his rooms, and Dariushka was asking him if it weren't time for his beer. It was calm, clear out of doors.

"I happened to go out for a walk after dinner, and just dropped in on you, as you see," said the doctor. "It's actually spring out."

"What month is it now? March?" asked Ivan Dmitrich.

"Yes—the end of March."

"Is it muddy out?"

"No, it's not so bad. You can see the paths in the garden."

"It would be fine to drive a carriage now, somewhere outside the town," said Ivan Dmitrich, rubbing his red eyes, just as though he were coming out of his sleep, "then to come home to a warm, cozy study and . . . to take treatments for headaches from a decent doctor.

. . . It's a long while since I have lived like a human being. But everything here is abominable! Unbearably abominable!"

After the excitement of yesterday he was fatigued and listless, and spoke unwillingly. His fingers were shaky, and one could see by his face that his head ached badly.

"Between a warm, cozy study and this ward there is no difference whatsoever," said Andrew Ephimich. "A man's tranquility and contentment lie not outside of him but within his own self."

"Just how do you mean that?"

"The ordinary man expects that which is good or bad from without—from a carriage and a study, that is; whereas a thinking man expects it from his own self."

"Go and preach that philosophy in Greece, where it is warm and the air is filled with the fragrance of oranges, but here it is not in keeping with the climate. Whom was I speaking with about Diogenes? Was it you, by any chance?"

"Yes, it was with me—yesterday."

"Diogenes had no need of a study and of warm quarters—it's hot enough there as it is. Just lie in your tub and eat oranges and olives. But had he chanced to live in Russia he would be begging his head off for a room not only in December but even in May. Never fear, he would be perishing from the cold."

"No. It is possible not to feel the cold, as well as every pain in general. Marcus Aurelius has said: 'Pain is a living conception of pain; exert thy will, in order to change this conception; put it away from thee, cease complaining, and the pain shall vanish,'[1] which is true

---

[1] The references to pain in Marcus Aurelius (Book VII, 33, 64 and VIII, 28) have nothing quite corresponding to this, in either the Jeremy Collier or the George Long version.—*Trans.-Ed.*

enough. A sage, or simply a thinking, meditative man, is distinguished precisely by his holding suffering in contempt; likewise, he is always content, and is not astonished by anything."

"That means I am an idiot, since I suffer, feel discontent, and am astonished at human baseness."

"You are wrong in saying so. If you will think deeply and often, you will comprehend how insignificant are all these matters which perturb you. One must strive toward a rationalization of life; therein lies the true good."

"Rationalization—" Ivan Dmitrich made a wry face. "The inward, the outward. . . . Pardon me, I don't understand it. All I know," he said, getting up and regarding the doctor angrily, "is that God created me out of warm blood and nerves—yes! And organic tissue, if it be imbued with life, must react to every irritant. And I do react! To pain I respond by screaming and tears; to baseness, by indignation; to vileness, by revulsion. According to me that, precisely, is what they call life. The lower the organism the less sensitive it is, and the more weakly does it respond to irritation, and the higher it is the more receptively and energetically does it react to reality. How can one be ignorant of that? You are a doctor—and yet you don't know such trifles! In order to despise sufferings, to be always content and never astonished at anything, one must reach such a state as this—" and Ivan Dmitrich indicated the obese muzhik, bloated with fat—"or else one must harden one's self through sufferings to such a degree as to lose all sensitivity to them: that is, in other words, cease to live. Pardon me, I am no sage and no philosopher," Ivan Dmitrich went on with irritation, "and I understand nothing of all this. I am in no condition to reason."

"On the contrary, you reason splendidly."

"The Stoics, whom you parody, were remarkable men; but their teaching had congealed even two thousand years ago and hasn't advanced by a jot, nor will it advance, since it is not practical and does not pertain to life. It succeeded only with a minority, with those who spend their time in dabbling in and smacking their lips over all sorts of teachings; as for the majority, it never did understand it. A teaching which preaches indifference to riches, to the comforts of life, a contempt for sufferings and death, is altogether incomprehensible to the vast majority, since this majority has never known either riches or the comforts of life; and as for despising sufferings, that would mean for it to despise life itself, since all of man's nature consists of sensations of hunger, cold, affronts, losses and a Hamletian trepidation in the face of death. All life consists of these sensations: one may find it burdensome, may hate it, but never despise it. Yes. And so I repeat: the teaching of the Stoics can never have a future; but, as you can see, the things that have been progressing from the start of time to this day are struggle, a keen sensitivity to pain, the ability to respond to irritation—"

Ivan Dmitrich suddenly lost the thread of his thought, stopped, and rubbed his forehead in vexation.

"I wanted to say something important but got off the track," he said. "What was I talking about? Oh, yes! And so I say: one of the Stoics had sold himself into bondage in order to redeem a fellow-man. There, you see: it means that even a Stoic reacted to an irritant, since for such a magnanimous act as self-abnegation for a fellow-man one must have a soul that has been aroused to indignation, that is compassionate. Here, in this prison, I have forgotten everything I learned, or else I would have recalled a thing or two besides. And what about Christ? Christ responded to reality by weeping, smiling, grieving, raging—even yearning; He went to meet sufferings with a smile and did not despise death, but prayed in the Garden of Gethsemane that *this cup* might pass from Him!"

Ivan Dmitrich laughed and sat down.

"Let us suppose that man's tranquility and contentment are not outside of him but within his own self," he said. "Let us suppose that one ought to despise sufferings and be astonished at nothing. However, on what basis do *you* preach that? Are you a sage? A philosopher?"

"No, I am not a philosopher; but every man should preach this, because it is reasonable."

"No—what I want to know is why, in these matters of rationalization, contempt for pain, and so forth, you deem yourself competent? Why, have you ever suffered? Have you any conception of sufferings? Pardon me—but were you ever whipped as a child?"

"No; my parents had a deep aversion for corporal punishment."

"Well, my father beat me cruelly. My father was a willful, hemorrhoidal bureaucrat, with a long nose and a yellow neck. However, let's speak about yourself. In all your life no one has ever laid a finger on you, no one frightened you or repressed you with beatings; you are as healthy as a bull. You grew up sheltered under your father's wing and studied at his expense and then, right off, grabbed this sinecure. You have, for more than twenty years, been living in free quarters, with heat and light and servants thrown in, having at the same time the right of working as you liked and only as much as you liked—even to the extent of not working at all. You are, by nature, a lazy, flabby fellow, and therefore you tried to arrange your life so that nothing might perturb you or dislodge you from your place. Your work you turned over to the assistant doctor and the other riff-raff, while you yourself sat in warmth and in quiet, saving up money, reading your books, finding delectation in reflections concerning all sorts of elevated twaddle and [here Ivan Dmitrich glanced at the doctor's rubicund nose] tippling. In a word, you haven't seen life, don't know it perfectly, and when it comes to reality you have only a theoretical acquaintance with it. And as for your contempt of sufferings and your being astonished at nothing, that's all due to a very simple cause: vanity of vanities, internality and externality, contempt for life and death, rationalization, the true good—all these form the most suitable philosophy for the Russian sluggard.

"You may, for example, see a muzhik beating his wife. Why intervene? Let him beat her: both are bound to die anyway, sooner or later, and besides, he who is doing the beating is wronging by his beatings not the one whom he is beating but himself. To be a drunkard is stupid, indecent—yet if one drinks one dies and if one does not drink one dies. A countrywoman comes to you—her teeth are aching. . . . Well, what of it? Pain is but a concept of pain and, on top of that, in this world one can't go through life without illnesses, we've all got to die, and so get you gone, woman, don't interfere with my cogitating and drinking vodka. A young man comes seeking advice as to what he is to do, how he is to live; before answering him another man would go off into deep thought, but you already have an answer all pat: Strive toward rationalization, or toward the true good. But just what is this fantastic *true good?* There is no answer, of course. We are kept here behind iron bars; we are forced to rot, we are mocked and tortured—but that is all splendid and reasonable, inasmuch as, between this ward and a warm, cozy study, there is no difference whatsoever. A handy philosophy: there's not a thing to be done, and one's conscience is clear, and one feels he is a sage. No, my dear sir, this is not philosophy, not reflection, not breadth of view but laziness, fakirism, a somnolent daze. . . . Yes!" Ivan Dmitrich again became angry, "You despise sufferings—but if someone happened to pinch your finger in a door you would yell your head off!"

"And then, again, perhaps I wouldn't yell," said Andrew Ephimich, smiling meekly.

"Oh, yes, to be sure! But, were you to be struck all of a heap by paralysis or, let's say, if some brazen fool, taking advantage of his position and rank, were to insult you publicly, and you knew that he would get away with it—why, you would understand then what it means to refer others to rationalization and the true good."

"That is original," said Andrew Ephimich, laughing from pleasure and rubbing his hands. "I am agreeably struck by your inclination toward generalizations, while the character sketch of me which you were kind enough to make just now is simply brilliant. I must confess that conversing with you affords me enormous pleasure. Well, I have heard you out to the end; I hope you will now be inclined to hear me out—"

XI

This conversation went on for about an hour more and, evidently, made a profound impression on Andrew Ephimich. He took to dropping in at the hospital wing every day. He went there of mornings and after dinner, and often the dusk of evening would find him still conversing with Ivan Dmitrich. At first Ivan Dmitrich had fought shy of him; he suspected him of some evil design and frankly expressed his hostility; later on, however, he became used to him and changed his harsh attitude to a condescendingly ironical one.

It was not long before a rumor spread all through the hospital that Doctor Andrew Ephimich had taken to frequenting Ward No. 6. Nobody—neither the assistant doctor, nor Nikita, nor the nurses—could understand why he went there, why he sat there for hours on end, what he spoke about, and why he did not write out any prescriptions. His actions seemed queer. Many times Michael Averianich failed to find him at home, something that had never happened before, and Dariushka was very much put out because the doctor drank his beer no longer at the designated time, and occasionally was actually late for dinner.

Once (this was already toward the end of June) Doctor Hobotov dropped in at Andrew Ephimich's about something; not finding him at home, he set out to look for him in the courtyard; there he was told that the old doctor had gone to see the psychopathic cases. As he entered the wing and paused in the entry, Hobotov heard the following conversation:

"We shall never sing the same tune, and you won't succeed in converting me to your belief," Ivan Dmitrich was saying in irritation. "You are absolutely unfamiliar with reality and you have never suffered but, like a leech, have merely found your food in the proximity of the sufferings of others, whereas I have suffered ceaselessly from my birth to this very day. Therefore I say frankly: I consider myself superior to you and more competent in all respects. It isn't up to you to teach me."

"I do not at all presume to convert you to my belief," Andrew Ephimich let drop quietly and with regret because the other did not want to understand him. "And that's not where the gist of the matter lies, my friend. It does not lie in that you have suffered, whereas I have not. Sufferings and joys are transitory; let's drop them—God be with them. But the gist of the matter does lie in that you and I do reason; we see in each other someone who can think and reason, and this makes for unity between us, no matter how divergent our views may be. If you only knew how fed up I have become with the general insanity, mediocrity, stolidity, and what a joy it is each time I converse with you! You are an intelligent man, and I find you delightful."

Hobotov opened the door an inch or so and peered into the ward: Ivan Dmitrich in his nightcap and Doctor Andrew Ephimich were sitting side by side on the bed. The madman was grimacing, shuddering and convulsively muffling himself in his bathrobe, while the doctor sat motionless, with his head sunk on his chest, and his face was red, helpless and sad. Hobotov shrugged his shoulders, smiled sneeringly and exchanged glances with Nikita. Nikita, too, shrugged his shoulders.

The next day Hobotov came to the wing with the assistant doctor. Both stood in the entry and eavesdropped.

"Why, it looks as if our grandpa has gone off his nut completely!" Hobotov remarked as they were leaving the wing.

"The Lord have mercy upon us sinners!" sighed the benign-visaged Serghei Sergheich, painstakingly skirting the small puddles so as not to soil his brightly polished shoes. "I must confess, my dear Eugene Fedorovich, I have been long anticipating this!"

XII

After this Andrew Ephimich began to notice a certain atmosphere of mysteriousness all around him. The orderlies, the nurses, and the patients, whenever they came across him, glanced at him questioningly and then fell to whispering among themselves. Masha, the superintendent's little daughter, whom he liked to come upon in the garden, whenever he approached her now with a smile to pat her little head, would run away from him for some reason or other. Michael Averianich, the postmaster, whenever he was listening to the doctor no longer said "Absolutely correct!" but kept mumbling "Yes, yes, yes . . ." in incomprehensible confusion and regarded him thoughtfully and sadly; for some reason he took to advising his friend to leave vodka and beer alone, but in doing so did not speak directly, since he was a man of delicacy, but in hints, telling him now about a certain battalion commander, a splendid person, now about a regimental chaplain, a fine fellow, both of whom had been hard drinkers and had fallen ill; after leaving off drink, however, they had gotten perfectly well. Andrew Ephimich's colleague, Hobotov, dropped in on him two or three times; he, too, advised him to leave spirituous drinks alone and, without any apparent reason, recommended him to take potassium bromid.

In August Andrew Ephimich received a letter from the mayor, requesting the doctor to call on him concerning a very important matter. On arriving at the appointed time in the city offices Andrew Ephimich found there the head of the military, the civilian inspector of the county school, a member of the city council, Hobotov, and also some gentleman or other, stout and flaxen-fair, who was introduced to him as a doctor. This doctor, with a Polish name very hard to pronounce, lived some twenty miles out of town, on a stud-farm, and happened to be passing through the town just then.

"There's a little report here, dealing with your department," said the member of the city council to Andrew Ephimich, after they had all exchanged greetings and seated themselves around a table. "Eugene Fedorovich here tells us the pharmacy is in rather cramped quarters in the main building, and that it ought to be transferred into one of the wings. Of course, that's nothing—one can transfer it, right enough; but the main thing is, the wing will require alterations."

"Yes, it can't be done without alterations," said Andrew Ephimich, after a little thought. "If the corner wing, for instance, were to be fitted out as a pharmacy, it would, I suppose, require five hundred rubles, at a minimum. An unproductive expenditure."

They were all silent for a little while.

"I have already had the honor of submitting a report ten years ago," Andrew Ephimich went on in a quiet voice, "that this hospital, in its present state, appears to be a luxury for this town beyond its resources. It was built in the forties—but at that time the resources were different from what they are now. The town is spending too much on unnecessary buildings and superfluous posts. I think that, under different conditions, two model hospitals could be maintained for the same money."

"There, you just try and set up different conditions!" the member of the city council said with animation.

"I have already had the honor of submitting a report: transfer the medical department to the supervision of the county."

"Yes: transfer the money to the county—and the county will steal it," the flaxen-fair doctor broke into laughter.

"Which is the way of things," concurred the member of the city council, and laughed in his turn.

Andrew Ephimich threw a listless and dull glance at the flaxen-fair doctor and said:

"We must be just."

They were again silent for a little while. Tea was

served. The head of the military, who for some reason was very much embarrassed, touched Andrew Ephimich's hand across the table and said:

"You have forgotten us altogether, Doctor. However, you are a monk; you don't play cards, you don't like women. You must feel bored with us fellows."

They all began speaking of how boresome life was for a decent person in this town. No theater, no music, while at the last evening dance given at the club there had been about twenty ladies and only two gentlemen. The young people did not dance but were clustered around the buffet all the time or playing cards. Andrew Ephimich slowly and quietly, without looking at anybody, began saying what a pity, what a profound pity it was that the people in town were expanding their life energy, their hearts and their minds, on cards and gossiping, but neither could nor would pass their time in interesting conversation and in reading, they would not avail themselves of the pleasures which the mind affords. The mind alone is interesting and remarkable; as for everything else, it is petty and base. Hobotov was listening attentively to his colleague and suddenly asked:

"Andrew Ephimich, what's today's date?"

Having received his answer he and the flaxen-fair doctor proceeded, in the tone of examiners conscious of their lack of skill, to ask Andrew Ephimich what day it was, how many days there were in the year, and whether it was true that there was a remarkable prophet living in Ward No. 6.

In answering the last question Andrew Ephimich turned red and said:

"Yes, he is ill, but he is an interesting young man."

No further questions were put to him.

As the doctor was putting on his overcoat in the

foyer, the head of the military put his hand on his shoulder and said with a sigh:

"It's time we old fellows were given our rest!"

When he had come out of the city offices Andrew Ephimich grasped that this had been a commission appointed to examine his mental faculties. He recalled the questions that had been put to him, turned red and for some reason felt, for the first time now, bitterly sorry for medicine.

"My God!" he reflected, recalling how the physicians had been putting him through a test just now. "Why, they were attending lectures on psychiatry not so long ago, they had to pass examinations—whence, then, comes this all-around ignorance? They haven't the least conception of psychiatry!"

And, for the first time in his life, he felt himself insulted and angered.

That same day, in the evening, Michael Averianich dropped in on him. Without exchanging greetings, the postmaster walked up to him, took both of his hands, and said in an agitated voice:

"My dear friend, prove to me that you believe in my good intentions and consider me your friend. . . . My friend!" And, preventing Andrew Ephimich from saying anything, he went on, still agitated: "I love you because of your culture and the nobility of your soul. Do listen to me, my dear fellow. The ethics of science obligate doctors to conceal the truth from you but, military fashion, I tell the truth and shame the devil—you are not well! Excuse me, my dear fellow, but that's the truth: all those around you have noticed it long ago. Just now Doctor Eugene Fedorovich was telling me that for the sake of your health you absolutely must take a rest and have some diversion. Absolutely correct! Excellent! In a few days I'll take a leave of absence and go away for a change of air. Prove to me that you are my friend—let's go somewhere together! Let's go—and recall the good old days!"

"I feel myself perfectly well," Andrew Ephimich said, after thinking a while. "But as for going somewhere, that's something I can't do. Do let me prove my friendship for you in some other way."

To be going off somewhere, for some unknown reason, without books, without Dariushka, without beer, breaking off sharply the order of life established through twenty years—the very idea struck him, at the first moment, as wild and fantastic. But he recalled the conversation that had taken place in the city offices and the oppressive mood which he had experienced on his way home from there, and the thought of going away for a short time from the town where stupid people considered him mad appealed to him.

"But where, in particular, do you intend going?" he asked.

"To Moscow, to Peterburg, to Warsaw! I spent five of the happiest years of my life in Warsaw. What an amazing city! Let's go, my dear fellow!"

XIII

A week later it was suggested to Andrew Ephimich that he take a rest—that is, that he hand in his resignation, something which he regarded apathetically—and after another week he and Michael Averianich were already seated in a posting tarantass, bound for the nearest railroad station. The days were cool, clear, with blue skies and a transparent vista. The one hundred and twenty-five miles to the station they covered in two days, and on the way stopped over twice for the night. When, at the posting stations, their tea was served in badly washed tumblers, or too much time was spent in harnessing the horses, Michael Averianich turned purple, his whole body shook, and he shouted "Quiet, you! Don't you dare to argue!" And when he was seated in the tarantass he kept talking without a minute's rest about his journeys through the Caucasus and the Kingdom of Poland. How many adventures there had been, and what encounters! He spoke loudly and, as he spoke, such an astonished look came into his eyes that one might have thought he was lying. To top it off, in the heat of his story-telling he breathed right in Andrew Ephimich's face and laughed in his very ear. This embarrassed the doctor and hindered him from thinking and concentrating.

For reasons of economy they went by third class on the train, in a car where smoking was not permitted. The passengers were halfway decent. Michael Averianich in a short while became well acquainted with all of them and, passing from seat to seat, declared loudly that such exasperating roads ought not to be patronized. All-around knavery! Riding horseback, now, was an altogether different matter: you could cover sixty-five miles in a single day and still feel yourself hale and hearty. As for the poor crops we've been having, that was due to the Pinsk swamps having been drained. As a general thing, everything was at sixes and at sevens—frightfully so. He grew heated, spoke loudly, and gave no chance to the others to say anything. This endless chatter, alternating with loud laughter and expressive gestures, wearied Andrew Ephimich.

"Which one of us two is the madman?" he reflected with vexation. "Is it I, who am trying not to disturb the passengers in any way, or is it this egoist, who thinks he is more intelligent and interesting than all those here, and therefore will not give anybody any rest?"

In Moscow Michael Averianich donned a military frockcoat without any shoulder-straps and trousers with red piping. He went through the streets in a military cap and a uniform overcoat, and the soldiers saluted him. To Andrew Ephimich he now seemed a man who out of all the seigniorial ways that had been his had squandered all that was good and had retained only that which was bad. He loved to be waited on, even when it was unnecessary. Matches might be lying on the table right in front of him, and he saw them, yet he would shout to a waiter to bring him some; he was not at all embarrassed about walking around in nothing but his underwear before a chambermaid; he addressed all waiters indiscriminately—even the old men—as patent inferiors and, if angered, called them blockheads and fools. This, as it seemed to Andrew Ephimich, was seigniorial, yet vile.

First of all Michael Averianich led his friend off to the Iverskaya Church. He prayed ardently, bowing to the very ground and shedding tears and, having done, sighed profoundly and said:

"Even though you may not believe, yet you feel more at peace, somehow, after praying. Kiss the image, my dear friend."

Andrew Ephimich became embarrassed and kissed the holy image, while Michael Averianich puckered up his lips and, shaking his head, offered up a whispered prayer, and tears again welled up in his eyes.

Next they went to the Kremlin and had a look at the Czar-Cannon and the Czar-Bell and even touched them; they admired the view of Moscow-beyond-the-River, visited the Temple of the Saviour and the Rumyantzev Museum.

They dined at Testov's. Michael Averianich studied

the menu for a long spell, and said to the waiter in the tone of a gourmet used to feeling himself at home in restaurants:

"Let's see what you will feed us with today, my angel!"

XIV

The doctor went about, saw the sights, ate and drank, yet he had but one feeling: that of vexation at Michael Averianich. He longed for a rest from his friend, to get away from him, to hide himself, whereas his friend considered it his duty not to let the doctor go a step from his side and to provide him with as many diversions as possible. When there were no sights to see he diverted him with conversations. Andrew Ephimich stood this for two days, but on the third he informed his friend that he was ill and wanted to stay in all day. His friend said that in that case he, too, would stay. Really, one had to rest up, otherwise you would run your legs off. Andrew Ephimich lay down on the divan, with his face toward its back and, with clenched teeth, listened to his friend, who assured him ardently that France was inevitably bound to smash Germany, sooner or later, that there were ever so many swindlers in Moscow, and that you can't judge the good points of a horse just by its looks. The doctor's ears began to buzz and his heart to pound but, out of delicacy, he could not find the resolution to ask his friend to go away or to keep still. Fortunately, Michael Averianich grew bored with being cooped up in the hotel room and, after dinner, he went out for a stroll.

Left alone, Andrew Ephimich gave himself up to a feeling of repose. How pleasant to lie motionless on a divan and realize that you were alone in the room! True happiness is impossible without solitude. The Fallen Angel must have betrayed God probably because he had felt a desire for solitude, which the angels know naught of. Andrew Ephimich wanted to think over that which he had seen and heard during the last few days, yet he could not get Michael Averianich out of his head.

"And yet he took a leave of absence and went on this trip with me out of friendship, out of magnanimity," the doctor reflected with vexation. "There's nothing worse than this friendly guardianship. There, now, it would seem he is kindhearted and magnanimous and a merry fellow, and yet he's a bore. An unbearable bore. In precisely the same way there are people whose words are always intelligent and meritorious, yet one feels that they are dull people."

During the days that followed Andrew Ephimich claimed he was ill and did not leave the hotel room. He lay with his face toward the back of the divan and was on tenter-hooks whenever his friend was diverting him with conversations, or rested when his friend was absent. He was vexed with himself for having gone on this trip, and he was vexed with his friend, who was becoming more garrulous and familiar with every day. No matter how hard the doctor tried he could not succeed in attuning his thoughts to a serious, exalted vein.

"This is that reality Ivan Dmitrich spoke of, which is getting me down so," he mused, angry at his own pettiness. "However, that's nonsense. I'll come home, and then things will go on in their old way again."

In St. Petersburg as well he acted the same way; he did not leave the room for days at a time, lying on the divan and getting up only to drink his beer.

Michael Averianich was rushing him all the time to go to Warsaw.

"My dear fellow, why should I go there?" Andrew Ephimich said time and again in an imploring voice. "Go alone, and do let me go home! I beg you!"

"Under no circumstances!" Michael Averianich protested. "It's an amazing city. I spent five of the happiest years of my life there!"

Andrew Ephimich had not enough firmness of character to insist on having his way and, with what heart he could, went to Warsaw. Here he did not leave his room, lay on the divan, and fumed at himself, at his friend, and at the waiters, who stubbornly refused to understand anything but Polish; Michael Averianich, on the other hand, as hale, sprightly and gay as usual, gallivanted all over the city from morning till night, seeking out his old acquaintances. Several times he passed the night away from the hotel. After one such night he came back early in the morning, in a state of great excitement, red and unkempt. For a long while he kept pacing from corner to corner, muttering something to himself; then he halted and said:

"Honor above all!"

After pacing a little longer, he clutched his head and uttered in a tragic voice:

"Yes—honor above all! May that moment be accursed when it first entered my head to come to this Babylon! My dear friend," he turned to the doctor, "despise me! I have lost—gambling! Let me have five hundred rubles!"

Andrew Ephimich counted off five hundred rubles and handed them without a word to his friend. The latter, still purple from shame and wrath, incoherently uttered some uncalled-for vow, put on his cap and went out. Returning some two hours later, he slumped in an armchair, sighed loudly, and said:

"My honor has been saved! Let us go, my friend! I do not wish to remain another minute in this accursed city. Swindlers! Austrian spies!"

When the friends got back to their town it was already November and its streets were deep in snow. Andrew Ephimich's place had been taken by Hobotov, who was still living in his old rooms while waiting for Andrew Ephimich to come and clear out of the hospital quarters. The homely woman whom he called his cook was already living in one of the hospital wings.

New gossip concerning the hospital was floating through the town. It was said that the homely woman had quarreled with the superintendent and that the latter, it would seem, had crawled on his knees before her, begging forgiveness.

On the very first day of his arrival Andrew Ephimich had to look for rooms for himself.

"My friend," the postmaster said to him timidly, "pardon my indiscreet question: what means have you at your disposal?"

Andrew Ephimich counted his money in silence, and said:

"Eighty-six rubles."

"That's not what I am asking you about," Michael Averianich got out in confusion, without having understood the doctor. "I am asking you, what means you have in general?"

"Why, that's just what I'm telling you: eighty-six rubles. Outside of that I have nothing."

Michael Averianich considered the doctor an honest and noble man, but just the same suspected him of having a capital of twenty thousand at the least. But now, having learned that Andrew Ephimich was a pauper, that he had nothing to live on, he for some reason burst into tears and embraced his friend.

XV

Andrew Ephimich was living in a small house with only three windows, belonging to Belova, a burgher's widow. There were just three rooms in this little house, without counting the kitchen. Two of them, with the windows facing the street, were occupied by the doctor, while Dariushka and the burgher's widow with her three children lived in the third room and the kitchen. Occasionally the landlady's lover, a hard-drinking muzhik, would come to pass the night with her; he was tempestuous of nights and inspired the children and Dariushka with terror. Whenever he came and, planting himself on a chair in the kitchen, started demanding vodka, they would all feel very cramped and, out of pity, the doctor would take the crying children to his rooms, making their beds for them on the floor, and this gave him great satisfaction.

He got up at eight, as before, and after tea would sit down to read his old books and periodicals. By now he had no money for new ones. Either because the books were old, or perhaps because of the change in his environment, reading no longer had as profound a hold on him and tired him out. In order not to spend his time in idleness he was compiling a catalogue *raisonné* of his books and pasting small labels on their backs, and this mechanical, finicky work seemed to him more interesting than reading. The monotonous, finicky work in some incomprehensible fashion lulled his thoughts; he did not think of anything, and the time passed rapidly. Even sitting in the kitchen and cleaning potatoes with Dariushka, or picking the buckwheat grits clean, seemed interesting to him. On Saturdays and Sundays he went to church. Standing close to the wall, with his eyes almost shut, he listened to the chanting and thought of his father, of his mother, of his university, of different religions; he felt at ease and pensive and later, as he left the church, he regretted that the service had ended so soon.

He went twice to the hospital to call on Ivan Dmitrich, to have a chat with him. But on both occasions Ivan Dmitrich had been unusually excited and bad-tempered; he begged to be left in peace, since he had long since wearied of empty chatter, and said that he begged from accursed, vile men but one reward for all his sufferings: solitary confinement. Was it possible that he was being denied even that? On both occasions as Andrew Ephimich was wishing him good night in parting, the madman had snarled back and said:

"Go to the devil!"

And now Andrew Ephimich did not know whether to go to him a third time or not. And yet the wish to go was there.

Formerly, in the interval after dinner, Andrew Ephimich used to pace his rooms and ponder; but now, from dinner until evening tea, he lay on the divan with his face turned to its back, and gave himself up to trivial thoughts, which he could not in any way overcome. He felt aggrieved because he had been given neither a pension nor temporary financial assistance for his service of twenty years. True, he had not served honestly, but then all civil servants receive a pension without any distinction, whether they are honest or not. For contemporary justice consisted precisely in that ranks, decorations and pensions were awarded not for moral qualities or for abilities but for service in general, of whatever sort. Why, then, should he constitute the lone exception? He had no money whatsoever. He felt ashamed whenever he had to pass the general store and see the woman who kept it. By now there were thirty-two rubles owing for the beer. He also owed Belova, the burgher's widow. Dariushka was selling his old clothes and books on the quiet and lying to the landlady that the doctor would be coming into very big money soon.

He was very angry at himself for having spent on the trip the thousand rubles he had hoarded. How handy that thousand would come in now! He felt vexed because people would not leave him in peace. Hobotov considered it his duty to visit his ailing colleague at infrequent intervals. Everything about him aroused aversion in Andrew Ephimich: his well-fed face, and his vile, condescending tone, and the word "colleague," and his high boots; but the most repulsive thing was that he considered himself obliged to treat Andrew Ephimich, and thought that he really was giving him treatment. At his every visit he brought a vial of potassium bromid and some rhubarb pills.

And Michael Averianich, too, considered it his duty to drop in on his friend and divert him. On each occasion he came into Andrew Ephimich's place with an assumed insouciance, laughed boisterously but constrainedly, and fell to assuring him that he looked splendid today and that matters, thanks be to God, were on the mend, and from this one could have concluded that he considered his friend's situation hopeless. He had not yet paid back the debt he had contracted in Warsaw and was crushed by profound shame, on edge, and consequently strove to laugh more loudly and to tell things as amusingly as he could. His anecdotes and stories now seemed endless and were torture both to Andrew Ephimich and to himself.

When he was present Andrew Ephimich would usually lie down on the divan, with his face to the wall, and listen with his teeth clenched; he felt the slag gathering over his soul, layer upon layer, and after his friend's every visit he felt that this slag was rising ever higher and seemed to be reaching his very throat.

In order to drown out these trivial emotions he made haste to reflect that he himself, and Hobotov, and Michael Averianich were bound to perish sooner or later, without leaving as much as an impress upon nature. If one were to imagine some spirit flying through space past the earth a million years hence, that spirit would behold only clay and bare crags. Everything—culture as well as moral law—would perish, and there would not be even a burdock growing over the spot where they had perished. What, then, did shame before the shopkeepers matter, or the insignificant Hobotov, or the oppressive friendship of a Michael Averianich? It was all stuff and nonsense.

But such reflections were no longer of any help. He would no sooner imagine the terrestrial globe a million years hence when, from behind a bare crag, Hobotov would appear in his high boots, or Michael Averianich, guffawing with constraint, and one could even catch his shamefaced whisper: "As for that Warsaw debt, my dear fellow—I'll pay you back one of these days. . . . Without fail!"

XVI

One day Michael Averianich came after dinner, when Andrew Ephimich was lying on the divan. It so happened that Hobotov with his potassium bromid put in his appearance at the same time. Andrew Ephimich rose heavily, sat up, and propped both his hands against the divan.

"Why, my dear fellow," Michael Averianich began,

"your complexion is much better than it was yesterday. Yes, you're looking fine! Fine, by God!"

"It's high time you were getting better, colleague—high time," said Hobotov, yawning. "No doubt you yourself must be fed up with this long drawn out mess."

"And get better we will!" Michael Averianich said gaily. "We'll live for another hundred years! We will that!"

"Well, not a hundred, maybe, but he's still good for another twenty," Hobotov remarked consolingly. "Never mind, never mind, colleague, don't despond. That'll do you, trying to pull the wool over my eyes."

"We'll show them what stuff we're made of!" Michael Averianich broke into loud laughter, and patted his friend's knee. "We'll show them yet! Next summer, God willing, we'll dash off to the Caucasus and ride all through it on horseback—*hup, hup, hup!* And when we get back from the Caucasus first thing you know, like as not, we'll be celebrating a wedding." Here Michael Averianich winked slyly. "We'll marry you off, my dear friend . . . we'll marry you off—"

Andrew Ephimich suddenly felt the slag reaching his throat; his heart began to pound frightfully.

"That's vulgar!" he said, getting up quickly and going toward the window. "Is it possible you don't understand that you're saying vulgar things?"

He wanted to go on suavely and politely but, against his will, suddenly clenched his fists and raised them above his head.

"Leave me alone!" he cried out in a voice that was not his own, turning purple and with his whole body quivering. "Get out! Get out, both of you! Both of you!"

Michael Averianich and Hobotov got up and stared at him, in perplexity at first, and then in fear.

"Get out, both of you!" Andrew Ephimich kept shouting. "You dolts! You nincompoops! I don't need either friendship—or your drugs, you dolts! What vulgarity! What vileness!"

Hobotov and Michael Averianich, exchanging bewildered looks, backed toward the door and stepped out into the entry. Andrew Ephimich seized the vial with the potassium bromid and hurled it after them; tinkling, the vial smashed against the threshold.

"Take yourselves off to the devil!" he cried out in a tearful voice, running out into the entry. "To the devil!"

When his visitors had left Andrew Ephimich, shivering as if in fever, lay down on the divan and for a long time thereafter kept repeating:

"Dolts! Nincompoops!"

When he had quieted down, the first thought that came to him was how frightfully ashamed Michael Averianich must feel now and how heavy at heart, and that all this was horrible. Nothing of the sort had ever happened before. What, then, had become of the mind and of tact? What had become of rationalization and philosophic equanimity?

The doctor could not fall asleep all night from shame and vexation at himself and in the morning, about ten, he went to the post office and apologized to the postmaster.

"Let's not recall what has happened," said the touched Michael Averianich with a sigh, squeezing the doctor's hand hard. "Let bygones be bygones. Liubavkin!" he suddenly shouted, so loudly that all the clerks and patrons were startled. "Fetch a chair. And you wait!" he shouted at the countrywoman who was shoving a letter at him through the grilled window for registration. "Can't you see I'm busy? Let's not recall bygones," he went on tenderly, turning to Andrew Ephimich. "Sit down, I entreat you, my dear fellow."

For a minute or so he stroked his knees in silence, and then said:

"It didn't even occur to me to be offended at you. Illness is no sweet bedmate, I understand that. Your fit frightened the doctor and myself yesterday, and we spoke about you for a long time afterwards. My dear fellow, why don't you tackle your illness in earnest? How can one act like that? Pardon my friendly candor," Michael Averianich sank his voice to a whisper, "but you are living in a most unfavorable environment: there isn't room enough, the place isn't clean enough, there's no one to look after you, you have no money for treatment. . . . My dear friend, the doctor and I implore you with all our hearts: heed our advice, go to the hospital! There the food is wholesome, and you'll be looked after, and will receive treatment. Even though Eugene Fedorovich—speaking just between you and me—has atrocious manners, he is nevertheless competent; he can be fully relied on. He gave me his word that he would take you under his care."

Andrew Ephimich was touched by this sincere interest and by the tears which suddenly began to glitter on the postmaster's cheeks.

"My worthiest friend, don't you believe them!" the doctor began whispering, placing his hand on his heart. "Don't you believe them! My illness consists solely of my having found, in twenty years, only one intelligent person in this whole town—and even that one a madman. There's no illness of any sort—but I have simply fallen into a bewitched circle, from which there is no way out. Nothing matters to me; I am ready for everything."

"Go to the hospital, my dear friend."

"Nothing matters to me—I'd even go into a hole in the ground."

"Give me your word, old fellow, that you will obey Eugene Fedorovich in everything."

"If you like: I give you my word. But I repeat, my worthiest friend, that I have fallen into a bewitched circle. Everything, even the sincere concern of my friends, now tends toward one thing: my perdition. I am perishing, and I have the fortitude to realize it."

"You will get well, old fellow."

"Why should you say that?" Andrew Ephimich asked with irritation. "There are few men who, toward the close of their lives, do not go through the same experience as mine right now. When you're told that you've got something in the nature of bad kidneys and an enlarged heart, and you start taking treatments, or you're told that you are a madman or a criminal—that is, in short, when people suddenly turn their attention upon you—know, then, that you have fallen into a bewitched circle out of which you will nevermore escape. You will strive to escape—and will go still further astray. Yield, for no human exertions will any longer save you. That's how it looks to me."

In the meanwhile people were crowding around the grilled window. So as not to be in the way, Andrew Ephimich got up and started to say good-by. Michael Averianich again secured his word of honor and saw him to the outer door.

That same day, before evening, Hobotov in his short fur-lined coat and his high boots appeared unexpectedly at Andrew Ephimich's and said, in such a tone as if nothing at all had happened yesterday:

"Well, I have come to you on a professional matter, colleague. I have come to invite you: would you care to go to a consultation with me? Eh?"

Thinking that Hobotov wanted to divert him by a stroll, or that he really wanted to give him an opportunity of earning a fee, Andrew Ephimich put on his things and went out with him into the street. He was glad to have this chance to smooth things over after having been at fault yesterday and of effecting a reconciliation, and at heart was thankful to Hobotov, who had not even hinted at yesterday's incident and, evidently, was sparing him. It was difficult to expect such delicacy from this uncultured man.

"But where is your patient?" asked Andrew Ephimich.

"In my hospital. I have been wanting to show him to you for a long while. . . . A most interesting case."

They entered the hospital yard and, skirting the main building, headed for the wing where the demented patients were housed. And all this, for some reason, in silence. When they entered the wing Nikita, as usual, sprang up and stood at attention.

"One of the patients here had a sudden pulmonary complication," Hobotov said in a low voice, entering the ward with Andrew Ephimich. "You wait here a little; I'll be right back. I'm going after my stethoscope."

And he walked out.

XVII

It was already twilight. Ivan Dmitrich was lying on his bed, his face thrust into the pillow; the paralytic was sitting motionlessly, softly crying and moving his lips. The obese muzhik and the one-time mail sorter were sleeping. Everything was quiet.

Andrew Ephimich sat on Ivan Dmitrich's bed and waited. But half an hour passed, and instead of Hobotov it was Nikita who entered the ward, holding in his arms a bathrobe, somebody's underwear, and slippers.

"Please dress yourself, Your Honor," said he quietly. "Here's your little bed—please to come over here," he added, indicating a vacant bed, evidently brought in recently. "Never mind; you'll get well, God willing."

Andrew Ephimich grasped everything. Without uttering a word he went over to the bed Nikita had indicated and sat down; perceiving that Nikita was standing and waiting, he stripped to the skin, and a feeling of shame came over him. Then he put on the hospital underwear; the drawers were very short, the shirt was long, while the bathrobe smelt of smoked fish.

"You'll get well, God willing," Nikita repeated.

He picked up Andrew Ephimich's clothes in his arms, went out, and shut the door after him.

"It doesn't matter. . . ." Andrew Ephimich reflected, shamefacedly drawing the bathrobe closely about him, and feeling that in his new outfit he looked like a convict. "It doesn't matter. . . . It doesn't matter whether it's a frockcoat, or a uniform, or this hospital bathrobe—"

But what about his watch? And the notebook in his side-pocket? And his cigarettes? Where had Nikita carried off his clothes to? Now, likely as not, he would have no occasion until his very death to put on trousers, vest, and boots. All this was odd, somehow, and even incomprehensible, at first. Andrew Ephimich was convinced, even now, that between the widow Belova's house and Ward No. 6 there was no difference whatsoever; that everything in this world was nonsense and vanity of vanities, yet at the same time his hands were trembling, his feet were turning cold, and he felt eerie at the thought that Ivan Dmitrich would awake soon and see him in a hospital bathrobe. He stood up, took a turn about the room, and sat down again.

There, he had sat through half an hour, an hour, by now, and he had become deadly wearied. Could one possibly live through a day here, through a week, and even years, like these people? There, now, he had been sitting, had taken a turn about the room, and had sat down again; one could go and take a look out of the window, and again traverse the room from one corner to the other. But, after that, what? Sit just like that, all the time, like an image carved of wood, and meditate? No, that was hardly possible.

Andrew Ephimich lay down, but immediately got up, mopped the cold sweat off his forehead with the sleeve of his bathrobe—and felt that his whole face had begun to reek of smoked fish. He took another turn about the room.

"This must be some sort of misunderstanding—" he let drop, spreading his hands in perplexity. "I must have an explanation—there's some misunderstanding here—"

At this point Ivan Dmitrich awoke. He sat up and propped his cheeks on his fists. He spat. Then he glanced lazily at the doctor and, evidently, did not grasp anything at the first moment; shortly, however, his sleepy face became rancorous and mocking.

"Aha—so they've planted you here as well, my fine fellow!" he got out in a voice still hoarse from sleep, puckering up one eye. "Very glad of it! There was a time when you drank men's blood, but now they'll drink yours. Splendid!"

"This must be some sort of misunderstanding—" Andrew Ephimich got out, frightened at Ivan Dmitrich's words; he shrugged his shoulders and repeated: "Some sort of misunderstanding—"

Ivan Dmitrich spat again and lay down.

"An accursed life!" he grumbled out. "And the thing that's so bitter about it and that hurts so, is that this life will end neither in a reward for one's sufferings, nor any apotheosis, as in an opera, but in death; the muzhik orderlies will come and haul the dead man off by his hands and feet into the basement. Brrr. . . . Well, no matter. But then, in the other world, it will be our turn to celebrate. I'll appear here from the other world as a shade and will frighten all these vermin. I'll make them sit here a while."

Moisseika came back and, catching sight of the doctor, held out his cupped hand:

"Give us one little copper!" said he.

XVIII

Andrew Ephimich walked away to the window and looked out at the field. It was getting dark by now and on the horizon, to the right, a chill, purple moon was rising. Not far from the hospital fence, seven hundred feet away at the most, stood a tall white building surrounded by a stone wall. This was the prison.

"Reality—there it is!" Andrew Ephimich reflected, and he became frightened.

Frightening was the moon, too, and the prison, and the nails, points up, on the fence, and the distant flare of a bone-burning yard. He heard a sigh behind him. He looked over his shoulder and saw a man with glittering stars and decorations on his breast, who was smiling and slyly winking. And this, too, seemed frightening.

Andrew Ephimich was assuring himself that there was nothing peculiar about the moon and the prison, that even those people who were psychically sound wore decorations, and that everything would rot in time and turn into clay, but despair suddenly took possession of him: he seized the window-bars with both hands and shook them with all his strength. The sturdy bars did not yield.

Then, so that things might not be so frightening, he went to Ivan Dmitrich's bed and sat down.

"I've fallen in spirits, my dear fellow," he muttered, trembling and wiping his cold sweat. "I've fallen in spirits."

"Why, just go ahead and philosophize a bit," Ivan Dmitrich remarked mockingly.

"My God, my God. . . . Yes, yes. . . . You were pleased to say some time ago that there is no philosophy in Russia but that everybody philosophizes—even the small fry. But then, no harm can befall anybody from the philosophizing of the small fry," said Andrew Ephimich, in such a tone as if he wanted to break into tears and stir the other's pity. "Why, then, my dear fellow, this spiteful laughter? And how can the small fry help but philosophize since it is not satisfied? An intelligent, educated, proud, freedom-loving man, in the image of God, has no other way out save to go as a medico into a filthy, stupid, miserable hole of a town—and all his life consists of cupping glasses, leeches, mustard-plasters! Quackery, bigotry, vulgarity! Oh, my God!"

"You're spouting bosh. If you detested being a medico, you should have become a prime minister."

"One can't get anywhere, anywhere. We are weak, my dear fellow. I was equanimous, my reasoning was wide-awake and filled with common sense—yet it sufficed for life merely to touch me roughly to have me fall in spirits. Prostration. . . . We are weak, we are made of shoddy. And you too, my dear fellow. You are intelligent, noble, you have imbibed noble impulses with your mother's milk; yet you had hardly entered upon life when you became wearied and fell ill. We are weak, weak!"

Some other thing, which he was unable to shake off,

outside of fear and a sense of having been wronged, had been constantly tormenting Andrew Ephimich ever since nightfall. Finally he realized that he wanted to drink some beer and have a smoke.

"I'm going out of here, my dear fellow," he said. "I'll tell them to let us have some light. I can't stand it this way—I'm in no condition—"

Andrew Ephimich went to the door and opened it, but Nikita immediately sprang up and blocked his way.

"Where you going? You mustn't, you mustn't!" he said. "Time to go to sleep!"

"But I want to go for just a minute, to take a walk in the yard!" Andrew Ephimich was taken aback.

"Mustn't, mustn't—those are orders. You know that yourself."

Nikita slammed the door shut and put his back against it.

"But suppose I were to go out of here, what harm would that do anybody?" asked Andrew Ephimich, shrugging his shoulders. "I can't understand this! Nikita, I must go out!"—and there was a catch in his voice. "I've got to!"

"Don't start any disorders—it's not right!" Nikita admonished him.

"This is the devil and all!" Ivan Dmitrich suddenly cried out and sprang up. "What right has he got not to let us out? How dare they keep us here? The law, it seems, says plainly that no man may be deprived of liberty without a trial! This is oppression! Tyranny!"

"Of course it's tyranny!" said Andrew Ephimich, heartened by Ivan Dmitrich's outcry. "I've got to, I must go out! He has no right to do this! Let me out, I tell you!"

"Do you hear, you stupid brute?" Ivan Dmitrich

shouted, and pounded on the door with his fist. "Open up, or else I'll break the door down! You butcher!"

"Open up!" Andrew Ephimich shouted, his whole body quivering. "I demand it!"

"Just keep on talking a little more!" Nikita answered from the other side of the door. "Keep it up!"

"At least go and ask Eugene Fedorovich to come here! Tell him I beg of him to be so kind as to come—for just a minute—"

"He'll come of his own self tomorrow."

"They'll never let us out!" Ivan Dmitrich went on in the meantime. "They'll make us rot here! Oh Lord, is there really no hell in the other world, and these scoundrels will be forgiven? Where is justice, then? Open up, you scoundrel—I'm suffocating!" he cried out in a hoarse voice and threw his weight against the door. "I'll smash my head! You murderers!"

Nikita flung the door open, shoved Andrew Ephimich aside roughly, using both his hands and one knee, then swung back and smashed his fist into the doctor's face. It seemed to Andrew Ephimich that an enormous salty wave had gone over his head and dragged him off toward his bed; there really was a salty taste in his mouth: probably his teeth had begun to bleed. He began to thresh his arms, just as if he were trying to come to the surface, and grabbed at somebody's bed, and at that point felt Nikita strike him twice in the back.

Ivan Dmitrich let out a yell. Probably he, too, was being beaten.

After that everything quieted down. The tenuous moonlight streamed in through the barred windows, and lying on the floor was a shadow that looked like a net. Everything was frightening. Andrew Ephimich lay down and held his breath; he anticipated with horror that he would be struck again. Just as though someone had taken a sickle, had driven it into him and then twisted it several times in his breast and guts. From pain he bit his pillow and clenched his teeth and suddenly, amid all the chaos, a fearful, unbearable thought flashed clearly in his head: that exactly the same pain must have been experienced throughout the years, day in and day out, by these people who now, in the light of the moon, seemed to be black shadows. How could it have come about, during the course of twenty years, that he had not known, and had not wanted to know, all this? He did not know pain, he had had no conception of it—therefore he was not to blame, yet conscience, just as intractable and harsh as Nikita, made him turn cold from the nape of his neck to his heels. He sprang up, wanted to cry out with all his might and to run as fast as he could to kill Nikita, then Hobotov, and the superintendent, and the assistant doctor, and then himself; but never a sound escaped from his breast and his legs would not obey him; suffocating, he yanked at the breast of his bathrobe and shirt, tore them and crashed down unconscious on his bed.

XIX

On the morning of the next day his head ached, his ears hummed, and his whole body felt broken up. He did not blush at the recollection of his weakness of yesterday. Yesterday he had been pusillanimous, had been afraid even of the moon, had given sincere utterance to feelings and thoughts which he had not formerly even suspected of having within him. The thought, for instance, about the dissatisfaction of the small fry. But now nothing mattered to him.

He did not eat, did not drink; he lay without moving and kept silent.

"Nothing matters to me," he thought when questions were put to him. "I'm not going to bother answering. . . . Nothing matters to me."

Michael Averianich came after dinner and brought him a quarter-pound packet of tea and a pound of marmalade candy. Dariushka also came and stood for a whole hour by his bed with an expression of stolid sorrow on her face. Doctor Hobotov, too, paid him a visit. He brought a vial of potassium bromid and ordered Nikita to fumigate the place with something.

Toward evening Andrew Ephimich died from an apoplectic stroke. At first he had felt a staggering ague-fit and nausea; something disgusting (so it seemed), penetrating his whole body, even into his fingers, started pulling from the stomach toward his head, and flooded his eyes and ears. Everything turned green before his eyes. Andrew Ephimich realized that his end had come, and recalled that Ivan Dmitrich, Michael Averianich and millions of men believe in immortality. And what if it should suddenly prove actual? But he felt no desire for immortality, and he thought of it only for an instant. A herd of reindeer, extraordinarily beautiful and graceful (he had read about them yesterday), ran past him; then a countrywoman stretched out her hand to him, holding a letter for registration. . . . Michael Averianich said something. Then everything vanished, and Andrew Ephimich forgot everything for all eternity.

The muzhik orderlies came, took him by his hands and feet, and carried him off into the chapel. There he lay on a table with his eyes open, and, through the night, the moon threw its light upon him. In the morning Serghei Sergheich came, piously prayed before

Christ on the Cross, and closed the eyes of his quondam chief.

The day after that they buried Andrew Ephimich. Only Michael Averianich and Dariushka attended the burial.

MAXIM GORKI

(ALEXIS MAXIMOVICH PESHKOV)

(1868–1936)

EDITOR'S NOTE

GORKI is not merely one of Russia's but one of the world's greatest self-taught men. His whole formal education consisted of five months' schooling at the age of seven when, after the death of his mother (he had lost his father, an upholsterer, at four), he became a shoemaker's apprentice. Men and books were to be his teachers from then on; as an omnivorous reader he is equalled probably only by Samuel Johnson. The shoemaker apprenticeship lasted two months when, after being fearfully scalded, Gorki was apprenticed to a draughtsman. Thereafter he followed many trades and became familiar with practically every stitch on the seamy side of life. From the hard-drinking—and exceptionally intelligent—chef of a Volga steamer he learned reading and writing and something of cookery; he tried painting and peddling icons, and selling apples; he was a railroad watchman, a baker, a pretzel-bender.

In Kazan he entered the revolutionary movement and was first arrested as a political offender; next year, at Nizhni-Novgorod (new renamed Gorki) he became clerk to A. I. Lanin, a lawyer, whom Gorki considered his greatest teacher and benefactor; in 1891 he resumed his wanderings, beginning his Volga period, when he hauled barges with another outcast and unknown—Fedor Chaliapin.

Gorki had kept a diary since ten, cherishing the dream of becoming a writer, but his first story did not appear until he was twenty-four: *Makar Chudra,* dealing with the Gypsies in as romantic a vein as Pushkin's or Borrow's. It was published in a local sheet in Tiflis, where he was working in a railroad yard as a repairman, and bore the pseudonym that was to become so famous. (*Gorki* means bitter.)

In 1894, in Nizhni-Novgorod, he began newspaper work; in the next year he formed a friendship with Korolenko, who helped him crash the "thick-paper" field with *Chelkash.* His reputation kept growing but he did not abandon newspaper work until 1898, when he scored a great success with a collection of his short stories, and became a continental celebrity. The years 1899-1901 found him very active in the revolutionary movement; his *Song of the Stormy Petrel,* a prophecy of the coming revolution, caused the suppression of a radical review he was supporting and led to his arrest and banishment from St. Petersburg.

The Stanislavsky production of *The Lowest Depths* in 1902 made him a national hero and an international figure. In January 1905, for his participation in a protest against Bloody Sunday (Jan. 9/22, the Lexington of the Revolution of 1905), he was again arrested and imprisoned in that great nursery of Russian authorship, the Fortress of SS. Peter and Paul. By now his fame was as universal as Leo Tolstoy's, and his imprisonment had world-wide repercussions. His release did not subdue him in the least; he was one of the leading spirits in the armed uprising at Moscow in the December of the same great year.

In 1906 New York City welcomed, among others, two visitors from abroad: the returning William Jennings Bryan, and Maxim Gorki, coming to the land of the free and the home of the brave after a triumphant tour of Europe. When it transpired, however, that the great writer and the equally great actress with him were man and wife without a preliminary investment of two rubles for a marriage license, the Gorkis could not find one hotel to put them up for a single night. The same newspapers whose front pages were splashed that year with a couple of especially juicy graft scandals and the piquant details of a particularly fruity murder, that of one of America's comparatively few good architects—these same newspapers became infinitely shocked. The urbane Howells and the dauntless Mark Twain, among the other gentlemen who were arranging a banquet for the great writer, scurried off, in shabby contrast to the gentle Chekhov and the impractical Korolenko, who had stood up against the Czar himself and resigned as Academicians when, in 1902, the Academy of Science at the bidding of Nicholas II had cancelled its election of Gorki. Gorki retaliated for his New York reception by writing *The City of the Yellow Devil, A King of the Republic, A High-Priest of Morals*—really effective if none too subtle satire, and superb Americana.

Gorki's weak lungs compelled him to live outside of Russia; from 1907 to 1913 he stayed in Capri. In World War I he took an antimilitaristic stand; he accepted the Revolution of 1917. Thenceforth he performed prodigies in preserving the best of old Russia's culture and bringing about a new one. In 1921 he again had to go to Capri, but did not relax his labors; he returned to live in Russia permanently in 1929; in 1932, his fortieth year as a writer, all Russia paid tribute to him; his death (or fantastic trotskyist assassination) is a matter of recent history.

Many aspects of Gorki's writing will probably remain practically unknown in English—his satire, for instance, and his poetry of protest. A considerable amount of his work has appeared in English versions—but for the most part very inadequate ones.

Birth of a Man

MAXIM GORKI

THIS happened in '92, the year of famine, between Sukhum and Ochemchiry, on the bank of the river Kodor, not far from the sea: above the merry chatter of the mountain river's clear waters one could hear the muffled plashing of the sea's waves.

It was autumn. The yellow leaves of the cherry-laurel swirled, flitted in the white foam of the Kodor; they looked just like tiny, nimble salmon. I was sitting on some rocks over the river and thinking that probably the gulls and cormorants were likewise taking these leaves for fish and were being duped: that was why they were crying in such hurt tones there, to the right, beyond the trees, where the sea was plashing.

The chestnut trees over me were arrayed in gold; lying at my feet were large drifts of leaves, looking like the palms of lopped-off hands—whose? The branches of a hornbeam on the opposite bank were already denuded and drooping in the air like a torn net; within it, just as though he had been snared, a yellow-red mountain woodpecker was hopping, tapping away with his black beak against the bark of the hornbeam's trunk, driving the insects out, while nimble tomtits and dove-gray nuthatches—guests from the far north—were pecking at them.

On my left smoky clouds, threatening rain, hung heavily along the mountain summits; shadows crawled away from them down the green slopes where the box, that dead tree, grew, while within the hollow trunks of the old beeches and lindens one could find "tipsy honey," the same which in antiquity had well nigh brought about the downfall of the soldiers of Pompey the Great with its tipsy sweetness, knocking a whole legion of iron-hard Romans off their feet; the bees make it out of laurel and azalea blossoms, while "wayfaring folk" take it out of the hollow trunks and eat it, spread on a *lavash*—a thin wafer of wheat flour.

That was precisely what I was taken up with: badly stung by the bees, I sat on the rocks under the chestnut trees and, dipping chunks of bread into a small kettle full of honey, admired, as I ate, the indolent play of the wearied sun of autumn.

The Caucasus in autumn is for all the world like a rich cathedral, builded of great sages (they also are, at all times, the great sinners)—builded to screen their past from the keen eyes of conscience; they have builded an unencompassable temple of gold, turquoise, emeralds, have hung the mountains with the finest of rugs, embroidered in silks by the Turkomans in Samarkand, in Shemaha; they have looted the whole universe and brought everything hither, before the eyes of the sun, as if they would say to it:

"This which is thine, from those who are thine, to thee."

I saw long-bearded, hoary titans, with the enormous eyes of merry children, adorning the earth as they came down from the mountains, sowing varicolored treasures everywhere with generous hand, covering the mountain summits with layers of silver and their foothills with the living weave of multiform trees—and under their hands this segment of benign earth took on a mad beauty.

It is a most excellent job, this of being a man upon earth; you see so much that is wondrous; with what an excruciatingly delectable emotion your heart is stirred in tranquil rapture before beauty!

Well, yes: now and then this comes hard; all your breast fills with searing hatred, and melancholy avidly sucks your heart's blood—but then, that is not one's perpetual portion, and besides even the sun, many a time, feels very sad as it contemplates men: it has toiled and moiled so hard for their benefit, and yet the manikins have not turned out right. . . .

Of course, there also are not a few who are good, but they stand in need of repair or—better still—of being made all over anew.

Dark heads are bobbing over the bushes to my left; amid the surge of the sea and the murmur of the river the human voices sound barely audibly: those are the "famine-stricken ones," on their way to work at Ochemchiry and coming from Sukhum, where they had been building a highway. I know them—they're from Orel; I had worked together with them and, together with them, had been discharged yesterday; I had gone off ahead of them, into the night, so as to meet the rising of the sun on the shore of the sea.

Four muzhiks and a countrywife with high cheekbones, young, pregnant, with an enormous belly blown up to her very nose, with blue-gray eyes goggling from fear. I can see above the bushes her head in its yellow kerchief; that head bobs like a full-blown sunflower in the wind. Her husband had died at Sukhum—he had overeaten himself on fruit. I had lived in a barrack amid these people: through the good old Russian habit they had discoursed so much and so loudly on their misfortunes that, probably, their jeremiads could have been heard for a couple of miles around.

Depressing people, these, crushed by their woe; it had torn them loose from their native, weary, stepmotherly soil and, as the wind bears the dead leaves of autumn, had borne them here where a magnificence of nature unknown to them had, after first amazing, dazzled them, while the harsh working conditions had finally beaten them to the ground. They regarded everything here with their faded eyes blinking in bewilderment, smiling pitifully to one another, saying softly:

"My, my—what a grand land—"

"So full it's just bursting."

"Well, yes. But, just the same, there are the stones—"

"Not an easy sort of land to work, I must say."

And they recalled Mare's Hollow, Dry Common, Little Bogs—native places, where every handful of earth was the dust of their grandsires, and everything was memorable, familiar, dear—bedewed with their sweat.

There had been another countrywife with them at Sukhum—tall, straight, flat as a board, with a horse's jaw and a lackluster look in her squinting eyes, as black as coals.

Of evenings, together with the one in the yellow kerchief, she used to go off beyond the barracks and, sitting there on a mound of rubble, her cheek resting on her palm, her head bowed to one side, would sing in a high-pitched and angry voice, dragging out almost every word:

"By the churchyard wall
in the bushes green,
On the sand I shall
spread a kerchief clean. . . .
For my dear to come
I will sit and wait. . . .
When I see my dear
I will kiss him straight. . . ."

The yellow-kerchiefed one usually kept quiet, craning her neck and contemplating her belly, but at times suddenly and unexpectedly, indolently and in a husky bass like a muzhik's, she would join in the song with words that were sobs:

"Ho, there, deary-dear,
ho, my own man, . . .
It is not my fate
to see thee again. . . ."

In the black, sultry darkness of the southern night these lamenting voices reminded one of the north, of snowy wastes, the skirling of a blizzard and the far-off howling of wolves.

Later on the squint-eyed woman was taken with a fever and they carried her off to town on a tarpaulin stretcher; she shook thereon and kept lowing, as though she were still singing her song about the churchyard and the sand.

Diving through the air, the yellow-kerchiefed head vanished.

I finished my breakfast, covered the kettle of honey with leaves, tied up my bundle and set off leisurely after those who had already gone, tapping my boxthorn stick against the hard-beaten path.

There, I too was out on the narrow, gray strip of road; heaving on my right was the indigo sea; it looked as if unseen carpenters were planing it with a thousand planes: the white shavings, swishing, ran toward shore, driven along by a wind that was humid, warm and fragrant as the breath of a healthy woman. A Turkish felucca, careening to larboard, was gliding toward Sukhum, its sails puffed out the way a certain pompous engineer at Sukhum, the most serious of men, used to puff out his fat cheeks. And, for some reason, he used to mispronounce certain simple words.

"Quiet, you! You may be tough, but I'll send you to the police station this instant!" And he would manage to mispronounce both *quiet* and *may be*. He loved to send people to the police station, and it is a pleasure to think that grave-maggots have probably long since gnawed his bones clean.

Walking was easy, just as though one were floating through the air. Pleasant thoughts, recollections in motley garb were going through a round dance in the memory; this round dance in one's soul was like the white crests of the waves at sea: they were on the surface but there, within the depths, everything was calm; there the radiant and pliant hopes of youth were quietly floating, like silvery fish in the sea's depths.

The road was drawn to the sea; winding snakily, it crawled nearer the strip of sand onto which the waves ran; the bushes, too, wanted to peer into the face of the wave: they bent across the ribbon of the road, as though nodding to the dark-blue, free expanse of the watery desert.

The wind had begun to blow from the mountains; there would be rain.

A low moan in the bushes—a human moan, which always stirs the soul through kinship.

Having parted the bushes, I saw the countrywoman in the yellow kerchief sitting with her back propped against the trunk of a nut tree, her head sunk on one shoulder, her mouth hideously distended, the eyes popping out and insane; she was holding her hands on her belly and breathing so unnaturally-frightfully that her whole belly was bounding convulsively, while the woman, holding it back with her hands, was lowing dully, her yellow, wolflike teeth bared.

"What—did they hit you?" I asked, bending toward her; she kept twitching her bare feet in the ashy dust like a fly and, with her heavy head jerking, she got out hoarsely:

"G-go away—you have no shame. . . . G-get away!"

I grasped what was up: I'd happened to see this sort of thing once before; of course I was frightened and leapt back; as for her, she set up a loud, prolonged howl; turbid tears spurted from her eyes, which were on the point of bursting, and ran down her blood-red face, swollen with straining.

This made me come back to her; I tossed my pack, tea-pot and kettle to the ground, turned her over on her back, and tried to make her bend her knees—she pushed me away, her hands striking my face and chest, turned around and, just like a she-bear, growling, wheezing, went on all fours farther into the bushes:

"Murderer . . .. devil—"

Her arms gave way, as if broken; she fell, plunging her face in the earth, and started howling anew, convulsively, stretching out her legs.

In feverish excitement, having rapidly recalled all I knew about this business, I turned her over on her back, bending her legs—she had already obtruded the placenta.

"Lie still—you'll be giving birth right away."

I ran down to the sea, rolled up my sleeves, washed my hands, came back—and turned accoucheur.

The woman writhed like birchbark on a fire; she beat her hands on the earth around her and, plucking up the yellowed grass, was constantly trying to stuff it in her mouth; she strewed earth upon her frightful face, a face no longer human, with eyes grown wild, swollen with blood—and by now the placenta had been torn through and a tiny head was thrusting itself out: I had to restrain the spasms of her legs, to help the child, and to watch lest she shove grass into her pain-distorted, lowing mouth. . . .

We cursed each other, just a little: she through her clenched teeth, I in as low a voice as hers; she because of pain and, probably, because of shame, I because of embarrassment and excruciating pity for her.

"Lo-ordy," she wheezed; her livid lips were nipped between her teeth and in foam, while flowing out of her eyes, which seemed to have suddenly become faded from the sun, were those copious tears of the unbearable sufferings of a mother, and all her body was breaking, was being divided in two.

"G-go away, you fiend."

With weak, dislocated arms she kept pushing me away; I told her, persuasively:

"Get it over with, quick as you can, now, you big fool—"

I felt excruciatingly sorry for her, and it seemed as if her tears had spurted into my eyes; my heart contracted with anguish, I wanted to shout, and shout I did:

"Come on, hurry it up!"

And lo, there was a human creature on my hands—a red fellow. Even through tears, yet I saw: he was all red, and already dissatisfied with Creation, floundering, rioting, and bawling lustily, even though he was still bound to his mother. His eyes were light-blue; the nose was squashed in a funny way against his red, rumpled face; the lips stirred and struck a long-drawn note: "*Ya-a . . . ya-a*—" as if in affirmation of his *I*.

What a slippery fellow: first thing you knew he'd glide out of your hands. Kneeling, I looked at him, laughing: I was very glad to see him! And . . . I forgot what had to be done.

"Cut it—" the mother whispered softly; her eyes were closed, her face had sunk in, was as earthy as that of a dead woman, while her livid lips barely stirred:

"With a pocket-knife . . . cut it through."

My knife had been stolen in the barrack—I bit through the umbilical cord; the baby bawled in an Orel bass, while the mother smiled: I saw how amazingly her bottomless eyes burst into bloom, how they burned with a blue fire; her dark hand groped over her skirt, seeking the pocket—and her bloodied, bitten lips rustled:

"I . . . I haven't the strength . . . in the pocket . . . a bit of tape to tie his little belly-button with."

I got out the bit of tape, tied the umbilical cord; she was smiling ever more vividly, so beautifully and vividly that I was dazzled by that smile.

"Put yourself to rights; me, I'm going to wash him."

She mumbles uneasily:

"Watch out—go right easy . . . watch out, now—"

This red man-mountain does not in the least demand to be handled with kid gloves; he had clenched a fist and was bawling, bawling, as though trying to pick a fight with me:

"*Ya-a . . . ya-a*—"

"Yes, it's you, it's you! Keep on saying *I!* Assert yourself, brother, as firmly as you know how, for otherwise your fellowmen won't lose any time knocking your head off."

He let out an especially earnest and loud cry when the first foaming wave of the sea swept scaldingly over him, gaily lashing out at both of us; then, when I took to patting his chest and little back, he puckered up his eyes, started threshing about and set up a piercing screech, while the waves, one after the other, kept pouring over him.

"Raise a rumpus, man of Orel! Yell with all the breath in you!"

When he and I came back to the mother she was lying, her eyes shut anew, biting her lips in the throes of ejecting the afterbirth; but, despite this, through moans and sighs, I caught her whisper as it died away:

"Let me . . . let me have him."

"He can wait."

"Come, let me have him!"

And, with trembling, uncertain hands she started to unbutton her blouse. I helped her to free a breast which nature had prepared for a score or so children, and placed against her warm body the turbulent Orel fellow; he immediately caught on to everything and grew quiet.

"Most Holy Mother, Most Immaculate Mother," the mother drew her breath in, shuddering, and kept rolling her head from side to side on her bundle.

And suddenly, after a low outcry, she fell silent; then anew those eyes, splendidly beautiful to the verge of the impossible, opened: the hallowed eyes of her who has given birth; blue, they were looking at the blue sky; a grateful, joyous smile glowed and melted within them; lifting up a heavy hand, the mother slowly made the sign of the cross over herself and the child.

"Glory to Thee, Most Immaculate Mother of God . . . oh . . . glory to Thee—"

The fire went out of her eyes and they became

sunken; for a long space she was silent, barely breathing, and then suddenly, in a businesslike tone, in a voice that had become firmer, she said:

"Untie my bundle, lad."

We untied it; she glanced at me intently, smiled ever so faintly; a flush seemed to glow—barely perceptibly —upon her sunken cheeks and sweat-beaded forehead.

"Go off a little ways, now—"

"Don't you fuss too much."

"All right, all right—go off a little ways."

I went off a little way into the bushes. My heart seemed to have tired, but within my breast some sort of glorious birds were singing softly and this, together with the never-silenced plashing of the sea, was so splendid that I could have listened to it for a whole year.

Somewhere not far off a stream was murmuring—just as though a young girl were confiding to some friend about her beloved.

A head in a yellow kerchief, by now tied in the proper way, rose over a bush.

"Hey there, sister, you're starting in to fuss much too soon!"

Holding on with one hand to a branch of a bush she sat as if she were carven, without a drop of blood in her gray face, with enormous blue lakes in lieu of eyes, and was saying in a moved whisper:

"Look at him—see how he's sleeping—"

He was making a very good job of it but, in my opinion, in no way better than other children; however, even if there were any difference, it was due to the setting: he was lying on a heap of vivid autumn leaves under one of the bushes, such as do not grow in the province of Orel.

"You ought to lie down now, mother."

"N-no," said she, shaking her head upon its disjointed neck. "I've got to put myself to rights and then go on to that there—"

"To Ochemchiry?"

"There, that's it! Our people, now, must have paced off so many versts already."

"But then, can you walk?"

"And what of the Mother of God? She'll help me."

Oh, well—if she was together with the Mother of God it behooved me to keep quiet!

She was looking under the bush at the tiny, sulkily pouting face; warm rays of a caressing light flowed from her eyes; she was licking her lips and, moving her hand slowly, stroking her breast.

I made a fire and arranged some stones to put the tea-kettle on.

"I'm going to treat you to tea right away, mother."

"Yes? Do let me have something to drink. . . . My breasts are all dried up."

"Well, now, how come your countrymen deserted you?"

"They didn't desert me—why should they? I fell behind of my own self; they'd had a drop or two, now, so . . . and everything worked out for the best, for how could I have shed my burden before them?"

With a glance at me she hid her face with her elbow; then, having spat out some blood, she smiled shamefacedly.

"This your first?"

"The very first. . . . And you—who may you be?"

"A human being—sort of—"

"Naturally, a human being! Married?"

"I haven't been found worthy of that."

"Lying, aren't you?"

"Why should I be?"

She dropped her eyes, thought a while:

"But how come you know these things about women?"

Now for the lie! And I said:

"I studied them. I'm one of those students—you've heard about them?"

"Why, how else! Our priest's oldest son is a student; he's studying to be a priest too."

"There, I'm one of those fellows. Well, guess I'll go for some water."

The woman inclined her head toward her son, listening closely: was he breathing?—then looked a while in the direction of the sea.

"I ought to wash myself, only I don't know what the water here is like. What kind of water is it? It's salty and it's bitter—"

"There, you just go and wash yourself in it—that water's good for you!"

"Honest?"

"Sure thing. And warmer than any stream—for the streams hereabouts are like ice."

"You ought to know."

Dozing, his head lolling on his breast, an Abhasian drove by at a walk; his small horse, all compact of sinews, its ears twitching, looked at us askance out of one round, dark eye and snorted; the rider warily jerked up his head in its shaggy fur cap, also gave a look in our direction, and again let his head drop.

"How outlandish the people here look, and how frightening," said the woman of Orel quietly.

I went. A stream of water, radiant and alive as quicksilver, was leaping from stone to stone, singing, the autumn leaves were gaily tumbling in it: it was wonderful! I washed my hands, my face, filled the teakettle. I started back—and saw through the bushes that the woman, looking over her shoulder uneasily, was crawling on her knees over the earth, over the rocks.

"What are you after?"

She was startled, her face turned gray, she was hiding something under her: I surmised what it was.

"Let me have it; I'll bury it."

"Oh, dear man! Bury it—but how? It ought to be buried in a bathhouse entry, by rights, under the flooring—"

"Stop and think! Will they be building a bathhouse here soon?"

"There, you're making fun of me, but I'm scared! Suppose some animal eats it up all of a sudden . . . and yet it's got to be given back to the earth."

She turned away and, handing me a damp, heavy little bundle, asked quietly, shamefacedly:

"There, now, you bury it as best you know how, deep as you can, for Christ's sake, taking pity on my little son—bury it as safe as you can."

When I came back I saw her walking swayingly and with her hand held out, coming from the sea; her skirt was wet up to the waist, while her face had taken on a slight flush and seemed to be glowing from within. I helped her to get up to the fire, reflecting in wonder: "What an animal strength!"

After that we drank tea with honey and she kept questioning me, ever so quietly:

"Did you drop studying, now?"

"I did that."

"Took to drink, or what?"

"Drank myself all the way to the bottom, mother!"

"So that's the sort you are! But I remember you; I noticed you in Sukhum, when you were scrapping with the superintendent over our grub; that's the very time I thought to myself: One can see he's a hopeless drinker, he's that fearless."

And, licking the honey on her puffy lips with gusto, she kept constantly looking out of the corners of her blue eyes under the bush where the newest-come man of Orel was peacefully sleeping.

"What will his life be like?" said she, after a sigh, letting her eyes pass over me. "You helped me out, and thanks for it . . . but whether it'll be a good thing for him I don't rightly know."

She drank her fill of tea, finished eating, crossed herself and, while I was getting my household effects together she, swaying sleepily, kept napping, thinking over something, gazing at the ground with her faded eyes. Then she started to get up.

"Are you actually going?"

"I am."

"Oh, watch out, mother!"

"Yes, but what about the Mother of God? Let me have the little one, now!"

"I'll carry him."

We argued over it, she yielded, and we started off, shoulder to shoulder.

"Hope I don't flop down," said she, smiling as if she were at fault, and placed a hand on my shoulder.

The new dweller in the land of Russia, a man of unknown destiny, was, as he lay in my arms, wheezing in a substantial-citizen sort of a way. The sea plashed and swished, all in its white lace of shavings; the bushes were whispering among themselves; the sun—it had passed its meridian—was radiant.

We went along ever so slowly, gently; now and then the mother would stop, with a deep sigh, toss her head up and look about her on all sides: upon the sea, upon the forest and the mountains, and then look into the face of her son; her eyes, laved through and through with the tears of her sufferings, were anew amazingly clear, anew blossoming and blazing with the blue fire of inexhaustible love.

Once, stopping thus, she said:

"Lord, dear God! How fine everything is—how fine! And I could simply walk on and on, to the very end of the world, now, and he, this little son of mine, would be growing, ever growing, in full freedom, next his mother's breast, my own little one, born of my flesh. . . ."

The sea was surging, surging. . . .

LEONID NIKOLAIEVICH ANDREIEV

(1871–1919)

EDITOR'S NOTE

ANDREIEV, who, after Dostoevsky, is most responsible for the erroneous impression that Russian literature is rather a gloomy affair, lived through three attempts at suicide and four epochs in Russia's history.

By 1897 (after contending with extreme poverty, hereditary alcoholism, and frustrated love) he was practicing law, and had begun his writing career—as humorist. His first story appeared in 1895; recognition came to him in 1901, when his first collection of short stories was published; his first contact with the government, in a political way, was in 1905, when he was beginning to attain his popularity. Despite the morbidity of his writings, we are told that he was cheerful and sociable. But, after 1906, his eccentricities would seem to show that he was anything but happy. He drank much, took up many fads (including painting), and alternated months of idleness with weeks of sleepless, ceaseless creativeness.

He died in Finland, when a bomb fell too near his fantastic house, and his heart, impaired by a bullet in one of his suicide attempts, was unable to bear the shock.

His *Thought* illustrates, most characteristically, his outlook on the world and life. Much greater than Artzybashev, the two nevertheless seem to agree on negation as their sole reality, in revising the Karamazovian formula of *everything is permissible* to *nothing matters.* Contemporary criticism, probably not uninfluenced by his vast popularity (at its peak in 1908, but lasting even to 1914), was exceedingly caustic to Andreiev; later critics have been far more just in appraising him as a writer of individuality.

In English, Andreiev is, on the whole, exceptionally fortunate in his translators, particularly Gregory Zilboorg, Avrahm Yarmolinsky, Archibald J. Wolfe and John Cournos. In their renditions the face of the author comes through unblurred.

Thought

LEONID NIKOLAIEVICH ANDREIEV

ON THE 11th of December, 19——, Anton Ignatievich Kerzhentsev, M.D., committed a murder. Taking into consideration all the circumstances under which the crime was committed, as well as certain particulars preceding it, there were grounds for the suspicion that Kerzhentsev was not normal mentally.

After his admission to the Elizavetinskaya Psychiatric Hospital Kerzhentsev was kept under the strict and thorough observation of several experienced psychiatrists, Professor Drzhembitsky (recently deceased) having been of their number.

Given below are some of the explanations of the occurrence, written by the Doctor himself a month after the beginning of his mental examination; together with other material procured by the legal authorities they formed the basis of the expert testimony given at the trial.

FIRST FOLIO

Up to now, *Messieurs les Experts,* I have been concealing the truth, but now circumstances force me to reveal it. And, having learned that truth, you will understand that things aren't at all as simple as they may strike the laymen: either the straitjacket or the ball-and-chain. There is a third course: neither the ball-and-chain nor the straitjacket but, if you like, something more dreadful than both of these taken together.

Alexis Constantinovich Savelov, the man I killed, had been a fellow student of mine in preparatory school and at the university, even though we chose different professions: I, as you know, am a physician, whereas he graduated in law. No one can say that I did not like the deceased; I always found him likable, and I had no friend closer than he. Yet, with all his likable traits, he was not one of those who inspire me with respect. The surprising mildness and affability of his nature, his strange instability in the domain of thought and the spirit, the harsh extremes and baselessness of his constantly changing judgments, compelled me to regard him as one would a child or a woman. The people close to him, who not infrequently suffered because of his eccentric actions yet, at the same time, owing to the illogicality of human nature, loved him greatly, sought to find justification for his shortcomings and their feeling for him, and called him an "artist." And, actually, things worked out so that this trumpery word justified him altogether and neutralized, or even turned into good, that which in the case of any normal man would have been considered bad. Such was the power of this synthetic word that even I at one time yielded to the general mood and willingly excused Alexis' petty shortcomings. Petty, since he was incapable of any great ones, just as he was of anything on a grand scale. Even his literary productions bear sufficient witness to this, for everything about them is petty and insignificant, no matter what may be said by myopic critics, who are so prone to discover new talents. His works looked good and were insignificant; good-looking and insignificant was he himself.

Alexis was thirty-one at the time of his death—my junior by a little over a year. He was married. If you have chanced to see his widow now, in mourning, you can't form any idea of how beautiful she was at one time—for she has lost so very, very much of her looks. Her cheeks are earthy, and the skin on her face is so flabby, so very, very old, like a worn-out glove. And you can see small wrinkles. They're small right now—but let another year pass and they will be deep furrows and ditches—for she loved him so much! And her eyes no longer sparkle and no longer laugh, whereas before they had always laughed, even when they should have been weeping. I saw her for but a minute, at the most, having chanced to run into her at the Prosecutor's, and I was stunned by the change in her. She could not even summon a look of indignation for me. That's how pitiful she was!

Only three people—Alexis, Tatyana Nikolaievna and

I—knew that five years ago, two years before Alexis' marriage, I had proposed to her and had been rejected. Of course, it is merely a supposition of mine that only three had known of this; most probably she had fully informed half a score of her friends, of both sexes, how Dr. Kerzhentsev had dreamt of marriage and had been humiliatingly rejected. I don't know if she remembers that she had burst out laughing at the time; probably she doesn't, having occasion to laugh so often. Remind her, then: *On the 5th of September she burst out laughing.* Should she deny this—and deny it she will—why, remind her how it had happened. I, a strong man who never cried, who never feared anything—I had stood before her and trembled. I trembled, and saw her biting her lips, and had already put out my arm to take her around, when she lifted up her eyes—and there was laughter in them. My arm remained poised in midair; she burst out laughing, and laughed for a long time. To her heart's content. Still, she did apologize.

"Forgive me, please," she had said. But her eyes were laughing.

And I, too, smiled, and even if I were able to forgive her her laughter, I could never forgive her that smile of mine. This was on the 5th of September, at six in the evening. St. Petersburg time. St. Petersburg time, I add, for just then we were standing on a depot platform and, even now, I can plainly see the big, white face of the clock and the position of its jet-black hands, straight up and down. Alexis was killed at precisely six, too. A strange coincidence, yet likely to reveal a great deal to a man of acumen.

One of the grounds for placing me here was the absence of motive for the crime. Now do you see that a motive did exist? Of course, it wasn't jealousy. That presupposes a hair-trigger temper and weakness of the mental faculties—that is, a temperament directly the opposite of mine, for I am a cool and calculating man. Revenge? Yes, revenge is likelier, if it be so very necessary to use an old word for the definition of a new and unfamiliar emotion. The whole thing is that Tatyana had once more made me err, and this always aroused my resentment. Knowing Alexis well, I was convinced that Tatyana would be exceedingly unhappy married to him, and would regret not having married me, and that's why I insisted so much that Alexis (at that time merely in love with her) should marry her. Only a month before his tragic death he was saying to me:

"It's you to whom I'm indebted for my happiness. Isn't that so, Tanya?"

As for her, she had looked at me and said: "That's so." And her eyes had smiled. I, too, was smiling. And after that we all broke into laughter, as he embraced her (they were not at all embarrassed by my presence) and added:

"Yes, brother, you missed out that time!"

This inappropriate and tactless jest shortened his life by all of a week: my first intention had been to kill him on the 18th of December.

Yes, their marriage turned out to be a happy one—and it was she in particular who was happy. His love for her wasn't an overwhelming one—and besides, as a general thing, he was incapable of profound love. He had his beloved work—literature—which gave him interests beyond the confines of the bedroom. Whereas she loved him alone and lived in him alone. Then, too, he was not a healthy man; he was subject to frequent headaches and to insomnia, and all this was a torture to him, naturally. But as for her, looking after him when he was ailing and fulfilling his caprices constituted her happiness. For when a woman finds love, she becomes irresponsible for her actions.

And so from day to day I saw her smiling face, her happy face—young, beautiful, carefree. And I reflected: It is I who have contrived all this. I had wanted to give her a worthless husband and to deprive her of myself, but instead I have not only given her a husband whom she loves, but have remained attached to her myself. You can grasp this odd situation: she is more intelligent than her husband and loved to converse with me; but, having had her fill of conversation, she would go off to sleep with him, and felt happy.

I don't remember when the thought of killing Alexis first came to me. It bobbed up somehow without my noticing it, but even from the first moment it became such an old idea, as though I had been born with it. I know that it was my wish to make Tatyana unhappy, and that at first I was thinking up many other plans, less disastrous for Alexis (I have always been opposed to unnecessary cruelty). Availing myself of my influence over him, I thought of making him fall in love with another woman, or of making a drunkard out of him (he had a leaning that way), but none of these quite filled the bill. The rub was that Tatyana Nikolaievna would have ingeniously contrived to remain happy, even while giving him up to another woman, or listening to his drunken maunderings and submitting to his drunken caresses. Her need was for this man to be alive, and for her to serve him, in one way or another. Slavish natures of that sort do exist. And, like slaves, they cannot understand and appraise the strength either of another or of their master. There have been clever, fine and talented women in this world, but a just woman the universe has never yet seen, nor ever will see.

I am so sincere in this confession of mine not in order to curry that favor which I consider unnecessary, but to show in what a regular, normal way my decision was coming about, that I was forced, for a rather long while, to struggle against feeling sorry for the man whom I had condemned to death. I felt sorry about his ante-mortem terror and over those seconds of suffering when his skull would be fracturing. I felt sorry (I don't know if you will understand this) about the skull itself. In a smoothly functioning, living organism there is an especial beauty, while death, even as sickness and even as senility, is, first and foremost, hideousness. I remember (this was a long time ago), when I had just finished the university, how a beautiful young bitch with graceful, strong legs had come into my hands, and what a great exertion of my will it required to strip off her skin, as the experiment demanded. And for a long while thereafter I found it unpleasant to recall the incident.

And if Alexis had not been so sickly, so puny, I don't know—perhaps I mightn't have killed him, after all. But as for that good-looking head of his—well, I feel sorry about it to this very moment. Please tell that also to Tatyana Nikolaievna. He had a good-looking head—downright good-looking. His eyes alone were his weak point: colorless, lacklustre, with nothing energetic about them.

Nor would I have killed Alexis had the critics been right, and he really had been the possessor of so great a literary gift. There is so much that is dark in life, and it does stand in such need of talents which would shed light on its path, that we ought to cherish each such talent as the most precious of gems, as that which compensates for the existence of thousands of scoundrels and vulgarians among mankind. *But Alexis was no talent.*

This is no place for a critical essay, but if you'll just read closely those works of the deceased which have created the most stir, you'll see that life stood in no need of them. A hundred or so people who had become blubbery and had to have diversion may have had need of those works, but life had no such need, nor have we, who are striving to unriddle its riddle. Whereas a writer must, through the potency of his thought and talent, create new life, Savelov merely described the old, without even attempting to unriddle its innermost, hidden meaning. The only one of his stories I like, the only one wherein he draws near to the domain of the unexplored, is *The Mystery*, but that's an exception. The most wretched thing of all, however, was that Alexis was obviously beginning to write himself out, and because his life was happy had lost the last of those teeth which one must sink into life and gnaw it with. He himself told me not infrequently about his doubts, and I saw that they were not unfounded; I had gotten out of him the exact and detailed plans of his future works—and his grieving admirers may console themselves: there wasn't a single new and big thing among them. Of the people close to Alexis his wife alone did not see the decline of his talent—nor would she ever have seen it. And do you know why? Because she did not always read her husband's writings. Yet one day, when I somehow tried to open her eyes a little, she simply considered me a scoundrel. And, having made certain that we were alone, she said:

"It's something else that you can't forgive him."

"And what may that be?"

"That he is my husband and that I love him. If it weren't for Alexis' being so partial to you—"

She stopped short, and I considerately finished her thought:

"You would show me the door?"

There was a gleam of laughter in her eyes. And, with an innocent smile, she slowly uttered:

"No. I would let you stay."

And yet I'd never shown by a single word or gesture that I was still in love with her. But at that point the thought occurred to me: So much the better, if she does surmise.

The brute fact of depriving a man of life did not deter me. I knew that it was a crime severely punished by law—but then almost everything we do is a crime, and only a blind man fails to see that. For those who believe in God the crime is before God; for others, the crime is before men; for such as I, the crime is before one's own self. It would have been a greater crime if, having found it inevitable to kill Alexis, I would have failed to carry out this resolve. And as for people dividing crimes into big ones and petty ones, and their calling murder a big one—well, that had always struck me as the usual and pitiful human lying before one's own self, an attempt to hide from responsibility behind one's own back.

Nor did I fear my own self—and that was most important of all. To a murderer, to a criminal, the most dreaded thing is not the police, not the court, but his own self, his nerves, the mighty protest of the whole body which had been brought up under certain traditions. Recall Raskolnikov, the fellow that perished so pitifully and incongruously, and the slue of others like him. And for a very long time, and very closely, I deliberated on this point, picturing to myself what I would be like after the murder. I won't say I became imbued with full assurance as to my imperturbability—such assurance was out of the question in the case of any thinking man who foresaw all the contingencies. But, having painstakingly collected all the data of my past, having taken into consideration the strength of my will, the firmness of an unexhausted nervous system, my profound and sincere contempt for current morals, I could feel comparatively assured about a favorable issue to the undertaking. At this point it might not be amiss to tell you a certain interesting fact in my life.

Once, while I was still a student in my fifth semester, I stole fifteen rubles from money entrusted to me by my fellow-students, telling them that I had been short-changed—and they all believed me. This was something more than a mere theft, as when a man in need steals from one well-to-do; in this instance there was not only a betrayal of trust, but also the abstraction of money precisely from hungry men who were also comrades *and* fellow-students and, to top it all off, a theft committed by a man of means (which was the very reason they believed me). To you this act will probably seem more revolting than even the murder of my friend which I committed—isn't that so? But as for myself, I remember I felt amused because I had been able to bring this off so well and adroitly, and I looked in the eyes (straight into the eyes!) of those to whom I was lying, boldly and freely. My eyes are dark, good-looking, straightforward—and they were believed. But what I was most proud of was that I felt absolutely no gnawings of conscience, which had been the very thing I had had to prove to myself. And up to this very day I recall with particular pleasure the menu of the needlessly luxurious dinner which I ordered for myself with the stolen money, and which dinner I consumed with gusto.

And, even now, am I experiencing any gnawings of conscience? Any repentance for that which I have committed? Not in the least.

I do feel depressed. I feel insanely depressed, as no

other man on earth, and my hair is turning gray—but that's something else. *Something else.* Something frightful, unexpected, something unbelievable in its horrible simplicity.

SECOND FOLIO

My problem was this: It was necessary that I kill Alexis; it was necessary that Tatyana should perceive that it was none other than I who had killed her husband, and with all that the lawful chastisement must pass me by. To say nothing of the fact that if I paid the penalty Tatyana would be given an extra reason for a good laugh at my expense I had, in general, absolutely no hankering for a life sentence at hard labor. I am very much in love with life.

I love to see aureate wine effervescing in a fine goblet; I love, when I am tired, to stretch myself out on snowy sheets; I am fond of breathing in deeply the clean air of spring, of watching a beautiful sunset, of reading interesting and clever books. I love myself, the strength of my sinews, the strength of my thought, so clear and exact. I love the fact of my being lonely, and that not a single curious look has penetrated into the depth of my soul with its dark depths and abysses, at the verge of which one's head begins to swim. Never have I understood or known that which men call the tedium of life. Life is interesting, and I love it for that great mystery which is comprised within it; I love it even for its cruelties, for its ferocious vengefulness and Satanically merry play with men and events.

I was the only person whom I respected—how, then, could I risk sending that person to a life sentence at hard labor, where he would be deprived of leading the varied, full and deep life which he had to have! And even from your point of view—I was right in trying to evade penal servitude. I make out very well at doctoring; not being short of means, I treat many of the poor gratis. I am useful. Surely more useful than the murdered Savelov.

And impunity was easily attainable. There are thousands of ways of killing a man without creating a fuss, and for me, a physician, it was especially easy to resort to one of them. And among the plans I conceived and rejected the following engrossed me for a long time: that of inoculating Alexis with some incurable and repulsive disease. But the inconveniences of this plan were obvious: prolonged sufferings for the subject himself, something unprepossessing about it all, something profoundly and, somehow, really . . . stupid; and, finally, that even in the disease of her husband Tatyana would have found a source of joy for herself. My problem became especially complicated by the imperative requirement that the wife must know the hand that had struck down her husband. But it is only cowards who fear obstacles; such men as I are attracted by them.

Chance, that great ally of the clever, came to my aid. And I permit myself to draw your particular attention, *Messieurs les Experts,* to this detail; it is precisely chance —*i. e.,* something external, independent of me, which served as basis and occasion for what followed. I had come across a news item (the clipping is probably around my place, or you may find it in the possession of the authorities); it had to do with a cashier—or it may have been just a clerk—who simulated an attack of the falling sickness and, allegedly during the attack, had lost a sum of money—he had really stolen it, of course. The clerk turned out to be a coward and confessed, even pointing out where he had hidden the stolen money; but the idea itself wasn't a bad one and could be put into practice. To simulate insanity, to kill Alexis in a state of supposititious madness, and then to "recover"—that was the plan which instantly sprang up in my head, but which demanded much time and work to take on a fully defined, concrete form. At that time I had only a superficial knowledge of psychiatry, like every physician who is not a specialist, and a year or so of my life went into reading all sorts of sources and into deep thought. Toward the end of that time I became convinced that my plan was fully realizable.

What the experts would direct their attention to first of all would be my hereditary influences—and my heredity, to my great joy, turned out to be quite a suitable one. My father had been a dipsomaniac; one of my uncles, his brother, had ended his days in an institution for the insane and, finally, my only sister, Anna, now dead, had been afflicted with epilepsy. True enough, all those on my mother's side were sound; but then, one drop of the poison of madness is enough to envenom a whole succession of generations. In my magnificent health I took after my mother's family, but certain inoffensive quirks did exist in my case and might prove of great service to me. My comparative unsociability (which is simply the sign of a healthy mind, a preference for passing one's time in one's own company and with one's books rather than spending it in empty, idle chatter) might pass for unwholesome misanthropy; the frigidity of my temperament, which sought no coarse, sensual enjoyments, might be considered an expression of degeneracy. My very stubbornness in the attainment of goals once set—and not a few instances of that stubbornness could be found in my rich life—would, in the language of *Messieurs les Experts*, receive the awe-inspiring name of monomania, of obsession by *idées fixes*.

Thus the soil for the simulation was exceptionally

favorable; the statics of insanity was evident; the only thing needed was the dynamics. It was necessary to draw two or three well-done strokes over the fortuitous priming-coat of nature, and the picture of insanity would be complete. And I imagined very clearly how this would come about—imagined it not in programmed thoughts but in living images: even though I'm no writer of trashy stories, I'm far from lacking in artistic sensitiveness and in fantasy.

I saw that I would be able to go through with my rôle. A bent for dissembling had always been dormant in my character, and was one of the forms my striving for inner freedom took. Even in school I had often simulated friendship, walking through the corridor with my arm around another's shoulders, the way real friends do, artfully counterfeiting the frank speech of friendship—and imperceptibly playing the inquisitor. And when my friend, ever so touched, would turn himself all inside out, I would cast his miserable little soul away from me and walk off with a proud consciousness of my power and inner freedom. At home as well, among my kin, I remained the same sort of double-dealer. Just as in the houses of the Old Faith sectarians a separate set of dishes is kept for strangers, so I, too, kept a separate set of everything for others: a separate smile, separate conversations, and a separate frankness. I saw that people do a great many things which are foolish, harmful to themselves, and unnecessary, and it seemed to me that, were I to start telling the truth about myself, I would become even as all the others, and that these foolish and unnecessary things would gain a mastery over me.

I always liked being respectful to those whom I despised, and kissing people whom I hated; this made me free and master over the others. But, then, I knew no such thing as falsehood to my own self—that most widespread and lowest form of the enslavement of man by life. And the more I lied to people, the more mercilessly truthful did I become before my own self—a virtue that but few can boast of.

On the whole, I think I had the makings of an extraordinary actor in me, an actor who could combine a naturalness of acting that at times attained to a full fusion with the character being played, and an unremitting, chill control of the intellect. Even during the ordinary reading of a book I entered wholly into the psychic state of the character being depicted and—would you believe it?—when I was already an adult I shed bitter tears over *Uncle Tom's Cabin*. To be able to re-incarnate one's self: what a wondrous ability that is of the lithe mind, refined by culture! You live as though with a thousand lives, now descending into infernal darkness, now ascending to celestial, radiant heights, taking in an infinite universe at a single glance. If man is fated ever to become God, the book will be His throne. . . .

Yes. That is true. Incidentally, I want to lodge a complaint with you against the way things are run here. Either they put me to bed when I want to write, *when I must write,* or they won't shut the doors, and I am compelled to listen to the caterwauling of some madman or other. He keeps on caterwauling and caterwauling—it's downright unbearable. You can actually drive a man out of his mind that way, and then say that he was mad to begin with. And is it possible they really haven't an extra candle, and I must spoil my eyes with electric light?

Very well, then. I had entertained ideas of actually going on the stage even some time before this, but I dropped the silly notion: pretending, when everybody knows it is pretending, at once loses its value. And besides, the cheap laurels of a certified play-actor on a government stipend held but little attraction for me. About the degree my art attained you can judge by the fact that any number of asses to this day considers me the sincerest and most truthful of men. And here's something odd: it wasn't asses I always succeeded in taking in—I said that just so, in the heat of the moment—but none other than intelligent people; while, on the other hand, there are two categories of beings of a lower order whose trust I could never gain: women and dogs.

Do you know, that the most estimable Tatyana Nikolaievna never did believe my love, and doesn't believe it, I think, even now, when I have killed her husband? Here's how the thing works out, according to her logic: I did not love her; as for Alexis, I killed him because she loved him. And this nonsense seems to her, in all probability, both well considered and convincing. And yet she's a clever woman!

Putting over the rôle of a madman did not seem very hard to me. The necessary bits of business were furnished me, in part, by books; in part I, like every good actor given any rôle, had to round them out through my own creativeness; as for the rest, it would be created by the audience itself, which had long since refined its emotions through books and the theatre, where it had been trained to create living countenances out of two or three indistinct contours.

Of course, there were bound to be certain unavoidable lacunæ—and this was particularly dangerous in view of the strict scientific examination to which I would be subjected; but even here I did not foresee any serious danger. The wide domain of psychopathology is still so little cultivated, there is in it so much that is still dark and casual, so vast is the room left for fantasy and subjectivism, that I boldly placed my fate in your hands, *Messieurs les Experts.* I do hope I haven't offended you. I'm not attacking your learned authority, and feel certain that, as people trained in conscientious scientific thinking, you will agree with me.

. . . He has stopped caterwauling, at long last. It's simply unbearable. . . .

And even at the time when my plan was only in projection, a thought came to me which could hardly have come into the head of an insane man. *This was the thought of the sinister danger of my experiment.* Do you understand what I'm talking about? Insanity is a fire which it is dangerous to play with. You could start a bonfire going in the middle of an ammunition dump and feel yourself in greater safety than if even the least thought of insanity were to steal into your head. And I knew this, I knew, I knew this—but then, does danger mean anything to a brave man?

Then, too, did I not feel that my thought was firm, bright, as if it were forged of steel, and absolutely submissive to me? Just like a keenly ground rapier it wove in and out, stung, bit, parted the warp and woof of events; like a very serpent, it crept into unexplored and sombre depths, which are hidden for all eternity from the light of day; yet its hilt lay within my hand, the iron hand of a skilled and experienced fencer. How obedient it was, how faithful in execution and swift, my thought!—and how I loved it, my handmaiden, my ominous strength, my sole treasure!

. . . He is caterwauling again, and I can't go on writing. How horrible it is to hear a man howling! I've heard many frightful sounds, but this is the most frightful, the most horrible of all. It is unlike any other, this voice of a beast which passes through the gullet of a man. It is something ferocious and cowardly; something unbridled and pitiful unto baseness. The mouth writhes, all to one side; the muscles of the face become strained like ropes, the teeth bared like a dog's, and out of the dark orifice of the mouth issues this revolting, roaring, wheezing, laughing, howling sound. . . .

Yes. Yes. That's what my thought was like. Incidentally: you will turn your attention to my handwriting, of course, so I beg of you not to attach any significance to its occasional tremulousness and apparent inconsistency. It's a long time since I've done any writing; the late events and my insomnia have weakened me greatly, and so my hand jerks now and then. *This used to happen to me even before.*

THIRD FOLIO

Now you understand what sort of a fearful attack it was that overcame me on that evening at the Karganovs'. This was my first experiment, which succeeded even beyond all expectations. It was just as if everybody knew beforehand that that very thing would happen to me, just as if the sudden madness of a thoroughly healthy man seemed something natural in their eyes, the sort of thing one may always expect. No one was astonished, and all vied with one another to color my playing with the play of their own fantasy—it is a rare guest star who could have assembled as splendid a troupe as these naïve, silly, and gullible people. Have they told you how pale I was, and how frightful I looked? How a chill perspiration (yes, precisely that: a chill perspiration) covered my brow? With what an insane fire my dark eyes blazed? When they were conveying to me all these observations of theirs, I was, in appearance, sombre and crushed, but all my soul was aquiver with pride, happiness and derision.

Tatyana and her husband were not present that evening—I don't know if you have paid any attention to this fact. And this was not through mere chance: I was afraid of frightening her, or, still worse, of instilling suspicion in her. If there were any person alive who could see through my play-acting, that person was she.

And, in general, there was nothing of the fortuitous in this instance. On the contrary, every trifle, even the most insignificant, had been rigidly thought over. The moment for the fit (at supper) I had chosen because then all would be together and, to some extent, aroused by wine. I took my seat at the edge of the table farthest from the candlesticks—since I hadn't the least desire to stage a fire or to burn my nose. Alongside of me I seated Paul Petrovich Pospelov, that fat swine, upon whom I had long been wanting to inflict some unpleasantness. He's particularly revolting when he's eating. When I saw him first at this occupation, it struck me that eating is an immoral business. At this point all this came in handy. And, surely, not a soul noticed that the plate which flew into smithereens under my fist had been covered over with a napkin, so as not to cut my hand.

The trick itself was staggeringly crude, even silly, but that was precisely what I was calculating on. Any stunt of greater finesse they would have failed to understand. At first I waved my arms about and spoke "excitedly" to Paul Petrovich, until the latter's little peepers began to pop out in astonishment; then I sank into "concentrated thoughtfulness", marking time until the question from the inevitable Irina Pavlovna:

"What's the matter with you, Anton Ignatievich? Why are you so gloomy?"

And, when the eyes of all were turned upon me, I smiled a tragic smile.

"Are you unwell?"

"Yes. A little. My head is going 'round. But don't put yourself out, please. It'll pass right away."

The hostess calmed down, while Paul Petrovich gave me a sidelong look, suspicious and disapproving. And the next moment, as he brought a glass of port to his lips with a beatific air, I—one!—knocked the glass right out from under his nose and—two!—smashed my fist down on the plate. The shards flew right and left, Paul Petrovich was sprawling and *oink*'ing, the young ladies were screeching, while I, with my teeth bared, was dragging the cloth off the table with everything that was on it. Oh, that was a scene to make you split your sides laughing!

Yes. Well, at that point they all got around me, caught hold of me; some were fetching water, some were seating me in an easy-chair; I, for my part, kept growling, like a tiger in a zoo, and working my eyes for all they were worth. And all this was so incongruous, and all of them were so silly that, by God, I had more than half a mind to smash a few of their phizes, taking advantage of my privileged condition. But, of course, I refrained.

After that came the scene of slowly calming down, with the business of the breast heaving tempestuously, the eyes rolling up, the teeth gnashing, and such feeble-voiced speeches as:

"Where is it I am? What's the matter with me?"

Even that absurdly French "Where is it I am?" made a hit with this gentry, and no less than three fools informed me without any delay:

"At the Karganovs'. [In a mawkish voice:] Do you know, dear Doctor, who Irina Pavlovna Karganova is?"

They were positively too small-time to waste good acting on!

On the second day after this—I'd allowed enough time for rumors to reach the Savelovs—came my talk with Tatyana and Alexis. The latter had somehow failed to grasp what had happened and confined himself to the question:

"Well, brother, what sort of mess did you get into at the Karganovs'?"

He flipped up the tail of his little jacket and went off into his study to work. As much as to say that, were I actually to go out of my mind, he wouldn't even blink an eye. But then, the commiseration of his spouse was especially magniloquent, tempestuous and, of course, insincere. And at this point—well, I didn't exactly begin regretting what I had started, but there simply arose the question: Was it all really worth-while?

"Do you love your husband very much?" I asked Tatyana, whose eyes were following Alexis.

"Yes," she turned around quickly. "But why do you ask?"

"Oh, just so." And, after a minute's silence fraught with unuttered thoughts, I added: "Why don't you trust me?"

She glanced at me quickly, looking directly into my eyes, but made no answer. And at that moment I forgot that once, a long time ago, she had burst out laughing, and I bore her no malice, and that which I was engaged in appeared unnecessary and strange to me. That was fatigue, natural after a strong upsurge of nerves, and it lasted for but an instant.

"But could one possibly believe you?" she asked after a long silence.

"Of course not," I answered lightly, but within me the fire that had died out was blazing up anew. Strength, daring, a resolve that would stop at nothing did I come to sense within me. Proud at the success already achieved, I boldly decided to go on to the end. Struggle—therein lies the joy of life.

The second fit took place a month after the first. In this case not everything had been so well thought over, but then that was superfluous, since the general plan was there. I had no intention of staging that fit precisely on that evening but, since circumstances were arranging themselves so adventitiously, it would have been foolish not to avail oneself of them. And I remember clearly how it all came about. We were sitting in the drawing room and chatting when I became very sad. I suddenly had a vivid picture of how alien to all these people and how lonely in this world I was, forever immured in this head, in this prison, of mine. And thereupon all those there became revolting to me. And, in fury, I smashed my fist on the table and started yelling something rude, and with joy saw fright upon their paled faces.

"Scoundrels!" I kept yelling. "Vile, contented scoundrels! Liars, hypocrites, snakes in the grass! I hate you!"

And it is true that I did struggle with them, then with the waiters and the coachmen. Nevertheless, I was aware that I was struggling, aware that I was doing so deliberately. The simple truth is, it was a pleasure to beat them, to tell them straight to their faces all the truth about what they were like. Come, is every man that tells the truth a madman? I assure you, *Messieurs les Experts*, that I was conscious of everything; that as I hit out I felt under my hand living flesh that responded to the pain. But at home, left to myself, I laughed and reflected what an amazing, exquisite actor I was. Then I lay down to sleep, and I took a book to read in bed—I can even tell you what the book was: a work of Guy de Maupassant's; as always, I found him delightful, and fell asleep like an infant.

Come, do madmen read books and find them delightful? Do they sleep like infants?

Madmen do not sleep. They suffer, and everything in their heads swirls like turbid water. Yes, swirls like turbid water—and then falls. . . . And they want to howl, to lacerate themselves with their own nails. They want to get down on all fours—there, like that—and to creep along, ever so quietly, and then to jump up all of a sudden and yell out:

"Aha!"

And to burst out laughing. And to howl. To throw up their heads—so—and howl ever and ever so long, in such a long, long-drawn-out way, ever and ever so piteously.

Yes. Yes.

But I slept like an infant. Come, do madmen sleep like infants?

FOURTH FOLIO

Yesterday morning Mary (our nurse) asked me:

"Don't you ever pray to God, Anton Ignatievich?"

She was serious, and believed I would answer her sincerely and seriously. And I answered her without a smile, as she wished me to:

"No, Mary, never. But, if it will please you, you may make the sign of the cross over me."

And, still as seriously as ever, she made the sign of the cross over me, and I was very glad because I had given a moment of pleasure to this excellent woman. Like all persons highly placed and at liberty you, *Messieurs les Experts*, pay no attention to servants, but we, those under arrest and "madmen", have occasion to see them near at hand, and at times to make astonishing discoveries. So it has probably never even entered your heads that Mary, the nurse assigned by you to keep an eye on the madmen, *is mad herself?* Yet such is the case.

Take a good look at her walk, noiseless, gliding, a trifle timorous and astonishingly cautious and nimble, as though she were walking amid unseen, unsheathed swords. Look closely at her face, but do it somehow without her perceiving it, so that she might not be aware of your presence. When some one of you arrives, Mary's face becomes serious, important, yet condescendingly smiling—precisely the expression which at that moment is dominating your face. The gist of the matter is that Mary is possessed of a strange and most significant ability: that of reflecting upon her face the expression of all other faces. At times she looks at me and smiles. Such a wan, reflected smile, as if it were someone else's. And I surmise that I had been smiling when she had glanced at me. At other times Mary's face becomes a martyr's, grim, the eyebrows converging toward the bridge of the nose, the corners of the mouth drooping, the whole face aging by ten years and growing darker—probably my face is just like that at the moment. There are occasions when I frighten her by my gaze. You know how strange and a trifle frightening the face of a man in deep thought is. And Mary's eyes widen, their pupils growing darker, and, raising her hands a little, she noiselessly goes to me and does something or other with me, something friendly and unexpected: smoothing down my hair, or adjusting my robe.

"Your belt will come undone!" says she, while her face is as frightened as ever.

I, however, have the opportunity of seeing her when she is all by herself. And when she is, all expression is, oddly, absent from her face. It is pale, comely, and enigmatic, like the face of one dead. If you call her loudly by her name, she will turn around quickly, smile her tender and timorous smile, and ask:

"Do you want me to bring you something?"

She is forever bringing something or taking something away and, if she has nothing to bring, or to take away, or tidy up, she seems perturbed. And, always, she is noiseless. I haven't even once noticed her dropping anything, or making the least clatter. I made attempts to discuss life with her, and found her strangely apathetic about everything—even about murders, fires, and every other sort of horror which has such an effect upon people of but little development.

"Do you understand—men are wounded, killed, and they leave little hungry children behind them?" I told her, speaking about war.

"Yes, I understand," she answered, and asked thoughtfully: "Oughtn't you to have a little milk? You've eaten so little today."

I laughed, and she responded with somewhat frightened laughter. She hasn't been to the theatre even once, doesn't know that Russia is a sovereign nation, and that there are other sovereign nations; she's illiterate, and knows only as much of the Bible as she may have heard read in snatches in church. And every evening she kneels and prays for a long while.

I long considered her only a limited, stolid being, born to be a slave, but a certain incident compelled me to change my opinion. You probably know—you were probably told—that I have lived through a bad moment here—which, of course, proves nothing save fatigue and a temporary physical decline. *A matter of a towel.* Of course, I am stronger than Mary and could have killed her, since there were only the two of us there, and had she cried out or seized my hand. . . . But she did nothing of the sort. She merely said:

"Don't, my dear—"

I have thought often of this "Don't" later on, and even now I can't understand the astonishing power it holds, and which I feel. That power lies not in the word itself, which is meaningless and vacuous; it lies somewhere in the depths of Mary's soul, unknown to me and inaccessible. She has a knowledge of something, but cannot or will not say what it is. Subsequently I strove to get an explanation from her of this "Don't". And she couldn't explain it.

"Do you think that suicide is a sin? That God has forbidden it?"

"No."

"Why, then, did you say 'don't'?"

"Just so. Don't." And she smiled, and asked: "Should I bring you something?"

Absolutely, she is mad, but non-violent and useful, like many of the mad. And don't you touch her!

I have permitted myself to digress from my story, since Mary's action yesterday has impelled me toward reminiscences of childhood. My mother I don't remember, but I did have an Aunt Anphissa, who always made the sign of the cross over me to bless my night's slumber. She was a taciturn old maid with a pimply face, and used to feel very much ashamed whenever my father twitted her about marriageable young men. I was still a youngster, about eleven, at the time she strangled herself in the small shed where we used to store coal. Afterward my father kept seeing her all the time, and that jolly atheist ordered masses and requiems for her soul.

He was very clever and talented, was my father, and his courtroom speeches brought tears to the eyes not only of nervous ladies but even of serious, well-balanced people. I alone did not weep as I listened to him, inasmuch as I knew him, and knew that he himself hadn't a notion of what he was saying. He had knowledge of many things, had many thoughts and still more words; and the words, and the thoughts and funds of knowledge were often combined very successfully and beautifully, but he himself understood nothing of all this. *I even frequently doubted if he had any actual existence*—to such an extent did all of him consist of outer things, of sounds and gestures, and it frequently seemed to me that this was no man but a flickering cinema image coupled with a phonograph. He did not understand that he was a human being, that he was living at that moment but eventually would die, and therefore did not seek anything. And when he'd lie down in bed, ceasing to stir and then falling asleep, he most probably had no dreams whatsoever and did cease to exist. With his tongue (he was a lawyer) he earned thirty thousand or so a year, and not once was he struck by or think deeply about this circumstance. I remember the time he and I went to a country estate he had just bought, and I said, pointing to the trees in our park:

"Clients?"

Flattered, he smiled and answered:

"Yes, brother—talent is a grand thing."

He drank a great deal, and his inebriation showed only in an accelerated tempo in everything about him, after which it all ran down abruptly—as he fell asleep. And everybody considered him unusually gifted, while he himself was forever saying that, had he not turned out to be a famous lawyer, he would have been a famous painter or writer. Regrettably enough, it was the truth.

And least of all did he understand me. Once things so fell out that we were threatened by the loss of our fortune. And, to me, that was horrible. In our days, when only riches give freedom, I don't know what would have become of me had fate placed me in the ranks of the proletariat. Even right now I cannot picture to myself anybody daring to lay a hand on me, compelling me to do that which I don't wish to do, buying for coppers my labor, my blood, my nerves, my life. But I experienced that horror for but a moment, since in the next I understood that such people as I never turn out to be poor. But my father did not understand this. He sincerely considered me a dull young man and regarded my imagined helplessness with apprehension.

"Ah, Anton, Anton, whatever will you do!" said he.

He himself had gone all to pieces; his long, unkempt hair hung down on his forehead; his face was yellow.

"Don't be uneasy on my account, Dad," I answered him. "Since I'm not talented I'll have to kill Rothschild or rob a bank."

My father grew angry, since he had taken my answer for an ill-timed and flat jest. He saw my face, he heard my voice, yet just the same he took this for a jest. The pitiful, cardboard buffoon, who through some misunderstanding was considered a man! My soul he did not know, while all the outward, orderly arrangement of my life made him indignant, inasmuch as it did not fit into his understanding. I studied well in school, and this saddened him. Whenever we had guests—lawyers, litterateurs and painters—he would poke his finger at me and say:

"As for that son of mine—he's first rate as a scholar. Whereby have I incurred the wrath of God?"

And they all laughed at me, and I laughed at all of them. But even more than by my successes was he aggrieved by my conduct and dress. He would come into my room solely to shift the position of the books on my desk, without my noticing it, and to create some sort of disorder at least. The neat way I combed my hair deprived him of his appetite.

"We are ordered to cut our hair short by our school inspector," I would inform him, seriously and respectfully.

He'd swear roundly, and at the same time everything within me was aquiver with contemptuous laughter, and not without grounds did I at that time divide all the world into those who were inspectors pure and simple and those who were inspectors turned inside out. And all of them were straining toward my head: some to trim the hair on it, others to pull that hair out.

Worst of all for my father were my note-books. Occasionally, when he was drunk, he would look them over in despair, complete and comical:

"Did you ever happen, even once, to make a blot?" he'd ask.

"Yes, I did, Dad. Three days ago I happened to let a drop of ink fall on my trigonometry lesson."

"Did you lap it up?"

"Lap it up? Just what do you mean?"

"Just that—did you lap it up?"

"No, I applied blotting paper to it."

My father made a hopeless, drunken gesture, and growled as he stood up:

"No, you're no son of mine. No, no!"

Among these note-books which he hated so much there was one, however, which might have given him pleasure. Just like all the others, it hadn't a single crooked line, or a blot, or anything crossed out. And entered therein was, approximately, the following: "My father is a drunkard, a thief, and a coward." This was followed by certain particulars which, out of respect for the law, as well as for the memory of my father, I do not deem it necessary to give here.

At this point there comes to my memory a certain fact I had forgotten, which I now perceive will not be devoid of great interest to you, *Messieurs les Experts*. I'm very glad to have recalled it—very, very glad. How could I ever have forgotten it?

We had a maid, named Kate, in our house, who was my father's mistress and, at the same time, mine. My father she liked because he gave her money, and me because I was young, had beautiful dark eyes, and didn't give her money. And, on the night when my father's corpse was laid out in the drawing room, I made my way to Kate's room. It wasn't far, and one could clearly hear in it the minor cleric reading the prayers in the drawing room.

I am of the opinion that the immortal spirit of my father received full satisfaction!

No, this actually is an interesting fact, and I can't understand how I could have forgotten it. To you, *Messieurs les Experts*, this may seem puerility, a childish prank void of any serious meaning, but that's not so. This, *Messieurs les Experts*, was a cruel battle, and the victory therein did not come to me cheaply. The stake was my life. Had I shown cowardice, had I turned back, had I proven incapable of making love—I would have killed myself. *That had been decided upon, I remember.*

And that which I was doing was, for a youth of my years, not so easy. Now I know that I was battling a windmill, but at that time the whole business appeared to me in a different light. Right now it is already hard for me to bring back in my memory that which I lived through then, but I felt, I remember, as if through a single action I were breaking all laws, both divine and human. And I was horribly cowardly, to the verge of the mirth-provoking, yet just the same I got myself in hand and, when I came into Kate's room, was as ready for kisses as Romeo.

Yes, at that time I was still, it seems, a romantic. That

happy time, how distant it now is! I remember, gentlemen, as I was coming away from Kate, I stopped before the corpse, crossed my arms on my chest *à la* Napoleon, and looked at it with comic pride. And at that very moment I shuddered, startled by a flutter of the pall. That happy, distant time!

I hate to think so, but I'm afraid I've never ceased being a romantic. And I was all but an idealist. I believed in human thought and its unbounded might. The whole history of mankind unrolled before me as a procession consisting solely of thought triumphant—and this was still not so long ago. And it is frightful for me to think that all my life has been a deception, that all my life I have been a madman, like that mad actor whom I saw the other day in an adjoining ward. He had accumulated bits of red and blue paper everywhere, and gave to each bit the denomination of a million; he importuned visitors for these bits of paper, stole and brought them back from the lavatory, and the keepers poked rough fun at him, but he sincerely and deeply despised them. I proved to his liking and, by way of a farewell gift, he gave me a million.

"It's a mere trifle, this million," said he, "but you will excuse me; just now I have such expenses—such expenses!" And, taking me aside, he explained in a whisper: "Right now I have my eye on Italy. I want to chase out the Pope and to introduce a new currency there—these very bills. And then, one Sunday, I will proclaim myself a saint. The Italians will rejoice—they always do, whenever you give 'em a new saint."

Wasn't it on that sort of a million I've been living?

It is horrible for me to think that my books, those companions and friends of mine, are still standing on their shelves as they used to and silently guard that which I considered the wisdom of the earth, its hope and its happiness. I know, gentlemen, that whether I am mad or not, I am, from your point of view, a scoundrel; well, you ought to see this scoundrel when he is stepping into his library!

Go, gentlemen, and look over my rooms; you will find the experience interesting. In the upper left-hand drawer of my desk you will find a catalogue *raisonné* of my books, paintings and bibelots; in the same place you will find the keys to the bookcases. You yourselves are men of learning, and I believe that you will treat my books with due respect and care. *I also ask you to see that the lamps should not be sooty.* There's nothing more horrible than soot; it gets in everywhere, and then a great deal of effort is required to get rid of it.

ON A SCRAP OF PAPER

Petrov, the assistant doctor, has just refused to give me chloralámid in the dose I demand. First of all, I am a physician and know what I am doing; and next, if I am refused, I intend to take decisive measures. I have not slept for two nights and have no desire whatsoever to go out of my mind. I demand that I be given chloral-amid. I demand it. This is *dishonorable*—to drive any-body out of his mind.

FIFTH FOLIO

After the second attack they began to be afraid of me. In many houses all haste was made to slam the door in my face; on chancing to meet me, acquaintances would smile vilely, and ask in a tone of great significance:

"Well, how's your health, my dear fellow?"

The situation was such that I could commit whatever lawlessness I liked and yet not lose the respect of those around me. I looked at them and reflected: If I want to, I can kill this one and that one, and not a thing will happen to me because of my act. And that which I experienced at this thought was novel, agreeable and a trifle frightening. Man ceased to be something strictly protected, taboo; as though a husk of some sort had fallen away from him, he was naked, as it were, and killing him seemed an easy and a tempting matter.

Fear fenced me off from inquisitive eyes in such a close wall that the necessity of a third, preparatory fit was being obviated of itself. In that respect alone was I departing from the plan I had drawn, but that's just where the power of talent comes in: in not keeping itself within confining frames and, in accordance with changed circumstances, changing, as well, the whole course of the battle itself. But it was still necessary to receive an official remission for sins past, and dispensation for sins to come—a scientific, medical attestation of my ailment.

And here I waited until a confluence of circumstances in which my turning to a psychiatrist might seem incidental, or even somehow compulsory. This was, perhaps, actually a superfluous fine touch in the working out of my rôle. It was Tatyana and her husband who sent me to a psychiatrist.

"Please go to a doctor, my dear Anton Ignatievich," said she.

Never before had she called me dear, and it had been necessary for me to get the repute of a madman to gain this picayune endearment.

"Very well, my dear Tatyana Nikolaievna, I'll go," I answered her submissively.

The three of us—Alexis had also been present—were sitting in his study, where the murder subsequently took place.

"Yes, Anton—go, without fail," Alexis confirmed authoritatively. "Or else you'll be up to some mischief or other."

"Well, now, what could I be *up to?*" I was timidly apologetic before my stern friend.

"Who can tell? You may cave somebody's head in."

I was turning a heavy cast-iron paperweight in my hands, looking now at it, now at Alexis, and asked:

"Head? Did you say *head?*"

"Well, yes—head. You'll let go with some such thing as that, and there you are!"

This was becoming interesting. *The head, precisely, and, precisely, with this thingumbob did I intend to do the caving in, and now this very head was discoursing how it would come about.* It was discoursing and smiling insouciantly. And yet there are people who believe in premonition, that death sends out some forerunners or other—what bosh!

"Well, one could hardly do anything with this thing," said I. "It's far too light."

"Light? What are you talking about!" Alexis became indignant, snatched the paperweight out of my hands and, taking it in his slender, small hand, hefted it a few times. "Try it!"

"Yes, but I know—"

"No, you take it like this, and you'll see."

Reluctantly, smilingly, I took the heavy object. But at this point Tatyana intervened. Pale, with her lips quivering, she said—or rather cried out:

"Drop the subject, Alexis! Drop it!"

"What is it, Tanya? What's the matter with you?" he evinced his astonishment.

"Drop it! You know how I dislike such jokes."

We started laughing and the paperweight was put back on the table.

At Prof. T——'s office everything worked out just as I had expected it would. He was exceedingly circumspect, restrained in his expressions, but serious; he asked if I had any relatives to whose care I could entrust myself, advised me to stay home for a while, to rest a bit, and to calm down. Relying upon my status as a physician, I had a slight dispute with him, and even if he had had any lingering doubts at this point, after my temerity in contradicting him he irrevocably numbered me among the insane. Of course, gentlemen, you will not attach any serious significance to this inoffensive jest at the expense of one of your fraternity: as a man of science Prof. T—— is, beyond all doubt, worthy of respect and esteem.

The next few days were among the happiest of my life. I was pitied, as an admittedly sick man; I received calls, I was spoken to in some sort of broken, absurd language, and I alone knew that I was in better health than anybody else, and delighted in the clean-cut, mighty functioning of my thought. Of all the amazing, incomprehensible things in which life is so rich, the most incomprehensible and amazing one is the thought of man. Divinity is in it; in it are the pledge of immortality and a mighty force that knows no barriers. People are overcome with rapture and astonishment when they look upon the summits of mountainous masses; were they to understand themselves, they would be struck by their ability to think far more than by any mountain, far more than by all the wonders and beauties of the universe. The simple thought of a manual laborer of how most efficaciously to put one brick atop another: there you have the greatest of miracles and the profoundest of mysteries.

And so I took delight in my thought. Innocent in its beauty, it yielded itself to me with the passion of a mistress, served me like a handmaiden, and sustained me as a friend. Don't think that I spent all those days between the four walls of my home only in pondering my plan. No, everything therein was clear, everything had been thought out. I pondered over all sorts of things. My thought and I—it was just as though we were playing with life and death, and were soaring high, ever so high, above them. By the way, during those days I solved two very interesting chess problems, over which I had been working long but unsuccessfully. You know, of course, that three years ago I had participated in an international chess tournament and taken second place after Lasker. Had I not been a foe to all publicity and had I continued participating in contests, *Lasker would have had to yield the place where he had been roosting so long.*

And, from the moment when Alexis' life had been handed over to me, I came to feel particularly well-disposed toward him. I found it pleasant to think that he was living, drinking, eating and being joyous, and all this because I was permitting it. A feeling resembling that of a father for his son. And the one thing that did disturb me was his health. For all his puniness, he was unpardonably negligent; he refused to wear a sweater, and in the most dangerous, rawest weather walked out without his rubbers. Tatyana Nikolaievna reassured me. She dropped in for a visit and told me that Alexis was in perfect health and even sleeping well—a rare occurrence with him. In my joy I asked her to pass on a certain book to Alexis—a rare item that had fallen into my hands by chance and which Alexis had liked for a long time. Perhaps, as far as my plan was concerned, this gift was an error: people might have suspected therein a stacking of the cards, but I did so want to give Alexis pleasure that I decided on a slight risk. I even disregarded the circumstance that, as far as the artistry of my playing went, the gift might have been actually a hammy touch.

On this occasion I acted very charmingly and simply and made a good impression upon her. Neither she nor Alexis had witnessed either one of my attacks, and for them it was evidently difficult—even impossible—to picture me as mad.

"Do drop in on us," Tatyana begged me as she was saying good-bye.

"Mustn't," I smiled. "Doctor's orders."

"Oh, nonsense. You can come to us—it's the same as being at home. And Alësha misses you so."

I promised, *and never was a promise given with such certainty of its being fulfilled.* Doesn't it seem to you, gentlemen, when you learn of all these lucky coincidences—doesn't it seem to you that it was no longer by me alone that Alexis had been condemned to death *but by some other as well?* But, in reality, there is *no other,* and everything is so simple and logical.

The cast-iron paperweight was standing in its place when, on the 11th of December, at 5 p.m., I came into Alexis' study to see him. This time before dinner—they dine at seven—both Alexis and Tatyana spend resting. They were very glad I had come.

"Thanks for the book, old friend," said Alexis, shaking my hand. "Why, I myself was about to go to you, but Tanya told me that you'd recovered entirely. We're going to the theatre tonight—come along with us?"

We began to talk. That day I resolved not to pretend at all—that absence of pretense was an exquisite pretense of its own sort—and, being under the influence of the exaltation of thought I had lived through, I spoke much and interestingly. If the admirers of Savelov's talent did but know how many of "his" best thoughts had been engendered and gestated in the head of Dr. Kerzhentsev, whom nobody knew!

I spoke clearly, precisely, turning my phrases; at the same time I was watching the minute hand of the clock and reflecting that when it reached six I would become a murderer. And I was saying something funny, and they were laughing, while I was trying to memorize the sensation of a man who was not a murderer yet but would become one soon. No longer as an abstract notion but altogether simply I understood the process of life in Alexis, the beating of his heart, the ebb and flow of blood at his temples, the noiseless vibration of his brain—and I also understood how this process would break off, the heart cease to drive the blood, and the brain become stilled.

On what thought would it become stilled?

Never had the clarity of my consciousness attained such height and power; never had the sensation of a many-faceted, smoothly functioning *I* been so full. Just like God: without seeing I saw; without hearing I heard; without thought I was sentient.

There were seven minutes remaining when Alexis lazily got up from the divan, stretched himself, and left the room.

"I'll be back right away," said he as he was going out.

I did not want to look at Tatyana and I walked over to the window, parted the draperies, and stood there. And, without looking, I sensed how she hastened across the room and stopped by my side. I heard her breathing, knew that she was looking not through the window but at me, and I kept silent.

"How gloriously the snow glistens," said she, but I did not respond. Her breathing quickened, then broke off.

"Anton Ignatievich!" said she—and stopped.

I kept silent.

"Anton Ignatievich!" she repeated, just as hesitatingly, and thereupon I glanced at her.

She staggered, almost falling, as though thrown back by the fearful power in my glance. She staggered, and then rushed to her husband, who had entered.

"Alexis!" she babbled. "Alexis, he—"

"Well, what about him?"

Without smiling, but in a voice that shaded what I was saying into a jest, I said:

"She thinks that I want to kill you with this thing."

And, altogether calmly, without concealment, I took the paperweight, lifted it up in my hand, and calmly walked up to Alexis. He was looking at me, his faded eyes unblinking, and repeated:

"She thinks—"

"Yes, she thinks—"

Slowly, evenly, I began raising my hand, and Alexis began raising his, just as slowly, still without taking his eyes off me.

"Hold on!" I told him sternly.

Alexis' hand halted and, still without taking his eyes off me, he smiled mistrustfully—wanly, with his lips only. Tatyana cried out something in a frightful voice, but it was too late. I struck out with the sharp end at his temple—nearer to the sinciput than to the eye. And, when he had fallen, I bent over and struck him two times more. The coroner told me that I had struck him many times, because his head was all fractured. But that's not so. I struck him only *three times,* all in all; once while he was standing, and twice afterward, when he was on the floor.

True, these blows were very powerful, but there were *only three.* That I remember with certainty. *Three blows.*

SIXTH FOLIO

Don't attempt to make out that which is crossed out at the end of the fourth folio and, in general, don't attach any undue significance to my obliterations as putative signs of disordered thinking. In that strange situation in which I find myself I must be frightfully careful, something that I'm not concealing and that you understand very well.

The darkness of night always has a powerful effect on a tired nervous system, and that's why fearful thoughts come so often at night. And on that night, the first after the murder, my nerves were, of course, under particular tension. No matter how self-possessed I may have been, killing a man is, after all, no joke. At tea, after I had already put myself in order, having scrubbed my nails and changed my clothing, I called Maria Vasilievna to keep me company. She is my housekeeper and, to some extent, my wife. She has, it seems, a lover on the side, but she is a handsome woman, quiet and unavaricious, and I had easily become reconciled to the slight drawback, which is almost inevitable in the case of a man who obtains love through money. And so, this foolish woman was the first to deal me a blow.

"Kiss me," I told her.

She smiled foolishly and froze in her seat.

"Come, now!"

She shuddered, turned red and, having popped out her eyes in fright, stretched herself across the table to me imploringly as she said:

"Anton Ignatievich, darling, go to a doctor!"

"What next?" I became angry.

"Oh, don't yell—I'm afraid! Oh. I'm afraid of you, darling, little angel!"

And yet she knew nothing of my attacks or the murder, and I had always been kind and even-tempered with her. That meant there was something about me which was absent in other people and which was frightening—the thought flashed through me and immediately vanished, leaving a strange sensation of cold about my legs and back. I grasped that Maria had learned something on the side, from servants, or had stumbled upon the clothing I had soiled and discarded, and her fright was quite naturally to be explained by that.

"Go," I ordered her.

After that I rested on the divan in my library. I didn't want to read; I could feel fatigue throughout my body, and my mood in general was like that of an actor after a brilliant performance. I found it pleasant to look at my books, and pleasant to think that at some future time I would read them. All my rooms pleased me, and so did the divan, and Maria. Snatches of phrases from my rôle were flitting through my head, the gestures I had gone through were mentally recreated, and at rare intervals critical thoughts would creep by lazily: Well, there I might have delivered that speech, or done that bit of business, better—but with my ad-libbed "Hold on!" I was very much satisfied. Actually, this is a rare and unbelievable example of the power of suggestion even for those who have never experienced it themselves.

" 'Hold on!' " I kept repeating with my eyes shut, and smiled.

And my lids began to get heavy, and I wanted to sleep, when indolently, simply, like all my other thoughts, a new thought entered my head, possessed of all the qualities of one of *my* thoughts: clarity, exactitude, and simplicity. It entered indolently, and stopped there. Here it is, word for word and, as it happened for some reason, in the third person:

"Yet it's quite possible that Doctor Kerzhentsev

actually is mad. He thought he was pretending, yet he actually is mad. And even right now he is mad."

Three, four times did this thought repeat itself, but I still kept on smiling, without grasping its meaning:

"He thought he was pretending, yet he actually is mad. And even right now he is mad."

But when I did grasp its meaning. . . . At first I thought that Maria had uttered this phrase, because it had sounded as if there had been a voice, and this voice had sounded like hers. Then I thought it was Alexis'. Yes, Alexis', the slain man's. Then I grasped that I had thought this—and that was horror. By this time, standing for some reason in the centre of the room, I clutched my hair and said:

"So. It's all over. That has happened which I have been apprehensive about. I have drawn too near the borderline, and now but one thing remains ahead of me —madness."

When they came to arrest me I, so they say, proved to be in horrible shape—disheveled, in torn clothing, pale and frightful. But, oh Lord! But, doesn't living through a night like that, yet in spite of everything not going out of one's mind—doesn't that by itself mean that one possesses an invulnerable brain? For all I had done was to tear my clothes and smash a mirror. Incidentally: permit me to give you one bit of advice. If any one of you ever has occasion to live through what I lived through on that night—cover over the mirrors in whatever room you will be dashing about. Cover them over, just as you cover them over when a dead person is laid out in the house. *Cover them over!*

It's frightful for me to write of this. I dread that which I have to recall and tell. But it can't be put off any more and, perhaps, through these half-hints I merely increase the horror.

That evening—

Imagine a drunken snake—yes, yes, precisely that: a drunken snake. It hasn't lost its malevolence; its nimbleness and quickness have become intensified, if anything, while its fangs are just as keen and venomous as ever. And it's drunk, and locked in a room with a lot of people who are quivering with horror. And, in chill ferocity, it glides among them, twines about their legs, stings them right in the face, in the lips, and coils and uncoils, and plunges its fangs into its own body. And it seems as if there were not merely one snake but thousands of snakes, coiling, and stinging, and devouring themselves. Such was my thought—that same thought wherein I had placed my faith, and in the keenness and venomousness of whose fangs I had seen my salvation and my protection.

A single thought had shattered into a thousand thoughts, and each one of them was mighty, and all of them were inimical. They whirled in a wild dance, and their music was a monstrous voice, as reverberating as a trumpet, and it came streaming from some depth unknown to me. *This was runaway thought, the most fearful of serpents, inasmuch as it lurked in darkness.* Out of the head, where I had kept it fast, it had gone into the secret places of the body, into its black and unplumbed depths. And from thence it clamored, like a stranger, like a runaway slave, brazen and impudent in the consciousness of his impunity:

"You thought you were pretending, but you were really mad. You are small, you are evil, you are stupid, you are Doctor Kerzhentsev. Some Doctor Kerzhentsev or other, the mad Doctor Kerzhentsev!"

Thus did it clamor. And I knew not whence its monstrous voice issued. I do not know even what it was; I call it thought but, perhaps, it was not thought. The thoughts: they, like pigeons over a conflagration, whirled in my head—but this thing was clamoring from somewhere below, or from above, or from the flanks, where I could neither catch sight of it nor lay my hands upon it.

And the most fearful thing I experienced was the consciousness that I did not know my own self—and never had known it. As long as my *I* was to be found in my brightly illumined head, where everything moved and lived in prescribed orderliness, I understood and knew myself, I deliberated on my character and plans and was, as I thought, the lord and master. But now I perceived that I was no master but a slave, pitiful and impotent. Imagine that you had lived in a house of many rooms, that you had occupied only one of the rooms yet thought of yourself as owner of the whole house. And suddenly you learn that the other rooms are inhabited. *Yes, inhabited.* Inhabited by some enigmatic beings or other—perhaps human, perhaps of some other sort. And the house belongs to them. You want to find out who they are, but the door is locked and you can't hear either sound or voice on the other side of it. And yet you know that it is precisely there, behind that taciturn door, that your fate is being decided.

I walked up to a mirror. . . . Cover your mirrors. Cover them over!

After that I don't remember a thing, up to the time that the authorities and the police arrived. I asked the time, and was told it was nine. And for a long while I could not grasp that since my coming home only two hours had passed and, from the moment of Alexis' murder, about three.

Forgive me, gentlemen, for describing in such general and indeterminate terms this horrible state after the murder, a moment of such importance in forming your expert opinion. But that's all I remember and can convey in human speech. I cannot, for instance, convey in human speech that which I was experiencing throughout that period. Besides that, I cannot say with positive assurance that everything I have so faintly indicated had actually occurred. Perhaps it hadn't occurred, but something else had. One thing only do I remember unshakably: a thought, a voice—or it may have been something else:

"Doctor Kerzhentsev thought he was pretending he was mad, but he actually is mad."

Just now I took my pulse: 180! That's right now, at the mere recollection of it!

SEVENTH FOLIO

Last time I wrote a great deal of unnecessary and pathetic nonsense and, regrettably, you have already received and read it. I'm afraid it may give you a false conception of my personality, as well as of the actual state of my mental faculties. However, I have faith in your knowledge and in the clarity of your minds, gentlemen.

You understand that only serious considerations could compel me, Dr. Kerzhentsev, to reveal the whole truth concerning the murder of Savelov. And you will easily grasp and appreciate them when I tell you that I don't know, even now, whether I was pretending to be mad so as to kill with impunity, or whether I killed because I was mad; and, probably, I am forever deprived of the possibility of knowing this. The nightmare of that evening has vanished, but it has left a fiery mark. There are no nonsensical fears, but there is the horror of a man who has lost everything, there is the chill realization of a fall, of ruin, deception and unsolvability.

You men of science will dispute about me. Some of you will say I am mad, others will try to prove that I am sound and will admit only certain limited factors predisposing to degeneration. But, for all your learning, you won't prove either that I am mad or that I am sound as clearly as I shall prove the matter. My thought has returned to me, as you will convince yourselves; neither its potency nor keenness can be denied. Superb, energetic thought: even to one's foes should their due be rendered.

I am mad. Would you care to hear why?

The first to condemn me is my heredity, that same heredity over which I rejoiced so when I was pondering my plan. The seizures I had as a child. . . . I apologize, gentlemen. I wanted to conceal this circumstance concerning the seizures from you, and wrote that I had been the picture of health from childhood on. This doesn't mean that in the fact of the existence of certain trifling seizures, which soon ended, I had seen any sort of danger to myself. I simply did not want to clutter up my story with unimportant details. Now this detail has become necessary to me for a strictly logical exposition and, as you see, I give it to you without hedging.

Very well, then. Heredity and seizures attest to my predisposition to a psychic disorder. And it began, without my noticing it, long before I thought up the plan of the murder. But possessed, *like all insane people,* of subconscious cunning and the ability to adapt insane acts to the norms of sane thinking, I began to deceive—not others, however, as I thought, but myself. Drawn along by a force alien to me, I feigned that I was going by myself. Out of the rest one can mould proofs as if out of wax. Isn't that so?

It would not be at all hard to prove that I didn't love Tatyana, that there was no genuine motive for the crime but only an invented one. In the oddity of my plan, in the coolness with which I carried it out, in the mass of trifles, it is exceedingly easy to perceive the very same insane will. Even the very keenness and exaltation of my thought preceding the crime prove my non-normality.

> Thus, stabbed to death, I in the circus played,
> A gladiator's death portraying. . . .

Not a single trifle in my life have I left uninvestigated. I have traced my whole life. To every step of mine, to my every thought, every word have I applied the measure of madness—and it fitted every word, every thought. It turned out—and this was most amazing of all—that even before that night the thought had come to me: Am I not a madman, actually?—but somehow I managed to get rid of this thought; I would forget it.

And, having proved that I am mad, do you know what I perceived? That *I am not mad*—there you have what I perceived. Hear me out, if you please.

The gravest thing my heredity and seizures expose in me is degeneration. I am one of those who are dying out, of whom there are many, such a one as may be found, if one seek a little diligently, even among you, *Messieurs les Experts*. This furnishes a splendid key to all the rest. My moral views you can explain not by conscious reflection but by degeneration. Really, moral instincts are imbedded so deeply that only under a certain deviation from the normal type is full release from them possible. And science, still too daring in its generalizations, refers all such deviations to the domain of degeneration, even though physically a man may be built like Apollo and be as sound in health as the most abysmal idiot. However, let things stand. I have nothing against degeneration—it brings me into glorious company.

Nor am I going to stand up for my motive for the crime. I tell you with utter frankness that Tatyana Nikolaievna did insult me with her laughter, and that the offense went very deep, as it usually does with such secretive, lonely natures as mine. But let's say this isn't so. Let's even say that I actually had no love for her. But then, is it impossible to admit that through the murder of Alexis I simply wanted to try out my powers? For you do freely admit the existence of people who, at the risk of their lives, scale inaccessible mountains merely because they are inaccessible, yet do not call them mad? You wouldn't venture to call Nansen, that greatest man of the century now nearing its end, a madman? Moral life has poles of its own, and it was one of them that I was attempting to reach.

You are confused by the absence of jealousy, revenge and other preposterous motives, which you have become accustomed to consider the only genuine and sound ones. But in that case you, men of science, will be condemning Nansen, will be condemning him even as the fools and ignorami are, who consider his project, too, as madness.

My plan: It is out of the ordinary, it is original, it is daring to the verge of impudence—but then, isn't it reasonable from the point of view of my goal? And it is only my tendency to pretense, quite reasonably explained to you, that could have prompted me to this plan. My exaltation of thought: But then, is being a genius truly an aberration? My sang-froid: But then, why must a murderer inevitably tremble, turn pale and vacillate? Cowards always tremble, even when they're taking their maids around. And really, is daring insanity?

But how simple to explain my own doubts of my being sound! Like a true artist, I entered too deeply into my rôle, temporarily became one with the character I was portraying, and for a moment lost my self-accountability. Would you say that among the patent play-actors who posture day in and day out there aren't those who, when they're playing Othello, feel an actual need to kill?

Quite convincing, isn't it, *Messieurs les Savants*? Yet don't you feel a certain odd thing: When I'm proving that I am mad, it seems to you that I am sound, but when I'm proving that I am sound, you sense a madman?

Yes. That's because you don't believe me. But I, too, don't believe myself, inasmuch as *whom* within me am I to believe? Base and picayune thought, that lying varlet who is at the service of everyone? He is fit only to polish shoes, whereas I had made him my bosom friend, my god. Down from the throne, pitiful, impotent thought!

What am I then, gentlemen—a madman or no?

Mary, you dear woman, you know something I don't. Tell me, whom am I to implore for help?

I know your answer, Mary. *No, that's not it.* You're a kind and fine woman, Mary, but you know neither physics nor chemistry, you haven't been to the theatre even once, and don't even suspect that the whirligig on which you're living, taking things away, bringing them and tidying up, is revolving. Yet revolve it does, Mary—it does revolve, and we revolve along with it. You're a child, Mary, you're a stolid being, well-nigh a plant, and I envy you exceedingly, almost as much as I despise you.

No, Mary, it isn't you who'll give me an answer. And you do not know a thing; I was wrong when I said you knew something. Living in one of the dark cubbyholes in your far from cunningly builded house is somebody who is very good to you—but in my house the corresponding room is vacant. He died long ago, the one who used to live therein, and I have raised an imposing monument on his grave. *He has died, Mary; he has died, and will never rise again.*

What am I then, gentlemen—a madman or no? Forgive me for importuning you about this question with such impolite insistence, but then you are "men of science", as my father used to style you whenever he wished to flatter you; you have your books, and you are in possession of clear, exact, and infallible human thought. Of course, one half of you will keep to one opinion, the other half to the other opinion, but I will believe you, *Messieurs les Savants*—I'll believe the first group, and I'll believe the second. Do answer my question, then. . . . And, to help out your enlightened minds, I will bring forth an interesting, exceedingly interesting little fact.

On a certain quiet and peaceful evening, passed by me amid these white walls, I noted upon Mary's face, whenever my eyes fell upon it, an expression of horror, distraction, and submissiveness to something overpowering and frightful. Then she went away, while I sat down on the made-up bed and went on thinking of what I longed for. And they were strange, the things I longed for. I, Dr. Kerzhentsev, longed to howl. Not to cry out but to howl, like that other one. I longed to tear my clothing and to lacerate myself with my nails. To grab my shirt at the collar, to give it a tug (slight at first, oh, ever so slight), and then one good yank—rrrip! —to the very hem. And I, Dr. Kerzhentsev, longed to get down on all fours and creep. And it was quiet all around, and the snow was pattering against the windows, and somewhere not far off Mary was soundlessly praying. And for a long time I kept deliberating and choosing just what to do. If I howled, there'd be much noise, and then a row. If I ripped my shirt, it would be noticed on the morrow. And, quite reasonably, I chose the third course: creeping. None would hear and, should anyone see, I'd say that a button had torn loose and that I was looking for it.

And while I was choosing and deciding I felt fine, not

frightened, and even pleased, so much so that, as I remember, I dangled one of my feet. But then I happened to think:

"But why should I creep? Am I actually mad, then?"

And I felt frightened, and immediately I wanted to do everything together: to creep, to howl, to lacerate myself. And I became malicious.

"You want to creep, do you?" I asked.

But it kept silent. It no longer wanted to creep.

"No, but you do want to creep?" I insisted.

And it kept silent.

"Well, go ahead and creep, then!"

And, having rolled up my sleeves, I got down on all fours and started creeping. And when I had made the circuit of only half the room, I felt so amused by this absurdity that I sat down comfortably, right there on the floor, and went off into peal after peal after peal of laughter.

With accustomed and as yet unextinguished faith that it was possible to know something, I thought that I had found the source of my insane desires. Evidently the desire to creep and the other desires were the result of auto-suggestion. The insistent thought that I was mad called forth mad desires as well, but as soon as I had carried them out it turned out that there actually were no desires of any sort, and that I wasn't mad. Quite simple reasoning, as you see, and logical. But—

But then, I did creep, after all? I did creep? Which am I, then—a madman justifying himself, or a sound man driving himself out of his mind?

Do help me then, you men of great learning! Let your authoritative word tip the scales to this side or that, and decide this horrible, savage question. And so, I am waiting! . . .

In vain am I waiting. Oh, my darling little tadpoles!

Come, aren't you I? Isn't the same low-down human thought, eternally lying, perfidious, spectral, working in your bald heads as in my head? And wherein is mine inferior to any one of yours? You'll start proving that I am mad—I'll prove to you that I am sound; you'll start proving that I am sound—I'll prove to you that I am mad. You'll say that it is forbidden to steal, kill and deceive, inasmuch as doing such things constitutes immorality and crime, but I'll prove to you that it is permissible to kill and rob, and that that sort of thing is ever so moral. And you'll cogitate and speak, and I'll cogitate and speak, and all of us will be right, and none of us will be right. Where is the judge that can judge us rightly and strike upon the truth?

You have one enormous advantage, which gives the knowledge of truth to you alone: you have committed no crime, are under no indictment, and have been called in, at decent pay, to investigate the state of my psyche. And, therefore, I am mad. But had they planted you here, Prof. Drzhembitsky, and had called me in to observe you, then the madman would have been you, whereas I would have been a big shot—an expert, a liar who is distinguished from other liars only by not lying otherwise than under oath.

True enough, you have never killed, have never committed theft for the sake of theft, and whenever you hire a cabby you're bound to beat him down a few coppers, thus proving your complete psychic health. You're not mad. But then, something altogether new may happen. . . .

Suddenly, on the morrow, or right now, this very moment, a horribly silly but incautious thought will pop into your head: "Come, am I not mad?" What will you do then, M'sieu' Professor? Such a silly, nonsensical thought—for why should you ever go out of your mind?

But just try to drive it from you. You were drinking milk, and thought it was wholesome, until someone told you it was watered. And it's all over—the milk isn't wholesome any more.

You are mad. Wouldn't you like to creep a bit on all fours? Of course you wouldn't—for what man in his sound mind wants to creep? But still . . . Doesn't a sort of teeny-weeny desire—ever so teeny-weeny, ever so trifling, that makes you feel like laughing at it—come over you, a desire to slip off the chair and creep a little, oh, just a *little?* Of course it doesn't come over you —whence should it come from in the case of a man of sound mind who just now has been drinking tea and chatting with his wife. But aren't you conscious of your legs, although hitherto you weren't, and doesn't it seem to you that something odd is happening to your knees: an oppressive numbness is struggling with the desire to bend the knees and then . . . *For really, Monsieur Drzhembitsky, can anybody at all keep you back if you should want to creep about for just a teeny-weeny while?*

Nobody at all.

However, hold off from creeping. I still have need of you. My struggle isn't over yet.

EIGHTH FOLIO

One of the manifestations of the paradoxicality of my nature: I'm very fond of children, extremely little children, when they are just beginning to prattle, and bear a resemblance to all young animals: puppies, kittens, baby snakes. Even snakes can be attractive in their babyhood. And this fall, one fine sunny day, I chanced to see the following little scene. A tiny little girl in a little quilted overcoat and a sort of hood, from under which one could see nothing but pink little cheeks and the tiny nose, wanted to approach an altogether diminutive puppy upon the thinnest of little legs, with the most pointed of little muzzles, and its tail tucked timorously between its legs. And suddenly the little girl became frightened; she turned around and, like a white little ball, rolled off toward her nurse, who was standing right near by, and silently, and without tears or crying out, hid her face in the nurse's lap. As for the diminutive puppy, it kept blinking ingratiatingly and timorously keeping its tail between its legs, and the nurse's face was so kind, so simple.

"Don't be afraid," the nurse was saying, and smiled to me, and her face was so kind, so simple.

I don't know why, but this little girl often came back to my mind, even when I was free, while I was whipping the murder of Savelov into shape, as well as here. Even at that very time, at the sight of this appealing group under the serene autumnal sun, a strange feeling came over me, as though it were the solution of some puzzle, and the murder I had conceived appeared to me as a cold lie from some other, altogether strange world. And the fact that both of them, the girl and the puppy, were so small and endearing, and that they were so amusingly afraid of each other, and that the sun was shining so warmly—all this was so simple and filled with humble and profound wisdom, as though precisely here, in this group, there was contained the solution of all being. That was my feeling. And I said to myself: "This ought to be properly pondered,"—but in the end I gave it no thought.

But now I don't remember precisely what there was about this incident, and I strive excruciatingly to grasp it, but cannot. And I don't know why I told you this funny, unnecessary little incident, when there is still so much that is serious and important which I must tell you. *I must finish.*

Let us leave the dead in peace. Alexis is killed, he has long since begun to putrefy; he no longer is—the devil with him! There's something pleasant about the status of the dead.

Let us not speak of Tatyana Nikolaievna. She is unhappy, and I willingly join in the general condolences—but what does this unhappiness, what do all the unhappinesses in the world, signify by comparison with that which I, Dr. Kerzhentsev, am living through now! There are not a few wives on this earth who lose beloved husbands, and there are not a few wives who will lose theirs. Let us leave them—let them weep.

But right here, in this head—

You understand, gentlemen, how horribly all this has fallen out. Nobody in this world did I love save myself, and what I loved in myself was not this base body, something which even vulgarians love—I loved my human thought, my freedom. I knew and know nothing higher than my thought, I deified it—and truly, was it not worthy of that? Truly, did it not, like a titan, contend against all the universe and its delusions? To the summit of a high mountain did it elevate me, and I saw far below me the homunculi fossicking about, with their petty animal passions, with their eternal fear in the face of life and death, with their churches, masses and holy services.

Truly, was I not great, and free, and happy? Even as a mediaeval baron ensconced, as if an eyrie, in his inaccessible castle, looks proudly and imperiously down upon the valleys lying below—thus invincible and proud was I in my castle, behind these bones of the skull. Sovereign over myself, I was sovereign over the universe as well.

And I was betrayed. Basely, perfidiously, as women, varlets—thoughts—betray. My castle became my prison. Within my castle foes fell upon me—where, then, is salvation? In the inaccessibility of the castle, in the thickness of its walls, lay my perdition. The voice does not penetrate through those walls—and who is the mighty one that will save me? No one. Inasmuch as there is none mightier than I, while I—I am the sole foe of my *I*.

Base thought has betrayed me, who believed in it so and loved it. It has not deteriorated; it is just as clear, as keen, as springy as a rapier—but its hilt is no longer in my hand. And it is slaying me, its creator, its lord, with the same stolid indifference with which I used it to slay others.

Night is coming on, and mad, raging horror envelopes me. I was firm on the ground, and my feet stood upon it solidly—but now I am cast into the void of infinite space. It is a great and an awesome waste, for I who am living, feeling, reasoning, who am so precious and am unique—I am now so puny, infinitely insignificant and weak, and ready to go out like a candle at any instant. A sinister solitude, for I constitute but an insignificant particle of my own self, for within my own self I am surrounded and stifled by surlily silent, mysterious foes. No matter where I go, I bear them everywhere with me; solitary in the void of creation, even within my own self I have no friend. An insane solitude, when I know not who I, the solitary one, am; when with my lips, my thought, my voice *they*, the unknown ones, speak.

One cannot live thus. Yet the universe is calmly sleeping: and husbands kiss their wives, and savants deliver their lectures, and the beggar rejoices at the copper tossed to him. Mad universe, happy in your madness, horrible will be thy awakening!

What mighty one will extend the helping hand to me? No one. No one. Where will I find that which is eternal, that to which I might cling with my pitiful, impotent *I*, which is lonely unto horror? Nowhere. Nowhere. O my dear, dear little girl, why do my bloodied hands stretch out to thee now—for thou also art human and just as insignificant, and lonely, and subject to death. Whether I am pitying thee, or am desirous to have thee pity me, I nevertheless would shelter myself behind thy helpless body, as behind a shield, from the hopeless void of the ages and of space. But no, no—all this is a lie!

I would ask a great, an enormous boon of you, gentlemen, and if you feel even a little of the human within you, you will not refuse it to me. I hope we have understood one another sufficiently not to believe one another. And if I beg of you to say in court that I am of sound mind, I will believe your words least of all. For yourselves you can decide, but for me none can resolve this question:

Was I pretending to be mad in order to kill, or did I kill because I was mad?

The judges, however, will believe you, and grant me that which I want: penal servitude. I ask you not to give any false interpretation to my intentions. I do not repent having killed Savelov, I am not seeking expiation of my sins through penance, and if for the sake of proving that I am of sound mind you should deem it necessary that I kill with intent to rob, I will kill and rob someone with pleasure. But it is something else I seek in penal servitude—just what, I myself do not know as yet.

I am drawn to the people condemned to penal servitude by some dim hope or other that among them, among those who have broken your laws, the murderers, robbers, I will find sources of life unknown to me and will anew become a friend to myself. But even if this be not so, even if hope does deceive me, I nonetheless want to be with them. Oh, I know you! You are cowards and hypocrites, you love your peace above all, and you would rejoice in putting away in a madhouse every thief who sneaks a loaf of bread—you would rather acknowledge the whole universe and yourselves as mad than venture to disturb any of your beloved inventions. I know you. Crime and criminal: there is your eternal alarm, there is the awesome voice of the unexplored abyss, there is the implacable condemnation of all your rational and moral life, and no matter how tightly you plug your ears with cotton, that voice penetrates—it penetrates! And I want to go to them. I, Dr. Kerzhentsev, will take my place in the ranks of this army so fearsome to you, as an eternal reproach, as one who asks and awaits an answer.

I am not asking you in abasement, but demanding: Say that I am of sound mind. Tell a lie, if you do not believe I am. But, should you pusillanimously wash your learned hands and put me in a madhouse or set me free, I warn you as a friend: I will cause you a great deal of trouble.

For me there is no judge, no law, no thing impermissible. Everything goes. Can you picture to yourself a universe in which there is no law of gravitation, in which there is neither top nor bottom, in which all submit only to whim and chance? I, Dr. Kerzhentsev, am that new universe. Everything goes. And I, Dr. Kerzhentsev, will prove this to you. I'll pretend to be sound. I'll win to freedom. And for all the rest of my life I'll study. I'll surround myself with your books, I'll take from you all the puissance of your knowledge that you take such pride in, and will find a certain thing, the need for which has long since ripened. *This will be an ex-*

plosive. So powerful that men have never yet seen its like; more powerful than dynamite, more powerful than nitroglycerine, more powerful than the very thought of it. I am talented, persevering, and find it I shall. *And when I shall have found it I will blow up into the air your damned earth, on which there are so many gods but is no one eternal God.*

In the courtroom Dr. Kerzhentsev behaved very calmly and throughout the trial remained in the same unvarying pose which revealed nothing. He answered questions apathetically and unconcernedly, occasionally making their repetition necessary. At one point he aroused the mirth of the select public which filled the courtroom in enormous numbers. The presiding judge had addressed some order to a court attendant, and the accused, evidently having failed to catch what the judge was saying, or through absent-mindedness, arose and asked loudly:

"What? Do I have to go out?"

"Go out? Where?" the presiding judge was perplexed.

"I don't know. You said something or other."

Laughter sprang up among the spectators, and the judge explained to Kerzhentsev what had happened.

Of the psychiatric experts four were called to the stand, and their opinions were evenly divided. After the prosecuting attorney's speech the presiding judge turned to the accused, who had refused counsel:

"Prisoner at the bar—what have you to say in your defense?"

Dr. Kerzhentsev stood up. He let his dull, apparently sightless eyes pass slowly over the judges and then glanced at the spectators. And they upon whom this stolid, unseeing gaze fell experienced a strange and excruciating feeling: as though out of the empty sockets of a skull apathetic and mute death itself had looked upon them.

"Nothing," answered the accused.

And once more he let his eyes pass over the men who had come together to judge him, and repeated:

"Nothing."

ALEXANDER IVANOVICH KUPRIN

(1870–1938)

> Perhaps the greatest of living Russian novelists is Kuprin—exalted, hysterical, sentimental, Rabelaisian Kuprin.
>
> —*Stephen Graham* (1916)

EDITOR'S NOTE

Alexander Ivanovich Kuprin[1] was born in a provincial town in Central Russia. He began his schooling at six, going on to the Second Cadet Corps in Moscow and, after graduation from a military school, entered the army. Dropping out after a few years, he was, by turns, poet, columnist, roustabout, surveyor, actor, singer, choir-singer, factory worker, medical student, hunter, and fisherman on the Black Sea. In a thinly veiled self-portrait in *Yama* he also mentions stoking on the Sea of Azov, circus-riding, tobacco-growing, typesetting and carpentering.

---

[1] The biographical sketch is from *A Treasury of Russian Literature*, copyright, 1943, by Vanguard Press, Inc., and is reprinted here through the gratefully acknowledged courtesy of the publisher.

He began writing in 1884, but did not gain recognition until 1896, with *Moloch,* a story of factory life; his first collection of stories appeared in 1903; *The Duel,* a novel exposing the bestial senselessness of army life (and clericalism), created a furore and made him famous, coming as it did in 1905, after the defeat of Russia's graft-ridden armed forces at the hands of the Japanese. His *Yama: The Pit* (1904-14-15-29) made him world-famous and, despite all censors and censorships, sold in millions of copies in practically as many languages as *Robinson Crusoe.*

Kuprin has been styled, and most aptly, the Poet of Life. Amphitheatrov called him a highly talented disciple of Chekhov and heir to Chekhov's sincerity and fine atomistic style, and compared him as an artistic storyteller with Tolstoy before the latter's conversion to religion.

Purely as a storyteller, and leaving all matters of style and literary stature out of the question, Kuprin ranks with the greatest. His range of subjects is enormous; his powers of observation and his versatility are extraordinary. Some of his picaresques, such as *The Insult,* or *Off the Street,* are sheer *tours de force.* In *The Liquid Sun* he is an innovator, with Briussov and Alexis Tolstoy, of the pseudo-scientific thriller in Russia. He writes of newspapermen, bohemians, priests, thieves, prostitutes, army men, muzhiks, Jews, Tatars, Gypsies, actors, clowns, circus people, athletes, merchants, jockeys, fishermen, hunters, sailors. And all *con amore.* There are sentimental stories and humorous stories (and parodies); animal stories and flower stories, stories for children—and for neuropaths. His popularity was fantastic: the publication of a new Kuprin story was bill-posted like a circus; his eating (and drinking) exploits were the talk of Petersburg.

When the present writer saw him in 1931, Kuprin

was editing a Russian periodical in Paris at some munificent sum in francs which amounted to $2.40 a week. He was no longer the Kuprin of the Café Vienna in Petersburg, but was still the Poet of Life.

He was at the time dreaming of returning to Russia disguised as a Tatar—he was very proud of his Tatar blood. (He had left Russia along with the staff of Yudenich, just as Bunin had left it with Denikin.) But he returned to the Soviets openly (about 1936) and was met with open arms and acclamation; special new editions of his works were brought out, and he wrote with amazement of the New Russia. He had realized his dream, and died in his native land.

The nine volumes of Kuprin available in English represent about a quarter of his work. Fortunately, only one of these translations (*Sasha*) is utterly incompetent; unfortunately, it has some of Kuprin's best stories, not translated into English elsewhere. The English translation of *Yama: The Pit* is of especial interest, containing as it does the author's final corrections and additional material especially written for it which does not appear in any other language—not even the Russian.

The Læstrygonians

ALEXANDER IVANOVICH KUPRIN

Ἑβδομάτῃ δ'ἱκόμεσθα Λάμου αἰπὺ πτολίεθρον,
Τηλέπυλον Λαιστρυγονίην . . .
Ἔνθ' ἐπεὶ ἐς λιμένα κλυτὸν ἤλθομεν, ὃν πέρι πέτρη
ἠλίβατος τετύχηκε διαμπερὲς ἀμφοτέρωθεν,
ἀκταὶ δὲ προβλῆτες ἐναντίαι ἀλλήλῃσιν
ἐν στόματι πρoΰχουσιν· ἀραιὴ δ'εἴσοδός ἐστιν . . .
. . . οὐ μὲν γάρ ποτ' ἀέξετο κῦμα γ'ἐν αὐτῷ
οὔτε μέγ' οὔτ' ὀλίγον· λευκὴ δ'ἦν ἀμφὶ γαλήνη.

. . . On the seventh day we arrived at the high-perched citadel of Lamos, even at Telypylos of the Læstrygonians. . . .

We entered a splendid haven, around which runs a cliff, exceedingly high and without a break, while two lofty promontories, facing each other, stand forth at its mouth. . . .

Never a wave, great or small, rose therein, but all about a radiant serenity reigned.

—*The Odyssey,* x: 81, 82; 87-90; 93, 94.

I. SILENCE

TOWARD the end of October or at the beginning of November Balaklava, that most original nook in all of the colorful Russian Empire, begins to live a life all its own. The days are still warm and, in an autumnal sort of way, benign, but of nights frosts prevail, and the ground rings reverberatingly underfoot. The last summer guests have started migrating to Sebastopol with their bundles, valises, hampers, trunks, scrofulous children and arty young ladies. As a reminder of these guests there remain only the skins of grapes (which had been strewn everywhere, on the quay and all over the narrow streets, by those who had, with an eye to their precious health, been taking the grape cure), and also that paper refuse, in the form of cigarette-butts and scraps of newspapers and letters, which is always left behind by summer residents.

And at once Balaklava becomes spacious, fresh, cozy, and businesslike in a homey way, just like an apartment after the departure of uninvited guests who had filled it with noise and smoke and quarreling. The ancient-Greek population that has been here time out of mind, and up to now has been hiding in certain crannies and small backrooms, now comes creeping out into the streets.

Fishing nets are spread out upon the quay, across the whole width of it. Against its rough cobblestones they seem delicate and fine as cobwebs, and the fishermen crawl over them on all fours, like great black spiders reweaving a torn aerial snare. Others are twisting the lines for white sturgeon and for flounder and, in the process, hasten back and forth over the cobbles with a serious and businesslike air, with the cord over their shoulders, ceaselessly winding the line into a ball before them.

Captains of fishing-smacks are sharpening sturgeon-hooks—dulled copper hooks for which, according to the time-honored tradition of the fishermen, the fish will go far more readily than for the modern English ones, of steel. On the other side of the bay they are calking, tarring, and painting dories, which have been turned with their keels up.

Near wells of stone, where the water is flowing and babbling in a never-ceasing thin stream, the gaunt, dark-faced, great-eyed, long-nosed Greek women, looking so strangely and touchingly like the depiction of the Mother of God upon ancient Byzantine icons, gossip long, for hours at a stretch, and discuss their small, domestic affairs.

And all this is consummated unhurriedly, in a homey, a neighborly way, with an age-old, habitual dexterity and seemliness, under the no longer burning sun of autumn, on the shores of a blue, cheerful bay, under the clear autumnal sky spreading calmly over the sloping, time-ruined bald mountains framing the bay.

As for the summer vacationers—out of sight, out of mind. Just as though they had never been. Two or three good rains—and the last memory of them is washed off the streets. And the whole of this senseless and bustling summer with its brassy music of evenings, and the dust raised by the ladies' skirts, and its pitiful flirtations, and disputes on political themes—all of it becomes a far-off and forgotten dream. The whole interest of the fishing settlement is now concentrated solely upon fish.

In the coffee-houses of Ivan Uryich and Ivan Adamovich, to the clicking of bone dominoes, the fishermen shape up into crews, each crew choosing its hetman, or boss. The talk is all of shares, of half-shares, of nets, of hooks, of live bait, of mackerel, sea bass, *loban, kamsa,* and surmullet, of fluke, white sturgeon and the sea-rooster. And by nine o'clock the whole town is plunged in deep slumber.

Nowhere in all Russia—and I've covered it rather thoroughly in all directions—nowhere have I heard such profound, complete, perfect stillness as in Balaklava.

You step out on the balcony—and are all swallowed up by darkness and quiet. Black sky, black water in the bay, black mountains. The water is so dense, so heavy, and so calm that the stars reflect themselves therein without refraction and without glimmer. The quiet is unbroken by a single sound of human life. Now and then, once a minute, your ears barely catch the sound of a tiny wave lapping against some rock on the shore. And this lonely, melodious sound intensifies the quiet still more, makes it still more alert. You hear the blood pounding in measured strokes in your ears. A moored boat has creaked somewhere. You feel how night and quiet have blended in a single black embrace.

I look to the left, there where the narrow neck of the bay vanishes, having narrowed between two headlands. An elongated, gently-sloping mountain lies there, crowned by old ruins. If you look closely, you can see all of it clearly, like some fabulous, gigantic monster which, pressing its breast to the bay, and with its dark muzzle thrust into the water, is drinking avidly, with one ear cocked, and cannot drink its fill.

At the spot where this monster's eye ought to be the lantern over the office of the customs patrol gleams as a minute red dot. I know that lantern; I have passed by it hundreds of times, have put my hand to it. But in the peculiar quiet and in the profound darkness of this autumnal night I see ever more clearly both the spine and the muzzle of the ancient monster, and I feel that its cunning and malevolent eye, incandescent and small, is watching me with a hidden feeling of hatred.

There flashes through my mind Homer's verse about the narrow-throated Black Sea cove in which Odysseus beheld the bloodthirsty Læstrygonians. I also think of the enterprising, lithe, good-looking Genoese who had built their colossal fortifications on the brow of this mountain. I think, likewise, of how once, on a tempestuous winter night, a whole English flotilla crashed against the breast of the old monster, together with the proud, gallant ship *Black Prince*, which is now resting at the bottom of the sea—right here, ever so near me—with its millions of gold in ingots and the lives of the hundreds that had been on it.

The old monster puckers its small, keen red eye at me as it half-dozes. That monster seems to me now an old, old, forgotten deity, which in this black stillness is dreaming its millennial dreams. And a sense of odd embarrassment overcomes me.

The lingering, lazy steps of the night watchman break the silence, and I distinguish not only every thump of his steel-shod, heavy fishing boots against the flagstones of the sidewalk, but can hear his heels scrape between one step and the next. So clear are these sounds amid the night stillness that it seems to me as if I were walking with him, even though—I know this of a certainty—he is more than two thirds of a mile away. But now he has turned aside somewhere, into a paved lane or, perhaps, has sat down on a bench: his steps are stilled. Silence. Murk.

II. MACKEREL

Autumn is coming on. The water is getting chillier. So far they are catching only small fish with dragnets, in those big vases of netting which are lowered to the bottom right off the boat. But now a rumor spreads that Ura Paratinos has rigged out his skiff and sent it off to the spot between the capes of Aia and Laspi, where he usually fishes for mackerel.

Of course, Ura Paratinos is not the German Emperor, nor a famous basso, nor a best-selling writer, nor a cantatrice specializing in Gypsy songs, but when I think of what weightiness and respect surround his name throughout the whole littoral of the Black Sea, it is with pleasure and pride that I recall his friendly attitude toward me.

Here's the sort Ura Paratinos is: he's a short, sturdy, briny and tarry Greek, of about forty. He has a bull's neck, a dark complexion, curly black hair, a mustache, a clean-shaven square chin with a brutal cleft in the middle: a chin that bespeaks a fearful will and great cruelty, thin, firm lips that go down at the corners—a sign of energy. There's not a man among the fishermen more dextrous, more cunning, stronger, and more daring than Ura Paratinos. No one yet has been able to stow away more drink than Ura—and no one has yet seen him drunk. No one can compare with Ura in derring-do—not even the famous Theodore-out-of-Oleiz himself.

In no one was that special deep-sea fisherman's indifference to the unjust blows of Fate, an indifference so highly valued by these salty folk, as strongly developed as it was in him.

When they tell Ura that the storm has torn his rigging, or that his barque, filled to the gunwales with valuable fish, was swamped by a wave and went down to the bottom, Ura will merely remark, in passing: "Eh, t'hell with it—that's where it belongs!"—and seems to have forgotten all about it right off.

Here's what the fishermen have to say about Ura:

"The mackerel may be just thinking of coming here from Kerch, but Ura already knows where to set his weir."

A weir is a trap formed of nets; it is about seventy feet long and thirty-five feet in width—the details thereof would interest hardly anybody. Suffice it to say that the fish, swimming in great schools along the shore at night, find themselves in this trap, owing to the slope at which the net is set, and can no longer get out of it save with the help of the fishermen, who lift the nets out of the water and dump the fish into their barques. The only important point is to notice in time the moment when the water over the weir begins to seethe, like porridge in a cauldron. Let this moment slip, and the fish will tear the net and escape.

And so, when a mysterious premonition has informed Ura about the intentions of the fish, all of Balaklava lives through several disquieting, excruciatingly tense days. Boys stand guard day and night, watching the weirs from the mountain heights; the boats are kept in readiness. The buyers of fish have arrived from Sevastopol. The local fish cannery is preparing its storing sheds for enormous catches.

And early one morning a rumor spreads everywhere with the speed of lightning—through the dwellings, through the coffee-houses, through the streets:

"They're running! They're running! There's mackerel in Ivan Egorovich's nets, and Kota's, and Christo's, and Spiro's, and Kapitanake's. And, of course, Ura Paratinos'!"

Every barque puts out to sea with a full crew.

All the other inhabitants, every living soul there, line the shore: old men, women, children, and both of the stout tavern-keepers, and Ivan Adamovich, the gray-haired proprietor of the coffee-house, and the apothecary, a busy man who has come on the run, puffing, for just a moment's look-see, and Euseii Markovich, the good-natured country doctor, and both of the local general practitioners.

Especially important is the factor that the first boat to come into the bay will sell its catch at the highest price; thus self-interest, and the sporting instinct, and ambition, and calculation, all unite to stir up those awaiting on the shore.

At last, on the spot where the neck of the bay narrows beyond the mountains, the first boat appears, skirting the shore sharply.

"That's Ura."

"No, it's Kolya."

"That's Ghenali, of course."

Fishermen have a way of putting on airs all their own. When the catch is particularly rich, the thing to do is not just to come into the bay, but to come flying straight in, on oars; and so three rowers rowing as one with measured, frequent strokes, straining their backs and the muscles of their arms, bending their necks hard and then almost throwing themselves over backward, make their boat rush along the unruffled expanse of the bay with quick, short drives. Their captain, facing them, rows standing: he is steering the boat.

It's Ura Paratinos, of course!

The boat is filled to the very gunwales with white, silvery fish, so that the legs of the rowers lie stretched right out upon them and spurning them. Nonchalantly, while the boat is still on its way, while the rowers are hardly yet slackening the impetus of the boat, Ura leaps out on the wooden wharf.

The dickering with the buyers begins right then and there.

"Thirty!" says Ura and, with a full swing, smacks his palm against the long, bony hand of a tall Greek.

Which means that Ura is willing to let his fish go at thirty rubles a thousand.

"Fifteen!" yells the Greek and, in his turn, having freed his hand from under, smacks Ura's palm.

"Twenty-eight!"

"Eighteen!"

Smack, smack. . . .

"Twenty-six!"

"Twenty!"

"Twenty-five!" says Ura hoarsely: "And I've got another boatload coming along."

And at the same time another barque emerges from the neck of the bay, and a second, a third, and two more at the same time. They're trying to head one another off, inasmuch as the rates for the fish are falling, always falling. Half an hour later they are already paying 15 rubles a thousand; in an hour, 10, and toward the end 5 and even 3 rubles.

Toward evening all of Balaklava reeks unbearably of fish. Scombers are being fried or marinated in every house. The wide mouths of the ovens in the bakeries are filled with clay tiles whereon the fish are broiling in their own juice: this is called *mackerel à la shkara*—the most exquisite viand of the local gourmets. And all the coffee-houses and taverns are filled with the smoke and smell of frying fish.

As for Ura Paratinos—the most open-handed man in all Balaklava—he drops into the coffee-house where all the fishermen of Balaklava are packed in amid tobacco smoke and fishy fumes, and calls out to the proprietor in a commanding tone that drowns out the general babel:

"A cup of coffee for everyone in the house!"

There is a moment of universal silence, astonishment, and rapturous admiration.

"With sugar or without?" the enormous, swarthy Ivan Uryich, proprietor of the coffee-house, asks with deference.

Ura, for just a second, hesitates: a cup of coffee costs three kopecks, but with sugar it's five. But there's nothing small about Ura. Today the least shareholder on his smack has made not less than ten rubles.

And he lets drop, nonchalantly:

"With sugar. And let's have music!"

And the music appears: a clarinet and a tambourine. The tambourine beats and the clarinet pipes far, far into the night, playing monotonous, lugubrious Tatar songs.

New wine appears on the table—roseate wine, redolent of freshly crushed grapes; it makes one tipsy with frightful rapidity, and the next day your head aches fit to split.

And in the meantime, on the wharf, far into the night, the last smacks are being unloaded. Squatting in the boat, two or three Greeks rapidly, with accustomed deftness, seize two fish with the right hand and three with the left and toss them in a basket, keeping an exact, quick count that isn't interrupted for even a second.

And on the next day more barques come in from the sea.

All Balaklava, apparently, is overflowing with fish.

Lazy tomcats who have gorged themselves with fish, their bellies distended, are sprawled out across the sidewalks, and when you nudge them with your foot they will grudgingly open one eye a little and then go off to sleep again. And the barnyard geese, also somnolent, rock in the middle of the bay, and the tails of half-eaten fish stick out of their beaks.

The strong smell of fresh fish and the fumy smell of fish fried linger in the air for many days more. And the light, viscid fish-scales bestrew the wooden wharfs, and the cobbles of the roadway, and the hands and dresses of the happy housewives, and the blue waters of the bay, rocking lazily under the autumnal sun.

III. POACHING

It is evening. We are sitting in Ivan Uryich's coffeehouse, where the light is supplied by two Lightning hanging lamps. You can cut the smoke with a knife. All the tables are taken. Some of the habitués are playing dominoes, others cards, others still sipping coffee; some are just lolling in the warmth and light, exchanging small talk and casual remarks. A protracted, lazy, pleasant evening tedium has taken over the whole coffee-house.

Little by little we embarked on a rather odd game, which all the local fishermen have found fascinating. All modesty aside, I must confess that the honor of having invented this game belongs to me. It consists of thoroughly blindfolding each one of the participants in turn, using a handkerchief which is tied with a sailor's knot; a peajacket is also put over his head, after which two others, taking the blindfolded player under his arms, lead him over every nook and corner of the coffee-house, making him turn around time after time, bringing him out of doors and back into the coffee-house, where he is again led in and out among the tables, the idea being to confuse him in every way possible. When, according to general opinion, the man being tested has been sufficiently thrown off his bearings, he is brought to a halt and asked:

"Show us where the north is!"

Each player undergoes such a test three times, and he whose sense of orientation turns out to be the worst has to treat all the others to a cup of coffee each, or to a half-bottle of new wine. It must be said that, for the most part, I was the loser. But Ura Paratinos always pointed *N* with the accuracy of a magnetic needle. What a brute!

But suddenly I turned around involuntarily and noticed that Christo Ambarzake was beckoning to me with his eyes. He was not alone; Jani, my captain and mentor, was sitting with him.

I approached. Christo called for a set of dominoes, just for the looks of the thing, and, even as we were pretending to play, said in a low voice, rattling the bone pieces:

"Take your *diphany* and come to the wharf with Jani

as quiet as you can. The bay is choked with sea-bass, as thick as black olives in a jar. The pigs have driven them in."

Diphany are very fine nets, about seven feet deep and four hundred and twenty feet long. They are in three layers; the two outside ones have wide meshes, the middle one narrow ones. Small scombers will pass through the wide mesh of the walls but become entangled in the inner meshes; on the other hand, any large and sizable sea-bass or *loban* which as much as bumped its head against the middle wall and turned back would become entangled in the wide outer meshes. I am the only one in Balaklava who owns such nets.

As quietly as possible, avoiding meeting anybody, Jani and I carry the nets to the beach. The night is so dark that we have trouble in making out Christo, who is waiting for us in a boat. We can hear some sort of snorting, *oink*'ing, heavy sighs out in the bay. These sounds are made by dolphins, or sea-pigs, as the fishermen call them. They have driven an enormous shoal, of thousands upon thousands, into the narrow cove, and are now darting all over the bay, devouring the fish on the run without any mercy.

That which we are now getting ready to do is, beyond all doubt, a crime. According to the peculiar, ancient custom it is permitted to take fish in the cove only with line and hook, or in dragnets. Only once a year, and even then for no longer than three days, is it fished by all Balaklava with communal nets. An unwritten law, this; an historical taboo of the fishermen, in its way.

But the night is so black, the sighs and *oink*'ing of the dolphins stir up the passionate curiosity of the fisherman to such an extent that, having downed an involuntary sigh of contrition, I cautiously jump into the boat and, even as Christo is soundlessly rowing, I start helping Jani to put the nets in order. He is paying out the lower edge, weighed down with big lead sinkers, while I, quickly and keeping pace with him, hand over to him the upper edge, rigged out with cork floats.

But a wondrous sight I had never seen before suddenly bewitches me. Somewhere not far off, to port, the snorting of a dolphin breaks out, and I suddenly see how, all around the boat and under the boat, a multitude of sinuous, silvery little streams darts by with frightful rapidity, looking like the tracery of expiring fireworks. These are the hundreds and thousands of fish fleeing the predatory dolphin. At this point I notice that the whole sea is ablaze with lights. Upon the crests of small, barely rippling waves blue gems shimmer. Where the oars come in contact with the water deep, gleaming furrows catch fire with a magic glow. I put my hand in the water, and when I withdraw it a handful of glowing diamonds trickles down, and exquisite, bluish, phosphorescent little flames glow on my fingers for a long time. This is one of those magic nights when the fishermen say:

"The sea is on fire!"

Another echelon of fish darts by under the boat with frightful rapidity, furrowing the water into short, silvery arrows. And now I hear the snorting of a dolphin altogether near. And, at last, there he is! He appears to one side of the boat, vanishes for a second under the keel, and immediately rushes onward. He swims far under water, and I can make out with extraordinary clearness all his powerful drive and all his mighty body, silvered by the shimmering of the infusoria, and outlined, as though in contours, by a myriad spangles, so that it resembles a glowing, speeding skeleton of glass.

Christo is rowing absolutely without a sound, and as

for Jani, he had hit the side of the boat only once with the leaden sinkers. We have already arranged the whole net, and now can begin.

We approach the opposite shore. Jani takes a firm stand at the nose of the boat, his legs far apart. A large, flat stone tied to a rope that slips gently through his hands splashes barely audibly in the water and sinks to the bottom. A big cork buoy bobs up, a hardly percepti-ble black mark on the surface of the bay. Now, ab-solutely without a sound, we describe a semicircle along the entire length of our net, and again come close to shore and throw out another buoy. We are within a closed semicircle.

If we weren't poaching, but working freely and out in the open, we would raise a shivaree—that is, by splashing our oars and making other noise we would have made all the fish within our semicircle rush into the nets spread for them, where they were bound to entangle their heads and gills in the meshes. But such work as ours demands secrecy, and therefore we merely row back and forth between the buoy twice, during which Christo churns the water with his oar noiselessly, making it boil up in light-blue, electric hillocks of splen-did beauty. Then we come back to the first buoy. Jani draws up the stone that had served as an anchor just as cautiously as he had lowered it, and replaces it on the bottom of the boat without the least thud. Then, stand-ing at the bow, his left foot forward and with his weight on it, lifting up now one arm, now the other, he hauls up the net with rhythmic motions. Bending a little over the side I see the net rushing up out of the water, and its every mesh, its least fibre, is visible to me, deep down, for all the world like an entrancing web of fire. Tiny, tremulous fires stream down Jani's fingers and fall into the water.

And by now I hear how moistly and heavily the big, live fish flop against the bottom of the boat, how plumply they quiver, their tails drumming against the boards. We gradually near the second buoy and, with the same precautions as before, draw it out of the water.

Now it is my turn to take the oars. Christo and Jani go over the whole net anew and take the sea-bass out of its meshes. Christo can't hold himself in and, with a happy, muffled chuckle throws a huge fat, silvery sea-bass at my feet over Jani's head.

"That's what I call fish!" he calls out to me in a whisper.

Jani quietly brings him up short.

When their work is done, and the dripping net is lying anew on the platform at the bow, I see that the whole bottom is carpeted with fish, alive and still quivering. However, we have to hurry. We make one more circuit, and another, and another, although prudence has been bidding us long since to go back to town. At last we approach the shore at its most forsaken spot. Jani fetches a basket and, with a savory smack, armfuls of big, meaty fish fly into it, emitting the freshest and most exciting of odors.

And ten minutes later we come back to the coffee-house, one after the other. Each one of us thinks up some pretext for his absence. But our trousers and jackets are wet, while fish-scales have caught in Jani's mustache and beard, and we still reek of sea water and fresh fish. And Christo, who can't get the upper hand of his recent piscatorial excitement, will, despite everything, throw out an occasional hint as to our venture.

"I was just walking along the quay, now—what a lot of sea-pigs have gotten into the cove! Something awful!" And he darts a sly, glowing, dark-eyed look at us.

Jani, who has carried off and hidden the haul together

with him, is sitting close to me and, in a barely audible voice, is muttering into his cup of coffee:

"Two thousand or so, and all the biggest fellows. I carried thirty of them over to your place."

That's my share of the booty. I nod my head, ever so slightly. But now I feel a trifle conscience-stricken over my recent crime. However, I catch several quick, knavish glances among the others. Apparently we were not the only ones who had been busy poaching that night!

IV. BELUGA

Winter is nearing. One evening there chanced to be a snowfall, and during the night everything turned white: the quay, the boats along shore, the house-roofs, the trees. Only the water in the bay remains uncannily black and plashes restlessly within this white frame of quietude.

All along the Crimean littoral—in Anap, Sudak, Kerch, Theodosia, Yalta, Balaklava and Sebastopol—the fishermen are getting ready for *beluga,* or white sturgeon. The fishermen are readying their boats, cleaning their enormous boots of horse-hide that come up to the very hips and weigh eighteen pounds each, and fixing up their waterproof capes, daubed with yellow oil paint, and their leather breeches; they are mending sails and weaving seines.

That pious fisher, Theodore-out-of-Oleiz, long before he sets out to catch white sturgeon has, in his lean-to of branches, waxen tapers and lampads filled with the finest olive oil glowing warmly before the image of Nicholas the Worthy, the Thaumaturge of Myra in Lycia, and patron saint of all those that follow the sea.[1] When he

---

[1] And not of them alone, but of all the benighted elements in Czarist Russia. Alexis Remizov quotes two effective folk-sayings con-

puts out to sea with his crew of Tatars, the image of the Blessed Saint of the Sea will be nailed up on the prow, as guide and bringer of luck. All the Crimean fishermen know about this, inasmuch as this is repeated year after year, and also inasmuch as Theodore has the firmly established reputation of a very daring and successful fishing-man.

And so one morning, with the first favorable wind, when the night is on the wane yet the darkness is still profound, hundreds of boats cast off from the Crimean peninsula and put out to sea under sail.

What beauty there is about such a departure! All the five fishermen manning the boat are seated at the prow. "God be with you! God send you luck! God be with you!" The unfurled sail falls and, after flapping a while hesitatingly in the air, suddenly swells out, like the convex, pointed wing of some white bird, with its sharp tip upward. The boat, careening all to one side, smoothly darts out of the mouth of the cove into the open sea. The water hisses and foams along its side and sends spray into the boat, while on the very gunwale, at times wetting the hem of his jacket, some young fisherman is sitting nonchalantly and, also with a swaggering nonchalance, lights a cigarette he has just rolled. Under the grating at the prow there is a small store of strong vodka, a little bread, a dozen or so smoked fish, and a cask of fresh water.

They go out into the open sea twenty miles and more from shore. During this long sail the captain and his mate manage to make the fishing tackle ready. And here's what the tackle for white sturgeon is like: just imagine a strong rope about two thirds of a mile long,

---

cerning him: "Every countrywife has her own fairy-tale about Nikola," and: " 'And what would happen if God were to die?'—'Well, what do you think Saint Mikola is for?' "—*Trans.-Ed.*

lying at the bottom of the sea, about fifty fathom down; imagine, too, seven-foot leaders of stout cord tied on to it every two or three yards and, at the end of each of these leaders, a hook baited with small live fish. A flat stone at each end of the main rope serves to sink it to the bottom and anchor it there, while a buoy floating on the surface over each anchor shows its location. The buoys are round, of cork (a hundred bottle-corks wound around with a net), and each has a small red flag atop.

The mate, with a dexterity and rapidity past all understanding, baits the hooks, while the captain painstakingly coils all the tackle in a round basket, spiraling it neatly along the sides with the baited hooks within the hollow thus formed. In the darkness, almost by touch, it is not at all as easy to do this pernickety job as it may seem at first glance. When the time comes to lower the tackle into the sea, a single hook unsuccessfully baited can catch at the main rope and cruelly foul the whole business.

At dawn the fishing ground is reached. Each hetman (or captain) has his own favorite lucky spots, and he finds them out in the open sea, dozens of miles from shore, just as easily as you find a box of steel pens on your desk. All one has to do is to set the course so that the Polar Star should be just over the belfry of the Monastery of St. George, and then sail due east, without deviating from this direction, until the Phoros lighthouse is sighted. . . . Every captain has his secret guiding signs, such as lighthouses, houses, large rocks along shore, lonely pines on the mountains, or stars.

The fishing ground is decided upon. They drop the first stone of the rope, make soundings, attach the buoy and row away from it as the captain pays the tackle out of the basket with extraordinary rapidity, until they come to the end. They sink the second stone, fix the second buoy—and that's that. They row—or, if the wind permits tacking, sail—back home. Next day, or the day after, they put out to sea again and haul up the line. If God or chance so wills, the bait will have been swallowed and there will be sturgeon on the hooks—enormous, sharp-snouted fish, reaching the weight of from three hundred and fifty to over seven hundred pounds and, in rare instances, half a ton and more.

And that was just how one night Vanya Andrutsake put out of the cove in his smack. To tell the truth, no one expected any good from this venture. Old Andrutsake had died the spring before, Vanya was too young yet and, in the opinion of experienced fishermen, he should have worked as a common oarsman for a couple of years, and for a year after that as a captain's mate. Instead of that he picked out his crew from the greenest and most reckless whippersnappers, sternly raised his voice at his old mother, as if he were really the head of the house, when she began to whine; cursed out roundly, with the vilest oaths, the grumbling old fishermen who knew him, and set out to sea drunk, with a drunken crew, standing at the prow with his caracul cap devilishly shoved back on the nape of his neck, and with his hair, curly and black as a poodle's, riotously escaping from under it onto his sunburned forehead.

Out at sea a strong offshore wind was blowing, and snow was coming down hard. Some barques left the cove but came back shortly, for Greek fishermen, despite their age-old experience, are noted for their excessive prudence, not to say cowardice. "The weather ain't right," said they.

Vanya Andrutsake, however, came home about noon, with a barque filled with the biggest sturgeon, and beside that he also towed back a leviathan, a monster weighing over seven hundred pounds, which the crew had to club with mallets and oars for a long time before they killed it.

They had quite a bit of trouble with this giant. As a general thing, the fishermen say of the *beluga* that all you have to do is draw its head even with the gunwale, and after that the fish will leap into the boat of its own accord. True, in doing so it will now and then knock a careless captor over into the water with a mighty flip of its tail. But on infrequent occasions there are graver moments while catching sturgeon, threatening the fishermen with real peril. And that's just what happened to Vanya Andrutsake.

Standing at the very bow, which alternately flew up on the foaming hillocks of the broad waves or fell impetuously into smooth-sided pits of green water, Vanya had with measured motions of arms and back been hauling the tackle up out of the sea. Five sturgeon, none too large, caught at the very start, almost one after the other, were already lying motionless at the bottom of the boat, but after that the run petered out: a hundred, or a hundred and fifty hooks in a row, proved to be empty, with their live bait untouched.

The crew was rowing in silence, without taking their eyes off two points on shore that had been pointed out to them by their hetman. The mate, sitting at Vanya's feet, was getting the bait off the hooks and stowing the rope in the basket in a neat coil. Suddenly one of the fish began to flop convulsively.

"Beating its tail, waiting for its mate," remarked Paul, one of the young fishermen, repeating an old fishing omen.

And at that very second Vanya Andrutsake felt that an enormous living weight, quivering and resisting, far in the depth of the sea, was hanging on the rope that was now straining obliquely. And when, after leaning over the side, he actually saw underwater the whole of the long, silvery, agitated, shimmering body of a monster, he could not restrain himself and, turning around to the crew, whispered, with his eyes shining in rapture:

"A big fellow! Big as a bull! About fifteen hundred pounds—"

That, now, was something he should never have done, under any circumstances! God forfend, when you're out at sea, that you anticipate events or rejoice over your good fortune before you reach shore! And the old, mysterious foreboding immediately was proven true in the case of Vanya Andrutsake. He already saw, no more than a couple of feet under the surface of the water, the pointed, time-worn, bony snout and, trying to restrain the tempestuous palpitation of his heart, was all set to bring it near the side of the boat—when suddenly the mighty tail of the fish flipped out of the wave and the *beluga* started at a rush to the bottom, drawing the rope and hooks after it.

Vanya did not lose his head. "Back water!" he called out to the fishermen, ripped out a vile, intricate and very lengthy oath, and began to pay out the rope after the runaway fish. The hooks simply flashed in the air from under his hands, whipping against the water. The mate helped him, freeing the rope from the basket. The rowers bent to their oars, trying to make the boat head off the underwater progress of the fish. This was work requiring precision and frightful speed, yet not always having a happy ending. The mate fouled several hooks. "Stop paying out the rope!" he called out to Vanya, and started untangling the gear with that coolness and thoroughness which in moments of peril is to be met with only among seafaring folk. During those few seconds the rope in Vanya's hand became as taut as a musical string, while the boat leapt crazily from wave to wave, drawn along by the terrific racing of the fish and driven after it by the efforts of the rowers.

"Pay it out!" the mate called out at last. The rope started running anew through the deft hands of the captain, but suddenly the boat gave a jolt, and Vanya, with a dull moan, let out a curse: a copper hook had driven with full force into the flesh of the palm at the base of the little finger and had lodged there with its whole barb. And it was right then and there that Vanya showed himself a real briny fisherman. Looping a bight around the fingers of his injured hand, he checked the run of the rope for a second, while with the other hand he got out his knife and cut the leader. The hook was holding fast with its point, but Vanya tore it out with the flesh and threw it into the sea. And although both his hands and the rope were stained deep with his blood, and the side of the boat and the water in it turned red therefrom, he nevertheless saw the job through to the end and was himself the first to deal a stunning blow with a mallet over the noggin of the stubborn fish.

His was the first sturgeon catch that fall. His outfit sold the fish at a very high rate, so that each man's share ran to almost forty rubles. A terrific amount of new wine was drunk to celebrate the occasion, while toward evening the whole crew of *St. George the Conqueror* (as Vanya's smack was called) set out for Sevastopol in a two-horse phaeton, with musicians. There the brave Balaklava fishermen, together with some sailors from the fleet, made matchwood of the grand piano, doors, beds and chairs in one of the sporting houses and smashed all its windows to smithereens, after which they had a hearty free-for-all, and only toward daybreak did they come home, drunk and all black and blue, but with song on their lips. And no sooner did they clamber out of their carriage than they piled into a boat, hoisted sail, and put out to sea to set their line again.

From that day forth Vanya Andrutsake's reputation as a real, briny captain became firmly established.

V. THE LORD'S FISH

An Apocryphal Tale

This captivatingly beautiful, ancient legend was told me in Balaklava, by the captain of a fishing barque, one Kolya Konstande, a real briny Greek, an excellent seafarer, and a great drunkard.

He was, at that time, teaching me all the infinitely wise and strange things that go to make up the lore of the fisherman.

He showed me how to tie sailors' knots and mend torn nets, how to put live bait on *beluga* hooks, set out and clean trammel-nets, go after *kamsa,* extricate sea-bass out of the *diphany* or three-layered nets, broil the *loban* on tiles, pry the *petalide* with a knife from the rocks they had attached themselves to, and how to eat shrimps raw; how to tell what the weather would be like at night from the way the surf surged in the daytime; how to hoist and set sail; how to weigh anchor and take soundings.

He was patient in explaining to me the difference between the directions and peculiarities of the winds: the levanter, the off-levanter, the sirocco, the tramontane, the fearful bora, the propitious sea-wind and the capricious offshore one.

It is to him as well that I am indebted for the knowledge of fishing customs and superstitions to be observed while fishing: you mustn't whistle aboard the craft; you are permitted to spit over the side only; you mustn't mention the devil, although, if you're not having any luck, you may curse your faith, grave, coffin, soul, ancestors, eyes, liver, spleen, and so on. It's a good thing to leave a small fish, as though you had chanced to overlook it, in the net: that brings you luck; God save you from chucking anything edible overboard while the boat is still out at sea; but the most horrible thing of all, the most unforgivable and most malefic, is to ask a fisherman "Where are you bound for?" You can be beaten up for asking a thing like that. It was from him that I learned of the venomous little fish, the *drakos*, which looks like a small pilcher, and how to take it off the hook; of the sea-ruff's ability to inflict blisters by stinging with its fins; of the dreadful double tail of the electric skate, and of how artfully the sea-crab eats up an oyster, by first inserting a tiny pebble into its valve.

But I also heard not a few curious and mysterious stories of the sea from Kolya; I heard them during those delectable, quiet night hours in the early fall, as our yawl rocked gently, with the sea all around us, far from the unseen shores, while the two or three of us, by the yellow light of a hand-lantern, were leisurely sipping the new, roseate wine of that region, a wine redolent of freshly crushed grapes.

"There's a sea-serpent, about a mile long, living in the middle of the ocean. He is ever so lonesome. Very rarely, no more than once in ten years, he comes up from the bottom to the surface and takes a breath. He is the only one of his kind. In former days there were a lot of these sea-serpents, males and females, but they wrought such havoc among the little fish that God condemned them to die out, and now there's only one ancient, thousand-year-old male sea-serpent, living out his last years. Seamen of a former day have seen him, now here, now there, all the world over, and in all the seven seas.

"Then there's the King of all the Sea-Lobsters, living somewhere in the midst of the sea, near an uninhabited island, in his deep underwater cavern. When he strikes claw against claw, the waters above seethe in great turmoil.

"Fish talk amongst themselves—every fisherman knows that. They tell one another about the different perils and the traps set for them by man, and a green, clumsy fisherman can queer a lucky spot for a long time if he lets the fish slip out of his net."

Also did I hear from Kolya about the Flying Dutchman, about that eternal wanderer of the seas, with sails all black, and a crew entirely of dead men. However, this fearful legend is known and believed in along all the littorals of Europe.[1]

But there was one story of remote times he told me which touched me in particular by its naïve, fisherman-like simplicity.

Once toward dawn, when the sun was not yet rising but the sky was already of an orange hue and roseate mists were straying over the sea, Kolya and I were drawing up a net we had put out for scomber the evening before, at right angles to the shore. The catch was a thoroughly poor one. About a hundred scomber were tangled in the meshes of the net, five or six ruff, a few dozen golden-hued, fat little crucians and a very great deal of jellied, nacreous medusæ, looking like enormous, colorless mushroom-heads, each with a multitude of stems.

But we also came upon a very strange little fish which I had never seen up to then. It was oval and flat in form, and would have found plenty of room on a woman's palm. Its whole contour was fringed with closely set, small, transparent bristles. The head was tiny, and the eyes therein not at all those of a fish—black, rimmed

---

[1] As good a retelling of this legend as any, and decidedly one of the most curious, is Captain Marryat's *The Phantom Ship*.—*Trans.-Ed.*

with gold, and unusually lively; the body was of an even, aureate hue. But the most striking thing of all about this little fish were two blotches, one on each side, in the centre, about the size of a silver ten-kopeck piece but irregular in shape and of an exceedingly vivid, sky-blue color, such as no painter has at his disposal.

"Take a look at that," said Kolya. "That's the Lord's Fish. It's seldom you get one."

We placed it first in the boat bailer and then, on getting home, I poured some sea water into a big enameled basin and released the Lord's Fish therein. It began swimming around and around rapidly, always in the same direction. If one touched it, it would emit a barely audible, short, snoring sound, and quicken its ceaseless swimming. Its black eyes were rolling, while from the twinkling, countless little bristles the water quivered and ran swiftly in tiny streams.

I wanted to keep it alive, in order to bring it to the aquarium of the Biological Station in Sevastopol, but Kolya said, with a discouraging wave of his hand:

"It doesn't pay to bother, even. It won't live that long, anyway. That's the sort of fish it is. If you pull it out of the sea for even a second it's already done for. It's the Lord's Fish."

Toward evening it died. And at night, as we sat in the yawl, far from shore, I thought of it, and asked:

"But why is it the Lord's Fish, Kolya?"

"Well, I'll tell you why," Kolya answered with profound conviction. "The old men amongst us Greeks tell the story this way. When Jesus Christ, our Lord, rose up from the dead on the third day after his burial, why, no one wanted to believe Him. Many miracles wrought by Him had they seen while He had been alive, but this miracle they could not bring themselves to believe, and were afraid.

"His disciples denied Him, His apostles denied Him, the women who had been bringing Him myrrh denied Him. Thereupon He came to His Mother. And, just then, she happened to be standing by the hearth and frying fish in a pan, getting dinner ready for herself and those near to her. So the Lord says to her:

" 'Hail! Behold me, thy Son, risen from the dead, even as it was told in the Scriptures. Peace be unto thee!'

"But she fell to trembling, and cried out in fright:

" 'If Thou be truly my Son Jesus, work a miracle, that I may see and believe.'

"Thereupon the Lord smiled, for that she had no faith in Him, and said:

" 'Behold, I will take this fish lying on the fire, and it will come to life anew. Wilt thou have faith in me then?'

"And hardly had He put His thumb and forefinger to the fish and lifted it up in the air, than it began to quiver and came to life anew.

"Thereupon the Lord's Mother had faith in the miracle, and joyously bowed down before her Son who had risen from the dead.

"And as for that fish, ever since then the two marks, blue as the heavens, have remained upon it. They be the traces of the Lord's thumb and forefinger."

That was how the simple, far from wise fisherman told the naïve, olden tale. And a few days later I learned that the Lord's Fish bears still another appellation: the Fish of Zeus. Who can tell to what remote ages this bit of apocrypha goes back?

VI. THE BORA

Oh, the dear, simple men, manly hearts, naïve, primitive souls, stalwart bodies swept by the salt sea wind, calloused hands, keen eyes that have so many times looked into the face of death, into its very pupils! . . .

The bora is blowing for the third day. The bora[1]—otherwise the nor'-easter—is a raging, mysterious wind, which is born somewhere among the bald, denuded mountains near Novorossisk, comes crashing down upon its round cove, and spreads fearful turmoil all over the Black Sea. So great is the force of it that it blows loaded freight cars off their rails and overturns them, knocks down telegraph poles, demolishes brick walls of very recent construction, and throws solitary pedestrians to the ground. About the middle of the last century several men-o'-war, overtaken by a nor'-easter, tried to weather it out at the cove of Novorossisk: with a full head of steam, at an accelerated speed, they bucked the wind—and could not make an inch of headway; then, in the teeth of the wind, they let down double anchors—and nonetheless were torn from their anchors, dragged within the cove, and cast up, like so many pine-chips, on the rocks along the shore.

This wind is terrifying in its unexpectedness—it is impossible to foresee it; it is the most capricious of winds upon the most capricious of seas.

Old fishermen say that the only salvation from it is "to bolt into the open sea". And there are instances of the bora having carried off some square-rigged barque, or a Turkish felucca (painted sky-blue and adorned with silver stars) across all of the Black Sea, to the coast of Anatolia, more than two hundred and thirty miles away.

The bora is blowing for the third day. There's a new moon out. The new moon, as always, is coming to birth amid great throes and much travail. Experienced fishermen are not only not even thinking of putting out to sea, but have actually hauled their boats ashore, to the farthest and safest point.

[1] Italian; from the Greek, *Boreas.—Trans.-Ed.*

That reckless Theodore-out-of-Oleiz alone, who for many days before this has kept a taper glowing warmly before the image of Nicholas the Thaumaturge, has decided to put out, to haul up his white-sturgeon tackle.

Three times had he and his crew (consisting of Tatars exclusively) set out from shore, and three times did he have to row back, resorting to the utmost exertions, curses and blasphemies, yet doing no better than one-tenth of a knot an hour. In a rage that can be understood only by a seafaring man he had repeatedly torn down the image of Nicholas, Miracle-Worker of Myra in Lycia, which image he himself had fastened at the prow, throwing it to the bottom of the boat, trampling upon it and swearing abominably, while at the same time his men were bailing out with their caps and cupped hands the water that was lashing over the side.

During these days the veteran, cunning Læstrygones of Balaklava sat about in the coffee-houses, rolling their own, drinking strong tonka-bean coffee with thick grounds, playing dominoes, complaining because the weather wouldn't let up and, amid the cosy warmth, by the light of hanging lamps, recalled ancient legendary happenings, tales of which had come down to them from their sires and grandsires, of how in such and such a year the breakers had reached hundreds and hundreds of feet upward, while their spindrift had flown to the very foot of the half-ruined Genoese fortress.

One skiff, out of Phoros, manned by certain Russopeti, light flaxen-fair Ivans who had come from somewhere or other (it may have been from the Lake of Ilmen, or it may have been from the Volga) to seek their luck on the Black Sea, had been lost without any tidings. No one in the coffee-houses regretted them or bothered about them. They clicked their tongues, gave a short laugh, and decided, disdainfully and simply: "*Tsk, tsk,*

tsk! Of course they're fools—can anybody do anything in such weather? Oh, well—you know what the Russians are!" In the pre-dawn hour of a dark, roaring night they had all gone down to the bottom like so many stones, in their boots of horsehide that came up to their waists, in leathern jackets and yellow-painted waterproof capes.

It was an altogether different matter, though, when Vanya Andrutsake put out to sea just before the bora had started blowing, having spat on all forewarnings and persuasions of the old-timers. Why had he done it? God knows! In all probability out of little-boy bravado, out of riotous, youthful self-conceit, and because he was a trifle on the tipsy side. And, perhaps, because some red-lipped, dark-eyed Greek girl had been admiring him at the moment?

He hoisted sail—the wind even then was very strong—and that's the last they saw of him! With the swiftness of a purse-winning racer the craft flew out of the cove, its white sail flitting for five minutes or so against the dark-blue of the sea, and right after that you couldn't make out what that wispy whiteness in the distance was—whether a sail, or whitecaps leaping from wave to wave.

And it was only three days later that he got home.

Three days without sleep, without food and drink, day and night, and again day and night, and another day around the clock, in a tiny cockleshell in the midst of an insanely raging sea—and all around no shore, nor sail, nor beaconlight, nor steamer smoke. But no sooner did Vanya Andrutsake get back home, than he seemed to have forgotten all this, as though nothing at all had befallen him, just as though he'd merely taken a trip on the mail-wagon to Sebastopol and bought a pack of cigarettes there.

True, there were a few details, which, with difficulty,

I managed to squeeze out of Vanya's memory. For instance, something like a fit of hysterics had overcome Ura Lipiade when the second night was on the wane, and he had suddenly begun to weep and laugh loudly for no reason on earth, and was already as good as over the side if Vanya Andrutsake hadn't fetched him one with the steering oar over the head, and that none too soon. There was also one moment when the crew, frightened by the furious racing of the boat, had wanted to lower the sail, and it must have cost Vanya much effort to get a tight grip on the will of these five men and, with death breathing into their very faces, force them to submit to him. I also learned a thing or two about how the blood spurted from under the nails of the rowers because of their inordinate toil. But all this was told me in snatches, unwillingly, in passing. Yes, during these three days and nights of tense, convulsive wrestling with death much had been said and done which the crew of *St. George the Conqueror* would, of course, tell to no one, to the very end of their days, for no consideration on earth!

During these three days not a man in Balaklava had closed his eyes, save for the stout Petalide, proprietor of the Hotel Paris. And all wandered uneasily about the quay, or scaled the crags, or scrambled up to the Genoese fortress which towers over the city with its two ancient indented towers—absolutely all, old men and young, women and children. There was a flurry of telegrams to all the ends of the earth: to the Commandant of all the Black Sea ports, to the local prelate, to all the lighthouses, to the life-saving stations, to the Minister of Maritime Affairs, to the Minister of Communications, to Yalta, to Sebastopol, to Constantinople and Odessa, to the Patriarch of Greece, to the governor, and even, for some inexplicable reason, to the Russian consul at

Damascus, who chanced to be an acquaintance of a certain Greek aristocrat at Balaklava, trading in flour and cement.

The ancient bond, ages and ages old, that binds man to man stirred awake, that comradeship of the blood so little noticeable amid the petty reckonings and the rubbish of everyday life; the millennial voices of great-great-grandsires (who, long before the times of Odysseus, had stood together against the bora on just such days and nights) began to speak again in the souls of men.

No one slept. At night they built an enormous bonfire on the top of a mountain, and all walked along the shore with lights, just as if it were Easter. Now, however, no one laughed, nor sang, and all the coffee-houses became deserted.

Ah, what a rapturous moment it was when one morning, about eight, Ura Paratinos, who had taken his stand at the top of the crag over the White Rocks, narrowed his eyes, bent forward, grappled the distance with his keen eyes, and suddenly sang out:

"There they are! They're coming!"

No one save Ura Paratinos could have made out that boat amid this black-blue stretch of the sea, heaving ponderously and slowly but still malevolently, quieting down after its recent wrath. But five minutes passed, then ten, and by now any urchin could see for himself that it was the *St. George the Conqueror* coming along under sail, tacking toward the cove. Great was the joy that now united all these men and women into one body and into one soul!

Before coming into the cove they lowered sail and came into the cove rowing, came into it as an arrow flying, gaily straining their last strength; they came into the cove as the fishermen come into it after an excellent haul of sturgeon. Mothers, wives, sweethearts, sisters, little brothers were weeping all around them for happiness. Do you think that even one fisherman from the crew of the *St. George the Conqueror* turned soft, burst into tears, went to kiss someone or to sob on someone's bosom? Not in the least! All the six of them, still sopping wet, grown hoarse and windburned, piled into Yuryich's coffee-house, called for wine, bawled songs at the top of their voices, ordered music and danced like madmen, leaving pools of sea-water on the floor. And only late at night did their comrades carry them, drunk and tuckered out, to their homes, and every man-jack of them slept for twenty hours without a break. And when they did awake, they regarded their sea-voyage no more seriously than, let us say, the short ride in the mail-wagon to Sebastopol, for half an hour or so, where they had a fling—oh, ever so mild and brief—after which they had come home. . . .

VIII. MAD WINE

The end of September is, in Balaklava, utterly enchanting. The water in the bay has become chillier; the days remain clear, calm, with a wondrous freshness and the strong smell of the sea of mornings, with a sky blue and cloudless, receding to God alone knows what height, with gold and purple upon the trees, with nights that are silent and black. The summer visitors who had come here for their health—noisy, ailing, egotistic, idle, and trivial—have scattered, each his or her own way, going north, to their homes. The grape-cure season is over.

And it is about this very time that the mad wine arrives.

Almost every Greek, a glorious captain and Læstrygone, owns a bit of a vineyard, even though it may be of the tiniest—there, above, up in the mountains, in the environs of the Italian cemetery, where the graves of several hundred unknown brave outlanders are crowned by an unassuming white monument. The vineyards are neglected, grown wild, over-luxuriant; the grapes have degenerated, become smaller. Five or six vineyard owners, it is true, produce and keep up the more expensive varieties, such as the *chaous, shashlia* and Napoleon, selling them as medicinal grapes to those who had come for their health (however, during the summer and fall seasons in the Crimea everything is medicinal: there are medicinal grapes, medicinal chicks, medicinal long veils on the native women, medicinal slippers—even the canes of boxthorn and the sea-shells peddled by wrinkled, crafty Tatars and pompous, bronzed, grimy Persians). The other proprietors visit their vineyards—or, as they call them here, their *gardens*—only twice a year: to gather the grapes at the beginning of autumn and, toward its end, to get cuttings from the vines, which they do in a most barbarous manner.

Times have changed now: morals are fallen low and folks have become poorer; the fish have gone off somewhere to Trebizond; nature has petered out. Now the descendants of the doughty Læstrygonians, those legendary freebooters and fishermen, row little children and their nurses about the bay for a five-kopeck copper and live by renting out their little houses to the first comer. The grapes used to grow *that* big, each grape the size of a baby's fist, and the clusters used to weigh five and thirty pounds each; but nowadays they're not even worth looking at: the grapes are just the least trifle bigger than currants, and their former potency isn't in 'em. Thus do the gaffers discourse among themselves as during the calm autumn dusk they sit near their whitewashed enclosures on stone benches which, through the centuries, had become rooted in the ground.

But the custom of old has still been observed down to our days. Everyone who is able to, either by himself or in partnership, crushes and presses the grapes by those primitive methods probably resorted to by our forefather Noah or by wily-minded Ulysses, who had contrived to make such a stalwart oaf as Polyphemus drunk. They press it right with their feet, and when the presser steps out of the vat his bare legs all the way up to the knees seem daubed and spattered with fresh blood. And the pressing is done under the open sky, in the mountains, in the midst of an ancient vineyard planted about with almond trees and tricentenarian walnuts.

I watch this spectacle often and an unusual, agitating fancy comes over my soul. There, on those very mountains, three, four—and, perhaps, even five—thousand years ago, under the very same azure sky and under the very same endearing, beautiful sun, the magnificent festival of Bacchus was being celebrated by all the people, and over there, where one now hears the wretched, snuffling tenor of some weak-chested vacationer, grating dismally:

> And bring chry-san-the-mmmums you may
> Unto my grave, e'en thrice a day—

there used to resound the madly-joyous, divinely-inebriated outcries:

Evoe! Evan! Evoe!

Why, only a little over ten miles from Balaklava, there rise awesomely out of the sea the reddish-brown, jagged remains of the Cape of Phiolent, on which on a time there stood the temple of a goddess who demanded human sacrifices for herself. Ah, what a strange, deep, and delectable sway over our imaginations have these desolated, despoiled sites where on a time there lived so joyously and blithely people who were gay, joyous, free, and wise as the beasts!

However, the new wine is not merely given no chance to age—it isn't even allowed simply to settle.

And besides, there's so little of it produced that it isn't worth while going to any real bother about it. It hasn't been standing even a month in its cask when it is already being poured into bottles and carried off to town. It is still in ferment, it has still had no time *to come to its senses,* as the vintners so characteristically put it; it is turbid and rather muddy against the light, with a faintly roseate or apple-yellow tinge; but, just the same, it is easy and pleasant to drink. It is redolent of freshly crushed grapes, and sets the teeth on edge, leaving a tart, rather sourish taste.

But then, it is remarkable for its after effects. Drunk in any great amount the new wine refuses to come to its senses even in one's stomach and there goes on with the mysterious process of fermentation which it had begun as far back as its days in the cask. It compels men to dance, to leap, to chatter without cease, to roll about on the ground, to try their strength, to lift up enormous weights, to kiss, weep, go off into gales of laughter, tell monstrously tall tales. It has also another astonishing quality, which also appertains to *hanghin,* or Chinese whisky: if, on the morning after the night before, one drinks a glass of plain cold water, the new wine will start to ferment all over again, to bluster and play in the stomach and blood, while its harebrained effect is renewed with all its former force. That's the very reason they call this new wine the "mad wine."

The Balaklavians are a cunning folk, and besides they've been taught by the experience of thousands of years: therefore, on the morning after the night before, they skip the cold water and drink more of the same mad wine. And all the autochthonous male population of Balaklava goes about for two weeks at a stretch tipsy, unbridled, traipsing around, but benign and full of song. Who will condemn them, these fine fishermen, because of that? Behind them is the tedious summer with squabbling, supercilious, exacting vacationers; ahead of them lies harsh winter, raging nor'-easters, sturgeon fishing twenty, thirty miles from shore, now amid impenetrable fog, now in a storm, with death hanging over your head every second, and not a soul aboard the craft knowing where all of them are being borne by head-sea, current and wind!

There's but little visiting around—which has always been the case in conservative Balaklava. They meet one another in the coffee-houses, in eating-places and in the open air, on the outskirts of the town, where the luxuriant Baidar valley has its flat and richly colored start. Every man is happy to boast of his new wine, and even if it should run short, does it take long to send some shiftless brat home after a new supply? The wife will grumble a bit but, just the same, she'll send along two or three bottles, each one holding almost three quarts, of turbidly yellow or turbidly roseate, half-clear wine.

When the supply runs out, they set off wherever their legs lead them; to the nearest croft, to the country, to a lemonade stand three or six miles out on the Balaklava highway. They'll sit down in a circle amid the prickly stubble of maize; the proprietor will bring out the wine, right in a wide-topped enameled pail, with a loose wooden piece on the metal half-loop handle, and that pail is brimming over. They drink out of cups, with deferential decorum, wishing one another all sorts of good things—and it is a *must* for all to drink at the same time. One will lift up his cup and say: "*Staniyasso!*" and all the others answer: "*Si-iva!*"

Then they'll launch into song. No one knows any Greek songs: it may be that they have been long since forgotten, it may be that the unassuming, taciturn cove of Balaklava had never disposed its folk to song. They sing the songs of the fishermen in the south of Russia; they sing in unison, with frightful, stony, wooden, metallic voices, each one trying to drown out the next. Their faces turn red, their mouths are wide open, the veins have swelled on their sweating brows.

> All the sea is boilin', foamin',
> There's a change of weather comin'—
>   Men, it's comin'!
> Head-sea upon head-sea follows,
> My old tub she floats but wallows—
>   Men, she wallows!
> On the bridge the old man stands,
> Tells the bosun: "Pipe all hands!"
>   Men, pipe all hands!

They think up ever new pretexts for a new drinking bout. Some one of them has recently bought himself a pair of those appalling fishermen's boots. How can one possibly do without asperging and baptizing such an acquisition? And again the blue-enameled pail appears on the scene, and again they sing their songs, that sound like the roaring of a winter hurricane out in the open sea.

And suddenly the possessor of those boots, his sentimentality all stirred up, calls out with tears in his voice:

"Lookit, pals! What do I need them boots for? The winter's still far off—plenty of time to get another pair. Let's drink 'em up!"

And after that they'll roll a pill of beeswax and tie it at the end of a tread and lower it into the opening (that looks as round as if it were turned on a lathe) of a tarantula nest, teasing the spider until it flies into a rage and sinks its paws into the wax, thus hopelessly entangling them. Then, with a quick and deft jerk, they draw the monster to the top, out on the grass. They will catch two tarantulas thus and pit them against each other, at the bottom of some broken bottle or other. There is nothing more terrifying and thrilling than the spectacle of the fight which begins between these venomous, many-legged, enormous spiders. The torn-off paws fly right and left; a thick, white liquid oozes out in drops from the pierced, soft, oviform trunks. Both spiders are standing up on their hind legs, their forelegs clasping each other, and each is trying to sink its mandibles into the eye or head of its adversary. And this fight is particularly weird because it inevitably ends with one foe putting the other to death and immediately sucking him dry, leaving only a pitiful, wrinkled casing on the ground.

As for the descendants of the blood-thirsty Læstrygonians, they form a star on the ground, lying on their bellies, their legs forming the periphery, their heads directed to the centre, their chins propped up on their palms, and are looking on in silence—that is, unless they are placing bets. My God! How many years does this horrifying diversion number—this most cruel of all of man's spectacles!

And in the evening we are again in a coffee-house. Rowing about the bay are boats with Tatar musicians: usually a tambourine and a clarinet. Wheezingly, monotonously, with infinite despondence, the far from intricate yet indescribable Asiatic motif keeps sniveling on and on. The tambourine beats and quavers as if it were in a frenzy. The boats cannot be seen in the darkness. These are the gaffers having their fling, true to the ways of yore. But then, it is light in our coffee-house because of the Lightning lamps, and two musicians—an

Italian with an accordeon and an Italian woman with a mandolin—are playing and singing in sweet though hoarse voices:

O! Nino, Nino, Marianino!

I sit there, mellowed by the fumes of tobacco smoke, by the singing, by the new wine I am regaled with on all sides. My head is hot and, so it seems, is puffing up and humming. But in my heart there is only gentle emotion. With pleasant tears in my eyes I keep repeating in my mind those words which one so often notices tattooed on the chests or even the hands of fishermen:

God keep the Mariner! [1]

---

[1] Apparently the equivalent of the cantrip of them that go down to the sea in American and British ships: HOLD FAST, tattooed on the backs of the fingers.—*Trans.-Ed.*

Post-Revolutionary

MAXIM GORKI[1]

(1868–1936)

About Tolstoy[2]

More than once he [Chekhov] complained that there was no Eckermann close to Tolstoy, a man who would have painstakingly written down the keen, unexpected and frequently contradictory thoughts of the old sage.

II

HE HAS amazing hands—ugly, knotty with distended veins, yet for all that full of an especial expressiveness and creative power. Probably Leonardo da Vinci had hands like that. With hands like that one can do all things. At times, as he talks, he fidgets with his fingers, gradually clenching them into a fist; then he will suddenly open them and at the same time utter some fine, full-weighted word. He resembles a god—but not Sabaoth or an Olympian, but a kind of Russian god who "sits on a throne of maplewood under a golden linden" and, although he's not over-majestic, is more cunning, perhaps, than all other gods.

---

[1] For Editor's Note on Gorki, see page 320.

[2] These selections, as well as those dealing with Chekhov, are from *Leo Tolstoy—A. P. Chekhov—V. G. Korolenko,* published in 1928.

IV

Goldenweiser was playing Chopin, which called forth the following thoughts from Leo Nikolaievich:

"Some petty German kinglet said: 'Where one would have slaves, as much music as possible should be composed.' That's a true thought, a true observation: music dulls the mind. The Catholics understand this best of all—our priests, of course, would never reconcile themselves to Mendelssohn in church. One priest in Tula assured me that even Christ was not a Jew, although He was the son of a Jewish God and had a Jewess for a mother. He admitted all that. But nevertheless said: 'That could never be.' I asked him: 'But how then?' He shrugged his shoulders and said: 'That is a mystery to me.'

VI

"The minority stands in need of God because it has everything else, while the majority needs Him because it has nothing."

I would have put it differently: The majority believes in God through pusillanimity, and only a few do so through fullness of soul. . . .

VII

He advised me to read the Buddhistic catechism through. Of Buddhism and Christ he always speaks sentimentally; of Christ especially wretchedly—there is neither enthusiasm nor pathos in his words and not a single spark of that fire which comes from the heart. I think he considers Christ naïve, deserving of commiseration, and although—now and then—he eyes Him admiringly, he nevertheless hardly loves Him. And he seems, somehow, apprehensive: Were Christ ever to come to a Russian village, the wenches would make unmerciful fun of Him.

X

"Friedrich of Prussia put it very well: 'Every man must save himself *à sa façon.*' It was he, too, who said: 'Reason as you like, but obey.' But, as he lay a-dying, he confessed: 'I have wearied of ruling slaves.' The so-called Great Men are always frightfully contradictory. This is forgiven them along with every other folly. Although contradictoriness isn't folly—a fool is stubborn, yet cannot be contradictory. Yes, Friedrich was a strange man; he has earned the fame of being the best sovereign among the Germans. Yet he could not stand them—he wasn't fond even of Goethe and Wieland."

XIII

Had Tolstoy been a fish he would, of course, have swum only in the ocean, never swimming into the mediterranean seas and, above all, not into the fresh waters of the earth's rivers. Some sort of dace dart about him here, making themselves at home; that which he utters is neither of interest or need to them, and his silence does not frighten them, touches them not. And when it comes to being silent, he does it impressively, ably, like a veritable anchorite withdrawn from this world. Even though he does speak a great deal on his obligatory themes, one senses that his silence is still greater. There are some things one cannot say to anybody. He has, probably, thoughts of which he is afraid.

XVII

In an exercise-book that he used as a diary, which he gave me to read, I was struck by an odd aphorism: "God is my desire."

Today, having returned the exercise-book, I asked him what that aphorism was.

"An unfinished thought," said he, regarding the page with puckered-up eyes. "I must have wanted to say: 'God is my desire to know Him. . . .' No, that's not it—" he began to laugh and, after rolling the exercise-book into a tube, thrust it into the roomy pocket of his blouse. With God he is on very indeterminate terms, but at times they remind me of those of "two bears in one lair."

XXI

He was sitting on a stone bench under the cypresses, a dried-up, small fellow, gray-hued, yet nonetheless looking like Sabaoth, Who had wearied somewhat and was now diverting Himself, by trying to chime in with the whistling of a chaffinch. The bird was singing in a thicket of dark greenery; he was looking in that direction, with his little eyes puckered up, and, having pursed his lips in a childlike way, was whistling far from skillfully.

"Look how lovestruck that dicky bird is! Trying to make love. What bird is that?"

I told him about the chaffinch, and of the emotion of jealousy so characteristic of this bird.

"All his life he can sing but the one song—yet he's jealous. Man has hundreds of songs in his soul, yet he is condemned for his jealousy—is there any justice in that?" he asked thoughtfully, and as if to himself. "There are certain moments when a man tells a woman more than she should know about him. He has told her and forgotten about it, but she remembers. Perhaps jealousy comes from fear of being humiliated and made to look ridiculous? Not that female is dangerous who has hold of your——, but the one that has hold of your soul."

When I told him that one could sense about this a contradiction to *The Kreutzer Sonata*, he let the glow of a smile spread all over his beard and answered:

"I am no chaffinch."

In the evening, while strolling, he uttered unexpectedly:

"Man lives through earthquakes, epidemics, the horrors of diseases and through all sorts of torments of the soul, but throughout all times the most excruciating tragedy for him has been, is, and shall be the tragedy of the bedroom."

As he said this he was smiling triumphantly—at times such a broad, calm smile will come to him, the smile of a man who has overcome something extremely difficult, or who has been long gnawn at by a keen pain—and suddenly it no longer is. Every thought bites into him like a tick; he either plucks it off at once, or else lets it drink its fill of blood and then, having thus swollen full, it imperceptibly falls off by itself.

Most frequently he spoke about the language of Dostoevsky:

"He wrote hideously and even with deliberate ugliness—I'm certain it was deliberate, out of coquetry. He was showing off—in *The Idiot* he wrote: 'In brazen importunity for and *affichevaniё* of acquaintance.' I think he deliberately distorted the verb *afficherovat'* [to post bills, to flaunt] because it's of foreign origin, Western. But one can find other and unpardonable blunders of his: the Idiot says: 'The ass is a kindly and useful man,' yet nobody laughs, although these words are inevitably bound to call forth laughter or some remark or other. He says this before his three sisters, and they were fond of making fun of him. Especially Aglaia. This book is considered bad, but the worst thing about it is that Prince Myshkin is an epileptic. Were his health normal, his wholehearted naïveté, his purity would touch us very much. But Dostoevsky hadn't courage enough to depict him as a healthy man. And, besides, he had no love for healthy people. He felt certain that since he was sick himself, the whole universe was sick."[1]

XXII

Most of all he speaks of God, of the muzhik, and of woman. Of literature he speaks rarely and meagrely, as though literature were no business of his. His attitude toward woman is, as I see it, irreconciliably inimical, and he loves to punish her—if she isn't a Kitty or a Natasha Rostova—that is, a being insufficiently limited. Is this the inimicality of a man who has not contrived to drain as much happiness as he could have, or the inimicality of the spirit against the "debasing impulses of the flesh"? But inimicality it is, and a chill inimicality, as in *Anna Karenina*. . . .

XXIV

"With her body woman is more sincere than man, but her thoughts are false. When she lies, however, she doesn't believe herself, whereas Rousseau lied—and believed."

---

[1] The fact that Tolstoy is affectionately called the Magnificent Sloven by every Russian does not in the least militate against these criticisms of one master craftsman by another.—*Trans.-Ed.*

XXV

"Dostoevsky wrote of one of his insane characters that he lives wreaking vengeance upon himself and others because he had served that in which he did not believe. He wrote that about himself—that is, he might have said the same thing about himself."

XXVII

He loves to put difficult and treacherous questions: "What do you think of yourself?"—"Do you love your wife?"—"In your opinion, is my son Leo talented?"—"Do you like Sophia Andreievna [his wife]?"

You can't lie when you're standing before him.

Once he asked me:

"Do you love me, Alexis Maximovich?"

This is the mischievousness of a *bogatyr,* a titan-knight: Vaska Buslaev, the giant mad wag of Novgorod, used to play games like that in his youth. He is *trying things out,* always testing something, as if getting set for a fight. That is interesting—however, it is not at all after my heart. He is a devil, while I am still an infant, and he ought not to start up with me.

XXXII

At times he is smug and intolerant, like some sectarian theologian from beyond the Volga, and this is horrible in him, so sonorous a bell in this world. Yesterday he said to me:

"I'm more of a muzhik than you and, when it comes to feeling like a muzhik, I do that better."

Oh, Lord! He ought not to boast of this—he ought not!

XXXVI

"I don't like men in drink, but I know people who, having taken a drop or two, become interesting, acquire wit, beauty of thought, dexterity in words, and a wealth of them—all of which things aren't theirs when they're sober. At such times I'm ready to bless wine."

XXXVII

Near the boundary of the estate of the Grand Duke A. M. Romanov, three Romanovs were standing on the road close to one another and talking: the master of Ai-Todor, another by the name of Georgii, and some other—I think it was Peter Nikolaievich, from Diulber—all of them soldierly, well-grown individuals. The road was blocked by a one-horse droshky; a saddle-horse was also standing across it; there was no room for Leo Nikolaievich, who was on horseback, to pass. He fixed the Romanovs with a stern, demanding gaze. But, even before this, they had turned away from him. The saddle-horse shifted in its place and then went off a little to one side, letting Tolstoy's horse pass by.

After riding a couple of minutes in silence he said:

"They recognized me, the fools."

And, a minute later:

"The horse understood that one ought to make way for Tolstoy."

XXXIX

"To know—what does that mean? There, I know that I am Tolstoy, a writer; I have a wife, children, gray hair, an ugly face, a beard—all those things are written down in passports. But about the soul they don't write in passports; about the soul I know one thing: the soul desires nearness to God. And what is God? That, a particle of which my soul is. And that's all there is to it. For him who has learned to cogitate it is hard to have faith, yet one can live in God only through faith. Tertullian said: 'Thought is an evil.' "

XL

Despite the sameness of his preaching this fabulous man is illimitably diversified.

Today, in the park, conversing with the mullah of Gaspri, he behaved like a trusting, simple little muzhik soul, for whom the time had come to think of the end of his days. Such a little man, and seeming somehow purposely still more shrunk into himself, he appeared alongside of the sturdy, stolid Tatar still more of a little ancient whose soul had for the first time begun to ponder over the meaning of being and is afraid of the questions that have arisen within it. He lifted up his shaggy eyebrows in wonder and, timorously blinking his keen little eyes, extinguished their unbearable, piercing little flame. His gaze, as if it were reading, was plunged immovably into the mullah's broad face, and his pupils now lacked that keenness which men found so confusing. He was putting "childish" questions to the mullah about the meaning of life, about the soul and God, substituting with extraordinary dexterity verses from the Gospel and the Prophets for verses from the Koran. In reality he was play-acting, doing so with amazing art, within the reach only of a great artist and sage.

Yet a few days before, talking about music with Tanaëv and Suler, he had become as enraptured as a child over its beauty, and one could see that he liked his rapture—to put it more exactly, his ability to be enraptured. He said that Schopenhauer had written about music better and more profoundly than all others, told, in passing, a funny story about Fet, and called music "the mute prayer of the soul".

"Come, how can it be mute?" asked Suler.

"Because it is without words. In sound there is more thought than in words. Thought—that's a purse, with coppers in it; whereas sound hasn't been sullied by anything—it is inwardly pure."

With obvious delight he spoke in charming, urchin words, having suddenly recalled the best, most caressing ones of these. And unexpectedly, smiling slightly into his beard, he uttered softly, as an endearment:

"All musicians are foolish people, and the more talented a musician, the more circumscribed he is. It's a strange thing—almost all of them are religious.

XLI

To Chekhov, on the telephone:

"Today is so fine a day for me, my soul is so joyous, that I want you to be joyous too. Especially you! You're a very fine person—very!"

XLIII

Sorting his mail:

"They're making a lot of noise, they write—but I'll die, and a year later they'll be asking: 'Tolstoy? Ah, that's the Count who tried his hand at cobbling boots and something happened to him—is that the fellow you mean?'"

XLIV

One never tires of being astounded at him, yet just the same it is wearing to see him often, and I would be unable to live in the same house with him—to say nothing of living in the same room. That would be as if in a desert, where everything has been scorched by the sun, while the sun itself is burning toward its end, threatening to bring on an endless dark night.

FROM A LETTER

At times it seemed that this old wizard was playing with death, coquetting with it and trying to deceive it somehow: "I'm not afraid of you; I love you; I'm awaiting you." Yet he himself was peeping with his keen little eyes: "Come, what are you like? And what's beyond you —there, further on? Will you annihilate me utterly, or will something remain and live?"

"Talent is love. Whoever loves is talented. Look at those in love—they're all talented!"

Suler, Chekhov, Sergei Lvovich, and somebody else were, as they sat in the park, discussing women; he listened a long time without uttering a word, and then suddenly spoke up:

"But I'll tell the truth about the females when I'll have one foot in the grave—I'll tell it, pop into my coffin, slam the lid down over me—and you just try to get me out of there!"

And the look in his eyes flared up with such eldritch mischievousness that for a minute all fell silent.

When he wanted to he would, somehow with an especial beauty about it, become delicate, sensitive and soft; his speech was enchantingly simple, exquisite; yet at times it was depressing to listen to him and unpleasant. I always disliked his judgments about women—in this he was "common-folk" to excess, and something assumed sounded in his words, something insincere and, at the same time, very personal. Just as though he had been affronted once, and he could neither forget nor forgive.

Then he began to talk about the girl in *Twenty-Six Men and a Girl,* uttering one after the other "indecent" words with a simplicity which struck me as cynicism and actually offended me somewhat. Subsequently I understood that he used the "banned" words only because he found them more exact and apt, but at that time it was unpleasant to me to listen to his speech.

When I said that Gogol had probably yielded to the influence of Hoffmann, Sterne and, perhaps, Dickens, he asked, after a look at me:

"Did you read that somewhere? No? That's not right. It's hardly likely that Gogol was familiar with Dickens. But you really have read a great deal; watch out—that's bad! Koltsov ruined himself that way."

About Chekhov, whom he tenderly loved:

"Medicine hinders him; if he weren't a physician, he'd write still better."

"The French have three writers: Stendhal, Balzac, Flaubert—well, yes, Maupassant also; but Chekhov is better than he."

He stands before me, this old sorcerer, a stranger to all, who had lonelily traversed all the deserts of thought in searchings after all-embracing truth and had failed to find it for himself; I look upon him and, although the sorrow for the loss is great, yet pride in that I have seen this man eases the pain and the grief.

And I, who do not believe in God, look upon him for some reason very cautiously, a trifle timorously—I look upon him and think:

"This man is godlike!"

About Chekhov

"SUCH an incongruous, unwieldy country—this Russia of ours."

This was a frequent occurrence with him: he would speak so warmly, seriously, sincerely—and suddenly smile slightly at himself and at what he was saying, and in this gentle, sad smile there was to be sensed the exquisite skepticism of a man who knew the value of words, the value of dreams. And also there could be glimpsed through this smile an endearing modesty, a sensitive delicacy.

Beautifully simple, he loved everything simple, real, sincere, and he had a way all his own of making people simpler.

He possessed the art of hitting upon and setting off vulgarity everywhere—an art which is accessible only to a man who makes high demands of life, which is created only through a fervent desire to see men simple, beautiful, harmonious. Vulgarity always found a harsh and stern judge in him.

One day some stout lady or other, hearty, handsome, handsomely dressed, came to him and began talking "the Chekhov way."

"Living is a bore, Anton Pavlovich! Everything's so gray—people, sky, sea—even flowers look gray to me. And there are no desires . . . the soul is filled with weariness. Just as if this were some sort of disease—"

"It is a disease!" said Anton Pavlovich with conviction. "It is. There's even a Latin name for it: *morbus pretendialis.*"

"Critics are like gadflies, which bother a horse as it ploughs," he said, smiling his intelligent, slight smile. "The horse is working away, all its muscles are as taut as the strings on a bull-fiddle, but no—a gadfly has to alight on its croup, and start tickling, and buzzing. The poor horse has to twitch its skin, to switch its tail. What's the gadfly buzzing about? It's hardly likely the gadfly itself understands that. It's simply of a restless disposition and wants to make its presence known—'There, now, I too live upon this earth! There, you hear?—I can even buzz; I can buzz about everything!' I've been reading criticisms of my stories for five and twenty years, yet can't remember a single hint of any value, haven't heard a single bit of sound advice. Only once was any impression made upon me—by Skabichevski: he wrote I would die under some fence, in a state of intoxication."

Yet, while disdaining, he felt sorry, and when on occasion one spoke harshly of somebody in his presence, Anton Pavlovich would immediately intercede:

"Come, what's that for? Why, he's an old man—he's seventy by now."

Or:

"Why, he's still a young man—it's all because of his foolishness."

And, when he spoke thus, I saw no squeamishness upon his face.

He was somehow chastely modest; he did not permit himself to say to people loudly and openly:

"Yea, be ye . . . more decent!"—hoping in vain that they themselves would surmise their urgent need for being decent. Hating that which was vulgar and foul, he described the abominations of life in the noble language of a poet, with the mocking smile of a humorist. . . .

Vulgarity was his foe; all his life did he strive against it; he mocked at it and depicted it with a dispassionate, barbed pen, being able to find the mildew of vulgarity even where, at first glance, everything seemed arranged very well, accommodatingly—even with eclat. And vulgarity avenged itself upon him for this by a vile little stunt, by placing his body—the body of a poet—in a freight-car for transporting *oysters.*[1]

The dirty-green blotch of this freight-car seems to me nothing else save the huge, triumphant grin of vulgarity over a wearied adversary. . . .

Had he not died ten years before the War [World War I], it would probably have killed him, after first poisoning him with hatred for people.

Of his literary labors he spoke but little, unwillingly—one wants to say "chastely" and, if you like, with the same discretion he used in speaking of Leo Tolstoy. Only infrequently, in a gay mood, smiling slightly, he would tell us the theme of some story—always a humorous one.

"Do you know, I'll write about a schoolmarm; she's an atheist, adores Darwin, is convinced of the need for combatting the superstitions of the common folk, but she herself, at the midnight hour, boils out a black tomcat in

[1] The title of one of Chekhov's most poignant stories.—*Trans.-Ed.*

a bathtub, to extract a certain arched bone which attracts a man, arousing love in him—there is a little bone like that—"

Of his plays he spoke as being "gay" and, apparently, was sincerely convinced that he was writing precisely "gay plays." Probably it was because of this that Sava Morozov stubbornly affirmed:

"Chekhov's plays ought to be staged as lyrical comedies." [1]

His eyes were fine when he laughed—somehow femininely kind and tenderly soft. And his laughter, almost soundless, was somehow especially fine. Laughing, he truly delighted in laughter, he exulted; I don't know who else could laugh so—so "spiritually," let me say.

Of Tolstoy he always spoke with some sort of especial, barely perceptible, tender and embarrassed little smile in his eyes; he lowered his voice, as if speaking of something spectral, mysterious, which demands cautious, gentle words.

It is good to recall such a man; at once vigor returns to your life; anew, a clear meaning enters into it.

---

[1] Both Chekhov and Morozov (the Mæcenas of the Moscow Art Theatre) were right; Andreiev was also of the same opinion: "Do not believe that *Three Sisters* is a pessimistic play. . . . It is a radiant, fine play." Stanislavsky, however, preferred in his superb productions of the Chekhov plays to stress certain tones which were minor to the author—and the author himself had once advised an actress: "Don't you be afraid of the author. The author is a free artist. You must create an image utterly different from the author's." At the same time Chekhov said of Stanislavsky that he played superbly in *The Sea Gull*—but not at all the character that he, Chekhov, had in mind. It is hardly likely, however, that any director would now have the courage to defy the mortmain of Stanislavsky, and Chekhov's comedies will probably be produced, to the end of time, as magnificent tear-jerkers.—*Trans.-Ed.*

ALEXIS NIKOLAIEVICH TOLSTOY

(1882–1945)

EDITOR'S NOTE

THIS popular author, one of the most prominent in the Soviets, was related to Count Leo Nikolaievich Tolstoy, as well as to that other great writing Tolstoy, Count Alexis Constantinovich (1817-1875), and was a Count in his own right before the Revolution; on his mother's side he was related to Ivan Sergheievich Turgenev.

He made his debut in 1908 with a volume of poems, curious and appealing; his first successful book, marking him as a master of characterization, was a series of studies of provincial "living fossils." His output was vast and varied. *Nikita's Childhood* is one of the best stories for children (which are a mother-lode in Russian); he is one of the first innovators in two fields of fiction which up to now have been but little cultivated by the Russians: fantastic-scientific fiction, where his stories are of the calibre of Jules Verne and the early Wells, and the novel of international intrigue—his *Death Box* (an American translation was published, unfortunately, only in England) is a combination of the two genres which makes Oppenheim and Buchan seem tame; he is a genuine humorist; his plays are excellent theatre; his *Peter the Great* (only the first part has been published in English, in an unspeakable translation) is veritably necromantic and demonstrates his greatness as a historical novelist (his preference is for turbulent, parlous times); his short stories are varied in theme and always absorbing—*The Ancient Way,* his greatest one, is the perfect antiphony to Bunin's *The Gentleman from San Francisco.*

In the Civil War he sided with the Whites, emigrated, and lived in Paris, but in 1921 went over to the Soviets and, in 1923, returned to Russia. Both in World War I, and the one now over, he served as correspondent.

His work has been translated into many languages; a number of his novels and stories have appeared even in English.

The Ancient Way

ALEXIS NIKOLAIEVICH TOLSTOY

ON a certain dark night in spring a tall man in a military cape mounted, by a steep trap-stair, to the forecastle of an ocean liner. Paul Taurain climbed slowly, surmounting each step with difficulty. A triple row of gold-braid gleamed on his képi in the light of the foremasthead lantern. He skirted the slime-covered anchor chain and halted at the very nose of the ship; he leaned his elbows on the rail and remained thus, without stirring—save that the hem of his cape bellied a little from the faint current of air that met the ship.

The ship was showing only its running-lights, red and green—these, and the two top-lights on the mast, lights lost far above, in the imperceptible veil of fog. The stars, too, were veiled over. The night was a dark one. Below, at a great depth, the iron nose of the ship was cutting through the water with low plashing.

Paul Taurain gazed at the water as he leaned against

the rail. Fever was searing his eyes. The breeze went through his whole body—and that wasn't at all bad. Of his cabin, of his stuffy berth, of the Sister of Mercy who had fallen asleep under a small electric bulb that made the eyes smart, it was painful to think. A white, tricornered coiff, a sanguine cross on her nurse's uniform, the parchment-like face of a dismal companion of those who suffer: such was the Sister who was accompanying Paul Taurain to the land of his birth, to France. It was when she had dozed off that he had left his cabin with the utmost caution.

Some sort of phosphorescent creature, shaped like a long, roseate hook, with the head of a sea-horse, swam by in the basalt-black water. As it lazily flipped its fins it seemed to be quizzically and casually eying the huge, advancing keel, until the currents that met the ship drew the sea-beast off to one side. The water was cool; its depth was a blessed thing. Let the Sister with her sanguine cross be angry! Existence (Paul felt this with sorrowful emotion) would soon be at an end for him, like a path breaking off into the abyss of night and, because of that, this nocturnal quiet wherein majestic recollections were adrift was immeasurably more important than all the medicinal mixtures, and the berth, and the tasteless food.

The route which the ship was following was one of mankind's ancient sea-paths; from the oak-groves of Attica to the Hyperborean lands of darkness. It was called the Hellespont, to commemorate hapless Helle who had tumbled into the sea off the back of the golden-fleeced ram whereon she and her brother were fleeing east from the wrath of their stepmother. Doubtlessly both the ram and the stepmother were inventions of the Pelasgi, the shepherds who roamed with their flocks through the gorges of Argolida. From craggy littorals they gazed out to sea and beheld sails and barques of strange outlines. Squat, fat, big-beaked men navigated these ships. Their cargoes consisted of copper weapons, ornaments of gold and woven stuffs gay and bright as flowers. Their copper-sheathed barques cast anchor near virgin shores, whereupon the Pelasgi, stalwart, white of skin and blue of eye, would come down to the sea, driving their flocks before them. Their grandsires still remembered glacier plains, reindeer running on moonlit nights, and caves adorned with wall-drawings of mammoths.

The Pelasgi bartered cattle, wool, cheese, and dried fish for the copper weapons. They marveled at the tall ships, adorned at prow and stern with cockscombs of copper. From what land had these squat, amply nosed merchants come sailing? The Pelasgi may, perhaps, have known on a time, but by now they had forgotten. Many ages afterward there was a legend current about certain shepherds who, apparently, had seen ships with wind-rent sails, driven along by a gale of fire, go racing past the shores of Hellas. And the men on those ships were lifting their hands up to heaven in despair. And (said legend) it must evidently have been in those times that the land of copper and gold had perished.

Had that really been the case? It must have: the memory of mankind does not lie. It had been handed down in songs that it was from that time that heroes girt in copper armor had begun to appear in desert Hellas. With sword and terror did they make helots of the Pelasgi; styling themselves Princes, they compelled them to build strongholds and great walls out of Cyclopaean monoliths. They taught agriculture, trade and war. They sowed the teeth of the Drakōn, and wars were engendered therefrom. They brought the spirit of unrest and covetousness into the hearts of the blue-eyed ones. The rosy-fingered Aurora of History was rising over Hellas. The copper sword, and the golden tripod whereon a heady incense smoked, were standing by the cradle of the European nations.

Paul Taurain, a descendant of the Pelasgi, had been, on the self-same shores of the Mediterranean, riddled by a bullet through the upper lobe of one of his lungs, had been poisoned by gas released from a plane and, dying from tuberculosis and malaria, was returning from the hecatombs of Hyperborea to Paris by that same ancient sea-road of the merchants and the conquerors, a sea-road joining two worlds: the West and the East; a road flowing between shores under whose knolls lie buried the shards of vanished kingdoms; a road, deep at the bottom of which, amid sea-growths, slumber the pinnaces of the Achaeans, the triremes of Mithridates, the ships-in-splendor of Byzantium; a road where, along the wayside-shoals under clayey cliffs, lie the rusted bottoms of steamships that had been torpedoed or driven ashore.

It seemed (thus it seemed to Paul) that he was at that moment consummating the cycle of the millennia. His mind, stirred up by fever and a sensation of his own imminent death, strove to embrace all the struggles, the flowering and perishing, of the multitude of nations that had traversed this sea-lane. Recollections rose up before him, as if the past had become resurgent. In a few days, perhaps, his brain would be extinguished; together with it would perish that which he was bearing within him: the universe would perish. What did it matter to him whether the universe would go on existing when there would be no Paul Taurain? The universe would perish in his consciousness: that was all. Hugging the dew-covered rail, gazing into the darkness, he was completing the cycle.

The bells struck. There was a change of watches. Above, over the captain's bridge, stood the unslumbering figure of the man at the wheel. Only his broad face was in the light as he bent over the binnacle whereon quivered the soul of the ship: the small black arrow of the compass. The darkness of the night was becoming denser. The water below was no longer visible. Now it seemed that the ship was flying through unembodied space. This was the murk preceding morning.

Paul's face and hands had become covered with dew. A shiver went through him. How many hands, flung over the ground in the last spasm of death, would on this night (on all these nights) be covered with just such dew. . . . Each of these dying men, sinking his teeth into earth mixed with blood, iron, and excrement, would bear off with him millennia of that which had been lived through; in every bullet-riddled brain would crash, with a dismal rumble, and vanish, millennia of culture. What absurdity! What despair!

Were one to show to one's primordial, blue-eyed forebear the book of life, turning all the leaves of that which is to come, showing all its pretty little colored pictures: "This," the lighthearted forebear would say, scratching himself under the ram's-fleece that clothes him, "is just a stupid and cruel book. There must be some mistake here. See how much good work has been put forth, how men and women have multiplied, how many splendid cities have been built—and yet, in this very last little picture, all this is ablaze wherever your eyes turn, and there are so many corpses that you could glut all the fish in the Aegean Sea with them for a whole week."

"There has been a mistake somewhere; somewhere a

false move has been allowed in this game of chess," Paul Taurain reflected. "History has swerved aside and is heading for an abyss. What a splendid world is perishing!"

He closed his eyes and with desperate pity recalled Paris: his window; a bluish morning; the light-blue shadows of the city; the *allée* of a boulevard, and half-rounded roofs losing themselves in a haze; the drops of rain, not yet dried, on his windowsill; below, the driver of a cart filled with carrots coaxing his nag to go on; the gay voices of those who were happy because they were alive on so lovely a morning. He recalled his desk, the books and manuscripts on it redolent of morning freshness. And his inebriating exaltation of happiness and of good will toward all men and all things. What a superb book he had been writing at that time about justice, goodness, and happiness! He was young, healthy, rich. He had wanted to proffer the promise of youth, health, and riches to all men. And it had seemed to him then that only ideas of kindheartedness, a new Social Contract enriched by the conquests of physics, chemistry, and technics, would hold these blessings out to all mankind.

What sentimental bosh! This had been in the spring, on the verge of the war. In the heat of the moment it had really seemed that the Boches were fiends, the offspring of the Devil, advancing to storm the divine citadels of humanism. In the heat of the moment it had seemed that the old banner of the National Convention had been unfurled over France, that the French battalions, mowed down by machine-guns, were perishing for the Rights of Man, for Liberty, Equality, and Fraternity.

How hard Paul longed to have faith anew in that morning when he, in an access of happiness, had flung his window open upon haze-covered Paris! "But if this happiness has been trampled into the earth by the boots of soldiers, shattered by projectiles, inundated with suppurating-gas—what is left, then? Wherefore had Hellas been, and Rome, and the Renaissance, and all the iron clangor of the nineteenth century? Or are all things fated to wind up as a midden-heap of shards and debris, grown over with the prickly grass of the desert? No, no! Somewhere there must be truth! "I do not want to, I cannot die on a night of such hopelessness!"

II

"M'sieu', you have again come out into the open air. M'sieu', you will feel worse again," the sleep-laden voice of the Sister of Mercy came from behind him.

Paul went back to his cabin and lay down without undressing. The Sister of Mercy made him take his medicine; she brought him something hot to drink. Somewhere, within the depths of the ship, its engines were clanking regularly and softly. The vials with the medicinal mixtures tinkled every now and then. This was, if you like, even pleasant—just as if it represented some sort of hope of being saved: the warm light of a shaded lamp; the soft berth into which his bony body, burning in a fever, plunged as if into a cloud. Paul dozed off, but it must have been for only a minute. And again, in a fevered procession, his thoughts came creeping. Insomnia was lying in wait for him: one must not sleep; only a few hours were left him; that which is passing through his brain is far too precious. . . .

One of his recollections remained longer than the others. Paul began to toss and turn; in his restlessness he interlaced his cold fingers and made them crackle.

Two months ago, in Odessa, he had received a long, familiar envelope. Lucie, his cousin and his bride, wrote him:

My dear and distant friend:

I feel infinitely lonely, infinitely sad. There is no news from you. You write to your mother and brother, but never to me. I know the depressed state you are in, and therefore am making one more attempt to write you. . . . Things are hard for you; things are hard for me. Four years of separation, four eternities, have flown over my poor life. Only the thought of you, the hope that, perhaps, the remnants of my youth, of my lacerated heart, and the whole of my tremendous love may yet prove necessary to you, compel me to live, to move about, to go through the same (*always* the same!) never varying round: the hospital; nights at the bedsides of the dying; the knitting of wristlets for the soldiers; reading, of mornings, the lists of those killed in battle. . . .

France is one great cemetery, wherein lies buried a whole generation of youth, of shattered hearts, of unfulfilled expectations. We—the women who are still alive—are keeners, nuns, forming the cortège for the dead. Paris is becoming an alien city. Paul, do you remember how fond we were, in our walks, of the old stones of the city? It was a majestic history they related to us. The stones of Paris have now fallen silent; they are being spurned by some species of new, unknown people. . . . And only the old men by the firesides still brandish their withered arms in soldierly fashion as they tell of the past glory of France. We, however, understand them but poorly. . . .

The text of the letter, which Paul had read a thousand times, broke off in his recollection. But he had not, after all, answered Lucie. He could not. What could he have written about to the young girl who was still trying to give him her melancholy love? What could he attempt to do with this love? What could a corpse attempt if a bouquet of roses were to be thrust into its contorted hands? Yet, for some reason, he was haunted by the memory of foolish little Lucie's lips, trembling like those of a little child. A year ago he had been in Paris (on one day's leave), and right then, torturing himself and her, he had hurt Lucie. He had said:

"Have you ever seen a bourgeois, who had lost all his means in the space of a single minute, coming down the stairs of the Paris Bourse? Suppose you offer him a nosegay of violets—by way of compensation. . . . There you have it! It's horrible, Lucie. I am bankrupt; all that is left me is to return to the dead embers of my paleolithic cave, and there rummage among the rubbish until I find my good old stone ax—"

It was at precisely that point that the still innocent lips of Lucie had begun to tremble. Yet to pity her was nonsense—sheer nonsense. Pity was that same old nonsense out of that same old unfinished book which was being written by blind luck—and it was the wind of spring which was riffling its leaves. And besides, pity had been cauterized by poison gas. . . .

Toward morning Paul again fell asleep for a short while. It was the hoarse roar of the steamer's whistle that awakened him. His nerves tautened. A beam of light was falling through the porthole, and this made the yellow creases on the Sister's face seem repulsive. She picked up Paul's plaid and led him up on deck; she seated him in a chaise longue and covered his feet.

With a full-throated roar the steamer was coming out of the Dardanelles into the Aegean Sea. On the low, clayey shores one could see the charred debris of barracks and of shell-shattered fortresses. A rust-eaten steamer was lying on a shoal, its stern underwater. The war had been broken off for a time; the forces that had called it forth were rebuilding themselves; the nations had been granted permission to exult and make merry. What could be better!

The morning was humid and warm. The ship (it was

the *Carcovado,* of six thousand tons, originally requisitioned from the Germans and now used by a South American line for transporting troops, refugees, and perishable cargoes), listing a little to port, was going farther and farther from land into the azure, watery desert. In its wake the tousled sun was climbing higher and higher into the fearful height of a cloudless sky. Ahead, the glistening-black back of a dolphin with its knifelike fin flew up, whirling like a wheel, out of the sun-shot water.

"Mamma, mamma—a dolphin!" a flaxen-fair child began shouting in Russian, standing near the rail and pointing out to sea with his thin little hand.

A school of dolphins was frolicking in the ship's path. And it became clear that it must have been on just such a morning, in the mirrorous Aegean, to the dance of the dolphins, that there had arisen out of the white foam, opening her radiant eyes, the beauty of life: Aphrodite.

"Ah, well, let's try to exult and make merry," reflected Paul.

The flaxen-fair child hung on the rail, delighting in the watery games of Aphrodite's outriders; he was held up by his mother whose small downy shawl was soiled, whose shoes were trodden down. Upon her tear-wasted face the horrors of the holocausts of Russia had by now become congealed. In one hand, which had long gone unwashed, she was clutching a piece of hardtack. What was it to her that in the blaze of the sun Paul's puckered eyes seemed to see the shadow of the *Argo,* with lateen sail, steep-sided, flashing with the copper of shields and sparkling with the drops trickling off the sweeps—*Argo,* the wondrous ship of the Argonauts, those sea-robbers and seekers after gold. . . . Over the same path as theirs had Paul sped out of pillaged Colchida.

An elderly woman in imitation sables atop a *capote* sewn out of a cretonne curtain passed over the broad deck. In face and movements she reminded one of a toad. Two exceedingly well-brought-up lap-dogs in pink bows were trotting behind her. This person, too, was traveling from Odessa, transporting in the steerage four prostitutes whom she had inveigled with tales of El Dorado: "Just you manage to get to Marseilles, my little chicks!"

There, she has quickened her steps, has inclined her head to one side and revealed both her lower and upper plates in greeting to an acquaintance: a tall, execrably dressed man with a foolish face and sporting a curled mustache. This individual had come aboard at Constantinople; he spoke Polish, sauntered about proudly, smoked a long pipe with spittle dribbling all over it, and was earnestly seeking aristocratic partners for a session with the pasteboards. As he went past Paul this fellow's very haunches began to wiggle with deference.

"Before a house falls, the bugs come crawling out of every crack," Paul reflected.

The ship was veering southwest. Pointed, lilac-hued summits were rising out of the sea to starboard. Clouds were swirling over them. An island that looked like a single ridge of gigantic mountains was coming up out of the water. All around the ship were the mirrorous sea and the sun-shot azure, yet the ridged island in the distance was all overcast with gloom. Thunder-laden clouds hung over it, a pall of rain was coming down upon it; as though the throne of Zeus were verily there, a flash of lightning zigzagged in a broken thread over the surface of the clouds. . . . A peal of thunder reached the vessel as a sigh.

"That's Imbros—a curious little island; there are always thunderstorms over it," remarked an unshaven, swarthy individual in a fez, who was standing behind Paul. Even yesterday, in port, he had offered Paul to change any sort of money for any other sort, or to arrange an acquaintance between Paul and the female toad who was transporting the four girlies and, incidentally, advised him not to sit down to cards with the mustachioed Pole.

Paul shut his eyes so that the bony face surmounted by the fez might not block visions of the glory of Zeus, the God of the gods. Nearing to port was the low shore of Asia Minor, where every knoll, every stone has been hymned in hexameters: Troada, the land of heroes. Beyond the littoral strip of sand stretched a tawny plain, furrowed by the beds of torrents that had dried up. In the distance, toward the east, the summits of Ida, still covered here and there with veins of snow, reared in a cloud-capped range.

Paul got up from his chaise longue and went toward the ship's side. Upon that plain fields of wheat and maize had rustled on a time; gardens had breathed forth their fragrance; countless flocks and herds had come to it from the mountains of Phrygia. Over there is the flinty estuary of the Scamander; its yellow stream, forming a streak, goes far out into the sea. To port are tumuli: the graves of Hector and Patroclos. Here had the black ships of the Achaeans been drawn up on the sands, and there, on that parched plain, where the earth is pitted everywhere, and the thin smoke of some lowly hovel is rising, the Cyclopaean walls of Troy had reared with their overhanging cornices, square towers, and the golden, many-breasted statue of the Asiatic Aphrodite.

From times immemorial had Aeolian Greeks come sailing to the shores of the Troad, had settled there and followed agriculture and cattle-raising. But they had soon put two and two together and realized that this was a good spot and a had begun building a fortress near the gates of the Hellespont, in order to seize upon the routes to the East. And Troy became a kingdom, strong and rich. On fair-days there came to the agora under the high walls of the town creaking carts laden with grain and fruit; there came perfidious Sclavs from the borders of Phracia, leading mad steeds celebrated for their speed; Hittites out of Byzacium, with wares made after the best Egyptian models; Phrygians and Lydians in leathern cowls, driving flocks of close-fleeced rams; Phoenician merchants in false beards, in garments of blue felt, urged on with lashes black slaves bearing bales and clay amphorae; dignified, elderly sea-robbers, armed with double-edged battle axes, brought handsome odalisques and tempting little boys; priests pitched their tents and put up their altars, ballyhooing with loud cries the names of the gods they had in stock, threatening and pulling in customers to make sacrificial offerings. The warriors on guard over the town gates looked down from the walls upon the bustle of the marketplace. Incomputable treasures were gathered within the town, and rumors thereof spread far and wide.

Hellas, in those times, was poor. The times-of-splendor of Mycenæ, of Tyrinthos and Thebæ, all builded of heroes, had long since passed. Their Cyclopaean walls had become overgrown with grass. The soil was not a fertile one; the population was scanty, consisting of shepherds, fishermen, and, to be sure, ever-hungry warriors. The Kings of Achaea, Argolida, Sparta dwelt in hovels, clay-daubed and straw-thatched. There was nary a thing to traffic in. There was nary a soul among themselves to rob. Trade was giving Hellas the go-by. All that remained to Hellas was the legendary glory of her past, the seething blood that rushed to the head, and an extraordinary spirit of enterprise. The goal was clear: to pillage and shatter Troy, to gain mastery of the Hellespont and to veer the ships of the merchants into the havens of Hellas. They began casting about for a pretext to war—and, as everyone knows, there's nothing in the world easier to find. Beauteous Helen was dragged in by the hair. A clamor was raised up throughout the peninsula. They summoned Achilles out of Thessaly with a pack of lies about letting him have half the booty. They questioned the Oracle of Dodona and then sailed off in their black ships to begin, in brazen-clangorous hexameters, the three-thousand-year history of European civilization.

From that time up to now there have never, evidently, been found any other means of repairing one's fortunes save sword, pillage, and chicanery. The heroes of the Trojan War were, at least, magnificent in their horse-maned helmets, with their mighty thighs and ox-hearts—nor were the latter corroded by any ideas of Good and Evil. They wrote no books about humanism, wool-gathering by an open window—not they!

The steamer veered west; the low shores began to recede. Paul sat down anew on his chaise longue.

"A surrogatum," he reflected, and repeated the word. "A lie in which no one wants to believe any longer. Ruin. . . . Ruin inevitable. History must be begun all over again. Or else—"

He smiled a wry smile and shrugged his shoulders feebly: this "Or else—" was followed by that which was preternatural: the world became turned inside out, as when the skin is peeled, like a glove, off some beast.

A knot of Russian *émigrés* appeared on deck. One, a young officer with brazen, frightening eyes, jerky and scratching himself, watched the frolicking of the dolphins.

"I can hit them. Want to bet?" he asked in a hoarse

little bass, and started pulling a rusty horse-pistol out of his hip-pocket.

Another officer with him, pale, with a bifurcated little beard, stopped his hand:

"Chuck it! You're not in Russia now. And, in general, brother—chuck that shooting-iron into the sea."

"Oho—so you want me to chuck it away? Why, it has sent a hundred and twenty souls to the Devil's dam. It ought to be in some museum, by rights—"

The two broke into laughter that was not at all gay; a third started hushing them, sibilantly:

"Stop your yelling! The Captain [indicating Paul] has dozed off, I think—"

These Russian officers turned around to look at Paul and, on tiptoes, walked some distance away. The sun fell upon the deck, upon Paul's face: he dozed off. His sleeping eyes saw, through their lids, a reddish light. How odd (the thought came to him): wherever has the sea gone to? What a pity—what a pity. . . . And he saw a dismal, autumnal plain; telegraph poles, with torn wires dangling. He felt a chilly little wind swooping down upon him. Yet his face feels hot. Below, at the foot of a hillock, straw-thatched huts are blazing—without smoke, without crackling, like so many candles. Without a crackle a battery is shelling the village: the flames from the mouths of the cannon are blinding. The artillery men have morose faces. They are all his own people: all Parisians. They are fighting for the Rights of Man. [Paul hears his own teeth gnashing.] "You must fulfill your duty!" he shouts to the poilus—and feels his horse foundering under him: it seems to be broken, to have no bones. And right here, at the battery, is that fellow with the brazen, frightening eyes and his horse-pistol, weaving in-and-out among Paul's own men. He fawns unbearably, scratching himself all the time, snickering. And suddenly, with unbelievable quickness, he falls to digging the earth with his hands, the way dogs do with their paws. He drags out of the ground and starts worrying with his teeth two men in brimless sailor-hats; he comes trotting with them to the very muzzle of Paul's foundered horse: "Captain, sir, here are the Bolsheviks!" They have broad faces; their teeth are bared in a queer grin, while their eyes . . . ah, their eyes are mysteriously closed. "You shot them, you scoundrel!" Paul shouts at the brazen whirligig of a Russian and strives to get at him, to strike him with his riding-crop—but his hand and arm seem to be made of cotton-wool. His heart pounds frantically. If these sailors would but open their eyes he would fix them with his own—would unriddle everything, would understand. . . .

The dinner-bell awakened Paul. And, anew, the milky-blue sea was aglow. Mountainous islands were passing by in the distance. The rust-eaten, war-torn *Carcovado* seemed to be floating through the heavens, listing to port, as it plowed through this mirrorous abyss. The sun was inclining to its setting. At rare intervals a slender pillar of smoke would rise from beyond the rim of water and sky.

Toward evening his fever usually released Paul, and weakness would descend upon him like a mattress weighing three thousand pounds. His hands, his feet would turn cold. This was almost blissful.

III

Early next morning the *Carcovado* cast anchor near Salonika, in the dirty-yellow waters of a bay. The town, as visible between its tawny and chalky knolls as if it were lying on the palm of one's hand, had been burned down. The ruins of ancient walls confined in a quadrangle the dismal scene of the conflagration, with white minarets rising like needles. The sun was baking. The chalky knolls, it seemed, had been worn down to bedrock by the soles of the tribes that had passed this way in their seekings after happiness.

A barge filled with soldiers left the quay. A mite of a tugboat, puffing in the sun-suffused silence, brought the barge up to the *Carcovado*. A trap-ladder, creakingly protesting, was let down. And, two by two, Zouaves came up on the run in their short, red, baggy trousers, in grass-hued military jackets, in red, tasseled *chéchias* on their heads. Laughing, and tossing down their dufflebags and canteens, they lay down on the shady side of the top-deck. An odor of perspiration arose, and of dust; tobacco smoke swirled and crept through the air. The Zouaves didn't give one good hoot in hell for the Devil himself. There had been an attempt to throw them into Russia, on the Odessa front. At Salonika they had announced: "Head for home!"—and had elected a battalion council of soldier-deputies. It had thereupon been considered best to ship them back home.

"There, that's something like!" neighed the Zouaves, rolling about on deck from sheer excess of animal spirits. "To hell with the war! Head for home—and the wimmen!"

Until noon the ship took on coal. Bending under the weight of their baskets of coal ragamuffins, with their heads bound in rags, trudged up the unsteady gangplank: Greeks, Turks, Levantines, they were all equally black from coal-dust; the sweat trickled down their Attic noses in drops of shoe-blacking. The emptied baskets went spinning down into the barge. The first mate, up on the bridge, was cursing through a megaphone. The passengers lazed about, lolling halfway over the sides.

At last the *Carcovado* set up a roar; the dirty water in

its wake began to churn. The Zouaves started waving their *chéchias* to the people on shore. And, anew, there was the azure of the sky, the ancient tranquility.

In the distance, to starboard, Olympus floated by in its cap of snow veined with lilac. Gracious was Zeus this day: not a single cloudlet cast its shadow over the glittering summit. And now Olympus, too, was gone beyond the rim of the sea. The Zouaves were snoring in the shade under the suspended lifeboats. Some were playing dice, throwing them on deck out of a leather cup. One of the Zouaves, a broadshouldered fellow whose eyebrows and lashes were white by contrast with his tan, had seated the little Russian boy on his knees and, stroking the lad's hair with his paw, was gently questioning him about the essential actualities of life in an unfamiliar and wondrous tongue. The lad's mother was observing from a distance, with uneasiness and a joyous smile, her son's success among the Europeans. . . . No, no; not a man amongst these wanted to go crawling into the grave with Paul, to be winding up the history of mankind.

By now, near at hand, islands like rounded loaves of bread, covered with low-growing, sparse woods, with here and there a stony patch, were floating past, now to starboard, now to port. The sea at their bases was green; they were reflected in it as in a mirror. And there was no bottom: the sky only, inverted. The ship sailed so close by one of these islets that the passengers could see dark-headed children fossicking at the threshold of a hovel built of piled up stones and leaning against a cliff. A woman at work in a vineyard cupped her hands over her eyes as she watched the steamer. Vineyards, in terraced strips, took up the entire slope of a hill. From time out of mind the schist here had been gouged with pickaxes so that, out of the stone-dust saturated with sunlight and dew, there might rise on the twisted vine the golden-tinted cluster of the grape: the juice of the sun.

The hilltop was bare. Rufous nannygoats meandered about; a man stood leaning on his staff. He had on a felt hat—one of those hats the Greeks of Homer were wont to depict in brick-red pigment upon their black vases. And the herdsman, and the woman in her striped skirt, and the children at play with a puppy, and the white-haired ancient in a boat below—all followed with indifferent glances the war-mutilated *Carcovado,* where Paul Taurain was lying on his chaise longue, his teeth chattering from fever and from the chill of his dying thoughts.

When the *tra-ta-ta-taaaam* of a bugle pealed forth, loud and clear, the Zouaves poured from the top-deck to the stern like peas out of a pod. There, near an open clapboard caboose, a tall Negro in a snowy chef's cap was dipping up soup out of steaming caldrons, ladling it into the soldiers' mess-kits.

"Fill it up—make it good and hot!" shouted the Zouaves, laughing and jostling. They sank their teeth into the black bread; with brute savoring they supped their bean pottage; throwing their heads far back they poured the wine in a red stream out of their pannikins into their mouths. Why not: on such a hot, azure day one could devour a mountain of bread, drain a sea of bean pottage and wine!

Behind the caboose, tied to the beam of a lift-crane, stood an old, rust-colored bull, taken on at Salonika. He turned his head glumly from time to time to look at the soldiers. "They'll devour me," he was evidently thinking. "Tomorrow, without fail, they'll devour me!" A Zouave, with a downy upper lip and elongated eyes, called out to him loudly, with a flourish of his pannikin:

"Don't lose heart, my old—on the morrow we'll offer you up as a sacrifice to Zeus!"

The family of a sugar-refinery owner, in flight from Kiev, was looking down from the first-class deck upon the soldiers at dinner. Here were the sugar-refinery owner himself, resembling a baldheaded crab in a cutaway; his son, a lyrical poet, with a dainty little volume in his hand; *maman,* encased in a corset reaching down to her very heels and wearing sables, out of which the grayish top-knot of her coiffure was sticking up; the modishly dressed daughter-in-law, apprehensive of coarse impertinences; three children, and a nurse with a breast-baby. Papa Crab was grating in a low, hoarse voice, without taking the cigar out of his mouth:

"Those soldiers are but little to my liking; I can't see a single officer; they look as if they were but little to be trusted."

"They're simply ruffians," *maman* was saying. "They've already been eying our trunks."

The poetical son was gazing at the strip of the desolate shore of Euboea. "What a fine thing it would be to settle down there with one's wife and children; not to see all the things that surround a man nowadays; to walk about in a chiton—" such must have been the thoughts of the young man with the despondent nose.

The Zouaves below were letting off their witticisms:

"Look at that potbelly up there, with the cigar."

"Hey, Uncle Crab, throw us down a smoke!"

"Yes, and tell your daughter-in-law to come down here—we'll have a little fun with her!"

"He's angry! *O, la-la!* Never mind, Uncle Crab; just hold out a while, you won't be so badly off in Paree!"

"We'll write to the Bolsheviks to give you back your sugar-refineries!"

The Zouaves filled the whole day with noise, laughter,

skylarking. The hot deck crackled from their running about. Everything concerned them; they shoved their noses into everything, as though they had grappled the *Carcovado* and taken it by storm, first-class passengers and all. Papa Crab went off to the captain to complain; the latter merely threw up his hands: "Lodge a complaint against them in Marseilles, if you like."

The lady of the two lap-dogs, greatly alarmed over the fate of her four girls, had turned the key on them in a stoker's cabin. The Russian officers no longer showed themselves. The Pole, indignant over the preponderance of louts aboard, was seeking in vain for partners at cards. A Russian Man of Public Affairs crawled out of the hold, with a tousled beard wherein wisps of straw had caught, and started throwing everybody into a panic, asserting that there were disguised agents of the Cheka among the Zouaves, and that the intelligentsia on the *Carcovado* would never escape a pogrom.

At night the ship was skirting Peloponnesus—stern, stony Sparta. The great constellations shone over the dark mirror of the sea, as in the fairy-tale of Odysseus. A dry odor of wormwood was wafted from the land. Paul Taurain was recalling the names of the gods, recalling heroes and great events as he gazed at the stars, at their abysmal reflections. Again a night without sleep. He had been exhausted by the bustle of the day. A strange change had taken place in him, however. Every moment his eyes would become veiled over with tears. What majesty of worlds. . . . How little, how fleeting life was! How complex, deeply ensanguined its laws! How he pitied his heart: an ailing little clod, ticking off its seconds in a Creation a-glitter with stars. Wherefore had the desire to live returned? He was already reconciled, was already going off into nothingness, sadly and solemnly, like a discrowned king. And, suddenly, this desperate regret. Wherefore? What spells had compelled him to reach out anew for the wine of life? Wherefore this piling-up of agonies?

He was trying to restore the web of his recent thoughts anent the perishing of civilization, anent the vicious circle of mankind, anent his bearing off with him, when he departed, the universe, which exists only insofar as he, Paul Taurain, thinks thereof and breathes the breath of life into it. But the web had been rent asunder: its tatters were vanishing like mist, while in his memory the gay voices of the Zouaves were calling to one another and their barbarous steps were tramping. He recalled the herdsman on the summit of the island; the woman cutting the grapes; the coal-blackened stevedores pitching their baskets down into the coal-barge.

"Be thou brave then, Paul Taurain! Thou hast nothing to lose. There are thy culture, thy truth, that whereon thou hast grown up, that because of which thou deemest every action of thine reasoned and necessary. But then there is the life of the millions. Hast heard the tramping of their feet over the ship? And their life does not coincide with thy truth. They, like those blue-eyed Pelasgi, look on from the shore upon thy foundering ship with its storm-riven sails. Call with uplifted arms upon thy gods. For answer from the heavens there come only the fire and rumble of a cannonade. . . ."

IV

This night Paul passed on deck. The morning glow flowed and spread in a rosy, coral effulgence; a warm, humid wind began to flutter the soldiers' linen hung on the shrouds to dry; the rusty-red bull started to low, and out of the water rose, like a miracle, the orb of the sun.

The wind died down. The bells struck. One could

hear the slightly hoarse voices of sleepers awaking. Another hot day had begun. The Zouaves, barefooted, hitching up their trousers, ran off to wash; howling like savages they doused one another at the pump. The clapboard caboose sent up a stream of smoke. The tall Negro in the chef's cap was baring his teeth in a grin.

Through the winding-sheet of his insomnia Paul Taurain saw a viscid bloody wake stretch out behind the stern of the ship, staining the foam. This meant that the bull had been offered up as a sacrifice to Zeus. The animal was lying on its side, its belly bloated; oozing out of its slit throat the blood ran through a scupper into the sea. Therein, too, were cast its livid entrails. The flayed carcass was drawn up on a mast. Brandishing his gargantuan ladle the cook was delivering a speech to the Zouaves, to the effect that on the Zambesi River (where he had been born) food was styled *cous-cous*, and that this carcass was Great *Cous-Cous,* and that it is a goodly thing when man has much *cous-cous,* and an evil thing when there is no *cous-cous*. . . .

"Bravo, Chocolate! Cook us some Great *Cous-Cous!*" shouted the Zouaves, stamping in delight.

The sun was blazing. A glittering pathway lay across the sea. Ethereal waves of heat shimmered to the south. It seemed that there, near Africa, one could see vagrant mirages.

At noon a short, piercing feminine scream rose out of the red-hot inwards of the ship. This was followed by a burst of laughter from several masculine throats. The female toad, with her eyes popping out and crossed, dashed across the deck, the lap-dogs with their pink bows trailing after her. It turned out that the Zouaves had smelt out where the four girlies were sitting in durance vile; the soldiers were now trying to break down the door of the stokers' cabin. Certain measures were taken. Everything quieted down. The first-class seemed to have died out. The Zouaves were lying on the red-hot deck in little else save their undershirts. Paul Taurain longed, excruciatingly, to warm himself, but the sun could not pierce his chill with its heat; his teeth chattered; the reddish light flooded his eyes.

"Feel bad, my old?" somebody's voice, low and stern, asked behind him.

Without curiosity, without turning around, Paul moved his parched lips:

"Yes—bad."

"Well, and why did you cook up this mess? Why are you still keeping it at a simmer? Now do you understand what sort of a thing your civilization is? Death—"

An icy little chill was running over Paul's dry skin; there was a whir in his ears, as if flywheels where whirring somewhere. It seemed to him that someone had walked away from his chaise longue. . . . Perhaps all this had been a prank of his imagination—because he had desired to hear human steps. But no: he had even caught the smell of army-cloth on the man who had dared to say such things to him. It must be true, then, that there were agents of the Cheka on board. What a pity that the conversation had been broken off. . . .

And at once the wavering picture of a recollection fell upon the screen of Paul's eyes. He saw:

. . . the clay walls of a stuffy hut; a large white stove therein, with birds and flowers daubed at its corners; a man in a sheepskin jacket lying on his side upon the earthen floor, his arms trussed up behind him. Blood has clotted on his curly hair. His face, pale with hatred and suffering, is turned toward Paul. He is speaking to Paul in French, with a rather uncouth accent:

"Go back where you came from. This isn't Africa: even though we are savage we still are no savages.

We're not going to sell our freedom: we'll fight to the last man. Russia is never fated to be a colony—do you hear? You are lying, brother—your beautiful words are just so much camouflage, screening the plantation owner."

"What nonsense!" Paul is dreadfully sincere. "What nonsense! It isn't colonies we're thinking of at all. We are out to save the greatest, most precious things in the world. There was, on a time, an invasion of the Huns. We overwhelmed them on the Rhine. Now we shall overwhelm them on the Dnieper."

The fellow on the floor grins impudently:

"Come, now—are you one of those idealists?"

"Silence!" Paul taps his ring on the deal table. "Talk respectfully to an officer of the French Army!"

"Why should I keep silent? You're going to turn me over to the firing squad anyway," says the trussed-up man. "And all for nothing. Oh, but you'll regret it! Better untie my arms, and I'll go away. As for you, you take yourself off to France, and on the way—don't forget—chuck your revolver into the sea. What's the odds—you fellows have lost the game anyway. There's half a billion of us. Your hands: they are we; your legs: they are we; your belly: it is we; your head—we, again. And what have *you* got? 'Most precious things'? Culture? It's ours. We'll place our guards over it—and it's ours. [The wounded man crept up to the table. His eyes—distended, wild, frightful—were obsessing Paul, were crushing him.] I can see you're an honest man; you are, it may be, one of the best. Why, then, are you on *their* side, and not on ours? They've poisoned you with gas, have infected you with malaria, have riddled your chest with bullets. They have made all the holy things to stink with corruption. Why, then, are you with them? If it's a matter of a piece of daily bread we, too, can offer you that much. Pass your hand over your eyes—sweep off the cobwebs of the ages. Awake! Awake, Paul!"

Paul Taurain opened his eyes with a moan. When would this inquisition end? Prickling, chaotic shards of recollections; the daily bustle before his eyes; the whir of glassy flywheels in his ears. . . . If darkness, silence, non-being but come as speedily as possible!

This day, too, became extinguished. Again, over the sea, appeared flaming worlds, torrents of black light, with nodules of primeval matter, arising out of quanta of energy, in the focuses of their intersections. And thus, driven by light, seeds of life go flying from one end of this lentil of a Creation to the other. Out of one such microbion had Paul Taurain arisen. And anew, some day, his body, his brain, his memory would be scattered abroad, as dust-of-atoms, through icy space.

On this night, even as on the one preceding, the Sister could not lead him off into his cabin. When, from vexation, she burst into tears, he lifted a trembling finger as withered as a twig, and pointed to the stars:

"All this is of greater need to me than all your medicines and mixtures."

V

Early next morning they were sailing past Calabria: a wild shore; jagged teeth of crags; great mounds of lilac-gray boulders. Scrubwood in the crevasses. Higher, the terraces of tawny plateaus. Here and there sheep, clustered. On a promontory a castle, of the same hue as the boulders: a tower, walls in ruins—an old robbers' roost, whence they were wont to issue for the looting of ships storm-driven upon this haunt of the Devil. To port, amid the murky, sun-shot mist, smoke was curling over the snowy summit of Aetna, and the shores of Sicily showed bluely.

The *Carcovado* raced over the choppy waves of the strait so dreaded of Odysseus. The family of the sugar-refinery owner came out on deck: all of them girt with life-belts. It turned out that there was danger hereabouts of running into some stray mine. The Zouaves were spitting at Scylla and Charybdis both. However, the whirlpool was passed safely. With its rusty nose the *Carcovado* was now cleaving the turquoise-blue waters of the Tyrrhenian Sea.

The Russian Man of Public Affairs, with wisps of straw caught in his beard, said loudly, addressing no one in particular:

"Gentlemen, the barometer is falling!"

The sultriness really was increasing. The sky had a metallic sheen. To the south the air was shimmering in murky waves, as though someone were boiling water there. From lack of anything to do, from the sultriness, from the unbearable light, something untoward began to brew aboard the steamer. It was bruited about that one of the toad's boarding-school misses had been carried off at night to the captain's cabin. The captain had not shown himself on the bridge since yesterday. It was also revealed that the female toad's remaining star boarders had likewise skipped out of the stokers' quarters. A searching party succeeded in finding one in the hold where, screaming and scratching, she was being ganged. She was locked up in the lazarette, under the guard of the doctor's assistant. The Zouaves were stirred up; they talked in whispers, gathering in small groups. Now one, now another would leap up from the red-hot deck and then vanish in the black inwards of the ship, where it smelt of rats and bilge, and the iron sides creaked from the sighs of the machinery.

The barometer was falling. The Russian lady was sitting in the shade of a lifeboat, in a woebegone mood.

Her little boy was asleep, his head, dripping with perspiration, pillowed on her knees. Even the clatter of cutlery in the caboose had died away. And suddenly, somewhere below, there was a short scuffle; there were sounds of blows and growling. Two men appeared on deck, bared to the waist, in soiled duck trousers. Their hair was standing up on end. They looked back over their shoulders and then started to run. The one ahead was showing his outstretched hand, all in blood:

"He bit my finger off! He bit my finger off!" he kept on repeating in a dull, breaking voice. He halted, frenziedly pulled off the sabot he still had on, and flung it into the sea. And, thus lightened, sped on:

"He bit my finger off!"

The other, who was taller, ran after him without a word. On his sinewy back, under one of the shoulder-blades, a bloody wen was visible, surrounded with tooth-marks. An odor of blood and pungent sweat spread over the deck. Immediately after these two a third jumped out of the ship's vitals—a hatchet-faced, black-haired fellow in a torn shirt of cheap cotton stuff. Spreading his legs wide he stopped, put two fingers in his mouth and emitted a piercing whistle, as though he were summoning his gang on a dark night on some deserted waste. The Zouaves leapt up. Their eyes were turning feral; their mustaches bristled. Quickly, closely, they surrounded the stokers. The stokers' coal-blackened chests were heaving; their breathing was hard. The one with the bloody wen on his back uttered in a soul-rending voice:

"He's got two of them tarts in his cabin!"

"Who has?"

"Chocolate!"

"He's got a knife!" the one with his finger bitten off screamed out. "He's got a big knife and a skewer. He bit my finger off. All of us here are going to have their throats slit! We'll never get to port alive."

Another piercing whistle. And thereupon all of them, both soldiers and stokers, started running down trap-ladders. A short while later an ominous hum of voices issued from the bowels of the ship. The female toad, hugging both her lap-dogs in her arms, jumped out on deck from the saloon: she began dashing about as if she were blind. In the first-class cabins Venetian blinds banged as they were pulled down. The first mate ran by with a scared face.

The Negro cook appeared at last in the midst of a milling crowd. He was stalwartly beating off the men with his long arms. His white jacket was in shreds and spotted with blood. He was backing toward a trap-ladder. Suddenly he snorted, hissed like a snake at his assailants, flew up on deck in two leaps and dashed off along it, his eyes, as white and big as hard-boiled eggs with the shells off, popping out of his head.

"Catch him! Catch him!" yelled the Zouaves, streaming after him. He scrambled still higher, up to the captain's bridge, and from there his lacquered body flashed and, head down, plummeted into the water. His black, kinky head bobbed up, spluttering, far from the ship.

The *Carcovado's* engines stopped. Life-belts went flying into the sea. The Negro swam up to the ship's side and seized a rope's end. With a gay grin he kept eying the heads hanging over the rails. It was plain the men would not beat him any further.

But the barometer still kept falling. The sky—molten lead—hung low. Gasping, the ship's engines throbbed; the blood throbbed in one's head. And again a whirlwind sprang up on deck: the soldiers were whispering among themselves, darting from place to place; they got into a huddle. A high-pitched voice, panicky, canorously-distinct—evidently that of a Parisian—rang out:

"There's a storm heading this way. Everybody on deck will be washed off into the sea. They won't let us into the saloon, even. But in the first-class they have spring-beds for the profiteers. And silver spittoons for them to throw up in. Can it be that here, too, we will have to die for the bourgeoisie?"

"Into the hold with the profiteers!" voices began to shout. "The rich and the bourgeoisie—into the hold with them!"

The Zouaves, with throaty howls, dashed into the saloon through both its doors. But there was no one there. Dinner had been left unfinished on the tables. The cabin doors were locked. It was as stuffy in there as in one of those special stoves used for roasting geese. Some of the soldiers slumped on the settees, mopping the sweat that was coursing down their faces in streams. Those who really had their dander up took to hammering on the doors of the cabins:

"Hello, there! Hey, there, little ones, into the hold—into the hold with you!"

Out of one of the cabins, against the door of which a huge boot had crashed, Papa Crab thrust his head, with twitching, lilac-hued lips, and all in a sweat:

"Well? Just what *is* the matter? What are you making so much noise for?"

A swarthy hand had already raked in the collar of his cutaway; dozens of flaming faces, of distended eyes, had already drawn close to him. Things would have gone ill with Papa Crab, with his family, with his trunks. But at this point came the shrill whistling of the bo'sun, piping all hands on deck. And immediately the sky crashed and split over the ship; the thunder-peal was such that no one could remain standing. Lightning flashed through all the portholes. And the shrouds and rigging struck up a piteous song. The *Carcovado* listed hard to port. The storm swooped down. One could not make out the frightened faces—they were only so many blotches.

Tattered clouds scudded over the very water. The sea had become maned, leaden-somber, and the very waves beat ever more evilly, ever higher, against the *Carcovado's* rusty sides. The water was already lashing the deck. The lifeboats rocked on their davits. The wind caught up one of these boats, making its covering belly like a sail, tugged at it, tore it loose—and off the boat went, somersaulting in the raging foam. *Now* was the time to cast a cask filled with treasures to the Ruler of the Sea, or to slit the throat of an ox in order to incline that Ruler to mercy! What an oversight!

The *Carcovado* rattled, burrowed into the waves, wallowed therein, made its screws whir and spouted thick smoke. The hurricane was coming from the southeast, driving the ship to the shores the wind knew so well.

Paul Taurain, aroused, was sitting up in his berth surrounded with pillows. Neptune was knocking ferociously with his trident against the battened-down porthole. What a magnificent journey's end! Paul's eyes sparkled with tragic humor. *There*—that last blow against the ship's side was something like! The ship shuddered and began to fall, slowly. The medicine vials tumbled; all sorts of objects, big and little, started rolling and slipping toward the door of the cabin. The cabin was standing up on end, just as if Paul were on a swing at its ultimate upward soaring. The heart died away. The ship would never right itself.

"We're done for—done for!" the Sister began screaming, clutching at the upright of the berth.

But no: the old tub did right itself. The cabin began crawling upward. And regained its level. The Sister, having dropped on her knees, was, as she wept, picking up the broken medicine vials. And, anew, the trident of the Ruler of the Sea was knocking against the side of the ship.

"Sister," Paul was saying, smiling with a face as drawn as that of a corpse, "it is the hurricane of the times that has swept down upon us!"

VI

For more than a day and a night did the hurricane play pitch-and-toss with the *Carcovado*. The storm splintered to matchwood or washed away everything that had been on deck. It had swept two Zouaves off into the sea. It swept off both of the hapless she-toad's lap-dogs, as well as the leather-covered trunks, the bigger pieces of the Kiev sugar-refinery owner's mountain of baggage. Someone missed the Russian Man of Public Affairs with wisps of straw caught in his beard and, although they looked for him high and low, he was never found.

The last evening arrived.

"Ask the soldiers to bring me out on deck, please," Paul requested the Sister.

The Zouaves came, shook their heads in their red, tasseled *chéchias*, and clicked their tongues. They lifted Paul up on his small mattress and bore him off to a chaise longue on deck.

"I wish you happiness, *mes enfants*," said he.

There, in the west (whither, rising and dipping, the heavy nose of the ship was eagerly heading) the sun, still wrathful after the tempest, was sinking into an orange waste. As it sank it passed behind the long streaks of gauzy cloudlets; bringing them to red-heat, it turned dark purple in its turn. Reddish shadows ran upward over its disk.

The sea was a somber lilac, filled with impenetrable horror. The sun-globe's reddish, sparkling reflections, as dense as though one were touching them with one's fingers, glided over the whitecaps. The mane of each wave had the sheen of blood.

This did not last for long, however. The sun set. The glint of the reflections faded, expired. And, in the glow of the sunset, miracles were being wrought. It was as though some planet unknown to man had drawn near to the darkened earth, and as though on that planet, spreading amid green, warm waters, were islands, bays, craggy sea-margents, all of such a joyously-scarlet, effulgent hue as never is or was: unless, perchance, one sees it in a dream. Certain cities were there, builded of fiery gold. Winged figures seemed to be hovering over a bay that was changing to green. . . .

Paul gripped the elbow-rests of his chair with fingers that were turning cold. His heart was throbbing in exaltation. Last on, last on, wondrous vision! But now its outlines were shadowed over, dimmed as if with ashes. The gold faded, became extinguished on the summits. The continents were crumbling into ruins. And there was nothing more. A sunset, dimming.

VII

Such was the last flare-up of Paul Taurain's life. Much later his indifferent gaze distinguished a white star, low over the sea: now bursting into glow, now vanishing. This was the Marseilles lighthouse. The ancient way had come to its end. The Zouaves were purring snatches of song, so pleased were they, and changing their footgear, slinging their dufflebags over their shoulders.

"Ah, there'll be someone to weep over this fellow," said one in a low voice as he passed by Paul.

Paul let his head drop. Then a chill mattress started sliding over him: upward, from his feet to his chest. It slid up to his face. But, one more time, it befell him to feel the breath of life. Someone bent over him; someone's cool, tremulous lips touched his, and a woman's voice—the voice of Lucie—was calling his name.

They lifted him up and started carrying him down unsteady steps, over creaking planks, to the noisy shore, redolent of dust and humanity, inundated with light.

ILF AND PETROV

ILYA ARNOLDOVICH ILF (1897–1937)
AND
EUGENE PETROVICH KATAEV (1907–1942)

EDITOR'S NOTE

ILF was born at Odessa, in a poor Jewish family. After graduation from a technical school he worked as an assembler in a machine shop, was a bookkeeper, and took charge of a stable; at eighteen he became a newspaperman in his native city (which as a literary center ranks next to Leningrad and Moscow). He is one of the comparatively few Russian humorists who began as one, starting to write for the funny papers in 1919, at the height of the Russian Civil War. Upon coming to Moscow he joined the staff of *Gudok* (*The Train-Whistle*), a railroading publication, where he formed his life-long partnership with Petrov, another staff-member. Later both joined the staff of the newspaper *Pravda* (*The Truth*), which gave them an audience of millions for their famous sketches, flaying bureaucrats and bureaucracy, philistines and philistinism. (It was at this period that they used the pseudonyms of Tolstoievski and The Chill Philosopher.)

Ilf's health was undermined by the two-month, 10,000-mile automobile trip through the United States in 1936, which he and Petrov undertook to gather material for their *One-Story-High America*. According to the *New York Times* (July 6, 1942) he was drowned while swimming during this visit; actually he died of tuberculosis on April 13, 1937, at Moscow, where he was cremated.

From Petrov's poignant yet humorous article on how the famous partners worked one gathers that Ilf was very sensitive and shy, yet by no means a melancholic; from Ilf's own *Notebooks* (published posthumously) one perceives that, although he became famous as a humorist, he might have become a serious writer of the first rank.

Petrov edited several humorous periodicals, and also the exceedingly popular weekly, *Ogonë (Little Flame)*, which did so much to bring about a better understanding of the United States and England. He was also well known for his film-scenarios, such as those for *Musical Story* and *The Circus*—the latter written with his brother, the famous writer Valentin Kataev, and Ilf. Like most Soviet writers during World War II, Petrov served as a correspondent. He held the rank of Lieutenant-Colonel, working for the Soviet Information Bureau and the North American Newspaper Alliance, his despatches appearing in the *New York Times*. He was killed July 2, 1942, at Sebastopol, which he had covered for many months.

As a team, Ilf and Petrov wrote, among other things, *How Robinson Was Created* (a collection of their sketches), *A Radiant Personality*, and the famous picaresques, *Twelve Chairs* and *The Little Golden Calf*, both having Ostap Bender, the Great Manipulator, as their arch-rogue hero. (The last two have been translated into English, in abridgments, and have enjoyed a popularity abroad comparable to the Russian.) *The Little Golden Calf* was pronounced a work of genius by American critics—among others. However, some of their work has met the same curious fate as Zoshchenko's, and their satire has been turned into anti-Soviet propaganda.

Their work (especially the two Ostap Bender books) is marked by deft characterization, keen observation, engrossing narrative, extravagance and grotesquerie of situation, rollicking humor and pungent satire.

"Ellochka the Cannibal" is from *Twelve Chairs*, and was a favorite platform piece of the two great humorists.

Ellochka the Cannibal

ILF AND PETROV

THE vocabulary of William Shakespeare, as calculated by scholars, runs to 12,000 words. The vocabulary of an African of the cannibal tribe of Mumbo-Jumbo runs to 300 words.

Ellochka Shchukina got along easily and freely with thirty.

Here are the words, phrases, and interjections, captiously chosen by her out of the whole of a great, magniloquent, and mighty tongue:

1. "You're fresh."
2. Ho-ho! (*Expressing, in accordance with circumstances, Irony, Astonishment, Rapture, Hatred, Joy, Contempt, or Satisfaction.*)
3. Great.
4. Gloomy. (*In relation to everything. Examples:* "Gloomy Pete is here." "Gloomy weather." "A gloomy incident." "A gloomy cat," *and so forth.*)
5. "What gloom!"
6. Uncanniness, *or* Uncanny. (*Example: On meeting a very dear girl-friend:* "It's uncanny, the way we meet!")
7. Fellow. (*In relation to all male acquaintances, regardless of age or social standing.*)
8. "Don't you teach me how to live."
9. "Like a baby!" ("I trimmed him like a baby!"—*at cards.* "I shut him up like a baby!"—*evidently during a conversation with a lease-holder.*)
10. "Bee-utiful!" (*Beautiful.*)
11. Fat and handsome. (*Used to characterize both animate and inanimate objects.*)
12. "Let's take a horse-cab." (*Used to one's husband.*)
13. "Let's take a taxi." (*Used to male acquaintances.*)
14. "The back of your coat is all white!" (*Joke.*)
15. My, my!
16. —ulya. (*Affectionate name-ending. Examples:* Mishulya, Zinulya.)
17. Oho! (*Irony, Astonishment, Rapture, Hatred, Joy, Contempt, or Satisfaction.*)
13. "Oh, go on!" (*Conveying incredulity or warning.*)

The extremely insignificant quantity of words left over served as a transmission link between Ellochka and department store clerks.

If anyone were to scrutinize the photographs of Ellochka hung up over the bed of her husband, the engineer Ernest Pavlovich Shchukin (one *en face,* the other in profile), it would not be at all hard to notice a forehead of pleasing height and convexity, great humid eyes, the most charming little nose in all of Moscow

Province, and a chin with a tiny beauty-mark, that looked as if it had been done in India ink.

Men found Ellochka's height flattering. She was tiny, and even the scrawniest runts looked big and mighty he-men alongside of her.

As for any distinguishing characteristics, why, there just weren't any. And anyway, Ellochka had no need of them. She was pretty.

The two hundred rubles a month which her husband drew at the Electrolustre plant Ellochka considered an affront. They were of no help at all in that grandiose feud which Ellochka had been carrying on for four years by now, ever since she had assumed the social status of the mistress of a household, the wife of Shchukin. She carried on this feud with all her forces strained to the utmost. It swallowed up all resources. Ernest Pavlovich took extra work home, had refused to have any domestic, worked the kerosene stove himself, carried out the garbage, and even fried the cutlets.

But all this proved fruitless. The ominous foe was by now demolishing the household economy, more and more so with every year. Ellochka had, four years ago, perceived that she had a rival on the other side of the Atlantic. This calamity had come upon Ellochka on that joyous evening when she had been trying on the darlingest little blouse of crepe de Chine. In that outfit she looked practically a goddess.

"Ho-ho!" she had exclaimed, reducing to this cannibalistic outcry the overwhelmingly complex emotions that had gripped her soul.

In simplified form they might have been expressed and phrased somewhat as follows: "On beholding me thus the men will get all excited. They will quiver. They will follow me to the ends of the earth, stammering their love. But I am going to be frigid. For are they worthy of me? I am the most beautiful of women. Nobody on this terrestrial globe has a blouse as elegant as that!"

But there were only thirty words, and Ellochka chose the most expressive combination: "Ho-ho!"

It was at this auspicious hour that Phima Sòbak came to see her. She brought with her the frosty breath of January and a French fashion magazine. Ellochka came to a dead stop at its first page. The glossy photograph portrayed a daughter of the American billionaire Vanderbilt in an evening gown. It had furs and plumes, silk and pearls and a deft cut; the wearer's hair-do was extraordinary and deliriously stunning. This photograph settled everything.

"Oho!" said Ellochka to herself.

Which meant: "It's either she or I."

The morning of the next day found Ellochka in a beauty parlor. Here she lost her splendid black braid and henna'd what was left of her hair. Next she contrived to surmount one more step on the ladder which was to bring Ellochka nearer to that refulgent paradise wherein promenaded American billionaires' daughters, unfit to tie the shoelaces of Shchukina, that mistress of a household. Through an outlet that extended credit to workers a dog-skin, masquerading as muskrat, was purchased. It was used to trim an evening ensemble.

Mister Shchukin, who had long been nursing a dream of buying a new drawing-board, became somewhat despondent.

The gown, bordered with dog-muskrat, dealt the presumptious Vanderbilt woman the first telling blow. Next the haughty American was given the one-two-three. Ellochka acquired from Phimochka Sòbak's private furrier a chinchilla stole (Russian rabbit, put to death in the Province of Tula), took to wearing a dove-gray fedora of Argentine felt, and made the coat of her husband's new suit over into a stylish lady's jacket. The billionairess rocked on her heels but, evidently, the doting papa Vanderbilt came to her rescue.

The next number of the fashion magazine contained portraits of Ellochka's accursed rival in four poses: 1): Wearing black foxes; 2): With a diamond star on her forehead; 3): In flying-togs—high patent-leather boots, a green jacket of the finest cloth, and gauntlets, the slits of which were encrusted with medium-sized emeralds; and 4): In a ball gown—cascades of gems and a little silk.

Ellochka mobilized. Papa Shchukin took out a loan in a mutual-aid association. They wouldn't let him have more than thirty rubles. A new, mighty effort cut the domestic economy down at its roots. It was becoming necessary to carry on the good fight on all of life's battlefronts. Photographs had been recently received of the Miss in her new Florida castle. And Ellochka, too, had to get new furniture. She bought two upholstered chairs at an auction. (A lucky buy! You simply couldn't let the chance slip!) Without consulting her husband, Ellochka took the money budgeted for food. Until payday there remained ten days and four rubles. Ellochka and the chairs drove through Varsonofievsky Lane with great éclat. Her husband wasn't home. However, he put in his appearance shortly, lugging a brief-case as bulky and heavy as a trunk.

"The gloomy husband is here," said Ellochka distinctly.

All her words were pronounced distinctly, and popped out livelily, like peas out of a pod.

"Hello, Ellochka—but what's all this? Where did those chairs come from?"

"Ho-ho!"

"No, really?"

"Bee-utiful!"

"Yes, they're good chairs."

"Great!"

"Anybody make us a present of them?"

"Oho!"

"What! Surely, you didn't buy them? But what with? Not with the household money, surely? Why, I've told you a thousand times—"

"Ernestulya! You're fresh!"

"There, how could you do such a thing? Why, we won't have anything to eat!"

"My, my!"

"But that's outrageous! You're living beyond your means!"

"Oh, go on!"

"Yes, yes! You're living beyond your means—"

"Don't you teach me how to live!"

"No, really—let's talk this over seriously. I get two hundred a month—"

"What gloom!"

"I don't take bribes, I don't steal money and don't know how to counterfeit it—"

"It's uncanny!"

Ernest Pavlovich fell silent.

"Tell you what," said he at last, "we can't live like this."

"Ho-ho!" retorted Ellochka, sitting down on one of the new chairs.

"We'll have to separate."

"My, my!"

"We have incompatible characters. I—"

"You fat and handsome fellow—"

"How many times have I begged you not to call me a *fellow?*"

"Oh, go on!"

"Come, where do you get that idiotic jargon from?"

"Don't you teach me how to live!"

"Oh, hell!" the engineer shouted.

"You're fresh, Ernestulya."

"Let's separate peacefully."

"Oho!"

"You won't convince me of anything. This quarrel—"

"I'll trim you like a baby."

"No, this is downright unbearable. Your arguments can't keep me back from the step which I'm forced to take. I'm going after a moving van right now."

"Oh, go on!"

"We're dividing the furniture evenly."

"It's uncanny!"

"You'll get a hundred rubles a month. Even a hundred and twenty. You can keep the room. Lead whatever life you wish, but I can't go on like this—"

"Great," said Ellochka disdainfully.

"As for me, I'm moving to Ivan Alexeievich's place."

"Oho!"

"He's gone to the country and has left his whole apartment to me for the summer. Only it's unfurnished."

"Bee-utiful!"

Five minutes later Ernest Pavlovich came back with the janitor.

"There, I won't take the wardrobe—you need it more than I do; but as for the desk, if you'll be so kind. . . . And you can take out one of those chairs," he turned to the janitor. "I have a right to it, I think?"

Ernest Pavlovich tied his things in a big bundle, wrapped his boots in a newspaper, and turned to go.

"The back of your coat is all white," said Ellochka in a voice that sounded like a phonograph.

"Good-bye, Ellen."

He expected that his wife would, at least on this one occasion, refrain from her usual verbal small change. Ellochka in her turn sensed all the gravity of the moment. She strained with all her might and sought for words appropriate to the parting. She found them quickly enough:

"Are you taking a taxi? Bee-utiful!"

The engineer tumbled down the stairs like a landslide.

Ellochka passed that evening with Phima Sòbak. They discussed a situation of extraordinary importance, threatening to overturn the economics of the world.

"I think I'll go in for long and loose things," Phima was saying, drawing her head in between her shoulders like a hen.

"What gloom!"

And Ellochka glanced at Phima Sòbak with respect: Mlle. Sòbak had the reputation of a cultured girl: her vocabulary contained somewhere in the neighborhood of a hundred and eighty words. And not only that, but she knew one word of such a nature that Ellochka couldn't think of it even in her dreams. It was a rich word: *homosexuality*. Phima Sòbak was, beyond all doubt, a cultured girl.

The animated discussion lasted far beyond midnight.

ISAAC IMMANUELOVICH BABEL

(1894–)

EDITOR'S NOTE

BABEL, the son of a Jewish merchant, is a native of Odessa. He first appeared in print, with his *Odessa Stories,* in 1915, in Gorki's *Chronicle.* During the Russian Civil War he was attached to the Red Cavalry; the first of his unique *Horse Army* sketches appeared in 1924. His output can hardly be called vast: these two groups of stories, plus a play, *Sunset,* and *Benny Kriek,* a screen dramatization of the life of a gang-leader who is the hero of some of the *Odessa Stories,* comprise practically all his work, yet Babel has indisputably earned his place in the front ranks of the Soviet masters of the word.

When Benny Kriek promises to slit somebody's throat unless a certain sum is forthcoming, he does so in the politest yet the most exquisitely twisted Russian. Generally (with such exponents as Doroshevich or Averchenko) "Odessa stories" are a highly humorous genre; Yushkevich has struck deeper notes in it; in the hands of Babel it reaches the heights of purest literature. Poignant, poetic, sardonic, appealing, appalling in contrasts, a combination of exquisite lyricism and red-earth coarseness, Babel's *Odessa Stories* are an abiding masterpiece. Rabelais, Zola and Maupassant, combined, might well envy Babel his *Liubka the Cossack* alone. One can think of nothing written to compare these portscapes to —and of nothing to compare with them (not even Kuprin's *The Old City of Marseilles*).

Babel's exceedingly significant and equally famous *Horse Army* is utterly original in execution and to a large extent autobiographical. Grotesque, ironic, filled with wormwood poetry, delicate as a dandelion head at dusk, brutal as dark-red hacked horseflesh, it stands unsurpassed to this day as a series of goyaesques of the Revolution, of Russia's Civil War.

The book is available in an English version entitled *The Red Cavalry*.

Liubka the Cossack

ISAAC IMMANUELOVICH BABEL

OUT in Moldavanka, that notorious district, at the corner of Dalnitskaya and Balkovskaya streets, stands the house of Liubka Schneiweiss [Snow-White]. Her house accommodates a wine-cellar, an inn-yard, a feed store, and a dovecote holding a hundred pair pigeons of the Kriukov and Nikolaiev breeds. All these enterprises, and Section 6 in the Odessa stone quarries, belong to Liubka Schneiweiss, nicknamed the Cossack—all, that is, save for the dovecote, which is the property of Eusel the watchman, a veteran who had been decorated with a medal. Of Sundays Eusel comes out on the Ohotnitskaya and sells his pigeons to petty city officials and the local small fry.

Among the others living in Liubka's household, besides the watchman, is one Pessya Mindl, cook and go-between, and Tsudechkis, Liubka's general manager, a little bit of a Jew, whose short stature and shorter beard make him resemble our celebrated Moldavanka rabbi, Ben-Z'chary. Concerning this Tsudechkis I know a lot of stories. And the first of those stories has to do with how this Tsudechkis came to be the general manager of the inn-yard belonging to Liubka, nicknamed the Cossack.

Some ten years ago Tsudechkis had happened to act as a broker in getting a horse-drawn threshing-machine for a certain landowner, and that evening he had brought this landowner to Liubka's to celebrate the deal. This client of his had not only mustachios but chin-whiskers and sported patent-leather boots. Pessya Mindl gave him *gefülte fisch* for supper and, after supper, introduced him to a pretty young lady by the name of Nastya. The landowner stayed the night—and in the morning Eusel awoke Tsudechkis, who was lying curled up in a ball at the threshold of Liubka's room.

"There," said Eusel, "last evening you were bragging that that landowner had bought a threshing-machine through you, so you should know that, after spending the night here, he made tracks at daybreak, like the lowest of low-lives. Now shell out two rubles for the eats, and four for the young lady's time. Anybody can see you're an old man that's been through the mill."

But shell out Tsudechkis didn't. Whereupon Eusel shoved him inside Liubka's room and turned the key on him.

"There," said the watchman, "you stay here, and when Liubka gets back from the quarry she will, with God's help, drag your living soul out of you. Amen."

"You jailbird, you," Tsudechkis answered the veteran, "you don't know a thing, you jailbird, whereas, among other things, I believe in God, Who will bring me out of here, even as he brought all the Jews, first out of Egypt, and then out of the desert."

There was a great deal more which the little broker felt like telling Eusel, but the veteran took the key with him and went off, his boots clattering. Thereupon Tsudechkis turned around and saw, near the window, Pessya Mindl the go-between, who was reading a book, *The Miracles and the Heart of Baal Shem Tov*. She was reading the gilt-edged Hassidic tome and at the same time rocking with her foot an oaken cradle. Lying and bawling in this cradle was Liubka's son, little David.

"I can see how well things are run in this convict colony," Tsudechkis remarked to Pessya Mindl. "The child is lying there and crying fit to split his lungs all to little pieces, so it's a pity just to look at him, but you, you fat creature, just sit there like a bump on a log and can't give him a bottle, even—"

"*You* give him a bottle," Pessya Mindl answered him, without taking her eyes off the book. "He should only take that bottle from an old faker like you—for he's a big-grown oaf by now, yet the only thing he wants is his mammy's milk. But his mammy is busy running around her quarries, lapping tea with the Jews in the Bear Tavern, buying up smuggled goods in the harbor, and she gives just as much thought to her son as she does to last year's snow."

"Yea," the little broker said to himself then, "thou art delivered into the hands of Pharaoh, Tsudechkis," and, stepping over to the east wall, he mumbled not only all the appropriate morning prayers but some additional ones as well, and then took the crying infant in his arms. Little David eyed him in perplexity and kicked his little raspberry-hued legs, beaded all over with infant-sweat, while the old man fell to pacing the room and, swaying like a saintly sage at his prayers, began singing an endless song for him.

"A-a-ah," he began his song, "all the children should get fiddlesticks, but our Davy should get rolls, hot and white, so's he'll sleep both day and night! A-a-ah, all children should get hard blows—"

Tsudechkis showed Liubka's son a fist all grown over with gray hair, and kept repeating about fiddlesticks and white rolls until the little boy fell asleep, and until the sun reached the zenith of the radiant sky. It reached the zenith, and there it began to quiver like a fly overcome with the heat. The wild muzhiks from Nerubaisk and Tatarka, who were stopping at Liubka's inn-yard, crawled under their carts and fell into savage, trillingly snoring slumber there; an artisan in his cups went toward the gates and there, flinging his plane and saw away from him, slumped to the earth, slumped to the earth and began snoring, began snoring in the midst of the universe, a universe all dotted with the golden flies and the azure lightnings of July. At no great distance from him, in a patch of cool shade, certain wrinkled German colonists settled themselves; they had brought wine from the Bessarabian border for Liubka's cellars. They lit their pipes, the stems of which were long and curved, and the smoke of those pipes tangled in the silvery stubble upon unshaven and senile cheeks. The sun was lolling out of the sky, like the rosy tongue of some thirsting hound; that Titan, the sea, was rolling in on the Peresip mole, and the masts of distant ships rocked over the emerald waters of the bay of Odessa. The day was aboard a gaily adorned galley; the day was nearing its mooring place of evening and, as if to greet the evening, Liubka came back from the city only when it was going on five o'clock.

She rode up on a little skewbald roan nag with its belly sucked full of wind and a mane that had been allowed to grow all by itself. A lad with stout legs and in a calico shirt swung the gates open for Liubka, Eusel held her horse by the bridle, and it was then that Tsudechkis called out to her from his dungeon-keep:

"My respects to you, and a good day, Madam Schneiweiss. There, you went away on business for three years, and have tossed a hungry child in my lap—"

"Quiet, scarecrow!" Liubka answered the old man, and got down off the saddle. "Who's that there, opening his yap in my window?"

"That's Tsudechkis, an old man who's been through the mill," the old veteran with the medal informed his mistress, and launched into an account of the whole affair with the landowner, but he never did get to telling it to the end, inasmuch as the little broker set up a squawk, interrupting him:

"What imperence!" he squawked at Liubka. "What imperence, tossing a child in a stranger's lap, and then getting lost for three years! There, go and give him your teat!"

"I'm coming up to you right now, you little gangster," Liubka muttered, apostrophizing her son, and dashed for the staircase. She came into the room and took her breast out of her dusty blouse.

The boy stretched himself toward her; he kept biting at her monstrous nipple but got never a drop of milk out of it. A vein swelled up on the mother's brow, and Tsudechkis chided her, shaking his skull-cap:

"You want to get everything into your clutches, greedy Liubka; you tug the whole universe toward you, as children tug at a tablecloth with bread crumbs; you want the first wheat and the first grapes; you want to bake white loaves in the baking sun—but your own little one, a child like a little star, has to wilt away because he can't get milk—"

"Milk he's talking about yet!" yelled the woman, and squeezed her breast. "When the *Plutarch* came into the harbor today, and I had to cover ten miles in this heat! But as for you, you're singing a little too loud and a little too long, old Jew—better come across with that six rubles."

But again Tsudechkis wouldn't come across with the money. Instead, he loosened his sleeve, bared his arm, and thrust a gaunt and unwashed elbow into Liubka's mouth:

"There, choke on that, you female convict, you," said he, and spat in a corner.

Liubka took her time about releasing this strange elbow out of her mouth, then she turned the key in the lock and went out into the courtyard. There Mister Trottybury, who looked like a pillar of ruddy meat, was already awaiting her. Mister Trottybury was chief engineer on the *Plutarch*. He had brought two sailors with him to Liubka's. One of these sailors was a Briton, the other a Malayan. It took the three of them to drag into the yard the contraband they had brought from Port Saïd. The chest was heavy; they dropped it to the ground, and pouring out of the chest came cigars, tangled up in Japanese silk. A multitude of country-wives came flocking to that chest, while two chance-come Gypsy women, swaying and with their sequins tinkling, began sidling up to it.

"Git, you trash!" Liubka yelled at the women, and led the sailors off into the shade under an acacia, where they all seated themselves at a table. Eusel served them with wine, and Mister Trottybury spread out his wares. He took out of one bale cigars and fine silks, cocaine and files, tobacco from the State of Virginia, innocent of any revenue stamps, and black wine obtained on the Island of Chios. Each commodity had a price of its own, and each sum was wetted down with Bessarabian wine, redolent of sun and bedbugs. By this time twilight was rolling through the courtyard, like an evening billow over a broad river, and the tipsy Malayan, filled with wonder, touched Liubka's breast with his finger. He touched it with one finger, then with each of the others in turn.

His yellow and gentle eyes swung over the table, like paper lanterns over a Chinese lane; he struck up a song in a barely audible voice and toppled to the ground when Liubka brushed him off with her fist.

"Just see how a well-educated man behaves himself!" Liubka commented on the Malayan to Mister Trottybury. "My last milk is drying up because of this Malayan, yet that Jew up there ate me up alive because of that milk." And she indicated Tsudechkis who, standing by the window, was washing his socks. The little lamp in the room where Tsudechkis was imprisoned was smoking; the basin he was laundering in was foaming and burbling; having sensed that they were talking about him he leaned out of the window and began to shout desperately:

"Save me, good people!" he shouted, and waved his arms.

"Quiet, you scarecrow!" Liubka burst out laughing. "Quiet!"

She shied a stone at the old man, but at her first attempt missed him. Thereupon the woman grabbed an empty wine-bottle. But Mister Trottybury, the chief engineer, took the bottle from her, aimed, and sent it right through the open window.

"Miss Liubka," said the chief engineer, getting up and assembling his wine-logged legs under him, "many worthy people come to me, Miss Liubka, wanting goods, but I supply nobody—neither Mister Kuninzohn, nor Mister Batya, nor even Mister Kupchik; nobody except you, because I find your talk to my liking, Miss Liubka—"

And, having regained his shaky legs, he took his sailors—one of them a Briton, the other a Malayan—by their shoulders, and launched into a dance with them through the yard, now grown cooler. Since they came from a ship named *Plutarch,* they danced in a silence fraught with deep meaning. An orange-hued star, having rolled down to the very edge of the horizon, was staring at them for all it was worth. Then they got their money, linked their arms, and walked out into the street, swaying, the way a swinging ship's-lantern sways. From the street they could behold the sea, the now black water of the bay of Odessa, toy flags on sunken masts, and blinding lights in the spacious bowels of ships.

Liubka escorted her dancing guests to the crossing; left alone on the deserted street she laughed at her thoughts and went home. The sleepy lad in the calico shirt locked the door after her. Eusel brought his mistress the day's takings, and she went up to her room to sleep. Pessya Mindl, that bawd, was already dozing there, while Tsudechkis was rocking the oaken cradle with his bare feet.

"How you have exhausted us, Liubka—you have no conscience," said he, and took the child out of the cradle. "There, learn from me, you abominable mother—"

He put a fine-toothed comb with its back against Liubka's breast and laid her son down in her bed. The child strained toward his mother, stuck himself against the comb, and began to bawl. Thereupon the old man shoved the baby-bottle at him, but little David turned away from it.

"What kind of spell are you trying to work over me, you old scoundrel?" muttered Liubka, falling off to sleep.

"Quiet, you abominable mother!" Tsudechkis told her. "Be quiet, and learn from me, may you perish—"

The little one again stuck himself against the comb; then he hesitatingly took the bottle—and fell to sucking thereon greedily.

"There!" said Tsudechkis, and began laughing. "I've weaned your child. Learn from me, may you perish—"

Little David lay in his cradle, sucking away at the bottle and dribbling beatified spittle. Liubka woke up, opened her eyes, and closed them again. She had seen her son, and the moon also, trying to break in at her window. The moon was leaping about among black clouds, like a strayed calf.

"Well, so be it," said Liubka then. "Open the door for Tsudechkis, Pessya Mindl, and let him come tomorrow for a pound of American tobacco—"

And the day following Tsudechkis came for his pound of tobacco, innocent of any revenue stamps, from the State of Virginia. He got it and, on top of that, a quarter of a pound of tea. And a week later, when I came to buy pigeons from Eusel, I beheld a new general manager in Liubka's inn-yard. He was as diminutive as Ben-Z'chary, our rabbi. Tsudechkis was this new manager. He spent fifteen years at this post of his, and during that time I learned a multitude of stories concerning him. And, if I can, I'll tell them all in orderly succession, inasmuch as they are ever so interesting.

VSEVOLOD VYACHESLAVOVICH IVANOV

(1895 or '96–)

EDITOR'S NOTE

HIS parentage is decidedly interesting: his father, a village schoolmaster, was the bastard of a Governor General of Turkestan; his mother was a mixture of Polish and Kirghiz. Ivanov was one of Gorki's innumerable protégés, and published his first short story in 1915 (or '16). After the October Revolution he served in the Red Army, defending Omsk against the Czechs. In 1920, again with the help of Gorki, he came to Leningrad, and joined the Serapion Brotherhood. The best thumbnail of Ivanov is by the author himself: "I was born at Lebiazhen, a steppe village on the Irtysh. . . . Received my education at the village school. . . . Began tramping at fourteen. Was by turns printer [typesetter, particularly: 1912-18], sailor, circus clown and fakir—billed as Ben Ali Bey the Dervish. I was sword-swallower, Human Pincushion, Torture Artist; I jumped through hoops of sharp-pointed knives and flaming torches. I tramped through Tomsk with a hurdy-gurdy, performed in show-booths at fairs, was a Speaking and Singing Clown in circuses, and was even featured as a Wrestling Champion; I entertained in third-rate cabarets. . . . I have written a number of books, and I don't think it's much fun to be a writer. Others fare better; their joys are simpler and more frequent. Still, a good many things make me happy, and whenever I ask myself what I have to complain about, I am stuck for an answer."

Besides contributing to the riches of Russian picaresque literature, Ivanov is concerned with certain asocial, unregenerate petty-bourgeois tendencies. He has by now escaped classification as a Siberian writer, and is one of the leading Soviet authors.

The Oasis of Shehr-i-Sebeh[1]

VSEVOLOD VYACHESLAVOVICH IVANOV

DJALLANUM, wife of Ali-Akbyr, a dealer in grapes from the *kishlak* of Shehr-i-Sebeh, contracted smallpox. Ali-Akbyr himself was a man well-grown, handsome, with his nails tinted red after the manner of the Persians. He had paid for his wife, five years back, at a time of famine and wars, a great *kalym* (or wedding ransom), and that not in Czar Nicky's bogus money but in cattle, and that cattle, even unto the days of the present, was enriching his father-in-law. And so Ali-Akbyr felt sorry about losing his wife, and, also, he felt sorry because during the time of wars many handsome women had died out, or had been carried off to Afghanistan. It was hard to find a good wife nowadays—and the youthful element was growing up flat-breasted and flat-buttocked. And so Ali-Akbyr at once summoned to the sick woman the local saint, Hussein, and Hussein had hardly had time to gird his belly and pick up his knobby staff when Ali-Akbyr had al-

---

[1] The Editor gratefully acknowledges his indebtedness to New Directions, for permission to reproduce the Ivanov sketch from *Soviet Short Stories*, and to the Vanguard Press, Inc., for permission to quote from material used in connection with Ivanov's *The Adventures of a Fakir.*

ready saddled his own horse and sped off after the general practitioner. The general practitioner, a medico of the second-class, was a Russian, Gerassimov by name, yet he conducted himself as if he, too, were a saint: he got ready for the visit slowly, unwillingly; also, it may have been that he was afraid of smallpox. Upon his arrival the second-class medico demanded that Djallanum take off her coverings and, after Ali-Akbyr had promised him a ram, the medico felt her hand and said:

"The crisis is over; she'll live on!"

But, even before the physician, the sainted Hussein had said the same thing, and Ali-Akbyr had come to feel sorry for himself, and over the trouble he had gone to and the expenditures—and he chose his scrawniest ram for the medico and, when it came to entertaining him, the tea he brewed was of the weakest. However, after five days, Djallanum felt worse—and toward evening she died. She was quickly hauled off to the grave, seated therein, and covered over with sand. Ali-Akbyr was left all alone.

A road out into the desert went past the graveyard. A caravan was going by. At its head, seated upon a tiny ass, his bare feet dangling low, rode the leader of the caravan, a gray-headed Turkoman. Tied to his saddle by a lariat woven of hair was the first camel; a second camel was tied to the first; the camels ambled so quietly that one could hear the swish of the lariats, now slackening, now tautening. The Turkoman rode along in concentration, in quietude, and a long staff, mark of his authority, barely swayed in his hands. Slowly, treading one after the other, now clambering up on the sandy knolls, now disappearing in the hollows, now straightening out into a harp string, now forming a broken line over the winding road, the camels were going off into the desert. It was altogether windless; the caravan was leaving in its wake the tracks of camel-pads, but immediately this trail would be flooded over by the sand. A light haze showed blue upon the summits of the knolls: this was the sand, raised up by the breath of the desert. On beholding this sand Ali-Akbyr put his hand to his heart, which was oozing melancholy, and went home.

The grapes were maturing, and the peasant vintners came in the evening to chat about prices and to learn if Ali-Akbyr would be going to town soon. The lamp burned dully—after the wife's death there was no one to clean its chimney—and the room reeked of kerosene. They drank tea, each holding the cup around the rim of its bottom and, after each gulp, emitting a loud grunt. And then, for the first time (as he filled a third cup for each guest), Ali-Akbyr proclaimed that the holy Hussein was a thief and a swindler, notwithstanding that he knew all the laws of God so well. The peasants would not believe Ali-Akbyr, yet they would not enter into any dispute. Thereupon Ali-Akbyr solemnly raised a finger and said, drawing out his words:

"When you will have five more die among ye, and Hussein will have said of each one of the five that he was going to get well, you will not then be keeping silent, as you are keeping silent now!"

And lo, five new victims died of smallpox, even though Hussein had said that each one of them was going to get well, but just the same the peasants would not believe Ali-Akbyr.

The grapes were maturing, their leaves had taken on the color of blood—and the wine of desires matured in the veins of Ali-Akbyr. He had need of a sturdy wife and, although the laws of Moscow forbade any *kalym,* he must nevertheless give big money for a sturdy wife, and so Ali-Akbyr took to coming to town often. The water in the *arrik*-canal of Kochik was falling, and the passing pilgrims from beyond the mountains of Zarshan were saying that the snows were done with their melting, and that one could hardly expect spring-freshets in the fall. The grapes were ripening, but the water in the *arrik* kept decreasing and decreasing, just as though the grapes were drinking it dry. And thereupon the peasants, who still did not believe Ali-Akbyr, and who still listened in silence to his opprobrious speeches, hied them to the mosque and asked the saint to send up a prayer.

Hussein himself had been ailing of late: he had lived his life through honorably, in accordance with all the laws, and was proudly awaiting death and paradise, since he himself considered himself a saint. He felt hurt at seeing that the faith of the peasants in him had lessened, and that their offerings had diminished. No need had he of these offerings—much of that which was brought to him in offerings he distributed; it was the peasants, who were sinning before Allah, that he felt sorry for. He sternly told them that he would pray, and would hope that Allah might hearken to his prayer: there would be an increase of water, and the smallpox would cease. The smallpox, now, truth to tell, had long since gone, but the peasants did not contradict him. And Hussein did, actually, pray all night, as well as for half of a long and sultry day besides. He keeled over in exhaustion, and the mosque attendant, a young grandson of his, the rosy-cheeked Alimbai, reverently led him off to his skimpy couch. After resting Hussein again prayed a long time but, apparently, his prayers fell short of reaching Allah, so that the water continued to abate and the trees in the oasis of Shehr-i-Sebeh began to wilt.

During those days Ali-Akbyr had sought out for himself, in the nearby *kishlak* of Uchim, a bride by the name of Ydris, and one who in the matter of beauty could surpass the beauty of Djallanum. The *kalym* asked for her was great and, no matter how hard Ali-Akbyr haggled, his prospective father-in-law would not yield, but instead threatened to add to the sum. Money was hard to come by; there would be a great yield of grapes this year and the price for them had fallen. Ali-Akbyr had a notion that if Hussein wanted to he could go to the *kishlak* of Uchim to the kinsmen of Ydris, and cajole them into abating the *kalym*. But Hussein was a drone, a good-for-nought, a thief; all he was fit for was yowling from the summit of the hard-clay minaret prayers that were of no good either to Allah above or man below. Ali-Akbyr quickly learned to utter those words of blasphemy which one can now often hear in town, and it seemed to him that he knew no less of the Truth than Hussein and, were it not for the grapes and all the bother with getting a wife, it would be child's play for him to turn saint himself. However, Hussein himself evidently felt he was a drone; to the questions of the peasants he replied glumly and, gaunt and lanky, in his dirty, green turban [symbol of a completed pilgrimage to Mecca], he passed through the street not in the shade, as other men did, but in the sun, as though that vehement flame which was in his soul did not suffice him.

On the evening of a day when, in the vineyards not far from the *arrik*, three oxen had keeled over (and one of them Ali-Akbyr's own), Ali-Akbyr had announced that Hussein, that drone and swindler, ought to be carried off to town and tried in accordance with the laws of Moscow. The peasants, as always, tossed their beards, and one could not grasp whether they did so in assent to the words of Ali-Akbyr or not. The veranda whereon they were sitting had grapevines running all over it. The sun was going down, and the shadows of the clusters glowed in dark blotches upon the beards of the old men. In order to get at what these old men were thinking, Ali-Akbyr resorted to a lie:

"It would be better if we were to cart him to the town ourselves, for otherwise five of the constabulary will come riding and take the ancient one with them."

"That is so," answered the old men, "of a verity," and with melancholy they looked out at the dusty, parched courtyard, and the tawny-brown clay of the walls, which not even the sun could cover with gold.

And in the evening, when the peasants had congregated for the *namaz* service, Hussein said, looking at the heavens:

"Old am I by now; I have, evidently, committed many sins, and Allah will not receive my prayers. I have kinsmen in the near-by *kishlak* of Uchim; I am going there to die."

The peasants let this pass in silence; but in the evening, after *namaz,* they came to Ali-Akbyr.

"What a dog and thief!" said Ali-Akbyr. "He is lying from start to finish, as he hath lied all his life. At the *kishlak* of Uchim he hath just as many kinsmen as I now have wives. But doth not the *kishlak* of Uchim already have the grave of the sainted Imiamin, called Asalata-Budakchi, because of which grave fertility never forsakes the fields of its people? But what graves of saints have we? How many of them have we?"

And the old men looked with their vacant eyes at the strong, darting hands of Ali-Akbyr. Out in the desert the jackals were howling; an enormous moon was slowly ascending heaven. The dying poplars were running with crisp swishing along the *arrik.* The peasants walked over to the *arrik,* for a long while listened to the howling of a jackal, and then one of them spoke:

"He's howling at the moon—which means a death."

And, although there was no such omen, that did not stop them all from believing it.

After that Ali-Akbyr came to Hussein—and for a long while they kept salaaming to each other. As he salaamed, Ali-Akbyr recalled the eloquence he had acquired in town and asked, in flowery fashion: Was it true that the sainted Hussein desired to deprive the *kishlak* of Shehr-i-Sabeh of sanctity and divine fertility, and to leave for the *kishlak* of Uchim? And, if such was his desire, wherefore?

Everything about Ali-Akbyr was fraught with extraordinary kindliness, and even his darting hands were resting humbly on his belly but, having caught a look at the fixed and distraught eyes under the taut brows, the sainted Hussein put his hand to his heart and said that he had changed his mind and that he was remaining in his native region, and that his grave, Allah willing, would make the *kishlak* of Shehr-i-Sebeh celebrated throughout the ages.

"Blessed are thy hoary eyelashes, and a quietude that adorns the heart issueth therefrom," said Ali-Akbyr humbly, but through the sainted Hussein's voice, and through the way he was scrutinizing the length of the courtyard of the mosque, Ali-Akbyr grasped that that very night the sainted Hussein would make tracks out of the *kishlak* of Uchim, and would there, to the end of his days, keep cursing his impious and inhospitable fellow-villagers. And at this thought Ali-Akbyr became frightened, salaamed kindlily, and quickly left.

And at last Ali-Akbyr was enabled to hear from the lips of the peasants words that afforded him much joy;

and Ali-Akbyr, even as befits every sage, salaamed lower than ever to the peasants.

The crisp and rapid daybreak struck the poplars growing near the mosque. A wicket opened, and Ali-Akbyr began nudging the peasants with his elbow. The saint's attendant, the rosy-cheeked Alimbai, led out a saddled horse, and Hussein appeared next. His face was tired, dismal; he, apparently, had no wish to forsake either his couch or the mosque to which he had become so used. The attendant held the stirrup for Hussein, but at this point, from behind the poplars, Ali-Akbyr emerged and with a long, seasoned stick struck the back of Hussein's neck. So that there might be no blood the end of Ali-Akbyr's stick was wrapped in rags. The attendant, howling, ran into the mosque; one of the peasants went off to persuade him, and when this peasant came back Ali-Akbyr was already taking off Hussein's face the robe wherewith he had gagged the saint's mouth, until the old heart had stopped.

And lo, Hussein returned to his couch, dead. They laid him out in his best garments and called together keeners who most excelled in their profession. Toward evening folks began gathering from the neighboring hamlets for the funeral of the sainted Hussein, and many envied the *kishlak* of Shehr-i-Sebeh, which had acquired a holy grave, and the folks from the *kishlak* of Uchim were the only ones dubious of the saintliness of Hussein, but then nobody believed them. After that they earthed Hussein in the same graveyard where Ali-Akbyr had some time before buried his wife Djallanum.

The caravan, returning from the desert, halted by the graveyard, and the leader of the caravan, the gray-bearded Turkoman, got down off his burro and sent up a prayer.

The price of grapes rose unexpectedly in town; there

was need of many highwheeled carts; the snow upon the hills of Zarashan began to melt, and the water in the *arrik* of Kochik rose to the height necessary to ensure happiness.

Fertility and quietude descended upon the oasis of Shehr-i-Sebeh.

And, in due time, happiness visited Ali-Akbyr as well: he, having sold his grapes at a great profit, led into his house his new wife, Ydris, who in beauty and in the fullness of her breasts surpassed even the incomparable Djallanum. There was a feast in the compound of Ali-Akbyr; and, to feast the guests, four rams and a colt had their throats slit. A wandering singer sang songs of the happiness and loves of mighty knights, and Ali-Akbyr said in a whisper to his youthful wife:

"I shall adorn thy bosom with coins and happiness, even as the great and kindly knight in the song."

And a quiver ran through the bosom of Ydris, and her heart began to ache with untasted passions.

The next day, to ensure happiness and fertility, Ali-Akbyr led his wife to the grave of the sainted Hussein. There was a squat monument of clay upon that grave, with an unpretentious inscription calling upon men to think of quietude and resignation. Cloth torn into ribbons—offerings, these—were lying in the dust nearby. Ydris, having covered a corner of the clay marker with the silken *yashmak* that veiled like a thin cloud the moon of her face, was humbly praying for happiness and long life, while Ali-Akbyr stood by her side, tall, proud, and handsome, and his red-tinted nails rested upon his ruddy beard.

Again the caravan was going past the graveyard out into the desert. The camels left the tracks of their pads, but the sand immediately sucked down these tracks. The breath of the desert was rising over the distant knolls. And thereupon Ali-Akbyr knelt beside his wife Ydris, and with all the beautiful words that were at the disposal of his soul, thanked Allah and all His saints for that grace which had descended upon his house.

Then he arose, went into his house, and for three days and three nights reposed upon rugs, taking delight in his wife and his vigor. Having received from his wife rapture and tears of joy, he arose, performed ablution, combed his beard, and went forth into the sun, that he might carry out his usual labors.

ILYA GREGORIEVICH EHRENBURG

(1891–)

EDITOR'S NOTE

EHRENBURG is, in this writer's unqualified opinion, the greatest living Soviet author. He is a most discerning critic, a master of paradox to whom no Shaw could hold a candle, a superjournalist, a satirist whose arsenal contains both the stiletto of irony and vialed sardonicism, triply distilled; he is a many-faceted writer, fantastic, vivid, unclassifiable.

Although his beginnings as a poet won him the labels of aesthete and mystic, he is anything but an ivory tower dweller. He was arrested (at fourteen) during the Revolution of 1905; in 1909 he emigrated to Paris, but in 1917 he came back to Russia in the throes of her Revolution. During the Second World War he was an outstanding correspondent in the front lines.

Publication of his *The Extraordinary Adventures of Julio Jurenito* (Moscow and Berlin, 1922; New York,

1929) created a sensation and made him an international figure. His *10 Horse Power: Chronicles of Our Time* (not available in English) is a savage and factual study of world monopolies in automobiles, motion pictures, matches, railways, grain, and so forth.

13 Pipes is characteristically Ehrenburgian: a devil's dozen of stories, each one revolving about a cherished pipe. The dedication is set in a mourning border, and concludes with a funereal cross: *A la memoria / del / Gran Maestro / Julio Jurenito / quien el 26 de Marzo / de mil novecientos trece me regalo / su / pipa / como garantia de la vericidad / de la existencia terrestre / dedico yo esas historias / de las trece pipas* (To the memory of the great Master Julio Jurenito, who on the twenty-sixth of March, 1913, presented me with his pipe as an assurance of the truth of earthly existence, I dedicate these stories of the *13 Pipes*).

Pipe II

ILYA GREGORIEVICH EHRENBURG

FOREWORD

ALTHOUGH the author of this book approves in every possible way of the *thingability* of art, and has even written a small work of 160 printed pages concerning the same, he himself in all his life never had any love for things, contenting himself wholly with the consciousness of the existence of things. Pipes constitute the sole exception, and then only because a pipe is not simply a thing, but a thing highly spiritualized. Tooth-marked, thoroughly broken in, it represents in itself the life of man, a chronicle of his variously visaged passions, inasmuch as in briar, in clay or in stone there lurks the trace of human breath.

Dykh. Dukh. Dusha. Breath. Spirit. Soul.

(Cordiality)

Thus this book manifests itself as a spiritual, and even a cordial, book. It is not a paean of profound wonder before its profound construction, but a history of a life of thirty-one years (thirteen of prime importance, eighteen supplementary, without taking into account minor personae). It is to be hoped that stern idealists will, on that account, forgive the versatile author the above-mentioned work on *thingability*.

Outside of affording satisfaction to the spiritual demands of exalted natures, the present book, according to the modest design of its author, must stand to the reader in lieu of:

1: The rudiments of Ethnography (how men live in this wide world)

2: A hand-book on the breaking-in of pipes of various makes

3. A motion-picture show (Emotional Drama, Knockout Comedy, Travelogue, and so forth)

If the reader, after reading the book through, should light his pipe and give himself up to meditations of how lofty and arduous love is, how swiftly the years pass by, how the smoke of hopes dissolves into thin air and how the ashes of recollections grow cold—if he, drawing evenly at his pipe, will yield to his soul at every draw, the assiduous labor of the author's June leisure will have been justified.

VII / 3 / 22

There are many splendidly beautiful cities; more splendidly beautiful than all others is Paris; insouciant women laugh therein, under its clipped chestnut trees dandies sip ruby-tinted liqueurs, and thousands of lights swarm upon the flagstones of its squares.

Louis Roux, the stonemason, was born in Paris. He remembered the July days of '48. He was seven then, and he wanted to eat. Like a young raven he opened his mouth without a sound and waited—and waited in vain, inasmuch as his father, Jean Roux, had no bread. He had nothing but a gun, and you can't eat a gun. Louis remembered a morning in summer, when his father had been cleaning his gun, while his mother wept, wiping her nose with her apron. Louis ran out at his father's heels: he thought that his father would shoot the baker with the gun he had cleaned, and take for himself the baker's biggest loaf, a loaf bigger than Louis—about the size of a house. But his father met other downcast men, who also had guns. They began to sing together and to shout "Bread!"

Louis expected, swooningly, that in answer to such marvelous songs brioches, croissants and wafers would come showering down from windows. But instead of that a great din broke out, and there was a shower of small bullets. One of the men who had been shouting "Bread!" now shouted "I'm hurt!" and fell. Thereupon Louis' father and the others began doing incomprehensible things: they overturned a couple of benches, dragged a small keg out of a courtyard near by, and a broken table, and even a small hen-coop. All these things they piled up in the middle of the street, and then laid down on the ground themselves. Louis understood that these despondent men were playing hide-and-seek. Then they fired their guns and were fired at in their turn. And then other men came. They, too, had guns, but they were gay and smiling; great red cockades flashed on their caps, and everybody called them the

Guards. These men seized his father and led him off along the Boulevard de St-Martin. Louis had an idea that the gay Guards would feed his father and he followed them, even though it was late. Women were laughing on this boulevard, under its clipped chestnut trees dandies were sipping ruby-tinted liqueurs, and thousands of lights were swarming upon the flagstones of its mirrorous trottoir. Near the St-Martin Gate one of the insouciant women, sitting in a café, called out to the Guards:

"Why do you take him so far? He can have his portion right here."

Louis ran up to the laughing woman and without a sound, like a young raven, opened his mouth. One of the Guards took his gun and fired anew. Louis' father let out a cry and fell; as for the woman, she was laughing. Louis ran up to his father, sank his nails into his legs, which were still jerking a little, as if his father wanted to walk while lying down, and set up a dreadful howl.

Thereupon the woman said:

"Shoot the puppy as well!"

But a dandy who was sipping a ruby-tinted liqueur at the next table raised an objection:

"Yes, but who will be left to work then?"

And Louis survived. After that awesome July came a tranquil August; no one sang and no one shot off guns any more. Louis grew up and justified the confidence of the goodnatured dandy. Jean Roux, the father, had been a stonemason, and it was a stonemason that Louis Roux became. In roomy corduroy trousers and blue canvas smock he built houses; he built them in summer and he built them in winter. Splendidly beautiful Paris wanted to become still more splendidly beautiful, and wherever new thoroughfares were being constructed

Louis would be there: the plaza of l'Etoile, the seven-rayed Star, the broad boulevards of Haussmann and Malesherbes, bordered with clipped chestnut trees, and the gala prospect of l'Opéra, with structures still sheathed in scaffoldings, yet into which the impatient traders were already carting their wondrous wares: furs, laces and precious stones. He built theaters and shops, cafés and banks; he built splendidly beautiful houses, so that insouciant women might smile as insouciantly as ever, even though the wind might be blowing from the La Manche and, in the mansards of the workers, the body became bone-stiff from the November fogs; he built bars, so that the dandies might not cease from sipping their ruby-tinted liqueurs on dark, starless nights. Lifting up heavy blocks of stone, he built the lightest of slate coverings for a city that was the most splendidly beautiful of all cities—Paris.

Among the thousands of smock-wearers there was one by the name of Louis Roux, in corduroy trousers powdered with lime, in a flat, broad-brimmed hat, with a clay pipe clenched between his teeth and, like thousands of others, he was honestly toiling over the splendor of the Second Empire.

He built wonderful houses, but his days he spent in standing on scaffoldings and his nights in lying in a malodorous cubbyhole in a tenement on the Street of the Black Widow, in the suburb of St-Antoine. The cubbyhole reeked of lime, human sweat, cheap black caporal; the tenement reeked of cat ordure and unwashed linen, while the Street of the Black Widow, even as all the streets in the suburb of St-Antoine reeked of tallow in braziers upon which hucksters were frying potatoes, of the fresh bloody smell of butcher-shops with lilac-hued horse-carcasses hanging in them, of herring, the refuse in the garbage-pits, and the smoke of wretched little stoves. But then, it is not for the Street of the Black Widow but for its broad boulevards, fragrant with lilies-of-the-valley, mandarin oranges, and the perfumery treasures of Rue de la Paix, for those boulevards and the seven-rayed l'Etoile, where the smock-wearers swayed on scaffoldings during the day, that Paris has been styled the most splendidly beautiful of all cities.

Louis Roux built cafés and bars; he lugged the stones for the Regency Café, beloved of chess players, for the Café Anglais, where foreign celebrities and the snobs who owned trotting racers used to congregate, for the Madrid Tavern, which collected within its walls the cabotins of more than a score different theaters, and for many other meritorious structures. But never had Louis, since the day of his father's death, come near any cafés once they were built, and not once had he tried any ruby-tinted liqueurs. Whenever he received a few small white coins from the contractor, it was the old pothouse keeper on the Street of the Black Widow who took these coins; in their stead he would give Louis several big black coins and pour a turbid liquid into his glass. Louis would drain the absinthe off at one breath and go off to his cubbyhole to sleep.

When there were neither white coins nor black, however, nor absinthe, nor bread, nor work, Louis, having scraped up a pinch of the tobacco that had spilt in his pocket, or having found a partly smoked cigarette in the street, would stuff his clay pipe and, puffing it, would glumly tramp the streets of the suburb of St Antoine. He did not sing any songs, nor did he shout "Bread!" as his father, Jean Roux, had once done, inasmuch as he had neither a gun to fire nor a son who opened his mouth wide to be fed, like a young raven.

Louis Roux had done his utmost so that the women

of Paris might laugh insouciantly, but whenever he caught their laughter he stepped aside in fright: that was the way a woman had once laughed on the Boulevard of St-Martin, when Jean Roux was lying on the pavement, still trying, although he was flat on his back, to walk. On the whole, Louis Roux had not seen any young woman close at hand until he was five and twenty. But when he had passed five and twenty and had moved from one mansard on the Street of the Black Widow to another, that befell him which sooner or later befalls all men. There was a young charwoman by the name of Juliette living in the mansard next to his. Louis met Juliette one evening on the narrow, winding staircase, dropped in on her to borrow matches, since his flint had worn out and no longer gave fire and, having dropped in, came out only toward morning. The next day Juliette transferred her two shifts, her one cup, and one brush, to Louis' mansard and became his wife, while a year later a new guest appeared in the cramped mansard, who was registered in the *mairie* as Polhème-Marie Roux.

Thus had Louis come to know woman but, in contradistinction to many others, of whom splendidly beautiful Paris is justly proud, Juliette never smiled insouciantly, even though Louis Roux loved her greatly, as only a stonemason who lifts heavy stones and builds splendidly beautiful structures can love. Probably she never laughed, inasmuch as she lived on the Street of the Black Widow, where the only one who had ever laughed insouciantly had been Marie, an old laundress, when she was being carted off to a hospital for the insane. Probably Juliette did not laugh also because she had but two shifts and Louis, who often had no coin, either white or black, glumly tramping the streets of the suburb of St-Antoine with his pipe, was unable to give her even a single yellow coin for a new dress.

In the spring of 1869, when Louis was twenty-eight, and his son Paul two, Juliette took her two shifts, her cup, and brush, and moved into the rooms of a butcher dealing in horse-meat on the Street of the Black Widow. She left Paul to her husband, since the butcher was a nervous man and, while he loved young women very much, had no love at all for children. Louis took his son, rocked him a little to keep him from crying, and went off to tramp the streets of the suburb of St-Antoine. He loved Juliette greatly, but understood that she had acted rightly: the butcher had a lot of yellow coins, he could even move to another street, and with him Juliette would begin to live insouciantly. He recalled that his father, Jean, when he had been leaving that July morning with his gun, had said to his weeping wife, and Louis' mother:

"It is my duty to go, and it is yours to keep me back. A cock seeks a high perch, a ship the open sea, a woman a tranquil life."

Having recalled his father's words, it occurred to Louis once more that he had been right in trying to keep Juliette back, but Juliette had been right, too, in leaving him for the rich butcher.

After that Louis built houses anew and acted as nurse to his son. But soon war came, and the evil Prussians laid siege to Paris. No one wanted to build any houses any more, and the scaffoldings of unfinished buildings stood deserted. The projectiles from Prussian cannon ruined, as they fell, many buildings of splendidly beautiful Paris, over which Louis Roux and other stonemasons had toiled. Louis had no work, yet the three-year-old Paul could already open his mouth without a sound, like a young raven. Then Louis was given a gun. Having taken it, he did not start singing and shouting "Bread!" but, like many thousands of stonemasons, carpenters, and blacksmiths, went to the defense of Paris, the most splendidly beautiful of all cities, against the evil Prussians. Mme. Moneau, a kindly woman who kept a vegetable store, gave shelter to little Paul. Louis Roux, together with the other smock-wearers, barefooted in the winter cold, was rolling projectiles up to a cannon at the Fort of St-Vincennes, and the cannon fired them at the evil Prussians. For long days at a stretch he had nothing to eat, inasmuch as hunger was king in Paris. His feet became frostbitten, inasmuch as during the siege unprecedented frosts prevailed in Paris. The Prussian projectiles fell upon the Fort of St-Vincennes, and the number of smock-wearers was ever decreasing, but Louis did not abandon his place at the small cannon, inasmuch as he was defending Paris. And the most splendidly beautiful of all cities merited such defense. Despite famine and frost the lights swarmed upon the Boulevards des Italiens and des Capucines, there was enough of ruby-tinted liqueurs for the dandies, and an insouciant smile never left the faces of the women.

Louis Roux knew that there was no longer any Emperor, and that now the République was dominant in Paris. As he rolled the projectiles to his cannon, he could not ponder over what this "République" was, but the smock-wearers who came to the Fort of St-Vincennes from the heart of Paris said that the cafés of Paris were just as full as ever of dandies and insouciant women. Louis Roux, as he listened to their angry muttering, conjectured that nothing had changed in Paris, that the "République" was not to be found on the Street of the Black Widow but on the broad perspectives of the seven-rayed Star, and that when the stonemasons would succeed in driving off the evil Prussians little Paul would be opening his mouth wide for bread once more. Louis Roux was aware of this, but he did not abandon his post at the cannon, and the Prussians could not set foot in the city of Paris.

But one morning they ordered him to abandon the cannon and to go back to the Street of the Black Widow. The people who were called the République and who, most probably, were the dandies and the insouciant women, had let the evil Prussians into splendidly beautiful Paris. His pipe clenched between his teeth, glum Louis Roux tramped the streets of the suburb of St-Antoine.

The Prussians came and departed, but nobody built any houses. Paul kept opening his mouth wide like a young raven, and Louis Roux took to cleaning his gun. Then an awesome decree was posted on the walls, ordering all smock-wearers to give up their guns, inasmuch as the dandies and the insouciant women who were called the République remembered the July Days of the year '48.

Louis Roux did not want to give up his gun, and all the smock-wearers of the suburb of St-Antoine and many other suburbs felt much the same as he did. They went out into the streets with their guns and shot them off. This was on a warm evening, when spring was barely beginning in Paris.

On the following day Louis Roux saw a long procession of dandified carriages, comfortable coaches, baggage wagons, and carts winding through the streets. All sorts of goodly property lay in the carts, while lolling in the carriages were the people whom Louis Roux had become accustomed to see on the grand boulevards or in the Bois de Boulogne. Here were diminutive generals in raspberry-hued képis, their mustachios awesomely drooping, young women in crinolines hemmed with laces, puffy abbés in violet soutanes, ancient dandies refulgent in raven-black, sand-colored and rust-hued opera hats, young officers who had never been either at the fort of St-Vincennes or any other, pompous and bald-pated flunkies, lap-dogs with small bows affixed to their smoothly groomed, silky coats, and even raucous parrots. All of these were hastening to the Versailles Gates. And when Louis Roux went that evening to the Place de l'Opéra he saw the depopulated cafés, where there were no more dandies sipping ruby-tinted liqueurs, and boarded-up shops near which there were no more women laughing insouciantly. The people from the districts of the Champs d'Elysées, Auteuil, and St-Germaine, thoroughly peeved at the smock-wearers who would not give up their guns, had abandoned splendidly beautiful Paris, and even the slate mirrors of its trottoirs, no longer reflecting the extinguished lights, were a melancholy black.

Louis Roux saw that the République had gone off in the coaches and baggage wagons. He asked other smock-wearers what had been left in its place; they answered him: "The Paris Commune," and Louis grasped that the Paris Commune lived somewhere not far from the Street of the Black Widow.

But the dandies and women who had abandoned Paris did not want to forget the most splendidly beautiful of all cities. They did not want to give it up to stonemasons, carpenters, and blacksmiths. And anew cannon-shot fell, demolishing the houses; these shots were no longer being despatched by evil Prussians but by the worthy habitués of the cafés—of the Café l'Anglais and the others. And Louis grasped that it behooved him to return to his old place at the Fort of St-Vincennes. But the proprietress of the vegetable store, Mme. Moneau, was not only a good woman but a good Catholic as well. She refused to keep under her roof the son of one of the godless who had killed the Bishop of Paris. Thereupon Louis put his pipe between his teeth and his son up on his shoulders and went off to the Fort of St-Vincennes. He kept rolling the projectiles up to the cannon, and Paul, alongside of him, played with empty cartridges. At night the boy slept in the house of the watchman at the water-station in the Fort of St-Vincennes. The watchman presented Paul with a brand-new pipe, every bit like the pipe Louis Roux smoked, and a small piece of soap. Now Paul, whenever he became bored with listening to the shots and watching the cannon spitting out projectiles, could also blow soap-bubbles. The bubbles were of various colors: pale-blue, rose-colored, and lilac. They resembled the little balloons which were bought for the well-dressed little boys who played in the Jardin des Tuilleries by dandies and insouciant women. True, the soap-bubbles of the smock-wearer's son had but an instant's life, whereas the little balloons of the children from the Champs d'Elysées lived through all of a day, yet both the balloons and the soap-bubbles were splendidly beautiful—and both the balloons and the soap-bubbles died quickly. As he blew soap-bubbles out of the clay pipe Paul would forget to open his mouth wide in expectation of a piece of bread. Whenever he approached the men whom all called Communards and of whom Louis Roux was one, he would gravely clench the empty pipe in his teeth, emulating his father. And the men, forgetting the cannon for a moment, would say kindlily to Paul:

"You're a real Communard."

The smock-wearers, however, had but few cannon, and the smock-wearers themselves were but few in number. But as for the people who had abandoned

Paris and who were now living in Versailles, the erstwhile residence of kings, they were with every day bringing up ever-new soldiers—the sons of the peasants of France, tight-fisted and slow-witted—and ever-new cannon, presented to them by the evil Prussians. They were coming closer and closer to the ramparts surrounding the city of Paris. By now many forts were in their hands, and no one came any longer to replace the fallen cannoneers who, together with Louis Roux, had been defending the Fort of St-Vincennes. The stonemason now had to roll up the projectiles himself, load the cannon himself, fire it himself, and was now helped only by the two smock-wearers who had survived.

Gaiety reigned in the future residence of the kings of France. Hastily opened cafés of clapboard could not contain all those who wanted ruby-tinted liqueurs. Abbés in violet soutanes were celebrating solemn masses. Stroking their awesomely drooping mustachios the generals were gaily chatting with the influx of Prussian officers. And the bald-pated flunkies were now fussing with the portmanteaux of their masters, in preparation for the return to the most splendidly beautiful of all cities. The magnificent park, built upon the bones of twenty thousand workers who had been digging the earth, chopping clearings, draining swamps day and night so as not to be late on the day set for its completion by the King of the Sun, was now being decorated with flags in honor of the victory. In the daytime the bronze trumpeters puffed out their cheeks, the stone tritons of the nine great fountains and the forty lesser ones shed crocodile tears, while at night, when in a Paris drained of its blood the dimmed lights no longer swarmed upon the flagstones of its squares, exultingly triumphant initials, formed of tallow fire-pots, blazed insolently amid the verdure.

François d'Emognan, captain in the National Army of France, had brought his bride, Gabrielle de Bonnivet, a bouquet of tender lilies as witness to the nobility and innocency of his sentiments. The lilies were put in a golden porte-bouquet, ornamented with sapphires, and bought at Versailles from a jeweler of the Rue de la Paix who had managed to carry off his treasures during the first day of the insurrection. The bouquet had also been offered up to mark the victory: François d'Emognan had come for a day from the front at Paris. He informed Gabrielle that the insurgents had been smashed. On the morrow his soldiers would take the Fort of St-Vincennes and set foot in Paris.

"When will the season at the Opéra start?" asked Gabrielle.

After this they gave themselves up to billing and cooing, quite natural between a fiancé-hero who had arrived from the front and his bride, who was embroidering a tobacco-pouch for him. And, during a moment of especial tendresse, clasping the apricot-hued bodice of Gabrielle with the arm of a participant in an arduous campaign, François said:

"My dear, you don't know how cruel these Communards are. I myself saw, through my binoculars, a little boy firing the cannon in the Fort of St-Vincennes. And, just imagine!—this tiny Nero was already smoking a pipe!"

"But then, you will kill off all of them, together with the children," chirrupped Gabrielle, and her breast began to heave faster under the hand of a participant in the campaign.

François d'Emognan knew what he was talking about. On the next morning the soldiers of his regiment received the command to take the Fort of St-Vincennes. Louis Roux, together with the two surviving smock-wearers, fired at the soldiers. Thereupon François d'Emognan ordered a flag of truce to be put out, and Louis Roux, who had heard that a white flag signified peace, ceased fire. It had occurred to him that the soldiers had felt pity for the most splendid of cities and wanted, at last, to make peace with the Paris Commune. The three smock-wearers, smiling and puffing their pipes, awaited the soldiers, while little Paul, who had no soap left, was nevertheless holding his pipe in his mouth and was likewise smiling. And when the soldiers had come right up to the Fort of St-Vincennes, François d'Emognan ordered three of them, the three best marksmen of mountainous Savoy, to kill the three rebels. The little Communard he wanted to take alive, in order to exhibit him to his bride.

The Savoy mountaineers knew how to shoot and, entering the Fort of St-Vincennes at last, the soldiers beheld three men with pipes, sprawled out near the cannon. The soldiers had seen many slain men and were not surprised. But, on seeing a little boy with a pipe astride a cannon they were taken aback and some of them invoked Jesus Christ, while others invoked a thousand devils.

"Where did you bob up from, you vile little bedbug?" asked one of the Savoyards.

"I am a real Communard," Paul answered with a smile.

The soldiers were about to finish him off by running their bayonets through him, but their corporal said that Captain François d'Emognan had given orders to have the little Communard delivered at one of the eleven points where all those taken prisoner were being herded together.

"How many on our side he has killed, this little angel!" grumbled the soldiers, urging Paul on with the butts of their guns. As for little Paul, who had never killed anybody but had merely blown soap-bubbles out of his pipe, he could not understand why these men were scolding and abusing him.

The soldiers of the National Army of France led off the captured insurgent, Paul Roux, who was all of four, into vanquished Paris. The smock-wearers, perishing, were still firing back in the suburbs to the north, while in the streets of the Champs d'Elysées, around the Place de l'Opéra, and in the new quarters of the seven-rayed Star people were already having a gay time. It was the best month—May; the clipped chestnut trees of the broad boulevards were in blossom, while underneath them, around the little round tables of the cafés, dandies were sipping ruby-tinted liqueurs and women were laughing insouciantly. As the microscopic Communard was being led past them, they called out for him to be given up to them. But the corporal remembered the orders of his captain and safeguarded Paul. However, the soldiers did give up other prisoners—women as well as men. The spectators spat on them, beat them with their dainty canes, and as for those who were on their last legs, they finished them by running bayonets through them, borrowed for that purpose from one or another of the soldiers filing past.

Paul Roux was brought into the Jardin de Luxembourg. There, before the Palace, a large area had been fenced off, into which the captured insurgents were driven. Paul walked among them solemnly with his pipe and, wishing to console some of the women who were bitterly weeping, was saying to them:

"I know how to blow soap-bubbles. My father, Louis Roux, used to smoke a pipe and fire a cannon. I am a real Communard."

But the women, who were leaving their children behind, somewhere in the suburb of St-Antoine—even, perhaps, children who liked to blow soap-bubbles—wept still more bitterly as they listened to Paul.

So Paul sat down on the grass and began thinking of soap-bubbles: how beautiful they were, pale-blue, rose-colored, and lilac. But since he could not be thoughtful for long, and since the way from the Fort of St-Vincennes to the Garden of the Luxembourg had been a long and hard way, Paul soon fell asleep, without letting the pipe out of his hands.

While he was sleeping two trotters were drawing a light landeau over the Versailles highway. It held François d'Emognan, who was bringing his bride, Gabrielle de Bonnivet, into splendidly beautiful Paris. And never had Gabrielle de Bonnivet been as splendidly beautiful as on that day. The fine oval of her face reminded one of the portraits of the old Florentine masters. Her dress was of a lemon color, trimmed with lace woven at the Melcherin convent. A diminutive parasol safeguarded her lusterless skin, the tint of apple-blossom petals, from the direct rays of the May sun. Truly, she was the most splendidly beautiful woman of Paris and, aware of this, she was smiling insouciantly.

As soon as they entered the city François d'Emognan called over to him a chance-met soldier of his regiment and asked him where the prisoner from the Fort of St-Vincennes was to be found. And when the enamored couple came into the Garden of the Luxembourg and saw the old chestnut trees in bloom, the ivy over the Medici Fountain, and the blackbirds hopping over the garden walks, the heart of Gabrielle de Bonnivet overflowed with tenderness and, pressing the arm of her fiancé, she whispered:

"My dear one, how splendidly beautiful it is to be alive!"

The prisoners, from among whom some were led off to the firing squad every hour, met the gold-braid of the captain with horror; each one thought that his turn to die had come. But François d'Emognan paid no attention to them; he was seeking the little Communard. Finding him asleep he awoke him with a light kick. The boy on awaking at first broke into tears, but then, catching sight of Gabrielle's gay face, so unlike the faces of the other women around him, he put his pipe in his mouth and said:

"I am a real Communard!"

"Really, he is so little!" uttered the pleased Gabrielle. "I think they are born murderers, and it is necessary to exterminate all of them now, even those just born."

"Now that you have had a look at him we can finish him off," said François, and called a soldier over.

But Gabrielle requested him to wait a little. She wanted to prolong the delectable sensation of this light and insouciant day. She had recalled that once, strolling at a fair in the Bois de Boulogne, she had seen a booth with suspended clay pipes: some of these were rapidly turning. Young people fired guns at these clay pipes. Although Gabrielle de Bonnivet came from a good, aristocratic family she was fond of the diversions of the common people, and for that reason, having recalled this amusement at the fair, she begged her fiancé:

"I want to learn to shoot. The wife of a fighting captain in the National Army must know how to handle a gun. Let me try to hit the clay pipe of this little hangman."

François d'Emognan never denied his bride anything. He had recently presented her with a necklace of pearls worth thirty thousand francs. Could he, then, refuse her this innocent rustic diversion? He took a gun from a soldier and handed it to her.

On seeing the girl with a gun the prisoners scattered and herded at the other end of the corral. Paul alone stood calmly with his pipe and smiled. Gabrielle wanted to hit the pipe in motion and so, taking aim, she said to the boy:

"Run, now! I'm going to shoot!"

But Paul had often seen men firing guns, and therefore kept right on standing calmly on the spot. Thereupon Gabrielle, growing impatient, fired—and, since she was using a gun for the first time, her miss was quite pardonable.

"My dear one," said François d'Emognan, "you are far better at transfixing hearts with arrows of love than clay pipes with bullets. See, you have killed this little vermin, but his pipe has remained undamaged."

Gabrielle de Bonnivet made no answer. As she looked at the small red blotch her breath quickened and, snuggling closer to François, she suggested that they go back home, feeling that now she could not do without the sultry caresses of her fiancé.

Paul Roux, who had lived four years on this earth, and who above all things in this world loved to blow soap-bubbles out of his clay pipe, was lying motionless.

Recently, in Brussels, I ran across Pierre Lautrec, an old Communard. I became friendly with him, and the lonely old man presented me with his sole possession: a clay pipe out of which, fifty years ago, little Paul Roux used to blow soap-bubbles. Pierre Lautrec, on that day when the four-year-old insurgent had been murdered by Gabrielle de Bonnivet, had been in the corral at the Garden of the Luxembourg. The people of Versailles had shot almost all of those who had been in it. Pierre Lautrec had survived because certain of the dandies had had sense enough to see that, after all, somebody has to work, and that splendidly beautiful Paris, which would want to become still more splendidly beautiful, would have need of stonemasons, carpenters, and blacksmiths. Pierre Lautrec was banished for five years; he escaped from Cayenne to Belgium, and through all his tribulations had carried this pipe, picked up near the little corpse of Paul Roux. He gave it to me, and told me all that I have written down here.

I often touch it with lips parched by rancor. Within it is the trace of the breath of one tender and innocent; also, it may be, a trace of the soap-bubbles that have burst long ago. But this toy of little Paul Roux, murdered by Gabrielle de Bonnivet, the most splendidly beautiful of the women in the most splendidly beautiful of cities, Paris, speaks to me of a great Hatred. As I put my lips to it, I pray for but one thing: on beholding a white flag not to lower one's gun, as poor Louis Roux had done, and for the sake of all the joy of life not to betray any Fort of St-Vincennes which is still the stronghold of three mad smock-wearers and an infant blowing soap-bubbles.

VALENTIN PETROVICH KATAEV

(1897–)

EDITOR'S NOTE

A NATIVE of Odessa; the son of a teacher. In 1915, while still a student, Kataev volunteered; besides having been wounded twice, he suffered contusions and was gassed; between 1918 and 1920 he went through many adventures in the Ukraine. He began publishing before the Revolution, and worked on *Pravda* at the same time that Ilf and Petrov (the latter is his brother) were on the staff. Kataev called himself Alexander Dumas, *père,* and styled Ilf and Petrov his "plantation slaves," but the famous team acknowledged Kataev as the spiritual godfather of *The Twelve Chairs.* He also collaborated with them on several film scenarios.

His best-known novel is *The Embezzlers* (available in English); he has done many short stories, a number of them leaning toward grotesquerie and whimsicality; and most of his plays have enjoyed great success. His *Squaring the Circle* was (at least in its American production) turned into anti-Soviet propaganda; it would be highly curious to see just how funny its housing-shortage situations would be at present.

Life, to Kataev, is of direct and amazing beauty and its own justification. He is primarily humorist and satirist; some of his later works, however, show a serious trend: no unusual phenomenon among Russian writers who begin with humor.

Rodion Zhukov

VALENTIN PETROVICH KATAEV

THE small civilian cap is bound not to fit the capacious head with its crew-haircut, and the brim is bound to ride down off the forehead, somewhere as near as possible to the ear; the trousers, even though they be rolled up like a fisherman's, above the knees, buckle because of their good navy broadcloth, and the tapes of the drawers dangle about the calves, which are as rounded and hard as cobblestones; the calico shirt with its small buttons of cornflower-blue glass, the tails neatly tucked into the trousers, clings to the broad chest and blows up into a huge blister on the back. . . .

In a word, no matter what hand-me-downs a sailor of the Black Sea Squadron may throw over himself, no matter how he may pretend to be a civilian, no matter in what direction he may shift his hazel-hued eyes with their lashes singed by the stokehole—nothing will avail him. Every man-jack he comes across will perceive, in spite of everything, that he is no hired hand from any German colonist's farm; no fishing man gallivanting, because of a holiday, away from his lean-to of reeds in his native Cossack village and running after the wenches in the melon-patches; no vagabonding gypsy, so ready to help himself to the horses and cantaloupes that belong to others.

And the pockmarked constable, bouncing upon the leather cushions of a German brizka on springs, amid clouds of dust as white as flour, is bound, upon catching up with a fellow like that at a byroad, to thrust out from under a canvas hood his frightfully foolish face with its maize-colored mustachios, to adjust his saber under his duster, and, sneezing against the sun, reflect uneasily:

"Eh, but that fellow isn't at all to my liking! Oughtn't I to take this bosom pal of mine along, and turn back to the station-house?"

But the horses, their sweat-glistening tails beating off gadflies, are going at a lively out-in-the-fields trot—they've just rightly gotten into their stride! The quail scamper over the stubble; the air is lazily trickling over the horizon, and in its hot current float the grass-stalks, swaying like glassy whitecaps, the graves that have been islanded in the mowing, the ricks, and the wormwood growing along the boundaries of the fields. And over there, ahead, you look and catch sight, above the greenery, of the collodion-exuding tiled roofs of German farms, the masts of a cordon of ships, a harbor perched on the very edge of a precipice, and the gladsome sea, vivid as bluing. What's the sense, then, of stopping and turning back when you're halfway to your destination? This is the very time to take a dip, and you have an invitation for today from a landed proprietor to help him celebrate a holiday! It would be a pity not to attend.

Besides, the suspicious-looking fellow has been left far behind. Like as not, he isn't on the road at all by now. Like as not, he has turned off in among the corn, to do his business; has squatted over the earth, gray, split from its tautness, among the thick, jointed stalks, and is staring with craned neck at the nubbins, closely wrapped in tough, pointed husks; however, it's not silk, like the ruddy hair of young men, which escapes therefrom; instead, metallically green flies hover over them in ringing swarms. There, go and look for him! "Eh, to hell with him!" thinks the constable, hiding his face deeper in the hood. "There's not a few of them hanging about here, seeing how close it is to the frontier—all these navy-men, runaways of this kind and that. . . . Guess God will be kind to them. Let him roam around, until they hang him."

And the white dust wheels, rolls down the byroad; a faint breeze bears it off together with the ding-a-ling'ing of the little bells, off to one side, as if the dust were fine muslin and, as if sieved through silk, it settles through the air in the finest of powders on the wrinkles of the naval trousers (they turn velvety from the dust), upon the barley-colored eyebrows, and the up-curling lashes scorched in a famous fire, of a man who has walked out of the standing corn, with his belt over his neck.

II

Rodion Zhukov was one of the seven hundred sailors from the armorclad *Potëmkin* who had disembarked on a Rumanian shore. There was nothing to mark him off from the sailors who had mutinied on that ship. From the first moment of the uprising, that very moment when the commander of the armorclad had, in terror and despair, cast himself on his knees before the crew, when the first volleys of gunfire resounded and the corpses of certain officers had gone flying over the side, when Matiushenko, squat and well-built, just as if he had been poured out of bronze, had with a crash torn down the door of the commander's cabin—from that very moment on Rodion Zhukov had lived, thought, and acted in the very same way as the majority of the remaining sailors: in a slight fog, in rapture, in fervor—until such time as it became necessary to give in.

Never until then had Rodion set foot on a foreign land. And a foreign land, like useless freedom, is wide and bitter.

Unwontedly beautiful and white did the town of Constanza appear to Rodion Zhukov. A host of all sorts of interesting people came out on the quay to greet the Russian seamen as if they were heroes. There were boatmen in striped jerseys under their coats, and military officers in red trousers with black stripes running down their seams, and customs officials in capes, fastened at the breast with clasps in the form of lions' heads, and the masters of Turkish brigantines in fezes, and gentlemen with binoculars, and ladies in tight fitting jackets with puffed sleeves, and a multitude of other city-folks. Fancy parasols and straw hats bobbed along against the green-blue of the deep, restless sea. Longboats leapt up on the steep waves, their creaking oarlocks rubbing against the rough stone of the quay, and with a splash wooshed down into the murky water redolent of catfish.

Police pushed back the crowd hemming in the sailors. The military officers ceaselessly kept putting their hands in lemon-colored gloves up to the brims of their képis, embroidered with gold branches, and apologizing to the ladies. The ladies were waving their postage-stamp handkerchiefs. The crowd was hurrahing.

Amid the sympathy, noise, and general curiosity, embarrassed and trying to get the kinks out of their broad shoulders weighed down with their sharp-cornered, tidy sea-chests, the sailors passed over the quay and set foot on the sidewalks of the city. And then, in a barracks-yard, a photographer with horribly black side-whiskers expanded the long accordion of his apparatus and, having thrust his pomaded head with its set curls under a dark cloth and looking like some Cyclopaean monster on five legs (two of them his own, three of wood), with rattling, glinting brass screws, started creeping up, creakingly, on the sailors. . . .

And twenty years and a bit over had passed since those days.

Where hadn't that lilac-tinged, glossy group photograph, pasted upon stout cardboard decorated all over with finicky seals and Medals from the Paris Exposition—where in the world hadn't it been! For a long time it was fading in the sun in the show-case of the Constanza photographer, under the canvas marquee festooned with pink; after that it was reproduced in a French illustrated periodical and reprinted in an American one; bought as a memento, it lay in more than one sea-chest under the clean sailor-blouse, the spare blouse-collars, and the razor in a cheap case, at the very bottom pasted over with wallpaper; and in the dismal chancellery of the Department of Secret Police at Odessa, on a table near a semicircular window; there an emaciated functionary with tobacco-ambered nails painstakingly stitched it with thread to a report, after which a Colonel in a short uniform jacket that diffused the odor of excellent broad-cloth and eau de cologne, letting his overcooked-fish eyes glide over it and using his pinky as a pointer, kept questioning a stool-pigeon: "Know this fellow? And this one, sitting without his cap—who may he be? Isn't it Zhukov?"

Yes, not a few things had happened—

But twenty years had passed—twenty such years that, if you like, they were as good as any hundred. The gilt Imperial Eagles had been knocked off their perches over the fronts of drug-stores; the people had burst through the arch of the Chief Staff Headquarters into the Winter Palace, had gone running through the highly polished chambers of the Czar, had ripped the Czar's portrait out of its frame, while the Czar himself the sailors had whisked off upon troikas, into Siberia, into the virgin wilderness, there where up to that time only the howling of wolves had been heard and the clink of the convicts' leg-irons. A blizzard had sprung up, the forest had risen as a wall, had sent up a howl, had begun to crackle, to fire, making its branches sound like gunfire—or it may have been something else—and that was the last anyone saw of the Czar!

And now this photograph, scuffed and yellowed with the years, hangs under glass in a place of honor on the wall of a museum, housed in what was once a nobleman's beautiful mansion in Moscow. Excursionists, flaming from the frost, walk up to it: young girls, and youths in patched, skimpy overcoats that had seen plenty of wear; they stand there for a minute or so, look it over with curiosity, and then hurry on through the exhibition rooms, all their youthful poverty reflected in the plate-glass of the showcases and the glistening parquets. Yes, truth to tell, there is little to interest one in this still of a group. Men, Russian sailors, ranged in four rows, standing, sitting, and half-lying on the ground, against the background of a white wall with three grated windows. Some of them are still in their battle dress; some have already changed to civilian clothes. Off to one side you can see Rumanian officers in tall képis and close-fitting white jackets with unfamiliar medals. However, no matter how hard you look for him, Rodion Zhukov is not in that group-photograph. That's all there is to it. It is a dead piece of cardboard, a calcined fossil of something that had at one time lived, a historical document. Youth is avid and in a rush. You've got to hand to youth, and be quick about it, proclamations, hand-grenades, underground presses. Youth likes action, something concrete. . . . So that it may touch it, handle it, become convinced. But a photograph, now—what does that amount to!

And yet twenty years ago, in the Rumanian town of Constanza, toward the end of June, after dinner, in the barracks-yard, there had been black-eyed Susans and Dutchman's-breeches growing. A summer breeze, strong and salty, like brine for dill-pickled cucumbers, had been blowing in gusts from the sea. The collars of the sailors' blouses and their cap-ribbons fluttered in the breeze, as if they were being rinsed. A filthy, supercilious goat was standing near the stable, up to his belly in the burdocks. With his tether of rough rope tautened and his camelish nostrils distended he was gazing fixedly at the crowd being photographed and the man photographing it. And, as the photographer was clicking with the wooden frame of the plate-holder and trying to get the focus, a young, old-looking Rumanian woman with her skirt tucked up passed through the yard with a waddle and threw slops out of a trough. The goat malevolently staggered to one side, gave a toss to his beard, and became petrified anew in amazement. The soapy water was blowing up into bubbles amid the earth-crushed blades of grass; it began to hiss with rainbow-hued soap-bubbles and immediately to dry, with a swishing sound. The photographer squatted a little and, lifting his left hand, quickly took the cover off the lens with his right. A throaty steamer whistle flowed out of the port. The sailors became unnaturally dead-still.

But at that very time Rodion Zhukov had been standing behind the stable and, his back propped up against its wall of rough gray stone, was gazing out to sea. The *Potëmkin* was riding at anchor altogether close to the quay. Amid the feluccas and freighters, surrounded by yawls, yachts, and cutters, alongside the gaunt Rumanian cruiser *Elizabeth,* it was uselessly huge, three-stacked, and gray. The white Flag of St Andrew, diagonally criss-crossed with blue and looking like an envelope, was still hanging high above the gun-turrets, the lifeboats, the yards. Deserted were the decks and bridges of the armorclad, save for the jutting rifle, stock up, of a Rumanian sentry here and there. But now the flag gave a shudder, sank a little, and in short leaps began its lowering. With both hands did Rodion take off his cap then, and bowed so low that the ends of his new *St George* ribbons fell in the dust, like orange-black Indian pinks growing in a field.

"What is it now, sailor—are you repenting?" a gay voice called out suddenly at Rodion's very shoulder.

Rodion lifted his head and saw a torpedoman he knew. The latter was standing with his stubby legs wide apart, his hot hands clutching the braided hem of his collar. His pockmarked, homely face with ursine eyes was all convulsed by a snub-nosed spasm. His Adam's apple was bobbing up and down with as much difficulty and as tightly as if he had just choked on an iron apple and, unable to swallow it, was strangling because of it.

"What is it, my countryman dear, are you saying farewell to your prison? Shedding bitter tears? Bowing to the precious flag of the Czar?"

"One feels sorry, after all, for a ship of the line, Stepan Andreich," Rodion Zhukov answered softly.

Whereupon the torpedoman smashed his cap with all his might against the ground and shouted:

"It was all for nothing, comrades, we went ashore—it was all for nothing we gave ourselves up!"

And, by now, several sailors had gathered about him.

"It's an out-and-out disgrace! Twelve-inch guns, ammunition past all counting, like muskmelons in a cellar, the gunners all first class. It was all in vain we didn't heed Koshuba! Koshuba was right when he told us: 'Take those mangy bastards of convoy officers and over the side with them; scuttle *St George the Conqueror;* go to Odessa and send a raiding party ashore!' We'd have raised up the whole garrison! The whole Black Sea! Eh, Koshuba, Koshuba—we ought to have heeded you. . . . But now look at the nonsense that's come of it all!"

And the sailors saw that which they had never seen up to then: the torpedoman was weeping.

"Farewell, Dorothei Koshuba, my shipmate," he got out, "farewell, *Count Potëmkin of Taurida,* a ship of the line; farewell, lost freedom—" here he bowed from the waist and, as if in answer to his bow, the colorful flag of Rumania unfurled over the ship.

Thereupon the torpedoman put on his crumpled,

dust-covered cap and the tears dried instantaneously upon his pockmarked cheeks. As though they had burst into a blaze. But his forehead paled.

"Well and good," he got out through clenched teeth. "Well and good! Well and good—Koshuba isn't the only one in this world. We won't let our chances slip. We'll raise up all of Russia. We'll burn all the landowners to ashes. Am I telling the truth or no, Zhukov?"

He burst into dreadful oaths in which Christ, God, and maternal obscenities were involved, turned his back on the others and strode off, at a rolling walk, his arms, in their broad sleeves tightly buttoned at the very fists, held akimbo.

For the last time Rodion Zhukov bowed to his ship and, together with the other sailors, sadly returned to the barracks-yard.

III

Only two ensigns, all the convoying officers, and also thirty of the crew sold out their shipmates: they stayed on at Constanza, awaiting the arrival of a Russian squadron, to place themselves at the mercy of the Admiral. There is no use wasting breath on them.

The remaining sailors divvied up among themselves, in brotherly fashion, the cash in the ship's money-chest —it came to twenty rubles for each; sold the *St George* ribbons from their caps to the Rumanian dandies for neckties, got their documents from the prefect, bought themselves civilian clothes in the marketplace, and parted forever, scattering the wide world over, each man wherever he listed. They found their way into lands such as they had never even heard tell of before: into Canada, into America, into Switzerland. As for those who stayed on in Rumania, they got themselves jobs in factories, in mines, or went to work in the fields.

Together with Taras Popienko and Vanya Kovalev, two of his countrymen who also hailed from Nerubaisk, Rodion Zhukov hired himself out as a farmhand to a Russian settler, an Old Sectarian, in a big and dreary well-to-do hamlet not far from the town of Tulcza. During their two years' service in the fleet the backs and arms of the sailors had become rather unused to field-work. However, the season was now at its feverish height, and the way things are you just don't get to eat the bread of others for nothing.

So the three men of Nerubaisk threw off their shoes, rolled up their sleeves above the elbow, spat on their palms and sailed into the work until all you could see was the gold-glinting chaff rising up in pillars of dust from the earth right up to the burned-out sky of the steppe. For all of a month they used to get up long before dawn and ride off into the fields. All day they carted the grain and threshed it, and returned to the farmstead only after the sun had set, when the cookstove was already flaming brightly behind the cellar, in the dusk, under an overhang, the dried cornstalks crackling in the flames, while the cook, amid clouds of fiery steam, from time to time stirred the mess with a stick, turning away from the bitter smoke and wiping her eyes with the hem of her skirt.

Right after supper the sailors would bed down for the night in the middle of the yard and, under a sky warm and milky with stars, fall into sound sleep without dreams or thoughts.

Thus did the most feverish muzhik-month of July pass, and then one night at the beginning of August, when the grain had all been threshed and they had begun to cart the watermelons and cantaloupes from the melon patches, Rodion Zhukov happened to awake without any reason and, through the sleep that was still heavy on his eyelids, caught sight of Kovalev. He was standing stock-still in the middle of the yard. Rodion raised himself on one elbow. Kovalev still did not stir.

"What are you up to?" Zhukov asked him sleepily.

His bare feet treading the chilling earth gently and inaudibly, Kovalev walked up to Rodion, squatted on his heels close to Rodion's shoulder and peered into his face. Kovalev's elongated head, the head of a friend, at once blotted out half the sky of magnificent stars.

"Lie down, Vanya; go to sleep," whispered Zhukov. "Give over thinking."

But Kovalev was mysteriously beckoning to him and tugging ever so lightly at his sleeve. Rodion got up and followed him. They halted in the middle of the yard.

"Look," said Kovalev. "Look at the cellar—and look at the winnowing machine."

"Well, I'm looking."

"And those stars, those three stars, hanging so low over the very steppe—you see them?"

"I see them," Rodion got out, barely audibly.

"Why, they're those very same stars!" Kovalev cried out in rapture, slapping his legs. "Those very same stars you can see through our windows at home every summer!" And, baring his teeth, white as quicklime, under his dark little mustache, he went off into peals of soundless, happy, childlike laughter.

And sure enough: between the cellar and the winnowing machine, very far off, three stars were glowing, as though the expiring embers of a gypsy fire were lying scattered out in the steppe.

"Let's have a smoke, so's not to be longing for home."

Rodion grunted, took out of the bosom of his shirt a small sack of dry Rumanian flake-tobacco, rolled himself a cigarette, spattered red sparks out of his strike-a-light, and began puffing away.

It was on the very hour of midnight. The dogs had already stopped yapping, but the roosters had not yet begun their chanting. Throughout the big hamlet, amid the acacias, there was an even stream of warm, silvery air from the steppe, from those stars. On the roofs of the wattled sheds, upon the cellar-doors, upon the long clay ledge under the grated windows of the master-hut —wherever there was any elevation—were lying great round squashes, ponderously and solidly, as if they themselves were of clay.

"Listen, Rodion," Kovalev began to whisper anew, "there, don't you feel it? To the right of that thresher lies our own street, and farther on stands the church. And that church, upon the Feast of Our Saviour, is filled with sweet pinks and mint; there's folks standing in that church, and of all those there the most beautiful are the young girls; their sleeves are embroidered with rose-buds, their braids are rich with ribbons of all colors, there's necklaces and beads about their necks, and in their little hands they hold flowers that are beautiful beyond all telling. You feel it, Rodya? It makes your throat dry, actually."

Kovalev suddenly looked about him, thievishly and gaily, as though he wanted to say something important, but did not say it and, instead, started jigging. On enormous, noiseless feet he made a dash for the cellar, and a minute later was back, breathing hard.

"We'll get rid of our thirst right away, Rodion. Here, take the shell!"

Rodion held out his hands and the flying cantaloupe, cellar-chilled, smacked into his palms with all its ripe weight, like an elongated, ringing ordnance shell. The friends sat down on the clay ledge, and while Kovalev was trying to pry open with his thumbnail the tight blade of the knife he carried on a chain, Rodion Zhukov, having placed the cantaloupe on his knees and stroking it, was gazing unblinkingly into the darkness straight ahead of him. And now Rodion no longer saw either the familiar stars, nor his own hut at home, nor the blithe Feast of Our Saviour, when all around the church there is such an overpowering and joyous smell of axle-grease, poppies, and honey; he saw neither the embroidered sleeves of the young women, nor their ribbons, nor their hazel-hued eyes, nor the tapers within the church. As a black sea had the black alien earth surrounded Rodion; the stars had turned denser, had taken on a deeper glow and lowered before his eyes like the close-to-earth lights of a port city. Noisy became that city; the booms in the port burst into flame, people began running, becoming tangled amid the riotous fire; the metallic volleys of gunfire clanged forth like long steel rails; the barnyard swayed as if it were a ship's deck; a reflector, its seamed lens blinding, began to hiss overhead: a brazen cymbal; a circle of light was running, running over the undulating shore, flaring up, chalkily, wherever it struck and blanched the corners of houses, window-panes, darting soldiers, tatters of red, ammunition chests, guncarriages.

And next Rodion saw himself up in a gunturret, in the daytime. The gunner glued his eye to the rangefinder. The turret was turning automatically, bringing to bear upon the city the mouth of the gun, itself hollow from end to end, glittering within because of its mirror-like rifling. Full stop! Right on the button, against the theater cupola that looked like a seashell. There, amid unbelievably luxurious surroundings, behind a table lined with green baize, a general of impressive mien was presiding over a council of war against the mutineers. A tenuous telephone bell droned boringly. An electric elevator, clanging leisurely, brought a projectile up out of the ammunition hold—a projectile swaying on chains—right into Rodion's hands. The projectile is heavy and chill, but strong are the sailor's hands.

"Gunturret, fire!"

At that instant his ears started to ring, just as if something had hit the outside of the turret's armor, as if that armor were no more than a tambourine. A flash of fire; a steamy stench, as if a comb had fallen into a fire. The roadstead shuddered through all its wide expanse. The boats out in the roadstead began to rock. A streak as of metal lay down between the armorclad and the city. Overshot. Rodion's hands were flaming. The 'phone again. And the second projectile was crawling of itself out of the elevator into his hands. We'll finish that general off—you wait and see!

"Gunturret, fire!"

And a second metal streak lay down across the bay. Overshot again. Never mind; guess we won't miss the third time. Never fear, there's no lack of projectiles. The hold is full of them. Lighter than a cantaloupe did the third one seem to Rodion. The only thing was to fire it as quickly as possible; the only thing was to have the smoke come billowing out of that cupola—but quick. And after that the party would really get lively! But, somehow, the 'phone wasn't ringing. Have all those damned bastards below decks died out, or what? The turret turns around as if of itself: "Cease firing!"—and the projectile, having slid out of Rodion's hands, sinks back into the hold, making the chains of the elevator rumble slowly and intermittently.

"Say, what's all this? Eh, they've sold us out, the devil's own tarts—they've sold out our freedom! They've let the ship drift! If you're going to fight, then fight to the end. So that there won't be one stone left standing upon another!"

Rodion came to: just as though a hundred years had passed, yet in reality it had been but one brief minute. Kovalev had managed to pry open the knife-blade and, having pulled the cantaloupe out of Rodion's numbed hands, deftly, at one curving sweep, cut it lengthways, split it open like a letter, and splashed out its inwards. The strong and fragrant odor of a ripe cantaloupe arose in the darkness. Kovalev held out a scoop of the melon to Rodion.

"A good muskmelon, that. We bought it off the grower himself, and did our own choosing. Eat hearty!"

His teeth gleamed faintly; he suddenly let his knife drop and, shyly as a bride, placed his head on Rodion's shoulder.

"I'm homesick, Rodion. So bad my soul aches. I want to go home."

"You're not lying, by any chance?"

"By God, I'm not. I'm homesick."

"The Danube is just a step away," Zhukov said then, softly smiling, "and it would take just two steps to cross it. Three to reach home. You coming with me, Vanya?"

Kovalev buried his face in his hands, shut his eyes hard, and quickly shook his head.

"No. . . . I'm not."

He patted Rodion's shoulder and got out in a shy whisper:

"I'm afraid, Rodya, of having to stand trial. The sentence would be hard labor in Siberia."

"Well and good, then," Zhukov said, his smile still softer. "Well and good, then. I know Taras. Taras wouldn't go. Taras has an old woman home that's worse than any witch."

He listened closely. Taras was wheezingly snoring in the middle of the barnyard, his face to the ground.

"I'm going alone."

IV

There's a head that's heavy, unstirring; it is drawn to sleep, to the dark earth, but what earth that is, one's own or an alien one, doesn't matter to it. A head like that you can't awaken. There's a head that's dear, a head merry, sly—but let it hear a song about freedom that has perished, let it see, glowing over an alien steppe, the stars it was born under—and it will suddenly turn pensive, will droop impotently upon a comrade's shoulder. In a word, it's no head but just a fine lad's headpiece. And then there's a head that's hard, knobby, with a crew-haircut; the brow is low but broad; the nape of the neck goes straight up and down; the neck is strong: there's no bending it. Once an idea gets into a head like that you won't knock it out with any wedge. A flame will flare up, will singe the tips of the lashes with a heat unbearable as that of stokeholes, a man's voice, grown hoarse, torn to tatters by sea winds, will send up a howl—and that's that. Write the man off as lost. For that, now, is no head but a steel projectile. And gunpowder is the sort of thing that will lie around and lie around but, just the same, will go off with a bang sooner or later: that's just what gunpowder was invented for. And there's no more rest for that head. The fuse smoulders unperceived. And then the head goes hurtling, consumed by fire, come what may.

A few days later Rodion made his way across the estuary of the Danube, near Vilkov, to the Russian side.

His plan was this: To go by way of the steppe, along the seashore, to Ackermann; then, by barge or steamer, to Odessa; all you had to do to reach the hamlet of Nerubaisk from there was to stretch out your hand. And then he would take things as they came. One thing only did Rodion know for sure: that for him there was no turning back to the past, that his former life, the sailor's life of servitude on one of the Czar's ships, and the hard life of a peasant back home, in a clay-daubed hut painted light-blue and its small windows outlined in indigo, amid the harsh pinks and yellows of the hollyhocks, was cut off from him forever. Now it was either Siberia for him or living underground, stirring up his own people to rise up, burning the estates of the landowners, going to some city to join a revolutionary committee.

Rodion was expecting to learn from people, on his way, what was going on in Russia: Whether there would be peace soon with the Japanese; whether there was an uprising anywhere; what word was there of the *Potëmkin;* was the Czar, by any chance, granting freedom to the people?

But he had to go around the hamlets and big farms by way of the steppe, and the people he came across out in the steppe didn't know a thing. Time-blackened, gray, age-deafened shepherds passed by amid the dust raised by their flocks. Carts creaked by, filled with the yellow cucumbers of the steppe; right on top of them, stretched out at full length, belly down, snoozed the yokels, bouncing. A huge barrel wallowed along on high wheels, a bucket rattling under it. A freckled boy, in a straw hat handed down to him by some German colonist, was bestriding it and lashing the sweating mare with the sunwarmed leather reins; out of the spigot, for all it was driven in so hard, the water seeped; large drops fell on the road, curdled, and rolled along the dust, like pills. Far off from the road, all bent over in a row, were countrywives in pleated skirts, digging potatoes. Catching sight of Rodion they would drop their work and, with their hands for sunshades, would follow him with their eyes, long and apathetically. They didn't know a thing.

At times the road would come up to the very shore and stretch along some terrifically high, perpendicular precipice. Thereupon Rodion would be swept by a wind (while at the same time out in the steppe there was a dead calm and the air was scorching), doused with the chill roar of a storm, blinded by the snow and soda of the raging spume, the blue greenishness of the horizon cutting his eyes. Rodion would draw up to the very rim of the precipice and, feeling vertigo, peer down. There for many miles the glistening sand, inundated every minute by the incoming tide, showed vividly white in the sun. The ruffled waves were dragging and whirling along the shore, over the gravel, the glistening black body of a dead dolphin. Long tarred fishing smacks were careened there, keel up, seines were drying on poles, and a fisherman, getting the water all over him, was drinking out of a squat keg, his head thrown back and his knees slightly bent; he caught sight of Rodion, started waving his arms and shouting something—it may have been something of extreme importance. But a fine watery haze hovered over the entire enormous height of the precipice; the echo of a cannon rang as bronze in the deafened air while the wind, gulping, whistled in the ears, as if through a cannon hollow from end to end. *Hai, hai, hai!* was all that floated up from below to Rodion's ears.

And anew the road turned to the left into the unpeopled steppe with its sheen, like that of the violet glaze of immortelles—into the dead calm, into the sunbake.

And at night, when the stars were first coming out and the crickets were first tuning up their crystal music, a bonfire would spring up amid the darkness, and Rodion would head for it without any road, heels upon cockleburs, straight on through the dark steppe, toward where there were people. They would be sitting silently around a clay-daubed firepot and supping. Rodion would loom up near the fire as a shadow so enormous that its head seemed to be propping up the stars. The men would not be in the least astonished and, without questioning him about anything, would offer him a spoon. Rodion sat down with them and, scalding his mouth, ate the smoke-bitter millet gruel and, after having eaten, he would wipe the spoon against the grass.

"Lie down here," the men would say. Rodion would lie down, with arms flung out, amid the strange, taciturn men, amid the strange, taciturn, ancient steppe.

"And what do you hear about freedom?" Rodion would suddenly ask, amid the night.

"Who knows? Men are shooting off their mouths about Kotovski having burned down another big farm close to Balabanovka. And maybe it weren't Kotovski. And maybe they're just plain lying. Who knows what's what? Us, all we do is wander up and down the steppe."

At dawn, awakened by the chill, Rodion would get up cautiously, so as not to awaken the others, and be off again, still bearing the freshness of the night upon his face.

And Rodion knew still less than he had known in Rumania about what was going on in Russia, and he went on, conjecturing his way, lonelily and uneasily, like one blind, without tiring, his only aim to get to the Dnestrovski estuary as quickly as possible.

Once, early in the morning, the road again turned off toward the cliffs, and Rodion caught sight in the distance of the mast of a cruiser, of tiled roofs, and an arbor overhanging the sea. The sun must have just risen but it could not be seen behind the morning clouds which let the light through chillily and softly, like seashells.

The sea had, after the storm, become silken. A dead swell, reflecting the dawn glow faintly and rolling it over its own sheen, lay in long wrinkles along the chill shore. The shoals raised by yesterday's storm were ruffling, distinctly and finically, barely underwater. Naked little boys, blue from the chill, were wading knee-deep over them; they kept bending over, their hands groping on the bottom, whacking the water with sticks and yelling. Suddenly one of them pulled out a broad, silvery-rosy fish. It gave a desperate tug and began to thresh about. Out of its gills, torn by tenacious fingers, blood purple as a cock's comb began to flow, spreading in turbid peonies upon the water.

"Here, ca-a-atch it!" yelled the boy and, swinging back, tossed the fish ashore. Two little girls with white-gold heads were standing bent over a willow basket, examining in terror and ecstasy fat, bloodied fish, writhing in powerful spasms and knocking off their large, transparent scales.

Then Rodion noticed that whole schools of these fish were in motion over these shoals. They bumped their heads against the little boys, passing between their legs, clumsily twisting and burying themselves in the sand. From above, exceedingly magnified by the convexity of the water, they resembled the dark shadows of torpedoes, moving slowly along the bottom.

"Blind fish! Blind fish!" several boys, with fancy designs upon their jerseys, screamed as they ran past Rodion. Pulling their sailor-jerseys off over their heads as they ran, they dashed as fast as their legs would carry them down the slope cut in the clay bank and, after tossing their clothing on the sand, belly-whopped into the water.

Blind fish. . . . Rodion had already happened to hear about them. Now and then, during great storms, the wind drives into the sea from the estuary of the Danube great schools of carp. The freshwater fish, finding themselves in salt water, become blinded and stunned. The sea current hurries them, dazed by the storm, ever farther and farther along the alien shore, for many scores of miles from their calm native waters. The storm quiets down and they, dying, weakened and unable to see anything in an inimical element they cannot understand, move about in their schools, bumping against the shore, against the shoals and the legs of those who had come to get them. A boatman-smuggler had told Rodion about them while they had been sitting among the dank reeds of the Danube waiting for the patrolling cutter to steam past. Now Rodion saw them.

V

He went down to the shore, took off his clothes and waded out into the sea. Up to his knees in the icy, glassy water which made the legs ache naggingly, rocked by the swell, Rodion got out to a shoal and peered into the water. A great dark fish nudged his leg. Rodion seized it around the body. It slipped out of his fingers, darted off to one side and, with fins splashing, vanished in the stirred-up sand. Rodion, lifted by a wave, missed his footing and went in over his head. He was seared with cold. Through the salt, so heavy that it floated before his eyes, he saw the fish which, with gills distended, was swimming along, while its mouth, small and round as a cipher, was thrust out of the water.

"No you don't!" said Rodion, gasping, and seized its head. The fish started threshing, gave an extra hard flip of its tail and dove down anew. Rodion smacked his palm on the water. A naked boy galloped past him, bringing his knees heavily out of the water, bent down, pulled out the fish and flung it ashore. Rodion, becoming really irked, started running up and down the shoal, and kept up his running till he had cast two carp ashore. After which he came out on the sand and, his teeth chattering, began to dress.

In the meanwhile the shore was becoming crowded. The summer residents, men and women, were constantly appearing on the slope. Bearded men in black pongee shirts belted with tasseled silk cords flapped in canvas slippers over yielding dust, the color of dried cocoa. They were hugging thick books to their chests. Ladies in pince-nez were leading by the hand naked little children brown from the sun. Superb young ladies, their necks and arms considerably darker than their white dresses, swung their straw hats, which looked like flower-baskets on ribbons, as expertly as jugglers. Gay outcries and din hovered over the sea. That sea had turned a deeper blue. The sky had cleared. The sun flashed out vividly. Everything had become magnificently foreshortened.

Having dressed himself without drying off, all dripping under his clothes, Rodion picked up his fish and hurried to get up to the steppe.

"Sailor man, sailor man filled his pants 'stead of the can!" yelled a mischievous brat in a calico shirt and with his front teeth knocked out, as he rolled down head over heels past Rodion.

Rodion lengthened his stride. His lips had turned lilac, his knees were quivering, his fingers were bloodless; he kept shrinking into himself from the unaccustomed dampness of his long, icy dip. The wind doused him with cold for the last time at the top of the rise. He started off into the steppe, trying to skirt the summer villas. It was already hot out in the steppe but, despite this, Rodion kept on shivering. His eyes felt unpleasantly hot; the lashes tickled. "Damn those fish!" he got out, his teeth barely hitting together. A villa appeared before him. He skirted it, by way of its truck garden—and ran into another villa. Behind a hedge of lilac and evergreens one could glimpse a newly laid out garden. Rodion's hands parted the resinous branches with their tiny cones and he saw rows of fruit trees. A path lay between them, strewn, as if with grits, by tiny green marine shells. A checkered rubber ball was lying on this path. Farther on he saw an awning bellying over a terrace, steps, a bed of yellow-white lilies that looked like thin slices of hard-boiled eggs; among these were lacquered playthings and, lying in a hammock nearby, was a man in a black blouse, with the collar buttoning at the side.

"The whole point of the thing is, you see," he was saying, waving his newspaper about, "that I agree with you, in part. On the one hand we are face to face with the indubitably encouraging fact of the masses awakening from their millennial sleep—of the masses having become conscious, at long last, of the yoke of autocracy upon their necks and of the club-law over their heads; we are face to face with the fact, so to say, of the movement for liberation on the part of the more advanced elements among the proletariat and the peasantry, and so forth. With that I am in complete agreement and, as a revolutionary, I stand ready, from that point of view, to greet the revolution which has come—which, I emphasize, *has come*. But—" he turned quickly with all his corpulent body in the hammock, making it creak and revealing a creamy cheek with a chocolate mole, then, taking off his pince-nez with a stern gesture, fixed his gaze on the man he was talking to. The latter was standing on the terrace steps and, holding a glass of iridescent milk, his eyes puckered, was eating a hunk of fine wheaten bread smeared with honey, getting his lips all sticky and nearsightedly letting the crumbs fall on his untidy beard. "But, Doctor, on the other hand—I emphasize *on the other hand*—as a Marxist, I simply cannot agree that—"

A twig crackled under Rodion's foot. The gentleman in the hammock cut short his speech and caught sight of him. Rodion was standing by the hedge, not daring to stir from the spot. The gentleman, his speech cut short at its most important point by an extraneous sound, gave a stern cough, saw the fish in Rodion's hands and, pulling a wry face, started waving his arms:

"To the kitchen, dear fellow—bring them to the kitchen. There has been no getting away from those fish all morning. Go to the kitchen, brother. The cook will buy them from you. Go on! Well, sir—"

Rodion started going through the truck garden. Blotches like scraps of bright calico were floating before his eyes. His chill would not pass, even though his body had dried by now. The gentleman's voice kept annoyingly repeating in his head: *I simply cannot agree, I simply cannot agree; I simply cannot agree.* When he reached the end of the truck garden Rodion found himself confronted with the kitchen. It was off to one side, surrounded by burdocks. Smoke was pouring out of its chimney. The cook, all smeared with blood, was sitting on the threshold and cleaning fish. Making his way with difficulty through the burdocks, which powdered his trousers with the yellow pollen of their blossoms, Rodion approached the woman.

But she suddenly became alert, threw the carp half-cleaned into a blue-enameled basin, wiped her hands against her apron and, adjusting a metal comb in her hair, dashed off through the yard. In the middle of the yard, near the water-well, idlers had formed into a ring.

Well-dressed nurses, and children togged out in their best because it was Sunday, were hastening there from all directions. Certain sounds, odd in the highest degree, like nothing on earth yet remotely reminiscent now of a dog yapping, now of the hissing screech of a turning lathe, were borne from the center of the ring. Rodion approached the crowd and, over the backs and heads of the others, saw something unusual. A gaunt, clean-shaven fellow with a very long, non-Russian nose, clad in a dirty canvas duster and holding some sort of a crank, was standing on his knees, bent in concentration over some small contraption whose like Rodion had never yet seen. A thick, tubular roll, apparently of bone, was turning raspingly within it; a narrow brass tuba, of no great length, looking like a megaphone, was sticking out of the contraption. The hissing, squealing sounds were patiently, laboriously tearing themselves loose from it, spluttering and colliding with one another. Rodion shouldered his way to the front, cocked an ear —and suddenly was petrified. Beyond a doubt, these sounds were nothing else save a very small, squeaky, hoarse and hurried voice, inarticulately saying something through the hissing that issued from the megaphone, as if through the sparks of a grindstone. Hardly had Rodion, by listening intently, made out a few words when the hissing intensified, changed to rumbling, and the man stopped the contraption. He rummaged in his bag and inserted another roll:

"*Homesickness,* a march," he announced, and wound up the crank.

Thereupon the diminutive roulades of a toy wind orchestra were heard, and Rodion clearly made out the tune of the gasping beats of a march:

Ta! Ta-tá!
Ta-tá! Ta-tá! Ta-tá!

" 'I'm going far away from here, I leave my wife and children dear!' " the cook hummed in astonishment, and stamped a bare foot lightly. They shushed her.

"It's the power of the Foul One himself!" said she, bewitched, and backed toward the kitchen, jigging and bending her knees.

Rodion went after her and offered his fish. The cook picked up the somnolent carp by their gills, hefted them, looked at Rodion suspiciously as he stood there against the sun, and asked:

"And where did you bob up from?"

Rodion waved his arm vaguely.

"Don't need them," said the cook malevolently, thrusting the fish back at him. "Traipse back to where you come from. It's the power of the Foul One, that thing. Go on, you gallowsbird!"

Rodion came out into the truck garden again. He threw the slimy carp in among the potatoes, upon the hot earth, and felt vertigo. It came floating in waves, it seemed to him, out of the yard, upon the barking sounds of the nauseating march; these sounds were constantly intensifying; by now they were thundering with cymbals and trombones in his very ears, which were growing deaf, so that the lobes of his brain were becoming painful from the nagging beat of these sounds; all the air around was ablaze with the tender and at the same time unbearable music at noonday. *I'm going far away from here, I leave my wife and children dear; I'm going far away from here, I leave my wife and children dear; I'm going far away from here, I leave my wife and children dear* a chorus was singing around him, its voices shifting. He passed a sharecropper's place and found himself in a field of stubble. Great, high stacks of straw practically hemmed in the summer villa. A brand new reaper shellacked in red, with a foreign trademark in gold, was standing on a patch of weatherbeaten granite, with hard-packed earth around it. Polished, gnawed clean by their work, the reaper's wooden rakes gleamed in the air, like the wings of a windmill. There was nobody out on the field of stubble. Rodion sat down on the metal seat of the reaper, which rocked under his weight, and threw up. He wiped his mouth with his sleeve, went off into a bit of shade, and lay down, propping his head against a prickly stack of straw. Somewhere on the grounds of the summer villa croquet balls were clicking crisply, echoing in his temples as pistol-shots. The white kerchiefs of curious country-wives bobbed up behind the share-cropper's place. Overcoming his sickness Rodion got up, went out into the steppe and struck on a road. Seeing nothing of what was around him Rodion started off along it and had covered about a mile, when suddenly he heard the ting-a-ling of small bells, and a cloud of dust white as flour sped past him. He stepped aside, and caught only the cracked leather wing of the britzka, the hood of a duster, maize-colored mustachios and a red nose. Wearily Rodion turned off the byroad, went deep into the standing corn and, disregarding any road, went off to one side. Reaching a grave, he lay down amid the wormwood and, shivering, lay unconscious until nightfall.

VI

The earth was already covered with dew and the sky with stars when Rodion came to. His desire to drink was overwhelming. He plugged a sprig of wormwood and fell to sucking the gray, dew-filled cluster. But the dew was bitter and scalding in his mouth. It was then Rodion recalled the Danube: an enormous, dark mass of water, reflecting freshwater stars. He recalled the green smell of the reeds, acrid to nausea, the clicking speech of the frogs, as grating as small seashells, the marshy warmth of the river bottom, and suddenly grasped that he had sickened because he had drunk the Danube's water.

His head felt heavy and weak; as before, his belly was nagging away with a soft, sucking ache. Seized by the nausea of loneliness and thirst, not knowing how to come out on a road nor whither to follow it if he did come out on it, or how to disentangle himself from the wormwood and fever, Rodion stood up, overcoming with difficulty the ponderousness of his ailing body, and wandered off at haphazard across the steppe. In the calm and utterly clear air he could hear the sounds of string music. The notes of violin, flute, and double-bass floated blithely over the steppe. "Must be a wedding, for sure," reflected Rodion, submissively going in the direction of the music. He was stumbling and saw almost nothing around him, because of the swooning darkness in blotches before his eyes. The music was becoming ever more distinct. Rodion crashed his way through the corn and suddenly found himself confronted by the back wall of a sty. He caught the sour stench of pigs, the squelching of liquefied manure under their small hooves, and the heavy pressure of the animals as they scratched their sides against the wall. Somewhere horses were shifting from foot to foot upon a flooring of logs and turkeys were gobbling in their sleep. Rodion skirted the barnyard and saw at a distance, from an unfamiliar angle, a familiar garden. Paper lanterns, ready to burst lightly and warmly into an inward glow, hung between the trees of this newly laid out garden. Tall human shadows moved along the paths. Wild grapes glowed transparently green among the espaliers on terrace and in arbors.

Rodion made his way to the well and lifted up the

heavy, cold bucket. The water slopped heavily, the bucket tore loose out of the weakened hands and flew down, drawing the rattling chain after it and filling the concrete shaft of the well with the screeching rumble of the madly unwinding windlass. The iron crank hit Rodion a swinging blow on the shoulder and threw him to one side.

"Hey, there, who's that fooling around the well?" a man's voice shouted in the darkness. "Hey, there! I'll tear your ears off!"

Rodion dashed behind the kitchen, into the truck garden, and stopped to catch his breath. His heel trod on something cold and slippery. He bent down and saw the dead carp he had thrown away, gleaming dully white.

"Damn those fish," said he with disgust, and turned right to skirt the villa.

A precipice yawned before him. A great moon had just risen over the sea. A quarter of it was still concealed by the precipice. Long grasses showed with startling distinctness against its glowing red disk. Rodion walked up to the very edge, sat down on the grass, and let his legs hang over. He caught the broken surge of the incoming night tide, rolling along and shifting the tiny shells. The steppe, too, was naggingly aching, like a collar-bone after you hit it, and a dark-scarlet blotch was floating before the darkened eyes of the night.

Rodion let his head sink in despair—and suddenly, altogether near, he heard a noble, undulating voice, which had launched into:

> "The enemy's whirlwinds are howling overhead,
> The powers of darkness weigh and oppress—"

That was the very song to which the *Potëmkin,* like a phantom, used to loom up close to flame-enveloped shores and, like a phantom, pass thrice through the cordon of hostile ships, past the cannon directed against it. This was the song of Mitiushenko and Koshuba, the song of the mutinied ship's soviet, the song that fell like iron, like heavy iron, across roadsteads; the song that bent storm-clouds low to the sea and fluttered above the turret with its twelve-inch guns the flag with the words of glory: *Liberty, Equality, Fraternity*. It brought darkened consciousness to Rodion. The strong and pleasant tenor went on with its song:

"To carnage glorious, holy, victorious,
March, march ahead, ye who toil for your bread—"

Rodion clutched at the grass. Altogether near him, along the precipice, a couple was strolling, embraced: a tall student in a white jacket, his long hair thrown up and back, revealing a beautiful, bony forehead, and a girl in a light dress. A single cape covered their shoulders. They came alongside of Rodion.

"To carnage glorious, holy, victorious—"

the woman's voice repeated.

Rodion drew himself up to his full height before them.

"Ah!" the girl cried out faintly and put her white hands up to her temples.

The student stopped and then retreated. The moon, risen quite high and more wan by now, lit up the sailor's face vividly. Tortured by typhus, it was dreadful. The girl quickly extricated herself from the cape and ran off toward the villa, her white dress flitting quickly.

"What the devil is all this?" muttered the student and, dragging the cape, started hurrying back, trying to overtake the girl with great strides. "Suspicious characters tramping around at night," he let drop from a distance, by now threateningly. Two retreating white blotches blended into one and disappeared, cloaked in black. There came the sound of the girl's light laughter; the man's wavering voice sang low:

"I saw thee in my dream last night,
And deeply drank of happiness—"

Rodion pulled a handful of grass out by the roots and threw it underfoot. He took a deep gulp of the fresh sea air and started off toward the villa.

Incredibly bright shrubbery and trees, lit through and through by the arsenical smoke of green bengal fire, were puffing up along the entire breadth of the garden. Supper was going on in one of the arbors. Rodion saw the glass chimneys of the candles, wine-corks, leaden bottle-seals, pears, a caterpillar crawling over the sleeve of a white jacket, an elbow, and a creamy cheek.

"Gentlemen, the County Chairman isn't drinking a thing," a loud bass boomed amid the clatter of china. "Have a shot of vodka, County Chairman!"

Four rockets slithered, hissing, out of the thicket of smoky bengal fire and, with difficulty, soared skyward.

"Children, children! Come to the croquet ground!" a throaty feminine voice called out.

A long-legged little girl in a pink dress ran past Rodion. His head catching at the Japanese lanterns, he groped his way through the garden and saw the croquet plot. A lady with a high bust was standing in the center and clapping her palms:

"Get in line, two by two!"

"It's a Grand March! It's a Grand March!" the children, all amazingly gotten up, began to shout, hopping about in the orange light of roman candles.

"Step out, Russia!" said the lady, leading out of the

crowd a big, red-cheeked girl in a peasant sleeveless coat and a head-dress with a high front. A sheaf of rye was nestling in her arms.

"Watch out you don't catch on fire, Verka!" squealed a little boy in a yellow cap, who was dressed up as a Japanese.

"Keep still, you little monkey, you miserable little Jap!"

The paper feathers started swaying, and the silver shield of a knight gleamed with incandescent lunar blue, and with the same blue gleamed the dark water in a tub under an apple tree, with a half-gnawed apple floating in it. The unseen orchestra struck up a march. Someone ran by with a lantern, catching Rodion with his elbow.

"To the croquet ground, please, ladies and gentlemen!" the familiar bass called out, incredibly loud. "Come, now, ladies and gentlemen! County Chairman, let's go and look at the Grand March!"

Guests and servants surrounded the children. Rodion escaped from the vivid fumes and, dazed, went off swaying through the backlots and under trees, like one of the blind fish amid underwater growths, constantly finding himself within shoals of moonlight.

In the backyard, between stables and kitchen, the hired hands who had come to congratulate the masters on a good harvest, were having their fling. A keg of beer, two square quart bottles of green vodka, a bowl of fried fish and a wheaten twisted loaf were standing on a table set out in the open. The cook, now drunk, in a new pleated blouse of printed calico, was surlily serving portions of fish to the celebrating field-hands and filling their mugs. The thoroughly tipsy accordion player, his shirt unbuttoned, his legs spread out, was swaying in his chair, fingering the bass keys of his gasping instrument. The lads, their faces apathetic and their torsos unbending, their arms around one another's ribs, were grinding their boot-heels, stomping through a polka. Several of the farm women, in new head kerchiefs, their coarse cheeks glossy with tomato juice, were languidly tapping their feet in uncomfortable shoes of goatskin. The landed proprietor himself, in a white-topped cap (symbolic of his nobility) and a pongee jacket crackling in small wrinkles about his by no means big body, stood smiling by the table. He was hefting a tumbler of vodka in his large hand. An utterly inebriated muzhik was stumblingly running around him and, winking to the cook, was saying with a badly twisting tongue:

"To our master, Andrew Andreievich, glory—to our master, to our own landowner, glory!"

Rodion walked all around the yard. In one of the garden paths, their paper costumes swishing and sending a wave of stifling wind over him, the children ran noisily past him. A gypsy was pounding her tambourine. A little Cossack, his cap on one side of his head, was lashing with his whip the Jap, who was grimacing like a monkey. The knight was gleaming with the blue silver of his cuirass; the little girl in the Russian head-dress was, amid peals of laughter, dragging the sheaf of rye after her. A dwarf with a tied-on beard was brandishing a bomb.

Beyond a rail-fence, up to his knees in burdocks, a frightfully drunk hired hand was meandering swayingly, his face wildly pale; he smashed his fist against a clay-daubed wall and yelled:

"Three rubles and fifty kopecks! May you choke, may you swell up and burst from my money. Three rubles and fifty kopecks!"

Rodion came out on a melon patch and stumbled against a muskmelon. He bent down and plucked it.

It was warm and heavy. Oh, to drink! The moon was high over the hay-stacks drily hemming in the big farm. A rocket slithered obliquely across the green sky. In the light of the moon Rodion saw all around him a great number of late muskmelons on the ground, ripening their last. The dark-purple smoke of bengal fires, the flashing and crackling fumes of catherine-wheels whirling and shooting over the villa, the human shadows striding as if on stilts—all this sprang up in a riot before Rodion's eyes. The heavy muskmelon was cradled in his hands like a projectile.

"Gunturret, fire!" thundered in Rodion's ears—and at that same instant a rocket flared up and detonated like a shot in the sky. He squeezed the muskmelon between his palms. His palms caught on fire. Oh, to drink! Rodion thrust his hand in his pocket to get out the knife —and his groping hand found matches. "Gunturret, fire! Gunturret, fire!" kept pounding in Rodion's ears, as if on a tambourine. "They've sold us out, the devil's own tarts—they've sold out our freedom! They wouldn't listen to Dorothei Koshuba!"

Rodion smashed the muskmelon to smithereens against the ground and pulled out the matchbox. An even breeze was drawing from the steppe, over the field of stubble, toward the villa. Leaping over the melons Rodion reached the first stack at a run and burrowed into the straw. A light, dry heat touched his face, and at that moment he recalled the unbearable heat of a stokehole, the firebars glowing at white heat, the engine with stinking, steaming water pouring down it, and the paint-striped billets of chopped-up lifeboats writhing in the furnace and scorching with their flames the tips of the eyelashes. . . .

And after that, going through the steppe but following no road, stumbling at field boundaries, scraping his legs against the stubble, swaying, and gasping from thirst, Rodion all night saw himself as in a dream sailing without end or limit, traversing a dark sea obliquely, passing unseen through squadrons, through cordons of hostile ships, chopping up lifeboats, firing the engines —and the rosy glow of the conflagration behind him seemed to be the glow of the conflagration of a city burned down by artillery.

He walked all night, and toward morning crawled into a vineyard and lay there unconscious until evening in the dry, drugging heat of an empty reed-shelter, amid downy clusters of grapes and oddly shaped leaves: turquoise and copperas. At evening he got up and went on again, seeing nothing before him and thinking nothing, and at midnight, sinking knee-deep in sand, he came to Ackermann. He made the circuit of the deserted streets, stumbled against a Cossack patrol, and hurriedly turned off toward the estuary beach.

On the dark shore, over the water green with moonlight, over the barges and scows, stood an ancient Turkish fortress. The moonlight lay obliquely within its narrow embrasures. Nightbirds were noiselessly circling over its dentilated turrets. Rodion made his way across the rampart, a wilderness of thistles and weeds, with a battered cannon lying among them, its patinaed copper dully gleaming, and stepped into the fortress. In the middle of its courtyard stood a black, ancient, half-rotted gallows, with wormwood growing thickly under it. Rodion lay down in its magnificently chill dew and fell into unconsciousness.

And Rodion never knew that somewhere between Bucharest and Odessa a telegraph wire was humming low and whining over the steppe; that a tape like a white shaving was coiling, crawling out from under a brass wheel, to the tapping of the Morse code; that a Colonel, diffusing pleasant odors, was speaking over a 'phone; that the cook was standing before a desk in the chancellery of the County Chairman and making a deposition; that a man with a handlebar mustache in a black jacket and a canvas cap, who had arrived in Ackermann from Odessa on yesterday's steamer, was snoring on a bench, with his summer overcoat for a pillow, in the steamship line's cubbyhole of an office.

On awaking in the morning Rodion went to the marketplace and drank off a whole jug of milk. He threw it up right then and there. He walked off to the quay and lay down on some warm matting in the shade of some threshing machines nailed in their wooden crates and of round baskets of peaches and grapes, neatly sewn in canvas. Tormented by the nauseating glitter of the yellow water, flaming like lead in the sun all over the enormous breadth of the Dnestrovski estuary, deafened by the rumbling of small wagons, the silky swish of grain pouring down chutes, the squeal and clatter of steam winches on a loading steamer and the cursing of the draymen, stupefied by the stifling flour-dust hovering motionlessly in the heated air, by his thirst and sickness, Rodion did not see the man with the handlebar mustache who went past him twice, with his hands thrust apathetically into his pockets.

About three in the afternoon Rodion bought, for his last half-ruble, a third-class ticket to Odessa and went up the gangplank of the steamer.

VII

The steamer left Ackermann at four and arrived in Odessa at ten.

Fussily churning the coffee-colored water with the paddles of its wheels, it at first ran gaily past the dreary banks of the estuary, overtaking the sailships and barges. Then it turned Carolino-Bugass—a sandy, burning spit near which, riding low and ponderously in the water, was a leaden monitor ship. The boundary guards of the Bugass cordon, with green shoulder-stripes, were washing linen on the shore, their every detail lit up by the sun. Ahead, divided off sharply from the yellow water of the estuary, lay the black-blue streak of the shaggy sea. Hardly had the steamer, passing the small bobbing buoys and wherries, entered this streak when it was immediately caught up by the roll, was doused with water-dust by a strong sea wind. The somber swirls of soot, copiously billowing out of the snorting smokestacks in oblique brown streaks, fell upon the canvas awning of the poopdeck. The engine began to breathe more heavily. The hold started creaking with its heavy cargo of fruit-baskets.

Snow-white foam, churned up under the wheel-boxes, streamed waveringly along the sides. A frocked waiter, grabbing at rails with his white cotton gloves, brought up on deck from the buffet a bottle of lemonade, smoking with froth. Four blind Jews in derbies and blue spectacles brought their bows down upon their fiddles. Someone's straw hat was floating away in the wake of the ship, rocking on a broad streak of foam. Some landowners from Bessarabia were playing cards in the salon of the second-class, now growing dark, now light, from the waves that flooded the closed portholes. The man with the handlebar mustache, the collar of his summer overcoat turned up and his canvas cap pulled down tight to his very ears, was bending over the side and spitting apathetically into the dark-green water running by in the light shadow of the steamer.

But nothing of this did Rodion see. He was lying below in deep delirium, among creaking baggage and

Jews tortured by the pitching of the boat, on the filthy floor, in a narrow passage between the galley and the engine-room out of which, through the air-vents, heated air issued, saturated with the odors of heated metal, scalding water, and oil.

When he came to it was already evening and the steamer was nearing the city. In a blue interstice between barrels and boxes Rodion saw the red, revolving eye of a lighthouse, the jagged stars of the port lamps over the goffered roofs of warehouses and offices, the fires of stokeholes, the green and raspberry-red riding-lights of scows.

Over his head, on the upper deck, sailors ran by thunderously. The quay piled up on the steamer. The passengers herded closely by the gangplank. Rodion wanted to get up, but could not manage it. The man in the summer overcoat walked up to him and took him under the elbows. Rodion got up with difficulty and, swaying, went toward the gangplank.

The nagging whine of horse-cars, the clatter of droshkies over the small cobbles of the roadways, the clacking of horse hooves striking fugitive sparks, the din of a crowd at night—all this vertiginous music lashed in a wave into Rodion's ears and deafened him. Swaying, he went down the gangplank to the quay, and at once two walked up to him.

"Zhukov?" asked one of them.

"The very same," the man in the summer overcoat answered gaily.

They pinioned Rodion's arms and seated him in a cab.

Feeling through his fever and delirium that something exceedingly untoward was befalling him, losing consciousness and slumping against the shoulders of the men with him, Rodion for the last time beheld the magnificent glitter of the city revolving like a catherine-wheel, heard music, playing a waltz on one of the boulevards. . . . For the last time there puffed up before him the dark-purple fumes of bengal fire, children ran past him in unbelievable costumes, a rocket detonated, white smoke billowed out of straw, people began scuttering about in the villa, enveloped in flames on three sides, the tocsin began its thunder peals. "Gunturret, fire!" struck at his ears, as if on a tambourine. Koshuba started running with a distorted face over a trap-stair that had been overlooked . . . and with that Rodion ceased to see.

"Get going," said the man with the handlebar mustache, with one foot on the step of the cab, and tenderly supporting Rodion's body, heavy and wilted in a faint and, at the same time, somehow empty. "You know where to go?"

The cabby silently nodded his head in its oilcloth tophat, lashed his horse and drove off with his fares past a charred and devastated boom, past booths in which Persians, under the unbearably bright glare of arc-lamps were shooing the flies off beautiful Crimean fruit with noisy paper sultans, past brothels, into the city. . . .

MIKHAIL MIKHAILOVICH ZOSHCHENKO

(1895–)

EDITOR'S NOTE

Soviet Russia's foremost humorist, and probably the best loved one since Chekhov, was born in the Ukraine. He studied law but did not graduate, volunteering in World War I and serving as an officer until he was gassed and wounded. After the Revolution he wandered all over Russia, following almost as many trades and professions as Gorki or Kuprin did: he was carpenter, trapper, apprentice shoemaker, telephone operator, policeman, detective, gambler, clerk, actor. In 1918 he volunteered again—for the Red Army. In 1921 he was one of the leading spirits in the famous Serapion Brotherhood and, in 1922, published his first story.

As a humorist, his understanding of human failings is as deep as Chekhov's, but without the older master's tenderness. His humor is that of incident, of situation, grotesque or homely, the humor of the faithful reporter, the keen observer whose eye is micro-, tele-, kaleidoscopic. The style he has worked for himself, motley, elliptical, clipped, coarse, broken—and pulsating—is so relished because the Russians, the most humorous people on earth, actually talk that way.

Zoshchenko has already paid the usual penalty of the writer who becomes known as a funnyman: although he had begun with "straight" stories (the tragicomedy of some of these being akin to that of Gogol), has made scholarly experiments, and has done (and is doing) serious work, all this is obscured by his hundreds of humorous stories, skits and parodies.

The Restless Little Ancient

MIKHAIL MIKHAILOVICH ZOSHCHENKO

WE HAD a case, right here in Leningrad, of a certain little old man who fell into a cataleptic sleep.

About a year before that, don't you know, he'd had a

spell of night-blindness. But he got over it, in due time. Why, he even used to go out into the communal kitchen to raise general hell about culture and things like that.

But the other day he ups and falls asleep—unexpected, like.

Well, then, he fell asleep in the night—but in a catalepsy. Comes morning, he wakes up and sees there's something wrong with him. That is, rightly speaking, his relatives see a body lying there, with no breath in it or showing any other signs of life. His pulse ain't beating, and his chest don't heave, and his breath don't leave no mist on a pocket mirror when they hold it close to his rosebud lips. Well, naturally, they all surmise at that point that the little old man has turned up his toes in his own quiet way and, naturally, they set about making various arrangements.

They're in a hurry about making those arrangements, seeing as how the whole family lives in that one room, and the room itself is none too large. And there's all those other communal rooms all around them. And there's no place to lay out that little old man anywheres, even, if you'll pardon me for mentioning it—that's how cramped the place was.

For it must be pointed out that this old timer who'd fallen into his long sleep had been living with his relatives. Meaning the head of the family, and his wife, and a baby, and a nurse. And besides he was the father, so to say, or, to put it more simply, the papa, of the wife of the head of the family—the woman's papa, that is. An erstwhile Toiler. He'd been living on a pension.

As for the nurse, she was a little wench of sixteen, taken on to help out in the family, seeing as how both of 'em, man and wife—that is, her papa's, or to put it more simply, her father's daughter—both of 'em, now, had to go out to do productive work.

So there they were, doing productive work and, you understand, toward morning they're faced with such a sad misunderstanding—papa had passed away.

Well, of course, they were grieved, their feelings were all upset—seeing as how that little room was none too large and, on top of that, there was this superfluous element.

So there was that superfluous element, lying there in the room. Such a clean little, dear little old man, an interesting little ancient, no longer able to think of housing problems, of over-crowding, of worldly frets and cares. He lay there, fresh as a wilted daisy, sound as a winesap that's been put through a dehydrator. He lay there, and recked nought, and wanted nought, and all he asked for was for the last respects to be paid him.

He asked only that he be clothed, somehow or another, as quickly as possible, that he be rendered the last "Forgive us in departing," and that he be buried, as quickly as possible, somewhere or another.

He asked that this be done as quickly as possible, seeing as how there is, after all, but the one room, and that one none too large and, in general, there's the inconvenience. And seeing how the baby is squawking its head off. And the nurse feels scary about living in the same room with dead folks. Well, she's a silly little wench, she feels like living all the time, and thinks that life never comes to an end. She feels scary looking at corpses. She's a fool.

The husband, the head of the family, that is, thereupon dashes off quick as he can to the burial bureau of the district. And comes back from there—but quick.

"Well," says he, "it's all set. Except for a slight hitch about the hosses. As for the hearse," he says, "they'll let us have one right off, but they ain't promising no hosses any earlier than four days from now."

"I just knew it!" says the little woman. "You," she tells him, "was always scrapping with my father whilst he was alive, and even now you can't do him a favor—you can't get no horses for him, even!"

"Aw, go to hell!" says her husband. "I ain't no horseman, and I ain't in charge of no livery stable. I myself," he says, "find no pleasure in having to wait so long. It's no end interesting," he says, "for me to be watching your old man all the time!"

That's when all those domestic scenes took place. The baby, not being used to seeing people no longer alive, gets frightened and bawls at the top of its lungs. And the nurse refuses to work for this family, in a room where there was a dead man living. But she was persuaded not to abandon her profession, and was promised that the death would be liquidated as soon as possible.

Thereupon the lady of the house, getting tired with all this business, hurried over to the bureau, but it weren't long before she comes back from there white as a sheet.

"The horses," she says, "are being promised in a week. If my husband—it's always the fools that live on and on!—if my husband had put down a reservation on them we could have had 'em in three days. But by now our turn is the sixteenth. But as for the hearse, they can give it to us right off, true enough."

And she wastes no time in dressing up her baby, grabs the bawling nurse by the hand and, just as she is, starts off for a near-by town, for a stay with some friends.

"My baby," says she, "is the dearest thing in the world to me. I can't be showing him any such horror-films during his childhood years. As for you," she turned to her husband, "you do whatever you like."

"I'm not going to remain with him either," says the

husband. "Do as you like. But he ain't *my* old man. I wasn't any too fond of him whilst he was alive," he says, "but right now," says he, "I find it particularly disgustful to live with him. Either I'll put him out in the hallway, or I'll move in on my brother. And as for him, let him bide here till the hosses come."

So the family goes off to the near-by town, whilst the husband, that head of the family, runs off to his brother, who's got only one room himself for living quarters.

Only it so happens that just then his brother's whole family is having a touch of diphtheria, and they won't let the welcome guest as much as set foot over the threshold—not for anything! So right then and there he came back, laid the slumbering little ancient on a dinky folding bridge-table, and put the whole business out in the hallway, next to the bathroom. And then he holed in in his room and never answered, no matter how they pounded on his door and yelled at him, for all of two days.

That's when all the stuff and nonsense, the bottlenecks and mixup, really started all through the communal quarters.

The tenants set up a squawk and raised a ruckus. The women and children just wouldn't *go*, saying they simply couldn't pass by without taking fright. Whereupon the men fell all over themselves to take the whole business and transfer it to the vestibule—where it threw all those who entered the house into panic and confusion.

The co-op manager, who lived in a corner room, announced that he had lady-friends coming to see him for one reason or another, and that he couldn't risk giving 'em nervous breakdowns. The house management committee was quickly summoned, but they didn't contribute to any extent to a rationalization of the matter. It was proposed that the whole business be placed out of doors, but the house manager put his foot down:

"That," he said, "might arouse an unwholesome confusion among those tenants who are still among the living and, most important of all, bring about a failure to pay rent, which, even without that, is held back half a year as a rule."

Thereupon shouts and threats arose, directed against the fellow to whom this little old man belonged; he had locked himself up in his room and was now burning sundry rags and other insignificant effects left behind by the late lamented.

It was decided to break down his door and put the whole business back in his room. They started yelling and moving the bridge-table—whereupon the little old man sighed, ever so gently, and began to stir.

There was just a trifling panic, and after that the tenants got used to the new situation. They made a dash for the son-in-law's room with renewed vigor and began pounding on his door, shouting that the little old man was alive and wanted to get in.

However, the besieged man wouldn't answer them for a long time. And it was only an hour later that he spoke up:

"Cut out them shenanigans. I'm on to you—you want to put one over on me."

After protracted parleys the fellow to whom the little old man belonged asked the latter to pipe up. Whereupon the old man, who wasn't gifted with any too much imagination, piped up in a falsetto: "Haw-haw!" Which the besieged man in the end refused to accept as the genuine article. Finally he took to peeping out through the keyhole, having first asked the others to place the old man so's he might see him. When they stood the old timer up, the head of the family for a long time refused to admit he was alive, claiming that the tenants were deliberately jiggling his legs and arms. The old man, losing all his patience at last, began rioting and swearing unmercifully, as he used to when he had been admittedly alive, whereupon the door opened and the ancient was solemnly re-established in the room. After squabbling with his son-in-law over this and that the resuscitated old man suddenly noticed that his belongings had vanished, while some of them were smouldering in the stove. And that the folding bed on which he had deigned to die was no longer around. So, with that brazenness which is common at his age, he took it upon himself to sprawl out on the family bed and issued orders to be served with food. He fell to drinking milk and eating, announcing that he wouldn't consider the fact of their being related but would institute suit for the misappropriation of his property.

It weren't long before the wife—the daughter of this deceased daddy, that is—arrived from the near-by town.

There were outcries of joy and fright. The little one, who didn't go into biological details any too deeply, regarded the resurrection rather tolerantly. But the nurse, that sixteen-year-old fool, began showing new signs of a disrelish for working in this family, where people were constantly either popping off or coming to life again.

On the ninth day a white hearse arrived, with torches and things, and drawn by a single black horse, with blinkers.

The husband, that head of the family, was the first to see its arrival as he was nervously looking out of the window.

"There, daddy," said he, "the hosses have come for you at last."

The old man took to spitting and said he wasn't going

anywheres now. He opened a ventilator and began spitting out of it, shouting in his feeble voice for the driver to get going, but fast, and stop being an eyesore to living folks.

The driver, in a long white coat and yellow tophat, having grown tired of waiting for the body to be carried out, came upstairs and began cursing, ever so rudely, demanding that they finally let him have that which he had come for, and not make him wait out in the cold.

"I can't understand the low level of the people living here," said he. "Everybody is aware what an acute shortage of hosses there is. And to be calling them out for no reason at all—why, it can bring about the final disruption and ruination of transportation. No," he said, "you don't catch me coming to this house again."

The tenants collected and, together with the little old man, shoved the driver out on the landing and then trickled him down the stairs, long coat, tophat and all. For a long time he wouldn't drive off, demanding that they at least sign some sort of a receipt he had. The reanimated old man kept spitting through the ventilator and shaking his fist at the driver, a very pointed altercation having broken out between them.

At last the driver, grown hoarse from yelling and all tuckered out, drove off in defeat, after which life again flowed on in its wonted course.

On the fourteenth day the little old man, having caught a cold at the time he had opened the ventilator, took sick and shortly died, but this time on the up and up.

At first no one would believe it, thinking the old man was horsing around, just as he had done before, but when they called in a doctor he reassured them all, telling them that this time there wasn't any trickery about it.

That's when perfect panic and confusion sprang up among those living in the communal quarters. Many tenants, having locked up their rooms, left for the time being, going wherever each could.

The wife—or, to put it more simply, her daddy's daughter—shying away from going to the funeral bureau, went off to the near-by town again with the baby and the bawling nurse.

The husband, that head of the family, managed to get into a sanatorium. And the little old man was left to the will of fate.

The little old man lay there in that room until such time as a policeman arrived on a dray and, having composed the little old man thereon, carted him off to the proper place.

After which they all began coming back, little by little, and in a short while life was again rolling along, as if on well-greased wheels.

A Budget of Letters

DANIEL OF THE OUBLIETTE

(XIIIth Century [?])

EDITOR'S NOTE

OF ONE of her greatest poets, the bard of *The Lay of the Host of Igor,* Russia does not know even the name; of the author of the *Supplication,* one of the few surviving monuments of her early literature, she knows scarcely anything save his name—Danilo, or Daniel. According to one account he was a monk, imprisoned after *interrogation* (read *torture*) for the possession of a "sack of deadly herbs"; there are also Man-in-the-Iron-Mask undertones—he may have been a disgraced by-blow of a Prince; other scholars claim there was nothing noble about Daniel—he was just a low fellow trying to pull himself up in the world by the boot-straps of his learning, admittedly exceptional for his times (which may have been in the eleventh century, or the twelfth, or the thirteenth, or even the fourteenth). Some think it was a case of two other Daniels (one of them even Daniel the Palmer!); others maintain there wasn't any Daniel at all, actually—just an echo of the Prophet and the lions' den); a third group insists that, even if there ever was any such Daniel, he was never imprisoned—although, as late as 1378, there is mention in a chronicle of his imprisonment in a fortress on an island in Lake Lach, in Olonetz. And the *Supplication* (also variously titled *Missive* and *Recital*) might have been addressed to one of several Princes other than the turbulent Yaroslav, son of Vsevolod (1190-1246).

The literature on this Daniel is as inconclusive as it is vast; for this translation that redaction which is now usually considered the second has been followed, in the main, since it is of greater general interest. It differs from the conjectured first in that the writer does not grovel so much before the Prince his Lord, is not violent against petty nobles and black monks (evidently this version has undergone the doctoring usual at ecclesiastical hands) but gives still looser rein to his misogyny, does not parade so ostentatiously his lore of history and statecraft (his purpose having been to wheedle the Prince into an appointment as councillor), and does not quite as frequently quote, in his own fashion, the Bible.

Daniel is also heavily indebted to *The Physiologue* (a sort of bestiary), chronicles, hagiographies, *The Bee* (an old collection of proverbs and folk-sayings), and even adapts for his ending Herodotus' old, old story of the Ring of Polycrates; in his turn he became one of the main sources for a collection of folk-wisdom, *The Smaragd.* He has been called one of Russia's first *intelligents*—and his appellation, *of the Oubliette* (or the *Immured*) is decidedly symbolic of the lot of authors in old Russia.

DANIEL OF THE OUBLIETTE

His Supplication to Prince Yaroslav, son of Vsevolod, Prince of Novgorod, and of Vladimir also

Let us blare, brethren, upon trumpets of wrought gold, which are the reasoning of our minds; let us smite instruments of silver, let us proclaim our wisdom. . . .

Prince, my Lord! I am as blighted grass that groweth close to a wall, and no sunlight shineth on that grass, nor doth rain fall thereon. . . .

Prince, my Lord! Look not upon me as a wolf upon a lamb; *Lord, my Prince,* look upon me rather as a mother upon her babe. . . .

Alas, *Prince my Lord,* some men live a full life—I have but cruel grief; to some White Lake is white—to me 'tis black as pitch, and Lake Lach maketh me but to weep; to some Novgorod is a great city—to me 'tis a sink of iniquity. . . . Mine is no bed of roses, *Prince my Lord.*

Thou dost feast with boon companions—I eat stale crusts; thy drink is sweet—I hardly have tepid water; thou sleepest upon soft beds, under blankets of sable skins—I shiver under one thin, shroud-like garment. Winter is death unto me, and the rain-drops pierce through my heart like unto arrows. . . .

The dulcimer is played with the fingers; the body is moved by the sinews thereof; the oak is steadfast because of the multitude of its roots—thus is our city steadfast because of thy rule. . . .

The Prince that is generous is like a river without banks that floweth through a forest of green oaks, giving drink not only to man but to all cattle, and all beasts also. The Prince that is niggardly is like a river with steep, stony banks; man cannot drink from it, nor can one drench horses therefrom.

The generous noble is a well of sweet water; the niggardly noble is a well of brackish water.

Prince, my Lord! Look not upon my outward appearance—look within me. I am poor in garb, but rich in intelligence; young in years but old in reason; like an eagle upon air do I soar upon thought: shouldst thou send a sage anywhere, thou needst give no instructions;

send a man of little sense, and thou wilt have to go after him thy self.—Sow not wheat in brakes, sow not wisdom in the heart of a fool. For fools men neither plow nor sow—they are a crop that of itself doth grow. He that would teach a fool is pouring water into a skin full of holes. Dogs and swine have no need of gold and silver—fools have no need of the words of the wise. There is no making a dead man laugh; there is no teaching a fool. Children flee a freak, and the Lord flees a drunkard. When a tomtit will devour an eagle, when a swine will bark at a squirrel, then will a fool learn wisdom.

Prince, my Lord! 'Tis not the sea that sends a ship to the bottom but the winds; 'tis not fire that brings iron to white-heat but the blowing of the bellows; 'tis not the Prince that doth evil but the flatterers lead him thereto. With a good councillor a Prince can win a great throne; with a poor councillor he will lose a minor one.

No cattle among cattle is a she-goat; no beast among beasts is a hedgehog; no fish among fish is a crab; no bird among birds is a bat; no man among men is he who is under his wife's thumb; no wife among wives is she that sports away from her husband. Better bring an ox into the house than take a wicked woman to wife: an ox will say no evil, nor invent evil, but a wicked wife will rage like a very fiend if chastised, will be overweening if one tries to tame her; if she be rich, she boasteth; if she be poor, she condemneth others. What is a wicked wife? A guest that never sleepeth; one that liveth with fiends; a turbulence in this world; a blinding of the reason; an instigator of all rancor, an upholder of sin, an ambush to salvation. The husband that regardeth but the beauty of his wife, that listeneth to her fair words, without putting her deeds to the test

—the Lord will, by way of relief, send him an ague. . . . The worm gnaws a tree; the wicked wife will make her husband lose the roof over his head. Better sail in a leaky boat than trust any secrets to a wicked wife: a leaky boat will but wet one's netherclothes; a wicked wife will ruin her husband's whole life. Better chip away at a stone with an awl than teach a wicked wife. Better cook iron—it will be done to a turn before one teaches a wicked wife anything. . . . What is more ferocious than a lion among all the four-footed beasts? What is more cruel than a serpent among all the creatures that creep? Aye, but a wicked wife surpasseth in evil all living things.

Prince, my Lord! I have never been to sea; I studied not with the philosophers; but, even as a bee, by clinging to diverse flowers, mingles the honey that is sweet in a honeycomb, so have I gathered, out of many books, wisdom and the sweets of words, mingling them even as sea-water is mingled in a skin; not through my reason alone, however, but by the will of God.

I, Daniel, inscribed these words while immured upon White Lake, and, having sealed them up in wax, let them into the lake, and a fish did swallow them; a fisherman caught the fish and brought it to the Prince; when they began gutting the fish, lo, they found the writing. The Prince chanced to see the writing, and commanded that Daniel be freed from his durance bitter.

Lord God, send thou to our Prince the strength of Samson, the bravery of Alexander, the sharp wit of Joseph, the wisdom of Solomon, the fortitude of David. Multiply, O Lord, the people under his rule.

A Historic Correspondence

ANDREW MIKHAILOVICH KURBSKY

(1528–1583)

EDITOR'S NOTE

KURBSKY was descended from the Princes of Yaroslav, who in their turn traced their descent to Vladimir the Great, the Monomachos (or Single Combattant). At twenty he took part in the campaign against the Tatars of Crimea and some years later distinguished himself at the siege of Kazan and was honored by Ioann the Awesome. He led all the troops against Livonia and won eight victories, but in 1563, overwhelmed at Nevel and fearing Ioann's wrath, he fled to King Sigismund of Poland—the same who had begged Queen Elizabeth not to send any British craftsmen to Russia, lest the Russian giant awaken. From Volmar Kurbsky sent a letter to the Awesome Czar by the hand of his loyal retainer Shibanov. Upon learning whom the messenger was from Ioann transfixed his foot to the floor with the spiked tip of his staff and bade him read the letter, which Shibanov did with a stoicism worthy of Seneca, betraying no pain even though he was bleeding profusely (Alexei Constantinovich Tolstoy has done a magnificent ballad on Vassilii Shibanov).

Kurbsky was versed in the humanities and translated (by a method in which he anticipated Alexander Pope) Chrysostom, Eusebius, and Cicero, and wrote *The Narrations of Grand Duke Kurbsky,* a chronicle of the reign of Ioann the Awesome, the first work of Russian that may be justly described as genuinely historical.

The First Epistle of Prince Andrew Kurbsky, Writ to the Czar and Grand Duke of Muscovy, that hath been Most Cruel in the Persecution of Him.

To the Czar, Made Glorious by God, Who on a Time was a Luminary of Orthodoxy, But Now, for Our Sins, Hath Become the Foe Both of God and Orthodoxy:

They that have understanding will understand how thy conscience hath become more corrupt than that of any even among the Paynim. . . . Never before have I let my tongue utter any such things, but I have borne the most grievous persecution from thee, and out of the bitterness of my heart I would tell thee somewhat.

Wherefore, O Czar, hast thou brought low the mighty in Israel? Wherefore hast thou put to death in sundry ways the Leaders-in-Battle placed in thy keeping by God, and wherefore hast thou shed the saintly blood of these victors in the temples of the Lord, and at thy royal feasts? Wherefore hast thou stained the thresholds of the churches with the blood of martyrs, and wherefore hast thou set on foot persecutions against them that have served thee with zeal and caused their deaths, bringing accusations against good Christians of treason and witchcraft and other unseemlinesses, and hast striven hard to turn light into darkness and to style as bitter that which is sweet?

What crimes were they guilty of, O Czar, and whereby had they aroused thy ire, O Vicar of Christians? Had they not, through their valor, brought proud kingdoms low, and made those slaves to thee who on a time had made our sires their slaves? Have not the strongholds of the Dumb Ones [Germans], through their foresight, been placed in thy hands by God? Is utter ruin the destruction, the reward thou hast meted out to us poor men? Dost deem thyself deathless, O Czar? Or hast thou become possessed by some unheard-of heresy, and dost think thou wilt not have to come before the face of the Supreme Judge, the Divine Jesus, Who will judge all the world, but cruel oppressors above all others, and shall not fail to break in pieces the transgressor, as it is told in Holy Writ? My Christ, Who sitteth on the throne of the cherubim on high, at the right hand of the Supreme Power, shall be the judge between thee and me.

What evils and persecutions have I not suffered at thy hands! What tribulations and torments hast thou not brought upon me! So many are the tribulations that have befallen me and so diverse that I can make no reckoning of them this day, inasmuch as my heart is still heavy because of them. Yet this much I shall say: through thee I have been shorn of all things and have been made an exile from God's own land. I pleaded not with thee in soft words, I implored thee not with tears and groans, I begged no boon of thee through the clergy, and therefore hast thou repaid me with evil for good, and hast requited my love with implacable hatred.

My blood, that has been shed for thee like unto water, cries to my Lord against thee. God perceiveth our hearts; diligently have I searched my mind, have called upon my conscience to bear witness, have examined my heart and delved deeply, and have not found myself at any fault before thee. Steadfastly have I led thy war-hosts, nor have I brought any ignominy upon thee; with the help of the Angel of the Lord have I gained illustrious victories that enhanced thy glory, and never did thy war-hosts [under me] turn their backs to any foe of thine, but it was ever the foe that was vanquished in glory, to do thee honor. And this I did not for one year, or for two years, but through a long course of years, and that with great travail and enduring much. Ever have I defended my land, and saw my parents but little and still less was I with my wife. Ever was I away on campaigns, in far-off cities, in the field against thy foes, and have suffered great privations and ill health, and Lord Jesus Christ is my witness thereunto. Oft, and in many a battle, have I been covered with wounds inflicted by the hands of barbarians, and all my body is covered with scars.

Yet all this, O Czar, is as if it had never been, and thou hast evinced against me thy unrelenting wrath and a bitter hatred that is more vehement than a fiery furnace.

I was fain to recount to thee, in due order, all the soldierly deeds I, with the aid of my Christ, have done to thy glory; yet have I not done so, since God hath better knowledge thereof than lies within the knowing of any man, for He rewardeth them all, even as He doth the giving of a cup of cold water; moreover, I know thou hast full knowledge of the said deeds. Know this likewise, O Czar: never again wilt thou behold my face in this world before the glorious Second Coming of my Christ. Neither think thou that I will forgive thee that which hath befallen me: I will unto the day of my death cry out in tears and without cease against thee to the ineffable Trinity that I believe in, and I summon to my succor the Mother of the Prince of the Cherubim, the Virgin Mary, my hope and my intercessor, and all the saints, the chosen ones of God, and my lordly forebear,

Prince Theodore, son of Rostislav, whose body remains incorrupt, preserved these many years, and which emits a sweet odor from its grave and worketh, by grace of the Holy Ghost, cures miraculous and many, as thou knowest full well, O Czar.

Think not, O Czar, in thy vainglory that all those have perished whom thou hast brought low in their innocency, who are in prison or in unjust banishment because of thee; rejoice not, and boast not of thy empty triumph. They whom thou hast slain stand before the throne of God, beseeching vengeance against thee, while they among us that are in prison or in unjust banishment from our land because of thee call upon God in the day and in the night. Though thou, in thy vanity, mayst boast of thy power in this temporal and passing world, and mayst invent new implements of torture against the generations of Christians, and mayst mock and trample underfoot the image of the Angel, to the yea-saying of thy sycophants and thy table-companions, and to the yea-saying of thy nobles, who are bringing thy body and soul to perdition, inasmuch as they incite thee to deeds that are Aphrodite's, and act against their children worse than the priests of Chronos did, I shall nonetheless command this my epistle, dank with my tears, to be placed in my sepulcher, that I may bring it with me when thou and I shall go up for judgment before the seat of my Lord, Jesus Christ. Amen. *Writ in Volmar, a City of My Lord King August Sigismund, from Whom, the Lord God Helping Me, I Hope for Favors and Assuagement of All My Sorrows, through His Royal Graciousness.* [No date.]

[The postscriptum, aimed against Theodore Alexeievich Basmanov, a favorite *boyar* of Ioann's, "a God-fighting Antichrist," "begot of whoredom," although picturesquely and Biblically virulent, really adds nothing to the letter.]

IOANN IV, SON OF BASIL

STYLED THE AWESOME

(b. 1530; crowned 1547; d. 1584)

EDITOR'S NOTE

THIS CZAR, history's nearest approach to Torquemada, has made at least partial payment for his sins by the ignominy of not having either his name or his sobriquet given correctly by most non-Russian historians. "In a certain French chrestomathy for older children," Chekhov wrote in one of his squibs, "there is a section of stories from Russian history. One biography, incidentally, bears the title: *Jean IV, nommé Wassiliewitch pour sa cruauté* (*i.e.*, Ioann IV, styled Vassilevich because of his cruelty)." He has fared but little better in English. There have been eight specifically Russian royal Ioanns [Johanns], six of them crowned, but Russian works of reference usually have not even a cross-reference to any royal *Ivan*—just as English ones haven't for any royal *Jack*. Practically each Ioann had a sobriquet: The Bag, The Benighted, The Meek; Ioann III, The Great, was also styled The Sinister, which may (or may not) be the reason for English historians choosing, by way of distinction, the sobriquet of The Terrible for the monster-epistler we are dealing with, although The Awesome is much nearer the Russian.

For almost a quarter of a century this tyrant (who,

even as Kurbsky, traced his descent from The Monomachos) made Russia a hell for the Russians, until they not unnaturally came to consider him the reincarnation (or double) of Vlad Tsepesh, the Wallachian Leader-in-Battle, styled Dracula [The Devil]. Thus we find Collins the Englishman, physician to the Awesome Czar, telling the story of the hat nailed to the head of a not sufficiently deferential envoy—which is also the first episode in the Dracula cycle of drolleries. Ioann IV killed "scores of thousands" of Russians—mostly commoners; in the number of persons tortured he has been surpassed only by the Inquisition, while in matrimonial ventures he is one up on even Henry VIII, having been married seven times. The only decent act of his whole life was his killing his son (also an Ioann), who was something more than a mere chip of the old headsman's block.

Missive of Ioann, Son of Basil, Czar and Grand Duke of All Russia, to Prince Andrew Kurbsky, in Answer to the Epistle of the Said Prince, Writ from the City of Volmar.

Through Our God, the Trinity, Who hath been since the start of time, but now, as Father, Son and Holy Ghost, hath nor beginning nor end, through Him have We Our life and motion; through Him do Czars reign and the mighty ones write laws. The conquering standard of God's only Word and the Blessed Cross that has never been overcome were given by Jesus Christ, Our Lord, to Emperor Constantine, foremost in piety, and to all the Czars, Orthodox and Champions of Orthodoxy, and the word of God hath been fulfilled, in that they have, like unto eagles in flight, come to all the pious servants of the Word of God, and in that a spark of piety hath fallen upon the realm of Russia. By the will of God the Autocracy had its beginnings with the Grand Duke Vladimir, who through baptism brought light to all Russia, and with that great Czar, Vladimir the Monomachos, to whom the Greeks paid signal honors; also with the great ruler, the Valiant Alexander Nevsky, who gained so great a victory against the godless Germans, and with the meritorious Czar Dimitri, who gained so great a victory over the Hagarenes beyond the Don; thereafter the rule passed to the great Czar Ioann, Our ancestor, the righter of wrongs, who fashioned Russia into a single whole from the domains of Our ancestors, and then to the great Czar Basil of blessed memory, until it came down to Us, the humble scepter-bearer of the Russian Empire.

And We glorify God for the great favor He hath manifested Us, in not letting Our right hand to be stained with the blood of Our line, inasmuch as We did not usurp the realm from any but were born thereto, through God's will and the blessings of Our ancestors and parents; We were bred therein and therein ascended to the throne, accepting, through God's will and the blessings of our ancestors, what appertained to Us, and not usurping that which was not Ours.

Hereinafter is the decision of an Orthodox, truly Christian Autocrat, Lord of many domains: Our humble, Christian reply to him who once was an Orthodox, true Christian and a noble of our realm, a Councillor and a Leader-in-Battle, but is now a felon before the blessed, life-giving Cross of the Lord, an extirpator of Christians, a servant of the adversaries of Christianity, who hath strayed from the divine worship of holy images and has trampled underfoot all holy commandments, hath destroyed sacred edifices, hath calumniated and spurned from him consecrated vessels and images, who uniteth in himself Leo Flavius the Isaurian, Constantine Copronymos and Leo Flavius the Armenian—to Prince Andrew Kurbsky, son of Michael, who through perfidy would fain become the ruler of Yaroslav.

Wherefore, O Prince, if thou dost deem thyself pious, hast thou forfeited thy unigenital soul? What wilt thou render up in place thereof on Dread Judgment Day? Even shouldst thou gain all the world, death will have thee in the end. Wherefore hast thou sold thy soul for the sake of thy flesh? Is it that thou didst dread death because of the false tongues of thy familiar demons and thy powerful friends and advisers?

If thou art so righteous and devout, as thou sayest thou art, wherefore this craven dread of a blameless death, since it is not death but canonization? For thou art bound to die in the end, come what may! For it is the will of the Lord that one should suffer in doing good!

And if thou art righteous and devout, why wert thou unwilling to suffer because of me, a stiffnecked potentate, and thus inherit the crown of life?

Dost thou not blush before thy slave Vasska Shibanov, who was steadfast in his devotion and, having pledged loyalty to thee by kissing the Cross, would not abjure thee before the Czar and all the people, though at the door of death, but sang thy praises and was all too willing to die for thee? But thou didst not follow the ensample of his devotion; because of one wrathy word of mine thou didst lose not thy soul alone but the souls of all thy ancestors, since they had been given, through the will of God, for servants to Our grandsire, the great Czar, and did put their souls in his keeping, and did serve him to their very death, and did command all of you, their children, to serve the children and grandchildren of Our grandsire. Yet thou didst forget all things and through perfidy, like a dog, hast turned against the vow thou didst take by kissing the Cross and hast gone over to the adversaries of Christianity and, bereft of all reason by thy rancor, thou utterest folly, hurling stones at the sky, as it were.

Well, now, thou dog! Dost thou write, and seekest thou condolence, after having wrought such evil? To what, then, may thy counsel be likened save to the stink of a turd? . . .

Never have we shed blood in churches. As for the *saintly blood of victors*—there has been none of that in Our land, to Our knowledge. As for the *thresholds of the churches*—insofar as Our wherewithal and intelligence permit, and Our subjects are zealous in their service to Us, the churches of the Lord are resplendent with all sorts of adornments and because of the offerings We have made since thou hast come under the sway of Satan; not only the thresholds and pavements but even the vestries glow with ornaments, so that even strangers may behold them. We stain not the thresholds of the churches with any blood whatsoever, and there are no martyrs to the faith in Our midst—not any longer. . . . Tortures, and persecutions, and deaths many and diverse, we have not devised against any. But, since thou hast made mention of perfidies and witchcraft—such dogs as practice these things are put to death everywhere. . . .

It hath pleased God to transport Our mother, the devout Czaritsa Helen, from the kingdom of this earth to the Kingdom of Heaven. George, Our brother, who is now at peace in Heaven, and I were left orphans, and inasmuch as none looked after us we had to place our trust in the Holy Virgin, and in the prayers of all the Saints, and the blessings of Our parents. When We were in Our eighth year, Our subjects behaved as they would, for that they knew the Empire had no ruler, and did not deign of themselves to pay any heed to Us, their master but, even as they quarreled with one another, were bent upon acquiring riches and glory. And what harm did they not work! How many nobles, how many friends of Our sire and Leaders-in-Battle did they slay! And they seized the estates and the villages and demesnes of Our uncles, and set themselves up therein. The treasure that had been Our mother's they did trample upon and did pierce with sharp pikes or transfer to the general treasury, yet not without seizing somewhat for themselves—and it was thy grandsire, Mikhailo Tuchkov, who did that very thing. The Princes Basil and Ivan Shuisky had taken it upon themselves to have Us in their keeping, and they did release out of prison and make friends of them that had been chief traitors to Our father and mother.

Prince Basil Shuisky and his Judas horde did fall upon Our father-confessor, Theodore Mishurin, in the court of Our uncle, and mocked at him, and slew him; and they did immure Prince Ivan Belsky, son of Theodore, and numerous others, in sundry places, and did take up arms against the realm; the Metropolitan they ousted from his see and did banish him, and thus they bettered their chances and began their self-rule.

As for Us, my brother George of blessed memory and Ourself, they brought us up like outlanders and the children of the poorest folk. What have I not suffered, for lack of clothes and food! And all this was done contrary to Our will, and was no seemly thing to do to one of Our tender years. We shall cite but one instance: Once, when We were a child, and at play with Our brother, Prince Ivan Shuisky, son of Basil, as he sat on a bench leaned his elbow on Our father's bed and, as though that were not enough, even placed his foot thereon. Not as a father did he treat Us but as a master. . . . Who could endure such arrogance? How can We recount all the hardships which We underwent in Our youth? Oft, through no wish of Our own, We got nothing to eat until late. . . .

But when We had attained the age of fifteen We undertook, under the guidance of God, the rule of Our own realm and, by the will of Almighty God, it was at peace and undisturbed, as We would have it. But, for Our sins, it so fell out that a conflagration spread through Moscow and, by the will of God, the royal city of Moscow went up in flames. Our nobles, those traitors whom thou stylest martyrs, and whose very names We shall pass over, availed themselves of this favoring chance to further their base perfidy and whispered into the ears of the doltish commonalty that Our mother's mother, the Princess Anna Glinskaya, as well as her children and retainers, made a practice of cutting out men's hearts, and that through such witchcraft she had set Moscow on fire, and that We had knowledge of her deeds. Through the machinations of these our traitors a horde of senseless folk, crying out in the manner of the Jews, went to the Cathedral of the Holy Martyr Dimitri of Selun, hauled out therefrom one of Our nobles, Uriah Glinski, son of Basil, dragged him inhumanly into the Cathedral of the Assumption, and slew the innocent man within the church, before the Metropolitan's seat; with his blood did they stain the flagstones of the church, dragged his body out through the portals, and did expose him in the marketplace as a felon—all men knew of this slaying within the holy place. At that time We were residing at the hamlet of Vorobievo; the same traitors did stir up the commonalty to slay Us as well, using the pretext that We were hiding from them the mother of Prince Uriah, the Princess Anna, and his brother, Prince Michael—and thou, thou dog, dost repeat that lie after them. What can one do save laugh at such stupidity? Wherefore should We be the incendiaries of Our own realm? . . .

Then thou sayest that thy blood was shed in battles against the outlanders and, in thy vain madness, thou addest that it cries out to God against Us. That is downright laughable. It was shed by one—and it cries out against another. If it be true that thy blood was shed in opposing the enemy, then thou didst but thy duty to thy land; hadst thou not done so thou wouldst have been no Christian but an infidel. Howbeit, the matter concerneth Us not. How much more doth Our blood cry out to the Lord because of thee! Yet it was not because of mere wounds and trickling blood that we found thee a burden, needless and taxing our strength, but because of the great sweat and travail thou didst bring upon Us. And thy great malignancy and persecutions have caused Us to shed tears, many and bitter, and have wrung sighs and moans from Our heart. . . .

But if, as thou sayest, thou wouldst put thy epistle in thy sepulcher, it will be because thou hast put the last of thy Christianity from thee. For it is God's commandment not to resist evil, yet hast thou abjured that last pardon which is granted even to the ignorant. It is not meet, therefore, that any requiem be chanted over thee. . . .

And, thou writest, thou wilt not show thy face [to Us] until God's Dread Judgment Day. Thou dost put too high a value on that face of thine. Who would ever hanker to see such an Ethiopian visage? . . .

Thou namest the city of Volmar, which is in the land

of Liflandia, Our patrimony, as appertaining to Our foe, King Sigismund; thereby thou dost but carry out to the end the perfidy of a vicious dog. . . .

Given in Our Great Russia's Famed, Royal, Throne City of Moscow, on the Steps Leading to an Honorable Threshold, in the Year 7072 [1564 A.D.], *in the Month of July, on the Fifth Day thereof.*

EDITOR'S NOTE

WHETHER one wield pogniard or quill, the temptation to get at one's adversary's heel of Achilles is irresistible, and Kurbsky, with the practiced rhetorician's contempt for the tyro, made the unerring choice, in his *Brief Reply to the Much Too Ambagious Epistle*[1] *of the Grand Duke of Muscovy,* of beginning with a devastating attack on The Awesome as an author: "Thy stentorian and decidedly obstreperous screed I have received, and pondered thereon, and have even fathomed the same, albeit it was but belched forth by untamable wrath in words of venom, which would be unseemly not only in a Ruler so great and celebrated throughout Creation, but even in some simple, lowly warrior, and all the more so since it containeth so much that is snatched out of Holy Writ, and that with great frenzy and ferocity, not by lines and not by verses, after the wont of the skilled and the learned, as may fit the occasion and the person one may be writing to, putting much sense in words few and brief, but redundantly and shrilly beyond all measure, like a countrywife, in whole Books and Lessons and Epistles." He is amazed that The Awesome could ever

[1] It has been considerably—and considerately—abridged here.—*Trans.-Ed.*

send so disjointed a letter to an alien land, where there are men "versed not only in the grammatical and rhetorical sciences but the philosophical as well."

Whether Ioann IV took such literary criticism to heart or not, the facts remain that he did take his time about having his last word: a Devil's dozen of years, and that this *Missive*, sent by the hand of Prince Alexander Polubelinski, is shorter, simpler and clearer than his first, and almost colloquial in tone; in fact, he puns atrociously on Kurbsky's name, implying that the addressee is as barefooted as a hen. Shortly before inditing it The Awesome had captured the city of Volmar, in which Kurbsky had taken refuge, and the Czar does not miss the chance for a spot of gloating, actually waxing lyrical toward the end: "It would seem as if it were but to vex thyself that thou didst write of Our sending thee, for thy seeming disgrace, to towns to reach which a steed would have to go long and far, for now, by the will of God, We, despite Our gray hairs, have gone even beyond thy towns to reach which a steed would have to go long and far, and the hooves of Our steeds have traversed all the roads of thee and those who are thine, from Lithuania and into Lithuania, and likewise on foot did we fare, and drank water there, and now it cannot be said of Lithuania that the hooves of Our steed have not been everywhere. And if thou wert fain to find surcease from all thy travails in Volmar, why here, likewise, for the sake of thy tranquility, God hath brought Us; for by God's will we did get off Our steed, whereas thou didst have to get up on thine and fare further."

He concludes most piously: "And all this we have written not in pride, nor in vanity, God wot, but to admonish thee for thy correction, so that thou mightest meditate upon the salvation of thy soul.

"Writ in Our Own Hereditary Land of Liflandia, in the City of Volmar, in the Summer of the Year 7080 [1577 A.D.], *the* 43*rd of Our Reign, and, of Our Reigns: of Russia, the* 31*st; of Kazan, the* 25*th; of Astorohan* [Astrakhan], *the* 24*th."*

Kurbsky wrote once more (the letter is undated) this time addressing his Epistle to the "Czar of Muscovy," and styling himself the "lowly Andrew Kurbski, Prince of Kovel," but Ioann IV, The Awesome (probably savoring one of the most subtle forms of vengeance) never deigned to answer it.

The Retort Courteous

EDITOR'S NOTE

THE reader will perhaps recall *The Dniepr Cossacks* of I. E. Repin, a glorious picture which it took that genius thirteen years to finish. It shows the magnificent fighting men in Homeric, Rabelaisian laughter, garbed in vivid, motley costumes, sitting and standing around a scribe. An additional, descriptive title reads: "Ivan Dmitrievich Serco [Sirco], Chief Hetman, and his comrades, answering with mockeries the high-flown and threatening missive of Sultan Mahomet IV."

The date of Sirco's birth seems unknown; he was elected Koshevoi [Koshevyi], or Chief of all the Dniepr Hetmans, in 1663, and died in 1680. Mahomet IV was Sultan from 1648 to 1680.

The traditional text of the letter (here followed) is given in M. N. Pokrovsky's *Russian History from the Most Ancient Times;* it is undated.

The Cossacks of the Dniepr, to the Soldan of Turkey:

Thou Turkish Shaitan [Satan], brother and companion to the accursed Devil, and Secretary to Luciper [Lucifer] himself, Greetings!

What the hell kind of noble knight art thou? The Devil voids, and thy army devours. Never wilt thou be fit to have the sons of Christ under thee; thy army we fear not, and by land and on sea will we do battle against thee.

Thou scullion of Babylon, thou wheelwright of Macedonia, thou beer-brewer of Jerusalem, thou goat-flayer of Alexandria, thou swineherd of Egypt, both the Greater and the Lesser, thou sow of Armenia, thou goat of Tatary, thou hangman of Kamenetz, thou evildoer of Podoliansk, thou grandson of the Basilisk [Devil] himself, thou great silly oaf of all the world and of the netherworld and, before our God, a blockhead, a swine's snout, a mare's —, a butcher's cur, an unbaptized brow, May the Devil take thee! That is what the Cossacks have to say to thee, thou basest-born of runts! Unfit art thou to lord it over true Christians!

The date we wot not, for no calendar have we got; the moon [month] is in the sky, the year is in a book, and the day is the same with us here as with ye over there, and thou canst kiss us thou knowest where!

KOSHEVYI HETMAN IVAN SIRCO,
and all the Dniepr Brotherhood with him

MIKHAIL VASSILIEVICH LOMONOSSOV

(b. between 1708–15; d. 1765)

EDITOR'S NOTE

THIS "muzhik of Archangel" (in Nekrassov's phrase), is the Russian Benjamin Franklin *cum* Samuel Johnson, with not a little of Leonardo's many-sidedness, taking all Science for his province, and with something of Lincoln's pertinacity in the acquisition of knowledge, memorizing the books he walked miles to borrow. This fisherman's son is the acknowledged founder of modern Russian literature, and of modern Russian science and culture. He fixed standards for Russian and formulated a new prosody; as didactic poet he is equaled (but not surpassed) only by Derzhavin, while his *Ode on a Beard* makes him of kin to such satirists as Alexander Pope. His experiments in electricity were as important as Franklin's and very close in time to them. However, even at the height of his powers he had very hard sledding, forced to do drudgery far beneath his great gifts and to spend his time in altercations with the Teutonic nonentities who had a Yorkshire stranglehold on the Academy of Sciences (he had to sit seven months in prison after one such brawl; his feud with Soumarokov is also famous).

Elizabeth II was not impressed by Lomonossov's scientific attainments, but was taken with his Odes; his affairs improved still further when the grandee I. I. Shuvalov, after attending one of his lectures, became his patron. However, upon the accession of Catherine II,

Shuvalov fell out of grace, and Lomonossov had to leave the Academy. But it took the Great Empress, with a reputation as an Enlightened Sovereign to keep up, only two or three weeks to come to her senses; the scientist-poet was re-instated and even "honored" by a royal visit. It is only now, however, that this superb genius has come into his own. Present-day Russians have taken Grandpa Lomonossov (so they affectionately call him) to their hearts. His theories and discoveries are being put to the test by Soviet scientists; Soviet exploring expeditions have found certain sea-routes suggested by him practicable, and the Soviets have completed the monumental edition of his works (many of them never published) which had been abandoned in 1901.

MIKHAIL VASSILIEVICH LOMONOSSOV

Letters to His Patron

On Poets in Garrets[1]

MY DEAR SIR, IVAN IVANOVICH!

Your Excellency's kindness in favoring me with your last letter makes me feel assured, to my great rejoicing, of your unaltered sentiments toward me, which I have these many years considered among my blessings.

How could the royal generosity of our incomparable Empress, which I enjoy through your paternal interest, lead me away from my love for and zeal in the Sciences, when that dire poverty which I had voluntarily borne

[1] In answer to a letter wherein Shuvalov had been apprehensive that the Empress' gift of an estate to Lomonossov might make him less ardent in his pursuit of Science.—*Trans.-Ed.*

for the sake of Learning could not divert me from pursuing it? Let Your Excellency not presume me self-laudatory if I venture to defend myself.

[An account of his early struggles follows: of the daily three kopecks he received as a scholar's stipend he "dared spend no more than half a kopeck for bread and half a kopeck for bread-cider; the rest had to provide writing paper, footwear and other necessities." Five years did he have to pass thus, "yet forsook not study." His father alternately threatened to disinherit him—or to marry him off to a wealthy girl—but Lomonossov preferred to stay at school, where little boys pointed their fingers at him, jeering: " 'Look at that yokel—coming to study Latin at twenty!' "]

I beg to assure Your Excellency, in all humility, that I shall do everything that within my power lies to allay the anxiety of those who wish me not to abate my zeal, and to shame those whose unjust opinion of me is due to envy and malice, as well as to teach them that they ought not to measure others with the yardstick they apply to themselves, as well as to remind them that the Muses are free to love whomsoever they like.

If there be any who adhere to the notion that a man of learning must dwell in poverty, I shall, as part of their argument, cite Diogenes, who shared an old tun with dogs and left a handful of epigrams to his compatriots, to make their vainglory wax greater; on the other hand I shall mention Newton, the wealthy Lord Boyle, who attained all his glory in the Sciences because he had great moneys at his disposal; Wolff,[1] who by his lectures and through gifts amassed more than five hundred thousand [rubles?], besides winning the title

---

[1] Christian Wolff (1679–1754); Lomonossov had studied mathematics, physics, and chemistry under him at Marburg (1736–39, and later).

of Freiherr; Sloane, in England, who left a library so rich that Parliament appropriated twenty thousand pounds for its acquisition, no private person being in a position to purchase it.

You will not find me remiss in carrying out your commands. Pray believe me, with profound esteem, Your Excellency's most humble Servant,

MIKHAILO LOMONOSSOV

St. Peterburg, May 10, 1753

Concerning Certain Experiments

MY DEAR SIR, IVAN IVANOVICH!

Your Excellency's favor of the 24th inst. to hand, and I see therein a token of your unchanged graciousness toward me, which is a source of great gratification to me, particularly since you were pleased to express your conviction that I would never forsake the Sciences.

The judgment of others is not at all a matter of surprise to me, inasmuch as they can point to certain instances of men who, having hardly found the road to their personal fortunes, have immediately struck out on other paths, seeking means for further advancement other than the Sciences, which they have forsaken utterly. But little is asked of them by their patrons, who are content with their mere repute—unlike Your Excellency, who asks to judge me by my works. All men can perceive in the case of the abovementioned men, who forsook Learning when good fortune came to them, that the sum of their knowledge consists only of what they learned in their tender years under the ministration of birchrods, and that they have added nothing new to that sum since becoming their own masters.

But my case has been quite different—if you will

allow me, my Dear Sir, to declare the truth, not out of any vainglory but merely to give my side. My father was a kindhearted man, yet one bred in utmost ignorance; my stepmother was an envious and malicious woman, who did her worst to set my father against me by claiming that I was forever idling my time away with books; hence I was oft forced to hide myself in isolated and deserted places to read and study anything that came my way, and to endure cold and hunger until I entered the school at the Monastery of the Saving Icon.

Now that, through your paternal interest, I have gained a competency from Her August Imperial Highness, and my labors have won the approbation of yourself and others who know and love the Sciences . . . how could I, in years of manhood, put my early life to shame?

However, instead of trying your patience with these matters, since I am aware of your fair opinion of me, I shall inform you as to what Your Excellency, in your meritorious zeal, wishes to know concerning the Sciences.

First, as to Electricity: Two experiments of importance have been recently performed here; one by Richmann, working with an apparatus, the other by myself, upon clouds. . . . The second experiment was performed on the 25th of April with my lightning apparatus, when, without any observable thunder or lightning, a cord was repelled from an iron rod and followed my hand; also, on the 28th of the same month, while a raincloud was passing, without any observable thunder or lightning, loud discharges issued from the lightning apparatus, accompanied by vivid sparks and a crackle that was audible at a great distance. Nothing of this sort had been observed heretofore, and it is in complete accord with my previous theory of Heat and my present one of Electric Force, and will be very useful to me at the next public lecture. I shall give it together with Professor Richmann; he will demonstrate his experiments, while I will explain the theory and the benefit to be derived from them; I am now getting ready for this lecture.

As for Part Two of the text-book on Rhetorick—it is coming along well, and I am in hopes of having it in print by the end of October. I shall endeavor to the utmost to issue it soon; I am not sending Your Excellency any of it in manuscript, since you have asked for printed sheets. As per my promise, I am likewise using my utmost endeavor in the matter of Volume One of the *History of Russia,* so as to have the manuscript thereof ready by the New Year.

From one who gives lectures in his special subject, who carries out new experiments, delivers public lectures and dissertations and, in addition, composes all sorts of verses and makes plans for triumphal celebrations and occasions of rejoicing, who formulates the rules of Rhetorick for his native tongue and writes a History of his native land—which, moreover, he has to hand in at a set date—from such a one I cannot demand anything additional, and I am inclined to have patience with him; that is, if something worth-while will come of it all.

Having repeatedly convinced myself that Your Excellency is fond of scientific converse, I eagerly look forward to the pleasure of a meeting with you, so that I may appraise you of my latest efforts to your satisfaction, for it is impossible to inform you as to all of them at this distance. When I shall be able to install the optical apparatus in Your Excellency's house, as per my promise, is something I cannot at present tell; for as yet there are no floors, or ceilings, or staircases, and when I recently made a tour of inspection through it it was not without considerable danger to my person. The electric globes, as per your wish, I shall send on to you with all despatch.[1]

I am bound to inform Your Excellency that mechanicians are very scarce here, so that I was unable to secure at any price, anywhere—not even upon your estate—a cabinetmaker to construct an electric apparatus for me, and consequently, up to the present, instead of using a terrestrial machine, I have been experimenting with the clouds, having had a pole put up on the roof for that purpose.

I beg of you to allow me to state in your name, at the Chancellery of the Academy, that orders should be issued to the mechanicians for whatever instruments Your Excellency may require—for otherwise the matter will drag on with never an end.

In conclusion, I remain, with expressions of profound esteem, Your most humble and devoted servant,

MIKHAILO LOMONOSSOV

St. Peterburg, May 31, 1753

NIKOLAI IVANOVICH NOVIKOV

(1744–1818)

EDITOR'S NOTE

NOVIKOV was of noble birth. He began as a publisher in 1766. 1769 was signalized by the appearance of a host of satirical sheets—the most remarkable of which was *The Drone*, edited and published by Novikov

---

[1] Leonardo, too, if the reader will recall, had to fix the plumbing in the bathroom of Beatrice, Duchess of Sforza.—*Trans.-Ed.*

(1769-70). In it, as well as his other early periodicals he strove to Canutize, with the broom of sharp satire, the ocean of slavocracy, bureaucracy, autocracy. He fared no better than Krylov; his publications were suppressed one after the other, some as fast as they appeared. He did a tremendous amount of other work as writer, publisher, promoter of literary, pedagogical, social, and political movements. In 1775 he joined the Freemasons, publishing the Masonic *Morning Glow* (1777-80), and became the "soul" of the Moscow Freemasonry organization—which Catherine fought tooth and nail. By the 1780's Novikov's publishing activities, both book and periodical, were "enormous." Finally the government got after him in real earnest. In 1792 (the same year that Krylov's tribulations began) Novikov, by Catherine's orders, was arrested and put (the vivid Russian verb is "planted") in Schlüsselburg (Key-Fastness) Fortress, which ranked with the equally notorious Fortress of SS. Peter and Paul as a forcing-bed for Russian genius. Not until Mad Paul succeeded Catherine in 1796 did he issue from his dungeon—"decrepit, old and broken."

The peculiar interest of the subjoined letter lies in that Novikov (like Fonvizin) tried polemics against someone who was something besides merely a rival writer-publisher. Catherine the Great had (in 1769) founded *Mish-Mash* which, since it was the very first of the funny sheets in Russia, was also nicknamed Great-Granny. Catherine, as satirist, belonged to the bear-and-fur-bear school—in our own day it still flourishes, with humor running almost entirely to Darktown Stories and Yiddish Dialect Pieces; her armory consisted of but two weapons: a fly-swatter for "human frailties" and a spike-studded shellelagh for those who disagreed with her. And it was not the fly-swatter she used on Novikov, although her letter on *The Drone* (published in *Mish-*

Mash and signed Athenogene Perochinov—Athens-born Quill-Mender) was a eulogy on the lighter weapon, as well as an attempt to teach Novikov the trade of funnyman. The letter here given is Novikov's second parry-and-thrust, unerringly penetrating the one chink in Catherine's auctorial armor—her weakness in Russian (she was much more at home in her native German and in French); the *Coup de* dis*grâce* was, probably, the reference to the lady's age: Catherine had edged into her forties.

NIKOLAI IVANOVICH NOVIKOV

Letter to the Publisher

Dear Sir!

Madam Mish-Mash hath waxed wroth with you, and styled your morally edifying discourses as vilifications. But I now perceive that she is not as much at fault as I deemed her. All her fault lies in that she does not know how to explain herself in our tongue, and is unable to comprehend circumstantially the writings therein—which, by the by, is a fault appertaining to many of our writers.

From the words set forth by her . . . a Russian can come to no other conclusion save that her straw-man, Mr. A, is in the right, and that Madam Mish-Mash went all awry in criticizing him.

In the fifth issue of *The Drone* there is nought writ, as Madam Mish-Mash supposes, against either compassion or making allowances, and the Public, to whom I appeal, can discern that. If I have written that he who corrects vices hath greater love for his fellow-man than he who is a yea-sayer to those same vices, I truly know not how through such a declaration I could have impugned compassion. It is evident that Madam Mish-Mash hath been so spoiled by praises that now she considers it a crime even when someone doth not praise her.

I know not: Why doth she style my letter a vilification? Vilification is abuse expresst in vile terms; yet in my preceding letter, which went so much against the grain of this elderly dame's heart, there are neither *knouts,* nor *gallows,* nor other references that grate upon the ear and which are to be found in her publication.

Madam Mish-Mash has written that she *annihilates* the fifth issue of *The Drone.* Even that is said somehow not in our tongue. *Annihilation,* to wit, turning something into nothingness, is a word natural to absolute power, whereas power of any sort is not appropriate in any such kickshaws as her published broadsides; it is a superior power which *annihilates* some right belonging to others. But on Madam Mish-Mash's part it would have sufficed to have written that she *despises,* but does not *annihilate,* my criticism. For of those sheets containing that same criticism there is a multitude being circulated from hand to hand, and therefore annihilating them is beyond her.

She affirms I have an evil heart inasmuch as, in her opinion, I exclude through my discourses the making of allowances, and compassion. I wrote clearly, it would seem, that human frailties merit compassion, but that they call for correction and not yea-saying; and hence I am of the opinion that my declaration, to anyone conversant with our tongue and the truth, will not appear contrary either to justice or to compassion. As to her advice about medical treatment: I know not whether that advice is more applicable to me or to the lady herself. She, after saying that she had no wish to answer the fifth issue of *The Drone,* did put all her heart and mind into answering the same, and all her choler became apparent in her letter. And if she forgets herself and is so overcome with mucorrhea that she oft expectorates not where she should, it would appear that, for the sake of cleansing her thoughts and inwards, it might not be unbeneficial for her actually to undergo medical treatment.

This lady has styled my mind dull because I had not grasped her morally edifying discourses. To which I answer: That my eyes, as well as my mind, fail to perceive that which is non-existent. I am quite gratified that Madam Mish-Mash has given me over to the judgment of the Public. The Public will see, from our future letters, which one of us is in the right.

Your humble servant,
PRAVDOLIUBOV [*Lover-of-Truth*]

6th of June, A. D. 1769

IVAN SERGHEIEVICH TURGENEV

Turgenev's Last Letter[1]

Bougeval, June 27th or 28th, 1883

MY DEAR AND BELOVED LEO NIKOLAIEVICH:

I have not written you a long time for, to come right out with it, I was, and am, on my deathbed. There is no getting well for me, and there is no use in even thinking

[1] This letter to Tolstoy was written in pencil, and was unsigned. Postmarked Tula, July 3, 1883. Turgenev died September 3 of the same year.—*Trans.-Ed.* For Editor's Note on Turgenev, see page 100.

of it. But my real reason for writing you is to tell you how glad I am to have been a contemporary of yours, and to express my last, earnest request. My friend, resume your literary work! For this gift of yours comes from whence all else does. Ah, how happy I would be if I could think that my plea would prevail upon you! As for me, I am done for—the doctors don't know even what name to give my ailment—*névralgie stomacale goutteuse.* There is no walking, no eating, no sleeping for me. Oh, well! It's wearisome even to repeat all this. My friend, great writer of the land of Russia—heed my plea! Let me know if you receive this scrap of paper, and permit me once more to hold you, your wife, all of you, close—close!—to me. . . . I can write no more. . . . I am tired!

ANTON PAVLOVICH CHEKHOV[1]

Two Chekhov Letters

Wife and Mistress

[To A. S. Suvorin:]

Moscow, Sept. 11th, 1888

. . . I'll undertake reading the proofs of your Moscow Aesculapian stuff for your almanac willingly, and will be glad if I make it come out right. They haven't been sent me yet. I'll fuss with the thing and do what I can, but I'm afraid that at my hands it will come out dissimilar to the Peterburg batch—that is, it'll be either fuller or slimmer. If you find this apprehension of mine

[1] For Editor's Note on Chekhov, see page 242.

not without basis, wire the printers to send me the Peterburg proofs as well, so that I may have something to guide me. It wouldn't be right if, in the one and the same section, Peterburg will represent a lean cow and Moscow a fat one, or the other way around; both capitals ought to be equally honored—or, at the worst, Moscow less so.

. . . Next year, if you permit, I will take the whole medical section of your almanac upon myself, but now I will only pour old wine into new bottles. . . .

You advise me not to run after two hares at the same time, and not to think of following medicine. I don't know—why shouldn't one run after two hares, even in the literal meaning of these words? As long as there are hounds one can go hunting. Of hunting hounds (speaking figuratively now) I may have none, but I feel spryer and more satisfied with myself when I realize I have two occupations and not one. Medicine is my lawful wife, while literature is my mistress. When I get fed up with the one I stay the night with the other. This may be irregular, but then it isn't so boring, and besides neither loses anything at all because of my infidelity. If I hadn't medicine, I would hardly be likely to devote my leisure and my spare thoughts to literature. There is no discipline in me. . . .

Yours,

A. Chekhov

Tolstoy, Electricity, Tobacco

[To A. S. Suvorin:]

Yalta, March 27, 1894

Greetings! There, it's almost a month that I'm living in Yalta, in most drearisome Yalta, in the Hotel Russia, Room 39. . . . The weather is vernal; it is warm and bleak; the sea is as a sea should be, but the people are tedious, turbid, dull. I did a foolish thing in giving up all of March to the Crimea. I should have gone to Kiev and there gone in for contemplation of holy objects and of the Little Russian spring.

On the whole I am well; I am unwell only in certain particulars. After giving up smoking altogether, I am no longer subject to moods of moroseness and uneasiness. Perhaps because I am not smoking. Tolstoyan morals have ceased to move me; in the depth of my soul my attitude to them is inimical—and that, of course, is unjust. There is muzhik blood flowing in my veins, and you won't bowl me over with muzhik virtues. I had come to have faith in progress in my childhood, and could not but have that faith, since the difference between the time I was beaten and the time they ceased to beat me was a frightful one. I loved intelligent people, sensitiveness, courtesy, wit, and as to the fact that some people picked their corns, or that their foot-clouts emitted a stifling odor—I regarded that with the same indifference as the fact that young ladies walk about in curl-papers of mornings. But Tolstoy's philosophy moved me deeply, it possessed me for six or seven years, and it was not due so much to the basic theses, which were known to me even before, but to the Tolstoyan manner of expression, sagacity and, probably, a *sui generis* hypnotism. But now something within me protests; prudence and justice tell me that there is greater love for man in electricity and steam than in continence and abstention from meat. War is an evil and law is an evil, but it doesn't follow from that that I must needs wear bast sandals and sleep atop the oven with the hired hand and his wife, and so on, and so on. But the heart of the matter does not lie in that, nor in the *pro et contra,* but in the fact that, in one way or another,

Tolstoy is water over the dam as far as I am concerned, he is not within my soul, and he has departed from within me, after saying: I leave your house empty. I am exempted from having anyone billeted upon me. . . .

It seems as if everybody had been in love, has now fallen out of love, and is seeking some new enthusiasm. It is very likely, and seems very much so, that the Russian folk will again live through an enthusiasm for the natural sciences, and that the materialistic movement will again be in vogue. The natural sciences are working wonders now, and they may advance upon the public like Mamai,[1] and subdue it with their massiveness, their grandiosity. However, all things are in the hand of God. Once you launch into philosophizing, though, your head will start going 'round and 'round. . . .

Keep well and tranquil. How is your head? Does it ache more often or less than before? Mine has begun to ache less often—that's because I don't smoke.

Yours,

A. CHEKHOV

---

[1] A Mongol Prince of the Golden Horde (founded by Batyi, grandson of Genghis Khan, which held Russia in subjection for 237 years—1243–1480); in 1380 Mamai advanced against Dimitri Donskoy, Prince of Muscovy, and suffered a disastrous defeat.—*Trans.-Ed.*

A New Handful of Old Proverbs

CATHERINE II

DAUGHTER OF ALEXIS; STYLED THE GREAT

(b. 1729; usurped throne 1762; d. 1796)

EDITOR'S NOTE

CATHERINE THE GREAT (who has also a recognized place in French literature) is freer from suspicions of ghostly collaboration than any other Royal Author—and her writings practically fill a five-foot shelf. She was decidedly a first-rate humorist and founded the first funny paper in Russia, although as satirist she definitely preferred not to aim her barbs any too near home; was a scholarly historian, an eminent and indefatigable letter-writer, author of charming fairy-tales and allegories, collaborator with other noble writers; and, as dramatist, almost all of Polonius's categorizing might apply to her versatility: she did tragedies, comedies, historical plays, masques, comic operas and humble adaptations, forthrightly acknowledged, of Shakespeare. It would be worth-while to master eighteenth century Russian just to read her delectable version of the *boyar* Falstaff's misadventures with the Merry Wives, and a certain dramatic fragment of hers could be staged in modern dress on Broadway, with hardly a word changed, and sound as of today. As author, her only weak point was a sprightly disregard of orthography. It must be admitted, however, that as proverbialist (or maximist) she was rather on the Guicciardini side, and had a predilection for rhyming. The following selections, nevertheless, do stand up.

Asterisks denote the exceedingly popular ones.

Choice Russian Proverbs

CATHERINE II

A kingdom by dissension made insecure will not very long endure.

The fugitive hath but one road; the pursuer hath an hundred.

Woe liveth next door to Folly.*

Profit and Loss are next door neighbors.*

Money can do much, yet Truth reigns supreme.

Green grapes gripe, and young men are not ripe.

He that says what he likes may hear that which he may not like.

He that cannot rule himself cannot instruct others in truth.

Fraternal love is stronger than stone walls.

Mercy is the guardian of good government.

Truth has no need of a large vocabulary.

Do not ask Age but Experience for Wisdom.

From fire, from flood, and from a mean wife, deliver us, O Lord!

God bless him that wines and dines another; bless him doubly, O Lord, that remembers hospitality.

There are as many different minds as there are heads in this world.

You cannot take towns by standing still.

He shot at a crane as it flew but 'twas a sparrow he slew.*

Firmness is brother to strength.

He that ploughs with zeal will always have luck and weal.

Do not play with what may slay.

The wise fear a word; the foolish not even a beating.

Stubbornness is a vice of the weak mind.

Morning is wiser than Evening.*

The jacket may be of sheepskin, but the soul is human.

Wonders in a sieve: the holes are many, yet there is no place to crawl through.*

KOSMA PETROVICH PRUTKOV

(1801 or 1803–1863)

EDITOR'S NOTE

Kosma Petrovich Prutkov, Poet and Director of the Assay Bureau, is the genial creation of the great poet, Count Alexis Constantinovich Tolstoy (1817-75), and the brothers Zhemchuzhnikov, Alexis Mikhailovich (1821-1908) and Vladimir M. (1830-84), talented poets both. Subsequently a third brother, Alexander M., poet, wit, and superb amateur actor, contributed a few pieces, while a fourth, Leo M. (1828-1912), well-known as an artist and folklorist, helped produce one of Prutkov's portraits. Tolstoy, the brothers Zhemchuzhnikov, and a few others formed a circle of wits who rocked St. Petersburg with pranks and hoaxes that Theodore Hook might have envied; their Prutkov became an effective means of ridicule during one of Russia's most abysmal periods of reaction and stagnation.

Prutkov's first comedy was produced, under the modest initials *Y and Z*, in January, 1851, at St. Petersburg; the public was bewildered, and all further performances were forbidden by one of the spectators, Nicholas I, who walked out on the play. Under his own name Prutkov first published in 1854.

This genuinely beloved author is best summed up in the memorabilia of Vladimir Zhemchuzhnikov: "When we were creating Prutkov . . . we were young and gay —and talented. . . . Prutkov, for the most part, energetically breaks down open doors. . . . His famous *Bdee!* [Be vigilant!] is reminiscent of the military command: *Plee!* [Fire!] . . . Being very limited, he gives counsels of wisdom. Without being a poet, he writes poems. . . . I loved Kosma Prutkov very much, and for that reason I state flatfootedly that he was a genius."

Prutkov's parodies have met the severest test: they remain excruciatingly funny, although most of the originals and genres parodied have been sloughed off by time. And many of his burlesque aphorisms have become genuine folk-sayings. Above all, Kosma Prutkov has attained to the status of a symbol. The fiftieth anniversary of his death was (more or less) solemnly marked throughout Russia: the fabulous *Satyricon* issued a Prutkov number that has in its turn become a classic; there were special performances at The Crooked Mirror Theatre, musical pieces written especially for the occasion were sung and played by stars, sculptors modeled new busts of the Poet, and so on.

Odd as it may sound, research fails to disclose anything of this classic author in English.

Fruits of Meditation

THOUGHTS AND APHORISMS

(*Selected*)

KOSMA PETROVICH PRUTKOV

Encouragement is just as necessary for a writer of genius as rosin is for the bow of a violin virtuoso.

The wedding ring is the first link in the chains of marriage.

No one can encompass the unencompassable.

There is nothing so great that it may not be surpassed in magnitude by another; there is nothing so small that a still smaller may not find room therein!

Better say little, but say it well.

What will others say of thee, if thou canst say nought of thy own self?

The memory of man is a sheet of foolscap: sometimes that which is written thereon turns out well and, sometimes, bad.

The imagination of a poet weighed down with grief is like unto a foot confined in a new boot.

A married scamp is like unto a sparrow.

A diligent physician is like unto a pelican.

An egoist is like unto one that hath been sitting in a well for a long time.

If thou hast a fountain, stop it up: let even a fountain have a rest.

Many men are like unto sausages: whatever you stuff them with, that will they bear in them.

Undeserved wealth is like unto water-cress: it will grow anywhere.

If the shadows of objects depended not upon the objects themselves but had a growth of their own, then, mayhap, there would not be found in all the world a single light spot.

A rifle in the hands of the warrior is even as the apt word on the lips of the writer.

In a house without tenants you will not find certain insects.

. . . . .

Virtue serves as its own reward; man surpasses virtue when he serves but receives no reward.

Be vigilant!

A dog sitting on hay is harmful; a hen sitting on eggs is useful; because of sedentary life men put on flesh—thus, every money-changer is fat.

A barometer can be easily replaced by any case of rheumatism.

What we have we do not cherish, but we weep when it doth perish.

A specialist is like unto a gumboil: his fullness is one-sided.

A sensitive man is like unto an icicle; warm him a little, and he melts.

Spit in the eye of him that sayeth the unencompassable can be encompassed!

If there were no colors, all would walk about in garments of the same hue!

Wind is the breath of Nature.

Should you read, upon an enclosure with an elephant, a sign saying *Buffalo*, believe not your eyes.

. . . . .

No one can encompass the unencompassable!

That is best for which one has an inclination: thus some prefer the croaking of frogs to the singing of nightingales.

The bureaucrat dies, but his decorations remain upon earth.

The publication of certain newspapers and periodicals must be profitable.

If you want to be handsome, join the hussars.[1]

Not every General is stout by nature.

Zeal overcometh all things!

There are occasions when zeal overcomes even reason.

While availing yourself of railroads, take care of your carriage also; such is the counsel of prudence.

A penknife in the hands of a skilled surgeon is far better than the sharpest lancet in the hands of another.

Who stops thee from inventing waterproof gunpowder?

---

[1] Kosma Petrovich Prutkov began his career as a junker in the Hussars.—*Trans.-Ed.*

Thou canst not hatch out the same egg twice!

When looking at objects at a considerable height, hold on to your hat.

A good cigar is like unto the terrestrial globe: it is rolled for the benefit of man.

A champagne cork, popping up and just as instantly tumbling: there you have a passable picture of love.

When gazing at the sun, pucker up your eyes—and you will fearlessly distinguish spots thereon.

Toil like an ant, if you would be likened to a bee.

What is cunning? Cunning is the weapon of the weak and the intelligence of the blind.

Seek not salvation in a separate treaty!

Wisdom, like unto turtle soup, is not within the reach of every man.

Know, reader, that wisdom decreases complaints but not sufferings!

No one will encompass the unencompassable!

A quite intelligent woman is like unto Semiramis.

Any fop is like unto a wagtail.

Any bureaucrat is like unto a quill.

Talents are verily mileposts of civilization, while their works are verily truthful telegrams sent to posterity.

The coefficient of luck is in reverse to the content of merit.

. . . . .

Why does the gray mare always envy the raven-black one?

Genius reasons and creates. The ordinary mortal carries the ideas out. The fool helps himself without a thank-you to anybody.

Why is a foreigner less eager to live among us than we are to live in his land? Because, even as it is, he is already abroad.

Before deciding on a business enterprise, make inquiries: Is a Jew or a German to be found in such a one? If so, go ahead: you will profit.

. . . . .

New boots always pinch.

All work is beneficial in that it kills time—which, however, is not in the least diminished thereby.

Man has his head set on top so that he may not walk with his feet in the air.

A Prussian [a cockroach] is one of the more pestiferous insects.

The star-strewn firmament I will always liken unto the breast of a long-serving General; the horizon, covered with close but gray clouds, I will boldly compare to the overcoat of a private.

Still, with all the zeal in the world, you will not hatch out the same egg twice.

Very many confirm my thought, that wind is the breath of Nature.

FOLK SAYINGS AND PROVERBS

EDITOR'S NOTE

PROVERBS are the salt of speech; Russian proverbs (to quote the skipping-rope rhyme) are pepper, salt, mustard, cider. "With a profound knowledge of the heart and a wise grasp of life will the word of the Englishman echo," wrote Gogol. "Like an airy dandy will the impermanent word of the Frenchman flash and then burst into smithereens; finically, intricately, will the German fashion his intellectually gaunt word, which is not within the easy reach of all men. But there is never a word which can be so sweeping, so boisterous, which would burst out so, from out the very heart, which would seethe so, and quiver and throb so much like a living thing, as an aptly uttered Russian word!"

The following despairing handful is from many sources: the pioneering collection of the gentle Dahl, whose vast and classical Dictionary is as absorbing as anything he wrote under the pseudonym of The Cossack Luganski; from Knyazev; from a compilation by an authentic hermit; from Trachtenberg's *Blatnaya* (*Underworld*) *Music*, from regional collections and many others.

There is no more comprehensiveness about the following than about a drop in an ocean, but there should be some variety. The reader will find a few proverbs from White-Russia (with the charm of homespun), a few from Little-Russia (the more robust and rollicking ones), a group about thieves; there are even nonsense proverbs—about thirty topics in all.

PROVERBS ON PROVERBS

This proverb is about Peter Petrovich Petrov, who doesn't live here but in Pskov.

The muzhik went afoot to Moscow, just to hear a proverb.

For every sin there is a proverb.

No proverb is uttered in vain.

An old proverb is uttered to the winds.

ANIMAL SAWS

A snipe is small game, but it's a bird just the same.

Don't change a cuckoo for a hawk.

His cage may be of gold, but that doesn't make the nightingale any happier.

When an old crow croaks, heed.

A scared crow will shy at a bush.

Even the crow got in the soup.[1]

The early bird that sings may wake a hungry cat.

In a cat-and-mouse game the stakes are not the same.

Two cats in one bag [or two bears in one lair] won't be over-friendly.

---

[1] A sly dig at the French, who literally had to eat crow during the Great Retreat of 1812. Another proverb, however, runs: When a Frenchman cooks a crow, it tastes like pheasant.—*Trans.-Ed.*

The fox's paw, the wolf's jaw, the priest's maw—there's no satisfying them.

CHARACTERIZATIONS

Some men are like billy-goats: they give nor milk nor wool.

Wanton as a cat; timid as a hare.

The mouth of a wolf, the tail of a fox.

Smart as a jackass, pious as a priest, honest as a Pole.

She wants a hound puppy—only he mustn't be a son of a bitch.

You can't beg ice from a miser even at Christmas time.

He can get a bushel out of a peck.

THE DEVIL

Nobody ever saw the devil, but all curse (or blame) him.

"The devil tempted me," says the monk. "First I hear tell of it," says the devil.

The devil is no match for a monk.

The devil found a cowl, but it wouldn't go over his horns.

Don't you go teaching a priest—that's the devil's business.

FOOD, DRINK AND TOBACCO

If the belly weren't such a nagger, we'd all get corns on our cans. (*Ukrainian.*)

If the belly didn't prod, we'd all die of bedsores. (*White-Russian.*)

He eats most porridge who's nearest the pot.

He that hath a priest for kin will have flour in his bin.

We eat out of a trough but get enough; you eat off a platter, but your food's no great matter.

Better know a fool than the way to the pothouse.

FOOLS—

Against a proverb, a fool, and the truth there is no appeal.

The world stands on fools.

Fools are the glory of the world.

If there were no fools, there'd be no sages either.

One can't give over wondering at a fool.

God loves fools.

Even God forgives a fool.[1]

Make a fool pray to God and he'll smash his forehead.

There's a difference even amongst fools.

He's a clever fellow, only there's no sense to him.

---

[1] An ignoramus angers even God.—*Catherine II.*

You'll get nor milk nor cheese from a fool—only whey.

With a fool you can neither weep nor laugh.

One fool can work mischief that ten wise men cannot mend.

Better to be with a sage in hell than with a fool in heaven.

A drunkard will sleep off his drink; a fool won't sleep off his folly, not if he was to sleep till Judgment Day.

Even tipsiness will not make a fool more foolish.

A fool has no fear of going crazy.

—AND PLUMB FOOLISHNESS

Only a fool would believe a Pole.

Even our fool can shoe a cat.

You can't brew beer if a fool stands near.

He lifted the load high but forgot to prop it up.

He eats treacle with an awl.

He's cutting hay for dogs.

FRIENDSHIP

One old friend is better than two new ones.

An old friend is better than a new enemy.

You've got to eat five-and-thirty pounds of salt with a man to learn what he's like.

There's no pattern for liking somebody.

For a friend that is dear, pawn the ring from your ear.

A friend is not dear because he is good, but good because he is dear.

Iron kettle and clay pot had best keep apart.

Fear not a clever enemy but the foolish friend.

IF ONLY—

If only our gray gelding had a black tail, and something else didn't fail, he'd be a raven-black stallion.

If only horns and hoofs had been given our sow, she'd be our cow.

If only we could harness a lark to a plough and a flea to a harrow!

If only the muzhik weren't so very thick, he'd be the squire.

If only a Gypsy's foresight were as good as a muzhik's hindsight, he'd put all the world out of sight.

LAW

You don't know what grief is till you go to law.

The law is a spider's web: the bumble-bee will tear it to shreds, the midge will get stuck.

Denim is always guilty when it comes up against velvet. (*Noted by Gogol.*)

Don't fear the law—fear lawyers.

LEARNING

Live long, learn long.

The greater the sage, the quicker he'll age.

He that knowledge would keep will have little sleep.

Even the fool may ride, and even the sage may walk.

He is wisest whose pocket is fullest.

LIFE AND DEATH

Life is only a long week.

Today honor is thine; tomorrow thou mayst herd swine.

Royal purple today; the dark grave tomorrow.

Between life and death is less than a flea's hop.

Build your house and sing your song, but remember the house of seven boards lasts ever so long.

Life may be hard, but death is harder.

There are many terrors; there is but one death.

GOOD LUCK—

Luck is better than wealth.

Luck is no horse—you can't bridle it.

He that's lucky can milk a bull.

If you're lucky, you can shave with an awl.

Two mushrooms in the spoon—and a third clinging to the handle.

Keep a stiff upper lip, Cossack—you'll be a hetman yet!

From your lips to God's ears!

—AND BAD

Ermak gained three boils on his back.

His face was bad enough, so he lost his nose.

He had only a crust, so he choked on that.

My only hope was in a fool—so he got wise.

The Tatar dreamt of cranberry sauce but had no spoon; he lay down to sleep with a spoon, but didn't dream of cranberry sauce.

He that knew no ill will not treasure weal.

MAN

Lots of people; few men.

The world is wonderful and dear; it's only man that is queer.

As in the cradle, so in the coffin.

A man's soul is the fire in a flint.

MASTERS

The squire is all right till his own lice start to bite.

If the poor did not feed the rich with bread, they would have to eat gold instead.

The rich would feel straitened even in Paradise.

The horny hand opens easily; the lily-white is tight-fisted.

The rich do as they like; the poor as best they can.

The poor sing; the rich listen.

The threats of the rich do not heed, but the tears of the man in need.

"MAYBE" AND "NEVER MIND"

Maybe is a thief that brings grief.

Maybe weaves a rope, and *Never Mind* ties it into a noose.

Maybe hung on to *Never Mind*, and both drowned.

MONEY AND TRADE

The belly may be sated; the eyes, never.

When gold speaks, you can hear a pin drop.

You can do a lot with love, but still more with money.

When a cudgel fails, try what a ruble will do.

Grunt, and clink a coin or two, and all things will come to you.

Money will get you friends.

Time is money, but money is not time.

Money is like a stone; it lies heavy on the soul.

When your pocket is empty, death has no terrors.

A lot of money may be a fall from grace; too little money is a disgrace; but no money at all is worst of all.

Poverty is no sin, but it's twice as bad.

Poverty is no disgrace, but you won't get any medals for it, either.

MOSCOW

It took ages to build Moscow.

It took only a spark to destroy Moscow.

Moscow is fair because of its women's hair.

The brave are no rare sight in Moscow.

You can find everything in Moscow except birds' milk —maybe.

Petersburg is the breadwinner; Moscow is bread.

Petersburg is the head; Moscow is the heart.

Vast is the land of Russia, but the dear sun shines on every bit of it.

NONSENSE[1]

"Hey, lookit! I drive the front wheels, and the hind ones go of themselves!"

See how clever the Germans are—they even invented monkeys! [2]

"Come, Theodule, why so down in the mouth?"—"I burned a hole in my coat."—"You could mend it."—"But I have no needle."—"Is it a big hole?"—"There's only the collar left."

"What are you doing now?"—"Nothing?"—"Who's that with you?"—"That's my helper."

RELIGION

> *It is a sin to accuse the Russian folk of intolerance and fanaticism; it is rather to be praised for its exemplary indifference to this faith business.*
> —*Belinski,* Letter to Gogol

Nobody has a contract with God. (*Ukrainian.*)

God waits long, but his blow is strong.

The Czar is not nigh, and God is too high.

Even God can't please everybody.

---

[1] The entire group is Ukrainian—not that each section of Russia could not have produced a representation as large and *almost* as good-natured. The sixth example is offered merely as the Little-Russian variant of what is indisputably the oldest story in the world; the last selection is from one of Gogol's notebooks.—*Trans.-Ed.*

[2] "Only they [the monkeys] couldn't squat but kept jumping all the while; until a Moscow furrier sewed tails on them—and they had to squat." Variant noted by Leskov.—*Trans.-Ed.*

God is with him who is deft and bold.

Trust in God but don't let your breeches slip.

Even Adam didn't escape sin.

Even a saint sins seven times a day.

There's no prophet without vice.

God alone is without sin.

Like God, like candle.

If you want to find the devil, look behind a cross.

You can make a cross, or a shovel, or a poker for the devil, out of the same piece of wood.

Not icons but meat-pies grace a house.

SLUGGARDS

Sloth came into the world before we did.

If you want to live long, send a sluggard to fetch Death.

When a Cossack isn't drinking vodka he's killing lice—but you'll never catch *him* loafing. (*Ukrainian.*)

Sluggard's Week: Holy Sunday; Blue Monday; Tuesday's a No-Use day; Wednesday is a past day; Thursday is the worst day; Friday is a Fast Day; and Saturday's a Rest Day. (*White-Russian.*)

One chops; seven grunt.

Last in the field; first at the feast.[1]

---

[1] To the latter end of a fray and the beginning of a feast
Fits a dull fighter and a keen guest.—*King Henry IV, Part I,* IV 2.

THIEVES

> *Falstaff:* There lives not three good men unhanged . . . and one of them is fat, and grows old.—*King Henry IV, Part I,* II 4

All men live by thievery, saving only thee and me.

There is grief for every thief.

Whenever there's a fair, the thieves are right there.

Tears come easy to the thief; piety comes easy to the knave.

A kopeck thief is hanged; the ruble thief is honored.

The rich thief pays with money; the poor thief with his head.

Nothing is as guilty as guilt.

Only the grave can straighten out the crooked.

THE TONGUE

Your tongue will lead you to Kiev.

Your tongue will bring you either to palace or prison.

You can get to the ends of the earth by lying, but you'll never get back. (*Noted by Gogol.*)

Hear all; believe half.

There's no eyesore like truth.

Keep your tongue in your head and you'll eat wheaten bread.

WOMEN AND MARRIAGE

Cities with too many women soon fall—but without women they will not stand at all.

A woman has a trick in stock for every tick of the clock. (*Ukrainian.*)

Women and drunkards cry easily.

Let a woman into heaven, and she'll want to drag her cow in.

All maids are pretty, all girls are witty—but where the devil do all the mean wives come from?

Smart are the women of Kazan, but still smarter the women of Astrakhan.

Never buy a horse from a Gypsy, and never marry a priest's daughter.

Never buy a horse from a priest, and never marry a widow's daughter.

Your death and your wife are both sent by God.

WORK

Toil is bitter, but bread is sweet.

Toil soils, but money buys honey.

If there be bread, even earth is a bed.

Fairy-tales aren't the best fare for nightingales.

He that wins bread with a shovel will die in a hovel.

The plough-horse eats straw; the circus-horse eats oats.

Fawning drinks mead; freedom means need.

Cats, doctors, and priests live on the fat of the land. (*Ukrainian.*)

A knacker flays the dead; a priest the quick and the dead.

Up with the dawn, but not much work done.

Lose an hour, and you won't make it up in a year.

WORLDLY WISDOM

The heart hears.

The fleetest steed will not fate's noose outspeed.

Don't brag of the day before nightfall.

Ill weeds grow apace and are hard to displace.

He whose bread you eat can make you dance to his tune.

Seven nurses make for a one-eyed child.

Love, fire, and coughing can't be hid.

If you don't know the ford, don't wade in.

If you're stingy with water you won't cook any porridge.

If you sow rapes you will not garner grapes.

If you can't leap over, try crawling through.

Mead takes a long time to ferment, but when it does, it bursts the bottle.

Drive too fast and you won't last.

THE VIKING PORTABLE LIBRARY

1. The Portable AS YOU WERE: An American Reader
Edited by Alexander Woollcott

2. The Portable STEINBECK. *Selected by Pascal Covici. Introduction by Lewis Gannett*

3. THE TRIUMPH OF LIFE: Poems of the Spirit
Edited by Horace Gregory

4. The Portable DOROTHY PARKER
Introduction by W. Somerset Maugham

5. The Portable WORLD BIBLE
Edited by Robert O. Ballou

6. The Portable HEMINGWAY. *Edited by Malcolm Cowley*

7. SIX NOVELS OF THE SUPERNATURAL
Edited by Edward Wagenknecht

8. The Portable SHAKESPEARE

9. The Portable READER'S COMPANION
Edited by Louis Kronenberger

10. The Portable CARL VAN DOREN

11. The Portable WALT WHITMAN
Edited by Mark Van Doren

12. The Portable POE
Edited by Philip Van Doren Stern

13. The Portable MURDER BOOK
Edited by Joseph Henry Jackson

14. The Portable F. SCOTT FITZGERALD
Chosen by Dorothy Parker. Introduction by John O'Hara

15. The Portable NOVELS OF SCIENCE
Edited by Donald A. Wollheim

16. The Portable OSCAR WILDE
Edited by Richard Aldington

17. The Portable WOOLLCOTT. *Selected by Joseph Hennessey. Introduction by John Mason Brown*

(LIST CONTINUED ON FOLLOWING PAGE)

18. THE PORTABLE FAULKNER. *Edited by Malcolm Cowley*

19. THE PORTABLE IRISH READER
Edited by Diarmuid Russell

20. THE PORTABLE MARK TWAIN
Edited by Bernard DeVoto

21. THE PORTABLE RABELAIS. *Selected, translated, and edited by Samuel Putnam*

22. THE PORTABLE THOMAS WOLFE
Edited by Maxwell Geismar

23. THE PORTABLE RUSSIAN READER
Edited by Bernard Guilbert Guerney

24. THE PORTABLE RING LARDNER
Edited by Gilbert Seldes

25. THE PORTABLE EMERSON. *Edited by Mark Van Doren*

26. THE PORTABLE BLAKE. *Edited by Alfred Kazin*

27. THE PORTABLE ELIZABETHAN READER
Edited by Hiram Haydn

28. THE PORTABLE D. H. LAWRENCE
Edited by Diana Trilling

29. THE PORTABLE MAUPASSANT
Edited by Lewis Galantière

30. THE PORTABLE JAMES JOYCE
With an introduction and notes by Harry Levin

31. THE PORTABLE THOREAU. *Edited by Carl Bode*

32. THE PORTABLE DANTE. *Edited by Paolo Milano*

33. THE PORTABLE CONRAD
Edited by Morton Dauwen Zabel

34. THE PORTABLE JOHNSON AND BOSWELL
Edited by Louis Kronenberger

35. THE PORTABLE CHEKHOV
Edited by Avrahm Yarmolinsky